Oude schuld

John Matthews

Oude schuld

Uitgeverij Areopagus

Oorspronkelijke titel
Past Imperfect

Vertaling
Martin Jansen in de Wal

Licentie-uitgave: E.C.I., Vianen
NUGI 331

Deel een

Proloog

De Provence, juni 1995

De drie figuren liepen over het pad langs het korenveld. Twee mannen en een jongen van elf.
De oudste van de mannen, Dominic Fornier, was achter in de vijftig. Een stevig gebouwde man met een lengte van bijna een meter tachtig en kort donkerbruin haar dat bij zijn slapen bijna helemaal grijs was. Twintig meter verderop zou het beste standpunt zijn, dacht hij terwijl hij zijn blik over het weidse korenveld liet gaan. Zachte, bruine ogen waarvan de buitenste hoeken iets omhoog wezen. Die vorm leek zijn ogen op de een of andere manier scherper te maken: alwetende, begrijpende ogen. Ogen die te veel hadden gezien.
De jongere man, Stuart Capel, was een paar centimeter kleiner en slank, met lichtbruin, bijna blond haar. Hij was een jaar of vijfendertig en zijn eerste rimpeltjes werden duidelijker zichtbaar toen hij zijn ogen half dichtkneep tegen de felle zon en de lichtgloed die over het gebleekte graan lag. Dominic zag een lichte gelijkenis tussen Stuart en de jongen, hoewel het haar van de jongen een tint lichter was en hij sproetjes op zijn neus en wangen had. Een fris, vrolijk gezicht, maar Dominic bespeurde nog steeds een lichte terughoudendheid, een afstandelijkheid en gereserveerdheid in de ogen van de jongen, die de pijn en littekens van de afgelopen maanden verraadden.
Toen ze schuifelend tot stilstand kwamen, vroeg Stuart: 'Dus hier is het gebeurd?'
'Ja, ongeveer.' Dominic wees. 'Een meter of vijf verderop, links van je.'
Stuart keek naar dat deel van het korenveld en het zei hem niets. Het stond nog maar een centimeter of dertig hoog nadat het in het begin van de zomer was gemaaid en het was hier zo stil dat het bijna griezelig was. Geen enkel spoor van de gebeurtenissen die hen naar deze plek hadden gebracht. Wat had hij verwacht? Hij keek opzij naar de jonge ogen met die verre blik die hij nu zo goed kende, maar hij zag ze niet oplichten van herkenning. Zoals dat vrijwel nooit of nauwelijks was gebeurd als de jongen wakker was. Waarschijnlijk waren nu zelfs de spookachtige schadu-

wen die hij aan de randen van zijn dromen had gezien, uiteindelijk aan het vervagen. Acceptatie. Stuart vroeg het zich af.
Zes maanden? Het leek zoveel langer als Stuart terugdacht aan de nachtmerrie die hen vandaag hiernaartoe had gebracht. En nu, met het proces in het vooruitzicht, zou er zoveel afhangen van de gebeurtenissen van de komende dagen en weken. Was dat waarop hij had gehoopt toen hij Dominic Fornier vroeg om met hen naar deze plek te gaan: dat het boek eindelijk gesloten kon worden en de geesten in hun hoofden tot zwijgen konden worden gebracht?
Aan de rechterkant van het pad stonden dennenbomen en hadden dikke bosjes hun wortels diep in de bodem geslagen die steil afliep naar het riviertje dat dertig meter verderop stroomde. Stuart hoorde het licht kabbelende water boven de zachte wind uit die door het graan speelde.
Hij hield zichzelf voor dat hoe groot zijn pijn en verdriet ook waren geweest, het voor Dominic Fornier allemaal nog veel erger moest zijn geweest. De zaak had Fornier meer dan dertig jaar achtervolgd. Van de jonge gendarme die hij toen was tot de hoofdinspecteur van nu, van een provinciaal zaakje tot een van de grootste en meest intrigerende zaken in de Franse rechtspraak. HET PROCES VAN HET DECENNIUM, had *Le Monde* het op de voorpagina genoemd. En het had Forniers gezinsleven geruineerd.
Dominic maakte zijn blik los van het korenveld en keek in de verte, naar het stadje Taragnon. Bloedvlekken die bruin afstaken tegen het zongebleekte graan. Het kleine gezicht dat opgezwollen en verminkt was. Dominic huiverde. De beelden waren na al die jaren nog net zo levendig en gruwelijk.
Het korenveld en het uitzicht waren hetzelfde gebleven, dacht Dominic, maar verder was alles veranderd. Alles. Hoeveel keer had hij in de afgelopen dertig jaar bij ditzelfde korenveld gestaan? De laatste keer dat hij hier was, in de afgelopen lente, had hij gehuild: gehuild om de verloren jaren, om familieleden en dierbaren die langgeleden waren heengegaan, gehuild om de verloren onschuld van zichzelf en van Taragnon. Die dezelfde was. Gehuild en gehuild totdat hij helemaal leeg was.
Even dacht hij dat hij zelfs de bellen van de geiten weer hoorde. Maar toen hij beter luisterde en het zachte geruis van de wind door het graan wegdacht, besefte hij dat het de kerkklokken van

Bauriac waren, die in de verte de ochtenddienst aankondigden, de vele diensten door de jaren heen: doopplechtigheden, huwelijken, begrafenissen...
Dominic beet op zijn lip. Hij voelde de tranen weer komen met de herinneringen, en hij bleef even met zijn rug naar Stuart en de jongen gekeerd staan terwijl hij zijn blik liet gaan over het verstilde panorama van velden en de vruchtbare groene heuvels van de Provence daarachter. En toen de pijn van de beelden hem te veel werd, kneep hij zijn ogen dicht en fluisterde hij: 'O, God, vergeef me alstublieft.'

1

Californië, december 1994

Velden van goud. Verschroeid graan onder de hete zon.
Eyran voelde de warme lucht langs zijn lichaam strijken toen hij tussen het graan door rende, opgewonden door het gevoel van snelheid dat de langsflitsende halmen hem gaven, waarna ze terugsprongen en zachtjes zijn kuiten en dijen geselden. Het was Engeland. Hij wist het instinctief, hoewel er in zijn droom geen kenmerken waren die daarop duidden. Het veld waar hij vroeger in Engeland altijd speelde, lag op licht hellend terrein dat langzaam afliep naar een klein landje van bomen en kreupelhout waar hij enkele van zijn favoriete schuilplekken had. Daarachter liep weer een korenveld omhoog, dat op zijn beurt grensde aan velden met kool, maïs en gerst. Een kleurrijke, luie lappendeken van groen en goud, die zich uitstrekte tot de horizon.
Maar het veld in zijn droom was vlak, en Eyran merkte dat hij tijdens het rennen verwoed om zich heen zocht naar al die vertrouwde kenmerken. De holle boom op het landje waar hij een kamp had gemaakt, de smalle beek die van Broadhurst Farm – waar Sarah soms met haar labrador was – naar het landje liep. Het veld dat zich voor hem uitstrekte bleef opvallend vlak, hoe hard hij ook rende en hoeveel schoven hij ook passeerde. De lijn van de blauwe horizon boven het goud bleef dezelfde. Omdat hij op de een of andere manier wist dat als hij bleef rennen, het land-

schap zou veranderen en hij zijn zo vertrouwde veld dat hellend afliep naar het landje zou zien, ging hij nog harder rennen, voortgedreven door een onuitputtelijke energie. Plotseling veranderde de vorm van het land en zag hij iets voor zich wat op een heuvelrug leek. Maar de stand van de zon was ook veranderd. Die scheen nu recht in zijn ogen, kwam steeds dichterbij en verblindde hem, zodat hij eerst de heuvel niet meer zag en toen de horizon ook niet meer. Het gouden graan werd spierwit en brandde in zijn ogen met een alles verblindende helderheid.
Eyran schrok wakker toen het licht zijn ogen pijn deed. Hij keek uit het raampje van de auto en zag dat de koplampen die recht in zijn ogen hadden geschenen wegdraaiden toen de auto op het kruispunt linksaf sloeg. Hij zag geen bekende herkenningstekens, hoewel hij wist dat ze al een flink eind hadden gereden sinds ze bij hun vrienden in Ventura waren vertrokken. Hij hoorde zijn vader Jeremy iets mopperen over de afslag die ze moesten nemen om op de I5 naar Oceanside en San Diego te komen, gevolgd door geritsel van papier toen zijn moeder voorin zonder succes probeerde de kaart op de juiste plek open te vouwen. Ze gingen wat langzamer rijden terwijl zijn vader naast zich op de kaart probeerde te kijken.
'Is het afslag 3 voor Anaheim en Santa Ana, kun je dat zien?' vroeg Jeremy. 'Misschien kan ik beter stoppen.'
'Misschien is dat beter. Ik ben niet goed in dit soort dingen.' Allison draaide zich half om naar de achterbank. 'Ik ben bang dat Eyran in elk geval wakker is. Hij moet morgen naar school, dus het zou goed zijn als hij nog even kon slapen.' Allison draaide zich nu helemaal om en streek Eyran over zijn voorhoofd.
Eyran sloot langzaam zijn ogen tijdens deze zachte streling. Maar toen zijn moeder haar hand weghaalde en hij wist dat ze weer voor zich uit keek, gingen zijn ogen vanzelf weer open en concentreerde hij zich op haar goudblonde haar totdat het vervaagde. Hij dwong zichzelf terug naar de warmte van het korenveld in zijn droom.

Allison zag dat Jeremy hard in het stuur kneep toen hij het over een problematische zaak op zijn werk had. Hij knipperde met zijn ogen om ze aan te passen aan het snel vallende schemerduister. De borden gaven nu Carlsbad en Escondido aan.
Ze keek even naar Eyran. Hij sliep weer, maar ze zag dat zijn

voorhoofd bezweet en de kraag van zijn hemd vochtig was. Ze trok de deken die over hem heen lag omlaag tot aan zijn middel. Begin december en het weer was nog steeds mild, met temperaturen rond de twintig graden. Nog twee weken school en dan, na een paar dagen, zouden ze naar Engeland vertrekken om bij Stuart en Amanda te gaan logeren. Ergens in haar hoofd zat ze te plannen hoe vaak ze Helena moest laten komen tijdens hun afwezigheid van drie weken, wat voor vers voedsel er nog in de koelkast lag en wat voor kleren, truien en jassen ze moest inpakken.
'We moeten binnen een uur thuis kunnen zijn,' zei Jeremy. 'Zal ik Helena bellen met mijn zaktelefoon?'
'Dat moet jij weten. Ze zou iets klaarzetten, en we zijn maar veertig minuten vroeger dan we hadden afgesproken.'
Jeremy keek opzij toen een grote truck met aanhanger hem voorbijreed en checkte zijn snelheid: 95 km per uur. Die truck reed zeker 110. Hij schudde even zijn hoofd.
Hij zag niet dat voor de truck een motor zonder richting aan te geven van rijbaan veranderde, noch de plotselinge manoeuvre die de bestuurder in de cabine moest maken om de motor te ontwijken. Het eerste wat hem opviel was het trage kantelen van de achterkant van de aanhanger, gevolgd door het abrupt wegdraaien naar opzij totdat hij bijna haaks op de truck kwam te staan en daarvan losschoot.
Het was alsof de tijd wegviel toen het gebeurde. Alsof plotseling alles stilstond: de weg, de bomen, de borden en de vangrail, het grijze schemerduister, het voorbijschietende landschap dat plotseling versteend leek. En het volgende moment kwam de aanhanger recht op hem af.
Jeremy remde hard en rukte het stuur opzij, maar de snelheid waarmee de aanhanger hem tegemoet vloog deed hem hardop naar adem happen. 'O... jezus!' Hij trapte de rem verder in en stuurde panisch van angst weg van het grote grijze blok metaal dat onontwijkbaar op hem afkwam en zijn hele blikveld vulde voordat het de voorkant van de Jeep raakte.
Hij hoorde Allison gillen toen de Jeep omhoogvloog door de kracht van de impact, voelde iets hard tegen zijn buik en ribben slaan waarbij alle lucht uit zijn lichaam werd geperst terwijl op hetzelfde moment de voorruit uiteenspatte en de stukjes glas langs hem heen vlogen als sneeuwvlokken in een sneeuwstorm. Het was meer gevoelloosheid dan pijn die hij ervoer toen het mo-

torblok achteruit werd geduwd en zijn rechterbeen net onder de knie raakte, en de eerste twee omwentelingen die de Jeep maakte, werden één kolkende werveling van lucht, asfalt en groen. Toen werd alles donker.
Hij kwam nog een keer bij kennis. Hij hoorde stemmen, hoewel ze heel gedempt en onduidelijk klonken. Toen hij probeerde iets te zien, leken de mensen ver weg te zijn, hoewel hij wel duidelijk de arm kon zien van de man die zich over hem heen boog en zijn lichaam aanraakte. Hij merkte dat hij moeilijk kon ademhalen, alsof zijn keel vol warm water zat en hij erin stikte, en hij voelde een brandende pijn in zijn maag en één been. Hij had daar al een tijdje gelegen, op bepaalde momenten klaar om de verlossende duisternis te verwelkomen, maar tegelijkertijd ook wetend dat de pijn nog zijn enige tastbare band met het bewustzijn en het leven was. Zijn mond vormde de naam 'Eyran', maar de man naast hem reageerde niet, noch hoorde Jeremy zijn eigen stem.
Toen ze ten slotte zijn lichaam optilden, gingen de lichten trillen en ze draaiden naar opzij, om daar vervolgens te verdwijnen, de stemmen vervaagden en hij gleed weg in de duisternis.

Stuart Capel keek op zijn horloge: tien over halfelf 's avonds, tien over halfdrie 's middags in Californië. Toen hij zijn broer Jeremy's nummer eerder had gebeld, kreeg hij het antwoordapparaat, dus had hij een notitie gemaakt dat hij het 's middags nog eens moest proberen.
Nog maar twee of drie weken te gaan en nog zoveel te regelen. Hij had Jeremy en zijn gezin al bijna twee jaar niet gezien. Hij had tien dagen kerstvakantie genomen, als ze hier waren, maar het probleem was dat hij zich niet meer kon herinneren of ze nu op de 16e of de 23e zouden arriveren. De altijd zo precieze Jeremy had hem bijna een maand geleden gebeld om hem uiterst nauwkeurig het vluchtnummer, de datum en de tijd door te geven. En op de een of andere manier had hij op de blocnote bij de telefoon wel het vluchtnummer en de tijd genoteerd, maar niet de datum. Het probleem was dat hetzelfde vluchtnummer elke week om dezelfde tijd landde.
Als hij het Jeremy nog eens moest vragen, zou dat waarschijnlijk leiden tot commentaar van zijn kant. Een korte sneer die alles verwoordde: ik ben georganiseerd en jij niet, ik ben succesvol omdat ik alles zorgvuldig plan, en jij doet slechte zaken

omdat je dat niet doet. De altijd zo precieze Jeremy. Elke stap van zijn leven zorgvuldig voorbereid en uitgetekend. Van de universiteit van Cambridge en Chambers in Londen tot aan zijn herexamens in de Verenigde Staten en de zes maanden in Boston als opstapje voor een advocatenkantoor in San Diego.
Stuarts leven en carrière waren bijna het tegenovergestelde geweest. Een enorme opleving in de jaren tachtig van ontwerpwerk voor drukwerk, en toen de neergang. Twee zakelijke partners die hem in de steek hadden gelaten en aan het eind van de jaren tachtig was hij praktisch failliet, om pas de laatste paar jaar weer uit het dal omhoog te kruipen. Methodische planning had nooit goed gewerkt voor Stuart en vrijwel al zijn meningsverschillen met Jeremy draaiden om hetzelfde: Jeremy die hem een of ander hecht doortimmerd plan opdrong en Stuart die hem vertelde waarom het niet zou werken en wat waarschijnlijk roet in het eten zou gooien, waarna ze steevast uitkwamen op Eyran.
Stuart zou terugslaan door te beweren dat Jeremy probeerde Eyrans leven te zorgvuldig te structureren, wat de jongen benauwde. Hij bespeurde in Eyran een speelse geest die Jeremy op de een of andere manier was onthouden, een nieuwsgierigheid en dorst naar het leven die Jeremy meestal probeerde in te binden door het leven van zijn zoon tot in de meest extreme details te plannen. Jeremy hield van Eyran, maar had er blijkbaar geen flauw benul van hoe belangrijk het was om een kind wat vrijheid toe te staan. Een vrijheid van keuze.
De laatste keer dat ze elkaar hadden gezien, bijna twee jaar geleden, waren Stuart en zijn gezin naar Californië gegaan. Hij had de knuppel in het hoenderhok gegooid door te beginnen over enkele van Eyrans vroegere vriendjes in Engeland. Kon Eyran hun niet een ansichtkaart sturen of misschien een klein souvenir van de dierentuin in San Diego? Jeremy had hem een duistere blik toegeworpen en hem later uitgelegd dat ze problemen hadden gehad met Eyrans heimwee en het feit dat hij zijn vriendjes in Engeland miste. Pas de laatste zes maanden was het iets beter gegaan en had hij het niet meer over hen.
Later tijdens diezelfde vakantie had Jeremy korte metten gemaakt met Stuarts plannen om zijn werkterrein uit te breiden met multimediaproducties en hadden ze nog meer woorden gehad. Natuurlijk waren er risico's, had Stuart uitgelegd. Alles wat afhing van creatieve input, marktverschuivingen en de onvoorspelbare

smaak van het grote publiek hield risico's in. En zoals altijd had Jeremy met zijn ogen geknipperd; Stuart had net zo goed kunnen proberen een Picasso uit te leggen aan een kleuter.
Stuart nam zich een paar dingen voor: het niet te hebben over a) Eyrans vriendjes in Engeland, b) Eyrans opvoeding en toekomst, en c) zijn eigen huidige zakelijke activiteiten die als risicovol konden worden gezien. Waren er nog meer dingen waar hij het met Jeremy beter niet over kon hebben?
Hij belde nog een keer maar kreeg Helena, het Mexicaanse dienstmeisje, die hem vertelde dat ze weg waren. 'Naar noorden van staat tot later vanavond... een uur of negen. Ik vragen ze u bellen als ze terug zijn?'
'Nee, het is oké. Ik zal de wekker zetten en terugbellen.'
Hij besloot dat de volgende ochtend om halfzeven te doen, halfelf 's avonds Californische tijd. Een van zijn vingers bleef even op de hoorn tikken nadat hij die op het toestel had gelegd. Een vluchtig gevoel van onbehagen. Hij duwde het snel weg en hield zichzelf voor dat het gewoon zijn zenuwen waren die zich opmaakten voor een mogelijke confrontatie met Jeremy.

Dokter Martin Holman, met zijn vierendertig jaar de jongste van de drie eerstehulpartsen in Oceanside, hoorde het opgewonden gepraat en de commotie al voordat de deuren van Spoedgevallen openzwaaiden. Hij werd zich bewust dat twee brancards naar verschillende delen van de afdeling werden gereden en toen viel zijn blik op de jongen.
'Wat hebben we?'
'Slachtoffer auto-ongeluk. Tien jaar oud. Verwondingen aan het hoofd, maar die aan de borst zijn ernstiger: twee gebroken ribben en mogelijk een borstbeenfractuur.' De ambulancebroeder bracht de woorden hijgend uit terwijl hij de brancard snel naar een bed reed.
'Is hij bij kennis geweest?'
'Nee. Hij is aldoor buiten kennis geweest sinds we hem hebben ingeladen. Ademhaling was geblokkeerd, dus we hebben de luchtwegen vrijgemaakt, de beademing aangebracht en hem bloedplasma gegeven om het volume op peil te houden. Het gebruikelijke. Maar de laatste paar minuten in de ambulance daalden zijn bloeddruk en pols. Zijn laatste pols was achtenveertig.'
'Oké. Optillen en aansluiten. Eén... twee!' Samen tilden ze de

jongen op het bed. Holman riep twee assistentes en de assistent-arts, Garvin, sloot hem aan op de monitors: hartslag, ademhaling en bloeddruk. Binnen een minuut had Holman beeld en hoorde hij de regelmatige piep van de pols. Maar hij was onmiddellijk gealarmeerd. Bloeddruk 98 over 56 en een pols van slechts 42 en dalend... 40. Er was iets mis. Er was iets vreselijk mis.
'Meer bloedplasma!' snauwde Holman naar Garvin. 'Wat is de bloedgroep?'
'O positief.'
Holman droeg de assistente op een voorraad bloed voor de transfusie te halen en keek weer naar de jongen. De pols bleef een paar seconden stabiel op 40 toen ze hem meer bloed toedienden, maar zakte toen weer een punt... 38. Holman raakte langzaam in paniek. Bij lage dertigers was het allemaal voorbij. Die jongen was aan het doodgaan!
Hij onderzocht hem snel – het noodverband om de borst was nat van het bloed, het gezicht en de schedel vol zware kneuzingen –, zocht naar tekenen die hem iets zeiden. Het bloedverlies was ernstig, maar het plasma zou dat gecompenseerd moeten hebben. Hij liep om de jongen heen, betastte zijn schedel, scheen met een lampje in zijn ogen. Geen respons. Er was waarschijnlijk inwendig letsel, maar hij zag geen verontrustende zwellingen die het huidige probleem konden veroorzaken.
'Zesendertig!' riep Garvin gealarmeerd.
Toen zag Holman de ongelijkheid in de borstkas van de jongen: een deel ervan kwam niet omhoog! Mogelijk een gebroken rib die een van zijn longen had doorboord.
Hij gebaarde dwingend naar de andere assistente. 'Borstcanule! En zet de afzuiger klaar!'
Holman sneed het verband om de borst open en schoof de canule – een holle, metalen pijp met een snijvlak aan de voorkant – langzaam tussen Eyrans ribben door in zijn linkerlong. Toen schoof hij een dunne plastic pijp door de canule en gaf hij de assistente een teken dat ze de pomp moest aanzetten. Die begon het bloed uit de doorweekte long te zuigen.
Garvin riep: 'Vierendertig!' En Holman mompelde binnensmonds: 'Kom op, kom op!' Het was tot nu toe een rustige dag geweest, met vrijwel alleen lichte verwondingen. Hij had gehoopt zijn dienst om twaalf uur zonder extremiteiten te beëindigen. Ga nu niet dood!

Holmans blik ging angstig heen en weer tussen de canule en de pomp. Het was een race tegen de klok. Hij hoopte dat hij genoeg bloed uit de long kon pompen om de bloeddruk en ademhaling op peil te brengen voordat de pols te diep wegzakte. Maar toen de bloeddruk daalde tot 92 over 50 en Garvin meldde dat de pols 32 en een paar seconden later 30 was, besefte Holman met toenemende paniek dat hij deze race aan het verliezen was.
Garvin schreeuwde: 'Bradycardie!', en de jongen zonk vrijwel onmiddellijk weg in een hartstilstand. Het gestage gepiep werd een aanhoudende toon.
Holman had al naar de assistente gebaard en riep: 'Reanimeren!' Garvin bracht de twee defibrillatorhandgrepen in positie, maar Holman stak een hand op en telde de seconden af: zes, zeven. Het was een gecalculeerde gok. Holman wist dat zodra het hart weer begon te kloppen, er nieuw bloed in de long zou worden gepompt. Elke seconde extra gaf hem een kans de long leeg te zuigen en te stabiliseren. Tien, elf. Garvin keek hem bezorgd aan en de hartbewaker piepte onheilspellend op de achtergrond. Veertien, vijftien. 'Oké... Los!'
Holman deed een stap achteruit terwijl Garvin hem de stroomstoot gaf. De schok deed het tengere lichaam van de jongen dramatisch opveren.
Maar er gebeurde niets. De hartbewaker liet nog steeds zijn aanhoudende gepiep horen. Negentien. Holman voelde de spieren van zijn onderkaak verstrakken, bang nu dat hij misschien verkeerd had getimed, te lang met de reanimatie had gewacht. Eenentwintig seconden had het hart al niet geklopt! Hij boog zich over de jongen heen, zette zijn hand op de borstkas en begon hartmassage toe te passen. De borst van de jongen zat onder het bloed en met die gebroken ribben en borstbeenfractuur was Holman bang dat hij niet zoveel druk kon uitoefenen als hij zou willen. Achtentwintig, negenentwintig.
Nog steeds niets! Het aanhoudende gepiep was een meedogenloos verwijt. Hij hoefde niet op te kijken. Hij sprong achteruit en gebaarde naar Garvin. 'Nog een keer!'
Weer een schok en weer veerde het lichaam op. Maar nog steeds geen hartslag, en Holman vreesde het ergste. Hij boog zich weer naar voren voor een nieuwe hartmassage, en zijn handen gleden door het bloed op de kleine, kwetsbare borstkast terwijl hij al zijn gevoel legde in elke beweging van zijn handen, die het le-

ven terug in het lichaam leken te willen duwen. Zweetdruppels parelden op zijn voorhoofd. Het was pas een paar minuten geleden dat de jongen naar binnen was gereden en zijn zenuwen hadden het al begeven, zodat hij zijn best moest doen om het trillen van zijn handen te beheersen en het ritme van de massage constant te houden. Drieënveertig, vierenveertig. Als hij de jongen nu kwijtraakte, betwijfelde hij of hij de rest van zijn dienst nog een andere patiënt onder ogen zou durven komen.
Maar hij wist allang dat er weinig hoop was. Nog één keer reanimeren, en dan was het gebeurd. Tegen die tijd zou de jongen al bijna een volle minuut dood zijn.

Velden vol graan dat vriendelijk wuifde in de wind.
De helling van het terrein veranderde plotseling, zonder waarschuwing. Eyran zag het kleine landje met bomen aan het eind van het veld, rende de helling af en voelde zijn opwinding groeien toen hij dichterbij kwam. Tussen de bomen op het landje was het donker en vochtig, en de lucht koeler. Hij zocht naar herkenningstekens die hem naar de beek zouden leiden terwijl hij zich een weg door het duister zocht. Er was een moment dat hij dacht dat hij verdwaald was, maar toen zag hij voor zich uit, achter een groepje bomen, plotseling de beek. Hij voelde zich eerst onzeker, want hij kon zich niet herinneren dat de beek op die plek was geweest. Toen hij dichterbij kwam, zag hij aan de overkant een kleine gedaante staan die voorovergebogen in het water stond te staren. Hij dacht dat het misschien Sarah was, maar hij zag nergens een hond. De gedaante richtte zich langzaam op en keek naar hem, en het duurde even voordat Eyran hem herkende: Daniel Fletcher, een jongen van zijn oude school in Engeland, die hij al jaren niet had gezien.
Hij vroeg Daniel wat hij hier deed, want hij speelde hier gewoonlijk toch niet? Daniel mompelde iets over dat het hier zo vredig was. 'Ik weet het,' beaamde Eyran. 'Daarom kom ik hier altijd. Het is hier zo stil. Sarah komt hier soms ook, met haar hond.' Toen herinnerde hij zich dat Daniel bijna vier kilometer voorbij Broadhurst Farm woonde. 'Het moet je eeuwen hebben gekost om hier te komen. Weten je ouders dat je hier bent?'
'Nee, dat weten ze niet. Maar dat maakt niets uit, want ik heb hen al jaren niet gezien.'
'Jaren niet gezien! Heel grappig.' Maar Eyran zag dat Daniel

niet glimlachte. Hij stond met een zielige blik in het water te kijken, en er was iets waardoor Eyran wist dat hier iets niet klopte, dat dit allemaal niet echt was, dat het een droom was. Toen besefte hij tot zijn schrik wat het was: Daniel had geleden aan chronische astma en was op zesjarige leeftijd overleden na een zware bronchitisaanval, meer dan een jaar voordat Eyran naar Californië was gegaan. Hij herinnerde zich nu ook de dienst in de schoolkapel, met de hele school in tranen, en hoe alle jongens die Daniel altijd hadden gepest met zijn zwakke gestel, zich plotseling schuldig hadden gevoeld. Hij zag Daniels kippenborst voor zich, zwoegend om zuurstof binnen te krijgen, en hoorde het vage gepiep waarmee dat gepaard ging. Eyran schrok van geritsel tussen de bomen en bereidde zich voor om zich om te draaien en weg te rennen, toen hij zag dat het zijn vader was.
Hij werd nerveus want hij had zijn vader nooit eerder op het landje gezien. Hij wist instinctief dat hij te laat was of iets verkeerds had gedaan en vormde met zijn mond in een bijna automatische reactie de woorden 'het spijt me'.
Zijn vader keek bedachtzaam naar Daniel voordat hij naar Eyran zwaaide. 'Je moet nu naar huis gaan, Eyran. Je hoort hier niet.'
Eyran wilde weglopen en merkte toen dat zijn vader hem niet volgde. Hij bleef bij Daniel aan de andere kant van de beek staan. 'Kom je niet met me mee, papa?'
Zijn vader schudde langzaam zijn hoofd en zijn ogen staarden bedroefd in de verte, en Eyran keek voorbij het landje en zag dat het inmiddels donker was geworden. De duisternis lag als een dikke zwarte deken over het land en het korenveld leek zich tot in het oneindige uit te strekken, zoals altijd, maar nu zonder heuvels en contouren die hij herkende. 'Maar ik kan verdwalen,' smeekte hij, net voordat zijn vader zich omdraaide en weer in het duister tussen de bomen verdween.
Eyran begon te beven en te huilen. Hij voelde dat hij zijn vader moest gehoorzamen en proberen zijn weg naar huis te vinden, hoewel hij tegelijkertijd zijn uiterste best deed om te begrijpen waarom zijn vader hem aan zijn lot overliet en alleen door het donker naar huis liet gaan. Als het hem nu maar lukte om thuis te komen, wist hij dat alles in orde zou zijn. Maar de duisternis die over het veld lag was diep en ondoordringbaar, en hij zag geen enkel herkenningsteken.

2

De Provence, augustus 1963

Alain Duclos zag de jongen een paar honderd meter voor zich uit aan de kant van de weg lopen. Zijn gedaante doemde als een luchtspiegeling op uit de trillende lucht van de augustushitte. Duclos was eerst niet van plan om te stoppen. Maar er was iets in de vermoeide houding en het profiel van het gezicht van de jongen dat hem vaart deed minderen. Toen hij dichterbij kwam en zijn krullende haar, olijfkleurige huid en het zweet op het voorhoofd van zijn verhitte gezicht zag, besloot hij te stoppen. Het was duidelijk dat de jongen vermoeid was en dat hem iets dwarszat. Het zijraampje was al opengedraaid vanwege de warmte. Duclos stuurde naar de kant van de weg en leunde naar opzij.

'Kan ik je een lift ergens naartoe geven?'

De jongen aarzelde en keek even achterom naar het korenveld. 'Nee. Nee, dank u. Het gaat wel.'

Duclos schatte dat hij niet ouder dan een jaar of tien, elf kon zijn. Hij kon niet helpen dat hij zag hoe mooi de ogen van de jongen waren: groen met kleine lichtbruine vlekjes erin, en hoe ze afstaken tegen de warme, olijfkleurige tint van zijn huid. Die ogen verraadden de bezorgdheid van de jongen. 'Weet je het zeker?' drong Duclos aan. 'Je ziet eruit alsof er iemand overleden is.'

De jongen keek weer achterom naar het korenveld. 'Mijn fiets is kapotgegaan, daar, net achter het korenveld. Ik was lopend op weg naar het huis van mijn vriend, Stephan. Zijn vader heeft een tractor met een oplegger, waarmee we hem op kunnen halen.'

'Hoe ver is het naar Stephans huis?'

'Vier à vijf kilometer. Het is aan de andere kant van het dorp. Maar het geeft niet, ik ben er wel eerder naartoe gelopen.'

Duclos knikte begrijpend, glimlachte en deed het portier open. 'Kom, je bent moe en het is warm. Ik rij je er wel naartoe. Het is veel te ver om te lopen.'

Aarzelend beantwoordde de jongen zijn glimlach. Voor het eerst keek hij naar het model van Duclos' auto en het vooruitzicht van een ritje in een sportauto wond hem zichtbaar op. 'Als u zeker weet dat het oké is.'

Weer die geruststellende knik en glimlach, en de jongen stapte in. Duclos sloot het portier, trapte twee keer kort op het gaspedaal terwijl hij in de achteruitkijkspiegel keek en trok op. Ze zaten even zwijgend naast elkaar terwijl de auto vaart maakte. Duclos zag dat de jongen naar het dashboard en de leren stoelen keek en zijn blik toen naar de aflopende motorkap liet gaan. Hij speelde in op de zichtbare nieuwsgierigheid van de jongen.
'Het is een Alfa Romeo Giulietta Sprint, 1961. Originele kleur, donkergroen. Ik wilde een van de klassieke Italiaanse racekleuren: rood of donkergroen, maar ik vond rood te opzichtig. Ik heb hem nu bijna twee jaar. Vind je hem mooi?'
De jongen knikte enthousiast en keek achterom naar de smalle achterbank en de ovale achterruit.
'Hoe heet je?' vroeg Duclos.
'Christian. Christian Rosselot.'
Duclos keek op zijn horloge: twaalf minuten voor één. Hij had veel tijd gewonnen sinds hij uit Aix-en-Provence was vertrokken. Duclos wist nu waarom hij was gestopt. De jongen herinnerde hem aan Jahlep, de Algerijnse jongen die zijn pooier in Marseille voor hem had gevonden en die tijdens zijn laatste paar bezoeken aan het bordeel zijn favoriet was geworden. Maar dan nog mooier. Zijn huid was niet zo donker als die van Jahlep en had de zachtere tint van glanzend rotan, en zijn grote groene ogen met die lichtbruine vlekjes waren echt ongelofelijk. De jongen droeg een korte broek en Duclos betrapte zich erop dat hij naar de gladde gebronsde huid van zijn benen zat te kijken. Ze hadden inmiddels anderhalve kilometer gereden, schatte Duclos, toen hij het bord langs de weg zag staan: TARAGNON 1,3 KM. Het huis van zijn vriend was even voorbij het stadje. Er was niet veel tijd. Duclos keek weer naar de benen van de jongen. Plotseling voelde hij zijn mond droog worden. Hij moest een situatie verzinnen waarin hij alleen met de jongen kon zijn, en snel. Een paar honderd meter verderop zag hij een onverharde landweg. Duclos minderde vaart en stopte er iets voorbij.
'Ik heb een idee. Als we bij Stephan komen en zijn vader is er niet of kan je om de een of andere reden niet helpen, dan is onze rit voor niets geweest. Ik heb wat gereedschap in de achterbak. We kunnen terugrijden naar je fiets, en als we hem niet kunnen repareren, dan doen we hem in de achterbak, binden die dicht en dan breng ik je naar huis. Waar woon je?'

'Bijna drie kilometer terug van waar mijn fiets nu ligt.' Christian wees over zijn schouder in oostelijke richting. 'Maar dat is niet nodig. Ik weet zeker dat ze er zijn. Stephans vader is altijd aan het werk op de boerderij.'
Duclos haalde zijn schouders op. 'Het probleem is, dat als ze er niet zijn, je daar vastzit.' Hij reed achteruit de landweg op, keek even of er verkeer aankwam, maakte een draai en reed terug naar waar ze vandaan waren gekomen. Neem gewoon het heft in handen, zei zijn instinct hem. De jongen protesteerde zwak. 'Luister,' zei Duclos, 'het is geen enkele moeite. Ik herinner me ineens dat ik iets moest ophalen bij de patisserie in Varages, dus het is geen omweg voor me.'
Duclos vroeg zich af of de jongen iets vermoedde. Nadat hij had aangedrongen, had de jongen uiteindelijk geknikt en naar hem geglimlacht, hoewel aarzelend, waarna hij snel door het zijraampje naar buiten ging zitten kijken. Het kon zijn normale terughoudende houding ten opzichte van onbekenden zijn, of misschien was hij wel argwanend. Het was moeilijk te zeggen. Duclos maakte zich nu meer zorgen over eventuele passanten die hen misschien samen zouden zien. Na bijna een kilometer kwam hen een truck tegemoet met een bedrijfsnaam en de plaatsnaam MARSEILLE in grote letters op de zijkant. Maar de cabine was zo hoog en ze passeerden elkaar met zo'n hoge snelheid, dat Duclos betwijfelde of de chauffeur enige aandacht aan hen had geschonken. Heel even dacht hij bij zichzelf: zet die jongen gewoon af, laat hem met rust en rij door naar Salernes. Maar de aandrang die hij voelde was te sterk. Een combinatie van opwinding, nieuwsgierigheid, vooruitzien en de spanning van het onbekende. Hij merkte dat hij het onmogelijk kon weerstaan. Ze waren net het punt gepasseerd waar hij de jongen had opgepikt.
'Is het nog ver?' vroeg Duclos.
'Nee, nog geen kilometer... het is bij een zandweg tussen twee boerderijen.'
De groen met gouden velden aan weerskanten van de weg lagen er bleek bij in het felle licht van de zomerzon. Na een lang recht stuk maakte de weg een bocht en passeerden ze een perzikenboomgaard waarvan de vruchten pas voor een deel waren geoogst en waar lang, wild gras tussen de bomen groeide. Christian wees de juiste richting aan.

Duclos draaide de zandweg op en zag dat de perzikenboomgaard na ongeveer honderd meter overging in bosland. De zandweg liep tussen de boomgaard en het bos door en het gras was het langst aan de kant van het bos. De jongen wees naar de plek waar hij zijn fiets had achtergelaten.
'Daar, aan de linkerkant, waar het gras het langst is. Ik heb hem verstopt zodat hij veilig zou zijn totdat ik terugkwam.'
De weg was zo hobbelig dat Duclos terugschakelde naar de tweede versnelling. Die benen. Die ogen. Zijn hartslag versnelde bij het vooruitzicht. Beelden van wat komen ging vormden zich al in zijn geest. Maar tegelijkertijd voelde hij zich nerveus en onrustig. Met Jahlep was alles altijd vooraf geregeld en de Algerijnse jongen was een bereidwillige deelgenoot. Nu stond hij oog in oog met het onbekende. Hij wist niet precies hoe hij zijn eerste zet moest doen, dat eerste contact dat de barrières zou wegnemen. Als hij de jongen eenmaal had aangeraakt en zijn bedoelingen duidelijk waren, wist hij dat hij onmogelijk nog zou kunnen ophouden. De vraag was alleen of de jongen dan door zou gaan met zijn medewerking of dat hij daarbij brute kracht zou moeten gebruiken.
Duclos zette de auto stil aan de kant van de weg, stapte uit en liep achter de jongen aan. Al na een paar passen en op aanwijzing van de jongen zag Duclos de fiets in het hoge gras liggen.
'Wat is ermee misgegaan?' informeerde hij.
'De rem heeft het achterwiel geblokkeerd. Daarom kon ik hem niet meenemen.'
Duclos ging op zijn hurken zitten om het wiel te bekijken, probeerde het voor en achteruit te draaien en merkte dat dat heel moeilijk ging. De jongen zat maar enkele tientallen centimeters van hem vandaan, eveneens op zijn hurken en keek aandachtig naar het wiel. Duclos rook de lichtzure zoetheid van het zweet van de jongen en hoe die zich vermengde met de geuren van gras en rijpe perziken. Het was op dat moment dat hij de schaafwond en de blauwe plek op de dij van de jongen zag. Dit was de kans waar hij naar had uitgekeken. Hij stak zijn hand uit naar de schaafwond en streelde hem zachtjes.
'Dat ziet er niet zo mooi uit. Je moet daar wat jodium op laten doen. En die blauwe plek zal er morgenochtend echt prachtig uitzien. Is dat gebeurd toen je fiets kapotging?'
'Toen de rem vastliep, ben ik geslipt.' De jongen maakte met

zijn arm een dramatisch gebaar naar het gras. 'Mijn been is onder de fiets terechtgekomen.'
Hij was zo lief, dacht Duclos. Die ogen waren hartverscheurend mooie groene meren waarin hij bijna kon zwemmen. De jongen was even geschrokken van zijn eerste aanraking, maar hij had zich niet bewogen. Duclos bleef het dijbeen strelen en werkte zich langzaam maar zeker naar boven. Dat was het moment waarop hij de blik in de ogen van de jongen zag veranderen, de pupillen werden groter en de ogen zagen er plotseling donkerder en bezorgder uit. De jongen wist dat er iets mis was. Maar toen de spieren van de jongen zich spanden om weg te springen, had Duclos de stof van zijn korte broek al stevig vastgepakt.
'Het heeft geen zin je te verzetten. Je zou jezelf alleen maar pijn doen. Ik wil je echt geen pijn doen.' Duclos' stem klonk zowel geruststellend als dreigend.
De beweging kwam plotseling. Christian stootte een geluid uit dat het midden hield tussen een schreeuw en een snik toen Duclos zijn broek naar beneden rukte en hem met zijn gezicht in het gras duwde.
Duclos streelde zacht de rug van de jongen, trok zijn hemd omhoog en liet zijn duim omhoog en omlaag over de bobbeltjes van zijn ruggengraat gaan. Het zweet van de jongen vergemakkelijkte die beweging en toen hij het een paar keer had gedaan, begon Duclos de billen en het geultje ertussenin te strelen. Duclos raakte al snel opgewonden. De huid van de jongen was zo zacht. Hij kon het tengere lichaam voelen trillen onder zijn handen, hoewel dat algauw steeds heviger werd en ten slotte overging in een zachtjes schokken toen de jongen ging huilen.
Duclos vond dat geluid storend en het bekoelde zijn opwinding. 'Wees stil. Wees in godsnaam stil. Het zal je niets helpen.'
Het gehuil klonk gedempter. Duclos trok zijn eigen kleren uit. Hij probeerde zichzelf tot andere gedachten te dwingen om zichzelf af te leiden van het gehuil toen hij zich over de jongen boog. Jahlep wenkte hem met één vinger, glimlachte naar hem en moedigde hem aan harder te stoten. De ogen van de Algerijnse jongen dansten van ondeugd en genot. Hij voelde de hete zon op zijn rug, het zweet op de rug van de jongen, waar hij zijn handen langzaam overheen liet gaan. Duclos schudde een paar keer zijn hoofd. De wind beroerde de toppen van de bomen en overstemde even alle andere geluiden, en Duclos voelde zichzelf

zweven op een golf van genot. Jahleps bruine ogen keken hem indringend en onderzoekend aan en dwongen hem naar een hoger niveau van genot. Maar plotseling zag hij de groene ogen van de jongen onder hem sterk vergroot voor zich; machteloos en opgejaagd, doodsbang en smekend. Hij schudde zijn hoofd weer om dat beeld te verdrijven, maar het bleef treiterend bij hem totdat hij zijn orgasme naderde en zijn schorre kreet van genot verloren ging in het geruis van de wind door de bomen.
Het kostte hem even om weer bij zinnen te komen. Hij trok zich los en ejaculeerde in het gras, half steunend op de rug van de jongen, met zijn wang tegen zijn blote huid, opeens bezweet en plakkerig. Hij rolde van hem af.
Naderhand lag hij op zijn rug en staarde hij naar de lucht. Hij hoorde de jongen nog steeds zachtjes huilen, hoewel dat geluid zich af en toe vermengde met of werd overstemd door het geruis van de wind. Het werd een en hetzelfde geluid.
Duclos keek opzij. Er liep een smal stroompje bloed langs de binnenkant van de dij van de jongen. Hij stak zijn hand uit en raakte zijn rug aan, maar hij voelde hem met een schok ineenkrimpen onder zijn aanraking. Hij wilde ‘het spijt me’ zeggen, maar wist dat die woorden hol en stompzinnig zouden klinken. Hij wist dat hij streng moest zijn en de jongen moest waarschuwen. Hij ging rechtop zitten en pakte de schouders van de jongen vast.
‘Kijk me aan. Kijk me aan!’ Duclos kneep hard in de schouders en schudde de jongen heen en weer totdat hij hem aankeek. Het gezicht van de jongen was nat van de tranen en hij deed een zinloze poging om een nieuwe traan weg te vegen met de rug van zijn hand.
‘Wat er vandaag is gebeurd, ís nooit gebeurd, begrijp je? Dit is nooit gebeurd!’ Duclos keek de jongen strak in de ogen en schudde hem nog een paar keer door elkaar, alsof hij hem daarmee zijn wil kon opleggen.
‘Dit is ons geheim en je vertelt het aan niemand. Niemand! Als je dat wel doet, kom ik achter je aan en vermoord ik je. Ik weet nu waar je woont, dus het zal niet moeilijk voor me zijn om je te vinden.’
Na een tijdje knikte de jongen. Duclos schudde hem nog een keer door elkaar om zijn woorden te benadrukken. ‘Heb je dat begrepen?’
Maar opnieuw waren het de ogen van de jongen die hem ver-

raadden. Achter de angst zag Duclos de onzekerheid en verwarring. Hij wist dat wat de jongen hem nu beloofde, later bestookt zou worden door moeilijke, volhardende vragen van zijn ouders, over wat hij deze middag had gedaan, en dat hij uiteindelijk zou praten. De politie zou erbij worden gehaald. En hij, met zijn opvallende auto, zou gemakkelijk gevonden kunnen worden, terecht moeten staan, in het openbaar worden vernederd en zijn straf moeten uitzitten, en zijn leven en carrière zouden geruïneerd zijn. Zijn dromen en plannen om binnen drie jaar assistent openbare aanklager in Limoges te zijn, zouden in rook opgaan. Op dat moment besefte hij dat hij de jongen waarschijnlijk zou moeten vermoorden.

Duclos zat dicht bij het raam in het restaurant. Vanaf die plek had hij een goed zicht op zijn auto, die aan de uiterste rand van het parkeerterrein stond. De auto stond niet op het pad van de mensen die naar het restaurant toe kwamen lopen, maar hij kon niet voorzichtig genoeg zijn.

Toen hij had besloten wat hij moest doen, had het hem bijna een kwartier gekost om de jongen op een veilige plek op te bergen, zijn overhemd aan repen te scheuren en met behulp van een paar touwen die hij in zijn auto had liggen, zijn handen en voeten bij elkaar te binden en hem te knevelen. De ruimte in de kofferbak was erg beperkt, en hij had de jongen naast het reservewiel gelegd, min of meer in een foetushouding, met zijn armen over het wiel heen. Hij had de jongen gewaarschuwd dat hij geen geluid moest maken en stil moest blijven liggen, anders zou hij een slang aan de uitlaatpijp doen, die in de kofferbak hangen en hem vergassen. De jongen had geknikt, met grote ogen van angst. Dat was het laatste beeld van hem dat Duclos zich herinnerde voordat hij de klep had dichtgedaan: die ogen die hem vragend en smekend aanstaarden.

Eerst wist Duclos niet zeker waarom hij het had uitgesteld. Het had gewoon niet goed gevoeld om de jongen op dat moment en op die plek te vermoorden. En hij wilde tijd om na te denken. Maar was dat uitstel niet alleen bedoeld om moed te verzamelen voor wat onvermijdelijk was? Of aarzelde hij nu? Had hij uiteindelijk niet vooral nagedacht over het wegwerken van zijn sporen, als hij de jongen toch moest vermoorden? Hij wilde geen enkele actie overhaasten.

De inspanning die het hem had gekost om de jongen vast te binden en in die hitte in de kofferbak te tillen, had hem vermoeid. Duclos' meest heldere gedachten waren pas gekomen toen hij wegreed, aan elkaar passende puzzelstukjes over hoe de onderzoekers de misdaad zouden reconstrueren, gebaseerd op zijn vroegere ervaringen met de Forensische Dienst van verschillende politiekorpsen. Tegen de tijd dat hij de eerste huizen van Taragnon bereikte, had hij het merendeel van de details uitgewerkt en was het restaurant een integraal onderdeel van zijn plan geworden. Hij keek op zijn horloge: elf minuten over halftwee. Timing was het belangrijkst. In de meest ideale situatie zou hij hier iets meer dan een uur blijven.
Duclos had het menu al bekeken, maar hij wierp er nog een korte blik op toen de ober zijn kant op kwam.
'De *plat du jour*, maar met de kalfscassoulet, alstublieft. De champignons vooraf en de *l'île flottante* als dessert.'
'En de wijn?' vroeg de ober.
'Rode wijn, alstublieft, en een glaasje water. Wat is de huiswijn die erbij hoort?'
'Chateau Vernet. Die is vrij goed, redelijk vol van smaak.'
Duclos vroeg niet naar het jaar. De huiswijnen waren bijna allemaal van recente, niet nader genoemde jaren. Trouwens, als het warm was verdunde hij de huiswijnen meestal met een scheutje water, hoewel hij, als de wijn goed was, één glas puur zou drinken.
Het restaurant was het eerste met een redelijk parkeerterrein ervoor dat hij na Taragnon was tegengekomen. Het was belangrijk dat hij zijn auto kon zien terwijl hij at. Het was een eenvoudig restaurant in caféstijl, lag dicht bij het stadje, nog geen kilometer ervandaan, en het bord langs de weg, dat de plat du jour aanbood voor slechts 3,40 franc, had een redelijk aantal lunchgasten aangetrokken. Het zat bijna halfvol en Duclos telde acht andere auto's en twee trucks op het parkeerterrein.
De ober had zijn bestelling doorgegeven aan de keuken en keerde terug met zijn wijn en water. De wijn schonk hij in, maar het water liet hij Duclos zelf doen. Duclos nam een slokje; hij was vol van smaak maar had een lichtzure afdronk. Drinkbaar maar niet buitengewoon. Duclos deed er een scheutje water bij en zag dat de andere ober achter de bar even zijn kant op keek. Hij was arroganter en nieuwsgieriger dan zijn eigen ober en was

aan het bedienen geweest bij het raam en had naar buiten gekeken toen Duclos kwam aanrijden en het restaurant binnen kwam lopen. Hij had het gezien aan zijn blik, de blik die Duclos al duizenden keren had gezien: jong, mooie auto, mooie kleren, een rijkeluiskind! Alles gekocht en betaald door zijn ouders. De ober, die iets ouder was dan zijn eigen vijfentwintig jaar, moest dag en nacht sloven achter de bar terwijl jongens als hij hier de hele zomer liepen te lanterfanten op kosten van hun ouders.
Maar in Duclos' geval was die kritiek onterecht. Hij was afkomstig van een familie die waarschijnlijk niet veel beter was dan die van de ober, en zijn vader was maar een eenvoudig voorman geweest in een plaatselijke aardewerkfabriek. Zijn vader had allerlei taken op de werkvloer verricht en het had hem jaren gekost om zich op te werken tot voorman. Toen, drie jaar later, was er een slecht gestapelde kist naar beneden gevallen en had zijn vader een ernstige verwonding aan zijn rug opgelopen. Hij moest steeds vaker vrij nemen om zich te laten behandelen, werd gedwongen om parttime te gaan werken en ten slotte wilde het bedrijf hem laten gaan. Het bedrijf was onvoldoende verzekerd geweest en zijn vaders uitkering was armzalig, en het was pas nadat er een advocaat was ingeschakeld en er was gedreigd met een langdurige rechtszaak, dat zijn vader uiteindelijk had gewonnen. Het bedrijf had zijn behandelingen betaald en hem een half jaarsalaris contant en een fulltime kantoorfunctie in het magazijn gegeven.
Duclos was toen pas dertien jaar geweest, maar de les over hoe een advocaat hun gezin had gered toen zijn vader schijnbaar machteloos was, had diepe indruk op hem gemaakt. De macht om de wet te hanteren als een zwaard der gerechtigheid, om van het leven te krijgen wat je wilde. Hij had hard gewerkt op school, zijn diploma gehaald en was rechten gaan studeren – met economie als bijvak – aan de universiteit van Bordeaux.
Op eenentwintigjarige leeftijd, drie maanden nadat hij was afgestudeerd, was hij gaan werken voor het openbaar ministerie in Limoges. Het eerste jaar als stagiair, daarna twee jaar als voorbereider van zaken voor de assistent-procureur en met een paar minder belangrijke zaken om zelf af te handelen. Maar in het afgelopen jaar had hij zaken gedaan die aanzienlijk belangrijker waren, waaronder twee heel belangrijke zaken voor de procureur-generaal zelf, die over drie jaar met pensioen zou gaan.

Iedereen zou dan een rang opschuiven, en hij was een van de drie juristen die in aanmerking kwamen voor de post van assistent-procureur. Zijn scoringspercentage lag hoger dan dat van de andere twee en zijn zaakvoorbereiding werd geroemd om zijn grondigheid. Nog drie jaar ertegenaan en die baan was van hem.
De ober kwam zijn champignons brengen. Onder het eten keek hij weer naar zijn auto. Hij had te lang en te hard gewerkt om dat nu allemaal op te geven.
De vriend bij wie hij in Salernes logeerde, Claude, had hij ontmoet op de universiteit van Bordeaux en ze waren sindsdien met elkaar in contact gebleven. Dit was Duclos' zesde bezoek in vier jaar tijd, onveranderlijk drie weken in augustus of tien dagen met Pasen. Claudes familie bezat een van de grootste wijngaarden van de omgeving, een château met zwembad en een flinke lap grond eromheen, en de Côte d'Azur was slechts ruim een halfuur rijden. Idyllisch, vooral voor de zomervakanties. Duclos reed altijd minstens twee keer naar Marseille voor een bezoek aan zijn pooier en aan Jahlep, onder het mom van een stomvervelend maar sociaal onontkoombaar bezoek aan een tante in Aubagne. Claude had er nooit vragen over gesteld.
Hij was in de loop der jaren gewend geraakt aan het optrekken van rookgordijnen en was er heel bedreven in geworden. Hij had nooit vaste vriendinnen gehad, maar hij was niet onaantrekkelijk en was door zijn positie altijd in staat geweest om meisjes te vinden die hem vergezelden naar speciale diners of andere zaken die met het werk te maken hadden. Om de schijn op te houden.
Duclos had zijn champignons op en even later werd het hoofdgerecht gebracht. Hij keek weer op zijn horloge. Hij was hier nu vijfentwintig minuten. Misschien moest hij na het eten koffie met cognac nemen om tijd te rekken.
Er ontbrak nog steeds één klein element aan zijn plan, en daar maakte hij zich met toenemende mate zorgen over. Hij dacht erover na tijdens de cassoulet. Pas toen hij bijna klaar was en zijn wijn voor de derde keer met water had aangelengd, begon hem iets te dagen en hij keek bedachtzaam naar de fles. Hij vroeg het zich af. Het zou kunnen werken, maar zou er genoeg water in de fles zitten? Die gedachte hield hem nog steeds bezig toen een beweging in de hoek van zijn blikveld hem langs de fles naar het parkeerterrein deed kijken. Zijn zenuwen spanden zich. Twee vrouwen die net het restaurant hadden verlaten, naderden

de auto naast de zijne. Terwijl de ene het portier opendeed, stond de andere even naar zijn auto te kijken. Bewonderde ze hem alleen maar, of had een geluid haar aandacht getrokken? Ze bleef even zo staan, keek toen naar het hek erachter en stapte in. De auto reed achteruit het parkeerterrein af en verdween uit het zicht. Duclos ontspande zich.
Maar zijn gemoedsrust was van korte duur. Een paar minuten later reed een truck het parkeerterrein op, nam de vrije plek in en onttrok zijn auto aan het zicht. Duclos werd meteen onrustig, want hij kon nu alleen nog het uiterste puntje van zijn ene achterlicht zien.
Hij merkte dat hij zich moeilijk kon concentreren op de rest van zijn maaltijd. Toen de l'île flottante werd gebracht, bestelde hij meteen zijn koffie met cognac. Nog vijftien minuten. Het wachten was om gek van te worden. Tegen de tijd dat zijn koffie en cognac werden gebracht, trilden zijn zenuwen alsof hij koorts had. Hij moest zijn hand stilhouden toen hij het glas naar zijn mond bracht. Hij wist niet precies of dat de naschok was van wat al was gebeurd, of van wat hij wist dat komen ging. De andere ober stond weer naar hem te kijken met diezelfde nieuwsgierige uitdrukking op zijn gezicht. Of las hij er te veel in en zag hij denkbeeldige spoken en problemen? Hij wist wel dat hij hier snel weg moest. Hij had nu al meer dan een uur zijn zenuwen gesterkt en wist dat als hij het niet snel zou doen, hij het waarschijnlijk helemaal niet meer zou kunnen. Zijn zelfbeheersing en besluitvaardigheid waren verdwenen.
Duclos streek met zijn hand over zijn voorhoofd en wenkte de ober. Die nam een bestelling op drie tafels verderop en kwam toen naar hem toe.
'De rekening, alstublieft.' De ober had zich al omgedraaid toen Duclos besefte dat hij iets had vergeten. Hij wees naar de fles op tafel. 'En een fles water om mee te nemen.'
Het was rumoerig in het restaurant, vol stemmen en het zachte getik van bestek. Duclos sloot zijn ogen en dwong zichzelf tot kalmte terwijl hij op de rekening wachtte. Zag hij er geagiteerd uit? Was zijn timing goed? Had de vrouw bij zijn auto daarstraks iets gehoord? Gedachten aan wat nu misschien al mis was gegaan en de mogelijke valkuilen die hem nog te wachten stonden, dwarrelden rond in zijn hoofd. Wat als hij vanochtend niet naar Aix-en-Provence was gegaan? Als hij die jongen niet langs de

weg had zien lopen? Jaren achtereen had hij rapporten gelezen over mensen die zichzelf hopeloos in de problemen hadden gewerkt, en hij had altijd gedacht dat hij het zoveel beter wist. Ongelovig schudde hij zijn hoofd.
Het kostte hem nog eens zes minuten om te betalen en zijn wisselgeld te krijgen, en tegen die tijd zat Duclos al oncontroleerbaar te trillen. Hij glimlachte en gaf een royale tip, ondertussen hopend dat zijn nervositeit niet zichtbaar zou zijn. Hij wilde dat ze zich hem herinnerden, maar niet op die manier.
Toen Duclos weer in zijn auto was gestapt, slaakte hij een diepe zucht en maande hij zichzelf tot kalmte toen hij zijn handen trillend op het stuur zag liggen. Hij voelde zich misselijk en zijn hoofd duizelde van duizend conflicterende gedachten... en uiteindelijk namen zijn zenuwen bezit van hem en zakte hij verslagen onderuit in zijn stoel. Hij dacht niet dat hij ermee door kon gaan.

Het eerste waar Christian zich in het duister bewust van werd, was het geluid van zijn eigen ademhaling. Hij had het heel warm in de kofferbak, zelfs al had hij zijn overhemd niet aan. Hij wist zijn tranen onder controle te houden, maar zijn lichaam trilde nog steeds hevig. Hoe moest hij uitleggen dat zijn overhemd kapot was gescheurd als hij thuiskwam, en waarom die man hem had vastgebonden en in de kofferbak had opgesloten? Hij hoopte wel dat de man hem geen pijn meer zou doen. Hij wist dat hij zijn moeder waarschijnlijk zou moeten vertellen wat er was gebeurd. Ze zou woedend zijn; ze had hem zo vaak gezegd dat hij niet mocht praten met onbekenden. Maar de man had hem herinnerd aan zijn neef François, die voor een van de parfumateliers in Grasse werkte... niet zoals de ruwe mannen die hij kende.
Christian dacht terug aan de dreigementen van de man. Als je het vertelt, vermoord ik je... Ik weet nu waar je woont, dus het zal niet moeilijk zijn om je te vinden. Misschien kon hij zijn moeder laten zweren dat ze het geheim zou houden; alhoewel, als ze het aan de politie zou vertellen, zou die hem zeker beschermen. Zou de man worden opgesloten voor wat hij had gedaan, zodat hij hem niets kon doen, en voor hoe lang ?
Christian luisterde naar het monotone gedreun van de motor en de banden op de weg. Hij spande zich in om nog meer geluiden te horen. Na een tijdje hoorde hij een vaag ruisend geluid, misschien een auto of vrachtwagen die hen passeerde, en toen weer

niets. Hoe ver waren ze al gereden? Het was moeilijk om de snelheid in te schatten met de echo's van de geluiden op de huizen die ze passeerden als enige leidraad. Die echo's waren er enige tijd, verdwenen toen even en kwamen toen voor langere tijd terug. Ze reden door Taragnon, tenzij ze ergens waren afgeslagen en het Bauriac was. Ponteves was te ver.
Na een tijdje stopten de echo's, wat onmiddellijk werd gevolgd door een ander vaag geruis van iets wat hen passeerde, en niet lang daarna minderden ze vaart. Hij voelde de auto een bocht maken en toen stopten ze. En toen begon het lange wachten.
De hitte werd ondraaglijk in de kleine ruimte. Hij lag vastgebonden in een ongemakkelijke, gebogen houding en hij kreeg kramp in zijn benen. Even vroeg hij zich af of de man was weggegaan en hem daar had achtergelaten. Soms hoorde hij stemmen in de verte en overwoog hij tegen de zijkant van de auto te schoppen om de aandacht te trekken, de enige actie waar hij met zijn boeien en knevel toe in staat was. Maar ze waren zo ver weg, dat ze hem misschien niet zouden horen, en wat als de man nog steeds vlak bij de auto was? Hij wachtte af.
Naarmate de tijd verstreek, werd hij steeds banger voor wat de man hem misschien zou aandoen. Hij merkte dat hij moeilijk kon ademhalen in die hitte, en de hete lucht gaf hem een akelig, raspend gevoel achter in zijn keel. Hij begon het bewustzijn te verliezen. Het was op dat moment dat hij aan het muntstuk in zijn broekzak dacht: de zilveren munt van twintig lire die hij van zijn opa André had gekregen. Zijn geluksmunt die hij altijd overal mee naartoe nam. Hij zat in zijn linker broekzak. Doordat zijn handen vastgebonden waren, kostte het hem een minuut om zijn hand in zijn broekzak te wringen maar ten slotte kon hij het vastpakken. Hij legde zijn armen weer om het reservewiel, nam het muntje stevig in zijn rechterhand en begon aan een stil gebed. Hij bad dat de man hem geen pijn meer zou doen, dat hij weer gauw thuis zou zijn, dat de politie de man zou vinden en zou opsluiten, en dat zijn moeder niet boos zou zijn als hij haar vertelde wat er gebeurd was.
De hitte maakte hem moe. Hij was bijna in slaap gesukkeld toen een paar stemmen hem deden opschrikken. In tegenstelling tot de andere stemmen kwamen deze dichterbij, totdat hij ze vlak naast de auto hoorde. Hij hoorde voeten schuifelen en een portier dat werd geopend. Hij dacht maar heel kort na over zijn actie

en schopte met beide voeten achteruit tegen de zijkant van de auto. Daarna wachtte en luisterde hij. Niets, afgezien van nog wat geschuifel en een ander portier dat werd geopend. Hij schopte nog een keer, maar op dat moment werd alles overstemd door het geluid van een auto of truck die voorbijreed. Toen hoorde hij de autoportieren dichtgaan. De motor werd gestart. De auto reed achteruit en verdween. Christian slaakte een diepe zucht en beet op zijn lip.

Kort daarna werd hij overmand door de hitte en dommelde hij weg. Hij had liggen denken aan de boerderij en die keerde terug in zijn droom. Er was een kleine bakstenen muur in het grote achterveld waar wilde aardbeien tegenop groeiden. Eén zomer had hij een deel van de aardbeistruik weggeknipt en met takken en stro een schuilplaats gemaakt tegen de muur. Hij was in die schuilplaats toen hij zijn vader Jean-Luc hoorde roepen. Hij besloot nog even te blijven zitten en dan tevoorschijn te springen om zijn vader aan het schrikken te maken. Toen hij voor de derde keer werd geroepen, sprong hij ineens boven op de muur. Maar zijn vader bleef naar de horizon turen, had hem blijkbaar niet gezien. Christian begon verwoed naar hem te zwaaien. Opnieuw liet zijn vader zijn blik langs de horizon gaan, langzamer en doelbewuster deze keer, en hij riep nog een keer zijn naam. Daarna stond zijn vader nog enige tijd wezenloos over de velden te turen, waarna hij zich ten slotte moedeloos omdraaide en terugliep naar het achtererf van de boerderij en de keukendeur.

Christian sprong van de muur, riep wanhopig zijn vaders naam en rende hem achterna. Maar terwijl hij dat deed, werd het gras steeds langer totdat hij het erf en zijn vader niet meer zag. Hij raakte in verwarring en voelde zich in de steek gelaten. Hij kon zich niet herinneren dat het gras ooit zo hoog had gestaan, en nu hij de boerderij niet meer kon zien, raakte hij alle gevoel voor richting kwijt. Hij bleef rennen en zijn vaders naam roepen, maar er kwam nog steeds geen antwoord, en Christian werd moe en voelde zich steeds meer in de steek gelaten. Het werd donker en hij werd bang. Hij riep zijn vaders naam nog een keer, kreeg weer geen antwoord en ging toen moedeloos in het lange gras zitten. Hij begon te huilen. Hij voelde zich afgewezen door zijn vader. Waarom ben je me niet komen zoeken? Even later ging de grond trillen en schudden door het zware gedreun van een motor. Het gedreun en getril verbaasde Christian, en het enige wat

hij kon bedenken, was dat zijn vader de tractor uit de schuur had gehaald en hem nu kwam zoeken.
Die hoop stilde zijn tranen maar even, want hij begon weer te huilen toen hij ontwaakte in de realiteit van de kofferbak en de hobbelige weg waar ze overheen reden. Ze hadden de hoofdweg blijkbaar verlaten. Hoe ver waren ze gereden? Hij besefte met een groeiende moedeloosheid dat hij alle gevoel voor tijd en afstand kwijt was geraakt; ze waren misschien al zo ver van Taragnon verwijderd, dat zijn vader hem niet meer zou kunnen vinden. Plotseling voelde hij zich net zo verloren en alleen als in zijn droom. Angst en verdriet namen bezit van hem en hij begon weer te beven.
Toen merkte hij met een plotselinge paniek dat er nog iets anders mis was. Hij was opa André's muntje kwijt. Zijn rechterhand was een stukje opengegaan en het muntje was er waarschijnlijk uit gegleden toen ze over de hobbelige weg reden. Hij zocht ernaar in het duister. Het lag niet op de velg van de reserveband; die was van glad metaal met kleine ovale openingen erin. Die openingen waren te klein om zijn vingers in te steken, zeker met vastgebonden handen, en als het muntje erdoorheen was gevallen, zou hij het niet meer kunnen pakken. Hij zocht om het wiel heen.
De auto was gestopt zonder dat Christian het merkte. Hij zocht nog steeds naar zijn muntje toen de kofferbak openging, fel zonlicht naar binnen viel en hem verblindde.

3

De Provence, augustus 1963

Dominic Fornier zat in Café du Verdon en genoot van zijn gebruikelijke ontbijt van koffie en warm brood met paté. Het was een grote koffie, in een kop die bijna zo groot was als een soepkom, en hij hield altijd een stuk brood zonder boter of paté apart om in zijn koffie te dopen. Het was tien over halfvier in de middag. Een ongebruikelijke tijd voor een ontbijt, maar hij had de hele nacht dienst gehad op het politiebureau en was nog geen

uur geleden wakker geworden om straks, aan het eind van de middag, aan zijn volgende dienst te beginnen.
Het was een terugkerend ritueel. Café-eigenaar Louis kende zijn bestelling inmiddels uit het hoofd en was al bijna gewend geraakt aan de volgorde van zijn wisselende diensten. Een grote koffie met melk, een derde stokbrood, doormidden gesneden, één helft met niets, de andere met boter en paté, en een tweede kop koffie als hij halverwege was.
Het café zag uit op het grote dorpsplein en de fontein van Bauriac, en het politiebureau was maar vijftig meter lopen en stond rechts van het plein, in de straat naast het stadhuis. Het stadhuis en Louis' café waren de meest imposante gebouwen die uitzagen op het plein. Het in neoklassieke stijl gebouwde stadhuis zou veel imposanter moeten zijn dan het café, maar Louis had dat gecompenseerd door blauw-wit gestreepte markiezen op te hangen en een rij tafeltjes met Martini-parasols voor de deur neer te zetten. Vooral 's zomers was het druk, en het was vooral vanaf Louis' terras dat de toeristen de imposante voorgevel van het stadhuis en de gebeeldhouwde fontein op het plein van Bauriac bewonderden.
Er waren die middag weinig toeristen. Dominic herkende ze op een kilometer afstand. Korte broeken, leren sandalen en fototoestellen. Altijd fototoestellen. Louis liep kreunend langs Dominics tafel toen hij er een paar ging bedienen. De voordeuren van het café stonden wijdopen en de jukebox liet de vrolijke klanken van Stevie Wonders mondharmonica horen. Louis deed alsof hij er een schop tegenaan wilde geven toen hij goochelend met zijn dienblad in de ene hand het café weer in kwam. Dominic glimlachte. Dit was een van zijn bijdragen aan Louis' jukebox: fatsoenlijke muziek. Stax, Tamla-Motown, de Drifters op RCA, Sam Cooke, Ben E. King, Booker T, en nu een nieuwe artiest die Stevie Wonder heette. Allemaal Amerikaanse soulmuziek die hij kon bemachtigen via zijn ooms importzaak in Marseille, en die nog minstens twee à drie maanden nergens anders in Frankrijk te koop zou zijn. Soms bleef dat ook zo. Het begon nu iets beter te worden, maar toen hij aan het eind van de jaren vijftig voor het eerst platen bij zijn oom ging bestellen, was maar een zeer beperkt deel van de Amerikaanse soulplaten in de Franse winkels te koop.
Geen van de toeristen op Louis' terras, tenzij ze Amerikaan wa-

ren, zou deze plaat van Stevie Wonder al hebben gehoord. Ze waren zich daar niet van bewust terwijl ze hun thee en cola dronken of even wegliepen om een foto van het stadhuis of de fontein te maken. Ze waren niet naar Frankrijk gekomen om naar Amerikaanse soul te luisteren. De platen zaten alleen in de jukebox voor hemzelf, Louis en het groeiende aantal klanten dat 's avonds laat naar het café kwam. Een welkome ontsnapping aan de mierzoete klanken van Sacha Distel, Serge Gainsbourg, Soeur Sourire en de popmuziek die de Franse hitlijsten bezette. Sinds Louis de jukebox had neergezet, was het aantal jonge klanten, die op hun Solexen en Vespa's met 100cc- of 150cc-carborateurs naar het café kwamen, alleen maar gegroeid. Lichtgewicht rockers, voor het grootste deel tussen de vijftien en tweeëntwintig jaar, die op vrijdag- en zaterdagavond ruimer vertegenwoordigd waren, en vrijwel allemaal inwoners van Bauriac. Louis' inschatting dat de jukebox zijn omzet zou verhogen, was juist geweest.
Degenen die ouder dan tweeëntwintig jaar waren, hadden meestal zwaardere brommers of motoren of auto's, en gaven de voorkeur aan de clubs en disco's in Aix, Draguignan of zelfs Marseille en Toulon. Maar wat het lokale vertier betreft, afgezien van de bioscoop en de enige andere bar met muziek in de buurt van Taragnon, had Louis de markt veroverd.
Bauriac had iets meer dan 14.000 inwoners, en zelfs als je daar de inwoners bij optelde van omliggende steden als Taragnon, Varages, Ponteves, St. Martin en La Verdière, die werden bestuurd vanuit het stadhuis in Bauriac en onder dezelfde gendarme vielen, bedroeg de totale bevolking van de streek niet meer dan 35.000 mensen.
Dominic Fornier was een van de elf gendarmes die in Bauriac waren gestationeerd, en met zijn zesentwintig jaar de jongste van de twee hogere onderofficieren die een jaar geleden van Marseille naar Bauriac waren overgeplaatst. Hoofd van het korps en van de vier andere gendarmerieën in de omgeving was districtscommandant Tobias Poullain, zevenendertig jaar oud; hij was in Bauriac geboren maar zat nu slechts zijn tijd uit en wachtte op overplaatsing naar Aix-en-Provence of Marseille, of een plaats in het gemeentebestuur met de rang van kolonel, wat hij voor zijn veertigste hoopte te bereiken. De veteraan van het bureau was inspecteur Eric Harrault, negenenveertig jaar oud.
Harrault kende de vroegere zaken in Bauriac en de algemene

procedures tussen het bureau en de gerechtshoven in de omgeving als zijn broekzak en het gevolg daarvan was dat hij het grootste deel van zijn tijd achter zijn bureau doorbracht. Zonder Harrault als vraagbaak of procedureel adviseur liepen de zaken niet gladjes op het bureau.
Louis was naast zijn tafel komen staan. 'Kom je vanavond nog?'
'Dat weet ik nog niet. Hangt ervan af hoe zwaar mijn dienst is. Misschien ben ik te moe.'
'Te moe, op jouw leeftijd?' Louis maakte een wegwerpgebaar. Hij knikte in de richting van de *boulangerie*. 'Waarom vraag je Odette niet? Valerié komt waarschijnlijk ook.'
'Misschien.' Odette was een negentienjarig meisje met een leuk, fris gezicht. Ze werkte in de bakkerij aan de overkant en Dominic was de afgelopen vier maanden een aantal keren met haar uit geweest. Niet te serieus. Dominic probeerde zijn afspraakjes te beperken tot niet meer dan twee per week, vooral omdat hij thuis nog andere verplichtingen had. Aangezien hij vanavond niet voor middernacht klaar was, was een echt afspraakje uitgesloten, hoewel de aanblik van Louis, die zijn uiterste best deed om de gunsten van Valerié te winnen, een bezoek wel weer de moeite waard maakte. 'Ik kom waarschijnlijk alleen, voor één cognacje, en om jou even gezelschap te houden aan de bar.'
De laatste keer dat Valerié er was, had Louis Sam Cookes *Another Saturday Night* opgezet, de plaat die Dominic een paar weken daarvoor voor hem had meegebracht. Louis was achter de bar vandaan gekomen, had zijn overhemd uitgetrokken en had daar als een matador mee lopen zwaaien. Hij had blijkbaar de behoefte gevoeld om Valerié zijn spieren te laten zien, aangezien hij zichzelf, met zijn donkere Corsicaanse uiterlijk, als een soort tweede Victor Mature zag. Dominic had plagend opgemerkt dat hij meer op Bluto leek. Louis liep tegen de vijftig en te veel eten van wat hij op zijn eigen menu had staan, had zijn spieren al lang geleden van hun definitie beroofd. Maar Louis' stierenlichaam dat een poging deed om een gracieuze imitatie te geven van iets tussen een jive en een tango, was het onthouden waard.
'Beter volk, zo laat op de avond,' merkte Louis op.
Dominic knikte. Net na middernacht binnenkomen, als zijn dienst erop zat, zou waarschijnlijk een goede timing zijn. Na elf uur waren de rockers meestal voor het grootste deel verdwenen en kwamen er meer jonge stelletjes binnen die van de bioscoop

op weg naar huis waren. *Cleopatra* draaide voor de tweede week. Louis had gelijk; het zou hem waarschijnlijk goed doen.
'Maar ik blijf maar een uurtje of zo, dan moet ik naar huis.'
Louis grijnsde begrijpend. Dat Dominic zijn zieke moeder niet te lang alleen wilde laten, was inmiddels bijna algemeen bekend. Dominics oudere zus woonde met haar man in Parijs en kon maar af en toe komen, dus had Dominic het grootste deel van de verantwoordelijkheid op zijn schouders genomen. Iets meer dan een jaar geleden, nog geen twee jaar nadat ze zijn vader hadden begraven, was er kanker bij zijn moeder ontdekt en dat was de hoofdreden dat hij zich vanuit Marseille had laten overplaatsen. En dat hij zijn afspraakjes beperkte en probeerde niet te laat thuis te komen. Dominic wist dat er niet veel tijd meer was die hij samen met zijn moeder kon doorbrengen.
Dominic werd afgeleid. Servan, een van de jonge brigadiers van het bureau, kwam over het plein in de richting van het café rennen. Louis zag het ook. De laatste keer dat Dominic een gendarme had zien rennen, was toen de pas geïnstalleerde alarminstallatie van de juwelier om de hoek per ongeluk was afgegaan. Er was iets mis.
Servan was buiten adem toen hij bij Dominics tafel aankwam.
'Een jongetje is ernstig mishandeld in de buurt van Taragnon gevonden. Poullain heeft het net gemeld. Hij is op weg ernaartoe. Hij wil dat jij assisteert en dat ikzelf, Levacher en een andere brigadier met je meekomen. We moeten hem daar ontmoeten.'
'Waar is Harrault?'
'Hij was met Poullain op de boerderij van Tourtin toen het werd gemeld. Er was afgelopen nacht ingebroken in een van Tourtins schuren. Toen Poullain het telefoontje kreeg, heeft hij Harrault daar gelaten om de verklaring op te nemen.'
'Hoe oud is dat jongetje?'
'Ergens tussen de negen en twaalf jaar. We hebben nog geen goede identificatie.'
'Hoe ernstig is hij eraantoe?' De verbazing klonk door in Dominics stem. Dit was Bauriac. Iets ernstigers dan een gestolen tractor maakten ze zelden mee.
Servan aarzelde en ontweek zijn blik. Of hij wist het niet, of hij wilde het niet uitspreken in het bijzijn van Louis. 'Ik denk dat Poullain je de details beter kan geven.'

De zwarte deux-cheveaux reed ratelend over de hobbelige weg langs het korenveld. Het was de standaard dienstauto van de gendarme, maar hij voelde aan alsof hij was gemaakt van oude conservenblikken en werd voortgedreven door een grasmaaiermotor. Dominic haatte ze uit de grond van zijn hart. Met de licht hellende weg en de vier inzittenden protesteerde de motor kreunend.
Servan wees de weg. 'Ik weet zeker dat dit de juiste weg is. De rivier is rechts van ons. Ongeveer honderdvijftig meter verderop, zei Poullain.'
Ze reden de bocht om en zagen dat het laantje vijftig meter verderop was afgezet met touw. Poullains zwarte Citroën DS19 stond aan de kant van de weg, met een ambulance erachter.
Poullain had zijn jasje uitgetrokken, zijn mouwen opgerold en zijn pet afgezet. Zweetdruppeltjes parelden langs zijn wijkende haarlijn en hij zat midden in een verhitte woordenwisseling met een van de ambulancebroeders toen ze hun auto parkeerden. Poullain was niet zo groot, maar hij had een vrij breed postuur en probeerde bij confrontaties zich altijd groter te maken door snelle, hoekige bewegingen met zijn armen te maken. Toen ze op hem toeliepen, stond hij de ambulancebroeder bijna met de rug van zijn hand op de borst te slaan om zijn mening kracht bij te zetten.
Poullain keek langs Dominic en snauwde naar Servan: 'Heb je de camera meegebracht?'
Servan knikte haastig. 'Zoals u hebt gevraagd.' En hij rende terug naar de auto om hem te pakken.
Poullain was ongeduldig en verhit. Toen Servan terugkwam met de camera, een oude Leica 35 mm met een zwarte body vol deuken en met afgesleten randen, blafte Poullain: 'Ben je een beetje goed in het maken van foto's?' Servan haalde zijn schouders op alsof hij 'het gaat wel' wilde zeggen. 'Dan neem je ze zelf, dan kunnen we deze eikel tenminste wegsturen.' Poullain wierp een afkeurende blik op de ambulancebroeder en toen op de gedaante van het jongetje, dat aan zijn voeten op een brancard lag. De ambulancebroeder hield een zuurstofmasker op het gezicht van het jongetje.
Poullain keerde hun zijn rug toe en slaakte een diepe zucht toen Servan naar de best mogelijke posities en beeldhoeken zocht. Dominic stond vlak achter hem en terwijl de sluiter klikte, bekeek hij het gezicht van de jongen. De ambulancebroeders hadden zichtbaar al veel van het bloed van zijn gezicht geveegd.

Maar de kneuzingen en zwellingen waren zo ernstig dat de botstructuur wel veranderd leek, en er zat nog steeds bloed vastgekoekt in zijn haar. Er zat verband om een deel van de schedel van de jongen, dat onder zijn kin door was gehaald en weer naar boven liep. Een paar meter opzij zag Dominic de plek waar het graan geplet was en drie vlekken opgedroogd bloed lagen: een grote, ovale vlek en twee kleinere en wat spatten en strepen daaromheen. Bloedvlekken die bruin afstaken tegen het zongebleekte graan. Dominic huiverde.

Nadat er vijf foto's waren gemaakt, wuifde Poullain de ambulancebroeders weg met een paar korte woorden over hoe ze later weer met elkaar in contact zouden treden, stuurde hij Servan naar de bloedvlekken en wees hij hem een paar standpunten aan voor de close-ups die hij nodig zou hebben. De ambulancebroeders tilden de jongen in de auto en reden achteruit het laantje uit. Poullain keek op naar Dominic.

'Mijn excuses daarvoor. Eerst zeiden ze dat ze de jongen niet konden verplaatsen omdat hij waarschijnlijk zou stikken in zijn eigen bloed, en namen ze de tijd om hem schoon te maken en een stuk pijp in zijn keel te schuiven. Ik zeg: "mij best, maar ik moet in elk geval een paar foto's van hem laten maken". Maar zodra ze klaar waren, wilden ze hem meenemen. Dat was op het moment dat ik jullie zag aankomen... maar ze wilden niet wachten. Dus moest ik ruzie met hen gaan maken om één minuut tijd te winnen.' Poullain bette zijn voorhoofd met de opgerolde mouw van zijn overhemd. 'Luister, Fornier, ik wil dat je hierbij assisteert. Daar zijn twee redenen voor. Ten eerste zal er een massa papierwerk bij komen kijken. Ten tweede zullen we veel contact moeten hebben met eenheden van buiten deze streek, met name uit Marseille. Er is op dit moment een forensisch team uit Marseille op weg hiernaartoe.'

'Maar Harrault dan?' vroeg Dominic. Harraults ervaring zou er normaliter voor hebben gezorgd dat hij die rol op zich zou nemen, zeker als het om zo'n belangrijke zaak ging.

'Harrault gaat doen waar Harrault het best in is. Hij neemt onze rapporten en aantekeningen en zorgt ervoor dat alles zonder problemen bij het gerechtshof in Aix terechtkomt. Want daar zal deze zaak ongetwijfeld eindigen, zeker als het een moordzaak wordt. De ambulancebroeders zeiden dat het erom zal hangen of de jongen zal blijven leven. Harrault zal de helft van zijn tijd besteden aan het uitwisselen van rapporten tussen ons en de onderzoeksrechter en het openbaar ministerie in Aix. Ik wil dat jij hierbij assisteert en aantekeningen maakt, ervoor zorgt dat al het materiaal Harrault in goede staat bereikt en bemiddelt en eventuele problemen oplost met de jongens uit Marseille. Ik wil bij een zaak als deze niet de controle verliezen.'

Dominic vroeg zich af wat belangrijker was. Zijn goede steno voor het maken van aantekeningen of zijn drie jaar bij het politiekorps van Marseille. Poullain maakte zich blijkbaar zorgen dat hij zou worden overschaduwd door de jongens uit Marseille. De jongen lag nog niet eens in het ziekenhuis, zou misschien niet eens de nacht doorkomen, en Poullain maakte zich al meer zorgen over de politieke kanten van het onderzoek. Hij was gewoon bang dat zijn carrière zou worden geschaad als deze belangrijke, plaatselijke zaak hem uit handen glipte.

'Wie komen er uit Marseille?' vroeg Dominic.

'Dat weet ik niet. Ik heb radiocontact met ze opgenomen en kreeg te horen dat ze een forensisch team zouden sturen. Er zijn geen namen genoemd.'

Servan kwam naast hen staan met de camera in zijn hand en wachtte op verdere aanwijzingen. Rechercheur Levacher keek bedachtzaam in de richting van de rivier.

'Hebben jullie de stokken meegebracht?' vroeg Poullain.

'Ja.' Het was Levacher die antwoordde. Hij liep terug naar de 2CV om ze te pakken. Ze waren onderweg gestopt bij een ijzerwinkel om ze te kopen en vroegen zich duidelijk nog steeds af waarvoor ze waren.

Poullain wees naar het korenveld. 'Levacher en Servan, jullie beginnen drie meter vanaf de bloedvlekken en gaan met twee meter tussenruimte het korenveld afzoeken. Aan het eind draaien jullie je om en nemen jullie de volgende strook van vier meter. Gebruik de stokken om het graan opzij te duwen. We zijn op zoek naar kledingstukken, ook delen daarvan, zelfs kleine stukjes stof of knopen of snoeppapiertjes. Alles wat ons een aanwijzing kan opleveren. En het wapen dat is gebruikt: een dikke stok of ijzeren staaf of misschien een kei met bloedvlekken erop.' Poullain wees naar de rivier. 'Daarna nemen jullie het groen langs de rivier. Kijk ook in het water. Zoals ik al zei, blijf drie meter uit de buurt van die bloedvlekken. Laat dat over aan de forensische dienst.'

Poullain keek naar het korenveld terwijl Servan en Levacher op weg gingen. Na een tijdje schudde hij langzaam zijn hoofd. 'Wie ter wereld doet zoiets?' Het was een retorische vraag, dus bleef Dominic zwijgend naast hem staan en keken ze naar de anderen, die als blinden met hun stokken om zich heen zochten.
'Wie heeft de jongen gevonden?' vroeg Dominic.
'De man van de boerderij hierachter, Marius Caurin. Dit laantje is de enige toegangsweg naar zijn boerderij. Deze korenvelden zijn van een vriend van hem die aan een of ander bouwproject in Orleans bezig is, daarom zijn sommige van de velden niet ingezaaid. Marius heeft gewoon een paar extra velden beplant om wat bij te verdienen.'
Een licht briesje beroerde het graan. Toen de wind van richting veranderde, hoorden ze het geluid van een naderende auto. Het was een grote, zwarte Citroën C25 met drie mannen erin, die achter Poullains auto tot stilstand kwam. Waarschijnlijk het team uit Marseille. Poullain begroette de mannen en stelde Dominic aan hen voor.
Ze liepen naar de plek met de bloedvlekken. Dominic hield zich op de achtergrond terwijl Poullain hen op de hoogte stelde van de feiten. Hij legde uit dat de jongen naar het ziekenhuis in Aix-en-Provence was gebracht en daar ook door de politiearts onderzocht zou worden. Met hem zouden ze later overleg plegen. Waar het nu om ging was het vergaren van informatie uit wat hier nog lag: de bloedgroep en een mogelijke indicatie van het tijdstip van de misdaad. Was al het bloed afkomstig van de jongen, of was er nog ander bloed?
Dominic glimlachte in zichzelf. Tijdens zijn vijftien dienstjaren in Bauriac had Poullain pas één moord gezien – een bijna voorspelbare *crime passionel* in de huiselijke kring – en twee gevallen van doodslag, waarvan het ene eveneens in de huiselijke kring en het andere in een kroeggevecht. Desondanks behandelde hij deze zaak met het achteloze aplomb van de Marseillaanse veteraan die elke dag lijken uit de haven viste. Zonder twijfel omdat hij bang was dat hij door mensen van buiten opzij zou worden geschoven.
Niemand van hen was hier echt op voorbereid geweest. Hij had de schrik op Servans gezicht gezien toen hij zich over de jongen boog om de eerste foto's te maken. Servan was lijkbleek geworden en had er ziek uitgezien. De andere groentjes hadden zich

enigszins goed kunnen houden door op een afstand te blijven. Geen van hen was naar de jongen gelopen en had zijn gezicht bekeken, zoals hij had gedaan, de talloze fracturen en kneuzingen gezien, gezien hoe het halve gezicht tot pulp was geslagen en hoe een deel van de schedel alleen bij elkaar kon worden gehouden door er verband om te wikkelen. Dit was Bauriac, en als ze op een afstand bleven, konden ze misschien blijven geloven in de illusie dat dit soort dingen hier gewoon niet gebeurde.
Ook hij had de aanblik van de jongen heel verontrustend gevonden, ondanks het feit dat hij in Marseille direct betrokken was geweest bij vijf moordzaken. Misschien was het omdat het slachtoffer zo jong was; bij zijn vroegere moordzaken waren geen kinderen betrokken geweest. Wie ter wereld doet zoiets? Dat ene moment waarop Poullain, zwijgend starend over het korenveld, zijn ware emoties had getoond. De rest van de tijd had hij het te druk gehad met om zich heen slaan en te bewijzen dat hij de leiding had.
Een van de mannen van het forensisch team liep naar zijn auto met een aantal doorzichtige plastic zakjes in zijn handen. De andere zat een eindje verderop op zijn hurken te zoeken naar sporen in het zand van het laantje. Hij keek om naar Poullain.
'Het is te droog geweest, en het spoor is te grof en te stoffig. Ik betwijfel of we er een behoorlijke afdruk van kunnen maken.'
Poullain knikte en vroeg teamleider Dubrulle hoe de zaken ervoor stonden. Dubrulle legde uit dat ze nog minstens dertig à veertig minuten nodig zouden hebben en daarna naar Aix zouden rijden om met de politiearts te praten. 'Het kan zijn dat hij tegen morgenochtend wat informatie voor ons heeft. De eerste resultaten van het laboratoriumonderzoek zullen er niet voor morgenmiddag zijn.'
Servan en Levacher waren halverwege hun derde gang en Levacher had zijn jasje opengedaan vanwege de warmte. Plotseling klonk er een schorre, onduidelijke stem uit Poullains radio. Poullain liep ernaartoe.
Dominic kon niet horen wat er werd gezegd. Hij zag Poullain even bedachtzaam naar de grond kijken. Het gesprek verliep in korte, staccato zinnen, behalve aan het eind, toen Poullain verder uitweidde, met zijn armen zwaaide om zijn woorden kracht bij te zetten en op zijn horloge keek toen hij uitgesproken was.
Poullain was in gedachten toen hij terug kwam lopen. 'Er is naar

het bureau gebeld door een vrouw die zei dat haar zoontje werd vermist. Het is het enige telefoontje van dat soort dat ze vandaag hebben ontvangen. De jongen had gezegd dat hij op zijn fiets naar het huis van een vriendje zou gaan en hij had daar om een uur of halftwee moeten zijn. Hij is niet op komen dagen. Maar het is nu pas tien over halfvier, dus nog te vroeg om conclusies te trekken. Je weet hoe kinderen zijn. De jongen kan naar het huis van een ander vriendje zijn gegaan of ergens anders zijn gaan spelen.'
'Hoe oud is haar zoontje?'
'Tien. De leeftijd klopt.'
In een slechte maand kreeg het bureau misschien drie telefoontjes over vermiste personen, en soms gingen er maanden voorbij dat dat helemaal niet gebeurde. Meestal was het vals alarm, maar het tijdstip en de leeftijd van de jongen beperkten de mogelijkheden. Dominic kon aanvoelen dat Poullain het onvermijdelijke voor zich uit schoof. Hij herinnerde zich het ongeluk van het jongetje dat vorig jaar herfst was omgekomen toen hij in een oude waterput was gevallen. Poullain was dagen van streek geweest toen hij de ouders had moeten inlichten. Waarschijnlijk zou hij het deze keer door iemand anders laten doen.
Dominic staarde in gedachten over het korenveld. 'Hoe heet ze?'
'Monique Rosselot.'

4

Monique Rosselot keek door het raam naar het erf achter het huis. De muur naast de keukendeur werd bedekt door een massa bougainvilles. Christian was pas zes geweest toen hij en zijn vader, Jean-Luc, hem samen hadden geplant; nu was het een zee van roze bloemen.
Naast de bougainvilles stond Christians fiets tegen de muur. Jean-Luc was er twintig minuten geleden mee thuisgekomen, nadat hij de weg had gevolgd die Christian altijd naar Stephans huis nam. Eerst had ze zich opgelucht gevoeld, omdat de rem het achterwiel blokkeerde. Dat was tenminste een verklaring voor een

deel van het oponthoud, want lopen zou hem veel meer tijd kosten. Maar dan had hij er toch uiterlijk om een uur of halfdrie moeten zijn? Het was nu kwart voor zes. Waar was hij naartoe? Misschien was hij in Taragnon gestopt om iets te drinken of snoep te kopen, want de wandeling kon hem hebben vermoeid en hem warm en dorstig hebben gemaakt. Hoewel hem dat slechts een minuut of veertig extra zou hebben gekost. Hij moest in Taragnon een ander vriendje hebben ontmoet, waarna ze samen ergens waren gaan spelen en de tijd waren vergeten. Dat was het enige wat ze kon bedenken.
Toen Jean-Luc was teruggekomen met Christians fiets, had hun dochtertje Clarisse gevraagd: 'Is Christian ergens verdwaald?' Hoewel ze pas vier was, had ze een deel van haar ouders' gesprek opgevangen en hun ongerustheid opgemerkt.
'Nee, het is oké. Hij is gewoon een beetje laat voor zijn afspraak met Stephan omdat zijn fiets kapot is gegaan.' Christian was zo beschermend en zorgzaam voor Clarisse; hij was als een tweede vader voor haar, deelde met haar zijn eigen ervaringen over de valkuilen en problemen die een vierjarige mogelijk kon tegenkomen. Maar ze was nog te jong om zich samen met hen zorgen te maken.
Monique beet op haar lip. Het was meer dan een uur geleden dat ze de politie had gebeld. De dichtstbijzijnde telefoon was meer dan een kilometer verderop en de wandeling in de intense hitte was heel vermoeiend geweest. Toen ze terug was, had ze zich misselijk gevoeld. Ze was naar de badkamer gegaan en had zich over de wastafel gebogen. Hoewel haar maag bleef opspelen, was er ten slotte niets uit gekomen. Toen ze opkeek zag ze zichzelf in de spiegel en dacht dat ze in het afgelopen uur vijf jaar ouder was geworden. Ze voelde zich leeg, zowel fysiek als emotioneel. Waar was hij? Waarom was er nog niemand langs geweest? Ze was op van de zenuwen. Jean-Luc was weer vertrokken om ergens anders te gaan zoeken en zou nog zeker drie kwartier of een uur wegblijven. Ze besloot dat ze, ondanks de lange wandeling, nog een keer zou bellen als ze binnen een halfuur niets van de politie had gehoord.
Die moeite werd haar bespaard. Tien minuten voordat ze het huis uit wilde lopen, reed de zwarte Citroën 2CV het erf op en stapten er twee gendarmes uit.

Het was bijna één uur in de nacht. Het was druk geweest in Louis' café, maar het begon nu wat leeg te lopen. Louis had eerder die avond met Valerié gedanst, maar die zat nu in een hoekje te praten met een vriendin terwijl hij de glazen opruimde en bij Dominic aan de bar een Pernod dronk. Dominic was niet in uniform, maar droeg een broek en een poloshirt en hij warmde een glas cognac in zijn handen.
'Wie zijn er naar haar toe gegaan?' vroeg Louis.
'Harrault en Servan. Poullain wilde eerst mij sturen, maar er moesten te veel aantekeningen worden gemaakt over vanmiddag, en de tijdstippen en eerste bevindingen van de forensische dienst en ons eigen team moesten worden vastgelegd. Dus heeft hij Harrault ten slotte laten ophalen door Servan. Harrault is de hoogste in rang. Poullain dacht dat hij degene zou zijn die de juiste toon zou treffen.'
'Waar is Monique Rosselot nu?'
'Waarschijnlijk nog steeds in het ziekenhuis. Harrault heeft haar en de vader ernaartoe gereden, is het eerste uur bij hen gebleven, heeft hen voorgesteld aan de behandelende artsen, heeft hun zoveel mogelijk informatie gegeven en geprobeerd hen te troosten. De artsen waren om middernacht nog aan het opereren en de jongen is daar waarschijnlijk nu nog. De vader en het dochtertje zijn weer naar huis gegaan, maar Monique zei dat ze daar wilde blijven.'
'Hoe liggen de kansen van de jongen?'
'Niet goed. Er zijn een hoop inwendige bloedingen en er is schade aan het hersenweefsel. Als hij de operatie en de eerstvolgende vierentwintig uur overleeft, zullen zijn kansen toenemen, zeggen de doktoren. Maar de schade aan de hersenen is ernstig en als hij het overleeft, zal hij voor een groot deel verlamd blijven.'
Louis pakte de Pernod-fles, vulde zijn glas nog eens bij, draaide de drank even rond in het smalle glas en sloeg toen de helft achterover. 'God, dit moet moeilijk voor haar zijn. Heb je haar wel eens gezien? Ze is een opvallende vrouw, heel erg mooi.'
'Nee, ik geloof niet dat ik haar ken. Harrault zei dat ze nogal aantrekkelijk was.'
'Nogal aantrekkelijk. Ha! Laat me je dit zeggen, Monique Rosselot is een van die zeldzame schoonheden die je maar één keer in de zoveel jaar tegenkomt. En in Bauriac nog veel minder.

Zelfs aan de kust zou ze opvallen. Het verbaast me dat je haar niet kent. Wanneer zie je haar?'
'Morgen. We hebben haar nog geen vragen gesteld, want dat leek ons ongepast nu ze niet eens weet of haar zoon wel in leven zal blijven. Ik ga morgen met Poullain naar haar toe, als het geen bezoekuur is van het ziekenhuis. En als ze daar de hele dag blijft, gaan we daar met haar praten.'
Louis hief zijn glas en nam nog een slok. '*Salut*. Laat me weten wat je vindt als je haar hebt gezien. Maar ik waarschuw je alvast, je zult geen andere vrouw meer zien staan.'
Dominic glimlachte. Louis de charmeur. Louis de vrouwenkenner. Drie tafels konden zitten schreeuwen om bediend te worden en Louis zou blijven staan om op zijn dooie gemak een mooie langslopende vrouw te bewonderen. Het feit dat Monique Rosselot getrouwd was, was van ondergeschikt belang; ze mocht nog steeds bewonderd worden. Onschuldig voyeurisme. Maar Dominic vroeg zich af of Louis' kennis omtrent Monique Rosselot verder ging dan dat. 'Ken je haar goed?'
'Niet persoonlijk. Ze kwam hier wel eens en we hebben een of twee keer iets gezegd, maar dat is alles. Maar mijn barman, Joel, is tamelijk goed bevriend met de vader, Jean-Luc, en Valerié kent een van hun buren. En je kent me, als het om een mooie vrouw gaat, kan ik daar een halve dag mee staan praten, en ik ben niet kieskeurig met wie ik praat. Dat is waarschijnlijk de reden dat ik zo vaak met jou praat.' Louis zweeg even voor het effect en grinnikte. 'Nee, serieus, je weet hoe het is in Bauriac, de mensen praten veel, en ze kwamen hier zo'n zeven of acht jaar geleden. Die jongen was nog maar een klein hummeltje. De mensen zijn vooral nieuwsgierig als het gaat om nieuwkomers. Het eerste jaar dat ze hier woonden waren de vragen niet van de lucht.'
'Werden er daar veel van beantwoord?'
'Een paar. Het bleek dat ze haar zoontje had gekregen toen ze minderjarig was, niet ouder dan veertien of vijftien toen hij werd verwekt. Niemand wist het precies. Jean-Lucs familie heeft het hem flink moeilijk gemaakt, niet alleen vanwege zijn zorgeloze gevrij met een jong meisje, maar ook vanwege haar achtergrond. Haar moeder is half Marokkaans, half Corsicaans en haar vader is Frans, maar dat ze Marokkaans en Corsicaans bloed heeft is duidelijk aan haar te zien. De vooroordelen van zijn familie

kwamen aan het licht. Een goedkoop, jong Marokkaans hoertje dat hun arme jongen had verleid, wat een lachertje is aangezien hij tien jaar ouder is dan zij. En hadden ze daar geen hoertjes van twaalf op straat lopen? Je kent dat soort opmerkingen wel. Uiteindelijk had hij er zijn buik van vol en is hij vertrokken. Zij was een stuk taaier dan hij, hoorde ik; ze had daar willen blijven en het negeren, maar hij stond erop dat ze weg zouden gaan. Hij verbrak alle banden met zijn familie en heeft daarna nog nauwelijks contact met ze gehad. Toen het kleine meisje was geboren, hebben ze alleen een foto gestuurd, geen uitnodiging voor de doopplechtigheid, niets.'
'Waar kwamen ze vandaan?'
'Uit Beaune, niet ver van Dijon. Maar ze kwamen van de ene ellende in de andere terecht. Want omdat ze nieuwkomers waren en vanwege haar zwoele uiterlijk, trok ze meer aandacht dan ze wilde. Je kon het niet echt een vooroordeel noemen, maar het was een nieuwsgierigheid die zo openlijk was, dat hij bijna grof werd. Je weet wel, ongeveer de manier waarop een nooit ontdekte primitieve stam de eerste ontdekkingsreiziger zou bekijken. Ik was, totdat zij naar Bauriac kwam, een van de donkerste personen van de stad geweest en heb mijn portie aandacht ook gehad, dat kan ik je wel vertellen. Het duurde een paar jaar voordat Monique hier werd geaccepteerd, voordat men haar huidskleur niet meer zag en ontdekte wat een goed mens ze eigenlijk was. Tegen de tijd dat jouw moeder en jij hier kwamen wonen, waren de mensen hier in een soort verdoofde toestand van acceptatie gesust.'
Dus dat was waar het allemaal om ging, dacht Dominic. Waarom Louis zo'n uitgesproken mening had over Monique Rosselot. Het ging gewoon over de nieuwkomers in Bauriac. De strijd die ze moesten leveren tegen de kleingeestigheid en vooroordelen van een kleine stad. Het viel niet mee om hier als nieuweling te komen en niet de aandacht op je te vestigen, dat was waar, en toen zijn ouders hier vier jaar geleden waren gearriveerd, had zijn moeder heel wat opgetrokken wenkbrauwen veroorzaakt. Haar afkomst was deels Indonesisch, deels Frans, en Dominics vader was een honderd procent Franse Elzasser geweest. Toen deze combinatie op Dominic was overgebracht, had het Indonesische bloed van zijn moeder alleen nog geresulteerd in de amandelvorm van zijn ogen met de iets omhoog wijzende hoeken, die bijna misplaatst leken bij zijn trotse, Gallische neus. Meisjes

vonden die combinatie ofwel intrigerend en mysterieus, of ze zagen hem helemaal niet staan. Het was mogelijk dat het de reden was geweest voor zijn problemen op het bureau, hoewel hij dat nooit zeker kon weten omdat zijn kersverse overplaatsing en het feit dat hij op zo'n jonge leeftijd de status van rechercheur had bereikt, daar ook voor verantwoordelijk konden zijn.
Louis was dertien jaar geleden uit Marseille hiernaartoe gekomen om kok te worden in Café du Verdon, en toen vier jaar later de eigenaar overleed en zijn familie van het café af wilde, had hij zich tot zijn nek in de schulden gestoken om het over te nemen. Pas de laatste paar jaar, nadat hij zijn schulden had afbetaald, had Louis de vruchten van zijn arbeid kunnen plukken. Dominic kon zich voorstellen dat de inwoners van Bauriac niet al te blij waren geweest met een Corsicaan als eigenaar van zo'n vooraanstaande plaatselijke gelegenheid, zeker niet in die tijd. Marseille stond bekend om zijn immigranten en mengeling van rassen, en hoewel die invasie van buitenstaanders en vreemdelingen aan de kust, vijftig kilometer verderop, wel werd geaccepteerd, was dat in Bauriac zeker niet het geval.
Louis schudde zijn hoofd. 'Het is niet te geloven, zoiets als dit. Zij en Jean-Luc hebben al zo'n moeilijke tijd achter de rug. Ze hebben zo hard moeten werken om die boerderij draaiende te houden, want ze hadden een echte kat in de zak gekocht. De vorige eigenaar had hen eens goed bekeken, zoals de plaatselijke bewoners wel vaker deden met buitenstaanders als wij, en had zijn slag geslagen. De schoft. De riolering was slecht, de toplaag van het land was verarmd, en ze hebben zich uit de naad moeten werken om er iets van te maken. En ze aanbad die jongen. Ik weet niet of ze dit aan zal kunnen.'
Dominic knikte bedachtzaam. Hij probeerde zich een beeld te vormen van Monique Rosselot. Ze klonk nogal exotisch, een zeldzame schoonheid, volgens Louis; hij zou haar in het afgelopen jaar toch eens gezien moeten hebben. Hij besefte hoe besloten en voorspelbaar zijn leven de afgelopen zeven maanden was geweest, hoe hij zijn tijd had verdeeld tussen de gendarmerie en de verzorging van zijn zieke moeder, en af en toe een drankje bij Louis. Zelfs zijn afspraakjes met Odette waren altijd hetzelfde: of naar de bioscoop, of naar Café du Verdon, of, als ze een wat avontuurlijker bui hadden – wat niet vaak gebeurde –, op zijn motor naar hun favoriete club in St. Maximin.

Valerié kwam naar de bar lopen en bestelde drankjes voor haarzelf en haar vriendin: een Marie Brizard met soda en een glas rode wijn. 'Gaan we nog een keer dansen, Louis?'
'Misschien straks. Ik ben de jongste niet meer.' Hij glimlachte toen ze met haar drankjes terugliep naar haar tafeltje. 'Hoe gaat het de laatste tijd met Odette?'
'Goed. Ze is nogal veeleisend. Wil elke avond uit. Daar heb ik gewoon de tijd niet voor, zelfs al had ik er de lust en de energie voor.'
'Wat trok je in haar aan?' Louis boog zich een stukje naar voren. Hij ging zachter en op een samenzweerderige toon praten. 'Kom op, dat moet je je herinneren. Die eerste vlaag van verliefdheid.'
Dominic dacht er even over na. 'Ik geloof toen we voor het eerst gingen picknicken. De manier waarop ze haar tanden in een stuk stokbrood zette. Toen wist ik dat ze de ware voor me was.'
Louis glimlachte breed. 'Is dat de enige eis waaraan jouw meisjes moeten voldoen?'
'Nee. Ik vind het ook leuk als ze goed zijn in yoga en hun benen in hun nek kunnen leggen.'
Louis lachte zo hard dat Valerié en haar vriendin even opkeken. Nog steeds grinnikend schonk Louis een nieuwe Pernod voor zichzelf in. 'Je bent een idioot, Dominic. Een verdomde idioot. Neem me niet kwalijk.' Hij kwam achter de bar vandaan en half knielend, met een droogdoek over zijn onderarm gedrapeerd, vroeg hij Valerié ten dans. De jukebox speelde *Take these chains* van Ray Charles.
Dominic nipte van zijn cognac en glimlachte in zichzelf. Normaliter was hij heel attent en romantisch met vrouwen. Maar dat was niet wat Louis wilde horen. Die zou het waarschijnlijk leuker vinden als hij het uitmaakte met Odette en zich weer gedroeg zoals hij zijn eerste vijf maanden in Bauriac had gedaan: om de week andere afspraakjes en eindeloos aanrotzooiend met de plaatselijke meisjes, op zoek naar het nirvana. Tenminste, dat was het idyllische, avontuurlijke beeld dat Louis ervan had. In werkelijkheid waren de helft van Dominics afspraakjes op een ramp uitgelopen en hij hield het niet voor mogelijk dat hij met zoveel meisjes uit kon gaan en zich toch zo eenzaam kon voelen. Zijn enige troost was geweest dat hij de hoogtepunten eruit kon pikken en zijn voorraad barverhalen voor Louis op peil kon houden.

Dominic zag Louis en Valerié dansen en moest lachen toen een van Louis' grove handen langzaam omlaag gleed naar haar billen. Na Ray Charles kwamen The Crystals met *Da Doo Ron Ron*. Louis' poging de jive te dansen leek meer op die van een flamencodanser met epileptische aanvallen, en Dominic moest zijn best doen om zijn gezicht in de plooi te houden. Louis beschouwde zichzelf als een goed danser en Dominic wilde hun vriendschap niet op de proef stellen door hem die illusie te ontnemen. Na een tijdje namen zijn gedachten hem in beslag en verdwenen het dansen en de muziek naar de achtergrond.
Morgen zou een belangrijke dag zijn. Ze zouden de eerste rapporten van de forensische dienst krijgen, plus de eerste bevindingen van de politiearts. Ze zouden het tijdstip van de misdaad weten, het wapen dat was gebruikt en of er sprake was van een tweede bloedgroep en andere bijzonderheden. Ze zouden hopelijk de eerste reacties uit de omgeving krijgen op hun verzoeken om getuigenverklaringen, en hij zou Monique Rosselot ontmoeten voor hun eerste gesprek en te weten komen wat de jongen had gedaan voordat hij was mishandeld.
Ze zouden ook weten of haar zoon in leven zou blijven.

Dominic wist niet of het kwam door de gebeurtenissen van die dag of de twee glazen cognac die hij bij Louis had gedronken, maar het duurde vrij lang voordat hij in slaap viel. Hij was eerst bij zijn moeder gaan kijken toen hij thuiskwam, maar die was al in diepe slaap. Vaak, als ze nog wakker was, maakte hij een kopje warme chocola voor haar klaar en praatten ze een minuut of tien. Haar gewichtsverlies in de afgelopen vier maanden was dramatisch geweest, maar haar geest was nog steeds helder, dus greep Dominic elke kans aan om met haar te praten. Hij wist dat haar geest het ook elke dag kon begeven.
Als er vandaag niet zoveel gebeurd was, zouden ze over vroeger hebben gepraat, over zijn kindertijd in Louviers, bij Parijs, wat zijn meest gedenkwaardige herinneringen waren. Sommige van die herinneringen vermengden zich met de gebeurtenissen van vandaag toen hij in slaap probeerde te komen. Beelden van het jongetje, het bloed dat donker afstak tegen het door de zon gebleekte graan, hoe hij zichzelf voorbereidde op hun gesprek met Monique Rosselot, flitsen uit zijn kindertijd, beelden van zijn moeder zoals ze toen was, en hoe ze zoiets gruwelijks nooit zou

kunnen verwerken. Het was het beste wat hij kon toen hij probeerde te begrijpen hoe Monique Rosselot zich voelde.
De openslaande deuren van zijn slaapkamer kwamen uit op een klein balkon met uitzicht op de tuin. Hij had ze een stukje opengezet vanwege de zomerhitte en het zachte geluid van de wind die door de bomen ruiste kwam naar binnen zweven. Na een tijdje viel hij eindelijk in slaap.
De droom begon drie uur later. Hij was weer een jongetje in Louviers, en de korenvelden strekten zich eindeloos voor hem uit. De aren stonden zo hoog, dat hij zich ertussen kon verstoppen zonder dat iemand hem zou vinden. Hij liep tien passen het veld in, zakte door zijn knieën en hield zijn adem in; het graan stak minstens dertig centimeter boven zijn hoofd uit.
Toen liet hij zijn blik over het veld gaan. Hij zag gendarmes door het veld lopen die het graan opzij duwden met stokken en op zoek waren naar hem. Hij had plotseling het gevoel dat hij iets verkeerds had gedaan, maar hij wist niet wat, en hij wist niet of hij overeind moest komen, zodat ze hem zouden vinden. Maar ten slotte bleef hij gehurkt tussen het graan zitten. Hij hoorde het slaan van de stokken dichterbij komen, steeds dichterbij, en zijn hart begon te kloppen in het ritme van het geluid. Maar toen hij opkeek, zag hij dat ze hem al waren gepasseerd.
Het lichte briesje dat het veld had beroerd, veranderde in een steeds harder wordende wind en boog de korenaren om in een bijna rechte hoek. Het zachte slaan met de stokken werd overstemd door het geruis. Na een tijdje stond hij op en was hij duidelijk zichtbaar. Maar de gendarmes keken de andere kant op, hadden hun petten in de hand en beschermden hun gezichten tegen de harde wind, die hun ogen deed tranen. Hij riep naar hen, maar zijn stem ging verloren in de wind en het wilde geruis van het graan.
Dominic schrok wakker. Hij was drijfnat van het zweet. Buiten was het harder gaan waaien en de takken van de boom bij het huis zwiepten heen en weer. Hij stond op, liep het kleine balkon op en keek neer op de tuin. Het was een hoge jacarandaboom die bij het huis stond, en de takken en bladeren bewogen golvend in de wind. Het kon de eerste voorbode van de mistral zijn, dacht Dominic, of hopelijk alleen maar een zomerstormpje dat morgen zou zijn overgewaaid.
Dominics hart bonkte. Hij wist niet of het door zijn droom kwam

of iets wat hem plotseling te binnen schoot en dat morgen zou gebeuren. Een verslaggever van *La Provençal*, de belangrijkste krant van deze streek, had vanavond naar het bureau gebeld. Twee uur later had Poullain een verklaring vrijgegeven die ongetwijfeld morgenochtend in de krant zou staan.
De dader zou dan weten dat de jongen, die hij voor dood had achtergelaten, nog in leven was. Hij zou zich bedreigd voelen, want de jongen zou later misschien praten en hem kunnen identificeren.

5

Toen het telefoontje over het ongeluk kwam, dacht Stuart eerst dat het zijn wekker was die afliep, maar het was Helena. Stuarts wekker wees 6.08 uur aan.
Ze praatte onduidelijk en onsamenhangend, en het 'Is vreselijk... spijt me zo...' werd talloze keren herhaald, plus een telefoonnummer van de politie van Oceanside, die haar tien minuten geleden had gebeld. Stuart schudde de slaap van zich af en probeerde Helena een paar punten te laten verduidelijken, maar ze werkte niet erg mee, alsof ze of niet veel meer wist, of niet de brenger van slecht nieuws wilde zijn. Maar haar tranen en het trillen van haar stem wezen op het ergste.
Toen Stuart naar de politie van Oceanside belde, werd hem gevraagd of hij over tien minuten terug kon bellen. 'Inspecteur Carlson heeft alle gegevens. Tegen die tijd moet hij ongeveer wel klaar zijn met zijn verhoren.'
Nadat hij zich had bekendgemaakt als Jeremy's oudere broer en Eyrans oom en peetvader, raakte Stuart in een soort verdoofde toestand toen Carlson de opeenvolging van gruwelijkheden met hem doornam alsof het een boodschappenlijst was. 'We hebben één vrouw, blank, overleden bij aankomst in Oceanside County General. De twee andere inzittenden van de jeep, een blanke man en een jongetje, liggen nog steeds op de eerstehulp. De toestand van de jongen was kritiek, maar heeft zich iets gestabiliseerd. We wachten op meer informatie. Mag ik u vragen, meneer, of er hier in Californië nog andere familieleden van de slachtoffers zijn die we moeten inlichten?'

'Nee, ik kan niemand bedenken. We zitten allemaal hier... hier in Engeland. We hebben een oom in Toronto, maar die hebben we al jaren niet gezien.' Stuart voelde zich lamgeslagen en hulpeloos vanwege de afstand, en beelden van Jeremy en Eyran, geïsoleerd en alleen, drongen zich op. Hij wist dat hij daar bij hen hoorde te zijn.
'Kan ik erop vertrouwen dat u de familieleden van uw schoonzuster, Allison Capel, in Engeland inlicht?'
'Ja, ja... natuurlijk.' Stuart voelde zich nog steeds verdoofd en deed zijn uiterste best om een manier te bedenken om zo snel mogelijk in Californië te komen. Hij had Allisons ouders eigenlijk nooit ontmoet, alleen haar zus, meer dan zes jaar geleden op een van Jeremy's feestjes. Naast hem bewoog Amanda zich, keek hem vragend aan met halfopen slaapogen.
'Uit de papieren die we in de auto hebben gevonden, hebben we uw broers leeftijd kunnen vaststellen, achtendertig jaar, maar niet die van uw schoonzuster en de jongen.'
'Allison was vijfendertig, denk ik. Eyran is in april tien geworden.'
'Op welk telefoonnummer kunnen we u bereiken als zich nieuwe ontwikkelingen voordoen?'
Stuart gaf Carlson zijn privé-nummer, maar bedacht zich toen iets. 'Ik geef u het nummer van mijn werk ook, voor het geval u vanavond nog niets van het ziekenhuis hebt gehoord.'
Maar terwijl hij het zei, besefte Stuart plotseling dat hij onmogelijk uren bij de telefoon kon gaan zitten wachten tot die overging terwijl hij wist dat Eyran en Jeremy duizenden kilometers verderop in een ziekenhuis lagen. Hij nam een besluit. 'Weet u wat, ik kom naar de Verenigde Staten. Ik hoor daar bij hen te zijn.'
'Die keuze is aan u, meneer, maar met alle respect, het is mogelijk dat we het komende uur of zo iets van het ziekenhuis horen. Ze liggen op dit moment allebei op de eerstehulp.'
'Dat is oké. Ik boek mijn vlucht en bel u voordat ik naar het vliegveld vertrek en nog een keer vlak voordat ik opstijg. Maar ik moet naar hen toe.' Amanda was rechtop gaan zitten en volgde elk woord van het gesprek.
'Dat begrijp ik volledig, meneer. Ik wacht uw telefoontjes af.'
Het kostte Stuart maar een halfuur om de reis te boeken, de situatie uit te leggen aan een verbijsterde Amanda en haar de essentiële telefoonnummers te geven om contact te houden. Alle

vluchten naar San Diego liepen via Los Angeles, hoewel er gemiddeld vier uur vertraging was tussen de aansluitende vluchten. De eerste rechtstreekse vlucht naar Los Angeles was er een van American Airlines, die om vijf voor elf vertrok vanaf Heathrow, en hij kon daar de bus of de trein nemen naar Oceanside, dat negentig kilometer ten zuiden van Los Angeles lag.

Tijdens de vlucht probeerde Stuart een tijdschrift en een boek te lezen, alles wat hem kon afleiden, maar hij kon zich gewoon niet concentreren en merkte dat hij de woorden las zonder ze te begrijpen. Zijn gedachten waren nog steeds bij Eyran en Jeremy en hij deed zijn best om iets te maken van de nuchtere informatie die Carlson hem had gegeven toen hij hem belde net voordat zijn vlucht werd omgeroepen. Het nieuws uit het ziekenhuis was dat Eyran naar de intensive care was overgebracht en dat Jeremy nog steeds op de eerstehulp was.
Stuart liet zijn tijdschrift zakken en deed even zijn ogen dicht; hij wist dat slapen onmogelijk was, maar hij wilde proberen zijn tot het uiterste gespannen lichaam een beetje tot kalmte te dwingen. Hij liet de beelden langzaam over zich heen komen: de avond dat ze hadden gevierd dat Jeremy zijn advocatenbul had gekregen, Jeremy die hem hielp met het uitladen van een paar antieke meubelen voor het huisje, Eyran die vroeg om een ritje in de sportauto die hij had gekocht om zijn eerste grote opdracht van zijn nieuwe bureau te vieren, de verbazing op Jeremy's gezicht toen hij naar het ziekenhuis kwam met een half flesje whisky in zijn jaszak op de avond dat Eyran was geboren. 'Wat, geen sigaren?'
Eyran. Zo'n belangrijk deel van hun leven had om Eyran gedraaid. Hij herinnerde zich nu dat het bijna acht maanden had geduurd voordat hij Jeremy weer zag na de geboorte van Eyran, toen weer een of andere stompzinnige ruzie een kloof tussen hen had geslagen. Als eerstgeborene had Eyran een band tussen hen gecreëerd die er niet eerder was geweest. Een simpele gerichtheid op liefde en genegenheid die alle obstakels en vroegere geschillen tussen hem en Jeremy overschreed. De meningsverschillen bleven bestaan, maar opeens was daar Eyran als allesoverheersende kracht die ze naar de achtergrond had geduwd.
Zelfs Jeremy had waarschijnlijk aangevoeld dat Stuart meer was

dan alleen maar een oom, en dat hij de rol van tweede vader voor Eyran op zich had genomen. Het feit dat Amanda en hij geen kinderen konden krijgen, ondanks alle onderzoeken en behandelingen, had die band nog versterkt. Eyran werd de zoon die hij nooit zou hebben.

Na weer een jaar zinloze pogingen om met Amanda een kind te krijgen, hadden ze zich aangemeld voor adoptie en hadden ze acht maanden later de twee jaar oude Tessa gekregen. Amanda had een jongetje voorgesteld, omdat ze dacht, had ze later toegegeven, dat Stuart een zoon wilde vanwege Eyran. Maar hij had liever een meisje gewild, want hij wilde hun kind niet zien als een soort plaatsvervanger voor Eyran. Ze hadden elkaar allebei maar voor de helft de waarheid verteld. Stuart wilde geen kind dat Eyran naar de achtergrond zou kunnen dringen, dat zijn genegenheid voor de jongen misschien zou afleiden of verminderen. Een meisje kon worden gezien als een aparte persoon. Amanda had ieder kind gewild dat Stuarts aandacht weer zou richten op zijn eigen gezin en een eind zou maken aan – wat zij vond – de onnatuurlijk hechte band tussen hem en Eyran. Hij herinnerde zich de dag dat Amanda in woede was uitgebarsten, toen hij, niet voor de eerste keer, thuiskwam met twee stukken speelgoed en voorstelde later naar Jeremy te rijden om Eyran het zijne te geven. 'Is dat jouw idee van het ideale gezin, Stuart? Een meisje in je eigen gezin en een jongen in dat van je broer?'

Door de jaren heen had Jeremy Eyran nooit buiten hun leven gehouden. Hij had jaloers kunnen worden en terughoudender met betrekking tot hun relatie, uit angst dat Stuart misschien een deel van Eyrans liefde en genegenheid voor hem zou inpikken. Maar hij leek het juist te verwelkomen, alsof hij begreep dat het op de een of andere manier iets in vervulling bracht dat hij zelf niet kon bieden: een verwantschap in het vrije denken en gedeelde voorkeuren en aversies. Jeremy leek zich gelukkig te voelen in zijn rol van beschermengel van hen allebei: Stuart waarschuwen voor slechte zakelijke deals en investeringen op dezelfde manier als hij Eyran zou waarschuwen om niet te hoog in bomen te klimmen of op te passen met stopcontacten. Jeremy voelde zich niet bedreigd, omdat hij hen gewoon als twee spelende jongetjes zag, de ene klein, de andere groot.

Met het smoesje dat hij te weinig tijd had om alles zelf te doen, had hij Amanda gevraagd zijn partner op het werk en zijn vader

in Wales te bellen, maar de waarheid was dat hij het niet kon opbrengen om hun vader te bellen en hem het slechte nieuws te vertellen. Jeremy was altijd zijn favoriete zoon geweest. Alleen hun moeder, toen ze nog leefde, had tijd gehad voor Stuart; ze was overleden aan een hersenbloeding twee jaar voordat Eyran was geboren, en hun vader, die toen tweeënzestig was, had toen besloten met vervroegd pensioen te gaan en van Londen naar Wales te verhuizen, waar hij geboren was. Elke maand waren hij of Jeremy gehoorzaam naar Wales gereden om hem op te zoeken. Maar toen Jeremy naar Californië was vertrokken, had hij aangevoeld dat de bezoeken van zíjn gezin weinig compensatie boden voor de afwezigheid van Jeremy.
Stuart probeerde te slapen maar merkte dat het onmogelijk was. Het lukte hem pas veel later, bijna drie uur nadat hij zijn lunch had weggespoeld met een halve fles wijn. De slaap was diep en beelden van Eyran, Jeremy en hun vader kwamen allemaal tezamen in zijn hoofd. Eyran was aan het spelen, maar dat beeld veranderde al snel in hemzelf als kind. Hij was met Jeremy in het oude pakhuis waar ze altijd verstoppertje speelden, maar deze keer kon hij hem niet vinden, en uiteindelijk besloot hij dat Jeremy naar buiten moest zijn geglipt en alvast naar huis was gegaan. Maar toen Stuart thuiskwam, vroeg hun vader David waar Jeremy was. Hij wilde niet zeggen dat hij dat niet wist, voor het geval zijn vader zich zorgen zou gaan maken dat Jeremy was verdwaald. Dus zei hij dat hij hem zou gaan halen, en rende hij terug naar het pakhuis.
Hij bleef Jeremy zoeken tussen de rijen stoffige planken en lege kratten, riep naar hem dat hun vader wilde dat ze thuiskwamen, maar hij wist dat Jeremy expres niet tevoorschijn kwam omdat hij waarschijnlijk dacht dat het een truc was. Hij riep herhaaldelijk Jeremy's naam, op smekende toon uiteindelijk, maar het enige wat hij hoorde waren de holle echo's van zijn eigen stem. Hij begon te huilen, maar de tranen waren niet voor Jeremy maar voor hemzelf, want hij was er zeker van dat er een of andere nare streek met hem werd uitgehaald. Hoe kon Jeremy dit doen, verstopt blijven en hem alleen naar huis laten gaan om hun vader onder ogen te komen?
Badend in het zweet werd Stuart wakker. De droom had hem van streek gemaakt en de schrik en het verdriet van de gebeurtenissen van die dag nog verhevigd. Het kwam zonder waarschuwing over

hem heen, het zachte, schokkende gesnik, en hij draaide zijn hoofd naar het raampje om zijn tranen te verbergen. Een gevoel van schuld begeleidde zijn verdriet; hij had de afgelopen paar jaar zoveel onaardige dingen over Jeremy gedacht. De boosheid dat hij Eyran zo ver van hem had weggehaald. Na een tijdje vermande hij zich en hield hij zichzelf voor dat het maar een droom was. Maar vier uur later werden al Stuarts angsten bewaarheid toen hij na aankomst naar Carlson belde en te horen kreeg dat zijn broer een uur geleden was overleden. En omdat hij wist dat hij onmogelijk van Amanda kon vragen dat ze zijn plicht vervulde, moest hij zijn vader in Wales bellen en hem boven het rumoer van de drukke aankomsthal vertellen dat zijn favoriete zoon dood was.

6

Dominic zat achter het stuur van de DS19 zodat Poullain zich kon bezighouden met de telex die hij zojuist had ontvangen van het Palais de Justice in Aix, van de benoemde procureur, Pierre Bouteille, die verklaarde dat Poullains jurisdictie de leiding over het onderzoek was gegeven, maar dat hij kon samenwerken met Marseille als het ging om het forensische onderzoek. Bouteille had al een onderzoeksrechter ingelicht, Frederic Naugier, en er was een *commission rogatoire générale* in het leven geroepen om de eerste fasen van het onderzoek te begeleiden. Een bespreking was gepland voor aanstaande donderdag, om halftwaalf, over twee dagen, om de te volgen procedure door te nemen. De telex gaf geen opties omtrent het tijdstip; Poullain werd gewoon bevolen er te zijn.

Dominic parkeerde helemaal aan het eind van het erf. De hydraulische vering deed de motorkap langzaam dalen toen ze uit de auto stapten. De boerderij van de Rosselots lag in een L-vorm rondom het erf, en de garage en een paar voorraadschuren stonden haaks op het woonhuis. Dominic zag een kinderfiets tegen de muur van de garage staan. Roze bougainvilles groeiden weelderig tegen diezelfde muur en halverwege die plek en de voordeur stond een kleine smeedijzeren tafel met vier stoelen eromheen. Twee palmbomen aan het eind van het erf scheidden het

huis van de weidse velden daarachter, en een combinatie van olmen en pijnbomen vormde de scheiding tussen de hoofdweg en het huis. Het geluid van cicaden hing zwaar in de lucht. Het was halfelf en al bijna zevenentwintig graden.
Klimop in diverse tinten groen groeide over en rondom de posten van de voordeur. Toen ze aanbelden, hoorden ze uit de garage een gedempt gehamer op metaal klinken dat wedijverde met het getjirp van de cicaden. Ze hoefden maar even te wachten en toen deed Monique Rosselot open.
Eerst stond ze half in de schaduw toen ze hen begroette en binnenvroeg. Dominic kreeg slechts een korte indruk van donkere, golvende krullen, grote ogen en een eenvoudige lichtbruine jurk met een bloemenpatroon, maar het was voldoende om zijn adem even te doen stokken in zijn keel. Haar ogen waren opvallend groot en doordringend in het halfduister van de hal. Ze volgden haar naar de keuken. Er stond een kan koffie op het fornuis en ze bood hun een kop aan.
'Ik heb net vers gezet, tien minuten geleden. Ik heb de mijne al op.'
Poullain bedankte haar en zei dat hij de zijne graag zwart dronk, en Dominic deed hetzelfde en zei ja graag, maar *au lait*. De keuken was groot, met een kleine open haard in de verre hoek. Een grote ruwhouten tafel met stoelen eromheen stond bij de open haard en vormde de eethoek. Monique maakte een uitnodigend gebaar naar de tafel en zei: 'Alstublieft.' Poullain en Dominic namen plaats aan het verre uiteinde van de tafel. Dominic bekeek haar aandachtiger terwijl ze de koffie inschonk.
Louis had gelijk gehad over Monique Rosselot. Een zeldzame schoonheid. Ondanks het feit dat Louis' beschrijving hem had moeten voorbereiden, betrapte hij zichzelf erop dat hij met stomheid geslagen was en dat zijn mond plotseling droog aanvoelde. Haar golvende donkere haar hing tot halverwege haar rug, haar ogen waren een intrigerende combinatie van groen en hazelnootbruin en haar mond was vol en welwillend. Ze had een open, expressief gezicht met een bijna kinderlijke onschuld die de sensualiteit ervan temperde, en die haar er jonger uit deed zien dan de zesentwintig jaar die Louis had gezegd. Dominic zou haar niet ouder dan negentien of twintig hebben geschat, ondanks de donkere kringen onder haar ogen, die ongetwijfeld waren veroorzaakt door haar bezorgdheid van de afgelopen nacht.

Hij had gehoord dat ze tot vier uur in de ochtend in het ziekenhuis was gebleven. Haar huid had een zachte mokkatint en haar volle borsten duwden tegen de stof van haar jurk als ze zich bewoog. Ze keek naar hen terwijl ze de koffie inschonk, en Dominic wendde snel zijn blik af. Hij voelde zich even blozen van schaamte, alsof hij een onwelkome voyeur was.
Monique bracht hun koppen naar de tafel, zette ze voor hen neer en keek toen naar de garage, waaruit nog steeds gedempt gehamer klonk. 'Ik kan Jean-Luc beter vragen binnen te komen. Hij weet waarschijnlijk niet eens dat u hier bent.' Ze liep naar buiten en stak het erf over.
Dominic had Louis maar half geloofd omdat diens opvattingen over vrouwelijk schoon in de tijd dat hij hem kende er niet op vooruit waren gegaan. Dat was de reden dat hij volledig verrast was. Maar hij voelde zich onmiddellijk opgelaten omdat hij dit dacht. Hij was hier om aantekeningen te maken over haar zoon, die zich wanhopig vastklampte aan het leven, en het laatste waar ze behoefte aan had was een of andere gendarme die haar zat aan te gapen.
Jean-Luc kwam als eerste de keuken in en Monique stelde hen aan elkaar voor. Uit de aarzelende manier waarop ze dat deed, werd duidelijk dat ze hun namen niet had onthouden, maar Poullain vulde de leemten op. Jean-Luc pakte een stoel en ging aan het hoofd van de tafel zitten terwijl Monique een kop koffie voor hem inschonk. Zijn lichtbruine krullende haar vertoonde al flinke inhammen aan de zijkanten van zijn hoofd en hij transpireerde van het werk dat hij had gedaan. Er zaten wat zomersproetjes op zijn voorhoofd en armen, zijn schouders en onderarmen waren stevig van de jaren werk op de boerderij en er zat eelt op zijn ruwe handen. Maar daar hielden de overeenkomsten met een landarbeider op: de blik in zijn ogen was zacht en onderzoekend en hij had een vaag intellectuele air, alsof hij een boekhouder of leraar was die alleen in de weekends op de boerderij werkte. Volgens Louis was hij halverwege de dertig, maar zijn wijkende haarlijn deed hem er eerder uitzien als veertig, vond Dominic. Het leeftijdsverschil tussen hem en Monique leek groter dan het was; ze hadden vader en dochter kunnen zijn.
Poullain keek op naar Monique en wachtte tot ze haar kop had neergezet en bij hen aan tafel kwam zitten. Dominic zocht een lege bladzijde in zijn notitieboekje en Poullain begon te praten.

‘Allereerst wil ik u mijn deelneming betuigen. Namens mezelf en namens de hele gendarmerie. Ik begrijp, madame Rosselot, dat u tot in de vroege ochtend bij uw zoon bent gebleven.’ Poullain keek Monique nu recht aan. ‘Om u op de hoogte te brengen van de laatste ontwikkelingen heb ik voordat we vertrokken nog even naar het ziekenhuis gebeld, en uw zoon heeft de operatie van de afgelopen nacht goed doorstaan. Hoewel de artsen de omvang van dat succes niet voor vanmiddag zullen kunnen beoordelen. We kunnen alleen maar bidden om herstel.’
Monique knikte dankbaar. Ze was een halfuur voordat ze hier aankwamen met Jean-Luc naar de dichtstbijzijnde telefooncel gereden en had zelf naar het ziekenhuis gebeld, maar dat hoefde ze nu niet te vermelden. Poullain had beseft dat ze op enige afstand van een telefoon woonde en dat bellen daarom moeilijk voor haar was. Het had geen zin om de goede bedoelingen van dit gebaar onderuit te halen.
Poullain legde zijn ene hand op het tafelblad, alsof hij even van plan leek om die troostend op Moniques hand te leggen, maar trok hem toen weer terug. ‘Nu, hoe pijnlijk het voor u beiden misschien ook is, moeten we teruggaan naar het moment waarop u uw zoon voor de aanval het laatst hebt gezien. En het moment dat u voor het eerst besefte dat er misschien iets mis was, en het tijdstip waarop u de fiets hebt gevonden.’ Poullain keek naar Jean-Luc. ‘We willen ook dat u ons laat zien waar u de fiets precies hebt gevonden. Maar voorlopig willen we eerst proberen de tijdstippen van de gebeurtenissen te bepalen.’
Monique en Jean-Luc keken elkaar even aan alsof ze wilden besluiten wie het woord zou nemen. Jean-Luc haalde zijn schouders op en stak een hand op. ‘Jij eerst. Ik was voor het merendeel van de tijd in het veld.’
Monique haalde diep adem en keek even uit het raam naar het erf en naar Christians fiets. ‘Ik liet Christian om ongeveer kwart over elf naar buiten gaan om te spelen. Hij nam zijn fiets mee want hij ging op bezoek bij zijn vriendje Stephan, die vijf kilometer verderop aan de andere kant van Taragnon woont.’
‘Welke route neemt hij meestal naar Stephans huis?’ vroeg Poullain.
‘Ongeveer zeshonderd meter verderop is een zijweg die tussen de boerderij van onze buren en de volgende door loopt. Hij loopt tussen nog twee boerderijen door over een afstand van ongeveer

een halve kilometer en komt dan uit op de hoofdweg tussen Taragnon en Bauriac. Christian rijdt over de hoofdweg door Taragnon heen en de boerderij ligt daar nog geen kilometer verderop.'
'Aan welke kant van de weg?'
'Links als je Taragnon uit komt. Hij ligt op een paar honderd meter van de weg. Vanaf de weg zie je voornamelijk wijnranken, hoewel ze ook een paar weilanden hebben waar vee graast.'
'Hoe heet die familie?'
'Maillots.'
'En uw zoon is daar nooit aangekomen.'
Monique keek naar het tafelblad en beet op haar lip. Dominic had gezien dat ze hen met tussenpozen even recht aankeek en voor de rest van de tijd naar het tafelblad zat te staren, of naar het notitieboekje waarin hij in steno het vraaggesprek vastlegde. 'We wisten het niet meteen. We hebben geen telefoon, en zij ook niet. Ik ben ten slotte Jean-Luc uit het veld gaan halen toen het al over vieren was. We hadden Christian om drie uur terugverwacht en hij is altijd heel gehoorzaam als het om op tijd thuiskomen gaat. Jean-Luc is naar Stephans huis gereden om te kijken of hij er nog was. Ze hadden Christian niet gezien. Toen is Jean-Luc gaan zoeken langs de route die Christian meestal neemt en heeft hij zijn fiets gevonden. We dachten eerst dat hij had besloten de rest van de weg te gaan lopen omdat zijn fiets kapot was, wat hem veel meer tijd zou hebben gekost, en toen dat hij misschien door iets was afgeleid of in het stadje was blijven steken.'
'Hoe ver weg was de plek waar zijn fiets is gevonden?'
Monique keek naar Jean-Luc. Jean-Luc antwoordde. 'Bijna aan het eind van de zijweg. Niet ver van waar die uitkomt op de hoofdweg naar Taragnon, hooguit een paar honderd meter.'
'Dus het leek er volgens u op dat Christian de rest van de afstand naar de hoofdweg was gelopen en dan die twee kilometer naar Taragnon.'
Jean-Luc knikte. Poullain zweeg even en keek naar Dominics aantekeningen om inventaris op te maken van de informatie die ze tot nu toe hadden vergaard. Christian was gevonden langs een landweg, iets meer dan een halve kilometer van Maillots' boerderij, maar aan de kant van de weg die niet werd begrensd door de rivier. Maar op de een of andere manier was hij door het dorp gekomen. Poullain bracht onder woorden wat hij dacht. 'Het eerste wat we te weten moeten zien te komen, is wie uw zoon

tussen twaalf uur en drie uur 's middags in het dorp heeft gezien. Dan weten we tenminste of hij door het dorp is gelopen of erdoorheen is gereden met iemand die hem langs de weg heeft zien lopen.'
Monique en Jean-Luc keken elkaar even aan. Er zat hen iets dwars over dit commentaar. Jean-Luc was degene die het uitsprak. 'Het probleem is, dat als hij te voet was, hij door de velden achter het dorp om kan zijn gelopen. Op zijn fiets is dat onmogelijk, maar lopend kom je daar alleen een paar lage stenen muurtjes en hekjes tegen.'
'Is het waarschijnlijk dat hij die weg heeft genomen?' vroeg Poullain.
Jean-Luc haalde zijn schouders op. 'Het is een mogelijkheid. Hij heeft het wel eerder gedaan. Hoe dan ook, hij zou waarschijnlijk de kortste weg nemen en alleen de laatste honderd meter door het dorp lopen. Er is daar nog een paadje.'
De laatste honderd meter aan de rand van het dorp, dacht Poullain. Het was daar stil en veel winkels waren er niet meer. Als de een of twee winkeleigenaars daar de jongen niet hadden zien passeren, bewees dat niets. Als hij nu het hele dorp door was gelopen, langs de boulangerieën, patisserieën, over het dorpsplein en langs de cafés, zonder te worden gezien, zou het een andere zaak zijn. Hij had die ochtend al drie man op pad gestuurd om navraag te doen bij de winkeliers van het dorp en had goede hoop gehad op de resultaten daarvan. Nu wist hij dat niet zo zeker meer. Poullain kon zich niet eens herinneren wat voor winkels daar stonden. De teleurstelling was zichtbaar op zijn gezicht.
Dominic had op een lege bladzijde een kleine plattegrond van Taragnon getekend: de korte weg van de Rosselots naar de hoofdweg, de boerderij van de Maillots, en de weg langs het riviertje. Het was een simpele driehoek met de afstanden in meters tussen de drie punten. Twee kruisjes gaven aan waar de fiets was achtergelaten en waar de jongen was gevonden. Terwijl zijn pen boven het papier bleef hangen en Poullain het woord weer nam, liet hij zijn blik even door de keuken gaan: droogbloemen, ornamenten, potten met bloem en kruiden, een blikken wandklok met de naam Portofino in zwarte krulletters onder een afbeelding van een haven, geen foto's. Er was in de keuken maar weinig te zien wat iets zei over het leven van de Rosselots. Hoewel de keuken de plek was waar de koffie was, vroeg Dominic

zich toch af of er geen andere reden was dat ze niet in de zitkamer waren uitgenodigd. Blijkbaar wilden de Rosselots niet te veel inbreuk op hun privé-leven.
'Dus uiteindelijk belde u om iets voor vijf uur naar het bureau, toen duidelijk was dat uw zoon niet op de boerderij van de Maillots was aangekomen en u zijn fiets had gevonden.' Monique mompelde ja en Jean-Luc knikte alleen maar. Poullain keek even naar Dominics plattegrond, alsof hij naar inspiratie zocht. Hij bracht zijn gedachten op de ordelijke manier waarop ze in hem opkwamen onder woorden, alsof hij tegelijkertijd zijn eigen geheugen wilde opfrissen. 'Uw zoon werd gevonden om ongeveer kwart over drie, door een boer die hier zijn land heeft, op ongeveer een halve kilometer afstand van Maillots' boerderij. Wij arriveerden binnen veertig minuten op de plaats van het misdrijf en ontvingen uw telefoontje bijna een uur later. Vervolgens hebben we geprobeerd zijn identiteit vast te stellen, om er zeker van te zijn dat het om uw zoon ging, en hebben vijf kwartier nadat u had gebeld twee agenten naar u toe gestuurd. We vermoeden, hoewel we dat pas zeker weten als we alle medische gegevens binnen hebben, dat de poging tot moord op uw zoon een uur of minder voordat hij werd gevonden heeft plaatsgevonden.' Poullain keek nieuwsgierig van Monique naar Jean-Luc terwijl hij de volgorde van de gebeurtenissen schetste. Dit was de eerste keer dat ze deze informatie hoorden en hij wilde hun reactie zien.
Jean-Luc staarde wezenloos terug en Monique keek hem aan met een milde interesse, alsof ze verwachtte dat Poullain daar nog iets belangrijks aan ging toevoegen. Dominic zag dat Poullain zijn hand opende en naar zijn handpalm keek. Het moeilijke deel kwam eraan, en hij zocht al naar middelen om zijn woorden te benadrukken voordat hij ze uitsprak. 'Ik wil dat u even goed nadenkt voordat u antwoord geeft. Maar zijn er familieleden, neven of ooms, vrienden of buren die in het verleden een speciale belangstelling voor Christian hebben getoond? Op een manier die misschien omschreven kan worden als té vriendelijk of meer dan gebruikelijk?'
Poullain deed dit volgens het boekje, merkte Dominic. De meeste kinderverkrachters werden dicht bij huis gevonden, onder familieleden of vrienden. Vaak was de grens tussen natuurlijke genegenheid en 'onnatuurlijke interesse' voor kinderen onmogelijk te trekken.

Monique leek het eerst niet te begrijpen. Toen drong eindelijk tot haar door waar Poullain op doelde en betrok haar gezicht. Maar toen ze antwoord gaf, trilde haar stem, alsof ze nog steeds moeite moest doen om het te begrijpen. 'Ik geloof niet dat we zo iemand kennen.' Ze keek snel naar Jean-Luc, zoekend naar steun. 'Maar ik begrijp het niet. Waarom vraagt u dit?'
Poullain haalde zijn hand door zijn haar. Er waren zweetdruppeltjes zichtbaar op zijn voorhoofd en hij voelde zich weinig op zijn gemak. 'Geloof me. Het spijt me dat ik u dit moet vragen. Maar toen ik vanochtend bij de politiearts informeerde, werd bevestigd wat we helaas al vermoedden: dat uw zoon seksueel is misbruikt voordat de poging tot moord plaatsvond. We weten nog maar weinig over het tijdstip van de poging tot moord en het seksuele misbruik, en zullen de details pas weten als we de resultaten van de forensische dienst en de bloedproeven hebben. Maar we weten in dit stadium wel dat het seksuele misbruik heeft plaatsgevonden.' Poullain zuchtte, deels om zijn spanning te ontladen. 'Het spijt me dat ik u dit nieuws moet brengen.'
Moniques lip trilde terwijl ze Poullain aanstaarde. Het duurde even voordat echt was doorgedrongen wat hij had gezegd. Toen wendde ze met een ruk haar blik af, stond op, liep naar het raam en keerde hun haar rug toe. Haar schouders zakten, ze legde een hand tegen haar wang en schudde langzaam haar hoofd. De spieren van haar onderkaak spanden zich terwijl ze haar tranen probeerde te bedwingen.
Jean-Luc staarde enige tijd naar de rug van zijn vrouw, aarzelend of hij moest opstaan om haar te troosten. Er zat iets van gêne, een soort spanning tussen de twee. Uiteindelijk bleef hij zitten waar hij zat, hij keek naar het tafelblad en streek er met zijn hand overheen. Hij bloosde licht: een mengsel van woede over Poullains nieuws en frustratie. Hij was er niet geweest om zijn zoon te beschermen, en nu was hij zelfs niet in staat om zijn eigen vrouw te troosten.
Dominic zag dat de spieren van Jean-Lucs nek en brede onderarmen zich spanden terwijl hij zocht naar nieuwe zelfbeheersing. Er viel een stilte die enige tijd voortduurde. Het geluid van de cicaden, van buiten, werd alleen onderbroken door het gekraak van Poullains radio.
Ten slotte zei Jean-Luc: 'Zoals mijn vrouw al zei, weten we zeker dat we zo iemand niet kennen. Christian is een lieve, harte-

lijke jongen, maar we kennen niemand die daar ooit misbruik van heeft gemaakt, of dat zou willen doen.'
Poullain glimlachte begrijpend. 'Het spijt me dat ik het moest vragen. Maar u zult begrijpen dat we alle mogelijkheden moeten nagaan.' Toen de radio weer kraakte, vroeg Poullain aan Dominic of hij hem wilde beantwoorden.
Dominic liet de voordeur openstaan en liep over het erf naar de auto. Het was Harrault van de gendarmerie. Hij bracht Dominic op de hoogte van het laatste nieuws. De drie gendarmes waren vanaf halfnegen de winkels langsgegaan en het artikel in *La Provençal* van die ochtend had ook een paar telefoontjes opgeleverd. Er was één aanwijzing waarvan Harrault vond dat Poullain die moest horen. 'Madame Véillan van de slagerij was gisteren op weg naar Ponteves toen ze Gaston Machanaud op zijn Solex uit het laantje zag komen waar we de jongen hebben gevonden. Het lijkt erop dat we meteen in de roos hebben geschoten.'
Dominic kende Machanaud. Hij werkte af en toe op het land en verdiende wat bij met stropen. 'Hoe laat was dat?'
'Iets na drieën. Madame Véillan moest om kwart over drie in Ponteves zijn, dus ze is vrij zeker van de tijd. Ongeveer een kwartier of twintig minuten voordat de jongen werd gevonden.'
Dominic zei dat ze eerst terug zouden komen naar het bureau voordat ze met de politiearts gingen praten, dus dan hadden ze tijd om alle tips na te gaan. Hij hing op en zag dat Monique Rosselot nog steeds bij het raam stond. Ze huilde niet meer en stond hem met een vastberaden blik aan te staren. Grote, sprekende ogen die dwars door hem heen leken te kijken.

Alain Duclos vertrok al vroeg van het landgoed in Vallon om de ochtendkrant te kopen en besloot naar Brignoles te rijden voor zijn ontbijt. Hij wilde alleen zijn als hij de krant las, niet met Claude of zijn vader die meelazen over zijn schouder.
Hij kocht een exemplaar van *La Provençal* bij de kiosk vlak bij het café, nam plaats aan een van de vijf tafeltjes op het terras en sloeg de krant open. Hij bekeek de voorpagina: Chroesjtsjov en het anti-atoomproevenverdrag in Moskou; vier doden bij overstromingen in Tourmin; twee doden bij een brand in een pakhuis in Marseille; Franse marine redt zesduizend opvarenden van een gestrand cruiseschip. Hij voelde een steek van bezorgdheid. Een moord was toch belangrijker dan een brand in een pakhuis? Het

had erin moeten staan. Hij sloeg de pagina om en zocht snel pagina twee af toen zijn blik op de kop op pagina drie viel: JONGEN BEESTACHTIG MISHANDELD IN TARAGNON.
Het was maar een klein artikel, waarin werd beschreven hoe de jongen was gevonden door een plaatselijke boer en de politie de mensen in het stadje ondervroeg. Op tweederde van het artikel verstrakte Duclos, en hij moest de alinea opnieuw lezen voordat het tot hem doordrong. De jongen had ernstige verwondingen aan het hoofd en lag nu in het ziekenhuis. De politie en de familie wachtten op nieuws van de artsen over de ernst van de verwondingen. De naam van het ziekenhuis werd niet genoemd. Duclos voelde zich verdoofd en staarde wezenloos naar de alinea, waarvan de letters langzaam onscherp werden. Hij werd plotseling duizelig en een ijskoude kilte greep hem bij de keel. De jongen was niet dood!
Nauwelijks drie minuten nadat hij bij het restaurant was weggereden, had hij het laantje gevonden en tijdens de rit had hij zijn besluit genomen. Alles was goed gegaan, behalve die paar laatste seconden, toen hij was gestoord door de klingelende bellen van een kudde geiten die door een herder over een aangrenzend veld werden gehoed. Maar hij was er zeker van dat hij de schedel had voelen breken en het bloed eruit had zien stromen. Die paar seconden extra, en hij zou in staat zijn geweest zijn pols of halslagader te voelen. Zich ervan te overtuigen dat...
'Monsieur, wat mag ik u brengen?'
Het duurde even voordat Duclos zijn blik had losgemaakt van de krant en de aanwezigheid van de ober begreep. Zijn stem haperde even toen hij antwoordde. 'Een jus d'orange, koffie met melk en een croissant.'
De ober knikte en liep weg. Duclos' handen trilden toen hij de krant dichtdeed en hem opgevouwen op tafel legde. Hoe had hij zo'n fout kunnen maken? De jongen kon al hebben gezegd in wat voor auto hij reed en de politie kon die in een mum van tijd traceren tot in Limoges. Nog een paar telefoontjes en ze zouden weten dat hij op vakantie was en waar hij verbleef. De politie kon vandaag nog op het landgoed van de Vallons verschijnen; misschien waren ze er al als hij terugkwam. Zonder het te willen huiverde hij en zijn maag speelde op van angst. Plotseling voelde hij zich heel eenzaam en kwetsbaar. Hij kon niet teruggaan naar het landgoed, en hij zou van auto moeten veranderen.

Misschien moest hij naar Monte Carlo rijden en dan naar de Italiaanse grens, of de andere kant op, naar Spanje. En dan?
Hij veegde het zweet van zijn voorhoofd. Hij besefte dat hij niet rationeel dacht. Hij deed zijn ogen dicht, dwong zijn zenuwen tot kalmte en zijn geest tot helder nadenken. Zijn ademhaling leek harder te klinken in deze zelfgemaakte duisternis en zijn hartslag echode door zijn hoofd en voegde zich bij de geluiden van langsrijdend verkeer. Hij moest zich concentreren om zijn heldere gedachten – als die er waren – eruit te filteren. Er verstreken een paar minuten voordat het doffe geschuifel achter hem en het getik van serviesgoed op het dienblad van de ober hem weer deden opkijken. Een paar ideeën kregen vorm.
De ober zette zijn ontbijt voor hem neer en Duclos vroeg of er een telefoon was.
'Ja, achter in het café.' De ober wees.
Het café was smal en het was er druk. Duclos baande zich een weg langs de werklieden en truckchauffeurs die hun eerste kopje koffie die ochtend dronken met glazen cognac en Pernod ernaast. Het grote telefoonboek op de plank onder het toestel was het eerste wat Duclos vastpakte. Hij bladerde het snel door. Hij kende maar twee ziekenhuizen in Aix-en-Provence, en het lag voor de hand dat de jongen daarnaartoe zou zijn gebracht, en één in Aubagne. De naam van het tweede grote ziekenhuis in Aix wilde hem niet te binnen schieten en hij moest de barman roepen om zijn geheugen op te frissen. Duclos haalde een pen uit de borstzak van zijn overhemd en pakte een servet van de bar om de naam op te schrijven die de barman hem boven het rumoer uit toeriep: Montperrin.
Duclos schreef de nummers van de drie ziekenhuizen over uit de telefoongids en liep weer terug naar zijn tafeltje op het terras. Hij wilde niet vanuit het café bellen: te veel mensen in de buurt die konden meeluisteren. Hij dronk snel wat van zijn jus d'orange en koffie, legde genoeg geld op tafel om de rekening te dekken en vertrok. Om de hoek vond hij een telefooncel. Hij draaide eerst het nummer van het Montperrin.
'Ik vraag me af of u me kunt helpen. Ik heb begrepen dat er in uw ziekenhuis een jongetje verblijft met de naam Christian Rosselot. Hij zou gisteren gebracht moeten zijn.'
'Een ogenblik.' Duclos hoorde het geritsel van papier. Het duurde vrij lang, alsof de receptioniste het twee keer nakeek. Ten

slotte zei ze: 'Het spijt me. Ik zie niemand onder die naam geregistreerd staan.'
'Dank u.' Duclos belde het andere ziekenhuis in Aix-en-Provence.
'Centre Hospitalier.'
'Neem me niet kwalijk dat ik u stoor. Ik heb begrepen dat in uw ziekenhuis een jongetje verblijft, sinds gisteren. Christian Rosselot.'
'En met wie spreek ik, alstublieft?'
'Hij is een vriendje van mijn zoon Michel, van school, Michel Bourdin. Ik vroeg me af in welke kamer hij lag. We zouden graag bloemen willen sturen en misschien op bezoek komen.'
'*Ne quittez pas*. Eén moment.'
Duclos was nerveus tijdens het wachten. Hij had geen idee of ze argwanend waren en wat voor instructies ze daar hadden gekregen. Het duurde een volle minuut voordat ze weer aan de lijn kwam.
'De jongen ligt nog op de intensive care. Maar zodra hij verplaatst kan worden, zal hij naar een van de vijf privé-kamers in de Benat-vleugel worden gebracht.'
'Wanneer zal dat zijn?'
'Dat kan vanavond, morgen, overmorgen of zelfs volgende week zijn. Hij ligt nog in coma en mag niet verplaatst worden. Totdat hij bij bewustzijn komt, zijn er strikte instructies om alleen familie bij hem toe te laten, geen ander bezoek. Maar als u bloemen wilt sturen, kunnen we die op zijn kamer zetten.'
'Ja. Dank u. Dat is een goed idee.'
Duclos voelde zich enigszins opgelucht toen hij ophing. Maar hij wist dat dat van korte duur zou zijn. Die jongen kon elk moment bij bewustzijn komen en gaan praten. En hij kon dat niet laten gebeuren.

7

Het licht van een kaars werd weerkaatst door het glas. Het bezorgde gezicht van Monique Rosselot, die door de grote glazen afscheiding naar haar zoon keek, werd gevangen in de licht-

gloed. Het glas scheidde het observatiekamertje, dat niet groter was dan tweeënhalve vierkante meter, van de echte intensive care-kamer. Monique Rosselot zat in een van de drie stoelen die bij de afscheidingswand stonden. Ze had toestemming gekregen om één kaars mee te brengen, één slechts, en die twee tot drie uur lang te branden als onderdeel van haar dagelijkse wake.
De verpleegster was al ruim een minuut weg. Monique besloot de kamer in te gaan. Er stond geen stoel bij het bed, dus knielde ze naast Christian neer.
Nadat ze even bedachtzaam naar zijn gezicht had gekeken, stak ze haar hand uit en liet ze haar vinger voorzichtig langs zijn gelaatstrekken gaan. Ze dacht terug aan de vele keren dat ze zijn gezicht had gestreeld, aan hoe hij naar haar glimlachte als hij in bed lag en vroeg of ze hem een verhaaltje wilde voorlezen.
Zijn huid was toen warmer geweest en het was vreemd en afstandelijk om zijn gezicht te strelen zonder dat er een reactie kwam. Geen glimlach. Geen heldere blik die naar haar opkeek. Heel voorzichtig liet ze haar vinger naar beneden gaan, want ze mocht de slangen die hem voedden en waren aangesloten op de monitors niet aanraken. Als ze haar verhaaltje had voorgelezen, dan stak ze haar hand uit en liet ze haar vingers even door zijn haar gaan. Maar nu was zijn hoofd kaalgeschoren en waren op de huid van zijn schedel nog de sporen te zien van de onderzoeken die ze hadden gedaan. Hechtingen markeerden de gruwelijke wond aan de zijkant van zijn hoofd.
Monique deed haar ogen dicht en pakte Christians hand vast. Maar die was zelfs nog koeler dan zijn gezicht en de angst sloeg haar plotseling om het hart. O, God, alstublieft... laat hem alstublieft niet doodgaan! Ze kneep haar ogen dicht om zich te wapenen tegen het ondenkbare en toen ze ze weer langzaam opendeed, werd Christians kwetsbare gestalte vertroebeld door haar tranen. Ze probeerde uit haar hoofd te zetten wat hem was aangedaan, de koude, harde feiten die de twee gendarmes haar hadden verteld, het seksuele misbruik... de vele slagen op zijn hoofd, waarna hij voor dood was achtergelaten. Ze had vrijwel uitsluitend gehuild als ze alleen was, en dat gaf weer hoe ze zich voelde tijdens haar waken: alleen. Jean-Luc had zich vooral op zijn werk op de boerderij gestort om met het gebeuren te kunnen omgaan. Hij was maar één keer met haar meegegaan naar het ziekenhuis.

Nu, met Christians kleine hand in de hare, zou ze het niet anders gewild hebben. Ze zou zich waarschijnlijk niet hebben kunnen overgeven aan dit moment van intimiteit als Jean-Luc bij haar was geweest. Ze had dit pas één keer eerder gedaan en ook toen had ze zich gevoeld als een dief in de nacht die zich stiekem iets toe-eigende. Een paar minuten van intimiteit met haar zoon. Misschien wel hun laatste.
Ze schudde haar hoofd. Nee! Dat mocht niet gebeuren! Ze zou Christian weer zien glimlachen, de warmte van zijn omhelzing voelen. Ze nam zijn hand steviger in de hare en concentreerde zich op haar boodschap aan hem. Dwong Christian bij bewustzijn te komen.
De brandende kaars deed haar denken aan verjaardagen, en het schoot haar te binnen dat Christian binnenkort jarig was, waarna haar gedachten afdwaalden naar eerdere verjaardagen, zijn glimlachende gezicht in de gloed van het kaarslicht. Hoe hij vol verwachting zijn cadeautjes uitpakte. Zijn Topo Gigio-pop. Zijn modelracebaan. Zijn fiets, die hij pas vorig jaar had gekregen. Hun huis, vol blijdschap en gelach. En plotseling voelde ze zich een stuk zekerder: zijn komende verjaardag! Iets echts dat naderde en waarop ze zich kon richten. Ze kon zelfs voor zich zien hoe Christian daarbij zou zijn. 'Binnenkort ben je jarig, Christian,' zei ze zacht. 'Er zullen prachtige cadeautjes voor je zijn. Ik ga een taart voor je bakken. Groter en mooier dan je ooit hebt gezien.' In haar gedachten kon ze Christian naar de reusachtige taart zien kijken, met grote, lachende ogen. En op dat moment wist ze zeker dat Christian bij kennis zou komen en was ze in staat de koelte van zijn hand in de hare te negeren. 'We zullen weer allemaal samen zijn...'

'Nu, laten we eens kijken wat we hier hebben.' Dokter Besnard, de patholoog-anatoom, had de dossiermap al geopend voor zich liggen, alsof hij het materiaal had bekeken voordat ze binnenkwamen. Een verpleegster had Dominic en Poullain naar de twee stoelen tegenover het grote, mahoniehouten bureau gebracht. Poullain kende Besnard van vier eerdere zaken, voornamelijk auto-ongelukken.
'... een jongetje, Christian Yves Rosselot. Tien jaar oud. Wordt 4 september elf... dat is over twee weken. Binnengebracht op 18 augustus 's middags om acht over halfvijf.' Besnard sloeg de

bladzijde om en sloeg hem toen weer terug. Hij was begin vijftig en kaal, afgezien van een paar lange pieken grijsbruin haar. Hij ondersteunde zijn hoofd even met zijn hand, streek de pieken haar op hun plaats en keek op. 'Wel. De ambulancebroeders hebben gerapporteerd dat ze om drie over vier op de plaats van het misdrijf zijn gearriveerd. De jongen droeg een korte broek maar geen hemd, en hij lag met zijn gezicht naar beneden, met zijn rug bloot. Er was bloed zichtbaar op zijn hoofd en schouder, veel bloed, duidelijk afkomstig van de wond in zijn hoofd. Een paar kleine bloedvlekken zaten op zijn rug – afkomstig van dezelfde wond – en een spoortje bloed, vrijwel opgedroogd, aan de binnenkant van de dij van de jongen. Dit was duidelijk afkomstig van een andere wond. Daarom is de broek opengeknipt en hebben ze vastgesteld dat het bloed afkomstig was van een rectale penetratie. Die wond was niet meer actief, bloedde niet meer, dus hebben ze hun aandacht geconcentreerd op de hoofdwond.' Besnard keek af en toe even op naar Poullain, hield zijn vinger bij de tekst in het rapport terwijl hij Dominic aankeek alsof hij wachtte tot hij klaar was met zijn aantekeningen.
Röntgenfoto's, meervoudige fracturen, hematomen, somatosensitieve cortex. De bladzijden van Dominics notitieboekje stonden al vol aantekeningen van zijn gesprek met de chirurg die Christian de vorige avond had geopereerd. Medische aantekeningen in steno waren een nachtmerrie. Blijkbaar konden alleen samengestelde woorden worden ingekort. Poullain had geregeld dat Dominic met de chirurg zou praten en daarna op hem zou wachten voor hun gesprek met Besnard. Maar Dominic had nauwelijks een halfuur tijd gehad voor zijn gesprek.
Zachtgroene tegels en muren van crèmekleurig granol. Het getik van hakken en stemmen die ver droegen door de kale gangen. Dominic vond de atmosfeer onheilspellend. Beelden van de arts die met echoënde voetstappen op hem toe kwam lopen en hem de resultaten van zijn moeders biopsie vertelde. Een jaar, twee jaar, als ze geluk had. Nee, helaas was er niet veel dat ze konden doen behalve morfine verstrekken in de terminale fase, om de pijn te verminderen. Eens per drie maanden controle, maar laat het ons weten als de pijn in de tussentijd te erg wordt...
'... de luchtwegen vrijhouden van bloed was een eerste vereiste, dus werd er een tracheaal buisje in zijn keel geschoven.' Besnards vinger ging naar beneden over de bladzijde. 'Gelukkig

lag de jongen met zijn gezicht naar beneden, anders zou hij waarschijnlijk in zijn eigen bloed zijn gestikt voordat ze arriveerden. De wond werd schoongemaakt en de oorzaak van de bloedstroom – een gesprongen bloedvat – werd gevonden, net zoals dat met de schedelfractuur werd gedaan, hoewel de ernst daarvan op dat moment nog niet kon worden vastgesteld. Dat werd pas duidelijk op de röntgenfoto. Zware kneuzingen en gescheurde huid werden ook vastgesteld op het rechter jukbeen, met bloed dat inmiddels was gestold en een mogelijke botbreuk daaronder. De patiënt werd daarom verbonden, zowel om het bloeden te stoppen als om de schedel te steunen, er werd hem zuurstof toegediend nadat de luchtwegen waren vrijgemaakt en hij werd hiernaartoe gebracht. Vanaf dat moment heeft Verthuy op de eerstehulp het overgenomen. Conclusies uit de rapporten van de ambulancebroeders en dokter Verthuy? Ten eerste het tijdstip van de misdaad.' Besnard keek hen even doordringend aan. 'Uit de hoeveelheid gestold bloed rondom de grootste wond en het bloed dat daar nog doorheen sijpelde, is het hun schatting dat die heeft plaatsgevonden tussen één en anderhalf uur voordat ze op de plaats van het misdrijf arriveerden. De andere verwonding, de penetratie van het rectum van de jongen, is ongeveer in dezelfde periode ontstaan, mogelijk slechts een paar minuten daarvoor. Maar wat waarschijnlijk interessanter is, is wat Verthuy over de verkrachting van de jongen te melden heeft. Hij ontdekte dat het huidweefsel van het rectum verschillende scheuringen en beschadigingen vertoonde, wat erop wijst dat er in feite twee penetraties hebben plaatsgevonden, op afzonderlijke tijdstippen.'
Besnards pauze om zijn woorden te benadrukken had het gewenste effect op Poullain. Hij boog zich aandachtig naar voren.
'Twee penetraties? Hoeveel zat ertussen?'
'Dertig minuten, veertig minuten... een uur op z'n meest. Maar absoluut twee afzonderlijke penetraties. In één deel van de rectumhals, die had gebloed, was het bloed bijna helemaal gestold op het moment dat de tweede penetratie plaatsvond.'
Dominic voelde dat Poullain nog steeds zat te worstelen met de timing van de misdaad toen hij werd getroffen door deze nieuwe informatie. Dominic had al in zijn boekje geschreven: *Poging tot doodslag: één tot anderhalf uur voordat ambulance arriveert: 14.33 - 15.03 uur. Ergens van 12 - 42 minuten voor ontdekking.*

Verkrachting minuten daarvoor. Nu schreef Dominic: *Afzonderlijke verkrachting: 30 - 60 minuten voor uiteindelijke poging tot doodslag*. Dat hield in dat de dader tot maximaal anderhalf uur in de buurt van het paadje moest zijn geweest en tussendoor een vol uur had uitgerust, of daar minimaal bijna drie kwartier was gebleven en een halfuur had gerust. Maar natuurlijk had er in die tijd iemand langs kunnen komen over dat paadje. Waar had hij zich verstopt?
'Zijn er sporen van sperma gevonden van een van de twee penetraties?' vroeg Poullain.
'Nee, niets. Verthuy heeft alleen bloed en gescheurd weefsel in het rectum aangetroffen. En al het bloed is van één type: B positief, de bloedgroep van de jongen. Onze dader is duidelijk voorzichtig geweest en heeft zijn lid eruit getrokken voordat hij moest ejaculeren. Heeft de forensische dienst iets gevonden?'
Poullain dacht aan de serie plastic zakjes waarmee de mannen uit Marseille uit het korenveld waren gekomen. Hun rapport zouden ze morgen krijgen. Maar ze wisten nu pas dat de dader vermoedelijk op de grond had geëjaculeerd. Zouden ze daarnaar hebben gezocht? Vormde dat een vast onderdeel van hun onderzoek? Een paar druppeltjes zaad tussen het graan, toen waarschijnlijk allang opgedroogd en gekristalliseerd door de warmte van de zon. En zo niet, dan was het nu weggespoeld door de regen van vannacht. 'Dat weet ik nog niet,' zei Poullain. 'Dat hoor ik morgen.'
'Andere interessante punten in Verthuys rapport...' Besnards vinger zakte een paar alinea's. 'Het gebruikte wapen: een stuk rots of een grote kei, vastgesteld aan de hand van steenfragmentjes die in het haar van de jongen zijn gevonden en in het huidweefsel van de schedel lagen ingebed. Een andere slag heeft de huid opengereten en het rechter jukbeen verbrijzeld. Botfragmenten zijn verwijderd, hoewel hij later nog een keer geopereerd zal moeten worden om het jukbeen opnieuw te construeren. Elf hechtingen waren er nodig voor de wond in de schedel, achttien voor het jukbeen. Aangezien Verthuy inwendige bloedingen vermoedde, heeft hij om twee over halfzes een reeks röntgenfoto's laten maken, 54 minuten nadat de jongen het ziekenhuis was binnengebracht. De jongen was al die tijd in coma, en is dat nog steeds, en hij is alleen van de intensive care af geweest voor de operatie van gisteravond, door dokter Trichot... met wie u al hebt

gesproken.' Besnard knikte naar Dominic. 'Trichots volledige rapport wordt morgen verwacht. Maar ik kan u wel alvast een kopie van Verthuys rapport geven. Misschien vindt u er iets in wat ik buiten mijn samenvatting heb gelaten.' Hij reikte hun de kopie aan.
Terwijl Poullain die doorbladerde, vroeg Dominic: 'Zijn er schattingen over de tijdsduur van de beide penetraties?'
Besnard keek op de volgende bladzijde, toen op de vorige. 'Niet langer dan een paar minuten per keer, hoewel Verthuy vermoedt dat de tweede misschien korter heeft geduurd, alleen omdat er minder kracht voor nodig was.'
Ze bleven even zwijgen terwijl Poullain nog in het rapport zat te bladeren. Ten slotte keek hij op. 'Waarschijnlijk zullen er een paar vragen zijn als ik het op het bureau nog eens goed doorlees, maar voorlopig weten we genoeg. Hartelijk dank. U bent erg behulpzaam geweest.'
Besnard kwam achter zijn bureau vandaan om hen uit te laten, babbelde wat over de aanhoudende augustushitte en hoe die het werk vertraagde. Artsen en gendarmes waren waarschijnlijk de enige overheidsambtenaren die in deze maand niet en masse naar de kust trokken. 'Plichtsbesef of gewoon domheid, zegt u het maar.'
Het was stil in de gang toen ze die door liepen en de trap afdaalden. De activiteit nam toe naarmate ze de begane grond naderden.
'Wat is er geregeld voor het verhoor van Machanaud morgen?' vroeg Dominic. Poullain had eerder die dag besloten dat ze Machanaud de volgende dag zouden verhoren, maar de tijd en de plaats waren nog niet vastgesteld.
'Ik denk dat we eerst maar eens bij hem op bezoek moeten gaan en proberen het er niet al te officieel en serieus uit te laten zien. Als een tweede verhoor noodzakelijk is, laten we hem wel naar het bureau komen. Ik heb gehoord dat hij morgen het grootste deel van de dag op Raulins boerderij werkt, maar we moeten proberen om voor halftwaalf bij hem te zijn, voordat hij de kans heeft gehad om een café in te duiken.'
'En de andere tips die vandaag zijn binnengekomen?'
Poullain keek Dominic even doordringend aan. 'Laten we niet het feit uit het oog verliezen dat Machanaud op dit moment onze belangrijkste verdachte is.'
Een kortaangebonden herinnering aan eerder die middag, toen

ze voor het eerst in het onderzoek woorden met elkaar hadden gehad. Machanaud was een dronkelap, een parttime stroper en vagebond, en met zijn wilde verhalen en braspartijen werd hij door minstens de helft van de inwoners van Taragnon als een rare kwast beschouwd... maar een moordenaar? Dat was belachelijk, en Dominic had de fout gemaakt die gedachte uit te spreken. Maar wat was het alternatief? Het onderzoek had zich gericht op alles wat afweek van het normale. In Taragnon, waar men ervan overtuigd was dat geen van de plaatselijke bewoners tot zoiets gruwelijks in staat was, was dit vertaald in: mensen die hier niet thuishoorden. De enige andere aanwijzingen waren een truck met een kenteken uit Lyon en een toerist die op doorreis in de stad was.
Alsof hij iets wilde goedmaken voor zijn scherpe toon daarvoor, zei Poullain: 'Je zult waarschijnlijk verheugd zijn te horen dat er in de namiddag nóg een tip is binnengekomen. Van café Font-du-Roux, iets meer dan een kilometer van de plek waar de jongen is gevonden. De barman heeft een Alfa Romeo coupé gezien die hij nooit eerder had gezien, en de bestuurder heeft daar geluncht.'
Maar Dominic was daar niet erg verheugd over. Het was te simplistisch: buitenbeentjes. Machanaud vanwege zijn excentrieke natuur en nu drie anderen, enkel en alleen omdat het vreemdelingen waren. Kleinsteeds denken was één spoor, en het ontbrak Poullain en zijn mannen aan de fantasie om een stadium verder te denken.
Voor hen veroorzaakte een groep wachtenden bij de receptie een kleine opstopping voor degenen die het ziekenhuis in en uit wilden. Onder die mensen was een gezicht dat hen even geschrokken aankeek. Maar in die tijdelijke verwarring van mensen lette niemand erop; de figuur draaide zich om en ging weer op in de massa die zich het ziekenhuis uit haastte.

Alain Duclos was op weg naar de kust. Hij had eerst naar Cannes en Juan-les-Pins willen gaan maar had zich toen gerealiseerd dat hij niet opgewassen was tegen al die mensen en hectische drukte. In plaats daarvan reed hij naar St. Tropez. Het stadje was rustig en het strand niet al te druk; door zijn grote breedte waren er hele stukken waar Duclos rustig kon wandelen en nadenken of alleen kon gaan zitten zonder last te hebben van groepen zonnebaders.

Hij vroeg zich af of de gendarmes hem in het ziekenhuis hadden gezien. Hij kon zichzelf wel voor zijn hoofd slaan omdat hij zo'n groot risico had genomen. Maar hij merkte dat hij niet goed kon nadenken en functioneren sinds hij die krant had gelezen en naar het ziekenhuis had gebeld. Toen hij die ochtend was vertrokken bij het café, was hij Brignoles uit gereden richting Castellane en de bergen. Hij was vlak bij Point Sublime gestopt en had enige tijd over de Canyon du Verdon uit staan kijken. Het uitzicht was adembenemend en de stevige wind vanuit de vallei had zijn haar in de war gemaakt. Hij had zijn ogen dichtgedaan en de verfrissende koelheid over zijn gezicht laten spelen. Maar het had weinig gedaan om zijn geest te verhelderen: de wind die door de toppen van de bomen speelde, het geruis van het graan terwijl hij de kei herhaaldelijk liet neerkomen op het hoofd van de jongen. Buigend en zich weer oprichtend graan, het geruis dat zich vermengde met het geluid van golfjes die zachtjes braken.
Hij opende zijn ogen en liet zijn blik langzaam langs de horizon van de baai van St. Tropez gaan. In de verte twee jachten en een vissersboot als witte vlekjes op een diepblauw schildersdoek. Kinderen die speelden aan de vloedlijn. Het uitzicht was nu anders, maar de beelden in zijn hoofd bleven hetzelfde. Misschien had hij gehoopt dat de grandeur van de kustplaats de beelden uit zijn hoofd zou verdrijven, of zocht hij alleen maar naar eenzaamheid? Ruimte om na te denken. Uiteindelijk kwam het erop neer dat niets ervan zijn ziel raakte. Hij voelde zich vanbinnen nog steeds wanhopig leeg en verward.
Na de bergen was hij teruggereden naar het landgoed van de Vallons om daar te lunchen. Claude en zijn vader hadden hem de afgelopen vierentwintig uur nauwelijks gezien. Hij zat maar wat in zijn eten te prikken, moest zijn uiterste best doen om aan de gesprekken deel te nemen en was ervan overtuigd dat ze zijn afwezigheid opmerkten. De beelden achtervolgden hem elke keer dat zijn hoofd vrij was van gedachten en de momenten van opluchting door afleiding van buiten waren maar kort.
De zon hing oranje boven de baai. Het was bijna halfacht. Hij hoopte dat hij er vanavond, bij het diner op het landgoed, een betere show van zou maken, en begon aan de terugrit.
Het diner was indrukwekkend: caviar d'aubergines, daurade cuite sur litière en geleé d'amande aux fruits frais, bereid door de chef-kok van het landgoed. Er was een rode Vallon uit 1955,

uit de wijnkelders van het landgoed, en Franse kaas en koffie met cognac toe. De conversatie was levendig, met Claude die vertelde over zijn plan om een dagje op een ranch in Carmargue door te brengen, en Duclos die er zelfs in slaagde een anekdote te vertellen over een van zijn eerste rampzalige ritten op een ezel aan de kust van Bretagne. Maar toen hij later door zijn gespreksstof heen raakte, begonnen de beelden hem weer te plagen. Hij excuseerde zichzelf en ging naar bed.
Het was moeilijk om in slaap te komen. Hij bleef de beelden afspelen dat hij het ziekenhuis binnenging, zich langs de drukte bij de receptie drong, toen de twee gendarmes zag en zich snel wegdraaide. Hij had zich even schuil kunnen houden in de drukte, had hun zijn rug toegekeerd totdat ze weg waren en was verder de gang in gelopen. Gelukkig had hij zijn hoofd erbij gehouden.
De nacht was warm, de luchtvochtigheid hoog en hij lag voortdurend te draaien omdat hij niet wist hoe hij moest liggen. Na bijna twee uur viel hij eindelijk in slaap. De droom was verwarrend. De ogen van de jongen keken hem opgejaagd en smekend aan vanuit de donkere kofferbak. Toen speelde de jongen langs de vloedlijn in St. Tropez, doemde Duclos boven hem op met de kei in zijn hand en maakte hij gebaren om hem weg te lokken van de andere mensen. Maar toen de jongen hem aankeek, recht in zijn ogen, glimlachte hij en stonden zijn ogen plotseling ondeugend en uitdagend. Hij vormde woorden met zijn mond en Duclos moest zich over hem heen buigen om te horen wat hij zei. De woorden waren een uitdagend gefluister dat bijna verloren ging in het geruis van de branding. Dunne rode draden liepen als spinrag door het helderblauwe water en werden steeds dikker, bloed dat elk moment gezien kon worden door de andere mensen op het strand. '... zodra ik mijn mond opendoe, zullen ze het weten... ze zullen het weten!'
Duclos schrok wakker en sloeg bijna de wekker van het nachtkastje toen hij wilde kijken hoe laat het was: tien over vijf. Zijn handen trilden. Hij wist dat hij niet weer in slaap zou vallen, dus ging hij naar beneden en zette hij koffie in de keuken. Hij besloot op het achterterras van het château te gaan zitten, bij het zwembad, en naar de zonsopgang te kijken. Een uur later, toen hij aan zijn tweede kop koffie bezig was, kreeg hij gezelschap van Claude.
Nadat ze een paar algemeenheden hadden uitgewisseld, voelde

Claude zijn verwarring aan en vroeg hij wat er mis was. Duclos wist dat dit soort vragen hem de komende dagen waarschijnlijk vaker gesteld zou worden en antwoordde dat het een meisje was dat hij twee dagen geleden in Juan-les-Pins had ontmoet. Hij had gistermiddag met haar afgesproken op hetzelfde stuk strand, maar ze was niet op komen dagen.
Claude trok een mondhoek op in een glimlach. 'Ze moet nogal indruk op je hebben gemaakt. Je lijkt wel ziek.'
Ziek? Onder andere omstandigheden zou Duclos in gelach zijn uitgebarsten. Claude kon soms zo'n zak zijn. Uiteindelijk slaagde hij erin een flauwe glimlach te forceren. Maar die laatste kwellende uren hadden hem in elk geval wel een besluit doen nemen. De obsessie knaagde aan hem, hij moest voortdurend zijn uiterste best doen om te voorkomen dat zijn zenuwen het begaven, en hij kon dat gewoon niet langer aan. Er was maar één manier om daar een eind aan te maken. Hij moest terug naar het ziekenhuis.

Dominic deed langzaam de deur open. Het eerste wat hij zag was Monique Rosselots profiel in het kaarslicht dat werd weerkaatst door de afscheidingsruit. De vormen daarachter waren door het reflecterende licht moeilijker te onderscheiden.
Monique zag hem niet meteen, en Dominic groette haar met een hoofdknikje toen ze uiteindelijk naar hem opkeek. Toen keken ze naar de liggende figuur van Christian achter de ruit. De snoeren en infuusslangen aan dat tengere lichaam maakten op de een of andere manier een obscene indruk, ontwijdend. Afgezien van al die snoeren en slangen, die hem er op een harde manier aan herinnerden dat de doktoren vochten voor zijn leven, zag de jongen eruit als een van Botticelli's slapende engelen. Hoewel zijn glanzende krullen waren verdwenen, afgeschoren voor de operatie van de vorige avond.
De pijn van het lijden, het lange wachten zonder iets te weten, had Moniques gezicht getekend. Haar verdriet was bijna tastbaar, had zich door het kleine kamertje verspreid, hoewel Dominic wist dat de volle omvang van haar pijn hem te boven ging. Maar hij kon haar pijn begrijpen en heel erg met haar te doen hebben, zonder hem zelf echt te voelen. Zou hij beter met het onderzoek kunnen omgaan als hij dat wel had gekund? Zou het de strijd die hij vreesde, met Poullain die Machanaud misschien in

staat van beschuldiging wilde laten stellen, er gemakkelijker op maken?
Dominic deed de deur weer zachtjes dicht. Hij zag Monique nog even opkijken, en een flauwe grimas van 'dank je' of 'dag' trok over haar gepijnigde gezicht. Hij had haar niet willen storen. Hij had terug gemoeten naar het ziekenhuis om het uiteindelijke rapport van de chirurg op te halen, dus had hij besloten even te gaan kijken. Om beelden te hebben die pasten bij de medische beschrijvingen. In reactie op zijn bezorgdheid over de veiligheid van de jongen waren ze alleen in staat geweest om twee uur per dag een gendarme bij zijn deur te zetten, maar Besnard had hen verzekerd dat, als Monique Rosselot niet bij hem op bezoek was, er voortdurend een verpleegster in zijn buurt zou zijn.
Dominic schudde zijn hoofd terwijl hij door de gang liep. Poullain. Machanaud. Het gesprek met Machanaud was niet goed gegaan. Hoewel het maar een officieus bezoek was geweest aan de boerderij waar Machanaud die ochtend aan het werk was, zou de echte test morgen komen, als het officiële verhoor op het bureau zou worden gehouden. Maar waarom zou Machanaud liegen over zijn doen en laten? Dominic had daar geen kant-en-klaar antwoord op, en Poullains gretigheid was wel heel erg doorzichtig geweest: 'Misschien om zijn eigen schuldgevoel te verbergen?' Plotseling was de vraag retorisch geworden en had Dominic beseft dat zijn mening er niet echt toe deed. Dominic stelde zich voor hoe Poullain in gedachten de aanklacht al opstelde en hoe hij met zijn ene hand afwezig met zijn handboeien speelde. De glorie van een zaak die snel werd opgelost.
Dominic liep het ziekenhuis uit en startte zijn motor. Het avondverkeer in Aix was rustig en binnen een paar minuten zat hij op de N7 naar Bauriac. Officieel zat zijn dienst er al een halfuur op en was zijn bezoek aan het ziekenhuis zijn laatste klus geweest nadat hij het rapport van de forensische dienst van het team uit Marseille had opgehaald. Maar Poullain wilde de samenvatting van beide rapporten morgenochtend om zeven uur op zijn bureau hebben liggen, dus die zou hij vanavond nog moeten maken.
Het was een drukke dag geweest. Het gesprek met Pierre Bouteille van vanochtend had meer dan anderhalf uur geduurd. Hoewel het voor Bauriac een belangrijke zaak was, ingedeeld onder de categorie 'gewelddadige aanranding', was het voor Bouteille vermoedelijk een van de vele regionale zaken in die categorie

die hij op zijn bureau had liggen. Rechtbankassistenten met dossiers liepen tijdens hun gesprek voortdurend in en uit en de telefoon rinkelde onophoudelijk. Bouteille zou nu de best mogelijke procedure bepalen: van algemeen tot gerechtelijk onderzoek, en het overdragen aan onderzoeksrechter Frederic Naugier.
Dominic liet de bespreking en gebeurtenissen van die dag nog eens de revue passeren, probeerde er de details uit te pikken die misschien van belang konden zijn, maar zijn gedachten werden vertroebeld door de veelheid ervan. Hij merkte dat hij zich niet kon concentreren.
Hij draaide de gashendel verder open. De wind was fris en opbeurend.

Alain Duclos reed voor de derde keer om het ziekenhuis heen. Elke keer nam hij een andere straat in een ander blok, totdat hij er zeker van was dat hij alle straten binnen redelijke loopafstand van het ziekenhuis had gehad. Hij wilde niet dezelfde fout maken als de vorige dag en bijna twee gendarmes tegen het lijf lopen.
De zwarte Citroën 2CV en DS19 waren min of meer de standaardauto's van de politie. Hij kwam maar één zwarte 2CV tegen, twee blokken verderop, stopte ernaast en keek naar binnen, maar hij zag geen politieradio. Hij sloeg de hoek om en reed nog tweehonderd meter door voordat hij parkeerde. Het ziekenhuis lag nu op vier blokken afstand, maar hij was zich bewust van zijn opvallende auto en wilde niet dat die te dicht in de buurt van het ziekenhuis werd gezien.
Duclos bleef dicht bij de huizen terwijl hij de straten door liep en draaide zijn gezicht weg van de rijweg als er een auto naderde. Het was zestien minuten over acht en tamelijk rustig voor die tijd van de avond. In de eerste twee straten reden hem maar drie auto's voorbij. Hij liep de hoek om, passeerde een druk restaurant met een grote etalageruit met uitzicht op de straat: een gegons van stemmen, gedempt gelach en vrolijkheid, een eenzaam gezicht waar zijn blik op viel toen hij haastig langsliep. Het versterkte de eenzaamheid van zijn missie nog meer. Hij had met Claude en een paar vrienden in een restaurant aan de kust moeten zitten; in plaats daarvan sloop hij als een dief door smalle straatjes en waren zijn zenuwen tot het uiterste gespannen. Zijn blik had er waarschijnlijk verwilderd en opgejaagd uitgezien voor de mensen die in het restaurant zaten.

Hij had het deze keer in elk geval beter gepland. Na een verhaal dat zijn zoon op dezelfde school zat en hij er zeker van wilde zijn dat de bloemen werden bezorgd als madame Rosselot er was, had de receptioniste hem verteld dat ze normaliter elke dag op bezoek kwam, ergens tussen vier en vijf binnenkwam en dan twee à drie uur bleef. 'Hoewel ze in twee gevallen ook 's morgens nog een uur is geweest.'
Hij had zijn aankomst net na het avondbezoek gepland. Hij liep nog een hoek om en de hoofdingang van het ziekenhuis lag vijftig meter voor hem. Hij bleef even staan, haalde een keer diep adem en liep toen in een regelmatig tempo door; hij wilde niet onzeker overkomen, want dan zouden ze hem bij de receptie tegenhouden en vragen wat hij wilde.
Er stond een klein groepje mensen bij de balie en de twee verpleegsters erachter schonken nauwelijks aandacht aan hem. De ene keek naar beneden, zocht iets op in het register, en de andere was in een druk gesprek gewikkeld. Duclos wierp hun een korte, zijdelingse blik toe, wilde niet onnodig de aandacht trekken terwijl hij snel door de grote hal naar de lift en de trappen liep.
Hij bleef maar even wachten bij de lift en besloot toen de trap te nemen. Te veel nieuwsgierige ogen te dichtbij, mensen die hem misschien zouden aanspreken, vragen hoe ze bij die en die zaal moesten komen, zouden zien op welke verdieping hij uitstapte. Op de trap zou hij veel anoniemer zijn. Eerste verdieping, aan het eind van de gang, kamer 4a. Zijn hart klopte in zijn hoofd, bijna in het ritme van de harde echo's van zijn voetstappen die door de gang klonken. Aan het eind waren twee zijgangen met borden en pijlen die naar de verschillende afdelingen verwezen. Hij zag dat 4a bijna aan het eind was. Duclos hield zijn pas in toen hij de deur naderde. Onbewust hield hij ook zijn adem in bij die laatste passen, en stak hij zijn hand uit naar de deurknop.
Zijn hand bleef even boven de deurknop zweven, toen trok hij hem weer terug en veegde het zweet in zijn handpalm af aan zijn broekspijp. Zijn plan stond hem helder voor de geest: als er iemand was, of hij werd aangesproken, dan zou hij zeggen dat hij een afspraak had met madame Rosselot. 'Had hij haar gemist?'
Hij haalde nog een keer diep adem, hield de lucht lang in zijn longen om zijn zenuwen te kalmeren, pakte de deurknop vast en duwde hem omlaag...
De kamer lag voor hem: het profiel van een vrouwengezicht,

donker haar, een brandende kaars... een bed en monitors achter een glazen afscheidingswand. Een indruk die slechts een fractie van een seconde duurde. De vrouw bewoog haar hoofd om op te kijken; Duclos deed de deur snel dicht. Hij ademde uit, een abrupte ontlading van spanning, en liep haastig weg, bang dat de vrouw naar de deur zou komen en die open zou doen om te zien wie er was. Duclos durfde niet achterom te kijken en luisterde aandachtig of hij geluiden achter zich hoorde. Die waren er niet. Hij liep de hoek om en was weer veilig.
Hij was er zeker van dat de vrouw hem niet had gezien. Het was natuurlijk de moeder van de jongen, madame Rosselot. Wat een pech, dacht hij; ze had minstens een kwartier geleden vertrokken moeten zijn. Plotseling ging naast hem een deur open en zijn hart sprong in zijn keel toen een verpleegster en een portier de gang op kwamen lopen. Duclos forceerde snel een schaapachtige grijns op zijn gezicht, maar ze sloegen nauwelijks acht op hem en liepen meteen door in de richting van de trap.
Duclos overwoog het op te geven, het ziekenhuis uit te lopen en een andere dag terug te komen. Zijn zenuwen waren murw, zijn maag speelde trillend op en zijn lichaam was verzwakt door gebrek aan slaap en nervositeit. Maar hij wist dat als hij nu wegging, hij nooit meer terug zou komen, niet meer in staat zou zijn dezelfde spanning nog een keer te verdragen. Hij zag een nis met een bank, met een goed uitzicht op de trap en, als hij zich vooroverboog, de volle lengte van de gang. Misschien kon hij daar gaan zitten wachten. Ze was al een kwartier te laat, dus hoeveel langer kon ze nog blijven?
Hij probeerde zich te ontspannen door diep en regelmatig adem te halen. Maar met elke minuut die verstreek nam zijn spanning juist toe. Twee keer hoorde hij voetstappen: hij boog zich voorover en zag mensen uit andere kamers komen. Vals alarm. Er waren pas een paar minuten verstreken, maar het leken wel jaren.
Weer voetstappen, zacht eerst, toen echoënd door de gang. Hij boog voorover, verwachtte min of meer weer een vals alarm, trok zich toen snel terug en hapte naar adem. Eindelijk! Zijn hart sprong in zijn keel en nam het ritme van de langzaam verdwijnende voetstappen aan.
Hij wachtte nog twintig seconden tot hij haar de trap af had horen lopen en concentreerde zich op de geluiden om hem heen. Geen nieuwe voetstappen, noch in de gang, noch op de trap.

Hij stond op en liep de gang in, overbrugde de afstand in een rustig tempo, met een deel van zijn zintuigen gericht op de geluiden om hem heen en de rest op wat voor hem lag: de deur... Nog een paar stappen en hij legde zijn hand op de deurknop. Hij bleef even staan luisteren of hij binnen iets hoorde. Niets. De gang was leeg en hij hoorde geen nieuwe voetstappen naderen. Langzaam duwde hij de deurknop naar beneden, de deur ging open, de kier werd breder... niemand binnen! Een snelle zucht van opluchting. Hij keek door de glazen afscheiding naar de grotere kamer daarachter, ging het observatiekamertje binnen en deed de deur snel achter zich dicht.
De jongen lag achter de glazen wand, zijn huid bleek als licht porselein, met snoeren en slangen die hem verbonden met de monitors en de apparatuur. Het was absoluut de jongen van toen, en er was niemand anders in de kamer. Duclos' mond werd droog. De ademhaling van de jongen was waarschijnlijk zo zwak, dat hij alleen maar zijn hand even over zijn neus en mond hoefde te leggen om er een eind aan te maken. Maar hij moest snel zijn want er kon elk moment iemand de kamer in komen.
Zijn zenuwen gierden door zijn lijf en de palm van zijn hand op de kruk van de tussendeur voelde plotseling weer vochtig aan. Zijn hele lichaam trilde en hij had het koud, hoewel het nog tegen de dertig graden was. Hij haalde nog een keer diep adem, deed de deur open en ging naar binnen.

'When this old world starts getting me down
and people are just too much for me to face,
I climb right up to the top of the stairs
and all my cares just drift right into space.
On the roof, the only place I know,
where you just have to wish to make it so...'
Dominic lag op zijn balkon en keek naar de sterrenhemel boven Bauriac terwijl de Drifters, op zijn platenspeler, zijn geest ontspanden. Het was een van de beste songs van het jaar, zijn favoriet. De plaat zat al sinds begin januari in zijn verzameling en in Louis' jukebox, vanaf het moment dat hij de Amerikaanse hitlijsten in was gekomen. De vloer van zijn slaapkamer lag bezaaid met dossiers en papieren. Hij had zijn samenvatting voor Poullain bijna klaar; alleen de laatste alinea nog. Hij had gezocht naar de juiste toon, die sleutelzin die alles goed weergaf, maar

had het een halfuur geleden opgegeven en besloten een pauze te nemen om zijn gedachten wat op te frissen.
Zijn moeder was een uur geleden, even na tien uur, naar bed gegaan met een kop warme chocola en een schaaltje biscuitjes. Haar dagelijkse huishoudelijke bezigheden leken haar met de dag meer te vermoeien. Hij had zijn platenspeler vlak bij de openslaande deuren van zijn slaapkamer gezet om zijn moeder, die beneden sliep, niet te storen.
Zijn gedachten gingen terug naar Algerije. Het Vreemdelingenlegioen. Waar hij er voor het eerst een gewoonte van had gemaakt om op zijn rug naar de sterren te liggen staren. De hemel boven de woestijn was zelfs nog indrukwekkender geweest: een kristalhelder diep donkerblauw, bezaaid met een sneeuwstorm van sterren. Na een paar maanden had de helft van het peloton de gewoonte overgenomen. Iemand maakte een kampvuur terwijl hij zijn platenspeler aansloot op de autoaccu, waarna ze platen van Ray Charles en Sam Cooke draaiden en er soms wat hasjiesj werd gerookt die iemand in een soek had gekocht. Hasjiesj was in Algerije gemakkelijker te krijgen dan alcohol. Zijn muzieksessies maakten hem populair bij zijn kameraden. Het idee dat ze midden in de woestijn lagen, afgesneden van de rest van de wereld, en toch, dankzij Dominics oom, konden luisteren naar de allerlaatste hits minstens twee maanden voordat de rest van Frankrijk dat voorrecht zou hebben. Het zorgde er op de een of andere manier voor dat ze het gevoel hadden dat ze er nog bij hoorden, een compensatie voor hun isolatie.
Het legioen had ook zijn littekens achtergelaten. Niet zozeer op hem persoonlijk – hij was maar een radio- en communicatieofficier geweest en had nauwelijks gevechten gezien – maar op zijn huidige carrière. De gendarmerie behandelde voormalige soldaten van het Vreemdelingenlegioen argwanend, alsof het allemaal experts waren in het ongewapende gevecht en het doorsnijden van kelen. Aan het eind van de vorige eeuw, met de opstanden in Marokko en Algerije, waren veel rekruten afkomstig geweest uit de Franse gevangenissen – een alternatief voor de Bastille of Duivelseiland – maar in de laatste paar decennia was dat niet meer het geval.
Dominic nam niet eens de moeite om hen terecht te wijzen en te vertellen dat hij tijdens de Algerijnse Oorlog nauwelijks enige strijd had gezien. Soms had dat imago van stoere jongen zijn

voordelen; collega's pasten ervoor op dat ze niet op zijn tenen trapten. De plaatselijke vooroordelen konden in je voordeel werken, maar hij was bang dat diezelfde vooroordelen tégen Machanaud zouden kunnen werken als het verhoor morgen niet goed ging.
Het rapport van de forensische dienst onthulde weinig. Het bloed dat was onderzocht, was allemaal van dezelfde bloedgroep als dat van de jongen, er waren geen sporen van sperma gevonden en geen opzienbarende vezels ontdekt. De steenfragmentjes die in het bloed waren gevonden, bevestigden het vermoeden van de politiearts over het wapen. Maar er was door het onderzoeksteam geen kei vol bloedvlekken gevonden, het overhemd van de jongen evenmin, en de paar stukjes papier die in het korenveld waren gevonden en het afgedragen mannenjack en de schoen die op de rivieroever hadden gelegen, waren te verweerd geweest om met hem in verband te worden gebracht. Desondanks hadden ze alles voor controle naar het lab gestuurd.
Met weinig of geen forensisch bewijs werden ze meer afhankelijk van de timing van de misdaad en van ooggetuigen, welke laatste in de richting van Machanaud wezen. Als Poullains heftige reactie op zijn protest van de vorige dag – dat het belachelijk was om Machanaud te verdenken omdat hij alleen maar een ruziezoekende dronkelap en een stroper was – tekenend was voor de publieke opinie, was Dominic bang dat die zich wel eens tegen Machanaud zou kunnen keren. Net als Louis en hijzelf was Machanaud afkomstig van buiten, oorspronkelijk uit het heuvelland aan de voet van de Pyreneeën, en woonde hij nog geen drie jaar in Bauriac. Meer dan eens waren Dominic en de anderen naar een plaatselijk café geroepen als Machanaud weer eens dronken was. Dan wilde hij zingen of vechten, of alle twee tegelijk. Dan had hij zichzelf eerst de hele avond opgewarmd met verhalen over zijn oorlogsverleden, over hoe hij als jongen van achttien in het verzet had gezeten en had geprobeerd een Duitse truck op te blazen met dynamiet, maar dat de truck van de weg was gesprongen en hem had geraakt, waarna ze in het ziekenhuis een stalen plaatje in zijn hoofd hadden moeten zetten. De meeste dorpelingen dachten dat hij halfgek was en behandelden hem met een mengeling van argwaan en minachting.
Misschien zouden de andere aanwijzingen vruchtbaarder blijken en de aandacht van Machanaud afleiden. Hij had eerder die avond

naar de gendarmerie gebeld en Servan had hem op de hoogte gebracht van het laatste nieuws: een groene Alfa Romeo was gezien in Pourrières, het nummer was genoteerd en doorgegeven aan het bureau Kentekenregistratie in Parijs. De truck uit Lyon was zestig kilometer verderop gesignaleerd op het tijdstip van de misdaad en over de toerist op doorreis was nog geen nieuws.
Dominic stond op. Hij zette zijn gedachten nog eens op een rij en uiteindelijk begon zijn slotalinea vorm te krijgen. Hij boog zich snel over zijn rapport voordat de gedachte weer vervloog en schreef: *Duidelijk gebrek aan forensisch bewijs. Geen andere bloedgroep dan die van de jongen, geen sperma, geen vezels. Het wapen noch het overhemd van de jongen kan gevonden worden. Degene die deze misdaad heeft gepleegd, is buitengewoon voorzichtig geweest. Als we Machanaud willen verdenken, zullen we ons ook moeten afvragen: is hij echt het type om zo voorzichtig en zorgvuldig te zijn?*
Dominic las zijn samenvatting nog eens door. De tijdspanne tussen de twee seksuele vergrijpen had een nieuw, onbekend perspectief doen ontstaan, maar dat wees niet per definitie in de richting van Machanaud. Wie de misdaad ook had begaan, de vraag bleef dezelfde: waar waren ze in de tussentijd geweest? Er was geen andere plek gevonden waar het graan was platgetrapt, en aan de diepte van de indruk van het lichaam op de plek waar de misdaad ten slotte was begaan, had het team uit Marseille geconcludeerd dat ze daar niet langer dan tien minuten waren geweest. Daarom vermoedden ze dat de jongen en zijn belager daarvoor op de rivieroever waren geweest, vanaf het laantje nauwelijks zichtbaar tussen de bomen en bosjes. Of ergens anders?
De plaat was afgelopen zonder dat Dominic het had gemerkt en de naald stond te tikken aan het einde van de groef. Dominic haalde hem eraf, zette Sam Cookes *Another Saturday Night* op en liep het balkon op. Hij ging weer in zijn ligstoel liggen, deed zijn ogen even dicht, deed ze toen weer open en liet het weidse uitspansel van de donkerblauwe hemel met zijn vele sterren op zich neerdalen, doordringen in zijn lichaam totdat ze de uiteinden van al zijn zenuwen raakten. Totdat ze zijn ziel raakten. Afzondering.
Maar achter in zijn geest flakkerde het licht van een enkele kaars. Monique Rosselots profiel, voor een deel in de schaduw in het dansende licht, het absolute symbool van schoonheid en moederschap, terwijl ze hoopte en bad dat haar enige zoon zou

blijven leven. Het deed hem denken aan een vrouw in Algerije, die hij in de soek in El Asnam had gezien. Hij had nooit veel aandacht aan de plaatselijke vrouwen geschonken omdat die gewoonlijk van hun neus tot hun tenen in zwarte lappen waren gekleed. Deze vrouw was ook zo gekleed, behalve dat haar ogen boven de sluier voor haar gezicht groot en fascinerend waren, en ze had zijn blik een seconde langer vastgehouden dan daar waarschijnlijk als fatsoenlijk zou worden beschouwd. Haar ogen, lichtbruin met groene vlekjes, helder en gevoelig, hadden uitdagend naar hem gelachen. Toen was ze plotseling weer weg, verdwenen tussen de marktkramen naar de zijstraatjes van de soek. Sindsdien had hij zich vaak afgevraagd hoe haar gezicht eruitzag, maakte zich er voorstellingen van als hij tijdens die lange, eenzame nachten in de woestijn in de vlammen van het kampvuur of naar de sterren aan de fluweel zwarte hemel lag te staren. Maar het beeld dat hij nu vergroot voor zich zag toen de sluier langzaam opzij werd geschoven, was het gezicht van Monique Rosselot. Hij schudde zijn hoofd, om het beeld kwijt te raken.

Sam Cooke zong: '*It's hard on a fellow, when he don't know his way around. If I don't find a honey to help me spend my money, I'm gonna have to blow this town...*' Het herinnerde Dominic aan een van zijn laatste afspraakjes met Odette; ze hadden de song gehoord op een kermis in Draguignan, waar ze naartoe waren geweest. *Another Saturday Night*. Vrolijk gekleurde lichtjes, suikerspinnen, een pluizige, lichtblauwe speelgoedkat die hij voor haar had gewonnen bij de schiettent. Maar die kaars in zijn hoofd bleef maar branden en het verslagen maar trotse profiel, half in de schaduw, werd nog steeds weerspiegeld in het glas. Hij merkte dat het moeilijk was om het beeld van Monique Rosselot uit zijn hoofd te zetten.

8

Sessie 1: 11.06 uur, 16 februari 1995

Stuart Capel keek bezorgd naar de deur voor hem. Er was alleen maar gedempt gemompel door te horen, hoewel hij heel af en toe

een woord kon verstaan. Hij steunde zijn ellebogen op zijn knieën en boog zich naar voren.
Aan de muren om hem heen hingen diploma's – dr. David Lambourne, arts, psychiater – en theaterposters. Op de kleine salontafel lag een aantal tijdschriften. Geen receptioniste, alleen een antwoordapparaat dat af en toe aansprong. Het afgelopen kwartier was er pas twee keer gebeld.
Maar ondanks Stuarts houding – al zijn zenuwen en spieren waren gespannen en hij had zijn kaken stijf op elkaar geklemd – stonden zijn ogen mat en vermoeid. Dodelijk vermoeid door de nachtmerrie van de afgelopen twee maanden. Zijn handen gingen open en dicht terwijl hij dacht aan deze laatste kans, deze strohalm waar hij zich aan vastklemde. O, god, ik hoop dat dit helpt. Ik hoop dat dit helpt...

'... dus je wordt binnenkort twaalf, Eyran. Klopt dat?'
'Ja, in april. De vijftiende.'
'En wat zou je graag voor je verjaardag willen hebben?' vroeg Lambourne. 'Weet je dat al?'
'Ik weet het nog niet. Ik zou in San Diego een surfplank krijgen.' Eyran wendde even zijn blik af en keek naar het plafond. De bank waarop hij lag was oud en bekleed met een dikke stof in een vaal bloemmotief. Je zou een dergelijke bank eerder verwachten in een huisje op het platteland dan in de spreekkamer van een psychiater in Holborn. 'Misschien een nieuwe fiets. Of computerspelletjes.'
'Heb je erover gedacht om een huisdier te vragen? Een hond, misschien?'
'Nee, niet echt. Maar de jongen twee huizen verderop heeft een Ierse setter. We zijn een paar dagen geleden met de hond in het veld gaan spelen.'
'Kon je het goed vinden met die jongen?'
'Ja, dat gaat wel. Hij heet Kevin. Hij is twee jaar ouder dan ik. Hij vroeg me een heleboel over San Diego, zei dat hij er ook naartoe wilde.'
Leuk gezicht, lichtbruin haar. Een paar vage sproetjes over de brug van zijn neus. Het was moeilijk voor Lambourne om de jongen tegenover hem te koppelen aan wat hij over hem wist uit het rapport dat op zijn bureau lag. Slachtoffer auto-ongeluk. Negentien dagen in coma. Ernstig hersenletsel. Beide ouders verlo-

ren in hetzelfde ongeluk. En nu mogelijk psychische problemen: steeds erger wordende angstdromen en de ontwikkeling van een tweede persoonlijkheid om de acceptatie van de dood van zijn ouders weg te duwen.
'Heb je al eens eerder een huisdier gehad?' vroeg Lambourne.
'Nee. Maar ik vind ze wel leuk, honden leuker dan katten.'
'Misschien kun je je oom er een vragen. Met al die natuur om je heen kan dat heel leuk zijn. De perfecte plek voor een hond.' Dat was tevoorschijn gekomen uit zijn gesprek van gisteren met Stuart Capel: nieuwe wezens om zich aan te hechten, om de pijn te verminderen van wat Eyran was kwijtgeraakt. 'En op school? Heb je al vriendjes? Ik heb begrepen dat je vorige week bent begonnen.'
'Eentje pas. Simon. Hij zat bij mij op de kleuterschool toen we nog in Engeland woonden. Ik kende hem toen niet zo goed, maar we zijn nu bevriend geraakt.'
'En hoe kun je opschieten met Tessa?'
'Best. Maar ze is een paar jaar jonger dan ik. Ze heeft haar eigen vriendjes en vriendinnetjes.'
David Lambourne keek even naar zijn aantekeningen en wilde Eyran nog iets vragen over thuis of school om te zien hoe hij zich redde, toen Eyran zelf doorging.
'Mijn andere vriendjes, van vroeger, zijn te ver weg. Maar ik ben met Kevin en zijn hond naar Broadhurst Farm geweest. Dat herinnerde me aan Sarah en Salman, haar labrador. We speelden daar vroeger altijd, voordat ik naar Amerika ging. Ze kwamen voor in een van mijn eerste dromen.'
Te vroeg. Lambourne wilde nog niet aan de dromen beginnen. Zijn eerste doel was Eyran op zijn gemak te stellen, vertrouwd terrein als basis te leggen: zijn verjaardag, cadeautjes, vriendjes, misschien een huisdier. Mogelijkheden om zich aan nieuwe mensen en dingen te hechten om de oude te vervangen. Na zijn twee uur durende gesprek met Stuart Capel van de vorige dag had hij zijn route goed uitgestippeld: hij wist dat het noemen van een huisdier hem aan het ene vriendje zou herinneren, school aan het andere. Maar het verleden bleef zich ermee bemoeien – San Diego, vroegere vriendjes en herinneringen – en verstoorde het ritme.
'Hoe bevalt het je in het huis van je oom? Ik heb begrepen dat jullie midden in de vrije natuur zitten. Dat is vast leuk.'

'Ja, het is heel leuk. Mijn kamer kijkt uit op de velden aan de achterkant.'
'Dus ze hebben je een van de beste kamers van het huis gegeven.'
Een flauwe glimlach van Eyran. De eerste tot nu toe. Stuart Capel had hem verteld dat Eyran zelden glimlachte, dat niet gemakkelijk deed, en nogal traag was met zijn reacties. Dat was wat Stuart het meest zorgen baarde. 'En je hebt al je eigen favoriete dingen om je heen.'
Lambourne borduurde voort op het scheppen van vertrouwd terrein, maar de antwoorden werden geleidelijk aan meer gekunsteld en refereerden meer aan het verleden. Begrijpelijk. Eyran woonde pas zes weken in dat huis en zijn voornaamste herinneringen eraan dateerden uit de tijd dat hij met zijn ouders in die omgeving woonde. Eyrans gedachten werden nog steeds in beslag genomen door dat oude huis, de ligging ervan en de afstand tot het huis van zijn oom.
'Het ligt maar zes of zeven kilometer verderop, en Broadhurst Farm ligt er vlak achter. Als ik nu uit mijn slaapkamerraam kijk, ligt er een heuvel in de verte. Het ligt niet zo ver daarachter.'
'En daar ben je toen met Kevin naartoe gegaan? Dat lijkt me nogal ver om te lopen.'
'Dat was niet erg. Ik wilde zien of het anders was dan vroeger. Misschien zou ik daar nog mijn oude vriendjes tegenkomen. Het was raar, het meer was veel kleiner dan ik me herinnerde. En in een van mijn dromen was het heel groot.'
Heden. Verleden. En nu die dromen weer. Het leek wel hinkelen. Elke keer dat Lambourne hem meesleepte naar het heden, deed Eyran weer een sprong achteruit.
'De week daarvoor ben ik er met oom Stuart langsgereden. Maar we hebben er alleen maar naar gekeken vanaf het veld daarachter, dat tot het landje met bomen loopt. We zijn niet het veld in gelopen.'
'Zo.' Stuart Capel had hem geattendeerd op het belang van het landje, waar ten minste twee van Eyrans dromen zich hadden afgespeeld. Maar Lambourne wilde niet laten blijken dat hij dat wist. Het was belangrijk dat Eyran dat belang met zijn eigen woorden omschreef. Hoewel Lambourne van plan was geweest de dromen pas vanaf de tweede sessie te behandelen, was één facet van de dromen misschien de moeite waard om nu te verkennen.

‘In je dromen, wie zie je het vaakst? Je moeder of je vader? Of zie je hen allebei even vaak?’
‘Mijn vader komt er meer in voor. In de eerste twee dromen kwam mijn moeder helemaal niet voor. En toen ik haar ten slotte zag, was ze in de verte, buiten bereik. In een andere droom wist ik niet eens zeker of ik haar wel of niet had gezien. Het was mistig, en ik dacht dat ze een stukje voor mijn vader uit liep, maar dat kan ik me ook verbeeld hebben. Het was niet erg duidelijk.’
‘En zegt een van beiden iets tegen je in je dromen?’
‘Mijn vader heeft twee keer iets gezegd, mijn moeder nooit. Die ene keer dat ik zeker wist dat ik haar zag, stond ze met haar rug naar me toe en liep ze van me weg. En ik probeerde haar in te halen.’
‘Zo, zo.’ Lambourne keek naar zijn aantekeningen. Op dit punt, waar de dromen een bruikbare zinnebeeldige voorstelling boden, zou het vreemd zijn om Eyran rechtstreeks te vragen tot wie van zijn ouders hij zich het meest aangetrokken voelde.
‘Is het je in een van de dromen gelukt je ouders in te halen?’
‘Nee. Mijn vader bijna, maar hij bleef altijd net buiten bereik.’
‘Denk je dat er een reden voor is dat je vader vaker in de dromen voorkomt dan je moeder? Kon je beter met hem opschieten?’
‘Toen ik jonger was niet. Maar toen ik ouder werd, had ik het gevoel dat ik beter met hem kon praten. U weet wel, als ik problemen had met iemand die met me wilde vechten, of met mijn fiets, of de selectie van het schoolvoetbalteam. Ik had gewoon het gevoel dat hij meer van dat soort dingen wist dan mijn moeder.’
‘Dus je ging naar hem toe voor hulp, nam hem meer in vertrouwen. Maar je kon met allebei even goed opschieten?’
‘Ja.’
‘En hield je van allebei evenveel, van je vader en je moeder?’
Domme vraag, maar het was belangrijk dat Eyran het zei, dat hij zijn gehechtheid toegaf voordat hij zich aan andere mensen en dingen kon gaan hechten.
‘Ja.’
‘En mis je hen?’
Een langere pauze deze keer, en Eyran fronste zijn wenkbrauwen iets. ‘Ja, natuurlijk...’

Spannen. Ontspannen.

De gedempte stemmen die door de deur kwamen deden Stuarts gedachten na een tijdje afdwalen. Terug naar de nachtmerrie die hem ten slotte naar David Lambournes praktijk had gebracht.
Zijn handen ineengeklemd achter zijn rug terwijl hij het uitzicht bekeek: twee grote palmbomen die als wachtposten aan de zijkanten van de tuin stonden. Een lichte mist die opsteeg van het zwembad. December in Zuid-Californië.
Even pauze terwijl hij Jeremy's papieren en bezittingen in dozen pakte. Achter hem zei Helena, Jeremy's Mexicaanse dienstmeisje, iets wat hij niet helemaal begreep. Bij zijn aankomst had ze zijn uitgestoken hand in haar beide handen genomen, hem diep in de ogen gekeken en hem van haar verdriet getuigd. Hij kon zien dat ze had gehuild, en ze bleef zijn hand vasthouden terwijl ze hem haar emoties toonde met ogen waarover een vochtig waas van medeleven lag, waarna ze opnieuw in huilen uitbarstte. Hij had al zoveel gehuild: tijdens zijn vlucht hiernaartoe, en daarna, toen hij in het mortuarium de lichamen van zijn broer en Allison identificeerde, en toen hij Eyran hulpeloos en gebroken in het ziekenhuisbed zag liggen. Te veel om met haar mee te kunnen doen.
De dood. De ochtendmist was op de een of andere manier een weerspiegeling van zijn stemming. Hij keek door de glazen schuifdeuren naar het zwembad en het terras en dacht terug aan gelukkiger tijden. Jeremy bij de barbecue, Eyran en Tessa die zwommen, Allison en Amanda die ijsthee dronken en een salade klaarmaakten. Hij rukte zich los van zijn herinneringen en ging door met dozen inpakken. Een ander mijnenveld van herinneringen: Jeremy's diploma's van Cambridge en zijn doctoraalexamens, foto's met zijn oude rugbyteam in Hertfordshire, hij en Jeremy aan een tafel in een restaurant op Mykonos, een van hun weinige vakanties samen. Ze waren begin twintig geweest en Stuart kon zich niet eens meer de naam herinneren van Jeremy's vriendin van toen, die de foto had gemaakt. Twee dozen waren al volgepakt met foto's, papieren, aandenkens en kleine voorwerpen. Hoeveel tijd vergde het om de persoonlijke indrukken van een leven op te ruimen? De kamer keurig netjes achter te laten, zonder een spoor van herinneringen?
De dag daarvoor was een nachtmerrie geweest van papierwerk en bureaucratie. Formulieren moesten worden ingevuld op het politiebureau, in het mortuarium, nog meer papieren in het zie-

kenhuis, en toen moest hij naar Jeremy's werkgever, Hassler & Gertz, om Jeremy's testament en verzekeringen te bespreken.
Het was alsof papieren tekenen het enige was wat hij had gedaan sinds hij in Californië was aangekomen: het signeren van zijn broers heengaan. Misschien vormde het wel een deel van het rouwproces. 'Je hebt nu vijftien formulieren bekeken en ondertekend die te maken hebben met je broers dood, dus nu kun je misschien eindelijk accepteren dat hij dood is.' Had hij niet ergens gelezen dat het rouwproces pas begon ná de acceptatie van de dood?
Als laatste was hij naar Eyrans kamer gegaan en de gedachte dat Eyran op dat moment diep in coma in een ziekenhuis lag, nog nauwelijks in leven, greep hem stevig bij de keel. Posters van Pamela Anderson, de Power Rangers, Jurassic Park, het circuit van Daytona. Het was verbazingwekkend hoe snel ze opgroeiden. Had hij al aan meisjes gedacht toen hij elf was? Bij de stereo lag een stapeltje cd's waar hij er vier uitkoos: Janet Jackson, Seal, Madonna, UB40. Een snelle blik door de rest van zijn kamer: een redelijk uitgebreide collectie stenen en mineralen, een paar modellen van sportauto's, een SX25-computer met een doosje diskettes, een gesigneerde honkbalknuppel, een beeldje van een dolfijn van San Diego SeaWorld, en in de hoek een grote kist met een heel assortiment aan speelgoed, het meeste duidelijk daterend uit de tijd dat Eyran veel jonger was.
Stuart beet op zijn lip en begon in te pakken. Toch gaf deze taak hem iets meer hoop dan de vorige. Bezittingen voor de levenden.

Handen die tot vuisten werden gebald en zich weer ontspanden. Geklemd om het rapport terwijl Eyrans chirurg in Californië, dokter Torrens, hem zijn grimmige prognose gaf.
Meervoudige hersenbloedingen. Twee bloedingen in de kleine hersenen. Een minder ernstige bloeding in de grote hersenen, die inmiddels was gestopt. Het risico van hersenoedeem. Onregelmatig EEG.
Maar welke ervan kon later leiden tot psychische problemen? dacht Stuart. Welke?
Al die tijd had hij alleen maar gehoopt en gebeden dat Eyran bij bewustzijn zou komen, en niet verder gekeken. Torrens had alleen melding gemaakt van een mogelijke verstoring van het

richtinggevoel en het herkennen van topografische vormen als gevolg van de gestopte bloeding. Meestal nauwelijks merkbaar, afgezien van het onvermogen om gedetailleerde kaarten te lezen, richting te bepalen en moeilijke puzzels op te lossen. 'Als dat alles is wat ons te wachten staat, wees dan dankbaar.'
Er waren twee actieve EEG-uitslagen geweest, respectievelijk 94 uur en 17 uur voordat Eyran uiteindelijk bij kennis zou komen.
Op zijn belangrijkste vragen – de kans dat Eyran het overleefde, hoe lang het coma nog zou duren, de ernst van de schade die zich zou manifesteren wanneer en als hij uiteindelijk bij kennis kwam – wilde dokter Torrens liever geen al te duidelijke antwoorden geven en hij verstopte zich vooral achter statistieken die een dwarsdoorsnede van de Amerikaanse ziekenhuizen gaven. Stuart herinnerde zich later dat veertien procent van de comapatiënten volledig herstelde en nog eens veertien procent eveneens herstelde maar er lichte tot nauwelijks merkbare stoornissen aan overhield, terwijl een schrikbarende negenenveertig procent het helemaal niet overleefde en de rest werd gevormd door gevallen die uiteenliepen van gemiddelde invaliditeit tot een leven als een plant.
Je kon zo gemakkelijk verdwalen in de medische terminologie, dacht Stuart. Acceptatie door conditionering. Medeleven en verdriet, zulke reële dingen als het ging om iemand die je dierbaar was, teruggebracht tot onderdeel van het totaalbeeld van de algemene statistieken over comapatiënten. De eerste schrik kwam toen hij hoorde dat Eyrans hart 54 seconden had stilgestaan toen hij net was binnengebracht. Stuart vroeg of dat had bijgedragen aan zijn comateuze toestand, maar Torrens geloofde dat de hoofdwonden en hersenbloedingen daar waarschijnlijk de belangrijkste oorzaak van waren.
Handen die zich tot vuisten balden...
Een verpleegster had hem ten slotte meegenomen naar Eyrans bed en Stuart kreeg het beeld dat aansloot bij Torrens' verontrustende rapport. Slangen en snoeren die hem voedden en zijn lichaamsfuncties in beeld brachten, Eyrans gezicht bleek en grauw. Hij merkte dat hij het moeilijk vond om hem te zien als de Eyran die hij zich herinnerde, altijd zo enthousiast en nieuwsgierig, en plotseling moest hij denken aan die dag in zijn sportwagen, met Eyran naast zich, met wangen die gloeiden van de frisse buitenlucht.

Eyran was pas zes jaar geweest en ze waren Highgate Hill opgereden. Stuart had theatraal naar de begraafplaats gewezen. 'Weet je wie daar begraven ligt? Karl Marx!' Waarop Eyrans ogen enthousiast waren opgelicht. 'Was dat een van de Marx Brothers?' Het was bijna twee jaar een vast onderdeel van Stuarts dinerrepertoire gebleven.
Praat met hem, had Torrens gezegd. Bekende stemmen, gedeelde herinneringen. Stuart begon met het Karl Marx-incident en ging door met een ander verhaal van toen Eyran zeven jaar was en hem had gevraagd wat het smerigste woord was dat hij kende. Hij had de vraag eerst proberen te ontwijken door te zeggen dat hij het niet wist, maar Eyran was blijven aandringen. 'Maar u moet op uw leeftijd een heleboel smerige woorden kennen, oom Stuart.' Hij had geweten dat ontsnappen niet meer mogelijk was, maar hij wilde geen ruzie met Jeremy omdat hij Eyran vieze woorden leerde, dus zei hij uiteindelijk: 'Codswollop.'
'Is dat het ergste woord?'
'Ja, absoluut. Het is een vreselijk smerig woord... mag je nooit zeggen.'
'Maar is het het allerergste?'
'Ja, het is heel, heel erg. Je mag nooit, nooit codswollop zeggen.'
Eyran had enige tijd nagedacht en het vergeleken met wat hij op de speelplaats op school had gehoord. 'Is het erger dan fuck?'
Jeremy was in lachen uitgebarsten toen Stuart het hem vertelde en vond met name Stuarts ijdele poging om zijn zoons tanende onschuld te redden erg amusant, en ook deze anekdote kwam op het dinerrepertoire. Eyran was later, toen hij oud genoeg was, ook deelgenoot gemaakt van de grap. Maar nu hij het verhaal opnieuw aan Eyran vertelde en alleen de echo's van zijn eigen stem hoorde, voelde Stuart zich erg opgelaten. Als een conferencier die zonder publiek op het podium staat.
Dus zocht hij een halfuur later, toen hij door zijn materiaal heen raakte, hulp bij de cd's die hij uit Eyrans kamer had meegenomen en liet hij het overnemen door Janet Jackson. Bekende stemmen, bekende muziek. Torrens had een cd-speler laten brengen.
Maar nu, terwijl hij luisterde naar de gedempte stemmen achter Lambournes deur, herinnerde hij zich heel duidelijk het gevoel dat hem op dat moment had bekropen. Hij vreesde het moment –

als zijn wens zou worden vervuld en Eyran bij kennis zou komen – dat hij Eyran zou moeten vertellen dat zijn ouders dood waren.
En toen dat moment eindelijk aanbrak, was er een opgejaagde, verloren blik in Eyrans ogen verschenen die daar dagen en zelfs weken later nog was geweest. Hij had toen moeten weten dat een deel van Eyran zich altijd zou blijven vastklemmen aan het verleden en het zou weigeren te accepteren.

David Lambourne bladerde Torrens' rapport nog eens door. Dus, wat wist hij na de eerste sessie? Zijn eerste doel was het beoordelen van Eyrans respons geweest.
Het rapport gaf aan dat er vier dagen nadat Eyran was bijgekomen uit zijn coma, een tien tot vijftien procent verbetering in het conventionele denken en de spraakrespons was geconstateerd. Deze verbetering had zich daarna doorgezet en er waren maar heel weinig vragen waarop Eyrans respons traag was geweest. De kans bestond wel dat deze bereidheid zou dalen als ze de meer complexe en problematische facetten van Eyrans dromen gingen behandelen; dat de barrières opnieuw zouden worden opgericht.
Achtendertig procent onder het gemiddelde bij IQ-tests. Op dat vlak kon Lambourne niet veel hulp bieden; de beste indicators daarvoor zouden zijn resultaten met rekenen op zijn nieuwe school zijn. Of misschien kon hij een paar standaardtests van St. Barts nemen die de Capels thuis konden doen.
Maar het grootste probleem waren Eyrans erger wordende angstdromen en de vraag die ze opriepen: waren ze een bijproduct van het ongeluk en het coma, een of andere chemische onbalans die dementie veroorzaakte, of een verdedigingsmechanisme van Eyrans onderbewustzijn, dat weigerde te accepteren dat zijn ouders dood waren?
In het eerste geval, besefte Lambourne, zou hij maar een beperkte invloed hebben en zich moeten aanpassen aan het wisselende tij van zijn toestand, wat hem weinig ruimte gaf om verder te komen. Beperking door hersenletsel. Maar als het laatste het geval was, zou hij veel meer controle hebben en zou een eerste analyse luiden: Eyran kon niet accepteren dat zijn ouders dood waren, dus leverde zijn onderbewustzijn hem diverse scenario's, die zich manifesteerden in zijn dromen, waarin hij ze wel levend

kon aantreffen. Puur Freud: ontkenning, rouwen, hechting aan personen.
Hoewel Lambourne het grootste deel van zijn studie had gedaan volgens de Freudiaanse School, had hij zich altijd opengesteld, meende hij, voor latere theorieën en artikelen, waarvan sommige in tegenspraak waren met die van Freuds aanhangers. Jung, Winnicot, Adler, Eysenck, en de latere radicalen: Lacan, Laing en Rollo May. In de tweeëntwintig jaar dat hij zijn praktijk had, waarvan zeventien op St. Barts, had Lambourne er door het lezen van wetenschappelijke publicaties altijd voor gezorgd dat hij up-to-date was gebleven en had hij het trotse gevoel dat hij beter was uitgerust dan de meeste anderen om zijn keuze te maken uit het enorme aanbod in de psychoanalyse en terug te keren met wat het best bij zijn patiënt paste.
Lambourne liet zijn blik door zijn spreekkamer gaan. Het meubilair was nauwelijks veranderd sinds St. Barts. Dezelfde oude bank met het bloemenpatroon, zijn gestoffeerde stoel met de rechte rug, een fauteuil, een notenhouten cilinderbureau, de donker eiken salontafel met enkele op strategische plekken neergelegde tijdschriften. De wat lome, nonchalante plattelandssfeer waarvan hij het gevoel had dat die zijn patiënten op hun gemak stelde.
Of was het alleen maar een replica, een imitatie van het landhuis in Buckinghamshire, dat hij zijn vrouw had moeten nalaten toen hij zes jaar geleden van haar scheidde? Hij was nu alleen nog maar een weekendvader voor hun twee dochters. Tijdens hun scheiding had hij meer geleerd over het verlies van dierbaren dan tijdens al zijn jaren van studie en praktijk, en voor het eerst had hij echt aangevoeld wat zijn patiënten hem moeizaam en monotoon probeerden te beschrijven. Hij kon helpen hun problemen op te lossen, maar die van hemzelf kon hij niet oplossen. Een jaar na de scheiding had hij afscheid genomen van St. Barts en besloten zijn kosten te beperken door in zijn praktijkruimte te gaan wonen. Hij was gek op toneel en de belangrijkste theaters en Covent Garden waren op loopafstand van zijn nieuwe huis, een korte wandeling langs winkeltjes waar tweedehands boeken, postzegels en curiosa werden verkocht, en een winkeltje dat was gespecialiseerd in oude theaterposters.
Hij had de fauteuil nooit gebruikt, altijd de stoel met de rechte rug. In de fauteuil wekte hij een te ontspannen indruk, te veel

verwijderd van zijn patiënten, terwijl de stoel met de rechte rug er onveranderlijk voor zorgde dat hij voorover ging leunen en dus een meer geïnteresseerde indruk maakte. De eerste veertien jaar van zijn praktijk had hij pijp gerookt, maar toen hij een wat meer verantwoordelijke leeftijd had bereikt en er van artsen werd verwacht dat ze het goede voorbeeld gaven als het om niet-roken ging, was hij ermee gestopt. Om onmiddellijk daarna te ontdekken dat hij zich geen raad wist met zijn linkerhand, waarmee hij altijd zijn pijp had vastgehouden, zodat hij daarna nog drie jaar tijdens zijn sessies aan een lege pijp had zitten zuigen, omdat hij het idee had dat kauwen op het mondstuk hem hielp zich te concentreren, totdat een patiënte zo rechtdoorzee was geweest om hem te vragen waar hij mee bezig was. Toen hij dat uitlegde, had haar verbaasde blik hem duidelijk gemaakt dat ze zich afvroeg wie van hen beiden nu op de bank hoorde te liggen, dus was er vanaf dat moment ook geen lege pijp meer geweest, alleen maar die ene, doelloze hand.
Jojo? Eyrans denkbeeldige droomvriend die hem altijd beloofde dat hij Eyrans ouders zou terugvinden. Een simpele uitvinding om het niet aanvaarden van hun dood te ondersteunen, of de mogelijke dreiging van een tweede persoonlijkheid? Lambourne vroeg het zich af.
Een van de belangrijkste factoren zou het scheiden van de realiteit zijn, als een of meer illusies van de dromen zouden beginnen door te dringen in Eyrans gedachten terwijl hij wakker was. En als ze dat deden, in welke mate zou Eyran ze dan accepteren en tot zich toelaten? Op het ogenblik waren ze nog op een armlengte afstand. Maar een Jojo die tot Eyrans bewuste geest doordrong, kon een regelrechte ramp zijn.
Er was ook nog de doolhof van de gehechtheid aan personen, voorwerpen en plaatsen, waar ze zich doorheen moesten werken: niet alleen Eyrans verlies van zijn ouders, maar ook de gehechtheid en herinneringen aan het huis in San Diego, hun vroegere huis in Engeland en de plekken waar hij vroeger speelde, welke laatste sterk konden herleven omdat zijn ooms huis er zo dichtbij stond.
Zijn weg zoeken door dat doolhof zou niet gemakkelijk zijn. Hij zou heel voorzichtig de sporen moeten volgen om Eyrans beleving van Jojo op de juiste manier naar de oppervlakte te halen en dan hard doordrukken om Eyran los te breken van Jojo's invloed

op zijn onderbewustzijn. En als hij dat te hard of op het verkeerde moment deed, zou al het vertrouwen van de patiënt en het contact verloren zijn.
Het zou een wandeling op het slappe koord worden, en Eyran zou hem waarschijnlijk voortdurend tegenwerken. Geen enkel kind wilde onder ogen zien dat zijn ouders dood waren, en de dromen en Jojo waren waarschijnlijk het enige toevluchtsoord dat Eyran nog had.

9

De binnenplaats in het *quartier* Panier in Marseille was in moorse stijl. Twee kanten ervan werden afgeschermd door het huis zelf, dat drie verdiepingen telde, en de derde door een blinde muur van het gebouw ernaast. De vierde, de ingang van de binnenplaats, bestond uit twee grote houten poortdeuren, verzwaard met zwart smeedijzer, met in de ene een kleinere deur met een bel ernaast: de hoofdingang van het bordeel en alles wat ervan te zien was vanuit het smalle straatje. Emile Vacherets club was discreet en de ingang anoniem, zoals veel van de vaste bezoekers dat graag wilden.
In het midden van de binnenplaats stond een kleine fontein, versierd met een mozaïek van witte en blauwe steentjes in een patroon dat zich voortzette rondom alle raamkozijnen van het gebouw. Alain Duclos wachtte en keek naar de openslaande deuren die uitkwamen op de binnenplaats met de fontein.
Prostitutie was gelegaliseerd, dus de anonimiteit van het gebouw was meer bedoeld als een gebaar naar de cliënten, en als rookgordijn voor de extra diensten die de cliënten werden aangeboden en die een stuk minder legaal waren. De schoonmakers van de kamers, de bedienden en obers in de bar waren allemaal jonge jongens, voornamelijk uit Marokko en Algerije, zo'n twaalf tot negentien jaar oud, hoewel de jongste leeftijd op hun identiteitskaarten altijd zestien was, voor het geval de politie een inval deed. Vacheret betaalde het districtsbureau elke maand een flink bedrag. Het werk van de jongens, als schoonmakers en obers, was meestal een dekmantel, want ze waren er ook om de cliënten

te plezieren, als die dat wensten. Voor heteroseksuele cliënten, die zeventig procent van Vacherets handel vormden, was een keuze aan meisjes aanwezig, die naar de kamers werden gestuurd om zich te laten bekijken, en in dat geval serveerden de jongens alleen de drankjes en maakten ze naderhand de bedden op.
Duclos zat op de rand van het bed terwijl Vacheret de twee nieuwe jongens aan hem voorstelde die vorige week waren gearriveerd, als mogelijk alternatief voor zijn favoriet van zijn laatste paar bezoeken, Jahlep. De jongens droegen wijde, bordeauxrode harembroeken en witte hemden met ronde kragen. De ene was nog heel jong, mogelijk pas twaalf, de andere eerder veertien of vijftien. Duclos concentreerde zich op de jongste terwijl Vacheret hem uitlegde dat hij een mulat uit Martinique was, met prachtige lichtbruine ogen, delicate gelaatstrekken, gloednieuw sinds vorige week, nog nauwelijks aangeraakt. Vacheret had net zo goed bezig kunnen zijn hem een tweedehands auto te verkopen, dacht Duclos. Het was waar, de jongen was inderdaad beeldschoon, met zijn lichtbruine huid en precies de leeftijd die hem beviel. Maar hij kon zich gewoon niet concentreren, geen enthousiasme opbrengen.
Vacheret merkte zijn aarzeling op en vroeg: 'Wat scheelt eraan? Wilt u iets drinken terwijl u uw keuze maakt, of wilt u me onder vier ogen iets vragen over de jongens? Zal ik hen wegsturen?'
'Ik weet het nog niet. Misschien. Geef me even de tijd.'
Vacheret wuifde de jongens weg en kwam naast Duclos op het bed zitten. 'Hebt u toch liever Jahlep, maar wilde u dat niet zeggen waar die twee bij waren? Of kunt u niet kiezen tussen Jahlep en deze nieuwe jongen? Misschien wilt u hen samen proberen?' Vacheret trok hoopvol zijn wenkbrauwen op.
Zweetdruppeltjes stonden op Duclos' voorhoofd, hij zag er bezorgd uit en zijn blik schoot heen en weer over de vloer. 'Hoor eens, het spijt me. Ik kan even niet goed nadenken over die jongens. Misschien later. Maar er zit me iets dwars, iets wat ik u eerst zou willen vragen.'
Vacheret knikte, plotseling bedachtzaam, hoewel hij moeite moest doen om zijn glimlach te verbergen, want hij was ervan overtuigd dat Duclos op het punt stond hem iets te vragen over een of andere bizarre mogelijkheid of fantasie, iets waarvoor hij tot nu toe te bedeesd was geweest om ernaar te vragen. Het streelde hem altijd, dit deel van de onderhandelingen, cliënten die hem

hun geheime seksuele verlangens toevertrouwden; het leek bijna alsof hij een psychiater of priester was, als zijn cliënten uiteindelijk voor den dag kwamen met wat hen écht dwarszat.
Maar toen Duclos uitlegde wat hij wilde, werd Vacherets gezichtsuitdrukking langzaam ernstiger. Dit was niet wat hij had verwacht.
Toen Duclos twintig minuten later de binnenplaats overstak, zag hij door de vitrage van een raam aan de zijkant de vage gestalte van een meisje dat een zwarte kous aan het aantrekken was. Ze had wild, rood haar en was naakt, afgezien van een jarretelgordel en die ene kous, en ze zat op de rand van het bed, dat naar het raam gekeerd stond. Omdat ze vlak bij het raam zat, zag ze hem, glimlachte ze naar hem en begon ze langzaam haar benen voor hem te spreiden. Duclos wendde zijn blik af en liep door naar de uitgang. Als hij was blijven staan, had ze waarschijnlijk een showtje voor hem opgevoerd, maar hij was niet geïnteresseerd.
Hij belde Vacheret die avond, zoals afgesproken was, en Vacheret gaf hem een naam en een tijd en een plaats om het contact te leggen.

De kamer waar Machanaud naartoe was gebracht, was aan de achterkant van de gendarmerie. Het grote raam stond open vanwege de hitte, maar de grijze, houten luiken waren dicht. Er kwamen alleen maar smalle, horizontale strepen zonlicht naar binnen, dus was het grote licht aangedaan, een glazen bol ter grootte van een voetbal, die aan het plafond hing. In de kamers aan de achterkant, weg van het verkeer en uitkijkend op het parkeerterrein dat ze met het stadhuis deelden, was het stil.
Machanaud was om halftwaalf gearriveerd, zoals was afgesproken. Maar Poullain had hem in de kamer neergezet en hem daar bijna twintig minuten laten wachten. Dominic schreef de datum en tijd op het formulier en maakte aantekeningen terwijl Poullain begon met Machanauds belangrijkste persoonlijke gegevens. Leeftijd: 39 jaar; geboorteplaats: St. Girons; adres: Seillons; beroep: landarbeider. Eerdere veroordelingen? Machanaud kon zich twee eerdere veroordelingen herinneren, maar niet de data, dus nam Dominic de details over van zijn strafblad met eerdere vergrijpen: verstoring van de openbare orde wegens dronkenschap in maart van dat jaar en stropen in oktober van het afgelopen jaar.

Machanaud zag er ouder uit dan hij was; Dominic had altijd gedacht dat hij halverwege of eind veertig was. Zijn gezichtshuid was getekend en zat vol putjes en zijn dikke bruine haar was lang, ongekamd en er was vet in gesmeerd om het op zijn plaats te houden, hoewel één lok voortdurend uit de vette massa viel en dan voor zijn gezicht kwam te hangen. Wanneer hij dronken was en in een van zijn meer opstandige buien, loerde dat ene oog, dat niet schuilging onder zijn haar, altijd verwilderd in het rond.
Poullain wachtte tot Dominic klaar met schrijven was en begon toen aan een algemene opsomming van Machanauds bezigheden van 18 augustus, wat voor het merendeel een controle was van de details van hun gesprek van de vorige dag. Daarna ging Poullain weer terug naar het begin voor een grondiger controle van de tijdstippen. 'Dus je bent na je werk op Raulins boerderij om een uur of elf weggegaan, is dat juist?'
'Nee, eerder tegen twaalf uur.'
Poullain probeerde hem uit. Machanaud had hun al twee keer verteld dat het rond twaalf uur was. Elf uur kwam meer overeen met het tijdstip dat hij was weggegaan, wisten ze na hun gesprekken van de vorige dag met zowel Raulin als met Henri van Café Fontainouille, die zich herinnerde dat Machanaud eerder was gekomen en ook vroeger was weggegaan. 'En je bent vanaf daar rechtstreeks naar Café Fontainouille gegaan?'
'Ja, dat klopt.'
'Hoeveel tijd zou dat kosten, denk je?'
'Een kwartier, twintig minuten.'
Poullain besteedde de volgende tien minuten aan Machanauds bezigheden daarna: om kwart over twaalf kwam hij Café Fontainouille binnen en hij vertrok iets voor twee uur om naar Gilbert Albrieux' boerderij te gaan, waar hij afgelopen februari wat wijnranken had geplant. Albrieux was er zelf niet, dus die had hem niet gezien, maar Machanaud beweerde dat hij na een snelle controle van de wijnranken op een stenen muurtjc was gaan zitten om zijn brood te eten. Een halfuur daarna was hij op weg gegaan naar Café Léon.
Dominic voelde de spanning bij elke vraag groeien, of misschien kwam dat omdat hij wist wat er komen ging: Poullain die om zijn prooi heen sloop en wachtte tot hij de genadeklap kon geven.
'Dus, het is... Wat, een minuut of tien, twaalf lopen van Albrieux naar Léon? Hoe laat kwam je daar binnen?'

‘Ongeveer vijf over halfdrie, tien over halfdrie. Maar ik ben daar maar een uur of zo gebleven, want ik moest terug naar Raulin voor mijn late dienst van vier uur.’

Dominic bekeek zijn aantekeningen. Het enige wat Machanaud toegaf, was dat hij na twee uur ongeveer een halfuur alleen was geweest. Hun diverse gesprekken van de vorige dag vertelden een ander verhaal. Raulin kon zich niet herinneren dat hij hem na elf uur nog had gezien en hoewel Henri van Café Fontainouille niet precies wist hoe laat Machanaud was binnengekomen, wist hij wel zeker hoe laat hij was weggegaan, om een uur of één, omdat hij toen was begonnen met het serveren van de lunch. Léon wist ook niet precies hoe laat Machanaud was binnengekomen, maar ze hadden de stellige getuigenverklaring van madame Véillan, die Machanaud om ongeveer kwart over drie in Café Léon zou plaatsen. Dat leverde een periode van bijna twee uur op, tussen één en drie, die niet verantwoord kon worden.

‘Ben je nog ergens anders geweest op de terugweg naar Raulin?’

‘Alleen om een pakje tabak te kopen, maar dat is vlak bij Léon. Dat kostte maar een paar minuten.’

‘En heb je, tijdens al je wandelingen van die dag, toevallig een jongetje gezien?’

De vraag verbaasde Machanaud. Hij had al zijn antwoorden zorgvuldig uitgedacht omdat hij vermoedde dat ze hem van stropen verdachten. Waarom waren die vragen anders zo gericht geweest op de twee uur dat hij bij de rivier was geweest? De aanhoudende vragen en het feit dat ze het onderwerp zo serieus namen, zorgden ervoor dat hij zich voor het eerst ging afvragen wat ze nu eigenlijk van hem wilden. ‘Een jongetje? Wat heeft dat er nu mee te maken?’

‘Dat weet ik niet. Vertel jij het ons maar.’ Poullains ontspannen manier van doen en het rustige tempo waarop hij zijn vragen had gesteld, waren plotseling verdwenen. ‘Hoe laat heb je hem ontmoet? Halftwee, twee uur? Waar heb je hem opgepikt? In het dorp, of bij het laantje?’

Machanaud was verbijsterd. Hij streek verward zijn haar achterover. ‘Ik was in Café Fontainouille, waar ik minstens twee glazen heb gedronken, met Henri zelf achter de bar. Ik kan toen onmogelijk iemand anders hebben ontmoet.’

‘Behalve dat je één uur eerder bent weggegaan uit de Fontai-

nouille, om één uur. En ja, je hebt het brood opgegeten dat je bij je had. Maar in plaats van naar Albrieux te gaan, ben je naar de rivier op Breuilles land gegaan. En op weg daarnaar toe kwam je die jongen tegen.'
Machanaud knipperde nerveus met zijn ogen, keek naar het tafelblad en toen schuin naar Dominics aantekeningen. Dus ze wisten dat hij naar de rivier op Breuilles land was geweest en namen waarschijnlijk aan dat hij daar had gestroopt. Maar waarom die aanhoudende belangstelling voor die jongen? 'Ik begrijp niet waarom u dit allemaal vraagt. Ik weet niets van een jongen.'
'O, dat denk ik wel.' Poullain ging voor de genadeslag; hij boog zich naar voren, zijn bovenlichaam stram van doelbewustheid. 'Jouw hele verslag van wat je die dag hebt gedaan, is een complete farce. Niet één deel ervan is waar. Het enige wat we zeker weten, is dat je om drie uur bent gezien door madame Véillan, toen je uit het laantje bij Breuilles boerderij kwam.' Poullains stemvolume steeg angstwekkend. 'Dezelfde plek waar minuten daarvoor een jongetje de schedel was ingeslagen en voor dood werd achtergelaten!'
Een misselijkmakend gevoel overviel Machanaud toen het hem plotseling daagde waarom Poullain naar dat jongetje bleef vragen. Hij had gehoord over de poging tot moord, het was hét gesprek in het dorp, maar niemand had gezegd waar dat was. 'Wilt u me vertellen dat die jongen is gevonden bij het laantje naar Breuilles boerderij?'
Machanauds verbijsterde toon maakte Poullains woede alleen maar groter. 'Dat weet je, omdat jíj hem daar hebt achtergelaten nadat je hem met een kei de hersens had ingeslagen!'
Machanaud schudde wild zijn hoofd heen en weer. 'Nee! Dat heb ik u gezegd. Ik heb niets te maken gehad met die jongen, ik heb hem met geen vinger aangeraakt.'
'Dus je zegt nu dat je daar was en hem hebt gezien, maar hem niet hebt aangeraakt?'
Machanaud was compleet in verwarring en zijn stem klonk schor van boosheid. 'Nee, nee! Ik heb die jongen helemaal niet gezien. Ik weet niets van die jongen. Ik ben uit de Fontainouille weggegaan, heb een korte lunchpauze genomen en ben rechtstreeks naar Léon gegaan.'
'Léon kan zich niet herinneren dat hij je voor kwart over drie heeft gezien.' Het was bluf, maar Poullain hechtte meer waarde

aan de tijdinschatting van madame Véillan dan aan die van Léon. 'En Henri zegt dat je om elf uur binnenkwam en om een uur of één wegging.'
'Dat kan niet,' sputterde Machanaud wanhopig. 'Ik was tot twaalf uur bij Raulin.'
'Raulin zegt dat hij je na elf uur niet meer heeft gezien, en dat is ook de tijd die hij in zijn boek heeft genoteerd als het eind van je werkdag.'
'Er was wat extra werk te doen op het lager gelegen land. Het kan zijn dat hij me daar niet heeft gezien.'
Poullain negeerde het. 'Henri weet zeker dat je om één uur bent weggegaan, omdat hij dan de lunches gaat klaarmaken. En tussen toen en het moment dat madame Véillan je het laantje uit zag komen, zit bijna twee uur.' Hij boog zich naar voren totdat zijn gezicht vlak bij dat van Machanaud was en zijn stem klonk zacht en dreigend. 'Twee uur waarin jij rustig je verlangens hebt uitgeleefd op die jongen voordat je besloot dat je hem moest vermoorden. Wat heb je gedaan om hem in de tussentijd stil te houden, hem vastgebonden en gekneveld?'
Machanaud werd ijskoud van angst. Hij had met zijn hoofd zitten schudden tijdens Poullains verbale bombardement, verbijsterd over de plotselinge wending die het gesprek had genomen. Ze konden toch niet echt denken dat híj die jongen had mishandeld? Als het alleen maar een truc was om hem te laten toegeven dat hij had gestroopt, dan waren ze daarin geslaagd. Hij was zo bang, dat hij de kans aangreep. 'Oké, ik geef het toe. Ik was daar. Maar ik weet niets van die jongen. Ik was aan het stropen.'
'O.' Poullain keek enige tijd bedachtzaam naar het tafelblad en haalde diep adem voordat hij weer opkeek. 'En hoe lang was je daar?'
'Twee uur.'
'En ben je eerder naar dat stuk van de rivier geweest?'
'Ja, twee of drie keer, dat weet ik niet precies meer.'
'Is er een speciale reden dat dat stuk je voorkeur heeft?'
'Er zit niet meer vis dan op andere plekken, maar Breuille is er nooit. Minder kans om gepakt te worden en zelfs als dat gebeurt, is hij er niet om een aanklacht tegen me in te dienen.' Machanaud riskeerde een aarzelende glimlach.
Poullain dacht even na. 'Dus nu probeer je ons wijs te maken dat deze hele schijnvertoning, al deze leugens van je, puur waren be-

doeld om het feit te verhullen dat je aan het stropen was? Zelfs al weet je dat Breuille weg is en dus geen aanklacht tegen je kan indienen?' Poullain keek Dominic verontwaardigd aan en wuifde dramatisch met zijn hand. 'Nou, daar geloven we dus niets van!'
Een vette lok haar was voor Machanauds gezicht gevallen. Hij bood een treurige aanblik, als een verdwaald, verwilderd beest. Het lam dat naar Poullains slachtbank werd geleid. Ogen die panisch om zich heen keken. 'Maar Marius Caurin is aan het werk op dat land: ik heb hem zelfs even zien rijden op zijn tractor. Hij kan me gezien hebben.'
'Zelfs als we dit belachelijke verhaal slikken, dat je aan het stropen was, dan verwacht je toch niet van ons dat we geloven dat je twee uur rustig hebt zitten vissen terwijl op enkele meters afstand van je een jongen op brute wijze werd verkracht en mishandeld... en jij helemaal níets hebt gezien?'
Machanaud keek Dominic smekend aan, zoekend naar mogelijke steun. Maar Dominic wendde zijn blik af en keek weer naar zijn aantekeningen. Hij mocht zijn bezwaren hebben tegen Poullains wijze van verhoren, maar het was een gouden regel dat degene die bij het verhoor aanwezig was zich stilhield, tenzij van tevoren anders was afgesproken. Hij had Poullain zijn mening over diens verdenking van Machanaud al duidelijk gemaakt. Elk commentaar op wat aan het licht kwam in het verhoor zelf, zou tot later moeten wachten.
Machanaud was ten einde raad en stamelde: 'De rivieroever loopt op sommige punten omlaag. Het laantje wordt deels aan het oog onttrokken door bomen en bosjes. Er kan iemand anders langsgekomen zijn zonder me te zien.'
'Ja, dat kan. Maar diezelfde persoon kan onmogelijk al die tijd op dat laantje zijn gebleven zonder het risico te lopen dat er iemand langskwam en hem met de jongen zag. En als ze zich toch op de enig mogelijke plek verstopt zouden hebben, beneden, op de rivieroever, zou jíj hen hebben gezien. Maar de ware reden dat je niemand anders hebt gezien, is dat er maar één persoon op die rivieroever was: jij.'
'Nee... nee...'
'En het was die plek die je tot schuilplek koos, een plek die je goed kende van vorige bezoeken, terwijl je de jongen molesteerde. Goed verborgen voor eventuele voorbijgangers. Twee keer heb je hem seksueel misbruikt, en toen, later, om jezelf in te

dekken en omdat je bang was dat hij zou praten, heb je een grote kei van de grond gepakt en...'
'Nee...!' Machanaud stond op en sloeg met zijn hand op tafel. Zijn hoofd ging langzaam heen en weer en zijn herhaalde, gekreunde ontkenningen namen ten slotte toe tot geschreeuw.
Poullain slaakte een laatste diepe zucht en keek Dominic aan. 'Neem hem maar mee. Ik word ziek van zijn leugens.'
'Wat wilt u dat ik met hem doe?'
'Zet hem maar een paar uur in de cel, om af te koelen. Misschien heeft hij ons straks iets zinnigers te vertellen. Dan zullen we beslissen of we hem langer vasthouden.'

De afspraak was dat Duclos de man voor Fort St. Nicolas in Marseille zou ontmoeten. Vanaf daar konden ze Boulevard Charles Livon oversteken en Parc du Pharo in lopen om hun zaken te bespreken. Tegen zonsondergang zouden er weinig wandelaars zijn en zouden ze een redelijke mate van privacy hebben. De tijd en de plaats waren geregeld via Vacheret en de man stond bekend als Chapeau, wat duidelijk niet zijn echte naam was. Duclos had al tien minuten staan wachten en was zich geleidelijk aan meer zorgen gaan maken naarmate steeds duidelijker tot hem doordrong waarop hij eigenlijk wachtte. Opeens was hij zich bewust van alle geluiden en bewegingen om hem heen: de wind die de vlag op het fort deed wapperen, een zwerfkat die in een bosje vlakbij een zak probeerde open te krabben, de schuifelende voetstappen van mensen die hem naderden en voorbijliepen, en hij voelde zich buitengewoon opgelaten als er iemand naar hem keek en zijn blik opving. Schiet in godsnaam op, dacht Duclos. Hij kon dit wachten niet langer verdragen.
Hij werd even afgeleid door een touringcar die voor het fort stopte en een stroom toeristen opslokte die er door de reisleider in werd gedreven, toen er plotseling een man naast hem stond. Hij was uit het niets tevoorschijn gekomen, had zich blijkbaar gemengd onder de mensen die het fort uit kwamen, en Duclos schrok een beetje. Hij had hem niet aan zien komen.
'Uw naam is Alain?' wilde de man weten.
'Ja.'
'We hebben zaken te bespreken, geloof ik.'
Duclos knikte nauwelijks zichtbaar. Dit was blijkbaar Chapeau. Hij had iets bekends over zich, maar Duclos wist niet precies

wat. 'Stond u daarstraks aan de overkant van de straat deze kant op te kijken?'
'Ja.' Chapeau bood niet aan uit te leggen waarom, wat Duclos een nog onbehaaglijker gevoel gaf. Zwijgend liepen ze in de richting van het park. Duclos maakte van de gelegenheid gebruik om hem beter te bekijken. Niet ouder dan dertig, een vrij donkere huid, dik krullend, donker haar, zwaargebouwd en een onderkin; vermoedelijk een Corsicaan, dacht Duclos, te oordelen naar zijn accent. Een van zijn ogen was licht bloeddoorlopen en wat geel in de hoek, alsof hij er een klap op had gekregen. Of misschien leed hij wel aan een of andere chronische ziekte. De bijnaam intrigeerde Duclos; de man droeg namelijk geen hoed.
'Wat is het dat uw vriend wil laten doen?' vroeg Chapeau.
Het noemen van 'de vriend' maakte Duclos bezorgd over hoeveel er al was besproken. 'Wat heeft Vacheret u verteld? Heeft hij het probleem uitgelegd en wat eraan gedaan moet worden?'
'Nee. Alleen dat u een vriend had die een probleem heeft, meer niet. U weet hoe Vacheret is, bang voor zijn eigen schaduw. Wil nergens bij betrokken raken.'
Duclos grijnsde licht. Goed. Hij had Vacheret een verhaal op de mouw gespeld over een getrouwde, biseksuele vriend die problemen had met de pooier van een jongen met wie hij seks had bedreven. De pooier chanteerde hem en had gedreigd zijn vrouw in te lichten. Er was enige spierkracht vereist om hem tot andere gedachten te brengen. Duclos wist dat Vacheret contacten had in het milieu en in staat was hem iemand aan te bevelen. De pooier was door de wol geverfd, dus het moest iemand zijn met een redelijke reputatie, misschien met een paar moorden op zijn naam, anders zou de waarschuwing niet genoeg gewicht in de schaal leggen. Gelukkig had Vacheret zich zorgen gemaakt over medeplichtigheid en had hij verder geen details willen weten. 'Ik geef u alleen een telefoonnummer; de rest is aan u,' had hij gezegd. Om dezelfde reden had Vacheret blijkbaar niet al te veel aan Chapeau verteld. En als hij dat wel had gedaan, had Duclos zich altijd kunnen indekken door te zeggen dat hij om begrijpelijke redenen niet had gewild dat Vacheret alle details kende. Nu was dat allemaal niet nodig en hoefde hij alleen maar vol te houden dat de jongen die in het ziekenhuis in Aix-en-Provence lag een prostitué was en dat zijn vriend verantwoordelijk was voor de poging tot moord.

'Waarom heeft uw vriend geprobeerd hem te vermoorden?' vroeg Chapeau.
'Chantage. Mijn vriend is getrouwd en dit is een van de weinige ongeoorloofde verzetjes waaraan hij zich schuldig heeft gemaakt. Hij heeft het maar een paar keer gedaan en probeerde er een eind aan te maken. Maar deze keer werd hij in de val gelokt en dreigde de jongen het te vertellen.'
'En uw vriend is er niet in geslaagd hem het zwijgen op te leggen?'
'Nee.'
Chapeau dacht even na over deze informatie. 'Dus nu is hij bang dat de jongen bij kennis zal komen en alles zal vertellen?'
Duclos knikte. Ze waren bijna tweehonderd meter het park in gelopen. De paar avondwandelaars die ze tegenkwamen veroorzaakten onderbrekingen in hun gesprek aangezien ze allebei voorzichtig genoeg waren om hun mond dicht te houden als er iemand binnen gehoorsafstand was. Soms waren die pauzes onheilspellend; Chapeau liet lange stiltes vallen nadat de mensen waren gepasseerd.
'Waarom het ziekenhuis in Aix?' vroeg Chapeau.
'Ze waren vanuit Marseille landinwaarts gereden toen ze ruzie kregen. Het was toeval dat Aix de dichtstbijzijnde stad was, dus werd de jongen naar het grote ziekenhuis op de Avenue Tamaris gebracht.'
'Hoe heet de jongen?'
'Javi. Maar dat is maar een bijnaam. Ik geloof niet dat hij zijn echte naam kent.'
'En kent hij hem al lang?'
'Dat geloof ik niet. Een paar maanden, hooguit.'
Weer een stilte. Er klopt iets niet, dacht Chapeau. Hij geloofde dat hij wel wist wat er mis was. Zoals altijd was Vacheret heel onmededeelzaam geweest, behalve op zijn vraag hoe deze Alain hem kende. Een cliënt. Voor meisjes of jongens? Jongens. En nu had Alain het over problemen met een jongen en een vriend. Natuurlijk waren er meer mannen die geïnteresseerd waren in jonge, homofiele jongens, maar dit was te toevallig om geloofwaardig te zijn. Chapeau was ervan overtuigd dat de vriend een verzinsel was en dat het deze Alain zelf was die problemen had met een jongen en hem nu wilde laten vermoorden. Maar het had weinig zin om hem daarmee te confronteren en zo misschien een

goed betalende klant weg te jagen. Des te leuker was het om te zien, als hij het hem moeilijk maakte, hoe lang hij zijn verhaal volhield. 'Uw vriend neukt graag met jonge jongens, nietwaar? Wat is er mis? Kan hij hem bij zijn vrouw niet meer omhoog krijgen?'
'Dat weet ik niet. Dat zou u hem zelf moeten vragen.' De irritatie in Duclos' stem was duidelijk hoorbaar. Hij beet terug, in de hoop Chapeau een beetje in te binden. 'Hoe komt u aan uw bijnaam? Ik zie geen hoed.'
'Nee, dat is juist, die ziet u niet.' Chapeau grijnsde alsof hij op het punt stond erop in te gaan en plotseling besloot dat niet te doen. Ze liepen enige tijd zwijgend door. Chapeau slaakte een diepe zucht. 'Ziekenhuizen zijn riskant. Dat gaat extra kosten, zevenduizend franc.'
Duclos werd bleek. Zelfs wat Vacheret had geschat – vijf- à zesduizend franc – was al een fortuin geweest: meer dan een half jaarsalaris en een derde van zijn spaargeld. Nu ging het zelfs nog meer kosten. 'Ik weet niet of mijn vriend zich dat kan veroorloven. Hij had verwacht dat het minder zou zijn.'
'Er lopen mensen rond in een ziekenhuis, meer risico dat je gezien wordt en er zal dus waarschijnlijk een afleidingsmanoeuvre gecreëerd moeten worden. Ik zal er van tevoren minstens één keer naartoe moeten gaan om te zien wat die manoeuvre moet zijn. Het is niet de moeite waard om het voor minder dan zevenduizend te doen.'
'Maar de jongen is al halfdood. Het enige wat u hoeft te doen is naar binnen gaan en de apparatuur uitzetten, of een hand over zijn mond te leggen. Mijn vriend weet zelfs in welke kamer hij ligt en de ligging ervan in het ziekenhuis.'
Chapeau fronste zijn wenkbrauwen. 'Dus uw vriend is daar geweest?'
Duclos aarzelde en wendde even zijn blik af toen er een jong stel passeerde. De herinneringen aan de vorig dag kwamen terug. Hij had vanaf het begin geweten dat het moeilijk zou zijn om dit onderwerp te vermijden, want het was van vitaal belang dat Chapeau gedetailleerde informatie kreeg zodat hij niet naar het ziekenhuis zou bellen. Zijn denkbeeldige vriend kon alleen maar over die informatie beschikken als hij ook werkelijk in die kamer was geweest. 'Ja. Hij dacht eerst dat hij in staat zou zijn het probleem zelf op te lossen.'

'Hoe dichtbij is hij gekomen?'
Hartslagen. De nachtmerrie was nog springlevend. Het geluid van zijn eigen hartslag en pols dat bijna synchroon liep met het gepiep van het hartbewakingsapparaat. Hij deed een stap dichterbij... stak zijn arm uit. Geluiden op de gang. De pauze waarin zijn hand boven de mond van de jongen zweefde. Geluiden die dichterbij kwamen en duidelijker werden... 'Hij was in de kamer toen hij werd gestoord.'
Chapeaus stem klonk licht ongelovig. 'Wat? Uw vriend krijgt een tweede kans en toch slaagt hij er niet in de jongen het zwijgen op te leggen?'
De worsteling om het trillen van zijn hand tegen te gaan toen die het gezicht naderde, even het gevoel van de ondiepe ademhaling van de jongen in zijn handpalm. Warme lucht die koel aanvoelde op zijn bezwete hand. Besluiteloosheid. Toen het snelle terugtrekken, de plotselinge paniek toen hij de stemmen vlakbij hoorde... 'Zoals ik al zei, werd hij gestoord. Wat kon hij anders doen?' stamelde Duclos.
'Dat weet ik niet. Vertelt u het me maar.' Chapeau glimlachte even. 'Die vriend van u klinkt me in de oren als een laffe schijtzak.'
Duclos gaf geen antwoord, draaide zijn hoofd om en beet op zijn lip. Het ergste van alles was dat hij, toen hij de kamer uit was gekomen, zag dat ze de deur al voorbijgelopen waren en hij dus best langer in de kamer had kunnen blijven. Even had hij erover nagedacht om weer naar binnen te gaan, maar zijn zenuwen hadden het begeven. Hij was zo, zo dichtbij geweest.
Chapeau liet Duclos' emotionele ongemak even voortduren voordat hij op meer filosofische toon zei: 'Toch, als er geen mensen waren zoals uw vriend, waren mensen als ik ook niet nodig. Zullen we de zaak afhandelen?'
Het kostte hun nog eens tien minuten om samen de details door te nemen: het kamernummer, de ligging en de verdieping, de beste timing, de regeling van de betaling. Chapeau werd ervan doordrongen dat de situatie spoedeisend was; de jongen kon elk moment bij bewustzijn komen. Hij zou zijn best doen om zijn verkenning van het ziekenhuis, de uitwerking van zijn afleidingsmanoeuvre en de uiteindelijke executie allemaal op dezelfde dag te doen: morgen.
Ze bereikten een punt in het park waar ze zowel de jachthaven als de oude haven konden zien: een opeenvolging van witte mas-

ten die als speren uit de skyline omhoogstaken, die zich uitstrekt in de richting van de stad. Het herinnerde Duclos er weer aan dat dit zijn vakantie was; hij had aan het zeilen moeten zijn met de Jonquet '42 van de Vallons, met de wind in zijn haar, en daarna gegrilde zeebrasem of zwaardvis met een glas gekoelde witte wijn in een café met uitzicht op de oude haven. In plaats daarvan onderhandelde hij over een moord en werd hij getreiterd door deze Neanderthaler-klootzak die bijna de helft van al zijn spaargeld wilde hebben om die te plegen. Maar hopelijk zou deze hele trieste geschiedenis snel voorbij zijn. Daar hoopte hij op. De gedachte aan de vrijheid die voor hem lag en het niet meer hoeven doormaken van deze nachtmerrie maakten het allemaal de moeite waard. Het doel heiligde de middelen. Hij haalde diep adem en proefde de verfrissende zoute lucht van de haven.
Nadat alles was afgehandeld, vroeg Duclos hóe de jongen vermoord zou worden, maar Chapeau zei dat hij dat pas zou weten na zijn eerste bezoek aan het ziekenhuis. Chapeau gaf niets bloot. Twintig minuten hadden ze met elkaar gepraat en Duclos wist niets over de man; hij was nog steeds dezelfde schimmige figuur als toen ze het park in waren gelopen.
Chapeau vroeg of hij van plan was terug te lopen naar het fort, maar Duclos zei dat hij nog even van de laatste momenten van de zonsondergang boven de haven wilde genieten. De werkelijkheid was dat hij Chapeaus gezelschap geen seconde langer kon verdragen. De man deed zijn huid jeuken. Duclos vond een bankje aan het eind van de kade en Chapeau vertrok. Hij voelde zich voor een deel opgelucht door de actie die hij had ondernomen, hoewel hij zich voor het overige deel vreemd en ongemakkelijk bleef voelen.
Had Chapeau vermoed dat hij loog? Hij had alles zo vaag mogelijk gehouden: de vriend, de ruzie met een jonge prostitué, de bijnaam. Het was onwaarschijnlijk dat Chapeau het in verband zou brengen met het artikel in de krant van een paar dagen geleden, zelfs al had hij het gelezen. En met de gedetailleerde informatie die hij hem had gegeven over de ligging van de kamer en de gunstigste timing, betwijfelde hij of Chapeau het ziekenhuis zou bellen. Het was toch onwaarschijnlijk dat al zijn voorzorgsmaatregelen voor niets waren geweest. De gedachte aan wat Chapeau misschien zou doen als reactie daarop deed een rilling over zijn rug lopen.

Duclos maakte zijn blik even los van het uitzicht op de haven en keek Chapeau na, die in de verte verdween en wiens gestalte nog slechts vaag afstak tegen de vallende schemer. Zijn sterke wil om te geloven dat hij de juiste actie had ondernomen, had het even heel moeilijk tegen de vrees voor nieuwe gruwelijkheden die hem nu misschien te wachten zouden staan.

Dominic werd naar de telex geroepen zodra het bericht binnenkwam. Het kwam van de gendarmerie in Zuid-Limoges en luidde:

> Uw verzoek aangaande Alain Lucien Duclos. Niet aanwezig op het adres in Limoges dat u van Kentekenregistratie hebt gekregen. Monsieur Duclos is ons echter bekend. Hij is assistent-procureur op het assisenhof in Limoges. Volgens zijn collega's brengt hij op dit ogenblik zijn vakantie door met vrienden, op het landgoed van de Vallons bij Cotignac, in de Provence. Ik hoop dat u hier iets aan hebt.
>
> korpschef Rabellienne

Dominic scheurde het bericht van de telex. Het was druk in de hal en de gangen, en hij trof Poullain in de achterkantine, waar hij een kop koffie zat te drinken met Harrault. Hij gaf Poullain de telex en wachtte terwijl hij hem las.
'Wilt u dat ik een eerste onderzoek doe?' vroeg Dominic.
Poullain aarzelde toen hij opkeek van het bericht. 'Nee, nee... het is oké. Ik denk dat het beter is dat ik hem eerst bel. Daarna gaan we er waarschijnlijk samen naartoe.' Het zag eruit als tijdverspilling, een absoluut onwaarschijnlijke combinatie, dacht Poullain. Een assistent-procureur die logeerde bij een van de grootste landeigenaren van de omgeving, een burger die veel aanzien genoot: Marcel Vallon. Ze zouden hun fluwelen handschoenen moeten aantrekken, want Vallon was goed bevriend met de burgemeester; ze golfden samen en behoorden tot dezelfde vrijmetselaarsloge. Poullain keek op zijn horloge. Ze hadden in de namiddag een bespreking over de Rosselot-zaak met Bouteille, de procureur in Aix-en-Provence. 'Als we deze Duclos kunnen spreken aan het eind van de ochtend of tijdens de lunch, aangezien we daar toch langskomen als we naar Aix gaan, denk je dan dat je de aantekeningen uitgetypt kunt hebben en er

enige orde in hebt kunnen aanbrengen voor onze bespreking van morgen?'
'Ja, ik denk het wel.' Dominic aarzelde maar even; dat werd weer een snelle lunch met een broodje.
'Goed. Laten we het dan zo plannen. Ik zal hem binnen een half-uur bellen. Nog nieuws van Machanaud?'
'Nee, niet echt. Afgezien van zijn opmerking over de auto die hij heeft gezien. Zoals u hebt gevraagd hebben we hem de formulieren laten tekenen, zijn identiteitskaart laten inleveren en hem gisteravond even voor elf uur naar huis gestuurd.'
Zonder voldoende bewijs om hem vast te houden, was dat het enige wat ze konden doen: hem een standaardformulier – waarop hij beloofde de plaatselijke politie te verwittigen als hij ergens naartoe wilde – laten tekenen en zijn identiteitskaart innemen. Zonder die kaart zou een huis of een baan vinden, of een of andere vorm van gemeentelijke registratie praktisch uitgesloten zijn.
Poullain had de opmerking over de auto al min of meer van de hand gewezen. Het was veel te vaag geweest: een donkere auto, misschien blauw of donkergrijs, met een schuin aflopende achterkant, mogelijk een Citroën DS. Toen hij onder druk was gezet, had Machanaud toegegeven dat hij hem alleen in een flits en tussen twee bosjes door had gezien, maar hij was er zeker van dat hij maar een paar minuten voor hem was vertrokken. Hoe goed kwam dat hem niet uit? Machanaud wist dat als hij niet snel met een of andere zondebok voor den dag kwam, de zaak er slecht voor hem uit zou zien, en na een paar uur alleen in zijn cel, had hij er een gevonden. Wat een verrassing.
Poullain wierp nog een blik op het korte bericht. Het zag ernaar uit dat het op niets zou uitdraaien, maar je wist nooit. En als er niets van kwam, zou het tenminste aangeven dat ze de zaak grondig aanpakten en alle mogelijkheden nagingen. Een beetje dressing voor Machanauds hoofd, dat ze Bouteille en Naugier op een dienblad zouden aanbieden.

10

De banden van de Citroën DS19 knerpten op het grind van de oprijlaan. De voorgevel van het drie verdiepingen tellende gebouw was imposant, in Provençaalse plattelandsstijl, waarvan de simpele horizontale lijnen alleen werden onderbroken door de raamkozijnen en een groot terras op de eerste verdieping, dat boven de garage doorliep. Een rij keurig gesnoeide cipressen stond langs de boogvormige oprijlaan, en twee kleinere cipressen in grote potten stonden aan weerskanten van de hoofdingang.
Vallons butler kwam naar buiten om hen te begroeten, nam hen mee door het huis, door de grote hal en een smallere gang naar de deur aan het eind: de bibliotheek. Marcel Vallon was nergens te zien. Hij had Poullain per telefoon laten weten dat hij zijn aanwezigheid hierbij niet noodzakelijk achtte. Hoewel Poullain hem had verzekerd dat er niets ernstigs aan de hand was en het alleen ging om iets wat hen verder zou helpen met een ander onderzoek, had Vallon hem duidelijk gemaakt dat hij hun bezoek als een inbreuk op hun privacy beschouwde en het alleen aan zijn vriendelijke karakter te danken was dat hij hun deze gunst toestond. Maak er geen misbruik van, was de stille boodschap erachter. Poullain was daarom vooraf al nerveus geweest en had tijdens de rit ernaartoe zitten klagen dat het pure tijdverspilling zou zijn, met als enige resultaat dat ze Vallon van streek zouden maken. Waarschijnlijk zou hij een dezer dagen een telefoontje van de burgemeester krijgen.
Terwijl ze zaten te wachten in de bibliotheek, zag Dominic dat Poullains opgelaten gevoel terugkeerde. Poullain had plaatsgenomen op een van de drie stoelen bij de lage, ronde salontafel en Dominic zat aan een klein schrijftafeltje bij het raam. De bibliotheek was een meter of tien lang, ongeveer zes meter breed, met twee wanden vol met boeken, en de atmosfeer was er plechtig en wat bedompt. Dit was de oude Provence: oud geld, oude macht. Of ze dat maar niet wilden vergeten. Ze moesten bijna vijf minuten wachten voordat Duclos binnenkwam.
Een zuinig glimlachje toen Poullain zich voorstelde, een knikje in de richting van Dominic. Hij was maar iets groter dan Poullain, en slank, zag Dominic. Kort, donker, keurig gekapt haar, een ronde babyface en ogen zo donkergroen dat ze bijna zwart

leken. Sommige vrouwen hielden van dat softe, onschuldige uiterlijk, wist Dominic, iemand om te bemoederen. En, kon hij niet nalaten te denken, sommige mannen ook.
Poullain begon met enige beleefdheden, bedankte Duclos dat hij hen op zo'n korte termijn kon ontvangen en verontschuldigde zich voor de overlast. Het betrof hier slechts een algemeen onderzoek aangaande degenen die vijf dagen geleden, op de achttiende, Taragnon hadden bezocht. Er was toen een jongetje mishandeld. Geen enkele poging om iets te verhullen, merkte Dominic, geen trucs voor Duclos door hem eerst uit zijn tent te lokken voordat ze het doel van hun bezoek bekendmaakten.
'Als gevolg daarvan praten we met iedereen die op die dag in de omgeving is geweest, om informatie in te winnen. Uw auto is op die dag rond lunchtijd bij Café Font-du-Roux gezien. Ik vroeg me af, monsieur Duclos, of u uw verplaatsingen van die dag, afgelopen donderdag, kunt herinneren, met name die van voor en na uw bezoek aan de Font-du-Roux?'
Duclos dacht een ogenblik na, knipperde traag met zijn ogen. 'Tja, ik kan me herinneren dat ik bij het café ben gestopt. Ik was die ochtend naar Aix-en-Provence geweest en was op weg terug. Wat wilde u precies weten?'
'Laten we beginnen met hoe laat u bij het café aankwam, als u dat nog weet.'
Duclos keek omlaag, deed alsof hij diep nadacht. Honderd keer had hij zijn timing gerepeteerd en wat hij moest zeggen als hij werd ondervraagd, maar meteen antwoord geven zou onnatuurlijk lijken, alsof hij zich had voorbereid. Hoeveel aarzeling was normaal als je je iets van vijf dagen geleden probeerde te herinneren? 'Ik denk dat het tegen het eind van de lunch was, halftwee, kwart voor twee misschien. Ik weet nog dat ik daar ben gestopt omdat ik wist dat ik niet op tijd terug kon zijn voor de lunch hier op het landgoed, en chef Maurice kan heel streng zijn. Hij houdt er niet van apart iets klaar te maken voor laatkomers.' Duclos forceerde een glimlach om zijn mond. 'Ja, zo laat moet het ongeveer geweest zijn.'
'En bent u lang gebleven?'
'Misschien een uur of zo, denk ik. De bediening was nogal traag toen ik binnenkwam, want het was toen vrij druk. En ik heb na de lunch een koffie met cognac genomen.'
'Dus u bent vertrokken om halfdrie of daaromtrent?'

'Nee, ik denk dat het eerder tegen drieën was toen ik om de rekening vroeg. Ik herinner me dat ik toen op mijn horloge heb gekeken, want ik was van plan die middag naar Juan-les-Pins te rijden en ik begon me een beetje zorgen te maken dat ik te laat zou komen. Een minuut of vijf om af te rekenen, dus ik ben om ongeveer drie uur vertrokken.'
'Had u een afspraak met iemand in Juan-les-Pins?'
'Niet echt een afspraak. Maar ik had de dag daarvoor iemand op het strand ontmoet en hoopte die weer tegen te komen. Een meisje. Dus ik wilde proberen daar min of meer om dezelfde tijd te zijn.'
Poullain keek naar Dominic. 'Dus, voor ons verslag, u bent om halftwee bij Café Font-du-Roux aangekomen en om drie uur vertrokken. Min of meer.'
'Ja, maar ik denk dat het eerder tegen kwart voor twee was toen ik daar aankwam. Ik geloof niet dat ik daar anderhalf uur heb gezeten.'
Een moment stilte. Het geluid van Dominics pen op het papier. In de verte wat gespartel in het zwembad achter het huis, waar Dominic een stukje van kon zien als hij uit het raam keek.
Duclos' hart bonkte. De tijden stonden in zijn geheugen geëtst: aankomst 13.38 uur, vertrek 14.51 uur, drie minuten rijden naar het laantje, acht minuten met de jongen langs de weg en wegrijden om 15.02 uur. Hopelijk had hij die elf minuten weten te verbergen zonder dat ze het merkten. Die barman zou zich toch niet de exacte tijd herinneren dat hij was weggegaan? Hij deed zijn best om zijn zenuwen te beheersen; het was van vitaal belang dat hij er kalm uitzag.
'En na het café, bent u toen rechtstreeks naar Juan-les-Pins gereden?' vroeg Poullain.
'Ja.'
'Bent u ergens gestopt of hebt u iemand gezien?'
'Nee.' En na een korte pauze: 'O, behalve dat ik ben gestopt bij een garage in de buurt van Le Muy, om te tanken en de olie te laten checken.' Snelheden van 110 tot 140 kilometer per uur, bijna de hele weg, in een poging de acht minuten weg te werken die hij met de jongen tussen het graan had gelegen.
'En hoe laat kwam u aan in Juan-les-Pins?'
'Kwart voor vijf ongeveer, vijf uur misschien. Ik weet het niet precies meer.' Duclos voelde kleine zweetdruppeltjes parelen op

zijn voorhoofd, maar het was dan ook tamelijk warm in het vertrek. Een jagende hartslag, handpalmen klam van het zweet toen hij in het centrum van het stadje in een verlaten steegje naast een vuilnisbak was gestopt, waar hij de kei en het hemd van de jongen, gewikkeld in een grote lap die hij in de auto had liggen, zo diep mogelijk in had geduwd.
'Bent u in Juan-les-Pins naar een bepaalde plek gegaan, of hebt u misschien het meisje ontmoet, wat u had gehoopt?'
'Nee, ze kwam niet opdagen. Maar het café aan het strand waar ik naartoe ben gegaan, is er een waar ik al een paar keer eerder ben geweest. Claude Vallon en ik hebben daar verleden week nog geluncht.' Als de garagehouder zich hem niet herinnerde, zou de café-eigenaar dat in elk geval wel doen. Inwendig gierden de zenuwen door zijn lijf, maar het ging redelijk goed: pauzes op de juiste momenten, de garage die hem te binnen schoot, het zich herinneren van de tijd dat hij bij het café in Taragnon was vertrokken, maar de onzekerheid over de tijd van aankomst: accurate details, maar niet te glad of te snel. Maar nu de vragen directer en persoonlijker werden, betrapte hij zichzelf erop dat hij misschien te inschikkelijk was. 'Maar wat heeft mijn bezoek aan Juan-les-Pins hiermee te maken? Ik dacht dat u geïnteresseerd was in de gebeurtenissen in de buurt van Taragnon en de Font-du-Roux?'
Een snelle stap terug en een verontschuldiging van Poullain. 'Ja, ja... het spijt me. We gaan alleen maar de verplaatsingen van sommige mensen na. We zullen graag accepteren dat u daarna niet meer in Taragnon was. Maar daarvoor, toen u Taragnon in reed, hebt u toen iemand gezien of ontmoet?'
Een nauwelijks zichtbare huivering van Duclos. Poullain zag het niet, maar Dominic wel, hoewel het de plotselinge sprong in de tijd en stemming kon zijn, van uren daarna naar uren daarvoor, van defensief naar offensief.
'Zoals dat jongetje? Nee, ik ben bang van niet,' zei Duclos. Zijn laatste meesterzet om de politiearts op het verkeerde been te zetten: de vinger die hij in het rectum van de jongen had gestoken en ruw in het rond had gedraaid, wat hopelijk geïnterpreteerd zou worden als een tweede penetratie. 'Er liepen mensen in de hoofdstraat van Taragnon, maar ik kan me niemand in het bijzonder herinneren.'
'Dus u bent in of rondom Taragnon nergens gestopt, behalve bij het café?'

'Nee.' De fles water die hij uit het café had meegenomen. Hij had zich uitgekleed tot zijn onderbroek voordat hij de jongen met de kei op zijn hoofd sloeg. Daarna had hij zich gewassen met het water uit de fles en zich weer aangekleed. Geen bloedspatten op zijn kleding.
Poullain wachtte tot Dominic bij was met zijn aantekeningen en gebruikte die pauze om zijn gedachten op een rij te zetten. Toen richtte hij zich opnieuw op enkele punten, voornamelijk om de tijdstippen duidelijk te stellen. Op een zeker moment vroeg hij aan Dominic: 'Welke tijd heb je genoteerd dat monsieur Duclos in Juan-les-Pins aankwam?'
'Kwart voor vijf tot vijf uur.' Dominic wist zeker dat Poullain zich de tijd herinnerde; het opnieuw doornemen van bepaalde punten uit een verhoor was puur bedoeld om te zien of er de tweede keer iets anders werd gezegd.
'En hoe laat bent u bij die garage gestopt, monsieur Duclos?' vroeg Poullain. 'Ik geloof niet dat we dat punt al hebben behandeld.'
Duclos haalde even zijn schouders op. 'Ik weet het niet, wat zal het zijn? Ik was ongeveer halverwege. Om een uur of vier, neem ik aan.'
Poullain knikte langzaam, alsof hij nog steeds in beslag werd genomen door wat er eerder was gezegd. Toen maakte hij plotseling een gedachtesprong. 'Uw vrienden hier, de Vallons, bezoekt u hen vaak?'
'Minstens één keer per jaar. Bijna altijd in de zomermaanden. Claude Vallon en ik hebben aan dezelfde universiteit gestudeerd, in Bordeaux.' Een lichte frons van Duclos. 'Waarom vraagt u dat?'
Poullain schudde haastig zijn hoofd. 'Zonder speciale reden. Het is alleen zo dat er melding werd gemaakt van uw auto als reactie op ons verzoek om informatie over vreemdelingen in de omgeving, terwijl u in feite bijna onder de plaatselijke bevolking valt.' Poullain grijnsde zwak. Hij kon moeilijk toegeven dat hij wilde weten hoe sterk de band tussen Duclos en de Vallons was, voor het geval hij later problemen zou krijgen met zijn burgemeester. Hij zuchtte even en legde zijn handen met een hoorbare klap op zijn bovenbenen. 'Nou, ik denk dat dit het ongeveer wel is, monsieur Duclos. Bedankt voor uw tijd.' Poullain stond op, knikte beleefd en schudde Duclos de hand. Hij liep naar de deur

en draaide zich om. 'O, ik vergeet iets. Nog één ding had ik u willen vragen. U zei dat u uit Aix-en-Provence kwam toen u door Taragnon reed. Hoe laat bent u daar vertrokken?'
Duclos' gespannen zenuwen waren langzaam maar zeker tot rust gekomen naarmate de vragen minder gevaarlijk werden, maar nu zorgde zijn scherpe procureursneus ervoor dat hij plotseling weer alert was. De extra vraag op weg naar buiten; hij had al zo vaak meegemaakt dat een verdachte ermee voor schut ging. De heldergroene ogen van de jongen die hem probeerden aan te kijken terwijl hij hem met zijn gezicht plat op de grond duwde en zijn hand met de kei omhoogbracht... 'Rond een uur of twaalf, neem ik aan. Het was maar een snel winkeltripje. Ik ben er waarschijnlijk niet langer dan anderhalf uur geweest.'
'Hebt u nog iets interessants gekocht?'
'Er is een kaas- en delicatessenwinkeltje in de Rue Clemenceau waar ik vaak kom. Ik heb daar een paar dingetjes gekocht, wat olijven en pistachenoten, en een fles oude cognac, om aan mijn oom te geven.'
Poullain knikte en glimlachte. 'Nogmaals bedankt, monsieur Duclos. En mijn excuses voor de overlast.'
Beginnen met een verontschuldiging en ermee eindigen, dacht Dominic. Geen verrassende tactiek, geen hinderlaag en de aard van hun onderzoek vooraf duidelijk uitgelegd. Een heel contrast met de tactiek die hij voor Machanaud gebruikte. Het enige wat Poullain had geprobeerd, was Duclos laten zeggen dat hij een halfuur eerder uit het café was vertrokken. Dat belangrijke halfuur waarin de jongen was mishandeld. Misschien wilde Poullain wachten totdat ze sommige van de details die Duclos hun had gegeven, waren nagegaan, om hem vervolgens in een tweede gesprek harder onder handen te nemen.
Ze werden door Duclos zelf naar de grote hal gebracht, waar de butler verscheen om hen uit te laten.
Duclos liep de salon in en keek door het raam terwijl de twee gendarmes over het grind van de oprijlaan liepen. Over het algemeen was hij heel overtuigend geweest, vond hij. Hij had zijn zenuwen goed in bedwang gehouden. Met Poullain had hij weinig moeite gehad; hij had zijn verslag van de gebeurtenissen bereidwillig geaccepteerd en was bijna verontschuldigend geweest, een echte man van het systeem, en duidelijk onder de indruk van zijn relatie met Vallon. De jongere gendarme had er

norser en ongeloviger uitgezien, maar hij had zich zwijgend op de achtergrond gehouden. Een mindere zonder echte macht, dus ook hij zou geen probleem vormen. Er was nog maar één ding waar hij zich zorgen over hoefde te maken, maar hopelijk was Chapeau op dit moment in die ziekenhuiskamer, of was hij er misschien al geweest. Geschreeuw, doordringend hoog; hete, witte lichtflitsen in zijn hoofd terwijl hij de kei keer op keer op de schedel liet neerkomen... het geklingel van geitenbellen in het veld naast hem, nauwelijks hard genoeg om zijn razernij en het zachte geruis van de wind in de bomen te overstemmen...
Hij slaakte een lange, diepe zucht; de plotselinge opluchting en het van zich af laten glijden van die overdaad aan opgebouwde spanning. Maar diep in zijn maag fladderden nog steeds de vlinders van de zelfbeheersing waartoe hij zich het afgelopen uur had gedwongen, en ze kregen hem weer te pakken. Hij rende naar de badkamer om over te geven.

Chapeau was binnen drie uur tijd twee keer in het ziekenhuis geweest voordat zich een plan begon te vormen, en de tussentijd had hij opgevuld met een ontspannen lunch en een middagwandeling over de Cours Mirabeau in Aix.
De hoed die hij op had was een onopvallende bruine deukhoed met slappe rand, een gewoonte die hij had overgehouden aan zijn werk als uitsmijter in Borsalino's, een nachtclub in Marseille, waar hij verplicht was geweest een lichte hoed met brede, slappe rand te dragen. De hoed was een vermomming. Hij bedekte zijn dikke krullende haar en kon wat naar voren worden geschoven, zodat er een schaduw over zijn ene verkleurde oog viel; dat was alleen van dichtbij zichtbaar, maar het was een opvallend kenmerk. Hij droeg altijd een hoed als hij aan het werk was, en nooit als hij dat niet was.
Tijdens zijn eerste bezoek was hij twee keer de gang op de eerste verdieping door gelopen, was toen even op de bank aan het eind gaan zitten en had gekeken naar de mensen die door de gang liepen. Hij had een ziekenhuisportier uit een kamer op een paar deuren afstand van 4a zien komen met een grote stapel handdoeken in zijn armen, dus hij nam aan dat het een voorraadkast was. Chapeau had de portier de deur niet op slot zien doen, dus wachtte hij tot er niemand meer in de gang was en wierp een snelle blik naar binnen: tweeënhalve meter lang, een meter breed, met aan de ene

kant een rek vol linnengoed, handdoeken, pakken watten, een emmer met een mop in de hoek, flessen schoonmaakmiddel en chloor. Geen uniformen.
Het kamertje bracht hem op een idee waarvoor de overige puzzelstukjes tijdens zijn lunch op hun plaats vielen. Hij had een uniform, aanstekerbenzine en een injectiespuit nodig. Hij liep de gang nog eens door en controleerde nogmaals de posities van de voorraadkast, kamer 4a, de afstand tot het brandalarm en de grotere ziekenzalen. Toen ging hij weer op de bank zitten en liep hij in gedachten nog een laatste keer het scenario van zijn plan na.
Hij keek op; de deur van kamer 4a was met een klik opengegaan. Hij zag een vrouw naar buiten komen, lang, donker krullend haar, een lichtbeige jurk.
Toen ze haar blik op hem richtte, boog hij zich naar voren, liet zijn ellebogen op zijn knieën steunen en bestudeerde zijn schoenen. Het enige wat ze zou zien, was een zichtbaar bezorgde man met een hoed, die wachtte op nieuws uit een van de nabijgelegen kamers. Toen ze uit het zicht was verdwenen, liep hij naar de trap en ging op weg naar de uitgang.
Toen ze de best mogelijke timing hadden besproken, had Alain gezegd dat zijn vriend had gezien dat een vrouw de kamer binnenging om de jongen te bezoeken, zij was waarschijnlijk een vriendin of een familielid van de pooier van de jongen. Mooie vrouw, dacht Chapeau; minstens voor een deel Arabisch, maar eenvoudig en niet opzichtig gekleed, geen ronde, gouden oorringen, zware make-up en naaldhakken, dus niet de vriendin van de pooier. Alleen maar 'een vriendin', hoewel haar voornaamste rol waarschijnlijk die van verzorgster en oppasser was van de jongens die hij onder zijn beheer had, wat er twaalf tot vijftien onder hetzelfde dak konden zijn, een soort surrogaattante. Hoewel de meeste pooiers mannen waren, zorgden vrouwen onveranderlijk voor de huishoudelijke kant van de zaak: koken, schoonmaken en boodschappen doen.
In de daaropvolgende uren bezocht hij drie winkels die waren gespecialiseerd in horeca- en bedrijfskleding totdat hij een uniform had gevonden dat voldoende leek op dat van de portier van het ziekenhuis. Aanstekerbenzine kocht hij in een sigarenwinkel in de buurt en de injectiespuit bij een apotheek.
Nu, terwijl hij in een café in het Panier-district zat en van zijn cognac nipte, liet hij in gedachten de volgorde van de gebeurte-

nissen nog één keer passeren.
Het enige wat hij nog moest besluiten, was of hij vanavond terug zou gaan of zou wachten tot morgenochtend.

Dominic ging meteen op weg na hun bespreking met Pierre Bouteille, want Poullain wilde plotseling de alibi's van alle mogelijke verdachten verifiëren, niet alleen dat van Machanaud.
Hij was om zes voor zeven bij de garage bij Le Muy en rekende uit hoe lang hij erover had gedaan vanaf het moment dat hij Café Font-du-Roux was gepasseerd: 68 minuten. Dat betekende dat als Duclos om een uur of drie uit het café was weggegaan, hij om acht of tien minuten over vier bij de garage moest zijn geweest.
De garagehouder herinnerde zich Duclos' auto, niet alleen vanwege het feit dat hij zelden een Giulietta Sprint zag, maar ook omdat Duclos hem had gevraagd de olie te verversen en of hij het zou halen om om halfvijf in Juan-les-Pins te zijn. 'Onmogelijk. Ik heb hem gezegd dat hem dat minstens veertig minuten zou kosten. Als hij geluk had, kon hij er om tien voor vijf zijn, dus moet het toen ongeveer tien over vier zijn geweest.'
Dominic vroeg of hem iets ongebruikelijks was opgevallen: bloedvlekken of kleding die een wanordelijke indruk maakte, maar kreeg op beide vragen nee te horen. Hij stapte weer op zijn motor en reed door naar Juan-les-Pins.
De garagehouder had gelijk. Er zaten veel bochten in de weg en het kostte hem achtenveertig minuten. Hij reed door tot aan de kust, zette zijn motor neer en liep verder over de boulevard, langs de straattekenaars en geïmproviseerde souvenirkiosken. De boulevard was verhoogd, dus keek hij uit over de daken van de cafés en restaurants langs het strand.
Toen Dominic bij de derde trap naar beneden kwam, zag hij links van hem de Rififi. Half bar, half restaurant, en om bijna negen uur 's avonds vol eters. Het was nog steeds warm en hij had zijn leren jack uitgetrokken toen hij van zijn motor stapte. Daaronder droeg hij een wit overhemd met epauletten, en hij had zijn gendarmepet weer opgezet. Een ober vroeg waar hij hem mee van dienst kon zijn, of wenste monsieur te dineren?
Dominic legde het doel van zijn bezoek uit en werd naar de bar gebracht om te wachten op de eigenaar, een kleine, gedrongen man van begin vijftig met warrig grijs haar die zich voorstelde

als Pierre Malgarin. Hij zag er wat verhit uit en deze onderbreking tijdens de drukte leek hem slecht uit te komen.
Dominic legde de reden van zijn onderzoek uit en Malgarin bevestigde dat hij de Vallons kende.
'Ze hebben hier een dag of twaalf geleden gegeten?'
'Ja, zoiets.'
'Claude Vallon, de zoon, had een vriend meegebracht, een zekere Alain Duclos. Ongeveer vijfentwintig jaar, slank, donker haar. Hij zou hier een dag of zes geleden alleen zijn geweest. Aan het eind van de middag, om een uur of vijf.'
'Dat weet ik niet. Ik ben er dan meestal niet. Ik ben er alleen tijdens de lunch en 's avonds. Maar waarschijnlijk weet mijn chef-ober het wel.' Malgarin wenkte de ober die Dominic naar de bar had gebracht. Toen Malgarin de vraag herhaalde, knikte de ober.
'De jonge vriend van de Vallons. Ja, ik herinner me dat hij hier een halfuur of zo is geweest, een dag of vijf, zes geleden.'
'Weet je nog hoe laat het was?'
'Niet echt. Alleen dat het ruim na lunchtijd was, want we hadden alles al opgeruimd. Maar voorzover ik weet kan het elk moment tussen vier en halfzeven zijn geweest. Misschien weet Gilbert het.' Hij draaide zich om en betrok de barman bij het gesprek, maar die haalde zijn schouders op.
'Ik weet het niet meer. Alleen nog wat hij dronk: campari met citroen. En hij vroeg of ik een meisje had gezien: lang, donker haar, Italiaans uiterlijk, begin twintig. Ze droeg een oranje bikini toen hij haar de dag daarvoor op het strand had gezien. We zien hier zoveel meisjes, heb ik hem gezegd, dus ik wist het niet. Ik kon me haar niet herinneren.'
'Is hij hier de dag daarvoor, toen hij dat meisje had ontmoet, binnen geweest?'
'Nee. Ik kan me tenminste niet herinneren dat ik hem heb gezien. Misschien heeft hij haar op de boulevard ontmoet, of in een van de andere bars.'
'Is je iets opgevallen aan zijn kleding, of zijn manier van doen?'
'Nee. Niet echt. Alleen dat het hem dwarszat dat ze er niet was.'
Dominic kon op dat moment geen andere vragen meer bedenken. In de stilte die volgde, excuseerde de ober zich. De eigenaar vroeg: 'Hebt u hier iets aan? Wilt u nog even blijven voor een snel drankje, van het huis?'
Dominic stond op het punt het af te slaan, bedacht zich, vroeg

om een biertje en bedankte de man. Misschien schoot een van hen nog iets te binnen terwijl hij het opdronk. Hij zat aan het eind van de bar, met maar drie rijen tafeltjes tussen hem en het strand. De twee grote ramen aan de voorkant waren eruit gehaald, zodat de voorkant van de bar praktisch aan het strand grensde.
Dominic nam een slokje van zijn bier. Het zachte geluid van de branding klonk uit boven de stemmen van de gasten en het getik van bestek. Verder op zee zag Dominic de lichtjes van vier of vijf vissersboten en achter hem, vanuit een openluchtrestaurant met live-muziek op het dorpsplein, kwamen de klanken van *Quando caliente el sol*.
Een armzalig onderzoek voor een jongetje dat seksueel was misbruikt en vervolgens ernstig mishandeld. Was het echt mogelijk dat Duclos hem eerst halfdood had geslagen en toen hiernaartoe was gereden om rustig een campari te drinken terwijl hij op zoek was naar een meisje, áls ze tenminste bestond? Waar had hij haar de dag daarvoor gezien? Dominic vond het opvallend goed uitkomen om zijn heteroseksualiteit te onderstrepen. En als Duclos zich zoveel zorgen maakte dat hij haar zou mislopen, waarom was hij dan onderweg gestopt om zijn olie te laten verversen en had hij gevraagd hoe lang het nog rijden was? Wat was belangrijker: dat de garagehouder zich hem herinnerde, of dat hij op tijd bij dat meisje was?
Maar ondanks de inconsequenties was tijd de beslissende factor. En Duclos had gewoon niet genoeg tijd gehad om de misdaad te plegen. Zelfs als hij heel hard had gereden, had hij op z'n hoogst tien à vijftien minuten tijd gehad. Tussen de beide verkrachtingen moest minimaal veertig minuten tijd hebben gezeten. Gezien zijn meningsverschil met Poullain over Machanaud, zou alleen al het noemen van de inconsequenties door Poullain worden beschouwd als dwarsliggerij en zinloos, tenzij hij iets nieuws kon ontdekken over de timing van Duclos. Dominic voelde zich verslagen en had er spijt van dat hij hiernaartoe was gekomen. Hij was op weg gegaan met de hoop iets te ontdekken wat Poullains verdenking van Machanaud op losse schroeven zou zetten, maar in plaats daarvan zou hij terugkeren met informatie die zou helpen zijn lot verder te bezegelen.

Chapeau goot de aanstekerbenzine uit over het laken, maakte er

een prop van en legde die met een paar andere lakens en dikke handdoeken in de hoek.
Hij luisterde even of hij iets op de gang hoorde: niets. Het was belangrijk dat niemand hem uit de kast zag komen. Als hij de lakens eenmaal had aangestoken, was er geen weg meer terug en moest hij onmiddellijk de gang op. Het kleine kamertje zou binnen een paar seconden vol rook staan.
Hij stak het laken aan en deed haastig een stap achteruit toen de vlammen oplaaiden. Hij bleef nog even kijken om er zeker van te zijn dat de lakens eronder ook vlam vatten en liep het kamertje uit. De gang was verlaten en hij liep langs kamer 4a tot aan de zijgang aan het eind waarvan het brandalarm was. Hij was een paar passen voorbij de deur van 4a toen hij voetstappen op de trap hoorde. Hij had geluk gehad; twee seconden later en hij was betrapt toen hij het voorraadkamertje uit kwam. Maar het was ook van belang dat hij niet werd gezien terwijl hij zich weghaastte van het kamertje, dus hield hij zijn pas in en sloeg hij net de hoek van de zijgang om voordat de voetstappen de eerste verdieping bereikten.
De gang die voor hem lag was ongeveer vijfentwintig meter lang, met twee deuren aan het eind, drie aan de rechterkant en een raam en één deur aan de linker. Het brandalarm zat aan het eind van de gang, vlak bij de twee laatste deuren. Plotseling ging de middelste van de drie deuren rechts van hem open. Een arts kwam de gang op lopen.
Merde! En zo te horen kwamen de mensen die hij op de trap had gehoord ook zijn kant op, waren ze vlak bij de hoek van de gang. Maar er werd nog geen 'brand!' geroepen, dus blijkbaar kwam er nog geen rook onder de deur van het voorraadkamertje vandaan.
De arts zag Chapeau aarzelen en om zich heen kijken alsof hij verdwaald was. 'Zoek je iemand?' vroeg hij.
'Dokter Durrand,' antwoordde Chapeau, zich net op tijd herinnerend dat hij de naam op de lijst bij de receptie had gezien. Chapeau deed zijn best om zijn agitatie te verbergen en een kalme indruk te maken.
'Die zul je hier niet vinden, ben ik bang. Begane grond. Oogheelkunde.'
De twee mensen, een ouder echtpaar, passeerden hem en liepen naar een deur aan het eind van de gang. Zijn portiersuniform zou

geen argwaan mogen wekken; het leek sprekend op dat van de echte portiers. Oogheelkunde? Zijn geest jaagde en zocht verwoed naar mogelijkheden. Zijn blik viel op het nummer op de deur aan het uiteinde van de gang. 'Ik kom net van oogheelkunde vandaan, en ze zeiden dat ik hem misschien in 6c zou kunnen vinden.'

'Wat is de naam van de patiënt?'

'Dat hebben ze niet gezegd.'

De arts haalde zijn schouders op. 'Er is op dit moment niemand in 6c. De nieuwe patiënt komt vanavond pas en de vorige is gisteren teruggegaan naar de zaal.'

'O, dan probeer ik het daar wel.' Chapeau liep terug zoals hij was gekomen en probeerde al lopende zijn ademhaling te kalmeren. Hij vloekte in stilte: er waren cruciale seconden verloren gegaan en de arts zou zich hem later misschien herinneren. Achter hem, aan het eind van de gang, was het oudere echtpaar inmiddels verdwenen. Rustig, zei hij tegen zichzelf. Ondanks zijn gejaagde ademhaling hoorde hij de voetstappen van de arts van hem weglopen. Maar voor hem, bij de hoek van de gang, zag hij nu de eerste sporen van rook, een grijze mist, duidelijk zichtbaar in het zonlicht dat door het raam naar binnen viel. Hij bad dat de arts zich niet plotseling zou omdraaien en het zou zien. Hij luisterde aandachtig naar de zachter wordende voetstappen van de arts, hoorde een vaag geschuifel, een deur opengaan... en weer langzaam dichtgaan. Allemaal veel te langzaam.

Chapeau liet een diepe zucht ontsnappen toen de deur eindelijk dicht was en rende de laatste paar meter in de richting van de rook. Een verpleegster was van de zaal aan het uiteinde van de gang gekomen en keek met een geschrokken blik naar de rook. Chapeau stak zijn arm op om haar duidelijk te maken dat hij het ook had gezien en rende terug in de richting van het brandalarm. Hij was halverwege toen hij haar 'brand!' hoorde roepen.

Hij pakte het kleine messing hamertje dat aan een kettinkje naast het brandalarm hing, sloeg het ruitje kapot en drukte op de knop. Het geluid van de bel was oorverdovend en weerkaatste tussen de kale muren van de gang. Chapeau rende terug naar de rook en naar kamer 4a. Achter zich hoorde hij een deur opengaan, onduidelijk gemompel en een plotseling geschrokken stem, maar hij keek niet achterom. Toen hij de hoek weer om kwam, waren vijf à zes mensen uit hun kamers gekomen.

'Is dit weer een brandoefening?' vroeg iemand.
Onduidelijk gemompelde antwoorden, meer geschrokken stemmen die zich verhieven en het uiteindelijke besef – omdat de rook nu duidelijk zichtbaar in de gang hing – dat het deze keer om het echte werk ging. Plotseling kwam alles en iedereen in beweging, meer mensen kwamen de gang op, de meesten van de grote ziekenzaal aan het eind. Sommigen waren al op weg naar de trap en de vijf à zes waren er algauw twintig. Paniek, verwarring.
Chapeau voelde zich ineens zekerder in de massa, want praktisch niemand schonk enige aandacht aan hem. Hij haalde de injectiespuit uit zijn zak. De naald zat er al op en hij trok het plastic beschermkapje eraf. Kamer 4a was nog maar een paar passen van hem verwijderd. Hij schoof de injectiespuit voorzichtig in zijn mouw en pakte de deurknop vast.
Hij haalde nog een keer diep adem, maar voelde zich zeker van zijn zaak. De adrenaline joeg door zijn lijf, maar dat kwam door de brand en de paniek om hem heen, niet door de zenuwen. Het scenario was perfect. Over een minuut zou het allemaal voorbij zijn.
Het kwam hem niet voor als vreemd dat hij niemand uit kamer 4a had zien komen totdat hij de deur opendeed. Geen verpleegster, geen arts, niemand. Zijn opluchting over zijn geluk dat hij een totaal onbewaakt moment had gekozen, duurde maar heel even, totdat hij door de glazen scheidingswand keek, want er lag geen jongen ook.
'Verdomme!' Hij stond daar als versteend en staarde naar de lege ruimte. Rondom hem werd de verwarring steeds groter. Hij was de enige persoon op de hele verdieping die niet in beweging was. Een constante stroom mensen liep in de richting van de trap en een ziekenbroeder met een brandblusser stond bij de deur van het voorraadkamertje en spoot wit schuim naar binnen terwijl een portier de gang in rende om een tweede brandblusser te halen.
Het duurde even voordat Chapeau zich had losgemaakt uit zijn trance en op het idee kwam om iemand te vragen waar de jongen was gebleven. Hij moest drie verpleegsters aanhouden voordat hij er een vond die het wist. 'Hij is meer dan een uur geleden naar de operatiekamer gegaan.'
'Bedankt.' Chapeau mengde zich tussen de mensen die naar de trap liepen. De portier had zich bij de ziekenbroeder gevoegd

met een tweede brandblusser. Ze zouden het vuur waarschijnlijk binnen een paar minuten geblust hebben.

In de operatiekamer op de begane grond was het dreigende gerinkel van de alarmbel hoorbaar op de achtergrond. De chirurg, dokter Trichot, vroeg een van de verpleegsters om uit te zoeken wat er aan de hand was.
Even later was ze weer terug. 'Brand op de eerste, blijkbaar.'
'Blijft het beperkt tot de eerste?'
'Dat weet ik niet. Dat heb ik niet gevraagd.'
Trichot knikte naar zijn assistente om zijn voorhoofd droog te deppen en vloekte in stilte. 'Later we ervan uitgaan dat er geen onmiddellijk gevaar dreigt, of het zullen horen als dat wel zo is, en laten we doorgaan, alsjeblieft.'
De assistente pakte het mes aan dat hij haar licht geïrriteerd toestak en legde de spreider in dezelfde hand.
De jongen, Christian Rosselot, lag nu al meer dan dertig minuten op de operatietafel, maar ze hadden veel kostbare tijd verloren met het maken van röntgenfoto's en angiogrammen en het voorbereiden van de anesthesie. In die tijd was de uitstulping van de slaapkwab, bij het oor van de jongen, als gevolg van een bloedprop, onrustbarend toegenomen.
Maar twee avonden geleden had hij de jongen ook geopereerd en een soortgelijke bloedprop uit de wandkwab van zijn hersenen verwijderd, hem uit de dreigende kaken van de dood gered, en hij was niet van plan het nu op te geven. Brand of geen brand. Maar het aanhoudende gerinkel werkte wel op zijn zenuwen. Het had niet op een slechter moment kunnen komen. Hij was op een punt aangekomen waarop hij al zijn concentratie nodig had. Instrumenten werden in zijn hand gelegd en er weer uit gepakt zonder dat hij opkeek, en het laatste instrument was een elektrische schedelboor. Het hoge gezoem werd lager toen Trichot een gat in de schedel boorde.
Het harde hersenvlies werd zichtbaar. Er was geen spoor te zien van de bloeding, en Trichot begon zich zorgen te maken. Hij zou dieper moeten gaan. 'We moeten door het spinnenwebvlies.'
Trichot sneed met gemak het gelatineachtige vlies door met zijn mes, trok het opzij met een haak en gebaarde zijn assistente dat ze met haar lampje in de opening moest schijnen.
Het bleekgrijze hersenweefsel en de bloedvaten glansden in het

licht en het donkerder rood van de bloedprop was alleen zichtbaar als het lampje schuin omhoog werd gericht. Hij zat in het bovenste deel van de slaapkwab. Hij zou niet in staat zijn de grootte vast te stellen en hem te verwijderen zonder een grotere incisie te maken.
Hij knikte en zijn voorhoofd werd weer drooggedept. Trichot gaf het lampje terug. 'Ik moet hoger.'
De anesthesist meldde: 'Pols zestig tot vijfenzestig,' toen het hoge gezoem van de boor weer opklonk.
Een paar minuten geleden was die nog zeventig tot vijfenzeventig geweest, dacht Trichot. Hij keek even opzij naar de bloeddrukmeter. Die was in dezelfde periode twintig punten gedaald, tot 116 over 67. Nadat hij het tweede gat in de schedel had geboord, begon hij het bot ertussenin weg te zagen. Het gepiep werd nog langzamer.
'Vierenvijftig, eenenvijftig.' Er klonk meer bezorgdheid door in de stem van de anesthesist.
Trichot zweette hevig. Zijn assistente bette zijn voorhoofd weer droog. Het zou een race tegen de klok worden. Nog tien seconden zagen, vijftien tot twintig seconden om het vlies door te snijden en de opening groter te maken. Dan de tijd die hij nodig zou hebben om de bloedprop zelf weg te zuigen, afhankelijk van de grootte. Tot hoever zou de bloeddruk tegen die tijd zijn gedaald?
Trichot was klaar met zagen en trok met een haak het vlies opzij. De bloedprop was nu bijna helemaal zichtbaar. De zuigbuis werd hem aangegeven.
'Vijfenveertig, drieënveertig, snel dalend! Veertig!'
Trichot voelde een lichte paniek. Als de pols was gedaald tot dertig, tweeëndertig, dan was het in principe allemaal voorbij. Hij had te hard voor de jongen gevochten om hem nu te laten gaan.
Het uiteinde van de zuigbuis verdween in de donkerrode, gestolde massa van de bloedprop. Binnen twintig seconden had Trichot een derde deel ervan weggezogen.
'... achtendertig, zevenendertig.'
De daling van de pols ging minder snel, maar een deel van de bloedprop was nog steeds niet te zien. Trichot keek weer op de bloeddrukmeter: 104 over 61. Het zou erom hangen. Als de scheuring zich achter het laatste deel van de bloedprop bevond, zou die moeilijk te bereiken en te hechten zijn, en als de pols zo snel bleef dalen, kon er sprake zijn van meer dan één scheuring.

Al die factoren betekenden dat hij het niet zou halen. Zweetdruppeltjes parelden op zijn voorhoofd en zijn eigen pols was twee keer zo snel als het gepiep van de monitor. Trichot bewoog het uiteinde van de zuigbuis omhoog en bad dat de scheuring snel in zicht zou komen.
'Zesendertig, vijfendertig!'
Buiten de operatiekamer hield het brandalarm plotseling op met bellen. Het enige geluid dat overbleef was het gepiep van de hartbewakingsmachine, die langzaam de seconden aftelde die Trichot nog had om het leven van zijn patiënt te redden.

Chapeau vond een café op drie blokken afstand van het ziekenhuis en ging daar een Pernod zitten drinken terwijl hij nadacht over wat hij nu moest doen. Hoe lang zou de jongen in de operatiekamer blijven: twee à drie uur? Daarna zou hij vermoedelijk naar dezelfde kamer op de intensive care worden teruggebracht, maar dan? Hij kon niet weer brand stichten om de aandacht af te leiden, dus hij zou iets anders moeten verzinnen.
Er wilde hem niet direct iets te binnen schieten, en hij nam nog een flinke slok Pernod. Hij had het gisteravond moeten doen in plaats van tot vanochtend te wachten. Zijn beste kans was nu waarschijnlijk verkeken en hij zou flink zijn best moeten doen om een alternatief plan te bedenken dat net zo effectief was en net zo weinig risico's inhield. Nog erger zou het zijn als de jongen op de operatietafel overleed, want dan kreeg hij helemaal geen nieuwe kans meer. Hij dronk zijn glas leeg, betaalde en liep naar buiten. Hij had behoefte aan een wandeling om zijn geest op te frissen.
Het was nog vroeg in de ochtend, tien over halftien, en de straten van Aix kwamen tot leven. Maar Chapeau was in zijn eigen wereld, sloeg geen acht op de voorbijgangers en was met zijn hoofd bij zijn plannen en mogelijkheden. Hij had bijna twintig minuten gelopen, niets ziend, aarzelend tussen al zijn verschillende gedachten, toen er een glimlach op zijn gezicht verscheen. Het was gemeen en riskant, maar waarom niet? Hij was nooit teruggedeinsd voor een gok, en het vooruitzicht om die enge, pedofiele zak van een Alain op te lichten, stond hem wel aan. Hij dacht er nog eens goed over na en zocht naar mogelijke valkuilen, maar het was perfect: de timing klopte vrijwel precies.
Maar hij moest nog minstens twee uur wachten voordat hij het

nieuws overbracht. Twee vooraf uitgekozen telefooncellen en twee tijdstippen; een in Le Luc voor het telefoontje van die middag en een in Brignoles voor dat van tien uur. Chapeau besloot terug te rijden naar Marseille om het gesprek te voeren. Onderweg moest hij weer denken aan de gemeenheid van zijn plan en barstte uit in luidkeels gelach.
Tegen de tijd dat hij het gesprek voerde, lukte het hem zijn lachspieren onder controle te houden. De telefoon ging maar twee keer over voordat Alain opnam. 'Het is gedaan,' zei Chapeau.
'Wanneer?'
'Vanochtend. Ik heb een afleiding gecreëerd, de jongen een injectiespuit in zijn arm geduwd, hem iets ingespoten, en het laatste wat ik weet is dat ze hem naar de operatiekamer brachten om zijn leven te redden.'
'Je weet zeker dat hij er geweest is?'
'Maak je geen zorgen, hij zal het niet halen. En ze zullen ook niets vermoeden: het zal eruitzien alsof hij is overleden aan de complicaties van zijn coma en verwondingen.'
Ze spraken af elkaar de volgende dag om zes uur in het Parc du Pharo te ontmoeten en de betaling te regelen. Chapeau was er vrijwel zeker van dat Alain die middag naar het ziekenhuis zou bellen om het te checken, maar zijn kansen lagen redelijk gunstig. Als de jongen het haalde, zou hij gewoon een nieuw plan moeten verzinnen. En zo niet, dan zou hij deze keer betaald worden zonder bloed aan zijn handen te krijgen.

11

Sessie 3

'... en toen je weer in slaap viel, kwam die droom toen terug?'
'Ja. Maar het korenveld was veranderd, het was anders...'
Een grote spoelenrecorder draaide geluidloos op de achtergrond. Eyrans oogleden trilden licht terwijl zijn herinneringen de revue passeerden. De tweede sessie was teleurstellend geweest, de details van de dromen waren te vaag en te gering, dus had Lambourne gekozen voor hypnose. Deze aanpak was in zijn vak

steeds minder populair geworden en hij paste hem toe op minder dan vier procent van zijn patiënten: alleen als er sprake was van diep teruggedrongen gevoelens, of als de normale overbrenging te gering of helemaal niet aanwezig was. En vrijwel nooit op kinderen.
Maar de belangrijkste aanwijzingen lagen verborgen in Eyrans dromen en een te groot deel was vervaagd of selectief gewist, zodat hij praktisch geen andere keus had. Hij had niets van belang verwacht van de dromen, totdat na zijn coma Jojo er ineens in voorkwam, en hij ging met een ruk overeind zitten toen Eyran plotseling een droom van vlak voor het ongeluk begon te beschrijven: zijn moeder die de kaart openvouwde en Eyran die naar de achterkant van haar haar staarde, waarna hij zichzelf terugdwong naar een eerdere droom.
'Op welke manier was het veranderd toen je terugging?' drong Lambourne aan.
'Het was vlak, niet hellend, zoals ik het me herinnerde. En het werd plotseling donker, zodat ik mijn weg naar huis niet meer kon vinden. Alles was te plat... en ik zag niets waaraan ik kon zien hoe ik naar huis moest lopen.'
'Was het belangrijk dat je je huis terugvond?'
'Ja. Ik had het gevoel dat als ik het niet haalde, er iets vreselijks zou gebeuren. Dat ik misschien dood zou gaan. De weg vinden in het donker en thuiskomen was mijn manier om in leven te blijven.'
Lambourne balde één hand tot een vuist. Als er een aanzienlijke kloof was tussen de twee dromen, was het mogelijk dat het ongeluk al had plaatsgevonden voor de tweede droom! De latere vervorming van na het coma en de introductie van Jojo konden boekdelen spreken. 'Wanneer droomde je voor het eerst over het korenveld?'
'Dat herinner ik me niet precies meer. Al jaren geleden.'
'Was dat toen je pas in Californië was en je je vriendjes miste?'
'Nee, ik had er al eerder over gedroomd. Toen we naar het huis in East Grinstead waren verhuisd en ik daar door het korenveld liep, voelde het vertrouwd aan. Ik had het gevoel dat ik er eerder was geweest.'
'En komen er altijd korenvelden voor in je dromen?'
'Nee, soms zijn het alleen het landje en het meertje waar ze naartoe leiden, en soms het bos achter het oude huis dat tot aan de korenvelden loopt.'

‘Heb je wel eens over het huis zelf gedroomd?’
‘Dat weet ik niet precies. Misschien één keer. Ik had pasgeleden wel een droom dat ik door het keukenraam aan de achterkant van het huis naar buiten keek en mijn ouders zag, en dat ik Jojo weer in het bos tegenkwam.’
Dus het korenveld en het landje waren belangrijker dan het huis zelf: zijn eigen speelomgeving, aangezien in het huis zijn ouders domineerden. Het huis kwam alleen in beeld als hij zijn ouders probeerde te vinden, en dat zoeken van hem vond voor een deel op hun territorium plaats. ‘In de droom over de periode waarin het ongeluk plaatsvond, toen je bang was dat je je weg naar huis niet kon terugvinden, hoeveel tijd was er toen verstreken vanaf het laatste moment in de auto dat je je herinnerde dat je wakker was?’
‘Het leek alsof het bijna meteen daarna was. Maar ik weet het niet. De andere dromen leken te komen na een korte onderbreking, hoewel ze me, toen ik weer bij kennis was, hebben verteld dat ik drie weken in een coma had gelegen.’
Lambourne maakte snel een aantekening: *Timing niet doorslaggevend. Eerste belangrijke droom kan zowel voor als na het ongeluk hebben plaatsgevonden*. Dat zouden ze waarschijnlijk nooit weten. ‘En was er nog iemand anders in die droom, een van je vroegere vriendjes met wie je op het landje speelde?’
‘Er was wel iemand, maar dat was niet echt een vriend. Het was een jongen van mijn oude school, Daniel Fletcher. Hij overleed een jaar voordat we naar Californië vertrokken. En toen zag ik mijn vader, die me zei dat ik daar niet hoorde te zijn en naar huis moest gaan. Maar het was ineens donker en ik kon niets bekends meer vinden, en toen was hij ook plotseling verdwenen en moest ik alleen mijn weg naar huis proberen terug te vinden.’
‘Wat was op dat moment je sterkste emotie? Was je boos omdat hij je aan je lot overliet, of was je bang omdat je ineens alleen was en je je in de steek gelaten voelde?’
‘Ik weet het niet. Allebei, denk ik. Misschien meer verward dan boos. Ik kon gewoon niet begrijpen waarom hij wegliep.’
‘En was je bang omdat je alleen was en het donker was, of ook omdat je het gevoel had dat je moest doen wat je vader zei? Was je ook bang omdat je vond dat je hem moest gehoorzamen maar dat niet kon?’
Eyran fronste zijn wenkbrauwen en leek zich even niet op zijn

gemak te voelen. 'Het was omdat ik alleen was. Ik zou niet expres ongehoorzaam zijn tegen mijn vader en hem van streek maken, maar ik was niet bang van hem. Hij is altijd heel goed en aardig voor me geweest.'
'Ik weet het.' Lambourne bespeurde de defensieve toon en veranderde van koers. 'Wat was de eerste droom waarin Jojo voorkwam?'
Het bleef even stil. Eyrans oogleden trilden. 'Dat was de droom die meteen daarna kwam en zich weer op dezelfde plek afspeelde. Het kleine meer bij het landje.'
'Vertel me eens wat je zag in die droom. Wat gebeurde er?'
Eyrans oogleden gingen sneller trillen. Eerst alleen grijze, mistige contouren. Maar geleidelijk aan werden de beelden scherper, duidelijker...

Eyran kon in het duister op het landje eerst alleen het meer onderscheiden. Er dreef een vage mist over het wateroppervlak. Voorzichtig deed hij een stap naar voren, en nog een, en de gestalte aan de overkant werd duidelijker zichtbaar naarmate hij dichterbij kwam. Het was niet Sarah of Daniel, maar een jongen van zijn leeftijd die hij nooit eerder had gezien, hoewel de bomen en de mist zijn gezicht voor een deel in schaduw hulden, zodat hij daar niet zeker van kon zijn. Hij wist dat de jongen hem had gezien, want hij zwaaide en riep naar Eyran en zijn stem echode zacht over het wateroppervlak.
'Wie ben je?' vroeg Eyran. 'Ik heb je hier nog nooit gezien.'
'Dat weet ik. Ik kom hier normaliter ook nooit. Maar we hebben elkaar eerder ontmoet, weet je dat niet meer?'
Eyran bekeek zijn gezicht nog eens goed. Maar het was nog steeds moeilijk te zien. Hij voelde zich opeens wat opgelaten, wilde niet bekennen dat hij het zich niet meer herinnerde, want de jongen leek er zo zeker van te zijn dat ze elkaar eerder hadden ontmoet.
'Het komt door de mist... Ik kan je niet goed zien over het water.'
'Kom dan naar me toe, naar deze kant.'
Eyran tuurde door de mist, maar toen die voor een deel was opgetrokken, leek de afstand tussen hen ineens veel groter, een duister, bodemloos meer. Alle vertrouwde herkenningstekens waren nu ver weg, buiten bereik, aan de overkant van het zwarte water. 'Ik zoek mijn ouders,' zei Eyran. 'Mijn vader was hier net nog. Heb je hem gezien?'

‘Nee. Ik ben mijn ouders ook kwijtgeraakt. Hoewel dat al heel lang geleden is gebeurd, ik kan het me nog nauwelijks herinneren.’
Eyran deed zijn best om het gezicht van de jongen te herkennen, probeerde zich hem te herinneren, maar de schaduw die over zijn gezicht viel en de mistflarden boven het water maakten dat onmogelijk. ‘Hoe heet je?’
‘Gigio.’ Door de zachte echo’s die over het wateroppervlak kwamen, dacht Eyran dat hij ‘Jojo’ zei. De jongen keek hem enige tijd zwijgend aan. Het was koud en zijn adem kwam in een witte wolk uit zijn mond. ‘Je herkent me niet, hè?’
Eyran zag een traan langs de wang van de jongen glijden, hoewel hij niet kon geloven dat hij van streek was omdat Eyran hem niet herkende. Het moest zijn herinnering aan het verlies van zijn ouders zijn. Wat Eyran eraan herinnerde waarom hij terug was gekomen naar het meer. ‘Ik moet mijn vader vinden. Hij was hier net nog.’
‘Ik heb je al gezegd dat je hem aan die kant niet zult vinden. Als je naar de overkant zwemt, zal ik je helpen met zoeken.’
Eyran keek naar de overkant en toen naar het water. Het was inktzwart en troebel. Hij was bang voor wat hij onder water allemaal kon tegenkomen, dacht aan waterslangen en andere enge beesten, boomwortels die hem vastgrepen als tentakels en naar beneden zouden trekken, slijm en dikke modder waarin hij zou wegzakken als in drijfzand. Hij huiverde van angst en schudde haastig zijn hoofd. ‘Nee, ik kan niet naar de overkant komen. Het is te gevaarlijk.’
De jongen glimlachte vriendelijk en wenkte hem. ‘Maar je móet hiernaartoe komen. Anders vind je je vader nooit.’
Eyran kneep zijn ogen dicht, wapende zich tegen wat hij wist dat hij moest doen, rilde van de kou toen hij zijn ene voet in het water liet zakken. Hij bleef even staan en keek de jongen aan de overkant onderzoekend aan. ‘Je weet het zeker? Weet je zeker dat ik dit moet doen?’
De jongen was weer gaan huilen. ‘Ik kan je niet beloven dat je je vader zult vinden, Eyran. Ik heb mijn ouders ook gezocht en hen nooit gevonden. Maar ik moest aan deze kant van het meer blijven, en jij hoort hier bij me te zijn. Dan ben je tenminste niet alleen als je hen niet vindt.’
‘Maar ik moet hen vinden,’ zei Eyran wanhopig.
‘Ik weet het, ik weet het. Ik zal je helpen. Maak je geen zorgen.

Als ze hier zijn, zullen we hen vinden.'
Eyran waadde dieper het water in, probeerde zo ver mogelijk door te lopen voordat hij ging zwemmen. De kou van het water drong diep in zijn lichaam toen hij tot boven zijn middel in het water stond. De mist dreef vlak boven het water, onttrok de jongen aan de overkant voor een deel aan het oog en werd toen minder. Toen het water tot aan zijn borst kwam, begon Eyran te zwemmen. De mist werd dichter naarmate hij het midden van het meer naderde en Eyran verloor de jongen even helemaal uit het oog. Toen zag hij hem plotseling weer. Maar hij leek nog net zo ver weg. Eyran had niet het gevoel dat hij dichterbij kwam, of misschien was hij door de mist zijn gevoel voor richting kwijtgeraakt. Hij keek goed waar de jongen stond toen de mist even optrok en deed zijn best om in een rechte lijn naar hem toe te zwemmen. Gedurende de perioden dat de mist hem verblindde kon hij nergens zeker van zijn, en toen die weer opklaarde, leek de jongen nog steeds net zo ver weg te zijn. Hij begon wanhopig te worden en riep: 'Jojo!' Hij zag duidelijk de bemoedigende glimlach van de jongen en hoe hij naar hem wenkte voordat zijn gestalte opnieuw werd opgeslokt door de mist.
Op dat moment werd Eyran zich bewust van de zwaarte van zijn benen, de dikke, zuigende modder en de boomwortels die aan zijn enkels trokken en hem tegenhielden. Of misschien waren ze er al die tijd al geweest en kwam het daardoor dat hij niet dichterbij kwam. Hij probeerde zich los te worstelen, maar de wortels kropen als tentakels langzaam omhoog over zijn benen en begonnen harder aan hem te trekken. In blinde paniek schreeuwde hij Jojo's naam nog een keer, de wortels bleven hem onverbiddelijk naar beneden trekken terwijl hij vergeefs probeerde zijn hoofd boven water te houden... en het eerste ijskoude water kwam in zijn mond.
'Maak je los!'
Hij deed zijn uiterste best, sloeg met zijn armen om zich heen, hoestend en proestend terwijl zijn longen zich met water vulden, maar hij kon zijn benen onmogelijk losmaken uit de greep van de boomwortels.
Hij voelde zich in de val gelokt, bedrogen door de jongen, die hem het ijskoude meer in had gelokt om daar te verdrinken. Maar toen hij dieper wegzonk in het zwarte water, bleef het beeld van Jojo bij hem, nog steeds bemoedigend glimlachend en

naar hem wenkend, en zijn hand naar hem uitstekend...

'... zink steeds dieper weg... ik... ik...'
'Maak je los! Maak je los!'
'Ik... krijg geen adem... ik kan niet...'
'Eyran! Eyran! Maak je los!'
Het razendsnelle geklop onder Eyrans oogleden werd langzaam minder en zijn gejaagde ademhaling werd langzaamaan weer normaal.
Lambournes mond was kurkdroog en hij zweette flink. Hij vervloekte zichzelf: hij had dit moeten zien aankomen! Alles moeten kortsluiten zodra Eyran het water in waadde. Hij voelde zijn eigen zenuwen ook opspelen. Hij wachtte even terwijl hij elke beweging van Eyrans langzaam tot rust komende gezichtsuitdrukking volgde.
Hij slikte. 'Dus, buiten de dromen, als je wakker bent, heeft Jojo dan wel eens iets tegen je gezegd?' Schakel over naar algemeenheden, dacht Lambourne. Vermijd details.
Eyran trok zijn wenkbrauwen een stukje op; hij vond dit blijkbaar een rare vraag. 'Nee.'
'En hoe voel je je als je wakker wordt uit je dromen, onmiddellijk daarna? Ben je dan een ogenblik in staat te geloven dat je ouders misschien nog in leven zijn?'
Een lange pauze van Eyran. 'Ik weet het niet. Gewoon verward, neem ik aan. En bang.'
Maar Lambourne voelde aan dat Eyran iets achterhield. 'Toch zijn die dromen in staat je ervan te overtuigen dat het Jojo de volgende keer misschien wél zal lukken je ouders te vinden. En jij bent bereid dat te ruilen voor alle gruwelijke dingen die je dromen je misschien laten meemaken.'
Eyran schudde zijn hoofd. 'Ik weet het niet. Als ze beginnen, geloof ik niet dat ik denk aan hoe ze misschien zullen eindigen. Dan ben ik alleen heel even gelukkig omdat ik ergens ben waar ik mijn ouders misschien weer zal zien.'
'Maar ben je bewust op zoek naar hen? Weet je dat er een kans bestaat dat je hen zult zien?'
'Dat weet ik niet. Nee, ik denk het niet.'
Lambourne leunde naar achteren op zijn stoel. Dichterbij dan dit zou hij vandaag niet komen. 'De meeste van je dromen spelen zich dus af in de buurt van je vroegere huis in Engeland?'

Eyran nam even tijd om de wending in het gesprek te volgen. 'Ja.'
'Weet je waarom?'
Eyran wachtte, alsof het hem even niet duidelijk was of de vraag misschien retorisch was en Lambourne opeens zelf antwoord zou geven. 'Dat weet ik niet precies. Misschien omdat dat de plek is waarvan ik in mijn dromen denk dat ik daar de meeste kans heb om hen terug te vinden. Of misschien omdat ik geloof dat ik het niet alleen kan en Jojo's hulp nodig heb, en weet dat ik hem daar kan vinden.'
'Zijn je herinneringen aan dat specifieke huis sterker dan die aan je andere huis in San Diego? Is dat, voorzover je weet, waar je het gelukkigst bent geweest, met je ouders, en je vriendjes?'
Eyrans gezicht ontspande zich. Lambourne zag hoe het besef langzaam bezit nam van zijn gelaatstrekken. Er was ten minste één stukje van de puzzel op zijn plaats gevallen. 'Ja, dat denk ik. Ik was daar gelukkiger.'
Lambourne maakte een laatste aantekening: *Belangrijkste objecten van gehechtheid: vader, moeder, huis in Engeland, vroegere speelomgeving, vroegere vriendjes (mogelijk vertegenwoordigd door de aanwezigheid van Jojo), huis in San Diego.* Een snelle conclusie van de sessies tot nu toe; hij zou later misschien de volgorde veranderen of er nog iets aan toevoegen, maar het was een begin.
De sessie had een uur en tien minuten geduurd. Toen hij met Eyran terugliep naar de wachtkamer, zaten Stuart en Amanda Capel daar al op hem te wachten. Voordat ze vertrokken, maakten ze een afspraak voor de volgende sessie.
Lambourne was verheugd over de vorderingen tot nu toe. Eyran was heel intelligent en een stuk opener en communicatiever dan hij in eerste instantie had verwacht. Zijn gevoel voor details in de dromen was onder hypnose heel goed. Maar Stuart had ge-lijk: hij glimlachte zelden. Afgezien van zijn dromen was dat waarschijnlijk het enige waaruit af te leiden was dat Eyran ernstig in de war was.
Maar de dromen werden meer een toevluchtsoord waarin Eyran zich terugtrok en geloofde dat zijn ouders nog in leven waren. En Jojo begon zich al krachtiger te manifesteren: in twee recente dromen voerde hij Eyrans vader op om de illusie in stand te houden. Lambourne was ervan overtuigd dat het alleen een kwestie

van tijd zou zijn voordat Jojo de oversteek zou maken. Op een dag zou Eyran wakker worden en merken dat Jojo's stem nog steeds in zijn hoofd zat. En vanaf dat moment zou zijn eigen persoonlijkheid – door iedereen in de buitenwereld die hem vertelde dat zijn ouders dood waren – zich langzaam maar zeker terugtrekken en zou Jojo de teugels in handen nemen.
De enige manier om dit te voorkomen was een confrontatie met Jojo, hem tevoorschijn halen uit de donkere spelonken van Eyrans dromen en hem ontmantelen, waarna hij Eyran de waarheid onder ogen moest laten zien en Eyran moest aanvaarden dat zijn ouders dood waren. Pas dan kon hij beginnen aan zijn rouwproces en zich aanpassen aan wat een nieuw leven zonder hen inhield.
Maar het zou niet gemakkelijk zijn, bedacht Lambourne zich. Zijn zenuwen waren nog steeds niet tot rust gekomen van de sessie die net voorbij was. Net als Faust met de duivel kon hij terechtkomen in een ruil die onherstelbaar zou zijn: de waarheid voor een nachtmerrie.

12

Het nieuws dat Christian Rosselot was overleden, bereikte de gendarmerie van Bauriac halverwege de ochtend.
Het telefoontje kwam van dokter Besnard, de patholoog-anatoom van het ziekenhuis. Poullain was er op dat moment niet, dus nam Harrault de boodschap aan. Dokter Trichot had hard gevochten voor het leven van de jongen, maar een hersenoedeem als gevolg van een bloedprop had onvoorziene complicaties veroorzaakt. Na meer dan twee uur op de operatietafel en drie pogingen om het hart van de jongen te reanimeren, waren de procedures uiteindelijk om acht voor elf gestaakt en was de jongen dood verklaard. 'Wilt u alstublieft proberen de moeder onmiddellijk in te lichten, want ze komt 's middags altijd op bezoek in het ziekenhuis. Alvast bedankt. En het spijt me heel erg dat ik u dit nieuws moet brengen.'
Harrault zat in het kleine kamertje direct achter de receptie. Hij zat een ogenblik zwijgend voor zich uit te kijken toen hij de hoorn had neergelegd. Het duurde even voordat hij opstond en

op zoek ging naar Fornier, die, vond Harrault, als belangrijkste assisterende rechercheur de eerste was die het hoorde te weten. Fornier was in de algemene administratieruimte, waar hij een rapport zat te typen. Levacher en een secretaresse waren er ook. Nadat Harrault de details van het telefoongesprek had herhaald, keek Dominic in gedachten naar zijn typemachine. Hij slaakte een hoorbare zucht en plotseling ontbrak het zijn lichaam aan kracht om de zwarte toetsen in te drukken. Levacher mompelde het voor de hand liggende over hoe afschuwelijk het was en na een korte stilte vroeg hij wie het de ouders ging vertellen. Toen niemand antwoordde en iedereen in zijn eigen gedachten weggezonken leek, voegde hij eraan toe: 'Ik neem aan dat we op Poullain moeten wachten om die beslissing te nemen.'
De secretaresse, die ook was opgehouden met typen, dacht dat ze haar emoties onder controle had, totdat de stilte en de gespannen atmosfeer haar plotseling te pakken kregen, ze een hand voor haar gezicht sloeg en haastig het vertrek verliet.
Gedempte stemmen in de gang, vragen, onderdrukte verbazing en ten slotte weer stilte. Het overlijdensbericht verspreidde zich door de kleine gendarmerie als een scheutje inkt in een fles water en het gefluister over de dood sijpelde door de gepleisterde crèmekleurige muren.
Binnen vijf minuten wist de hele bezetting van negen gendarmes en twee secretaresses het. Vanaf daar begon het bericht zich door het dorp te verspreiden. Een jonge brigadier ging het dorp in om sigaretten te kopen; er waren op dat moment twee andere mensen in de winkel die hoorden dat 'die jongen van Rosselot was overleden'. Een van die twee ging daarna naar de boulangerie, waar nog vijf mensen het nieuws hoorden. Het liep als een lopend vuurtje van de ene winkel naar de andere van het dorp.
De echo's van de dood, die, tegen de tijd dat Dominic een Solex had gestart en vertrok richting Taragnon en de Rosselots, de hele atmosfeer in het centrum van het dorp hadden veranderd. Of verbeeldde hij zich dat alleen maar? Een knikje van herkenning van Marc Tauvel, die enkele kisten met groente verschoof voor zijn winkel, maar dan die blik die iets te lang op hem gericht bleef. Madame Houillon die hem het plein op zag rijden en hem nastaarde; ze kon bij tijd en wijle over-nieuwsgierig zijn, maar hield nu haar hoofd licht gebogen, alsof hij een passerende lijkkoets was. Respect voor de doden.

Dominic had geweten dat hij niet langer kon wachten. Poullain werd over niet al te lange tijd terugverwacht, maar dat kon nog wel een uur duren en tegen die tijd was Monique Rosselot misschien al op weg gegaan naar het ziekenhuis. Of nog erger, gezien de snelheid waarmee het nieuws zich door het dorp verspreidde, dat ze het per ongeluk hoorde van een van haar buren of een passerende vertegenwoordiger. 'Mijn condoleances. Het spijt me dat te moeten horen.' Wat horen?
Dominic wilde niet dat het op die manier gebeurde; hij pleegde snel overleg met Harrault, ze besloten gezamenlijk met het protocol te breken door niet op Poullain te wachten, en Harrault gaf hem een Solex van de gendarmerie mee. Er waren vijfentwintig minuten verstreken sinds het telefoontje van het ziekenhuis.
Er was in zijn verleden nooit iets gebeurd wat hem op deze taak had kunnen voorbereiden. Al die jaren had hij alleen maar achter radio's in communicatieposten gezeten, zowel in het Legioen als bij de gendarme van Marseille, en hij had zo weinig contact met mensen gehad. Naast alle instructieboeken over codes en communicatieprocedures, het bereik van wapens en de richtlijnen voor het verrichten van arrestaties en schrijven en indienen van rapporten daarna, was er nooit een speciale training geweest om rouwende nabestaanden te troosten. Hoe moest hij het formuleren? Hoe moest hij zelfs maar beginnen?
Aan de rand van het dorp passeerde Dominic een leerlooierij en -atelier, gelegen op een rotsuitloper die de weg een bocht deed maken. Kleurstoffen en zuren voor het strippen en behandelen van de huiden hingen zwaar in de lucht, als de scherpe saus voor de geur van de dood.
Dominics ogen traanden een beetje, maar hij wist niet zeker of dat kwam door zijn emoties of door de dampen die de wind hem in het gezicht blies. Tachtig meter verderop was de lucht weer fris en namen de geuren van de natuur het over: bloeiende klimop, citroen-, amandel- en olijfbomen, gras en graan, verzengd door de zon totdat het bijna wit was. Hij ademde diep in, maar zijn ogen traanden nog steeds.
Beelden flitsten door zijn hoofd: de donkerbruine bloedvlekken tussen het graan, de jongen die naar de ambulance werd gedragen, de gendarmes die met hun stokken door het korenveld liepen, Monique Rosselot die de deur voor hem opendeed bij dat eerste bezoek, die enkele kaars tijdens haar dagelijkse wake ter-

wijl ze God smeekte en bad om haar zoon te sparen. Hoe kon hij haar in hemelsnaam dit nieuws brengen? De opwelling van zijn emoties kwam langzaam maar zeker tot rust, maar werd vervangen door een reactie die hem zonder waarschuwing overviel en ervoor zorgde dat hij trillend over zijn hele lichaam op de Solex zat. Hij beet op zijn lip en slikte de snikken weg die hij achter in zijn keel voelde. Er kwam geen geluid uit zijn mond; zijn tranende ogen en trillende lichaam waren zijn enige uitlaatkleppen. Zijn reactie verbaasde hem. Hij was eerder getuige geweest van moord en in de strijd gehard door zijn jaren in Marseille. Was het de leeftijd van de jongen, of Monique Rosselots duidelijk zichtbare liefde voor haar zoon die hem dicht in de buurt van haar emoties had gebracht, wellicht te dicht? Haar bedroefde gezicht, half in de schaduw, half in het kaarslicht en weerspiegelend in de ruit achter haar... de tranen die over haar wangen zouden stromen als hij haar straks vertelde dat haar zoon dood was. Dood! 'Nee! O, God, nee!' Terwijl hij de woorden mompelde, leek wat hij moest doen plotseling absoluut onmogelijk. Eén enkele zin die Monique Rosselots leven zou verwoesten en haar laatste hoop de grond in zou slaan. Zijn duim op de gashendel ontspande zich, de Solex minderde vaart en zijn vrees openbaarde zich met volle kracht. Zijn probleem was dat hij wist dat hij moest gaan. Hij gaf te veel om haar om het risico te lopen dat ze het toevallig van iemand anders zou horen. Maar hij was doodsbenauwd dat hij die woorden zelf moest uitspreken.
En dus schakelde hij een deel van zijn geest uit terwijl hij de laatste kilometers aflegde. Gaf hij om haar? Hij kende haar nauwelijks. Hij drukte die gedachten weg toen hij het paadje naar het huis van de Rosselots op reed, afstapte en de Solex op de standaard zette. De woorden die zich in zijn geest hadden gevormd en nu bijna op zijn lippen lagen, leken hem ineens zo onbeholpen, zo ontoereikend. De boodschapper? Was dat waar hij bang voor was, dat hij de boodschapper was? Dat ze hem altijd zou blijven zien als de man die haar kwam vertellen dat haar zoon dood was?
Toen hij naar de voordeur toe liep, zag hij de fiets van de jongen nog steeds tegen de muur van de garage staan, klaar voor zijn terugkeer. Zijn mond was droog. Hij haalde nog een laatste keer diep adem om zijn zenuwen te kalmeren, pakte de deurklopper vast en liet hem twee keer neerkomen.

Maar het deed hem weinig goed. Zijn zenuwen raakten opnieuw in een stroomversnelling en het bloed klopte in zijn hoofd toen de deur openging en ze daar stond, met haar dochtertje Clarisse in de schaduw achter haar.
Hij hakkelde en de woorden bleven steken in zijn keel, maar door de radeloze blik die ze hem toewierp, leek ze het al min of meer te weten, misschien vanwege zijn gezichtsuitdrukking en onbeholpenheid, en hij slaagde er alleen in te zeggen: 'Het spijt me, ik heb slecht nieuws. Ik wilde er zeker van zijn dat ik u te pakken kreeg voordat u op weg ging naar het ziekenhuis...' voordat ze begon te smeken.
'Nee, nee, nee, nee, nee... nee!' Een repeterende en steeds harder wordende mantra, in de hoop het onvermijdelijke weg te duwen, haar ogen die hem bleven aankijken terwijl ze langzaam voor hem door de knieën zakte, haar lichaam ten slotte overgaf aan een schokkend gesnik en een aanhoudende schreeuw van verdriet uitstootte.
De schreeuw, pijnlijk en wanhopig, doorboorde de stille ochtendlucht, echode tussen de muren van het kleine erf en dreef over het licht hellende land naar de velden daarachter. Jean-Luc Rosselot was het afgelopen uur aan het werk geweest in het westelijke veld, uit het zicht van de boerderij, waar hij in de grond aan het graven was om een lek in een irrigatiepijp te vinden. Hij had de Solex niet zien of horen naderen, en de schreeuw was het eerste wat hij hoorde. Hij liet zijn schop vallen en begon te rennen; na een meter of vijftig zou hij het erf van de boerderij kunnen zien. Hij was halverwege toen hij nog een jammerende schreeuw hoorde, een pauze, en toen nog een.
En hij vreesde al wat de oorzaak was voordat hij zich een weg baande door het lange, droge gras tussen de amandelbomen, waarna het erf van de boerderij in zicht kwam. Het was een verstild beeld dat hij zag: de gendarme die probeerde zijn trotste houding te bewaren, met zijn vrouw op haar knieën voor hem, één hand naar hem uitgestrekt en bijna zijn enkels aanrakend. Toen een nieuwe schreeuw van verdriet hem over het land tegemoet kwam, zag hij hoe de gendarme zijn hand uitstak om troostend haar schouder vast te pakken, en hoe deze iets boven haar bleef zweven zonder haar aan te raken.
Ze waren allebei alleen, met hun eigen verdriet, en Jean-Luc voelde zich nu nog verder verwijderd en machtelozer. Hij pro-

beerde te ontkennen wat het tafereel hem vertelde, het uit zijn geest te verbannen en te zoeken naar andere verklaringen, maar uiteindelijk was de verbeelding te sterk en viel er niets meer te interpreteren. Zijn zoon was dood.
Zijn eerste reactie was naar zijn vrouw toe rennen en haar troosten, maar na een paar passen bleef hij staan. Zijn benen voelden slap aan en hij voelde een vreemd soort duizeligheid die de grond onder zijn voeten langzaam van hem weg leek te kantelen en het buitenlicht veranderde in een dofgrijze nevel. En plotseling kwam het hem voor als belachelijk om met zwaaiende armen de helling af te rennen, zelfs al hadden zijn benen de kracht gehad om hem te dragen, dus deed hij dat niet en liet hij zich langzaam zakken, gaf hij toe aan de slapte in zijn knieën totdat hij op de grond zat.
Ze hadden hem niet gezien, want ze stonden van hem afgekeerd en hij was te ver weg. En zo keek hij van een afstand toe, door een grijze nevel, met ogen die vol tranen stonden, en zag hij zijn leven en alles wat hij liefhad, waarom hij God de afgelopen paar dagen had gebeden om het te sparen, langzaam van zich wegglijden over het hellende grijze land en in het niets verdwijnen.

De dood van de jongen had een intensiverende invloed op zowel het onderzoek als de algehele stemming in Taragnon en de omliggende stadjes. Vragen en speculaties bepaalden een groot deel van de gesprekken tussen de inwoners. Dat was voor een deel een nerveuze reactie, maar er waren weinig andere uitlaatkleppen. Nieuwe informatie over mogelijke verdachten en opwinding over de betekenis van de gebeurtenis hadden de plaats ingenomen van hun gewone dagelijkse bezigheden en geneugten. In een dorp waar plaatselijk geroddel een groot deel van de dagelijkse gang van zaken uitmaakte, was het natuurlijk hét gesprek van de dag. Maar in de stiltes die vielen, was de stemming somber en verslagen.
De eerste belangrijke verandering in de zaak kwam na een telefoontje van Pierre Bouteille, die Poullain liet weten dat hij zijn dossier had overgedragen aan Alexandre Perrimond, de procureur-generaal van Aix-en-Provence. 'De voornaamste reden is de werklast. Aangezien dit nu een moordonderzoek is, ben ik bang dat ik niet in staat zal zijn er de tijd aan te besteden die het verdient. Ik heb Perrimond van alles op de hoogte gebracht. Hij

zal ongetwijfeld snel contact met jullie opnemen.'
De volgende ochtend bracht *La Provençal* het nieuws over drie kolommen onder aan de voorpagina en werd het vervolgd op pagina twee. Het was het meest complete verhaal dat tot nu toe over de Rosselot-zaak was verschenen en behandelde de oorspronkelijke mishandeling, de impact daarvan op een klein stadje als Taragnon en de vorderingen van het politieonderzoek. De politie had verklaard dat ze een paar mogelijke verdachten had en hoopte 'het onderzoek binnen een week af te ronden en iemand in staat van beschuldiging te stellen'. Poullain had de middag daarvoor bijna twintig minuten met de verslaggever aan de telefoon gezeten. Het eind van het artikel werd gewijd aan andere opmerkelijke verdwijningen van en moorden op kinderen in de Provence in het afgelopen decennium, die voornamelijk in de omgeving van Marseille en Nice hadden plaatsgevonden, wat de zeldzaamheid van dergelijke incidenten in de meer landinwaarts gelegen steden onderstreepte.
Perrimond drukte al snel zijn stempel op de zaak. Nog geen uur nadat Poullain aan zijn ochtenddienst was begonnen, werd hij gebeld door het openbaar ministerie in Aix. 'Ik lees in de krant dat je "een paar" mogelijke verdachten hebt. Dat is nieuw voor me. Uit de informatie die ik heb gekregen van mijn assistent, Pierre Bouteille, had ik begrepen dat er maar één was.'
'Het is er nog steeds één. De andere verdachte die we procureur Bouteille hebben genoemd, een zekere Alain Duclos, is uitgebreid ondervraagd en daarna heeft mijn assistent Fornier zijn details gecheckt. Hij is voor ons niet langer interessant. We hebben nog steeds één hoofdverdachte in deze zaak, Machanaud.'
'Het kan zijn dat Bouteille de zaken misschien anders aanpakt, maar ík zou hier graag over worden geïnformeerd vóórdat ik het in de kranten moet lezen.' Waarna hij abrupt de hoorn op de haak legde.
'Bureaucraat,' mopperde Poullain nadat hij had opgehangen.
Het telefoontje zorgde ervoor dat Poullain de rest van de dag een slecht humeur had. Hij zeurde tegen Dominic en hamerde op de kleine details in hun eindrapport, dat hij hem twee keer overnieuw liet typen voordat hij tevreden was. Het meeste ervan ging langs Dominic heen. Hij typte mechanisch en keek nauwelijks naar de woorden. Hij werd nog steeds in beslag genomen door hoe de Rosselots zich zouden redden.

Het belangrijkste nieuws daarover kwam van Louis, wiens vriendin Valerié bevriend was met de Fiévets, de buren van de Rosselots. Zij waren hun beste vrienden in Taragnon. Clarisse had bij de Fiévets gelogeerd tijdens Moniques dagelijkse bezoeken aan het ziekenhuis, zodat Jean-Lucs werk op het land er niet te veel onder zou lijden.
Monique Rosselot had de boerderij nauwelijks verlaten sinds ze het nieuws had gehad en de Fiévets hadden boodschappen voor haar gedaan en gezorgd voor de andere dingen die nodig waren. Ondertussen had Jean-Luc zich helemaal op zijn werk gestort en bracht hij het grootste deel van de dag op het land door. De enige keer dat Monique het huis had verlaten, was om de telefoon van de Fiévets te gebruiken toen ze eindelijk genoeg moed had verzameld om haar moeder in Beaune te bellen en haar het tragische nieuws te melden. Haar moeder zou de volgende dag, de dag voor de begrafenis, naar haar toe komen om haar te steunen. Maar, volgens Valerié, op hetzelfde moment had Jean-Luc het gehad over een bezoek aan zijn ouders, meteen na de begrafenis, omdat hij, hoewel hij al twaalf jaar geen contact met hen had gehad, het gewoon niet kon opbrengen om hun het nieuws telefonisch mee te delen. Hij moest naar hen toe. Monique had tegen de Fiévets geklaagd dat, hoewel ze Jean-Lucs redenering begreep, hij daar wel een heel slecht moment voor uitkoos en het gevoel had dat hij haar in de steek liet nu ze hem het hardst nodig had.
Louis' boodschap was duidelijk: ze redde zich, maar afgezien van haar moeder en wat burenhulp van de Fiévets, deed ze dat alleen.
Dominic dronk bedachtzaam van het glas bier dat Louis voor hem had getapt. Toen hij de dag na zijn eerste bezoek aan de Rosselots naar het café was gekomen, had Louis hem geplaagd en net zolang aangedrongen totdat hij het had toegegeven: ja, ze was heel mooi. Nu was de jovialiteit verdwenen en vervangen door verslagen camaraderie en probeerden ze, aan de hand van flarden nieuws uit de tweede hand, het verdriet en de pijn te begrijpen van iemand die ze nauwelijks kenden. Dominic wist niet eens zeker waardoor zijn nieuwsgierigheid werd gedreven: medelijden met Monique Rosselot, of het verzachten van zijn schuldgevoel omdat hij haar het nieuws had moeten brengen?
Later die middag had Dominic weer ruzie met Poullain over

Machanaud; de ergste tot nu toe. De emoties van de dag daarvoor, het meedogenloze sturen van de bewijzen in de richting van Machanaud, en de woorden die hij die ochtend blindelings had getypt – nadat de mist van zijn bezorgdheid over Monique Rosselot was opgetrokken –, hadden zich allemaal bij elkaar gevoegd, waarna hij tot het besef was gekomen dat ze min of meer een executiebevel voor Machanaud hadden opgesteld. Opnieuw sprak hij zijn twijfels uit tegen Poullain.
'Maar jij bent zelf degene die erop uit is getrokken om Duclos' bewegingen van die middag na te gaan,' verdedigde Poullain zich. 'We weten dat hij in het restaurant was toen de jongen werd mishandeld, en daarna heeft hij nauwelijks of geen tijd gehad. Het staat allemaal in het rapport, en de helft van de feiten heb je zelf verzameld.'
'Dat weet ik. Maar enkele van zijn alibi's vallen mij een beetje te mooi op hun plaats, bijna alsof ze gepland zijn, en er is iets aan Duclos wat me een onbehaaglijk gevoel geeft. Bovendien ben ik niet overtuigd van Machanaud. Zelfs als Machanaud werd verdacht van aanranding van een vrouw, zou ik mijn twijfels hebben, maar een jongetje! We hebben over zijn verleden niets ernstigers dan een beetje stropen en openbare dronkenschap.'
'En jij zegt dat Duclos wél het type is?'
'Mogelijk. We moeten toegeven dat we niets over hem weten. Met Machanaud hebben we tenminste zijn verleden waarop we ons kunnen baseren. En als we dat doen, lijkt het me gewoon niet juist.'
'Ja, ik neem aan dat je gelijk hebt, we weten niet veel over hem. Toen ze ons die telex uit Limoges stuurden en vertelden dat hij assistent-procureur op het openbaar ministerie was, hebben ze zeker vergeten te melden dat onze vriendelijke assistent-procureur erom bekendstaat dat hij graag kleine jongetjes verkracht en mishandelt. We hopen dat u er iets aan hebt, maar u begrijpt dat we dat soort dingen in overheidskringen liever stilhouden. Misschien zeggen ze er iets over in hun volgende telex.' Poullain glimlachte cynisch. 'Jij vindt dat Duclos eruitziet als het type, hè?'
Dominic negeerde de sneer voor de tweede keer. 'Nee, het is meer dan dat. Ik bedoel, waarom zou je stoppen om je olie te verversen als je haast hebt om een bepaald meisje te zien en je zorgen maakt dat je te laat zult komen? Waarom zou je meer dan

een uur in een café gaan zitten als de tijd dringt?'
'Waarschijnlijk dacht hij pas aan het meisje toen hij het restaurant verliet, of misschien pas toen hij bij die garage stond, en was dat de reden dat hij vroeg hoe lang het rijden was. Ze hadden niet echt iets afgesproken, en zoals hij ons vertelde, hoopte hij alleen maar dat ze op dat moment van de dag misschien op het strand zou zijn. Ik zie daar niets verdachts in.'
'Ik weet het niet. Het is bijna alsof hij wilde dat bepaalde mensen zich zouden herinneren dat hij die dag op die specifieke tijdstippen bij hen was. En dat het meisje alleen in de strijd is geworpen om zijn heteroseksualiteit te onderstrepen. Sommige van de feiten komen me gewoon een beetje te mooi uit...'
'Maar het zíjn feiten, en dat schijn jij te negeren,' onderbrak Poullain hem. 'Of misschien kun je ons je alternatieve aanpak geven over hoe hij berecht moet worden, op basis van type en uiterlijk. Hij is een beetje een mooie jongen, wat soft in zijn manier van doen, en hij ziet eruit alsof hij zou kunnen donderjagen met kleine jongetjes. Dus laten we alle feiten even van tafel vegen, met name het feit dat hij in een restaurant zat toen de misdaad plaatsvond, en hem het vuur aan de schenen leggen. Misschien kun je je manier van denken uitleggen aan Perrimond. Die werkt de hele dag samen met assistent-procureurs, dus hij moet in staat zijn het type snel te herkennen. Briljant! Waarom hebben we je niet eerder geconsulteerd, Fornier?'
Dominic beet op zijn lip en liep terug naar zijn bureau. Hij had beter zijn mond kunnen houden; het was nog maar een dag geleden dat hij een soortgelijke reactie van Poullain had gekregen. Maar hij besefte nu dat de dood van de jongen alles had veranderd, de stemming en het tempo van het onderzoek, en dat een hongerige troep wolven binnenkort de geur van Machanauds bloed zou opsnuiven; een stijgende paniek die aanzette tot snelle oplossingen en geen ruimte liet voor andere mogelijkheden, zoals de zijne.
Op het dorpsplein van Bauriac luidde de kerkklok en werden de gelovigen naar de avondmis geroepen. Het herinnerde Dominic eraan dat er over drie dagen een herdenkingsdienst voor Christian Rosselot zou zijn. Bloemen. Wierook. Brandende kaarsen. Monique Rosselot die op haar knieën voor hem zat... haar hartverscheurende gehuil dat dwars door hem heen ging en zonder door iemand gehoord te worden wegdreef over de velden en de

heuvels daarachter... De herinnering aan dat moment deed hem nog steeds huiveren. Hoe lang zou het nog duren voordat hij het was die om het verlies van zijn moeder zou rouwen? Zes maanden, een jaar? De kerkklok luidde onheilspellend op de achtergrond, en hij merkte dat hij naar het raam zat te staren, waardoorheen het geluid tezamen met het zachte schemerlicht naar binnen kwam. Hij voelde zich heel alleen, verkild en verwijderd van de activiteiten om hem heen, en hij probeerde te ontsnappen aan het snelgroeiende deprimerende gevoel dat de bel luidde voor het onvermijdelijke, voor dat waar hij niets aan kon veranderen.

Het was bijna halfzeven in de avond toen Machanaud zich op de gendarmerie meldde. Briant had baliedienst. Machanaud vroeg of hij Poullain kon spreken en Briant zei dat hij er niet was, keek op zijn horloge en vervolgde: 'Maar als je over drie kwartier of een uur terugkomt, is hij er wel weer.'
'Of Fornier, inspecteur Fornier, is hij er? Hij is ook goed.'
'Nee, helaas is hij met commandant Poullain in Aix-en-Provence.' Briant zag Machanaud even onzeker wankelen terwijl hij deze informatie verwerkte. Het was duidelijk dat hij had gedronken en dat scheen moeilijk te combineren te zijn met diep nadenken.
'Is er iets anders wat ik voor je kan doen?'
Een traag knipperen van zijn bloeddoorlopen ogen en toen, eindelijk: 'Ja, je kunt hun een boodschap doorgeven.' Machanaud schuifelde dichterbij en leunde op de balie. 'Zeg hun dat ik me de auto herinner die voorbijreed. Je kunt het misschien beter opschrijven.' Machanaud wachtte totdat Briant pen en papier had gepakt en zei toen heel langzaam, en de laatste woorden in aparte lettergrepen uitsprekend: 'Het was een heel lage, donkergroene sportwagen. Waarschijnlijk een Alfa Romeo. Een AL-FA RO-ME-O COU-PE. Heb je dat?'
'Ja, oké. Maar je beseft dat dit maar een notitie is. Als je dit tot een onderdeel van een officiële verklaring wilt maken, zul je moeten terugkomen om met commandant Poullain te praten.'
'Oké, oké, ik begrijp het. Jullie hebben je procedures.' Machanaud stak een hand omhoog terwijl hij zich omdraaide. 'Ik vond het alleen belangrijk dat ze deze boodschap kregen, nu ik me het merk herinner.'
'Ja, zeker. Ik zal ervoor zorgen dat ze hem krijgen.' Briant keek

aandachtig toe terwijl Machanaud de gendarmerie uit schuifelde en vermoedelijk terugging naar hetzelfde café waar hij de inspiratie had gevonden om zich plotseling het merk van de auto te herinneren.

Ze liepen bijna een minuut zwijgend door het Parc du Pharo en wachtten tot de groepjes toeristen waren gepasseerd voordat het pakje werd overhandigd. Het was een grote kartonnen envelop. Chapeau keek er even in en zag de stapeltjes bankbiljetten.
'Het is goed gegaan,' zei hij. 'Uw vriend kan tevreden zijn.'
'Ja, dat was hij.' Duclos keek Chapeau voor het eerst recht aan. Het was zijn voornaamste zorg geweest dat Chapeau de kranten had gelezen en had ontdekt dat hij had gelogen. Het had breed uitgemeten in *La Provençal* gestaan, hoewel het gemakkelijk gemist kon worden door iemand die niet goed oplette, daar onder aan de voorpagina en zonder begeleidende foto's. Inwendig slaakte hij een zucht van opluchting, want blijkbaar had Chapeau het niet gezien. Waarschijnlijk was hij analfabeet, of las hij alleen strips en gebruiksaanwijzingen van handwapens, dacht Duclos cynisch. 'U zult zien dat alles erin zit.'
Chapeau liep naar de dichtstbijzijnde bank, ging zitten, schermde zijn handen af met de envelop en ging een van de stapeltjes tellen. Toen vergeleek hij de dikte met die van de andere: drie stapeltjes van tweeduizend franc en een die half zo dik was. Chapeau deed ze weer in de envelop, vouwde de flap dicht en stond op, voor het eerst met iets wat leek op een glimlach. 'Hopelijk kan uw vriend nu rustig slapen.' En met een knikje liet hij Duclos op de bank achter en liep hij weg zoals hij gekomen was.
Chapeaus auto, een Peugeot 403, stond vijftig meter van de hoofdingang van het park geparkeerd. Hij was tien minuten eerder gekomen zodat hij Duclos kon zien aankomen en het kentekennummer van zijn auto kon opschrijven. Hij was stipt op tijd, maar twee minuten over zes, en reed in een donkergroene Alfa coupé. Een keurige, beschaafde auto voor een keurige, beschaafde man. Alles in zijn leven was waarschijnlijk keurig in vakjes verdeeld. Hij had Duclos zien uitstappen en het park in zien lopen en had nog een minuutje gewacht voordat hij hem achternaging.
Chapeau vouwde de krant open die op de stoel naast hem lag en keek nog een keer naar het bericht onder aan de voorpagina. Hij

had het vandaag al twee keer eerder gelezen en vroeg zich nu af wat hij moest doen. De laatste persoon die hem zo schaamteloos had besodemieterd, had hij met een doorgesneden keel achtergelaten in een steeg in Marseille.
Maar met deze Alain wilde hij de tijd nemen, meer over hem te weten komen voordat hij actie ondernam. Eerder die dag had hij nog hardop moeten lachen om zijn slachtoffer en leek het rechtvaardig dat hij het geld incasseerde zonder er iets voor te doen. Maar hij kon de slechte bedoeling die erachter zat niet uit zijn hoofd zetten, de mogelijke repercussies als hij de jongen echt had vermoord: een belangrijke moordzaak met een hele batterij plaatselijke gendarmes die weinig anders te doen hadden dan de moordenaar vinden, en hij had waarschijnlijk voor een paar jaar naar Parijs moeten verhuizen totdat de wind weer was gaan liggen.
Voor hem zag hij Duclos in zijn auto stappen. Hij besloot hem te volgen.

13

'En in die droom, herkende je het meteen?'
'Ja. Het was de beek bij Broadhurst Farm. Die is pas later in een meer veranderd.'
'En je zei dat Jojo er al was. Kon je hem goed zien? Hoe zag hij eruit?'
Stuart Capel boog zich naar voren en keek strak naar de cassetterecorder. Lambourne had hem verteld dat het krijgen van een duidelijker beeld van Jojo een van de sleutels zou zijn. Hij had Lambournes aantekeningen in zijn hand. Sessie 4, 28 februari 1995, stond erboven. Hij wist dat ze hoorden bij de laatste cassette die hem was toegestuurd.
'Ik kon het niet goed zien... het was te mistig, en hij was te ver weg.' Toen, na een korte stilte: 'Ik kon hem alleen goed zien als ik dichterbij was, omhoogkeek vanuit het water...'
Stilte. Het gedreun van het verkeer in Londen op de achtergrond. Een kuchje van Lambourne.
Stuart kon voor zich zien hoe Eyran zijn best deed om een duidelijker beeld te krijgen. Ten slotte: 'Hij had donker haar, een

beetje krullend, en sprekende ogen... blauw of donkergroen. Dat kon ik niet goed zien.'
'Deed hij je denken aan iemand die je kende? Een vroegere vriend of iemand van school?'
Een langere pauze deze keer. Eyrans zachte, regelmatige ademhaling was even duidelijk hoorbaar. 'Nee. Maar hij had iets bekends over zich... hoewel ik niet weet waarom.'
'Aantekening een,' zei Lambournes diepe stem op de band. Stuart deed gehoorzaam wat hem werd opgedragen en las de aantekening. Een eerste vermoeden was dat Jojo misschien gemodelleerd was naar het uiterlijk van een vriendje van vroeger, iemand uit Eyrans verleden. Nu dat werd ontkend, vanwaar dan die bekendheid? Na de mededeling van 'aantekening een' was een pauze van acht seconden, en toen: 'Wordt vervolgd.' Lambourne had de band op een cassette overgezet en zelf de onderbrekingen ingelast. Het deed Stuart denken aan een Linguaphone-talencursus, met pauzes waarin je de zinnen moest herhalen.
'Heeft Jojo je verteld waar jullie elkaar eerder hadden ontmoet?'
'Nee. Ik had hem verteld dat ik mijn ouders zocht, en dat was de eerste keer dat hij me aanbood me daarbij te helpen.'
'En je bent teruggegaan omdat je hen daar in een eerdere droom had gezien.'
'Alleen mijn vader.' Weer een lange stilte. Zacht geritsel van papier. 'Dat was toen Jojo wilde dat ik het meer overzwom... Hij vertelde me dat hij zijn ouders ook was kwijtgeraakt en hen niet had kunnen vinden totdat hij het meer was overgezwommen.'
'Heeft hij je verteld wat er met hen gebeurd was?'
'Toen nog niet.' Eyran slikte en schraapte zijn keel. 'Pas in een andere droom... later. Maar hij zei dat het jaren geleden was en dat hij het zich nog nauwelijks kon herinneren.'
'Aantekening twee.' Gedeeld verdriet, hoewel het Jojo goed uitkomt dat hij zich zijn verlies niet herinnert, waardoor dat van Eyran het belangrijkste onderwerp blijft. Het meer overzwemmen kan voor Jojo het symbool zijn dat Eyran hem vertrouwt, zich aan zijn zijde schaart. We weten uit een latere droom dat ze hun zoektocht samen voortzetten, dat de barrière dan inmiddels genomen is.
Lambournes stem op de band herinnerde Stuart aan hun eerste gesprek. 'Wanneer besefte u voor het eerst dat er een probleem was?'

En hij had Lambourne alles verteld. Het negentien dagen durende coma. Het ziekenhuis. De nachtmerries. Alles, behalve hoezeer het hem had tegengestaan om met Eyran naar hem toe te komen. Hoe hij zich had vastgeklemd aan de Eyran die hij zich herinnerde.

Eyran was uiteindelijk vier dagen voor Kerstmis uit zijn coma ontwaakt.
Wanneer besefte u voor het eerst...? Was dat geweest toen hij Eyran vertelde dat zijn ouders dood waren? Het ziekenhuispersoneel had opdracht gekregen om hem alleen te vertellen dat zijn ouders ziek waren en op een andere afdeling lagen, totdat Stuart kwam. Maar Stuart herinnerde zich die uitdrukking op Eyrans gezicht toen hij hem voor het eerst terugzag, die verre, verloren blik in zijn ogen, bijna alsof Stuart iemand was die hij maar vaag kende en even niet kon plaatsen.
Dat was de eerste uren zo gebleven, die korte vertraging in herkenning en respons. Stuart had dat eerst uitgelegd als een gevolg van de shock en het verdriet, en Eyrans worsteling om het ongelooflijke, het onacceptabele te verwerken. Maar later die avond, toen Eyran was gaan slapen, was Stuart naar Torrens gegaan om hem zijn mening hierover te vragen. Welk deel van Eyrans traagheid in reageren was te wijten aan het coma, welk deel kon worden toegeschreven aan de shock en het verdriet, kreeg hij medicijnen die dat misschien als bijwerking hadden, hoe lang kon deze toestand voortduren en, wat het belangrijkste was, kon die misschien permanent zijn?
Torrens begon met het voor de hand liggende: het was te snel om daar iets zinnigs over te zeggen, hij was pas een dag uit zijn coma, en ja, hij kreeg medicijnen toegediend, promethazine, om zijn lichaamstemperatuur laag te houden, hoewel die zijn reacties niet zouden mogen vertragen. Maar het was mogelijk dat de shock als gevolg van de dood van zijn ouders een dergelijke reactie teweeg kon brengen. ‘Zijn geest kan verdoofd zijn door de veelheid van de recente gebeurtenissen. Hij was net ontwaakt, zijn elektrische en chemische impulsen waren voor het eerst na bijna drie weken weer aan het werk en plotseling moesten ze omgaan met het feit dat zijn ouders dood waren. Die verdoofdheid en traagheid in reageren kunnen een vorm van zelfbescherming zijn. Ik betwijfel of alles al bezonken is. Heeft hij veel gehuild toen u het hem vertelde?’

'Ja, een beetje.' Maar wat Stuart het meest had getroffen, was die verloren, radeloze blik in Eyrans ogen. Hij had hem in zijn armen genomen en een ontlading van verdriet verwacht die nooit was gekomen; alleen maar diezelfde droevige, verre blik in zijn betraande ogen toen ze zich losmaakten uit hun omhelzing.
'Ik geloof niet dat we er de eerste paar dagen te veel uit moeten afleiden. Daarna zal ik wat gerichte reactietests met hem doen.'
Een paar dagen? Stuart was ervan uitgegaan dat hij de volgende dag met Eyran zou terugvliegen, zodat ze voor Kerstmis thuis zouden zijn.
Uitgesloten. Afgezien van de noodzakelijke tests en vervolgonderzoeken hadden ze ook rekening te houden met Eyrans andere verwondingen. 'Die gebroken rib heeft nog enige tijd nodig en we willen hem opnieuw verbinden en nog wat röntgenfoto's maken voordat we hem toestemming voor zo'n lange vlucht geven. Ik zou rekenen op nog vijf à zes dagen voordat hij kan vertrekken.'
Daar blijven met Kerstmis? Hij wist dat hij Eyran met de kerstdagen onmogelijk alleen in het ziekenhuis kon achterlaten, maar hij verheugde zich er niet op om Amanda te bellen en haar te vertellen dat hij met de kerst niet bij haar en Tessa zou zijn.
Het had hem meer dan een week gekost om openlijk met Amanda over zijn verdriet te praten. Zoveel jaren in de boksring met Jeremy, ruzie maken over stompzinnige, onbetekenende zaken, het leek nu allemaal verspilde tijd, zo ontzettend zinloos. Geen mogelijkheid meer om de strijdbijl te begraven, behalve dat op holle fluistertoon uitgesproken 'ik hou van je', woorden die een wit wolkje in de kille buitenlucht vormden toen ze Jeremy's kist in de grond lieten zakken. Het enige wat hen de afgelopen tien jaar bij elkaar had gehouden, was Eyran geweest. Als Eyran er niet was geweest, had hij met Jeremy dezelfde relatie gehad die hij met zijn vader had.
Hij was nooit verder gekomen als hij Amanda probeerde uit te leggen wat zijn affiniteit met Eyran was. Hij had een deel van zijn leven geleefd dankzij Eyran, zijn kindertijd waarvan hij het gevoel had dat hij die was kwijtgeraakt, de misverstanden en barrières tussen zijn vader en hemzelf, die hij herhaald zag worden tussen Eyran en Jeremy. Maar soms was hij ook te ver gegaan, had hij zichzelf voor de gek gehouden met de opvatting dat hij beter wist dan Jeremy hoe Eyran opgevoed moest worden

en geprobeerd de alternatieve vader uit te hangen. En daar voelde hij zich nu schuldig over: dat forceren van zijn hechte band met Eyran, zijn poging de bemiddelaar uit te hangen en zo Jeremy iets van zijn glans te ontnemen; kostbare jaren die nu niet meer goedgemaakt konden worden.

Nadat hij Torrens' prognose had uitgelegd, volgde er een korte stilte van Amanda. Ten slotte zei ze: 'Ik begrijp het. Je moet bij hem blijven.'

Maar de stilte en de toon van haar stem zeiden het allemaal: je hoort hier bij ons te zijn, bij je gezin, maar hoe kan ik nu ingaan tegen je voorkeur voor Eyran en harteloos overkomen door te suggereren dat je hem met Kerstmis alleen in het ziekenhuis moet laten?

'Bedankt voor je begrip. Ik bel je op kerstavond, én op eerste kerstdag, om heel lang met Tessa te praten.'

Kerstmis in het ziekenhuis was maar vreemd. Op kerstochtend kwam iedereen naar de kantine voor een kleine show met als hoogtepunt een van Torrens' collega's, dokter Walowski, die de kerstman speelde met een zwaar Duits accent. Het leek op een soort overdreven Benny Hill-sketch, met een paar goedgevormde verpleegsters in korte rode rokjes en zwarte kousen, die zijn helpers speelden. Eyran glimlachte af en toe, maar hij was nog te afwezig en teruggetrokken om echt te lachen. Ook de eerste vage glimlachjes waren pas die ochtend gekomen, toen hij zijn cadeautjes van Stuart openmaakte.

Er stond voor later die dag een kerstlunch op het programma, maar Stuart had iets gewild wat minder georganiseerd en wat persoonlijker was. Hij had van Torrens toestemming gekregen om met Eyran de stad in te gaan, en ze vonden een leuk restaurant vlak bij zee. Het menu was een merkwaardige combinatie van Tex-Mex en Italiaans eten, en maar een paar kalkoenspecialiteiten. Maar de sfeer was heerlijk opgewekt en ongedwongen, met slingers en gejuich, en het Mexicaanse combo in de hoek speelde een repertoire van Tijuana, kerstklassiekers, Tony Orlando, Gloria Estefan en Santana.

Ze namen taco's vooraf en kalkoen als hoofdgerecht. Stuart had kerstpudding met cognac als toetje en Eyran ijs met pecannoten en ahornsiroop. Ze hadden moeite om zich verstaanbaar te maken boven de muziek en het achtergrondrumoer en moesten het 'Vrolijk Kerstfeest' naar elkaar roepen. Maar desondanks genoot

Eyran van de ontspannen atmosfeer. Ze konden er tenminste hun emoties in verliezen en hoefden zich niet verplicht te voelen iets tegen elkaar te zeggen om stiltes op te vullen, vooral omdat Stuart wist dat híj het meeste van het praten zou moeten doen en op zijn tenen door een mijnenveld van emoties zou moeten lopen. Hij had dat de afgelopen drie dagen al in het ziekenhuis gedaan en wist bijna niet meer waar hij zijn voeten nog veilig kon neerzetten.
De band speelde *Oye Como Va* en Stuart zag dat Eyrans vingers mee tikten in de maat. Mooi, dacht hij, eindelijk iets wat door de barrières breekt die zijn opgericht door het coma en hem voor een deel terugbrengt in het ritme van het leven. Maar zijn glimlachjes waren nog steeds spaarzaam en verstild. Stuart nam koffie met een Southern Comfort en Eyran een reusachtige milkshake met karamelsmaak. Toen ze vertrokken, zong het halve restaurant mee met *Knock Three Times*. Buiten voelden ze de frisse, zilte zeelucht op hun gezicht, zelfs op een huizenblok afstand van het strand.
'Laten we naar het strand lopen en een stukje wandelen,' stelde Stuart impulsief voor. Eyran knikte nauwelijks zichtbaar en er ontsnapte hem een flauw glimlachje.
Langs de vloedlijn waaide het een stuk harder. Een stevige wind uit het westen deed zijn best om de bewolking weg te blazen en de lucht was warm, vochtig en zilt. Terwijl ze over het strand wandelden, vertelde Stuart dat Tessa zich erg verheugde op Eyrans komst. Ze zouden iets bijzonders plannen voor nieuwjaarsdag, als ze weer allemaal bij elkaar zouden zijn.
En het was daar, op het strand waar de warme oceaanlucht hun haar in de war blies, dat de vestingmuren van Eyrans emoties uiteindelijk afbrokkelden en hij begon te huilen. 'Ik mis mijn vader en moeder,' zei hij snikkend, en Stuart sloeg zijn armen om hem heen en trok hem tegen zich aan. Toen zei hij iets over Mission Beach, waar ze met hun allen een dagje naartoe waren gegaan, woorden die voor een deel werden gedempt door Stuarts jas en ten slotte verloren gingen in Eyrans gesnik en het geruis van de branding.
'Ik mis hen ook. Heel erg,' zei Stuart, maar het klonk zo hol en nietszeggend. Stuart voelde het kleine lichaam schokken en trillen tegen het zijne, en binnen in hem voelde hij zijn eigen verdriet groeien tot er tranen in zijn ogen welden, maar deze keer

waren ze niet alleen voor Jeremy, maar ook voor de geestkracht en levensdrang van Eyran, die nu ook verloren schenen. Bittere tranen en stille gebeden in de mist die vanaf de oceaan het strand op dreef, de hoop dat de komende dagen en weken misschien wat verbetering zouden brengen en hem de Eyran zouden teruggeven die hij zich herinnerde.

Eyran werd midden in de nacht wakker; knipperende ogen die even niets zagen en een bewustzijn dat onmiddellijk naar een reden daarvoor zocht.
Had hij weer gedroomd, of had een geluid hem misschien gewekt? Hij kon zich geen droom herinneren en toen hij zijn adem inhield en aandachtig luisterde, hoorde hij geen geluiden, afgezien van het zachte geruis van de bomen bij zijn raam. Hij probeerde te beoordelen of de wind toenam, of er storm op komst was, maar de bewegingen van dc takken bleven rustig en gestaag, een vriendelijk, geruststellend geruis dat hem gauw weer in slaap zou sussen.
Was hij nog steeds in het ziekenhuis, of was hij in het huis van zijn oom Stuart? Hij keek naar het licht dat door het raam naar binnen kwam en probeerde de vormen in de kamer te herkennen. Flauw licht van een waterige maan; in zijn kamer in het ziekenhuis was het lichter geweest door de straatlantaarns buiten, het raam groter, en de twee grote bomen die naast het ziekenhuis stonden had hij nooit kunnen horen vanwege de dikke dubbele ruiten. Soms leken zijn dagen in het ziekenhuis en die in Engeland in elkaar over te gaan, en soms was hij plotseling ineens weer terug in zijn kamer in San Diego en werd hij overvallen door verbazing en vreugde omdat alles ertussenin een nare droom kon zijn geweest... maar dan vielen de vormen en schaduwen in de kamer langzaam op hun plaats.
De nachtmerries en de momenten dat hij wakker was waren soms moeilijk van elkaar te scheiden: het vriendelijke gezicht van zijn oom Stuart, zijn echoënde stem die hem vertelde dat zijn ouders dood waren, artsen die hem onderzochten en op monitors keken, glimlachende gezichten die hem vertelden dat alles in orde zou komen, dat zijn oom hem zou komen opzoeken en alles zou uitleggen. Je komt bij ons wonen en wij zullen nu voor je zorgen. Alles zal weer goed komen. Tessa verheugt zich erg op je komst. Het ritme van de band dat door zijn lichaam

pompte, juichende mensen, glimlachend naar elkaar terwijl ze hun glazen tegen elkaar tikten; iedereen leek zo gelukkig, behalve hij. En dus kwam de slaap als een welkome verlossing en bracht die hem terug waar hij wilde zijn: in de warmte van het korenveld waar hij misschien Jojo zou ontmoeten en ze weer op zoek konden gaan naar zijn ouders.
De eerste droom had hij twee dagen nadat hij uit zijn coma was ontwaakt. De dokters zeiden dat hij negentien dagen had geslapen, maar hij kon zich er niets van herinneren, zelfs het ongeluk niet. Het laatste wat hij zich herinnerde was dat zijn moeder zich omdraaide en over zijn voorhoofd streek, en hij naar haar blonde haar keek en toen weer in slaap viel.
Pas toen hij Jojo in zijn droom zag, begon hij zich fragmenten van andere dromen te herinneren en dat ze dit avontuur van het zoeken naar zijn ouders eerder hadden beleefd. Na de droom bij het meer was er een andere geweest, met Jojo en met hem. Beiden werkten zich door het dichte kreupelhout en de varens tegen de heuvel omhoogwerkten. Jojo had gezegd dat er op de top van de heuvel een open plek was en dat hij vanaf daar de vallei kon zien waar zijn ouders op hem zouden staan wachten. Eyran had zich door het groen geworsteld tot het lichter begon te worden, de bomen en varens minder talrijk werden en hij de open plek op de top van de heuvel zag, en vol verwachting was hij ernaartoe gerend en hij had nauwelijks gemerkt hoe het kreupelhout zijn benen openhaalde. Maar toen hij eindelijk op de open plek kwam, was hij wakker geworden.
Sinds die nacht had hij zichzelf elke keer voordat hij in slaap viel terug gedwongen naar diezelfde droom waarin hij probeerde de top van de heuvel te bereiken en zijn ouders zou terugvinden. Er waren geen dromen meer met Jojo geweest, afgezien van die ene waarin hij alleen in de kale gang van het ziekenhuis zat en wachtte op nieuws over zijn ouders, verwachtte dat Jojo elk moment uit een van de kamers kon komen en zou zeggen dat hij hen eindelijk had gevonden. Maar uiteindelijk waren het oom Stuart en een arts geweest die uit de kamer kwamen, met ernstige gezichten en droevige ogen, en hem vertelden dat er niets meer gedaan kon worden, dat de artsen hun uiterste best hadden gedaan... maar dat zijn ouders dood waren. Dood! De tranen waren in zijn ogen gesprongen en hij had zijn handen voor zijn gezicht geslagen, maar toen hij weer opkeek, was de gang leeg en waren

zijn oom en de arts verdwenen. Toen kreeg hij het gevoel dat het hele ziekenhuis leeg was, dat hij de enige persoon was die daar was. Het laatste wat hij zich herinnerde was dat hij Jojo had geroepen, maar afgezien van de holle echo's van zijn eigen stem, die weerkaatsten tussen de kale muren van de ziekenhuisgang, had hij geen antwoord gekregen.

En zo restte hem alleen nog maar die grote eenzaamheid in de uren dat hij wakker was, en soms leken die uren wel de nachtmerrie en werden het slapen en zijn dromen – de mogelijkheid om Jojo tegen te komen en misschien zijn ouders terug te vinden – voor hem een welkome, warme realiteit.

Bekende spullen waren in zijn kamer neergezet: zijn computer en Daytona-racebaan, en zijn Baywatch-posters waren opgehangen, om te zorgen dat hij zich er thuis voelde, alsof er niet al te veel was veranderd. Maar tenzij ze hem vertelden dat ze een vergissing hadden gemaakt, dat zijn ouders nog in leven waren en het ongeluk hadden overleefd, hadden die geen enkele betekenis voor hem. Oom Stuart en zijn vrouw, tante Amanda, en Tessa, die met hem speelde en erg haar best deed om hem op te vrolijken, werden nauwelijks meer dan vage stemmen op de achtergrond. Hij probeerde zich voortdurend dingen te herinneren, in zijn hoofd de scènes na te spelen van hoe het was: de picknicks op Mission Beach, het bezoek aan DisneyWorld, hotdogs tijdens de wedstrijd van de Chargers, een dagje vissen in de boot van zijn vader. Soms kon hij zijn vader of moeder zelfs horen praten, zich hele zinnen woordelijk herinneren, en waren die andere stemmen in huis alleen maar storend.

Eyran vroeg zich af hoe ver het zou zijn naar Broadhurst Farm. Zes kilometer, zeven? Hij kwam uit bed en liep naar het raam. Hij liet het licht uit en keek in het bleke maanlicht naar de dingen in de tuin en het veld erachter. De grote eik en de twee olmen hadden bijna al hun bladeren verloren; alleen de twee grote sparren achter in de tuin deinden heen en weer in de wind. De heg die de tuin van het boerenland daarachter scheidde, Tessa's klimrek, de rotspartij en de vijver, zelfs de kleine dingen in de tuin werden zichtbaar naarmate zijn ogen zich aanpasten aan het duister. Het veld daarachter bleef onduidelijk, afgezien van het vage silhouet van de rij bomen op de top van de heuvel. Hij vroeg zich af of hij, als hij zijn ogen dichtdeed en zich goed concentreerde, zijn geest over het boerenland naar Broadhurst Farm kon laten zweven en dat beeld in zijn hoofd kon houden zodat, als hij weer in slaap viel, zijn dromen hem weer daar zouden brengen. Maar hij wist niet eens precies welke kant het op was. Was het achter de heuvel die voor hem lag, of meer naar het westen?

De maan stond waterig in de nevelige, bewolkte lucht. Even dacht hij dat hij de vage contouren zag van mensen die achter de tuin langsliepen, maar toen hij nog eens goed keek, waren ze er niet meer. Het waren gewoon de schaduwen van boomtakken die bewogen in de wind. Hij deed zijn ogen dicht en probeerde het korenveld achter de heuvel voor zich te zien, liet zijn geest ernaartoe zweven totdat het voor hem lag. Maar hij was daar nog nooit 's nachts geweest, vond het te griezelig om het beeld in zijn hoofd te houden en probeerde zich te concentreren op hoe het er bij daglicht uitzag, als hij door het koren rende met de warme zon op zijn rug.

Maar dat beeld kwam niet; het bleef donker en kil, grijze schaduwen onder een waterige maan. En op dat moment werd het korenveld voor hem een nieuw symbool van de dood, iets wat in zijn dromen alleen een functie had als hij het bij daglicht voor zich kon zien. Misschien kon hij zijn oom Stuart vragen of hij er morgen met hem langs wilde rijden.

De eerste droom waar Stuart iets van merkte, kwam de zesde dag van het nieuwe jaar. Eyran werd schreeuwend en badend in het zweet wakker. Stuart vroeg hem of hij dat soort dingen al eerder had gedroomd en Eyran zei ja, maar toen waren ze niet zo eng geweest als deze. 'Wat gebeurde er in die droom?'

'Verschillende dingen. Het was heel verwarrend. Een deel speelde zich af in het ziekenhuis, en een deel op de boerderij waar ik vroeger speelde.'

'Is dat de boerderij waar we pas langs zijn gereden, vlak bij je oude huis?'

'Ja.'

Stuart had het een normaal verzoek gevonden dat Eyran zijn oude huis nog eens wilde zien. Herinneringen ophalen aan de goeie ouwe tijd. Ze waren gestopt en Eyran had de voorkant van het huis bekeken, de veranderingen gezien, de andere kleuren van de raamkozijnen en deuren, tezamen met het vertrouwde: de basketbalring boven de garagedeur, die Jeremy daar had opgehangen. Stuart zag een flits van Jeremy en zichzelf terwijl ze basketbal speelden en zich uitsloofden voor de kinderen. Jeremy

had zijn enkel verzwikt en de kinderen hadden hun lachen niet in kunnen houden toen hij wegstrompelde. Ze dachten dat het een onderdeel van de show was. Abbott en Costello die de Harlem Globetrotters speelden. Ze hadden toen een hechte band gehad, want ze woonden maar een paar kilometer bij elkaar vandaan. Het was zelfs zo dat Stuart op Jeremy's aanraden in die omgeving was komen wonen. Maar al na twee jaar was Jeremy naar de Verenigde Staten vertrokken.
Toen ze weg waren gereden, had Eyran hem gevraagd aan het eind van de weg rechtsaf te slaan. Het was een smal landweggetje en na ongeveer tweehonderd meter had Eyran hem weer gevraagd te stoppen. Stuart was gestopt bij het eerste hek dat hij zag. Deze keer waren ze uit de auto gestapt en hadden ze even over de velden staan turen terwijl hun adem witte wolkjes vormde in de frisse buitenlucht. Stuart vroeg hem of dit de plek was waar ze vroeger speelden.
'Ja, er is een kleine beek bij het landje daar.' Eyran wees naar een bebost gedeelte in een glooiing tussen de velden, ovaal van vorm, waarvan de grootste breedte niet meer dan honderd meter was. 'Aan de andere kant loopt het korenveld schuin omhoog tot aan het bos achter het huis.'
Het was nu nog weinig meer dan een stoppelveld, zag Stuart, dat er bleek bij lag in de koude, mistige lucht. De zon stond zwak en laag aan de hemel en drong maar nauwelijks door de mist die het achterste deel van het landje aan het oog onttrok. Twee kraaien lieten plotseling een schril gekras horen en fladderden weg uit een boom, wat hen wekte uit hun overpeinzingen.
Het was bijna een week geleden dat ze de rit hadden gemaakt.
'Wat maakt je bang in de droom?'
'Er was een richel met een gapend gat erachter dat ik pas zag toen het te laat was. Ik viel.'
'Is er zo'n richel in dat veld?'
'Nee, alleen in de droom.' Eyran knipperde even met zijn ogen. 'En de beek bij het landje is heel ondiep; het water komt niet hoger dan tot halverwege mijn borst.'
'Gaat het nu weer goed met je?'
Een korte pauze om na te denken. 'Ja.'
Stuart streek hem even speels door zijn haar en glimlachte geforceerd. Hij kreeg een vaag glimlachje als antwoord. Het viel allemaal wel mee, dacht Stuart. Gewoon een paar oude herinnerin-

gen die door elkaar liepen en zich een weg door zijn geest baanden. Vermoedelijk als gevolg van hun ritje naar het oude huis en langs de korenvelden.
Maar in de daaropvolgende twee weken had Eyran nog drie dromen gehad, die steeds gewelddadiger en beangstigender werden, en Stuart ging zich zorgen maken. Het grootste deel van de dromen speelde zich af in het korenveld bij het oude huis, of in het ziekenhuis, hoewel één droom zich had afgespeeld in het huis in San Diego, 's nachts, met de lichten van het zwembad aan en mist die opsteeg van het warme water. Eyran dacht dat hij stemmen uit de spookachtige mist hoorde komen en liep ernaartoe, maar de mist verspreidde zich snel, dreef weg in dichte wolken totdat de hele tuin en het huis erin waren gehuld en hij niet meer kon zien waar hij liep. Hopeloos verdwaald en doodsbang, met de warme mist om zich heen, was hij bijna stikkend wakker geschrokken. Stuart had hem gevraagd of in een van de andere dromen voorkwam dat hij op zoek was naar zijn ouders, en na een korte aarzeling had Eyran 'ja' geantwoord, in die droom in het ziekenhuis.
Toen Stuart het met Amanda besprak, stelde ze onmiddellijk voor om met Eyran naar de psychiater te gaan die Torrens hun had aangeraden. Stuart wilde wachten en zien wat de volgende week of zo zou brengen. Het had zelfs tot vijf dagen na zijn terugkeer geduurd voordat hij met Amanda over de psychiater had gepraat.
Stuart herinnerde zich dat hij met Lambournes visitekaartje in zijn hand had staan draaien zonder het echt te lezen, terwijl Torrens hem uitlegde: 'Het is de elektrische activiteit in de hersenen die me zorgen baart. Die is bij twee verschillende gelegenheden waargenomen, maar alleen de laatste keer bereikte hij de motorieke zintuigen, wat ertoe leidde dat Eyran uit zijn coma ontwaakte. Wat inhoudt dat het overige deel zich tot het onderbewustzijn heeft beperkt. Het kan niets zijn, maar het dient in de gaten gehouden te worden. Gezien het enorme verdriet dat Eyran moet verwerken als gevolg van het verlies van beide ouders, lijkt therapie me in elk geval aan te raden.'
'Ik vind niet dat we het moeten uitstellen,' drong Amanda aan. 'Die dromen beginnen me zorgen te baren. Waarom zouden we nog een week wachten?'
'Ik wil Eyran een natuurlijke rouwperiode geven, tijd om op zijn

eigen manier over het verlies van zijn ouders te komen voordat we een psychiater in de strijd werpen om het uit hem te trekken.'
'Ik zie hier niet snel verandering in komen. Hij is niet de vrolijke, levendige Eyran die we ons herinneren, en hoe sneller we dat accepteren en proberen daar iets aan te doen, hoe beter. Ik denk niet dat uitstel veel zal helpen. En met die dromen die hij heeft, kan het hem zelfs nog meer kwaad doen.'
Stuart hield voet bij stuk. 'We weten nog niet eens of zijn gebrek aan respons een gevolg is van zijn verdriet of een bijproduct van zijn coma en verwondingen. En ik ben er niet van overtuigd of een psychiater ons dat wel zal kunnen vertellen. De tijd zal het leren. Laten we hem gewoon wat tijd geven om zijn verdriet te laten bezinken.'
Amanda had hem enige tijd aan staan kijken alsof ze wilde zeggen 'dat kun je niet menen'. Toen schudde ze langzaam haar hoofd en liep naar de keuken. De daaropvolgende vijf minuten had hij haar met meer vuur dan gewoonlijk bezig gehoord met borden en kopjes en het dichtdoen van laden en keukenkastjes.
Misschien had ze gelijk: uitstel was onredelijk. Maar onder haar ergernis kon hij haar bijna de bijtende woorden horen zeggen: jij wilt het niet inzien omdat je niet bereid bent ook maar iets anders te accepteren dan de Eyran die jij je herinnert. Alleen een wonder kan je grote favoriet genezen. Maar die kritiek bespaarde ze hem, of misschien wilde ze datgene vermijden wat een oud en onnodig meningsverschil tussen hen dreigde te worden: zijn betrokkenheid met Eyran en het plaatsen van hem boven zijn eigen gezin. Maar het zou niet lang meer duren voordat die dunne lijn werd overschreden, en ze zat pijnlijk dicht bij de waarheid. Voor een deel kón hij Eyrans huidige toestand niet accepteren, en misschien zou hij dat nooit kunnen. Maar een psychiater was een laatste redmiddel, het in de ring gooien van de handdoek, toegeven dat Eyran psychisch gestoord was en hulp nodig had.

'... er was niemand, alleen maar die rijen oude potten met onkruidverdelgers en pesticiden... en ik herken het als de schuur in onze tuin. Mijn vader had me gewaarschuwd toen we daar kwamen wonen dat ik niet de schuur in moest gaan voordat hij die gerepareerd had, de vloer was verrot en die oude potten met onkruidverdelgers waren gevaarlijk. Ik was verbaasd, ik herin-

nerde me dat hij ze die zomer allemaal had opgeruimd, en nu stonden ze er weer.'
'Zei Jojo iets? Leg eens uit.'
'Nee. Ik voel de vloer kraken onder mijn voeten... en hij steekt zijn hand naar me uit. Maar als ik een stap naar voren doe, voel ik de vloer doorzakken... en ik... ik...'
'Het is oké, Eyran. Doe een stap achteruit... ga terug...!'
Stuarts aandacht was abrupt weer bij het cassettebandje. Een haarscherpe herinnering aan de droom die hem er ten slotte toe had gebracht om met Eyran naar Lambourne te gaan. Eyrans geschreeuw en Amanda's snelle voetstappen op de overloop van de eerste verdieping.
'... ik viel... ik val... alles draait...'
'Ga terug... maak je los! Ga daar weg!'
Stuart boog zich naar voren. Zijn hart bonkte zoals het die avond had gedaan toen hij de trap op rende. Lambourne had melding gemaakt van het gevaarlijke terrein aan het einde van de dromen; dat hij dan zoveel mogelijk terugschakelde naar algemeenheden of willekeurige details. Maar hij was er toch weer ingetrapt: Eyran die op dat moment herbeleefde dat hij viel en machteloos was terwijl alles in het rond draaide.
Eindelijk was het weer stil. Alleen Eyrans snelle, moeizame ademhaling was nog te horen.
Lambourne wachtte nog even. 'Je moet erg teleurgesteld zijn geweest toen je je ouders niet zag. Jojo heeft je teleurgesteld. Heeft hij dat in je andere dromen ook gedaan?'
Eyrans ademhaling werd weer wat regelmatiger. Hij slikte. Stuart ging Lambournes tactiek begrijpen: algemeenheden om Eyrans gedachten op iets anders te richten. Maar deze plotselinge sprong leek Eyran te verrassen. Stuart kon de spanning voelen terwijl de stilte op het bandje voortduurde. Hij zag Eyran voor zich terwijl die zich los probeerde te worstelen van de ene reeks gruwelen en zich door de tijd en mistige beelden moest ploegen om vervolgens uit te komen bij de volgende reeks. Een simpel besluit, en nu liet hij Eyran dit allemaal doormaken! Een gevoel van schuld overspoelde hem en zijn hand met Lambournes rapport erin balde zich tot een vuist.
'Dat herinner ik me niet precies. Ik...'
'Eindigen de meeste dromen op dezelfde manier, zo abrupt?' vroeg Lambourne. 'En blijf je toch tot het allerlaatste moment

hopen dat je je ouders zult terugvinden?'
Ten slotte een langzaam uitademen. Eindelijk gaf hij het toe.
'Ja.'
'Aantekening vijf. Jojo biedt hem van de ene droom naar de volgende geen uitleg over zijn falen. Elke droom begint met een frisse start en met Eyran vol vertrouwen en hoop. Als een onverbeterlijke gokker. Eyran verdringt gemakshalve alle vorige gebeurtenissen uit zijn geest en Jojo is daar om hem ervan te overtuigen dat ze deze keer de jackpot zullen winnen.'
Lambourne ging terug naar de vroegste reeks dromen, van voor en vlak na het coma. 'En in die dromen, de eerste waarin je door het korenveld rent meteen na het auto-ongeluk en de laatste die je je herinnert voordat je in het ziekenhuis uit je coma ontwaakt, hoor je daarin nog andere stemmen? Of geluiden van buiten?'
'Dat weet ik niet... Ik weet het niet precies.' Eyran klonk opgelaten, onzeker.
'Probeer je te concentreren. Neem jezelf mee terug en probeer je te herinneren of je iets hoorde.'
Stuart wist onmiddellijk waar Lambourne naartoe wilde. Na de laatste sessie had Lambourne gezegd dat er mogelijk één ding indruiste tegen de theorie dat Eyran Jojo had gecreëerd om de dood van zijn ouders niet te hoeven accepteren, namelijk dat hij al in zijn dromen was verschenen vóórdat hij uit zijn coma kwam en wíst dat ze dood waren. Lambourne zocht naar onbewuste referentie. Stuart had op dat moment erg met Eyran te doen, wilde dat hij naast hem had kunnen zitten om zijn hand vast te houden terwijl hij zich een weg moest banen door het duister van zijn negentien dagen durende coma.
Na een lange pauze een zacht, bijna onverstaanbaar gemompel: 'Er was iets... een mannenstem.' Stuart voelde dat zijn huid begon te tintelen.
'Wat zei die stem?' De gretigheid in Lambournes stem, bang dat de beelden elk moment weer uit Eyrans geest weg konden glijden.
'Dat... dat de vrouw er geweest was, dat ze niets meer voor haar konden doen... maar dat er nog hoop was voor de andere twee.'
Stotende ademhaling, met de woorden erdoorheen gemompeld. 'Er was het geluid van verkeer op de achtergrond... toen werd ik opgetild, en meegenomen.'
'Was er nog iets anders?'

‘Een paar andere stemmen, verder weg... Ik dacht dat iemand mijn naam riep, maar dat weet ik niet zeker.’ Voor Stuart werden de beelden plotseling te duidelijk, te pijnlijk. In gedachten wilde hij nog steeds Eyrans hand vastpakken, alleen stond hij nu langs de weg waar Eyrans bebloede, zwaargewonde lichaam vocht voor zijn leven. Hijgend vechten voor zijn leven, nu niet meer dan een wanhopig zoeken naar woorden. ‘Toen een heleboel beweging... lichten die pijn deden in mijn ogen. Een stem dichterbij die zei dat het ernaar uitzag dat het weer laat zou worden, maar dat hij hoopte dat hij de volgende dag eerder weg zou mogen. Een andere stem, onduidelijker... die in een radio praat. De radio kraakt en iemand geeft antwoord. En de sirene... weer de sirene... de sirene en het gekraak uit de radio maken me slaperig.’
‘Nog meer stemmen?’
Een korte stilte. ‘Pas weer op het korenveld. En Jojo.’
‘Aantekening zes. Herinnering aan ambulancebroeders en politie en de eerste paar minuten in de ambulance. Daarna niets meer. Maar het blijkt dat er sprake was van enige onbewuste referentie waaruit Eyran kon putten. Het feit dat hij al wist dat zijn moeder dood was, zou kunnen verklaren dat ze in zijn dromen nauwelijks voorkomt of verder weg is als ze dat wel doet.’
Stuart herinnerde zich het medische rapport van het ziekenhuis in Oceanside, waarin stond dat Eyrans coma niet rechtstreeks was veroorzaakt door zijn verwondingen, maar door de zich snel ophopende bloedproppen en het oedeem daarna. En terwijl de druk op zijn hersenen steeds verder toenam... totdat... Stuart beet op zijn lip. O, god. Eyran was toen nog enige tijd bij bewustzijn geweest en had, terwijl hij vocht voor zijn leven, gehoord wat het lot van zijn ouders was. Stuart kon nauwelijks een erger scenario bedenken.
Stuarts hand trilde toen hij bij Lambournes conclusie kwam: ‘Tenzij we in de toekomstige sessies geen directe confrontatie met Jojo kunnen aangaan, zal het herstel waarschijnlijk langzaam verlopen. Ik heb echter het idee dat we wat extra licht kunnen werpen op Jojo’s eigen karakter en beweegredenen. Daarom zullen we tezamen met Eyran moeten overgaan op meer gerichte vragen en hem aanmoedigen om antwoorden te willen krijgen, om vervolgens naar Jojo over te schakelen en ze direct aan hem te stellen.

Toch kan dat deel van het proces tot conflicten leiden: alle andere stemmen vertellen Eyran dat zijn ouders dood zijn, en Jojo is waarschijnlijk de enige die dat deel van Eyrans psyche steunt dat zich vastklemt aan de weigering om dat te accepteren. De brug tussen die twee moet heel voorzichtig worden overgestoken. Doen we dat te snel en ontnemen we hem zijn illusie, dan kan Eyran in een gat vallen, of hij wordt gedwongen tot een volledige acceptatie voordat hij daar klaar voor is. Tegelijkertijd, als we niet snel genoeg ingrijpen, zal Jojo hem steeds meer gaan domineren en zal het nog veel moeilijker worden om Eyran van hem los te weken. Dan komt de dreiging van schizofrenie weer een stap dichterbij.'

Stuart schudde zijn hoofd. Veertig minuten in de hel, goedgekeurd door een handtekening van hem, en dat werd nu weer van hem verwacht, dat hij Lambourne toestemming gaf om de confrontatie met Jojo aan te gaan. Toen hij uiteindelijk toestemming had gegeven voor de therapie, had hij zichzelf voorgehouden dat het voor Eyrans bestwil was, maar nu wist hij dat niet meer zo zeker. Hij betrapte zich erop dat hij het gevoel had dat zijn eigen wens, om de Eyran terug te krijgen die hij zich herinnerde, daar een rol in had gespeeld. Deze keer wilde hij er zeker van zijn dat de beslissing enkel en alleen ten gunste van Eyran werd genomen, dat alle valkuilen en gevaren werden afgewogen tegen de voordelen. Lambourne zag Jojo als een gevaar, en hij had ongetwijfeld gelijk, terwijl in Eyrans verwarde geest, nu zijn ouders er niet meer waren, Jojo waarschijnlijk een van de laatste vrienden was die hij op deze wereld nog had. En nu wilde Lambourne Jojo uit de weg ruimen met een enkele handtekening van hem.

Stuart pakte zijn pen op en legde hem toen weer neer. Hij bladerde Lambournes aantekeningen nog eens door om zichzelf te sterken. Maar plotseling moest hij zijn tranen wegslikken, boog hij zich moedeloos voorover en legde hij zijn hoofd in zijn handen.

14

Het was bloedheet in het kleine achterkamertje. De plafondventilator draaide langzaam rond, maar Poullains overhemd plakte nog steeds aan zijn rug. Hij draaide de kleine tafelventilator om voor wat extra directe koeling. De telefoon begon te rinkelen.

Het was Perrimond, de procureur-generaal uit Aix. 'Ik heb tijd gehad om na te denken over deze nieuwe informatie van Machanaud en ik denk dat je beoordeling juist is. Het komt me een beetje te mooi uit dat hij zich nu ineens een exacte beschrijving van de auto herinnert. Is die auto door meer mensen in Taragnon of Bauriac gezien?'

'Niet zozeer in Bauriac. Maar we hebben een flink aantal winkels in Taragnon bezocht en het restaurant net buiten de stad, waar Duclos heeft geluncht. Het is een klein stadje waar het nieuws zich snel verspreidt, en Machanaud is een meer dan regelmatig bezoeker van de cafés, staat vrijwel dagelijks over de bar geleund om verhalen uit te wisselen met de eigenaars. Ik vermoed dat hij op die manier aan de beschrijving van die auto is gekomen.'

'Ja, ja. Dat lijkt me goed mogelijk.'

Een korte stilte, geritsel van papier aan Perrimonds kant. 'Dus, wat wilt u dat ik doe?' vroeg Poullain.

'Dat laat ik aan jou over. Maar als je besluit Machanaud niet naar het bureau te laten komen om een officiële verklaring af te leggen omdat deze beschrijving is gebaseerd op dorpsgeroddel, dan steun ik die beslissing.'

'Goed.' Maar plotseling besefte hij dat de beslissing weer bij hem lag, terwijl hij liever alleen de achtergrondinformatie had geleverd en de beslissing aan Perrimond had overgelaten. De tafelventilator wierp een golf koele lucht tegen zijn borst. Aan de andere kant werden meer papieren omgedraaid, en toen: 'O, ik ben gisteren gebeld door Bayet, de burgemeester van Aix. Marcel Vallon is blijkbaar een heel goede vriend van hem. Monsieur Vallon heeft zijn bezorgdheid uitgesproken over het feit dat de politie een van zijn gasten heeft ondervraagd, die Duclos. Nu gebeurde dit een dag voordat we deze nieuwe informatie kregen, dus kon het volgens mij geen kwaad om hem ervan te overtuigen dat monsieur Duclos ons alleen heeft geholpen met het verstrekken van informatie en door ons op geen enkele manier als een verdachte werd beschouwd.'

De boodschap was Poullain duidelijk: als ze Machanauds verklaring officieel maakten, zouden ze verplicht zijn nog een keer met Duclos te gaan praten. Perrimond zou de burgemeester weer moeten bellen en moeten terugkomen op wat hij had gezegd, de burgemeester zou Vallon moeten bellen, en hij zou Vallon eveneens moeten bellen om een afspraak te maken voor een tweede gesprek, waarna hij met zijn pet in de hand voor de deur zou staan en een stuk minder hartelijk ontvangen zou worden. Maar hij wilde zijn besluit liever niet nemen zonder meer steun van Perrimond. 'Dus u denkt dat het misschien gênant zou zijn als we Duclos ineens weer in de spotlights plaatsten?'

'Die gêne kan ik wel verdedigen tegenover de burgemeester. Dit is een moordzaak en we moeten doen wat juist is, of dat nu gênant is of niet. Maar ik zou daar dan wel graag goede redenen voor willen hebben. Als uiteindelijk blijkt dat het Duclos niet geweest kan zijn omdat hij op dat moment in een restaurant zat, en jij die Machanaud ervan verdenkt dat hij de beschrijving van de auto heeft gedestilleerd uit dorpsgeroddel, dan zou ik dat telefoongesprek liever niet voeren. Ik zou nogal stompzinnig klinken. Maar als je Vallon zelf wilt bellen om een afspraak te maken voor een tweede gesprek en de wind van voren wilt krijgen, dan wacht ik het volgende telefoontje van de burgemeester wel af. En als hij belt, zal ik hem wel zeggen dat het alleen maar een paar routinevragen zijn over Duclos' auto die ergens is gezien. Niets om je zorgen over te maken. Echt, Poullain, het is aan jou wat je doet.'

'Ik begrijp het.' Het zou gênant zijn. Het zou stompzinnig zijn. En het zou absoluut geen enkel doel dienen omdat de betreffende persoon op dat moment ergens anders was. Er was maar één verstandige beslissing die hij kon nemen, en het was helemaal aan hem om die te nemen. Geen hints of steun meer. 'Ik denk dat ik mijn standpunt al aan het begin van ons gesprek duidelijk heb gemaakt.'

'Ja, dat heb je gedaan. En ik geef je nu mijn reactie daarop. Ik kan alleen maar de feiten in overweging nemen die jij me aanreikt voor de berechting, niet over hoe en waarom die zouden moeten worden verzameld. Zolang de zaak nog steeds onder een *rogatoire général* valt en nog niet is overgedragen aan de onderzoeksrechter, blijft het een politieonderzoek. Jouw jurisdictie.'

Welke kant het ook op ging, hij zou nooit kunnen zeggen 'Perrimond heeft me deze aanbeveling gedaan'. Hij stond er alleen voor. 'Goed. Als ik zou besluiten een tweede verhoor door te zetten, zal ik u van tevoren bellen, uit beleefdheid. Dan weet u of

u wel of niet een telefoontje van de burgemeester kunt verwachten.'
Perrimond meldde dat het arrestatiebevel de volgende dag klaar zou liggen en dat hij een aanvraag zou indienen voor een hoorzitting over drie weken. 'Machanauds verdediging, waarschijnlijk een pro Deo-advocaat, zal ongetwijfeld proberen de zaak op te schuiven tot over twee maanden. We zullen wel op een maand uitkomen. Hoe staat het met de verklaring van die vrouw met wie hij vroeger heeft samengeleefd?'
'Die wordt vandaag nog uitgetypt. Ik zal hem morgen meebrengen als we het arrestatiebevel komen ophalen.' Via Machanauds vroegere werkgever op de Carmargue waren ze een gescheiden vrouw met drie kinderen in le Beausset op het spoor gekomen, met wie hij vroeger een relatie had gehad. Ze had een kind van hem, een dochtertje, maar hij was verdwenen toen ze pas drie was. Sindsdien had ze nooit meer iets van hem gehoord, noch had ze ooit een franc voor het kind ontvangen. De geschiedenis van deze bikkelharde desertie, plus zijn overmatige drankgebruik en gewelddadige uitbarstingen, die hij soms op haar en de kinderen had afgereageerd, waren een belangrijke doorbraak geweest. Ze lieten een Machanaud zien als niet alleen maar de onschuldige, rare landloper, maar ook als iemand met een opvliegend karakter, iemand die onvoorspelbaar en gewelddadig was als hij had gedronken. 'Het is een heel sterke getuigenverklaring. Ik denk dat ze het goed zal doen in de rechtszaal.'
'Mooi.' De zaak tegen Machanaud begon er met de dag beter uit te zien. Daar moesten ze hun energie op richten, niet op een of andere wilde jacht op Duclos, die hem akelige telefoontjes van de burgemeester zou opleveren.
Ze spraken een tijd af voor het ophalen van het arrestatiebevel en Poullain besloot: 'Tegen die tijd heb ik ook besloten of er nog iets gedaan zal worden met de beschrijving van de auto en Duclos.'
'Heel goed. Dan zie ik je morgen.' Perrimond beet zachtjes op zijn lip toen hij had opgehangen. Het gesprek was goed gegaan, behalve dat hij zichzelf aan het eind erop had betrapt dat hij wat te nonchalant had geklonken, alsof hij al wist welke beslissing Poullain zou nemen.

Dominic beëindigde zijn dienst om zeven uur 's avonds. Hij

kleedde zich thuis om, bakte twee kalfsbiefstukken, maakte een salade klaar en vijftig minuten later zat hij samen met zijn moeder op de achterveranda en dronken ze een glas gekoelde witte bordeaux in de vallende schemer. Eerst bleekroze, toen paarsrode vegen vlak boven de horizon en ten slotte oker. In het laatste daglicht vroeg zijn moeder hem of hij een dezer dagen de mimosa wilde snoeien.
Hij deed nu het merendeel van het werk in de tuin omdat zij er te zwak voor was geworden, en ze hadden het de week daarvoor ook al over de mimosa gehad. Maar hij had het de laatste tijd gewoon te druk gehad met het onderzoek, hoewel de werklast binnenkort minder zou worden. 'Hoe ging het?' vroeg ze. Hij deed er luchthartig over, wilde haar niet vermoeien met zijn problemen: dat ze waarschijnlijk de verkeerde verdachte gingen arresteren en dat hij daar weinig aan kon doen. Hij zei alleen dat er twee hoofdverdachten waren, maar dat er weinig bewijs was tegen degene die hij het meest verdacht. Lastig.
Ze praatten over zijn oudere zus Janine en haar man in Parijs, die waarschijnlijk met Kerstmis zouden komen; ze hadden de vorige kerst gemist en waren in plaats daarvan met Pasen gekomen. Haar zoontje Pascal was nu negen, haar jongste dochtertje, Céleste, net zes. Zijn moeder liet haar warme blik door de tuin gaan, dacht waarschijnlijk aan haar kleinkinderen, die daar in het voorjaar hadden rondgerend. Toen viel haar blik weer op de boom en de mimosa. 'Hij begint verstrikt te raken. We kunnen beter niet te lang wachten.'
'Maak je geen zorgen. Ik doe het dit weekend of het volgende.'
De boom. Als het aan haar lag, had de boom de enige in de hele tuin mogen zijn. Een jonge mandarijnboom, nu al bijna twee meter hoog en dik in de bladeren, die zijn vader had geplant, twee jaar voordat hij overleed. Hij had de eerste bloesem gezien, maar was gestorven voordat in november de mandarijnen eraan kwamen. Zijn moeder zag de boom nu als een symbool: ze had hem al twee keer vol mandarijnen zien zitten, maar hoeveel keer zou ze nog kunnen genieten van wat haar dierbare echtgenoot had geplant? En nu werd hij bijna overgroeid door de mimosa die ernaast stond en zijn groei bedreigde, en zij was te verzwakt om hem terug te snoeien.
Het leek op een bepaalde manier onrechtvaardig dat ze na een leven van hard werken naar dit rustige plaatsje in de Provence

waren verhuisd om van een lang en welverdiend pensioen te genieten en zijn vader binnen vier jaar was overleden. En zijn moeder, twee jaar daarna, ernstig ziek was geworden.
Dominic stak de kaars op tafel aan toen het te donker werd, en ze zaten tegenover elkaar als twee geliefden tijdens hun eerste afspraakje. Alleen werd hier gepraat over oude, dierbare herinneringen. Het was misschien een van de laatste keren dat ze daar de kans voor kregen.
Het vallende duister. Zijn moeders huid had een bleekgele doorschijnendheid gekregen, die er in het flakkerende kaarslicht nog griezeliger uitzag. Hij dronk sneller dan normaal, alsof hij ongewenste gedachten wilde wegslikken, en was al aan zijn derde glas, tegenover zijn moeders eerste, voordat het hem opviel en hij in een mildere stemming begon te raken. Het geluid van de krekels droeg bij aan het ritme van de nacht, die zachtjes op hen neerdaalde.
Toen zijn moeder ten slotte aankondigde dat ze moe was en naar bed ging, werd hij plotseling weer rusteloos. Hij hield het maar vijf minuten vol om op het lege terras te blijven zitten en besloot nog even naar het dorp te gaan. Ze hield het de laatste tijd zelden vol tot na negen uur, want haar medicijnen kostten haar net zoveel kracht als haar ziekte. Was dit hoe het zou zijn als ze uiteindelijk overleden was? Alleen op een terras bij kaarslicht? Met Odette of een ander eenvoudig winkelmeisje met een leuk gezicht en een leuke glimlach tegenover hem om de leegte op te vullen? Hij had behoefte aan nog een drankje.
Louis' café was halfvol. Hij ging aan de bar zitten en Louis zette een glas bier voor hem neer en vroeg hem of hij Monique Rosselot nog had gezien. Louis' interesse lag ergens tussen de gezonde nieuwsgierigheid die hij aan den dag legde voor iedere aantrekkelijke vrouw in het dorp en oprechte bezorgdheid over hoe ze overweg kon met haar verdriet. Dominic had haar niet gezien, evenmin als iemand anders van de gendarmerie, voorzover hij wist. 'We zullen haar waarschijnlijk niet zien tot aan de herdenkingsdienst. Er hebben zich geen nieuwe ontwikkelingen voorgedaan.' Er zou wel iemand naar haar toe moeten als ze Machanaud hadden opgepakt, om haar te vertellen dat er een verdachte was gearresteerd. Maar dat kon hij niet aan Louis vertellen, want het nieuws kon via de geruchtenmolen van het dorp bij Machanaud terechtkomen.

'Ik verwacht dat er veel mensen zullen zijn bij de dienst,' merkte Louis op.
'Ja, ik ook.' Jarenlang gemeden, maar tijdens de ergste uren van haar leven zou het dorp er tenminste voor haar zijn. Het duurde lang voordat je in Taragnon werd geaccepteerd.
Louis gaf hem het laatste nieuws dat Valerié van de buren had gehoord. Jean-Luc werd pas over een dag of wat terugverwacht van het bezoek aan zijn ouders en zou misschien niet eens op tijd zijn voor de herdenkingsdienst. Monique was van streek en zag erg op tegen het idee dat ze alleen tegenover het dorp zou staan. Er waren boze tongen die zeiden dat ze óf problemen hadden, óf dat de herdenkingsdienst voor zijn zoon hem niet kon schelen. Beide waren ver van de waarheid, had Monique tegen de Fiévets geprotesteerd, hoewel die indruk wel gewekt kon worden. Louis schudde zijn hoofd. Zijn verre, wat glazige blik zei voldoende: als hij zo'n vrouw had, zou hij haar op een moment als dit zeker niet alleen laten.
Ze praatten nog wat over andere dingen en kwamen al snel bij Odette en Dominics liefdesleven terecht. Hij had Odette pas één keer gezien sinds het onderzoek was begonnen, had het gewoon te druk gehad. Maar Louis was een meester in het lezen tussen de regels door als het om liefdeszaken ging, en bijdehand genoeg om vast te stellen dat het niet goed ging met hun relatie. Hij had weer die glazige blik in zijn ogen, maar die werd helder toen een nieuwe groep klanten het café binnenkwam. Louis excuseerde zich om te gaan bedienen. De bioscoop was uit en de twee tafels in de hoek zaten inmiddels ook vol. Louis zou het druk krijgen en nog weinig tijd hebben om te praten. Na een paar minuten sloeg Dominic de rest van zijn bier achterover en nam hij afscheid van Louis.
Hij was eigenlijk van plan om naar huis te gaan, maar eenmaal buiten besloot hij nog ergens iets te gaan drinken. Hij stapte op zijn motor en reed naar café Maison des Arcs, twee kilometer buiten de stad. Het was er praktisch leeg, met alleen een paar laatste doorzetters aan de bar. Hij nam een snel biertje, speelde even op de fruitautomaat en reed toen naar Café Fontainouille bij Taragnon.
Het was iets over halftwaalf toen hij er binnenkwam en deze keer bestelde hij een cognac. Het was er druk, hoewel het rumoer en de activiteiten zich vooral hadden geconcentreerd aan

de zijkant van het café, waar een groep van tien of elf mensen, voornamelijk mannen, zich had geschaard om een tafelvoetbalspel waarop een wedstrijd werd gespeeld. Door deze drukte duurde het even voordat hij Machanaud zag, hoewel die al zijn kant op zat te kijken, en Dominic had het onaangename gevoel dat hij dat al had gedaan vanaf het moment dat hij hier binnen was gekomen. Machanaud stak zijn glas op. Dominic knikte terug en glimlachte.
Hij keek weer snel weg van Machanaud, deed alsof hij luisterde naar een gesprek dat Henri de barman had met een klant twee krukken verderop. Vanuit zijn ooghoek kon hij echter zien dat Machanaud om de zoveel tijd zijn kant op keek. Hij vroeg zich af of hij Machanaud onbewust had opgezocht, want hij wist dat dit café een van zijn vaste stekkies was. Wilde hij de verdachte zien op zijn laatste vrije avond? Zich overtuigen van het beeld dat hij van hem had, van de onschuldige vagebond en stroper, nu Poullain hem binnenkort voor een jury wilde afschilderen als iemand die zijn vrouw en kinderen sloeg, een kinderverkrachter en moordenaar?
Dominic was niet overtuigd door de verklaring van zijn exvriendin, had het gevoel dat Poullain er wat te gretig op was gedoken. Ze had een hard gezicht, getekend en afgeleefd, en ze leek tien jaar ouder dan de vijfendertig jaar die ze was. Een leven vol afwezige vaders, een uitkering en parttime schoonmaakbaantjes om de monden van vier kinderen te voeden hadden hun littekens achtergelaten, en een verbitterdheid die zich uitte in haar manier van praten en doen. Voor Machanauds kind zou ze waarschijnlijk geen financiële steun krijgen. En dan plotseling de kans om hem terug te betalen: 'We kunnen u geen geld geven, maar wel gerechtigheid. Zeg gewoon de juiste dingen en we nagelen die schoft aan het kruis!' Hoe vaak had een vrouw als zij immers het recht aan haar kant?
De voetbalwedstrijd was afgelopen: geld ging van hand tot hand, munten en bankbiljetten werden op tafel gegooid, er werd op schouders geslagen en er werden vriendschappelijke stompen uitgedeeld. Onder gejuich van enkele collega's begon Machanaud een schunnige versie van *Lili Marlene* te zingen.
Misschien zou hij Machanaud in zijn oor moeten fluisteren: 'Ga weg, nu meteen. Ga zo ver mogelijk weg. Want na morgenmiddag heb je daar geen kans meer voor. Ze willen je oppakken en

ik kan niets doen om hen tegen te houden.' Dominic wilde dat hij hier niet was gekomen. Hij voelde zich opgelaten, kon Machanaud nauwelijks in de ogen kijken omdat hij wist wat er morgen ging gebeuren. Hij draaide de laatste slok cognac rond in zijn glas en sloeg hem achterover, wilde hier plotseling zo snel mogelijk weg. Maar het was al te laat. Machanauds stem was halverwege het refrein blijven steken, hij maakte zich los van zijn groepje en kwam Dominics kant op. De pluk donker haar viel voor zijn gezicht en hij hield zijn hoofd schuin om erlangs te kijken.
'En hoe gaat het vanavond met de jonge monsieur Fornier?'
'Best. Ik wilde net weggaan. Maar kan ik je nog wat aanbieden voordat ik ga?' Hij stak een biljet van vijf franc omhoog om Henri's aandacht te trekken.
In dezelfde hand waarmee hij zijn Gauloise vasthield, had Machanaud een klein glas met een centimeter bleekoranje drank erin. Hij schoof het glas over de bar. 'Ik zou nog wel een *eau de vie* lusten, als dat mag.'
Dominic bestelde en betaalde, en Henry schonk in op zijn bekende zwierige manier, waarbij hij de fles steeds hoger boven het glas hield.
Na zijn eerste slok zei Machanaud: 'Ik neem aan dat jullie allemaal in de wolken zijn met die nieuwe informatie.'
Dominic keek Machanaud even vragend aan. Het kon toch niet zijn dat het geruchtencircuit zo snel werkte dat hij nu al wist van de verklaring van zijn ex-vriendin? En hij was toch niet zo dronken dat hij sarcastisch deed over zijn eigen ondergang? 'Ik begrijp je niet. Wat voor informatie?'
'De auto. De auto. Ik herinnerde me ineens hoe die langsrijdende auto eruitzag. Ik ben twee dagen geleden naar het bureau gekomen en heb het aan de brigadier achter de balie verteld.'
'Wie was dat?'
'Hij heeft zijn naam niet gezegd. Een jonge knaap, bruin, licht golvend haar.'
Briant of Levacher, dacht Dominic. Waarom had Poullain er niets over gezegd?
'Er kunnen niet veel Alfa Romeo's als die zijn, zeker niet in deze omgeving. Jullie hebben hem waarschijnlijk al opgespoord, maar je kunt er natuurlijk niet te veel over zeggen. *Salut.*' Machanaud sloeg zijn halve eau de vie achterover. 'Is dat niet

waarvoor ik morgen naar het bureau moet komen? Om die verklaring over de auto officieel te maken?'
Dominics hoofd tolde nog steeds. Duclos' auto! 'Ja, ja,' antwoordde hij haastig. Misschien had Poullain in alle drukte vergeten er melding van te maken. De afgelopen paar dagen waren een nachtmerrie geweest van aantekeningen, uitgetypte verklaringen, rapporten en de aanvraag van het arrestatiebevel. Of misschien wilde Poullain er pas melding van maken als hij de volledige verklaring van Machanaud had. Misschien. Het was Dominics idee geweest om Machanaud het arrestatiebevel pas te overhandigen nadat ze hem een volledige verklaring hadden laten afleggen, liever dan te proberen dat buiten het bureau te doen en een scène te riskeren, en een vechtende, geboeide Machanaud helemaal terug te slepen naar de auto. Nu wist hij waarom Poullain zo gretig op dat voorstel was ingegaan. Machanaud had verwacht dat hij op de gendarmerie zou worden ontboden om zijn verklaring over de auto officieel te maken.
Machanaud merkte Dominics verwarring op, boog zich naar hem toe en fluisterde op samenzweerderige toon: 'Het geeft niet als je er niet veel over kunt zeggen. Ik begrijp het.'
Machanaud bood een deerniswekkende aanblik zoals hij daar stond te glimlachen en vermoedelijk dacht dat het halve plaatselijke gendarmekorps druk bezig was met het opsporen van de auto die hun grootste zaak van de afgelopen jaren zou oplossen, en dat híj daar de beslissende aanwijzing voor had gegeven. Hij was zich totaal onbewust van het zwaard van Damocles dat boven zijn hoofd hing. Dominic voelde zich schuldig omdat hij had meegewerkt aan het valse voorwendsel dat Poullain aan het afleggen van de verklaring had gegeven. Of ontging hem iets aan Machanaud wat Poullain en de anderen wel zagen?
Machanaud die zijn hand bemoedigend op Dominics schouder had gelegd en naar hem glimlachte, de onschuldige stroper. Dominic glimlachte terug. Stroper, dronkelap, dorpsidioot... moordenaar? Machanaud die zich over de jongen boog en de hand met de kei op zijn hoofd liet neerkomen. Welke van de twee was het juiste beeld? Vanaf de andere kant van het vertrek klonk opnieuw geschreeuw en gejuich. Twee nieuwe deelnemers hadden zich aan weerskanten van het tafelvoetbalspel opgesteld. Door de Gauloise-rook kon Dominic de eau de vie in Machanauds adem ruiken. *Eau de mort*. Het water van de dood. Machanaud

die het bloed van de jongen van zijn kleren wast. Dominic schudde de beelden van zich af. De atmosfeer in de bar was plotseling claustrofobisch, verstikkend. Hij stond op.
'Is alles in orde met je?' vroeg Machanaud.
'Ja, ja. Ik bedenk me alleen dat ik naar iemand toe had gemoeten en daar nu misschien te laat voor ben.' Hij keek op zijn horloge: zes over twaalf. Officieel liep Poullains late dienst om middernacht af, maar meestal bleef hij daarna nog wel een halfuur op de gendarmerie rondhangen.

Honderd meter voorbij de grote toegangspoort van het château aan de overkant van de weg reed Chapeau achteruit het bospad op. Enkele bomen onttrokken zijn auto grotendeels aan het oog, hoewel hij door een opening in het groen een goed zicht had op de ingang van het château. Twee dagen daarvoor, toen hij de rit voor het eerst had gemaakt, was hij de hele weg vanaf Marseille op een discrete afstand van de Alfa Romeo gebleven, zeker op de stillere landwegen. Die eerste keer had hij een kwartier schuin tegenover het château staan wachten.
De dag daarna had hij besteed aan het inwinnen van informatie op het kadaster en het Bureau Kentekenregistratie in Parijs. Het château was eigendom van ene Marcel Vallon, een van de grootste grondbezitters en wijnbouwers van de streek. Maar de auto stond op naam van Alain Duclos, met een adres in Limoges. Dus dit was niet het huis waar Duclos woonde; vermoedelijk was hij een vriend van de familie of was hij daar voor zaken op bezoek. Chapeau besloot terug te gaan om te zien of Duclos bij de Vallons logeerde, of dat hij daar twee dagen geleden alleen maar voor een eenmalig bezoek was geweest. Na een halfuur had hij een Bentley zien vertrekken en een kwartier daarna was er een bestelbusje geweest om iets af te leveren. De daaropvolgende twintig minuten gebeurde er niets. Chapeau begon al ongeduldig te worden – het was aan het eind van de ochtend en al flink warm, en hij verlangde ernaar om op weg te gaan en wat frisse lucht door het interieur van de auto te laten waaien – toen hij eindelijk de groene Alfa Romeo zag verschijnen. En die kwam recht op hem af!
Hij dook snel uit het zicht, hoorde het geronk van de motor passeren en kwam weer overeind. Hij telde drie seconden af, startte de motor, zag een Renault Dauphine die dezelfde kant op reed, wachtte tot hij gepasseerd was en draaide de weg op.

Harrault had baliedienst en bevestigde dat Poullain nog in zijn kantoor was, maar op het punt stond om naar huis te gaan. Dominic besloot eerst in het register te kijken en daarna met Poullain te gaan praten. Harrault sloeg de bladzijde om en deed een stap opzij terwijl Dominic zijn wijsvinger langs de meldingen liet gaan. Niets. Hij was halverwege toen Poullain zijn kantoor uit kwam.
Zijn blik ging van Harrault naar Dominic. 'Ik dacht dat je dienst er een paar uur geleden al op zat, Fornier? Op zoek naar iets interessants?'
'Ja. Ik liep zojuist Machanaud tegen het lijf. Hij vroeg hoe het met ons onderzoek stond na zijn verklaring over de auto.'
Poullain bleef hem even aanstaren en knikte toen in de richting van zijn kantoor. Hij vond het blijkbaar gênant om dit te bespreken in het bijzijn van Harrault. Zodra hij de deur achter hen had dichtgedaan, vroeg Poullain: 'En? Wat is het probleem?'
'Ik zie er niets over in het register staan.'
'En dat zul je ook niet zien. Niet totdat ik deze ontwikkeling uitvoerig met Perrimond heb besproken.'
'Maar het is twee dagen geleden dat Machanaud hier was.'
'Als hij hier vijf of zes dagen geleden naartoe was gekomen, of er melding van had gemaakt in een van onze eerste gesprekken, zou het misschien een andere zaak zijn.' Poullain liep om zijn bureau heen en bleef naast zijn stoel staan. 'Denk erover na, Fornier. We hebben overal geïnformeerd naar die auto, in cafés en winkels in heel Taragnon. Het halve dorp heeft er waarschijnlijk van gehoord. En plotseling, op onverklaarbare wijze, herinnert Machanaud zich ineens hoe hij eruitzag. Wees niet zo naïef! Machanaud heeft die beschrijving gewoon opgevangen in het roddelcircuit.'
'Is dat wat Perrimond denkt?'
'Nee, dat is wat we uitvoerig hebben besproken als een reële mogelijkheid. Hij zal me morgen ongetwijfeld laten weten wat hij ervan denkt.'
Dominic schudde zijn hoofd. 'Ongeacht wat we denken, zou die melding als verklaring in het register opgenomen moeten zijn. Daarna kunnen we hem interpreteren zoals we willen.'
Poullain was erop gebrand om zich op enige afstand van het meningsverschil te houden, en de hangende beslissing van Perrimond gaf hem de kans om iemand anders de schuld te geven. 'Ik heb me te houden aan de lijnen die Perrimond als aanklager uitzet. Als die verklaring zo overduidelijk vals is en ons niets con-

creets oplevert, heeft het geen enkele zin. Bovendien zouden we dan waarschijnlijk weer met Duclos moeten gaan praten; wederom pure tijdverspilling die we ons niet kunnen veroorloven.'
'Misschien zou dat helemaal niet zo'n tijdverspilling zijn. Als we stellen dat zijn auto op die plek is gezien, kan hij zijn verhaal veranderen en komt er misschien iets nieuws aan het licht.'
Poullain staarde Dominic met een matte blik aan. Dus ze waren weer terug bij Forniers ongegronde verdenking van Duclos. Als hij dacht aan Perrimonds bezorgdheid over het telefoontje van de burgemeester, die onfrisse achtergrond waar hij tot nu toe geen melding van had gemaakt, was de gretigheid in Forniers stem bijna lachwekkend. 'En wat gaat er dan veranderen? Gaan alle obers die hebben verklaard dat ze Duclos hebben gezien op het moment dat de misdaad plaatsvond ineens zeggen dat ze zich allemaal hebben vergist? Dat ze Duclos niet hebben gezien? Of zal Duclos het zelf voor ons doen en zeggen dat alle obers hebben gelogen? Dat hij op dat moment niet in het restaurant was? Word wakker! Dat zal niet gebeuren. Het heeft dus ook geen zin om weer met hem te gaan praten.'
'Is dat uw opvatting of die van Perrimond?'
Poullain staarde hem met een ijskoude blik aan. 'Van ons allebei!'
Het was al duidelijk wat voor antwoord ze morgen zouden krijgen, dacht Dominic. De melding zou niet in de verklaring worden opgenomen. 'Dan ben ik het daar niet mee eens.'
Dominic zág Poullain schrikken; toen hield hij zijn hoofd iets schuin alsof hij het niet goed had gehoord en zijn blik schoot vluchtig over het werkblad van zijn bureau voordat hij weer opkeek. De verbazing was duidelijk te zien op zijn gezicht. In hun vorige meningsverschillen over Duclos had Dominic steeds toegegeven.
Het leek er even op dat Poullain nog niet had besloten hoe hij deze nieuwe uitdaging tegemoet moest treden. Uiteindelijk slaakte hij een hoorbare zucht en maakte hij een wuivend gebaar met zijn hand. Een afwijzend gebaar, alsof de hele zaak het plotseling niet waard was om zich druk over te maken. 'En wat ben je precies van plan te gaan doen?'
'Als wordt besloten de melding niet op te nemen in de verklaring, wil ik, als assistent-rechercheur in het onderzoek, in het rapport vastgelegd zien dat ik het er niet mee eens ben.'

‘En je weet zeker dat je dat wilt doen? Je bent je bewust van de ernst van een dergelijke actie?’
Dominic voelde zich opgelaten vanwege Poullains starende blik, en zijn hart klopte in zijn keel. Maar hij was al te ver gegaan om zich nu terug te trekken. Zijn mond was droog toen hij stamelde: ‘Ja.’
Poullain bleef hem nog even aanstaren, ging toen zitten en wreef met zijn hand over zijn voorhoofd. Het was duidelijk dat Fornier deze keer niet zou buigen en de zaak zou doorzetten. De procedure, die normaliter alleen in extreme gevallen werd toegepast, diende als bescherming van politiemensen die vonden dat de lijn die werd gevolgd in een onderzoek later een slecht licht op hun staat van dienst kon werpen, en eenmaal ingediend zou de klacht zeker terechtkomen bij de districtscommandant in Aix. Er konden allerlei onaangename vragen en complicaties uit voortkomen. Met dat vooruitzicht zou het misschien toch eenvoudiger zijn om Machanauds verklaring vast te leggen en opnieuw met Duclos te gaan praten, ongeacht het feit dat het allemaal tijdverspilling was. Doe alles volgens het boekje. Perrimond zou dan maar een tweede telefoontje van de burgemeester moeten verdragen. Poullain zuchtte. ‘Is er nog iets anders?’ Hij keek maar even op, maar de ergernis was duidelijk zichtbaar op zijn gezicht.
‘Nee.’
‘Dan zal ik je gedachten kenbaar maken aan Perrimond als ik hem morgen zie om het arrestatiebevel op te halen. Jij blijft hier voor het geval ik nog niet terug ben als Machanaud arriveert.’
‘Wat moet ik hem zeggen als u er dan nog niet bent?’
‘Zeg hem maar dat je denkt dat het voor de verklaring is, maar dat je dat pas zeker weet als ik terug ben.’ Poullain forceerde een glimlachje. ‘Als je je zin krijgt, vertel je hem voor een deel de waarheid.’

Chapeau zat in een café in een zijstraat van de Rue St. Ferréol in Marseille. Duclos’ auto stond twintig meter verderop in dezelfde straat; hij kon nog net de achterbumper zien. Hij was klaar om onmiddellijk in actie te komen als hij bewoog en had het geld voor de zwarte koffie en de cognac die hij dronk al op tafel gelegd.
Toen hij Duclos volgde vanaf het landgoed van de Vallons, was er een moment geweest waarop hij had overwogen het op te ge-

ven. De weg liep richting Aix en Marseille, maar het meest interessante was dat hij door Taragnon liep, het dorp waar de jongen was gevonden. Even had hij gespeeld met het verleidelijke idee dat Duclos misschien zou stoppen in Taragnon, misschien zelfs terug zou gaan naar de plaats van de misdaad, maar hij was dwars door het stadje gereden. Kort daarna, toen Duclos de afslag naar Marseille nam in plaats van die naar Aix, dacht hij dat er een kans bestond dat Duclos naar Vacheret ging voor een bezoek aan een van zijn jonge jongetjes. Hij besloot hem te blijven volgen.

Ze stonden geparkeerd in het belangrijkste winkelgebied van de stad, op bijna twee kilometer afstand van het Panier-district en Vacherets bordeel. Hij was Duclos tot de hoek gevolgd, had gezien dat hij richting Opera en Palais de Justice liep en had toen besloten in een café in het kleine zijstraatje, bij de auto, te blijven wachten. Hij zat hier nu veertig minuten en dit was zijn tweede koffie met cognac.

Waar was Duclos? Ongetwijfeld aan het winkelen: op zoek naar chique overhemden en zijden ondergoed of wat pedofielen ook graag aantrokken. Of misschien een wandelingetje door de Puget-tuinen, waar hij op een bank ging zitten en de duiven voerde terwijl hij zich ondertussen verlekkerde aan de jongetjes in hun korte broeken die daar aan het voetballen waren. Mensen als Duclos maakten hem misselijk. Schoon aan de buitenkant, smerig vanbinnen, en uit de hoogte neerkijkend op mensen als hij. Hij mocht dan een dief en een huurmoordenaar zijn, maar hij had ook niet de pretentie iets anders te zijn. Wat je zag, kreeg je. Geen valse schijn.

Hij nam nog een slok cognac om zijn groeiende woede te sussen. De kleine griezel. Hem valse informatie geven om een moord te plegen die ervoor had kunnen zorgen dat de halve gendarmerie van de hele Provence hem nu op de hielen zat. De vrolijkheid die hij had gevoeld omdat hij Duclos voor zevenduizend francs had bedonderd, begon al te tanen. Hij wilde meer, veel meer. Als hij de moord ook werkelijk had gepleegd, zou hij Duclos waarschijnlijk ook hebben vermoord, direct nadat hij zijn geld had geïncasseerd; hij zou Duclos tot voorbij Aubagne zijn gevolgd, hem hebben klemgereden op een van de verlaten zijwegen, twee kogels door zijn hoofd hebben geschoten en zijn doorgereden. Heerlijk.

Dat was nog steeds een verleidelijk vooruitzicht geweest toen hij Duclos die eerste keer naar het landgoed van de Vallons was gevolgd. Maar hij was nu blij dat hij zich had ingehouden. Als hij geduldig was en er goed mee omging, zou dit een lange en heel lucratieve samenwerking kunnen worden. Een relatie met betekenis. Het had geen zin om Duclos al tijdens hun eerste afspraakje te belazeren. Hij was even teleurgesteld geweest toen hij ontdekte dat Duclos geen deel uitmaakte van de familie Vallon, want dan was hij helemaal meteen op een pot met goud gestuit. Maar hij was duidelijk een vriend van de familie, en misschien had hij wel een soortgelijke poenige achtergrond. Wachten en kijken, dan zou hij het weten.
Chapeau schoof met een ruk achteruit van de tafel en gooide bijna zijn koffie om. Duclos liep voorbij! Was op weg naar zijn auto. Chapeau wilde meteen opstaan en naar buiten rennen, maar wees eerst naar het geld op tafel om de bezorgd naar hem kijkende ober gerust te stellen.
Duclos legde een tas van een winkel in zijn auto, boog zich naar binnen, leek even iets te verschikken op de achterbank, kwam toen overeind en deed het portier weer dicht. Hij kwam teruglopen, langs het café. Chapeau draaide zich weg van het raam, keek naar de bar totdat Duclos voorbij was, stond toen op en liep naar buiten. Hij bleef even in de deuropening staan totdat Duclos een meter of tachtig was doorgelopen en bijna bij het eind van de straat was, en ging hem toen achterna.
Hij zag Duclos rechtsaf slaan, richting La Canebiere en de oude haven, met het Panier-district niet ver daarachter. Misschien zou Duclos ten slotte toch terechtkomen bij Vacheret. Op de Rue St. Ferréol, richting La Canebiere, werden de winkels geleidelijk aan kleiner en armoediger. Goedkope souvenirs en ansichtkaarten, houtsnijwerk en ivoor, kralen en kaftans, trommels met vellen van geitenhuid, een delicatessenwinkeltje met geitenkaas en couscous. Ze konden net zo goed in de *kashba* zijn. De helft van de winkeleigenaars en voorbijgangers was Noord-Afrikaans.
Op La Canebiere sloeg Duclos linksaf richting de oude haven, langs de havencafés en Hôtel de Ville. Een kleine verzameling mooie cafés en winkels, mensen die buiten zaten te eten en uitzicht hadden op de in vrolijke kleuren geschilderde vissersbootjes in de haven. Toen kwamen ze bij de donkere, bochtige, met klinkers bestrate steegjes van het Panier-district, vol wasgoed

dat tussen de vochtige bakstenen muren hing in een poging wat zonlicht op te vangen. Gesnerp in de verte, een radio die de laatste hit uit Marokko speelde, jankende tonen van blaasinstrumenten en violen die klonken alsof er katten werden gekeeld.
Een oude man in een zwarte *djellaba* liep Chapeau voorbij en op de hoek, voor een klein café met een kralengordijn als ingang, probeerde een Marokkaanse jongen loterijbriefjes te verkopen. Hij droeg een vaalblauw hemd vol vlekken, een zwarte broek en slippers, en zijn betraande ogen staarden van achter zijn zonnebril afwezig naar het dak van het huis aan de overkant. Chapeau betwijfelde of hij echt blind was, probeerde zijn verkooppraatjes te negeren en te luisteren naar Duclos' voetstappen in de straat. Ten slotte herkende hij ze weer, links van hem, dertig, veertig meter verderop. Hij wachtte een paar tellen voordat hij hem weer achternaging.
Toen Duclos bij de volgende hoek rechtsaf sloeg, wist Chapeau dat hij op weg was naar Vacheret. Aan het eind was een kort zijstraatje dat een paar treden omhoogliep en Vacheret was aan het begin van de volgende straat. Chapeau hield een huizenblok afstand en wachtte op de hoek totdat Duclos het eind van de straat had bereikt voordat hij de straat inliep. Tegen de tijd dat Chapeau de treden bereikte, was Duclos al boven en liep hij linksaf, naar Vacheret. Het kleine straatje was verlaten: aan de ene kant was een half gesloopt gebouw en de andere bestond uit een blinde muur vol aanplakbiljetten. Aan het eind stonden een paar vuilnisbakken waar twee katten omheen zwierven. Nu hij wist dat Duclos naar Vacheret ging, kon hij net zo goed teruggaan. Maar opeens was hij nieuwsgierig hoe lang Duclos daar zou blijven: twintig minuten zou een korte, zakelijke bespreking kunnen zijn, veertig of vijftig minuten en hij zou bij een van de jonge jongetjes zijn.
Chapeau besloot het af te wachten en vond een café niet ver van de hoek aan de overkant van de straat, ongeveer honderd meter van Vacheret. Het was een klein en armoedig café met een vloer van crèmekleurige en donkerbruine tegels waar zaagsel op was gestrooid. De barman was dik en droeg een oranje T-shirt dat hem een paar maten te klein was. Aan zijn accent te horen was hij een geboren Marseillaan, maar de helft van de klanten was Noord-Afrikaans: de twee mannen die aan een tafeltje in een hoek zaten te dammen, de twee die aan de bar zaten, en een

groepje plaatselijke werkmensen in blauwe overalls, die aan een ander tafeltje zaten. Uit de radio klonk Tony Bennett. De barman schonk de cognac in waar Chapeau om had gevraagd.
Chapeau wachtte.
Het was een easy-listening-station: Edith Piaf en Bert Kampfaet, gevolgd door Frank Sinatra. Een kanarie in de hoek zong af en toe het refrein mee. Chapeau vroeg zich af of de Marokkanen van Frank Sinatra hielden: na hun eigen kattengejank moest dit als gouden siroop klinken. Dit was zíjn soort muziek, maar de meezingende kanarie, het harde getik van de damschijven op het bord en het gekreun en geschreeuw van de spelers begonnen op zijn zenuwen te werken. Hij had al de halve middag besteed aan het volgen van die lul van een Duclos. En Duclos lag nu waarschijnlijk in een of andere chic ingerichte kamer met potpalmen, waar hij werd gestreeld en aan zijn gerief werd geholpen door een paar twaalfjarige jongetjes terwijl hij hier in een armoedig café zat met kreunende Marokkanen en een kanarie die meezong met Frank Sinatra. Fantastisch. Zijn hand klemde zich om zijn glas. Hij keek op zijn horloge: bijna dertig minuten. Nog tien minuten en hij zou weggaan.
Maar na een paar minuten, toen hij had zitten denken over de andere puzzelstukjes die hij met Duclos op hun plaats wilde leggen, kreeg hij een idee en kroop er langzaam een glimlach over zijn gezicht. Perfect. Eerst nam zijn euforie weer langzaam af omdat hij dacht dat het bijna te goed was, te gemeen, zodat het wel mis moest lopen, maar toen hij er tussen een paar slokjes cognac nog eens goed over had nagedacht, zag hij weinig valkuilen. Het zou hem tegelijkertijd de kans geven om zich te ontdoen van een deel van de opgekropte woede en frustratie die de enge smeerlap in hem had doen oplaaien. Het enige wat hij hoefde te doen was aan het eind van de bar blijven zitten en schuin naar buiten kijken totdat Duclos tevoorschijn kwam. Hij legde alvast wat geld voor zijn cognac op de bar om onmiddellijk te kunnen vertrekken.
Chapeau zat Billie Holliday, Maurice Chevalier, Mario Lanza en Brenda Lee nog uit, met de meezingende kanarie en het ritmische getik van de damschijven op de achtergrond voor Duclos eindelijk verscheen.
Chapeau stapte van zijn kruk en liep naar buiten. Hij bevond zich minstens tachtig meter voor Duclos en hoopte dat die hem

niet van achter af zou herkennen. Nog tien meter, zes, twee... en hij schoot de hoek om, liep door met grote passen, rende bijna. Dertig meter verderop bleef hij staan, keek naar het portaaltje van een vervallen gebouw, zag dat het geschikt was en stapte over het opgestapelde vuilnis heen. En wachtte.
Na een minuut hoorde hij Duclos' voetstappen naderen. Het kleine straatje was verlaten en Chapeau bad dat dat zo zou blijven. Plotseling hoorde hij een geluid achter zich. Chapeau schrok, draaide zich met een ruk om en zag een kat die een vuilniszak probeerde open te krabben. Ze keken elkaar heel even aan in het halfduister en toen ging het beest ervandoor. Chapeaus zenuwen kwamen weer tot rust.
Duclos was dichtbij. Heel dichtbij. De voetstappen waren er bijna.
Chapeau haalde ondiep adem, geruisloos... en zodra Duclos' profiel in beeld kwam schoot hij uit de schaduw tevoorschijn en sloeg toe. Een rechtse directe raakte Duclos op zijn wang. Duclos had hem niet gezien, maar hij wilde zich net omdraaien omdat hij iets hoorde toen Chapeaus vuist hem raakte.
Chapeau haalde nogmaals uit, raakte hem deze keer op zijn neus, hoorde het bot breken en zag het bloed eruit spuiten toen Duclos wankelde en in elkaar zakte. Wat een lekker gevoel was dit. Chapeau plaatste nog een snelle linkse in de maag van de vallende Duclos, en toen Duclos de grond raakte en weerloos op zijn zij bleef liggen, kon hij hem alleen nog maar schoppen. Hij gaf Duclos een trap in zijn kruis en toen hij omrolde en zijn handen naar zijn kruis bracht, vervolgde hij dat met twee felle trappen in zijn nieren.
Duclos wilde opkijken naar zijn aanvaller, dus legde Chapeau snel zijn hand op Duclos' wang en sloeg hij zijn gezicht hard tegen de grond. Hij zakte half door zijn knieën, haalde zijn wapen tevoorschijn – een Heckler & Koch 9 mm – en drukte dat naast zijn hand in Duclos' wang. Duclos kneep zijn ogen stijf dicht toen hij het koude staal van de loop tegen zijn wang voelde. Chapeau trok de slede achteruit. Duclos' ogen werden nog stijver dichtgeknepen en een ademloos '*non*' ontsnapte aan zijn lippen. Chapeau genoot nog een ogenblik van Duclos' angst voordat hij de haan ontspande en de loop weghaalde van zijn wang. In dezelfde soepele beweging pakte hij het wapen bij de loop, sloeg met de kolf twee keer hard tegen Duclos' ribben en raakte

hem toen nog een keer in zijn maag en nieren. Het was een afgemeten aanval. Hij wilde Duclos niet doden, maar hem wel zo hard raken dat hij een week lang als een oude man zou lopen en bloed zou pissen.
Chapeau stak zijn hand uit en trok Duclos' portefeuille uit zijn binnenzak. Hij richtte zich op en gaf Duclos nog een afscheidstrap in zijn kruis. Dat zou hem een paar weken uit de buurt van jonge jongetjes houden. Toen stak hij zijn wapen weer in zijn jaszak en wandelde weg, de treden af, weg van Duclos' gekreun, dat een glimlach op zijn gezicht bracht.

15

'We hebben een probleem.'
Poullain zat in Perrimonds kantoor. Het arrestatiebevel voor Machanaud was ondertekend, rechtsgeldig en er stond een stempel op. Perrimond schoof het naar hem toe. 'Vertel op.'
Poullain begon uit te leggen dat hij inmiddels had besloten om Machanauds verklaring niet officieel te maken om dezelfde redenen die ze gisteren hadden besproken, toen het probleem de kop opstak: Machanaud had zijn assistent, Fornier, die op dat moment geen dienst had, verteld over het zien van de auto, en nu dacht Fornier anders over de betekenis daarvan dan hij. Zoveel anders, dat als de melding niet officieel in de verklaring zou worden opgenomen, hij een klacht dreigde in te dienen bij de districtscommandant van de gendarmerie. 'Hoewel het waarschijnlijk absolute tijdverspilling is om die verklaring aan te passen, zou het gezien de omstandigheden misschien minder gênant zijn als we dat wel deden.'
'Misschien. Waar heeft deze Fornier Machanaud gesproken?'
'In een café in Taragnon.'
'O.' Perrimonds neusgaten sperden zich open en dicht alsof hij zojuist iets heel onaangenaams had geroken. Hoewel het onduidelijk was of zijn afkeer nu Fornier betrof of Poullains gebrek aan overwicht op zijn manschappen. 'Als we de implicaties even buiten beschouwing laten, had jij, voordat dit met Fornier gebeurde, al besloten om de verklaring níet officieel te maken.'

'Omdat het geen zin had. Die verklaring is duidelijk in elkaar gesleuteld en Duclos opnieuw ondervragen zou geen enkel doel dienen. Er zijn ten minste twee mensen die hem hebben gezien op het moment dat de jongen werd mishandeld. Hij heeft een solide alibi.'
Dus nu werden ze geconfronteerd met de moeilijke keus, dacht Perrimond: een tweede telefoontje van de burgemeester of vragen van de districtscommandant. 'Vertel me eens iets meer over Fornier. Wat is zijn achtergrond?'
'Jong, zesentwintig jaar. Heeft vier jaar met het Vreemdelingenlegioen in Algerije gezeten en is daarna bij de gendarme in Marseille gegaan.'
'Heeft hij deelgenomen aan de gevechten in Algerije?'
'Niet dat ik weet. Zijn taak bestond voornamelijk uit radio- en communicatiewerk, en de logistiek achter de vuurlinie. Hij kreeg een soortgelijke functie bij de gendarme in Marseille.'
'Hoe is hij vanuit Marseille in Bauriac terechtgekomen?'
'Zijn moeders ziekte; ze lijdt aan kanker en heeft niet lang meer te leven. Hij wilde zo dicht mogelijk bij haar in de buurt zijn en heeft een verzoek tot overplaatsing ingediend. Wij hadden geen aparte afdelingen voor communicatie en logistiek, alleen het gewone straatwerk, maar hij heeft het aangepakt. Hij was tamelijk wanhopig, bang dat ze misschien nog maar een halfjaar te leven had, en was dus bereid alles aan te pakken wat we hem konden aanbieden.'
'Dus hij was bereid zijn carrière op te offeren om voor zijn stervende moeder te zorgen. Wat nobel.' Ondanks Perrimonds halve glimlach was het moeilijk te zeggen of hij dit echt nobel vond of gewoon stompzinnig. Toen werd hij weer serieus. 'Wat is precies de reden dat je hem hebt aangewezen als je assistent?'
'Mijn vaste assistent, Harrault, zat midden in een ander onderzoek. Bovendien dacht ik dat Forniers ervaring met de politie in Marseille nuttig voor ons kon zijn. Er was een zekere mate van samenwerking met Marseille noodzakelijk, met name op het forensische vlak.'
'Die klacht, als hij wordt ingediend, zal neem ik aan uiteindelijk terechtkomen bij districtscommandant Houillon hier in Aix, is dat juist?'
'Ja. Ik krijg de ene kopie, die in het dossier gaat, en de andere gaat naar commandant Houillon.'

'Ik heb een vrij goed contact met Houillon.' Perrimond dacht enige tijd na en keek naar zijn vloeiblad alsof dat hem misschien zou kunnen inspireren. Heel langzaam keek hij weer op. 'Luister. Zeg voorlopig niets tegen Fornier. Zeg hem maar dat er over dit onderwerp nog geen besluit is genomen en je morgen pas meer weet. Maar ik geloof dat ik een idee heb.'

'Is er iets gemeld in jouw district?' Chapeaus stem klonk zacht en gedempt, alsof onzichtbare mensen hem misschien zouden afluisteren.
'Nee. Nog niets.'
'Wanneer heb je het voor het laatst gecheckt?'
'Iets voor zeven uur, toen mijn dienst afliep.'
Er was meer dan vierentwintig uur verstreken sinds de aanval, dacht Chapeau. Het was onwaarschijnlijk dat er melding van zou worden gemaakt. Zijn contact bij de politie, Jaquin, was een inspecteur die in het Panier-district was gestationeerd. Wraak voor een meisje dat in een club door een klant was mishandeld, was het verhaal dat Chapeau had verzonnen, wetende dat Jaquin weinig sympathie zou opbrengen voor zo'n klant. De club wilde vooraf gewaarschuwd worden als de naam werd genoemd in een eventuele politieverklaring, of misschien was het incident alleen maar gemeld als straatroof. Hij vroeg Jaquin of hij navraag had gedaan bij de gendarmerie die het dichtst bij de plek van de overval was. Ja. Nog niets gemeld. Zelfs geen straatroof.
'Ik bel je morgen weer, om dezelfde tijd, alleen voor het geval dat. Bedankt.' Maar Chapeau wist dat de meeste aangiften binnen een paar uur werden gedaan, en hooguit binnen vierentwintig uur, zelfs al werden ze op een ander bureau gedaan. Zijn plan had bevestigd wat hij vermoedde: Duclos had iets te verbergen en zou de overval niet aangeven omdat hij geen contact met de politie wilde riskeren.
Het pak slaag dat hij Duclos had gegeven, had hem urenlang in een staat van euforie gehouden. Maar dat was nog niets vergeleken bij wat hij nu ervoer, nu hij nadacht over de informatie die hij in de loop van de dag had vergaard. Duclos' portefeuille was een ware schatkist van informatie geweest: zijn identiteitskaart, zijn creditcard van de Banque Nationale, visitekaartjes – voornamelijk van advocaten in de omgeving van Limoges – en een recente loonstrook, afkomstig van de provinciale overheid in Li-

moges, afdeling E4. Vier telefoontjes later wist hij waarmee afdeling E4 zich bezighield en had hij aan de hand van de salarisschaal Duclos' positie vastgesteld.
De creditcard had hij een blok verderop in het Panier-district gedumpt. Hopelijk werd hij gevonden door iemand die het verdiende, en zou er flink veel mee gekocht worden. Als hij de zogenaamd blinde jongen met zijn lootjes de volgende keer tegenkwam, droeg hij misschien wel krokodillenleren schoenen en een Rolex. Duclos zou zijn creditcard als verloren of gestolen bij de bank moeten melden, en als er op frauduleuze wijze aankopen mee waren gedaan, zou hij verplicht zijn dat aan de politie te melden, of aansprakelijk zijn voor de kosten. Problemen met de bank én de politie. Misschien zou Duclos het verlies gewoon voor lief nemen. God, wat was dit leuk.
En hij wist zeker dat het mooiste nog moest komen: afdeling E4, 15.400 franc per jaar. Duclos was assistent-procureur!
Chapeau had maar één keer in de gevangenis gezeten. Toen hij achttien jaar was, zevenentwintig maanden lang. Hij was uitsmijter geweest vanaf zijn zestiende en had op een avond drie studenten naar buiten gesmeten toen het uit de hand liep met de barmeisjes. Een van hen was ongelukkig terechtgekomen en had zijn sleutelbeen gebroken. De vader van de jongen was een vooraanstaand zakenman, lid van de Kamer van Koophandel en de golfpartner van de plaatselijke procureur. De aanklacht voor zwaar lichamelijk letsel werd erdoor gedrukt en er werd een straf van drie jaar geëist. Het proces was een schijnvertoning waarin hij geen enkele kans had. Chapeau had zijn hele straf uitgezeten, afgezien van de laatste negen maanden wegens goed gedrag.
Maar één beeld was hem in de jaren daarna duidelijk bijgebleven: de procureur en zijn assistent die samenzwoeren tijdens het hele vooronderzoek en het uiteindelijke proces, en daarna hun zelfvoldaanheid en opgetogenheid toen de straf werd toegekend. De vader van de jongen was naar de rechtszaal gekomen en had de procureur gefeliciteerd. Weer een triomf die op de golfbaan was bekonkeld.
Het had Chapeau een eerste voorproefje gegeven van hoe het systeem werkte. Hij had gezworen dat als hij zijn brood wilde blijven verdienen met fysiek geweld, dat in de schaduw zou moeten gebeuren, en met steun van een organisatie die wist hoe het systeem werkte. Hij was vijftien maanden vrij toen hij zich

bij het milieu aansloot. Eerst had hij het gewone, simpele spierballenwerk gedaan: intimidatie en dreigementen, en af en toe een gebroken arm of been. Het werk liep uiteen van gokken, protectie en leningen innen tot het terechtwijzen van straatdealers die voor hun handel weigerden te betalen. Binnen drie jaar had hij zich opgewerkt tot de eredivisie en zijn eerste grote slag geslagen: een plaatselijke dealer die heroïne met een straatwaarde van bijna driehonderdduizend franc in zijn zak had gestoken en beweerde dat deze in beslag was genomen tijdens een politie-inval. Maar het milieu had zijn contacten binnen het politieapparaat en had ontdekt dat het niet waar was. Dit mocht niet ongestraft passeren.
Hij dacht nu weer aan de twee zelfvoldane procureurs die elkaar glimlachend feliciteerden. Langzaam draaide hij Duclos' identiteitskaart om en om tussen zijn vingers en hij begon zelf ook te glimlachen. Een pedofiele assistent-procureur, wiens hele leven en toekomst nu in zijn handen lagen. De wraak had nauwelijks poëtischer kunnen zijn. Dit zou nog veel leuker worden dan hij in eerste instantie had gedacht.

De herdenkingsdienst voor Christian Rosselot werd gehouden in de St. Nicholas-kerk, op vijftig meter afstand van het dorpsplein van Bauriac, waar op dat moment een microkosmos van het leven in een klein stadje en sociale standsverschillen aangetroffen kon worden.
De eerste rij, het dichtst bij het altaar, werd ingenomen door de Rosselots en hun directe buren en vrienden. Links van Monique Rosselot zat een vrouw van over de zestig met een donkere huidskleur, van wie Dominic aannam dat het haar moeder was. Ze was modieus en goed gekleed: een donkere blouse van Pierre Cardin en een bijpassende plooirok, hoewel ze misschien iets te veel sieraden droeg. Dominic was verrast; toen Louis hem had verteld dat Moniques moeder op bezoek was, had hij zich haar voorgesteld in een zwarte djellaba, zoals de deprimerende oude weduwen die hij zich herinnerde van de straten in Algiers.
Jean-Luc was op tijd terug en had zijn moeder en broer meegebracht. Zijn vader was te ziek om te reizen. Dat was het laatste nieuws van Valerié geweest, dat Louis hem had verteld voordat ze de kerk binnengingen. Ze stonden rechts van Jean-Luc, met de Fiévets direct naast zich.

De paar rijen daarachter werden ingenomen door mensen uit het dorp, die kennissen waren of een vage band met de Rosselots hadden: eigenaars van winkels waar Monique regelmatig kwam en waar Jean-Luc zijn gereedschap en zaad kocht, de huisarts van het gezin, en Louis en Valerié.
De gendarme zat op de vijfde rij, en op de vier rijen achter hen zaten voornamelijk mensen uit het dorp die geen directe band met de Rosselots hadden maar die op deze manier hun medeleven wilden betuigen. De moord had Taragnon diep geraakt: oprecht verdriet en zacht gehuil werden afgewisseld met open monden en nieuwsgierige blikken die een glimp van de Rosselots op de eerste rij probeerden op te vangen.
Vier dagen geleden had pastoor Pierre Bergoin een kleine begrafenisdienst voor Christian Rosselot gehouden in de kapel van de begraafplaats, die tussen Bauriac en St. Maximin lag. Alleen Jean-Luc, Monique, haar moeder en de Fiévets waren erbij aanwezig geweest. De familie had het in besloten kring gewild, want de omvang van hun verdriet had al meer dan genoeg belangstelling getrokken.
De herdenkingsdienst begon met het *Requiem oeternam*. Dominic keek op toen pastoor Bergoins stem door de kerk galmde: '*Te decet hymnus. Deus, in Sion; et tibi reddétur votum in Jerúsalem*: hoor mijn gebed; alle leven zal terugkomen tot U. Eeuwige rust. O, God, schepper en verlosser van alle gelovigen, wees genadig voor de ziel van al Uw dienaren en dienaressen die zijn heengegaan, verlos hen van hun zonden, hoor hun vrome smeekbeden aan...'
Ze waren met hun zessen van de gendarme: Poullain, Harrault, Servan, Briant, Levacher en hijzelf. Dominic vroeg zich af of deze volgorde toevallig was; Poullain en hij zaten het verst van elkaar af. Sinds het telefoontje dat hij gisteravond laat had gekregen, hadden ze elkaar nog nauwelijks gesproken.
Het was afkomstig van kolonel Gastine, zijn vroegere korpscommandant in Marseille. Nadat hij had geïnformeerd hoe het Dominic beviel in Bauriac, kwam Gastine snel terzake: hij was gebeld door districtscommandant Houillon in Aix. 'Hij belt me misschien eens per vier maanden, als ik geluk heb. Dus hoewel hij probeerde er luchthartig over te doen, deed het feit dat hij de moeite nam om me te bellen me beseffen dat er iets ernstigers aan de hand was. Er schijnt blijkbaar een of ander meningsver-

schil te zijn tussen jou en je meerdere over een onderzoek dat op dit moment loopt. Is dat juist?'

Dus Poullain was hem voor geweest en had al met Houillon gepraat. 'Ja. Het is een moordonderzoek. Ik vind niet dat mijn commandant, die het onderzoek leidt, de mogelijkheden daarvan volledig benut.'

'Je kunt heel goed gelijk hebben, Dominic. Ik ben niet in de positie om daarover te oordelen. En dat is het probleem ook niet. Hoewel het niet direct werd gezegd, alleen werd gesuggereerd, zal Poullain, als er ook maar iets op Houillons bureau belandt, een verzoek tot overplaatsing van jou indienen. Hij zal stellen dat hij je alleen in dienst heeft genomen vanwege het feit dat je moeder ernstig ziek was en je dicht bij haar in de buurt wilde zijn. Hij ziet je belangrijkste kwaliteiten als tussenpersoon als er moet worden samengewerkt met Marseille, zoals in het onderzoek dat nu loopt, maar als hij je kwaliteiten niet effectief kan benutten omdat jullie werkstijlen botsen, is er op de gendarmerie in feite geen andere plek waar hij je op effectieve wijze tewerk kan stellen. Dan zou je overbodig worden.'

'Waarnaartoe willen ze me overplaatsen?' vroeg Dominic deemoedig. Als het niet zo ver weg was, kon hij misschien gaan forenzen.

'Rouen is het ene voorstel, Brest het andere, of mogelijk Nancy.'

Dominic voelde hoe de valkuil zich voor hem opende. Alle drie de plaatsen lagen op minstens vijfhonderd kilometer afstand. De boodschap was duidelijk: als hij niet inbond, zou hij worden verbannen. En zou zijn moeder in eenzaamheid sterven.

'Het spijt me dat ík je dit nieuws moet brengen, Dominic. Maar zoals Houillon het stelde, was het bijna alsof ze je een plezier deden door mij als boodschapper te gebruiken, om je te waarschuwen. Je een kans te geven. Als je de klacht had ingediend, hadden ze je gewoon weggestuurd.'

'Ze?'

'Houillon was enigszins verontschuldigend, alsof hij zich ook wat opgelaten voelde met de situatie. Waar ik dus uit opmaak dat er nog iemand anders bij betrokken is, iemand met veel meer invloed dan Poullain. Want Poullain had nooit het risico genomen om Houillon er rechtstreeks bij te betrekken.'

Perrimond. Dus het kwam erop neer dat ze de handen ineen hadden geslagen om hun zin door te drijven met Machanaud. Ze we-

zen de lagere gendarme terug naar zijn plaats en zorgden ervoor dat hij geen onrust meer zou veroorzaken. Waarschijnlijk allemaal gedaan door middel van een paar snelle telefoontjes, en nu was hij machteloos. Een coup zonder bloedvergieten.
'*Fratres, ece mystérium vobis dico...*' Pater Bergoins stem sneed door het verstilde gesnik op de eerste rijen. '... straks, in een ogenblik, na de laatste trompet... want de trompet zal weer schallen, en de doden zullen herrijzen, rein van ziel, en we zullen veranderd zijn. Ontaarding vervangen door reinheid, sterfelijkheid vervangen door onsterfelijkheid. En als deze sterveling onsterfelijk is geworden, dan wordt van toepassing wat is geschreven: de dood, opgeslokt door victorie. O, dood, waar ligt uw victorie? O, dood, waar is uw angel? Want de angel van de dood is de zonde, en de kracht van de zonde...'
De dood? Zijn moeders gelig bleke gezicht vlak voor hem, zacht glimlachend: 'Maak je geen zorgen. Ik begrijp het als je moet gaan. Je bent nog jong en je hebt je werk en je carrière.' En hij protesterend: 'Nee! Ik kan je niet alleen laten op een moment als dit. Ik heb je beloofd dat ik bij je zou blijven!'
Machanaud die naar hem schreeuwde toen hij door Servan en Harrault de verhoorkamer uit werd gesleept. 'Je hebt me verraden! Ik moest hiernaartoe komen voor mijn verklaring over die auto. Ik vertrouwde je!' Waarschijnlijk had Poullain het zo gepland, zoals hij hem meer dan een uur met Machanaud alleen had gelaten om uiteindelijk terug te keren met het arrestatiebevel, heel goed wetend dat Machanaud steeds onzekerder zou worden als niemand hem geruststelde. Machanaud als het lam dat naar de slachtbank geleid zou worden terwijl Poullain en Perrimond de laatste stadia van hun coup bekonkelden.
Toen het arrestatiebevel was overhandigd, Machanaud zijn rechten waren voorgelezen en hij naar de cel was gebracht, besefte Dominic voor het eerst wat Machanaud te wachten stond. Als hij werd veroordeeld, zou hij waarschijnlijk de doodstraf krijgen, of als een levende dode worden verbannen naar een van de strafkolonies, waar de hardheid van het regime en de vele ziekten die er heersten een garantie waren voor een gemiddelde levensverwachting van hooguit zes jaar. Door het raam van zijn cel had Machanaud natuurlijk ook de kerkklokken gehoord, die de herdenkingsdienst aankondigden en de emoties onderstreepten van een dorp dat tegen hem was.

Het was een afschuwelijke, onmogelijke keus: zijn moeder in eenzaamheid laten sterven, of zijn mond dichthouden en toestaan dat een man wiens schuld hij betwijfelde, werd veroordeeld.
'*Teste David cum Sibylla...*' Gedempt gesnik nu ook van een onbekende vrouw op een van de achterste rijen van de kerk. '*Quantus tremor est futúrus*. Het laatste luide trompetgeschal zal alle graftomben omverblazen, en iedereen voor Uw troon ontbieden. Natuur en dood met starre blik zullen het wezen zien herrijzen... om te pleiten voor het laatste hof. Het boek zal worden geopend, de inhoud worden gelezen, en de levenden en de doden zullen op de proef worden gesteld.'
Ook pater Bergoin bood weinig troost.

16

Sessie 5

'Of ben je misschien bang dat als we de confrontatie met Jojo aangaan, we hem weg zullen jagen? Dat hij nooit meer in je dromen zal verschijnen om je te helpen?'
'Ik weet het niet... een beetje misschien.'
'Je dromen zijn iets speciaals tussen jullie tweeën, en je wilt dat niet bederven.'
'Het is meer dat ik niet weet wat ik moet doen.' Eyran liet zijn hoofd hangen, alsof hij wachtte op toestemming van een onzichtbaar iemand.
Lambourne liet het moment passeren, liet de gedachte dieper indringen. Hij had de afgelopen twintig minuten besteed aan het creëren van de juiste stemming om Jojo tevoorschijn te halen, en eindelijk had hij het gevoel dat hij in de buurt kwam. 'Ik denk dat je een stuk zekerder bent van zijn vriendschap dan je laat blijken. Je gelooft niet dat hij zich zo gemakkelijk zal laten wegjagen, is het wel?'
Na een paar seconden ademde Eyran langzaam uit; acceptatie, zij het met tegenzin. 'Nee.'
'Maar je wilt wel graag de antwoorden weten: hoe Jojo zijn

ouders is kwijtgeraakt en waar, om te zien hoeveel jullie gemeen hebben. Je weet niet precies hoe je de vragen moet stellen. Maar daar kan ik je mee helpen.' Lambourne liet een lange stilte vallen en keek naar Eyrans reactie: hij fronste zijn wenkbrauwen, ontspande ze weer, liet even zijn tong over zijn lippen gaan om ze te bevochtigen. Het voorstel was nu helemaal tot hem doorgedrongen, en Lambourne hoefde alleen maar de leemten in te vullen. 'Je hoeft niet bang te zijn voor een confrontatie met Jojo, want we kunnen teruggaan naar je eerdere dromen en ik kan zelf met Jojo praten.'

Lambourne kon zien dat Eyran aarzelend op het randje stond, worstelend met wat hij graag wilde geloven – dat hij in staat zou zijn Jojo vragen te stellen en meer grip kon krijgen op sommige gebeurtenissen, in plaats van ze alleen maar als toeschouwer mee te maken – en wat zijn gevoel hem zei dat echt was: de dromen waren voorbij, ze lagen in het verleden. En als hij het verleden kon veranderen... zou hij er als eerste voor zorgen dat zijn ouders weer in leven waren. Als een bokser die om zijn tegenstander heen draait, wist Lambourne dat hij dit moment niet mocht laten passeren, want hij kon Eyran elk moment kwijtraken.

'Maar ik heb jouw hulp nodig, Eyran. Jojo is bij jou, hij is een deel van je... een deel van je dromen. Als je echt de antwoorden wilt weten, zal Jojo met me praten. Daar ben ik van overtuigd. Wil je me helpen?'

'Ik weet het niet... hoe kán ik helpen?'

'Door de antwoorden net zo graag te willen weten als ik. Je wilt toch meer over Jojo weten? Waarom hij je vriend is, wat hem is overkomen zodat je beter kunt begrijpen waarom hij daar is om jou te helpen.' Lambourne hield elke verandering in Eyrans gezichtsuitdrukking scherp in de gaten terwijl de woorden tot hem doordrongen. Eyran was er bijna. 'Als je die dingen echt wilt weten, weet ik zeker dat het zal werken.'

Eyran slikte. 'Ja... ik zou ze graag willen weten.'

Maar Lambourne kon nog steeds de onzekerheid van zijn gezicht aflezen. 'Als het niet werkt en Jojo wil niet met ons praten, zullen we dat gauw genoeg merken. Dan is er niets verloren. Dan gaan we gewoon door zoals we eerder hebben gedaan.'

En voor het eerst werd er een sprankje acceptatie zichtbaar, een ontspanning in Eyrans gelaatsuitdrukking toen de dreiging van

mislukking werd weggenomen. Het was nog niet de volledige acceptatie die Lambourne graag had gewild, maar vermoedelijk het beste wat hij zou krijgen. Hij drukte door voordat het moment verloren ging. 'Dus laten we teruggaan naar je laatste droom en proberen Jojo te vinden. Vertel me eens, wat is het eerste wat je ziet?'
De plotselinge sprong verraste Eyran en Lambourne zag dat Eyran ineens verbijsterd was en zijn uiterste best deed om beelden te zien die net buiten zijn bereik lagen. 'Het is oké, neem de tijd maar,' stelde Lambourne hem gerust. Hij telde de seconden terwijl Eyrans ademhaling weer langzaam maar zeker regelmatig werd.
'Het was na zonsondergang en het begon snel donkerder te worden... Ik naderde het landje.'
Dromen waren altijd zo tergend, dacht Lambourne: onduidelijke beelden, mist die de werkelijkheid verhulde, afnemend licht, wat inhield dat hij zou verdwalen in het duister als hij zijn ouders niet snel vond. Jojo had hem altijd vast in zijn greep.
'Er stond iemand aan de rand van het korenveld, vlak voor het landje, die naar me omkeek... maar ik kon niet goed zien wie het was.'
'Dacht je dat die persoon misschien je vader was... of Jojo?'
'Ik wist het niet zeker, maar toen ik ernaartoe rende om het beter te kunnen zien, kwam ik opeens op een open plek die eruitzag alsof het koren keurig was weggemaaid... en daar zat Jojo. Hij keek naar de grond en zag er eerst bedroefd en verloren uit, maar toen hij me zag, glimlachte hij en stond hij op.'
Lambourne zag een opening. 'Vroeg je Jojo wat eraan scheelde, waarom hij zo bedroefd was?'
'Nee... nee, dat deed ik niet. Maar toen hij glimlachte en opstond, wist ik zeker dat het mijn vader was die verderop stond... en ik wilde hem graag aan Jojo laten zien.'
Lambourne zag de twijfel en de vervoering op Eyrans gezicht. Twijfel omdat hij opnieuw Jojo's emoties en gevoelens over het hoofd had gezien, in strijd met zijn verrukking omdat hij misschien zijn vader had gevonden. Hij zou eerst met die beelden van zijn vader moeten afhandelen voordat hij Eyran volledig geconcentreerd zou kunnen krijgen.
Jojo nam snel het heft in handen. Eyran beschreef de gedaante in de verte, die langzaam opging in de schaduw, toen Jojo opkeek

en zei dat Eyrans vader waarschijnlijk het bos op het landje in was gelopen. Ze gingen op weg, met Jojo voorop. Lambourne voelde zijn spanning toenemen naarmate hij de beschrijvingen hoorde, en hij tikte met zijn pen op zijn aantekeningen. Het had meer dan een week geduurd voordat Stuart Capel eindelijk zijn verzoek om toestemming had ondertekend, en dat nog alleen nadat Eyran weer een vreselijke droom had gehad. Lambourne wist dat als hij er nu niet in zou slagen om Jojo tevoorschijn te halen, hij misschien geen tweede kans zou krijgen.
Toen Eyran beschreef hoe hij achter Jojo aan liep, door het veld en het bos naar de beek, begonnen Lambournes zenuwen te tintelen, want hij vreesde weer een einde van een droom. Maar deze keer liepen ze het bos door en kwamen terecht op het open veld aan de andere kant, en Lambourne werd in slaap gesust door de zelfgenoegzame gedachte dat de setting hem bekend voorkwam en dat ze vermoedelijk teruggingen naar de plek waar Eyran Jojo voor het eerst had ontmoet. Het enige wat hem waarschuwde, was de plotselinge verandering in Eyrans ademhaling, die ineens moeizamer ging, en het snelle trillen van zijn oogleden. 'Eindigt de droom daar akelig?'
'Ja... we... er was een helling... ik... ik...' Eyran haalde hortend en stotend adem en kon niet meer uit zijn woorden komen.
'Het is oké, het is oké! Je hoeft niet terug naar die plek. Loop weg van die open plek... loop weg!'
Eyran leek even te schrikken. Lambourne besefte dat hij had geschreeuwd. Hij ging onmiddellijk langzamer en op geruststellender toon praten. 'Laten we teruggaan... weg van die open plek. Ja, zo gaat het goed... je bent nu weg van het gevaar...'
Lambourne hield steeds pauzes van een paar seconden, alsof hij wachtte totdat Eyran hem had ingehaald. 'We gaan terug naar het begin... terug naar het andere veld, waar je Jojo voor het eerst zag. Hij zat op die andere open plek tussen het koren. Je zei dat hij er heel bedroefd uitzag. Maar we zijn nog niet te weten gekomen waarom hij zo bedroefd was.'
Eyrans ademhaling werd geleidelijk aan regelmatiger. Hij leek weer tot rust te komen.
'Je vond misschien dat je het had moeten vragen, dat hij misschien van streek was omdat je dat niet deed. Maar dat geeft niet... we kunnen het hem nu vragen.'
'Ik weet het niet... ik weet het niet zeker... ik...' Twijfel en onze-

kerheid waren teruggekeerd en trokken als donderwolken over Eyrans gezicht.
Lambourne zag dat Eyran zich aan het terugtrekken was, en als hij te lang wachtte, zou zijn kans voorbij zijn. 'Maar je wilt meer te weten komen over Jojo. Je vraagt hem nooit iets, en toch neemt hij zoveel tijd om je te helpen je ouders terug te vinden. Denk je niet dat het redelijk is dat hij wat van streek is, omdat je hem nooit iets vraagt? Er komt een keer een nacht dat je droomt, terugkeert op het landje en verwacht hem daar aan te treffen om je te helpen zoeken naar je ouders, en dan ben je helemaal alleen. Dan is hij er niet meer!'
Lambourne zag Eyran ineenkrimpen. Maar toen zijn gelaatstrekken zich weer ontspanden, zag Lambourne opeens dat sprankje acceptatie. Het was de juiste aanpak geweest: Eyran eraan herinneren dat het net zo riskant was om níet met Jojo te praten. Het kon niet allemaal eenrichtingverkeer zijn.
Lambourne besteedde de daaropvolgende minuten aan geruststellen en aanmoedigen, aan verlokken en verleiden, in de hoop dat Eyran een besluit zou nemen, en toen plotseling weer die harde aanpak, totdat Eyran uiteindelijk toegaf en Lambourne erdoorheen brak. Hij trad de ongrijpbare wereld van Jojo binnen.

Lambourne had de eerste paar minuten nodig om te wennen aan Jojo's stem. De intonatie was iets anders, langzamer en doelbewuster, maar het bleef onmiskenbaar Eyrans stem. Lambourne vroeg of hij Eyrans vriend was en waar hij hem van kende, maar Jojo was vaag. '... van vroeger... heel lang geleden...' Een soortgelijk antwoord kreeg hij toen hij Jojo vroeg hoe hij zijn ouders was kwijtgeraakt. Vage herinneringen, gehuld in een nevel van tijd. Lambourne wilde eerst enige tijd in het heden en bij de recente dromen blijven.
'Heb je je ouders verloren bij het landje waar je Eyran voor het eerst hebt ontmoet? Je hebt gezegd dat je hetzelfde hebt meegemaakt als Eyran, en dat hij zijn ouders niet zou terugvinden tenzij hij naar de overkant kwam.'
'Ik wilde alleen maar helpen. Ik was aan de overkant... en ik kon hem niet helpen tenzij hij daar ook naartoe kwam.'
'Zag je dat oversteken als een teken dat hij je vertrouwde? Dat hij wilde dat je hem hielp?' Lambourne wist dat hij met Jojo

meer geduld zou moeten hebben, aangezien al zijn reacties via Eyran liepen.
'Ja.'
'Maar waarom het landje? Was het vertrouwd... herinnerde het je aan de plek waar je je ouders had verloren?'
'Het had iets, hoewel ik niet precies wist wat... maar ik had dat gevoel sterker in het korenveld. Maar het was lang geleden... ik kan het me niet duidelijk herinneren.'
'Hetzelfde korenveld waar je Eyran in de laatste droom ontmoette?'
'Ja. Maar Eyran rende in de eerste droom dóór het korenveld... dat was wat me deed opkijken en toen zag ik hem naar het landje toe rennen.'
Eyran had ook gezegd dat het korenveld, toen ze pas waren verhuisd, iets vertrouwds had... alsof hij er eerder was geweest. 'Je kon hem tussen de bomen door zien? En hij kwam jouw kant op rennen?'
'Ja, en ik... ik... voelde zijn verdriet, zijn zorgen terwijl hij mijn kant op kwam rennen. Ik wist dat er iets mis was.'
'Hetzelfde verdriet dat je had gevoeld toen je je ouders verloor?'
'Ja... ik voelde hetzelfde.'
'En toen voelde je je voor het eerst verwant met Eyran, en had je het gevoel dat je hem kon helpen zijn ouders terug te vinden?'
Een knikje en een gemompeld 'ja' van Jojo. 'Was dat de eerste keer dat je Eyran zag?'
'Ja... toen. Maar ik kende hem al van vroeger...'
Weer het verleden. 'Wanneer was dat?'
'Ik weet het niet. Het was... een tijd geleden. Het is niet duidelijk.'
Hoe lang geleden? vroeg Lambourne zich af. Hoeveel jaar duurde het voordat gebeurtenissen vervaagden in de geest van een elfjarige? Vijf? Zes? Zelfs in het onwaarschijnlijke geval dat ze elkaar als kinderen hadden ontmoet en die herinnering nu vervaagd was, dan zou Jojo's herinnering aan het verlies van zijn ouders toch niet zo gemakkelijk vervagen. Door Jojo uit te vinden had Eyran simpelweg de details in het verleden begraven, hopelijk buiten bereik.
Lambourne zocht zich een weg door een paar andere dromen – althans Jojo's interpretatie daarvan – en vergeleek het symbolisme met de lijst die hij eerder had gemaakt. De beek en het korenveld: vertrouwdheid, thuis. Het verlies van de ouders: een ge-

deelde ervaring. Het meer overzwemmen en het dichte bos binnengaan: vertrouwen. Nu voegde hij eraan toe: 'Open plek in het korenveld.' Gespiegelde beelden, Jojo die de gaten invulde die Eyran niet wilde zien. Maar het vertrouwen was snel uitgegroeid tot dominantie: Jojo liep altijd voorop, Eyran volgde.
Lambourne probeerde Jojo te sturen in de richting van het falen in de dromen, maar Jojo leek net zo verbaasd en teleurgesteld als Eyran. Zelfs als Jojo toegaf aan de realiteit waarvan hij wist dat Eyran die onder ogen zou moeten zien, en zijn controle prijsgaf, weerspiegelde zijn gevoel van falen Eyrans teleurstelling. 'Maken de mislukkingen in de dromen je niet wanhopig? Word je er niet moedeloos van dat je elke keer op dezelfde teleurstelling stuit?'
'Ja, soms... maar als ik Eyran zie, krijg ik weer hoop. En het gevoel dat ik hem niet kan laten barsten.'
'Heb je het gevoel dat hij van jou verwacht dat je in staat bent zijn ouders voor hem te vinden?'
'Ja.'
'Maar hoe voel jíj je? Heb je het gevoel dat je zijn ouders echt kunt vinden?'
Eyran liet even zijn hoofd hangen, richtte het toen langzaam op totdat hij weer naar het plafond keek. 'Ik weet het niet... maar Eyran weet zeker dat ik hen kan vinden. En hij heeft een vriend nodig om hem te helpen. Ik kan hem niet aan zijn lot overlaten.'
Lambourne vroeg zich af of dit het patroon zou worden: Jojo die steeds stapjes opzij deed en de verantwoordelijkheid teruglegde bij Eyran. 'En je denkt dat jouw ervaring met het verlies van je ouders hem daarbij kan helpen?'
'Ja... ik weet tenminste hoe hij zich voelt. Het lijkt zo... zo oneerlijk dat het twee keer is gebeurd.'
Twee keer? 'Je bedoelt: met jou en nu met Eyran? Dat jullie allebei het verlies van jullie ouders hebben moeten ervaren?'
'Ja.'
'Maar je herinnert je zo weinig over je eigen verlies... je zei dat het te lang geleden is gebeurd om het je goed te herinneren. Hoe kun je Eyran dan helpen?' Creëer twijfel, begin de muur van Jojo's dominantie te ondermijnen, dacht Lambourne. Hij keek aandachtig toe terwijl Eyran met die gedachte worstelde. Eyrans gezichtsuitdrukking was strak en om de zoveel tijd trilde er een spiertje bij zijn linkeroog.

‘Als ik terugging, zou ik het me misschien beter herinneren. Misschien hoop ik tegelijkertijd mijn eigen ouders terug te vinden... Dat is de reden dat ik ben teruggekomen. Waarom ik Eyran wil helpen.’
‘Dus toen je daar eerder was, lukte het je niet je ouders te vinden?’
‘Nee... ik heb hen nooit gevonden.’
De eerste kleine erkenning van zijn falen. Als Lambourne daarop doorging en Jojo zover kon krijgen dat hij zou toegeven dat hij misschien weer zou kunnen falen, dan zou hij al halverwege zijn met het afbrokkelen van zijn invloed. ‘Ben je niet bang dat je Eyran ook zou kunnen teleurstellen? Omdat je niet in staat bent hen terug te vinden?’
‘Ja... soms. Maar ik kan hem toch niet laten barsten... en opgeven?’
Lambourne bespeurde een vleugje onzekerheid. ‘Maar wat als je Eyran niet kunt helpen met het terugvinden van zijn ouders, net zoals je je eigen ouders nooit hebt kunnen terugvinden? Eyran gelooft dat ze in leven zijn, maar geloof jij dat?’
Eyran schudde zijn hoofd, worstelde met de beelden die hij niet wilde accepteren. ‘Ik weet het niet... hij heeft behoefte aan een vriend. Hij is helemaal alleen naar hen op zoek. Ik was toen ook alleen, dus ik weet hoe hij zich voelt. Ik moet er zijn om hem te helpen.’
Lambourne deed een stap terug, want een directe aanval zou niet werken. Eyran klemde zich nog steeds vast aan zijn illusie en verzette zich. Jojo zou zich blijven verstoppen achter Eyrans verlangen zijn ouders terug te vinden en de passieve rol van de helpende vriend blijven spelen. ‘Wat was het dat zo vertrouwd voelde aan dat korenveld? Eyran zei dat toen hij je in zijn laatste droom tegenkwam in het korenveld, je er bedroefd uitzag. Weet je nog waarom dat was?’
‘Niet precies. Ik voelde me gewoon alleen... verlaten.’
‘Wie had je verlaten?’
‘Dat herinner ik me niet... het was gewoon een gevoel. Het korenveld, het water van de beek die erlangs stroomt... het herinnerde me aan iets.’
‘Herinnerde het je aan het verlies van je ouders? Was je daarom zo bedroefd?’
‘Ja... maar ik weet het niet zeker. Het was op de een of andere

manier anders. Ik probeerde een duidelijker beeld te krijgen... maar het was te lang geleden.'
Weer dat schild dat hem zo goed uitkwam. 'Als je terugging, zou je het je dan wel herinneren, zouden de beelden dan duidelijker worden?'
'Ja... ik denk het wel.'
Dat antwoord verbaasde Lambourne; hij had meer aarzeling en weerstand verwacht. Waarom de gebeurtenissen eerst in het verleden begraven en dan goedkeuren dat ze werden blootgelegd? Graven in het verleden was absoluut het laatste wat Eyran wilde, en toch leek Jojo het aan te moedigen. Eén terrein waarop ze in conflict waren. Lambourne wilde eigenlijk nog wat langer in het heden blijven, doorgaan met het verklaren van de dromen, maar hij besefte dat een kans als deze zich misschien geen tweede keer zou voordoen. Hij besloot erop in te gaan, mee te gaan met – daar was hij zeker van – Jojo's bluf. 'Laten we dan teruggaan, Jojo... terug naar de tijd waarin je herinneringen duidelijker waren.'
Lambourne nam Jojo eerst terug naar drie jaar geleden, toen Eyran bijna acht was; de laatste maanden in het oude huis in Engeland. Niets. Geen enkele herinnering. Het proces verliep langzaam; Eyran liet lange pauzes vallen om de mentale sprongen in de tijd te overbruggen. Lambourne legde de nadruk op hun speelplekken bij het oude huis: het landje en het bos achter het huis, het korenveld bij Broadhurst Farm. Maar er werden geen herinneringen geactiveerd. Toen besloot hij de uitnodiging uit te breiden. 'Neem me mee terug naar toen je Eyran voor het eerst ontmoette. Was dat toen Eyran in dat huis daar kwam wonen? Waren jullie toen al vriendjes?'
'Nee... het was daarvoor.'
'Ga dan verder terug... terug naar toen jullie elkaar ontmoetten.'
Alleen Eyrans ademhaling en het zachte gezoem van de draaiende bandrecorder verbraken de stilte. Lambourne tikte zachtjes met zijn pen op zijn blocnote terwijl de seconden verstreken. Jojo zocht verwoed terug in zijn geest, liet de oude gebeurtenissen en beelden de revue passeren, en er verstreken bijna twee minuten met als enige geluid Eyrans ademhaling, die iets zwaarder was geworden, terwijl Lambourne ervan overtuigd raakte dat er niets naar boven zou komen. Of dat Jojo's herinnering aan het verlies van zijn ouders heel vaag zou zijn, omdat zijn geheu-

gen haar selectief had gewist. Op dezelfde manier dat Eyran de dood van zijn ouders niet wilde accepteren, zou Jojo niet meer weten hoe hij de zijne had verloren.

Toen Eyran uiteindelijk naar boven kwam en Jojo's stem weer iets zei, schrok Lambourne. Hij zat als verdoofd in zijn stoel, zijn mond was ineens kurkdroog en hij moest zichzelf bewust bij de les houden, zich snel aanpassen aan de nieuwe situatie en de stilte verbreken met zijn volgende vraag.

Hij wist dat hij onbeholpen en aarzelend klonk, had nog niet de sprong kunnen maken naar de situatie waarmee hij nu plotseling werd geconfronteerd. Zijn handpalmen voelden kleverig aan en hij stotterde toen hij een paar heel eenvoudige vragen stelde. Voor het eerst zag hij uit naar het eind van de sessie, en nog geen vier minuten later zette hij de bandrecorder stop en telde hij Eyran wakker. Hij had tijd voor zichzelf nodig, tijd om na te denken. Hij zei er niets over tegen Eyran, of tegen de Capels, toen ze hun afspraak voor de volgende sessie maakten en afscheid namen.

Lambourne ging weer in zijn stoel zitten, deed zijn ogen dicht en slaakte een lange, diepe zucht. Nu hij erop terugkeek, waren de tekenen duidelijk geweest: het leek zo oneerlijk dat het twee keer gebeurde... Het was lang geleden... daarvoor... Als ik terugging, zou ik het me misschien beter herinneren... Net zoals hij Eyran ervan verdacht dat hij gebeurtenissen in het verleden had begraven en niet wilde dat ze tevoorschijn werden gehaald, had Jojo hem ertoe verleid om terug te gaan, helemaal terug, met maar één doel voor ogen. En hij had de signalen over het hoofd gezien.

Maar toen de betekenis ervan tot hem doordrong, besefte hij dat hij hier tekortschoot, dat hij hulp nodig zou hebben. Zelfs die paar laatste vragen hadden hem een heel opgelaten gevoel gegeven, alsof hij viste op een terrein van de psychoanalyse waarop hij zich nog nauwelijks had begeven. Hij keek op zijn horloge. Hij zou nog bijna drie uur moeten wachten voordat hij de universiteit van Virginia kon bellen.

17

Het arrestatiebevel dat door Perrimond was uitgevaardigd, bood de mogelijkheid om Machanaud vier dagen vast te houden, het maximum voor een verdachte als deze nog niet door de onderzoeksrechter officieel in staat van beschuldiging was gesteld.
Op de vierde dag werd Machanaud van zijn cel in Bauriac overgebracht naar het Palais de Justice in Aix, waar om tien uur een hoorzitting zou worden gehouden. Frederic Naugier zat de zitting voor, informeel gekleed in een donkergrijs pak; hij zou zijn rode ambtsgewaad voor de latere zittingen bewaren. Perrimond zat aan de ene kant van het vertrek, Briant als politie-escorte achter Machanaud, en een griffier, de rechtbankgriffier, naast Naugier.
Een jonge gerechtshofjurist was van de verdieping daaronder gehaald om Machanaud uit te leggen hoe de procedure zou verlopen. Tijdens de achtendertig minuten durende hoorzitting deed Machanaud zijn verslag van de belangrijkste details voor het gerechtelijke dossier, las Naugier hem de beschuldiging voor en werd afgesproken dat in de volgende hoorzitting, over tien dagen, als Machanaud door de Orde van Advocaten een pro Deo-advocaat toegewezen had gekregen, zou worden besloten over een eventuele borgtocht.
Aan het einde van de zitting kondigde Naugier een voorlopig bevel tot inhechtenisneming van vier maanden af. In die periode zou hij het vooronderzoek moeten afronden en daarna zou het echte proces beginnen. In moordzaken was het niet ongebruikelijk dat hij twee of drie van die bevelen uitvaardigde. Peuch, de gerechtshofjurist, had Machanaud al duidelijk gemaakt dat vrijheid op borgtocht onwaarschijnlijk was gezien de aard van de beschuldiging en zijn weinig honkvaste verleden. Of hij in het uiteindelijke proces nu schuldig zou worden bevonden of niet, als er tijdens het vooronderzoek geen belangrijk nieuw bewijs boven tafel kwam, zou Machanaud het grootste deel van het volgende jaar in de cel doorbrengen.

Vier maanden daarvoor had Dominic een tv voor zijn moeder gekocht. Een duur apparaat dat als een luxe werd beschouwd, maar dan had ze in elk geval iets om haar gezelschap te houden, zeker tijdens zijn lange avonddiensten.

Hij herinnerde zich dat hij voor het eerst Perry Mason zag. Het Franse programma-aanbod was mager en de gelikte Amerikaanse producties voerden de boventoon. Het duurde echter vrij lang voordat de populaire rechtbankserie aansloeg in Frankrijk, vooral omdat men niet bekend was met de gevolgde procedures, die sterk afweken van het rechtssysteem dat men in Frankrijk gewend was. Het snel wisselende drama van verschillende getuigen, verrassingen, openings- en slotpleidooien en plotselinge bekentenissen zou in Frankrijk worden uitgespreid over de verscheidene maanden die het vooronderzoek meestal vergde. Getuigen werden in groepjes verdeeld en opgeroepen tijdens afzonderlijke zittingen, en de verklaringen van de familie van het slachtoffer, de politie, de forensische dienst en getuige-deskundigen zoals psychiaters werden in opeenvolgende, afzonderlijke zittingen afgelegd. Aangezien er meestal niet meer dan twee vooronderzoeken per maand werden gehouden, werd het een traag en langdurig proces, en konden complexe zaken zich zeven tot tien maanden voortslepen voordat het eigenlijke proces kon beginnen.
Maar als het zover was, dan zouden alle bewijzen en verklaringen zijn teruggebracht tot alleen de noodzakelijke feiten waar de jury en de drie rechters een beslissing over zouden nemen. Getuigen konden opnieuw worden opgeroepen, maar hun antwoorden zouden weinig meer zijn dan de verklaringen die ze tijdens het vooronderzoek hadden afgelegd. Geen veranderingen, geen sensatie, geen drama of plotseling gewijzigde verklaringen. Alleen het kale bewijs dat door het openbaar ministerie en de verdediging voor de jury werd gepresenteerd. Met als resultaat dat zelfs een moordproces maar één of twee dagen duurde.
Dominic had de eerste stadia van Machanauds hoorzittingen gevolgd. Twee weken na de tweede zitting, waarin invrijheidstelling op borgtocht werd afgewezen, liet Naugier de Rosselots naar het gerechtshof komen. Afgezien van het bevestigen van de details over de laatste keer dat ze Christian hadden gezien, wat voor kleren hij droeg en naar wie hij die middag op weg was gegaan, moest Naugier hun formeel vragen of ze een aanklacht tegen de verdachte wensten in te dienen. Eigenlijk was dat overbodig, want als ze 'nee' hadden geantwoord, zou het openbaar ministerie het proces gewoon voortzetten, maar het moest in het dossier worden vastgelegd. Jean-Luc antwoordde 'natuurlijk', terwijl Monique alleen maar knikte.

In de volgende hoorzitting, bijna een maand later, zouden de politie en de forensische dienst een opsomming geven van wat er allemaal op de plaats van het misdrijf was gevonden. Dominic was bezorgd dat het onderwerp van de auto die door Machanaud was gezien misschien weer aan de orde zou komen, maar de hoorzittingen waren heel strak van opzet: Naugier dirigeerde alle vragen, en de antwoorden die de verdediging en het openbaar ministerie werden verondersteld hem te geven, moesten twee weken van tevoren bij Naugier zijn ingediend, met een volledig overzicht van de te behandelen onderwerpen, die twee dagen voor de zitting aan de beide partijen werden vrijgegeven. Perrimond had dit overzicht grondig met Poullain en Dominic doorgenomen. Er stond niets in over het zien van de auto.
Maar twee of drie zittingen later, wist Dominic, als ze zouden beginnen met het verifiëren van de verklaringen die Machanaud tijdens eerdere zittingen had afgelegd, kon het onderwerp aan bod komen. Hij zag niet uit naar dat moment: dat hij tegenover Machanaud en zijn raadsman zou staan en Naugier een ander verhaal moest vertellen.
Vier dagen nadat hij het telefoontje van Houillon uit Marseille had gehad besloot Dominic de handdoek in de ring te werpen en zei hij tegen Poullain dat hij zijn klacht niet zou doorzetten. Poullain verspilde geen tijd en liet hem en Briant naar zijn kantoor komen, waar de rijen werden gesloten en hun verhalen met elkaar in overeenstemming werden gebracht. Poullain stelde voor dat ze hun respectievelijke ontmoetingen met Machanaud niet zouden ontkennen, maar dat ze de besproken details zouden afzwakken. 'Uit wat ik heb begrepen was Machanaud tijdens beide gelegenheden dronken. Het zou me verbazen als hij zelf nog weet wat hij precies heeft gezegd.'
Dominic ging geslagen akkoord met Poullain en Briant, maar een deel van hem bleef onzeker. Hij hoopte dat het onderwerp helemaal niet zou worden aangeroerd.
Uit wat hij de daaropvolgende weken over Machanauds advocaat vernam, begon die hoop te verdwijnen. Léonard Molet, pas zesentwintig jaar oud, werkte iets meer dan drie jaar fulltime als advocaat en verdeelde zijn tijd tussen een privé-advocatenkantoor en pro Deo-zaken. Machanaud was er tijdens hun eerste gesprek van geschrokken dat dit Molets eerste moordzaak was, zonder te beseffen dat hij veel slechter vertegenwoordigd had

kunnen worden: de meeste pro Deo-advocaten waren onervaren stagiaires die nog in opleiding waren, met weinig of geen rechtszaalervaring. Maar in de weken daarna toonde Molet zijn kwaliteiten en nam Machanauds vertrouwen toe, wat er tegelijkertijd voor zorgde dat Perrimond en Naugier rechtop gingen zitten en dat ook opmerkten. In tegenstelling tot de meeste pro Deo-advocaten had hij zijn vragen en aantekeningen altijd op tijd klaar, bezocht hij zijn cliënt regelmatig en stelde hij Naugier tijdens de zittingen heel zinnige, op de verdediging gerichte vragen. De zaak zou een pittige strijd opleveren.
Toen Dominic zijn aantekeningen over de plaats van het misdrijf voorlas, merkte hij op een zeker moment dat Molet hem aandachtig zat aan te kijken en kreeg hij het onbehaaglijke gevoel dat Molet hem zat in te schatten voor een eventuele latere confrontatie. Later, tegen het eind van Poullains verklaring, greep Naugier in en sprak hij zijn verwarring uit over de verschillende plekken waar Machanaud had zitten vissen, het laantje en het korenveld, en de plek waar de jongen ten slotte was gevonden. Naugier had de details al twee keer doorgenomen maar was nog steeds niet echt tevreden, dus stelde hij voor om met hun allen naar de plaats van het misdrijf te gaan en daar alles nog eens te bekijken. Perrimond en Molet toonden zich weinig verrast. Onderzoeksrechters gingen zo vaak naar de plaats van een misdrijf om verdachten en getuigen te ondervragen. De theorie was dat verdachten het moeilijker vonden om een verzonnen verhaal vol te houden als ze op de plaats van het misdrijf zelf waren. Vaak werden dan de eerste tegenstrijdigheden zichtbaar.
Naugier keek in zijn agenda en zag dat de volgende zitting over zestien dagen zou zijn. De zitting was bedoeld voor de getuigen die Machanaud op de dag van de misdaad hadden gezien, en hij sprak met Perrimond en Molet af dat hij na die zitting een datum voor de reconstructie zou bepalen.
Molets aandacht voor hem had Dominic onrustig gemaakt. Hij voelde zich op de een of andere manier kwetsbaar, was bang dat zijn schuldgevoel over het wegwerken van Machanauds verklaring zichtbaar zou zijn. Even dacht hij er serieus over na om terug te komen op zijn afspraak met Poullain. De week daarvoor was zijn moeders toestand verergerd en ze had weer voor onderzoek naar het ziekenhuis gemoeten: als de prognose slecht was, zou ze misschien nog maar een paar maanden te leven hebben.

De hoorzitting waarin alle politieverklaringen en de getuigenissen over het zien van de auto zouden worden behandeld, zou nog minstens zes weken op zich laten wachten. Als hij zijn klacht een paar dagen voor de zitting indiende en Poullain dan pas waarschuwde voor de naderende verandering in zijn verklaring, zou het hun bijna twee maanden kosten om zijn overplaatsing door te zetten. Langer als... Dominic riep zichzelf tot de orde, schudde zijn hoofd en kon nauwelijks geloven dat hij de sterfdatum van zijn moeder zat af te wegen tegen de mogelijkheid om zich van zijn schuldgevoel te ontdoen.
Nadat Dominic had toegegeven aan Poullain, was hij dagenlang achtervolgd door beelden van Machanaud. In één droom was Machanaud alleen in het korenveld en riep hij Dominic iets na toen hij zich omdraaide en wegliep. 'Je laat me barsten, net als de anderen... Waarom?' Maar toen Dominic zich omdraaide en weer naar Machanaud keek, zag hij ineens dat een van Machanauds handen vol bloed zat, zijn onderarm ook, en dat er een met bloed besmeurde kei aan zijn voeten lag... waarna hij happend naar adem en rillend van het koude zweet was wakker geschrokken. Zelfs in zijn dromen probeerde hij zijn bezorgdheid te temperen, zichzelf ervan te overtuigen dat Machanaud schuldig was en dat hij het juiste had gedaan. Maar het bood hem weinig troost dat hij zich bij Poullain en zijn kliek had aangesloten, en Machanauds verwijt dat hij hem had laten barsten, bleef langer hangen dan alle andere beelden.
De zitting met de ooggetuigen verliep soepel en was voornamelijk een herhaling van verklaringen die ze op het bureau hadden afgelegd. Toen Machanaud door Naugier met enkele van deze verklaringen werd geconfronteerd, gaf hij toe dat hij in zijn eigen verklaring alleen had gelogen omdat hij dacht dat de politie hem ervan verdacht dat hij die dag had gestroopt. Naugier ging niet dieper in op de melding van een auto en de rest van Machanauds politieverklaring; dat zou hij tijdens de reconstructie en de zitting daarna wel doen. Hij vatte de vorderingen van die dag samen en keek in zijn agenda. De volgende zitting was de reconstructie, die op Brieulles land zou plaatsvinden, in aanwezigheid van de verdachte, de verdediging en het openbaar ministerie, en alle gendarmes en ambulancebroeders die op de plaats van het misdrijf waren geweest. De datum werd gesteld op 22 november, over negentien dagen.

Chapeau draaide nogmaals het nummer van het Palais de Justice in Limoges. Hij had twee uur geleden al een keer gebeld en kreeg toen te horen dat 'monsieur Duclos in een bespreking zat, maar om twaalf uur weer vrij zou zijn'. Hij gaf Emile Vacheret als zijn naam op, maar geen telefoonnummer. Hij zou wel terugbellen. Hij was oorspronkelijk van plan geweest veel later te bellen, pas als er een datum voor het proces was bepaald, maar na die tijd zou Duclos' geheugen misschien niet zo goed meer zijn.
De tweede keer werd hij meteen doorverbonden. 'Monsieur Vacheret, ja. Eén moment. *Ne quittez pas*.'
Toen Duclos' gedempte stem. 'Emile... hoe haal je het in je hoofd om me hier op mijn werk te bellen, je weet dat ik...'
'Mond dicht,' onderbrak Chapeau hem. 'Ik heb Vacherets naam alleen gebruikt om doorverbonden te worden.'
'Met wie spreek ik? Ik begrijp het niet,' sputterde Duclos. Maar het was een uitgestelde reactie, want plotseling wist hij met wie hij sprak en begreep hij het wel degelijk. 'Waarom bel je me? Hoe kom je aan dit nummer? Ik weet zeker dat Emile niet zo stom zou zijn om het aan jou te geven.'
Chapeau grinnikte. 'Nee, daar heb je gelijk in. Maar je portefeuille was een ware schatkist van informatie.' Stilte aan de andere kant; een paar seconden lang hoorde Chapeau alleen het geratel van typemachines.
'Jíj was het, de vorige maand,' siste Duclos verachtelijk.
God, wat was dit leuk. Chapeau wist niet waar hij meer van genoot: de woede in Duclos' stem of zijn plotselinge herinnering aan de aframmeling zelf. 'Ach, je raadt het. En ik had het nog zo als verrassing willen bewaren.'
'Hoor eens, ik kan hier niet praten.' Duclos' stem klonk gedempt en gespannen. 'Ik ga naar buiten en bel je meteen terug. Geef me je nummer.'
Chapeau keek naar het nummer op de draaischijf en las het op. 'Vijf minuten, niet langer. Anders bel ik weer naar je kantoor.' Hij hing op.
Duclos excuseerde zich snel bij zijn secretaresse, zei dat hij een cliënt op de tweede moest spreken maar dat hij binnen twintig minuten weer terug zou zijn. Hij liep de lange gang door en nam de trap naar de begane grond in plaats van die naar de tweede. Tegen de tijd dat hij de treden voor het Palais de Justice afliep, rende hij bijna.

Chapeau nam op toen de telefoon voor de tweede keer overging. Nog geen drie minuten: indrukwekkend. Duclos was nog gretiger dan hij had verwacht.
'Oké, wat wil je?' vroeg Duclos naar adem happend.
Hij had blijkbaar geen geduld meer voor een inleidend praatje of een beetje beleefdheid, dacht Chapeau. Waar moest het naartoe met deze wereld? 'Gelukkig voor jou ziet het ernaar uit dat ze een of andere plaatselijke stroper hebben gepakt voor wat jij met dat jongetje hebt gedaan.' Chapeau luisterde naar het statische geruis op de lijn en wachtte op zijn reactie.
Er werd hoorbaar ingeademd. 'Ik weet niet waar je het over hebt.'
Chapeau had geen tijd voor flauwekul. 'Hoor eens, ik weet alles over dat jongetje in Taragnon. Ik heb het hele verhaal in de krant gelezen. En ik weet dat er geen vriend bestaat. Jíj was het. Jij hebt hem mishandeld en dat was de reden dat je mij naar het ziekenhuis hebt gestuurd om het af te maken. Je was bang dat hij bij zou komen en je zou identificeren.'
'Je hebt het mis. Het was voor mijn vriend. En ik weet niets van Taragnon. Mijn vriend vertelde me dat het jongetje uit Marseille kwam.'
Chapeau hoorde dat hij blufte, want er was een lichte trilling hoorbaar in Duclos' stem. Als er ooit sprake van twijfel was geweest, dan wist hij het nu zeker. Er bestond geen vriend. Duclos had die jongen vermoord. Maar hij zou hard door moeten drukken voordat Duclos dat toegaf. 'Kom op, Duclos. Je hebt een zwakheid voor jonge jongetjes en je bent een regelmatige klant van Vacheret. En jij wilt me laten geloven dat die vriend van je precies hetzelfde probleem heeft? En je rijdt dwars door Taragnon als je van de Vallons op weg bent naar Aix.'
'Dat doet mijn vriend ook. En of je me gelooft of niet interesseert me niet.' Een vlakkere, rustiger stem nu. 'Je schijnt helemaal te vergeten dat die jongen nog leefde toen hij het ziekenhuis werd binnengebracht. Jij bent degene die hem heeft vermoord. Je kunt je theorietje aan niemand vertellen zonder jezelf te beschuldigen.'
Chapeau gunde Duclos zijn moment van glorieuze zelfingenomenheid voordat hij de bom liet vallen. 'Dat is het mooie ervan: ik heb die jongen met geen vinger aangeraakt. Toen ik op zijn kamer kwam, lag hij al in de operatiekamer en vochten ze voor

zijn leven. Ik had eerst de pest in dat ik hem was misgelopen, maar toen bedacht ik me dat als die jongen die avond overleed, jij nooit zou weten dat ik hem niets had gedaan. Dus besloot ik te zeggen dat ik hem had vermoord en jouw geld te incasseren. Ik geloof niet dat ik ooit zoveel lol heb gehad.' Chapeau grinnikte. 'Behalve misschien een week later, toen ik je verrot heb geslagen.'
Een langere, diepere stilte deze keer. Chapeau kon de eerste golven van paniek aan de andere kant van de lijn bijna voelen. Duclos die koortsachtig nadacht of hij nu moest blijven ontkennen, vragen moest stellen of zich over moest geven. Een langzame zucht. 'Waarom zou ik je nu wel geloven?'
Het was een zwak protest, meer knorrige acceptatie dan twijfel. 'Dat hoef je niet. Ik zou de politie kunnen bellen en ze kunnen zeggen dat jij me hebt ingehuurd om die jongen te vermoorden, dan zoeken zij wel uit of hij al dan niet op de operatietafel is gestorven. Ze hebben tenslotte toegang tot alle gegevens van het ziekenhuis. En als ze je dan komen arresteren, kun je ze dat verhaal over je vriendje vertellen. Als medeplichtige, en gezien het feit dat je me hebt ingehuurd voor een moord die nooit heeft plaatsgevonden, kom je er waarschijnlijk wel af met een paar jaar.'
'Nee, nee. Doe dat niet.'
Chapeau genoot even van de paniek in Duclos' stem en vervolgde: 'Dus of jij het nu was of je vriend, één ding is inmiddels duidelijk: je wilt niet dat ik naar de politie ga.'
Het duurde even voordat Duclos antwoordde, en zijn stem klonk ingehouden en heel zacht. 'Nee.'
'Dat is dan jammer, want ik heb deze keer de sterke neiging om aan mijn burgerplicht te voldoen. Dat verhaal in de krant over die arme stroper heeft me diep geraakt. Het is zo oneerlijk. Weet je, ik heb waarschijnlijk meer gemeen met iemand als hij dan met iemand als jij, meneer de procureur. Ik krijg bijna het gevoel dat ik een van mijn eigen mensen verraad. Ik denk dat er een hoop overtuigingskracht nodig zal zijn om me tot andere gedachten te bewegen.'
'Wat wil je?' Duclos had geen energie meer om tegen Chapeau in te gaan. Toen het hem begon te dagen dat Chapeau waarschijnlijk de waarheid sprak en hij de jongen niet had vermoord, en hij besefte hoe kwetsbaar hij was, kromp zijn maag ineen. In

de laatste paar weken dat hij weer aan het werk was, was hij zich eindelijk gaan bevrijden van zijn herinneringen aan die nachtmerrie in Taragnon, maar die waren nu weer in volle hevigheid teruggekeerd. Hij ging zware jaren tegemoet waarin hij elke keer aan het gebeuren zou worden herinnerd met elke nieuwe eis die Chapeau aan hem stelde. Hij voelde zich misselijk worden.
Chapeau bleef even zwijgen, voelde zich als de leeuw die om zijn prooi heen sloop, want hij had Duclos nu precies waar hij hem wilde hebben, en hij was klaar voor de doodslag. Maar het was te snel. Bovendien waren er pas een paar maanden verstreken sinds hij Duclos' geld had geïncasseerd. 'Dat weet ik nog niet. Daar moet ik eens goed over nadenken. Ik zal je weer bellen als er een datum voor het proces van deze knaap is vastgesteld. Dan hebben ze nog steeds tijd om iemand anders naar het bureau te slepen voor ondervraging en hem te laten gaan als er nieuwe informatie opduikt.'
'Wanneer zal dat zijn?' Zijn stem klonk vlak, monotoon en verslagen toen hij inging op wat Chapeau voorstelde. Het had hem bijna een maand gekost om helemaal te genezen van zijn verwondingen van die aframmeling in Marseille, en hij werd nog steeds achtervolgd door de herinnering aan die koude stalen loop die over zijn wang gleed, ervan overtuigd dat hij op dat moment zou sterven. Duclos huiverde, voelde zich opnieuw machteloos en bang.
'Over twee maanden... maar het kunnen er ook vier of vijf worden. Jij weet waarschijnlijk beter dan ik hoe traag de raderen van justitie in Frankrijk draaien. Ik zou je regelmatig krantenknipsels kunnen sturen, om je op de hoogte te houden.'
'Nee, nee, dat hoeft niet.' De gedachte aan regelmatige geheugensteuntjes per post deed zijn bloed stollen. Dat meende Chapeau toch niet? 'Bel me maar als je klaar bent.'
'Dat zal ik doen. Ik stel voor dat je je in de tussentijd als een brave jongen gedraagt en flink gaat sparen voor als ik je bel. Heb je een spaarvarken?'
'Schoft. Vuile, smerige schoft!'
'O, ik vind het heerlijk als je boos bent. Daar raak ik helemaal opgewonden van.' Chapeau imiteerde het geluid van een kusje, zo dicht mogelijk bij het mondstuk van de hoorn, en hing op.

18

Stemmen in de kamers, rennende voeten op het erf, een bal die stuitte, gelach, gehuil. Christian die zijn tranen probeerde te bedwingen toen hij door een bij was gestoken, Jean-Luc die met Christian op zijn schouders door het veld rende en zij die bang was dat ze zouden vallen, Christian op zesjarige leeftijd, die haar zijn favoriete pop, Topo Gigio, liet zien; hij had hem op het erf laten liggen en de kippen hadden hem kapotgepikt totdat de ene arm er bijna af viel. Ze had hem dezelfde avond nog bijgevuld, de arm er weer aangenaaid en hem naast hem op zijn kussen gelegd toen hij sliep. Christian die in La Lavandou langs de vloedlijn rende, die Jean-Luc hielp met het mikken van de *boules* op het dorpsplein, Christian die de kaarsjes uitblies op zijn tiende verjaardag.
Flarden van herinneringen, een paar oude foto's op de boekenplank en in albums, Christians kleren en zijn speelgoed. Het was alles wat ze nog had.
Monique beloofde zichzelf elke keer dat ze het de volgende dag op zou ruimen... de volgende dag. Elke keer dat ze zijn kamer bekeek – waar al zijn speelgoed en kleren nog precies lagen zoals ze ze die middag had achtergelaten – kon ze zich gemakkelijk inbeelden dat hij gewoon even weg was, op schoolreis of naar zomerkamp, en dat hij weer gauw thuis zou komen.
Maar als de beelden weer terugkwamen – de gendarme die die eerste dag het erf op reed, haar waken bij kaarslicht in het ziekenhuis, de jonge gendarme die voor de deur stond en zei dat het hem speet, heel erg speet –, reikte de ijskoude, stalen hand van de realiteit tot diep binnen in haar en rukte die haar emoties eruit, en haar ziel, en werden alle vezels en zenuwuiteinden van haar lichaam gepijnigd totdat er niets anders overbleef dan een matte verdoofdheid, een grijze leegte... gefluister tijdens de eerste zonsopgang na zijn dood... 'O, Christian... Christian.' Op zulke momenten wist ze dat ze geen antwoord zou krijgen, geen vlinderzachte kusjes op haar wangen, geen omhelzingen en nooit meer de warmte van zijn lichaam... en klemde ze zich alleen nog vast aan herinneringen, sloeg ze de sprei van zijn bed om zich heen, drukte die tegen haar wang en wiegde zachtjes heen en weer, overspoeld door emoties totdat ze zich weer overgaf aan een wanhopig gesnik.

Het meeste huilen had ze alleen gedaan, in Christians kamer. Die was nu het symbool voor haar pijn geworden, de enige plek in huis waar ze haar verdriet kon uiten. De rest van het huis was voor eten koken, schoonmaken en kleren verstellen, de dagelijkse mechanische handelingen die haar hielpen haar verdriet naar de achtergrond te drukken. Maar als ze huilde, waren ze samen, zij en Christian. Een laatste restje intimiteit.
Ze was maar één keer betrapt, iets meer dan een maand na Christians dood; Clarisse had in de deuropening gestaan, zich half verstoppend achter de deurpost, en haar verbijsterd aangekeken. Monique had snel haar tranen gedroogd, was naar haar toe gerend, had haar getroost... en had zich schuldig gevoeld.
Clarisse leed er waarschijnlijk nog meer onder dan zij; ze was pas vijf en had in feite geen idee van wat er gebeurd was, laat staan dat ze dat kon verwerken. Ze stelde vragen over waar Christian nu was, of hij nu gelukkig was, en was het leuk in de hemel? Ze maakte tekeningen van Christian waarop hij op een wolk zat, met Topo Gigio aan zijn ene kant en zijn favoriete boom uit de tuin – de oude eik waar hij altijd in klom – aan de andere. Clarisses idee van Christians hemel.
Als ze troost zochten, hadden ze alleen elkaar, want Jean-Luc was zo afwezig geworden, had zich in zichzelf teruggetrokken. Toen ze Christian hadden verloren, waren ze Jean-Luc voor het grootste deel ook kwijtgeraakt. Zij had haar genegenheid in gelijke mate verdeeld over haar kinderen, maar Jean-Luc had altijd meer affectie getoond voor Christian, en dat werd nu pas goed duidelijk. Het was alsof hij zei: 'Ik ben kwijtgeraakt waar ik het meest om gaf in dit gezin, en er rest me nu nog weinig.'
Zijn langdurig wezenloos voor zich uit starende blik, die dwars door hen heen leek te gaan, als ze aan de eettafel zaten. Weinig of geen interesse in wat ze deden, en als er sprake was van persoonlijke betrokkenheid die te dichtbij dreigde te komen, excuseerde hij zich om gereedschap of de tractor schoon te gaan maken en trok hij zich terug in de garage. En toen zijn emoties hem een keer te veel werden en Monique hem had omhelsd om hem te troosten, had hij haar van zich afgeschud. Tijdens de zomermaanden was hij tot 's avonds laat op het land gebleven en toen de avonden korter werden, had hij zich geëxcuseerd en was hij naar het café in het dorp gegaan. Het leek wel alsof hij hun gezelschap niet meer kon verdragen, of misschien was het het huis

zelf, omdat het hem aan Christian herinnerde.
Het kwam regelmatig voor dat als hij op het land aan het werk was en Monique door het keukenraam naar buiten keek, ze hem op het stenen muurtje aan de rand van het veld zag zitten, wezenloos in de verte starend. Dan ging ze snel verder met haar dagelijkse bezigheden en soms, als ze dan drie kwartier later weer naar buiten keek, zat hij daar nog steeds zo.
De buren, de Fiévets, waren heel lief en behulpzaam geweest, maar toch waren ze niet close genoeg om haar diepste gedachten over Christians dood met haar te delen, of haar bezorgdheid over de toenemende afstandelijkheid die Jean-Luc voor haar en Clarisse aan den dag legde. Het dorp had zich achter haar geschaard en ze was met name ontroerd door de herdenkingsdienst, hoewel die haar naderhand soms het gevoel gaf dat ze geen winkeleigenaar meer onder ogen kon komen en geen meelevende blik of gemeende condoleance meer kon verdragen. Tot meer dan een maand na de dienst had ze zich nauwelijks laten zien en hadden de Fiévets haar boodschappen gedaan.
Voor de kerk was *capitaine* Poullain naar haar toe gekomen en had hij gezegd dat ze iemand in hechtenis hadden genomen, 'een plaatselijke vagebond', en dat er 'recht zou geschieden'. Een krachtig, tevreden statement, alsof hij ervan overtuigd was dat het nieuws haar pijn zou verzachten. Ze herkende hem nauwelijks van hun eerste gesprek; de enige gendarme die ze herkende in de menigte voor de kerk was degene die naar haar toe was gekomen om haar te vertellen dat Christian dood was. Hij had zijn pet in de hand en hield zich op de achtergrond. Wat er voor de kerk plaatsvond was merendeels een afgepast medeleven: handen op haar schouder, hoofden die bedroefd werden gebogen, gemompelde condoleances met neergeslagen ogen, hulp die haar werd aangeboden door mensen die ze nauwelijks kende. Naderhand had ze grimmig moeten lachen om de ironie van het gebeuren: de dood van haar zoon was nodig geweest om volledig geaccepteerd te worden in het dorp.
Afgezien van de week dat haar moeder op bezoek was geweest, had ze niemand gehad om haar verdriet mee te delen, totdat ze opkeek en Clarisse in de deuropening zag staan. Dus had ze zich gedurende de laatste lange weken met haar verhaaltjes, troost en omhelzingen op haar dochter gericht, haar best gedaan om het onaanvaardbare te accepteren door het door de onschuldige

ogen van een vijfjarig meisje te zien en de ziekmakende leegte in huis te vullen met de liefde en genegenheid die haar nog restte.

Het enige waar Jean-Luc interesse in had getoond was het proces, de wetenschap dat er recht zou geschieden. Toen zij nog steeds te verblind was door verdriet en te aangeslagen om te reageren op wat Poullain voor de kerk tegen haar zei, had Jean-Luc enthousiast geknikt en hem verscheidene vragen gesteld voordat ze waren weggegaan. Voor het eerst sinds Christians dood had ze weer wat levendigheid in hem bespeurd en gezien hoe hij troost en moed putte uit elk woord dat hij te horen kreeg. Eens per week belde hij naar de gendarmerie en werd hij op de hoogte gebracht van de laatste ontwikkelingen in het vooronderzoek. 'De volgende week gaan ze met hun allen naar de plaats van de misdaad voor een reconstructie,' had hij op een ochtend bij het ontbijt gezegd, maar ze had nauwelijks naar hem geluisterd.

Jean-Luc had het er opnieuw over op de ochtend van de reconstructie, en pas toen schonk ze er aandacht aan: twee keer had hij het gezegd, en hij had weer die merkwaardige gretigheid getoond, dus het moest wel belangrijk zijn. Toen hij wegging, zei hij dat hij op het westelijke deel van het land aan het werk zou zijn. Maar toen een halfuur later de wind toenam en zij eraan dacht hoe onbeschut het westelijke veld was en ging kijken of Jean-Luc misschien naar een van de meer beschutte velden aan de achterkant was gegaan, zag ze dat de auto weg was.

Als de wind aantrok, boog het koren. Maar niet gelijkmatig: sommige delen stonden in een scherpe hoek op het veld terwijl andere gewoon rechtop bleven staan, en de wind trok er zijn sporen doorheen totdat er een golfpatroon ontstond dat als een gouden branding over het veld trok. De ochtendlucht was koel, de wind waaide in vlagen, af en toe brak de zon door de grijze bewolking en zette ze hen even in een warm licht.

Dominic keek bedachtzaam naar de gestalten voor hem toen het licht weer verschoof. De schaduw van een grote wolk kwam als een reusachtige walkure vanaf het aangrenzende heuvelland hun kant op drijven totdat hij recht boven hen hing en hen in een grijs licht baadde, dat paste bij de stemming waarin ze verkeerden. Dertien mannen in een guur en verlaten veld, slechts met elkaar

verbonden door de dood van een tienjarig jongetje. Met het voortdurend veranderende licht en het graan dat golfde in de wind, was het bijna alsof het veld hiertegen protesteerde en zijn geheimen niet wenste prijs te geven.
De mannen gingen dicht bijeen staan om elkaar goed te kunnen horen. Naugier nam de informatie door met de ambulancebroeders, de mannen van de forensische dienst en Poullain, in willekeurige volgorde. Servan, Levacher en Harrault stonden een stukje daarachter, vlak bij Dominic. De griffier, die naast Naugier stond, maakte voortdurend aantekeningen in steno.
Machanaud stond een eindje verderop, geboeid aan een bewaarder van de gevangenis in Aix. Hij zou straks aan de beurt komen. Perrimond stond aan de ene kant van Naugier, Molet aan de andere, naast de griffier. Dominic zag Machanaud met een verre, troebele blik naar de rivieroever staren. Misschien had hij last van de wind, of hij verkeerde nog steeds in een shocktoestand omdat hij nauwelijks kon geloven dat hij na drie maanden terug was op dezelfde plek, beschuldigd van moord, en hier moest pleiten voor zijn leven. Hij had een hoop tijd gehad om na te denken over zijn verhaal. Om de zoveel tijd wierp Naugier een scherpe blik in Machanauds richting terwijl hij de forensische details naging.
Naugier had Machanaud gevraagd waar hij die dag precies bij de rivier had gestaan en Servan opgedragen om op de plaats van de misdaad te blijven staan. Alle anderen werden naar de rivieroever gedirigeerd.

'Twee uur? En al die tijd hebt u geen jongetje gezien of ontmoet?'
Naugiers vraag sneed door de frisse buitenlucht. De groep stond zwijgend ter zijde en wachtte af. Naugier had Machanaud bij de rivier eerst laten bevestigen dat hij had gevist, wat hij had gevangen en hoe laat hij daar was – van tien over één tot iets na drieën – voordat hij de sleutelvraag stelde.
'Nee,' zei Machanaud, met meer nadruk dan tijdens zijn vorige antwoorden. Ook de achterste man in de groep hoorde zijn ontkenning.
Naugier keek aandachtig in beide richtingen. 'Hebt u in die tijd iemand anders gezien of ontmoet?' De begroeiing verderop op de rivieroever was dunner en het zicht vrij goed; het groen en de

bomen stonden vooral langs de richel die de rivieroever van het laantje scheidde.
'Nee.'
Molet volgde Naugiers blik in de richting van de platte brug honderd meter verderop en begreep plotseling de betekenis van de vraag. De smalle brug die de aangrenzende boerderij met Breuilles korenveld verbond, stond in het politierapport als 'de plek waar we denken dat de jongen is overgestoken', vooral omdat niemand hem door het dorp zelf had zien lopen. Maar hij had niet verwacht dat hij zo goed zichtbaar zou zijn.
Naugier wees. 'U bent u bewust dat dit de enige verbindingsbrug in de directe omgeving is? Kunt u hem hiervandaan duidelijk zien?'
Molet bad dat Machanaud zich plotseling zou beroepen op bijziendheid, maar zijn 'ja' kwam zonder aarzeling.
'En al die tijd dat u hier was hebt u niemand die brug zien oversteken?'
'Nee.'
Naugier keek bedachtzaam de andere kant op, stroomopwaarts, en liet zijn blik toen langzaam over de rivieroever naar het laantje gaan, alsof hij een denkbeeldige lijn trok naar de plaats van de misdaad. 'Meneer Machanaud. Kunt u de gendarme zien die we daar hebben achtergelaten?'
'Nee. Ik kan hem niet zien.'
'En die middag dat u aan het vissen was, hebt u toen iets gezien of gehoord uit de richting waar de gendarme nu staat?'
'Nee.'
Naugier knikte. Dat was redelijk. De rivieroever vertoonde hier een scherpe knik. Het enige wat zichtbaar was van het laantje was het laatste stuk, waar het opliep naar de weg. 'Laten we nu teruggaan naar de auto's die u die middag voorbij hebt zien komen, te beginnen met de eerste. Hoe laat zou dat geweest zijn?'
'Een minuut of veertig nadat ik hier was gaan zitten.'
'Wat voor soort auto was dat?'
'Dat heb ik niet gezien. Ik hoorde alleen het geluid en welke kant hij op reed... die van Caurins boerderij.'
Caurin? Naugier sloeg een bladzijde terug in zijn dossier om het na te kijken. Marius Caurin was de eigenaar van de boerderij achter hen en degene die de jongen had gevonden. Hij was snel als verdachte geëlimineerd: minstens drie mensen hadden hem

op zijn tractor door Taragnon zien rijden op het tijdstip van de misdaad, en ook Machanaud, in zijn eerste verklaring, had hem op zijn tractor zien wegrijden. 'Dezelfde Caurin wiens tractor je had zien rijden? Hoe laat zou dat geweest zijn?'
'Veertig à vijftig minuten voordat ik wegging, denk ik.'
Naugier nam met Machanaud de overige auto's en tijdstippen door, zocht een lege bladzijde in zijn dossier en schreef: *Eerste voertuig: 13.45 - 13.50. Tweede voertuig: omstreeks 14.15 (niet gehoord door Machanaud). Derde voertuig: Caurins tractor, omstreeks 14.25. Vierde voertuig: omstreeks 14.45 - 14.50 (gehoord door Machanaud). Vijfde voertuig: omstreeks 15.00, een paar minuten voordat Machanaud vertrekt (gehoord en gezien door Machanaud). 15.03 - 15.05: Machanaud rijdt weg op zijn Solex, wordt daarbij gezien door...* Naugier keek op naar Poullain. 'Hoe heet die vrouw die Machanaud heeft zien wegrijden?'
'Madame Véillan.'
Naugier schreef de naam op en voegde eraan toe: *15.16 - 15.18: Caurin keert terug op zijn boerderij en vindt de jongen. Geschatte tijdsduur van de misdaad: 40 tot 60 minuten. Tijdstip van de misdaad: tussen 13.30 en 15.00 uur.* Dus dan was Caurins tractor langsgereden terwijl de misdaad werd begaan, maar mogelijk de eerste en tweede auto ook. Hij pakte een Gitane, stak hem op en blies aarzelend een rookwolkje uit. Met al die passerende auto's, en als er hier die middag iemand anders was, dan konden ze onmogelijk op dat laantje zijn gebleven. De uiteindelijke aanslag kon hoogstens een paar minuten hebben geduurd; langer in die positie zou veel te riskant zijn geweest. Dus de rest van de tijd moesten ze...
Machanauds stem onderbrak zijn gedachten. 'Maar het was pas later dat ik me de laatste auto goed herinnerde. Het was een Alfa Romeo.'
Het duurde een seconde voordat Naugier zich had losgemaakt van zijn gedachten. Hij zag Molet naar Machanaud kijken; waarschijnlijk had hij zijn cliënt gewaarschuwd voor het geven van ongevraagd commentaar tijdens het vooronderzoek. 'Maar uit uw verklaring maak ik op dat het een Citroën was die u zag?'
Molet greep in voordat Machanaud zijn mond helemaal voorbijpraatte. 'Dat was het... in de oorspronkelijke verklaring van mijn cliënt. Maar hij is later naar het bureau gegaan en heeft voorge-

steld deze te veranderen; een verandering die naar ik weet nooit is vastgelegd. Hij heeft het zien van de auto later ook gemeld aan een andere gendarme, in een café in Taragnon. We hadden verwacht dat dit in een later stadium van het vooronderzoek aan bod zou komen, zodat ik mijn vragen over de gendarme in kwestie vooraf aan u had kunnen overleggen.'
'Daar is het nu een beetje laat voor, is het niet?' blafte Naugier. 'Aangezien uw cliënt het onderwerp zelf ter sprake brengt?'
Molet knikte bedeesd en sloeg zijn ogen neer. Een van de grote onvolkomenheden van het vooronderzoek was dat de onderzoeksrechter vrij was om van koers te wijzigen terwijl de advocaten waren gebonden aan het schema dat hun twee dagen voor elke zitting werd uitgereikt. Koerswijzigingen waren onbekend terrein en moesten ten koste van alles worden vermeden. De enige troost was dat het voor de eisende partij ook zo werkte, en Perrimond zag er inderdaad net zo opgelaten uit als hij.
Dominics hart sprong in zijn keel door de plotselinge verandering in de vraagstelling. Hij had erin berust dat hij zich zou voorbereiden voor een later vooronderzoek en zijn antwoorden zou aanpassen aan die van Poullain. Maar nu besefte hij met groeiende paniek dat Naugier zich elk moment tot hem kon richten en dat hij dan niet zou weten wat hij moest zeggen.
Naugier draaide zich naar Poullain. 'Ik heb begrepen, capitaine Poullain, dat u degene was die de verklaring over de Citroën hebt opgenomen. Is deze bij uw weten in een later stadium veranderd?'
Poullain keek Perrimond en Dominic even vluchtig aan, maar hij wist zijn bezorgdheid snel te verbergen. 'Ja... ik geloof van wel.' Hij knikte in de richting van Briant. 'Een paar dagen na zijn oorspronkelijke verklaring is Machanaud naar het bureau gekomen en heeft hij met een van mijn mensen gepraat, brigadier Briant, en hij...'
Perrimond onderbrak hem. 'Meneer, ik zou hier net als de verdediging tegen willen protesteren. Dit was iets waarover we hadden afgesproken dat we er in een latere zitting dieper op in zouden gaan. Daarom zijn we, net als monsieur Molet, totaal onvoorbereid op vragen die hier enig licht op zouden kunnen werpen. Ik zie niet hoe het openbaar ministerie en de verdediging daar enig voordeel van zouden kunnen hebben.'
'Dat is niet helemaal hoe ík me voel,' pareerde Molet. 'Mijn

cliënt heeft wel degelijk voordeel van deze manier van vraagstelling. Ik heb alleen het gevoel dat hij daar meer voordeel van zou hebben als we ons hadden kunnen voorbereiden op de vragen, wat zijn recht is.'
Naugier stak in een felle beweging zijn hand op. 'Heren, mag ik u er allebei aan herinneren dat ik, en alleen ik, degene ben die bepaalt welke lijn er wordt gevolgd bij de vraagstelling en of dit onderwerp in een latere zitting zal worden behandeld. U mag uw vragen over dit onderwerp nog steeds voorbereiden en ze in een later stadium op tafel leggen, zoals is afgesproken. Dit nu is alleen om mijn nieuwsgierigheid te bevredigen.' Naugier trok hard aan zijn Gitane. 'Capitaine Poullain, ik stel voor dat u uw antwoord afmaakt.'
'Monsieur Molet had gelijk toen hij het had over inconsequenties, want dat is exact de reden dat er geen melding is gemaakt van de verandering in de verklaring.' Poullain klonk zelfverzekerder, krachtiger. Die korte interruptie was net lang genoeg geweest om hem zijn zelfvertrouwen terug te geven. 'Machanaud kwam een paar dagen na zijn oorspronkelijke verklaring naar het bureau. Het was laat in de avond en hij was flink dronken. Hij stelde dat hij zich opeens duidelijk herinnerde wat voor auto er was langsgereden. Het was een Alfa Romeo Sport. Een sportwagen met een open dak. Toen we dat nagingen, waren er geen andere mensen die een dergelijke auto hadden gezien, maar we waren in elk geval van plan hem naar het bureau te laten komen om de verklaring officieel te maken toen hij een dag of wat later een van mijn andere mensen in een plaatselijk café tegenkwam. Deze keer zei hij dat het een Alfa Romeo coupé was die hij had gezien.'
Molet zuchtte hoorbaar. Hij wist al welke kant dit op zou gaan, en zijn ergste angst, om al in een vroeg stadium onderuit gehaald te worden, werd bewaarheid.
Naugier keek hem strak aan, waarschuwde hem voor de interruptie die hij mogelijk van plan was, en draaide zich weer naar Poullain. 'Nou, ik neem aan dat een van de twee in de verklaring opgenomen had moeten worden.'
'Misschien. Maar toen Machanaud zijn beschrijving veranderde in een Alfa coupé, gingen we twijfelen. We waren de bestuurder van een dergelijke auto al grondig nagegaan en hadden hem uit ons onderzoek geschrapt. Hij zat in een plaatselijk restaurant op

het tijdstip van de misdaad; minstens drie obers hebben hem gezien.' Poullain maakte een wuivend gebaar met zijn arm. 'We hadden in heel het dorp geïnformeerd naar de Alfa coupé, dus er werd veel over gepraat. Het kwam ons voor dat Machanaud zijn beschrijving gewoon had aangepast. En toen de auto in kwestie uit ons onderzoek was geschrapt, dachten we dat een wijziging in de verklaring alleen maar in Machanauds nadeel zou zijn. Hij had tijdens beide gelegenheden gedronken, dus besloten we dat het ten gunste van hem zou zijn als we bij de oorspronkelijke verklaring bleven. Daar hadden we het meeste vertrouwen in, omdat die vrij was van de invloed van dorpsgeroddel.'
Molet schudde zijn hoofd en keek naar de lucht, alsof hij op hulp van boven wachtte. 'Dus nu wordt er van ons verwacht dat we geloven dat dit allemaal is gedaan ten gunste van mijn cliënt. Bespottelijk! Mijn cliënts latere beschrijving van de auto was in beide gevallen nauwkeurig. Ik heb dit verscheidene keren met hem doorgenomen.'
'Het is leuk om te weten dat ú daar zo zeker van bent, monsieur Molet.' Naugier had een wenkbrauw opgetrokken. 'Zeker als is gebleken dat uw cliënt waarschijnlijk dronken was.' Hij wendde zich tot Machanaud. 'Die avond dat u naar de gendarmerie bent gegaan om uw verklaring te veranderen, hoeveel had u toen gedronken?'
'Dat weet ik niet precies... een paar biertjes, en misschien een paar eau de vies.'
'Een paar... twee? Of meer? Probeer wat preciezer te zijn,' drong Naugier aan. 'Had u meer gedronken dan anders?'
'Ja... ja, waarschijnlijk wel. Ik kwam een vriend tegen die ik niet meer had gezien sinds we in het voorjaar hadden samengewerkt.'
Naugiers blik ging van Poullain naar Molet, alsof hij wilde benadrukken dat hij wist dat Machanaud bekendstond als dronkaard en kroegtijger. 'Meer dan anders' betekende dat hij waarschijnlijk ladderzat was. 'Hopelijk is dit misverstand hiermee opgelost. Zoals ik al eerder zei, monsieur Molet, mag u deze lijn van vraagstelling doorzetten in een latere zitting, als we de eerdere verklaringen doornemen. En, capitaine Poullain, ik raad u aan dat u in de toekomst alles opneemt in het dossier dat u mij aanbiedt, en míj laat beslissen of iets wel of niet genegeerd moet worden.'

Het geruis van de bomen in de wind leek harder te klinken in de stilte die volgde. Poullain mompelde 'ik begrijp het', terwijl Molet alleen maar knikte en keek naar een paar droge bladeren die voorbij kwamen zweven.
Dat was het dan, dacht Dominic. Hij voelde een golf van opluchting door zich heen stromen. Weken van onrust, en uiteindelijk was er nauwelijks bloed gevloeid. Het feit dat de wijziging ook was genegeerd om een hiërarchische gêne te vermijden, was niet eens aan bod gekomen, en het zag er niet naar uit dat dat nog zou gebeuren. Hij was even doodsbang geweest dat Naugier zich plotseling tot hem zou richten. Nu pas begonnen de knopen uit zijn maag te verdwijnen. Een zucht ontsnapte hem, overstemd door het geruis van de wind door de bomen.
En onmiddellijk daarna werd Dominic overvallen door een gevoel van schuld. Hoe kon hij zich nu opgelucht voelen als hem geen moeilijke vragen werden gesteld en hij getuige was geweest van iets wat waarschijnlijk een van Machanauds laatste kansen op vrijspraak was? Hij volgde Molets bedachtzame blik in de richting van de rivier: af en toe brak de zon even door de bomen en lichtte het water op. Sprankjes hoop die weer even snel verdwenen als de wolken voor de zon schoven. Hij had een zekere bezorgdheid en angst voor Molet gehad, en nu betrapte hij zichzelf erop dat hij met hem meevoelde.
Naugier nam een laatste trek van zijn Gitane, gooide hem op de grond en trapte hem uit. Hij keek weer naar de rivier, stroomopwaarts, en dacht weer aan de plek waar iemand zich verstopt zou kunnen hebben... als er iemand anders was geweest. Het laantje was uitgesloten als schuilplek met al die langsrijdende auto's, en in het korenveld had hij geen andere plek gezien die was platgetrapt of verstoord... dus waar dan? Het zicht in die richting was voor het grootste deel ongehinderd, maar hij had een markeringspunt nodig om de afstand te kunnen beoordelen. Hij koos Levacher uit en vroeg hem om naar zijn collega te lopen. 'Dan loop je in een rechte lijn naar de rivieroever en blijf je halverwege staan.'
Toen Levacher begon te lopen, veertig meter verderop, zag Dominic door het groen langs het laantje een gestalte opdoemen. Hij was er zeker van dat het niet Servan was, want hij zag geen gendarme-uniform, maar even snel was de gestalte weer verdwenen.

Even later zagen ze Levacher weer. Naugier stak zijn hand op en dirigeerde Levacher in de richting van de rivieroever. 'Kunt u de gendarme zien die nu bij de rivieroever staat?'
Een kort zwijgen van Machanaud en toen: 'Ja.'
Naugier zwaaide weer naar Levacher en riep: 'Loop twintig meter door en blijf daar staan.' Hij stelde Machanaud de vraag nog een paar keer met Levacher op twee andere plekken, verder terug, en kreeg twee keer 'ja' als antwoord. Er waren weinig obstakels langs de rivieroever, en de begroeiing was laag en spaarzaam.
Naugier instrueerde de griffier. 'Schrijf op dat de verdachte iemand duidelijk op de rivieroever kan zien staan tot op zestig meter voorbij het punt dat parallel loopt met de plaats van de misdaad.'
Molet keek naar de grond, deed toen zijn ogen dicht en dacht terug aan de cruciale woorden die de griffier tijdens de laatste zitting had opgeschreven: ... geen andere plek gevonden waar het koren was platgetrapt of op andere wijze verstoord, dan die waar de jongen uiteindelijk werd gevonden. Gezien het risico dat ze op die plek zouden worden gezien, direct naast het laantje waar auto's langsreden, zijn de politie en de forensische dienst tot de conclusie gekomen dat de eerste aanranding moet hebben plaatsgevonden op een bepaald punt langs de rivier, door het groen niet zichtbaar vanaf het laantje...
Deze twee opmerkingen zouden door de juryleden aan elkaar worden gekoppeld en het trieste lot van zijn cliënt bezegelen.
Hij was vanochtend met enig optimisme begonnen, maar dat was stukje bij beetje in rook opgegaan. Eerst dat meningsverschil over de auto, dat uit de hand was gelopen, en nu dat beeld van Levacher, duidelijk zichtbaar voor alle aanwezigen. Levacher had nog twintig meter door kunnen lopen en dan hadden ze hem nog steeds kunnen zien. Het beeld etste zich in zijn hersenen. Het stond nu zwart op wit dat zijn cliënt een duidelijk zicht had op de plek waarvan ze dachten dat de jongen de rivier was overgestoken en waarvan werd aangenomen dat daar de eerste aanranding had plaatsgevonden. Al zijn hoop om voldoende twijfel te kunnen zaaien over Machanauds schuld, was vervlogen. Molet wist nu dat er een regelrecht wonder voor nodig zou zijn om zijn cliënt van een veroordeling te redden.
Toen ze langs de rivier terugliepen naar het laantje, zag Dominic

in de verte, bij Breuilles boerderij, iemand staan. Het duurde even en hij moest zijn ogen half dichtknijpen tegen de scherpe wind, maar toen zag hij dat het Jean-Luc was. Een trieste, eenzame figuur die tussen het golvende koren stond en toekeek hoe zij, als stukken op een schaakbord, de scènes naspeelden die hadden geleid tot de dood van zijn zoon.

19

'Hoe kom je erbij dat het een zaak voor mij is?'
'Voornamelijk door het Frans dat de jongen spreekt.'
'Hoe vloeiend is dat Frans?' vroeg Calvan.
'Ik heb hem maar een paar vragen gesteld... ik was een beetje geschrokken. Toen hij ineens Frans begon te praten, werd ik daar volledig door verrast. Ik heb alleen een paar heel eenvoudige vragen gesteld, voorzover mijn gebrekkige Frans dat toeliet, en heb de sessie gestaakt. De paar antwoorden die hij gaf klonken heel vloeiend, maar echt zeker weten doe ik het niet. Daar heb ik gewoon niet genoeg vragen voor gesteld.'
Marinella Calvan voelde zich vereerd dat Lambourne haar had gebeld. Ze hadden elkaar drie jaar geleden ontmoet op een medisch congres in Atlanta en sindsdien belde hij haar gemiddeld drie keer per jaar. Maar dit was zijn eerste echt beroepsmatige consult. Voor de rest hadden ze alleen minder belangrijke punten met elkaar besproken, zoals ken je die en die professor, meestal iemand die een wetenschappelijk artikel had gepubliceerd. Stateside en hij dachten dat ze beter thuis was in dat soort zaken dan hij. Daarna had hij haar onveranderlijk gevraagd hoe het met haar was, hoe het met haar werk en het leven in het algemeen ging. Ze had altijd het gevoel dat als ze tijdens een van die gesprekken zei: 'Ik ben vorige maand getrouwd' of 'Ik heb onlangs de ideale man ontmoet', die telefoontjes ineens zouden ophouden. Behalve dat áls er af en toe eens een man in haar leven was, ze hem daar niets over had verteld, want ze wilde blijkbaar niet dat hij ophield met bellen.
Bij hun eerste ontmoeting, tijdens een snelle kop koffie tussen de lezingen van het congres in Atlanta, hadden ze ontdekt dat ze

een hoop gemeen hadden: hij was gescheiden, zij ook, van een jurist. Zij naderde de veertig, hij was vierenveertig. Luchtig gepraat, een paar kwinkslagen en grappen die eerder afkomstig leken van Seinfeld dan van Freud. Vragen en algemene achtergrond, maar geen moeilijke antwoorden. Twee psychiaters die elkaar aftastten, allebei wetend dat het de te diepgaande en moeilijke vragen waren geweest die hun respectievelijke relaties hadden verpest, omdat ze niet konden omschakelen als ze thuis waren. Hou het licht en luchtig deze keer.
Ze hadden tijdens het congres nog een paar keer samen koffie gedronken en na afloop van het congres twee uur in een cocktailbar gezeten. Maar hun enige echte afspraakje was bijna anderhalf jaar later geweest, in december 1993. Ze was voor vijf dagen naar Groot-Brittannië gekomen voor een case in Norfolk, en het was haar gelukt om een avondje naar Londen te komen. Hij had haar zijn praktijk laten zien en ze waren uit eten en naar een theater in de buurt geweest. Ze waren er ook in geslaagd veel meer over elkaar te weten te komen, niet alleen privé maar vooral ook beroepsmatig, met name over hun respectievelijke standpunten op het terrein van de psychologie en psychiatrie. Ze had zich op een zeker moment schuldig gevoeld omdat zij bijna voortdurend aan het woord was, omdat haar visie op *past life therapy* (PLT) nogal onconventioneel was, hoewel Lambourne haar bekende dat hij er erg door werd gefascineerd en haar leek aan te moedigen om hem er alles over te vertellen.
Hij daarentegen had pas een paar gevallen meegemaakt waarbij PLT betrokken was, voornamelijk conventionele behandelingen van fobieën: de patiënt mee terugnemen naar zijn kindertijd, op zoek naar door Freud beschreven fobieën, niets vinden en dan nog verder teruggaan. Patiënten met een onverklaarbare angst voor vuur, water of besloten ruimten bleken in een vorig leven soms een beangstigende ervaring te hebben gehad die hun fobie verklaarde. Een recent onderzoek toonde aan dat bijna een kwart van de Amerikaanse psychiaters PLT regelmatig naast hun gebruikelijke therapie toepaste, hoewel ze geen idee had hoe die cijfers in Groot-Brittannië en de rest van Europa lagen.
'Waarom heb je in eerste instantie de regressietherapie op de jongen toegepast?' vroeg ze. 'Dacht je dat een deel van het probleem misschien verder terug lag?'
'Ja, maar in het begin van zijn kindertijd, niet in een vorig leven.

Dat kwam totaal onverwacht.' Lambourne had haar de achtergrond van de case al gegeven: het ongeluk, het coma, de dromen waarin Eyran zich vastklampte aan het niet-accepteren van de dood van zijn ouders door middel van een tweede persoonlijkheid die beweerde dat hij hen kon vinden. Nu legde hij uit dat een groot deel van het geheugen van die tweede persoonlijkheid in het verleden begraven scheen te liggen en het onmogelijk was vast te stellen of Jojo een vriendje uit Eyrans vroegste kindertijd was en sindsdien langzaam maar zeker uit zijn conventionele geheugen was verdwenen, of een compleet verzinsel van hemzelf. 'Jojo heeft bovendien geen specifieke herinnering aan het verlies van zijn ouders, maar het zijn de gedeelde ervaringen die de twee persoonlijkheden aan elkaar koppelen. Hij zei alleen dat het "lang geleden... daarvoor" was, bijna alsof hij me uitnodigde om verder terug te gaan.'
'Mijn zoon heeft nu bijna die leeftijd,' merkte ze bedachtzaam op. Sebastian zou in september tien worden. Maar haar sterkste referentiepunten waren afkomstig van de kinderen met wie ze in de afgelopen jaren regressietherapie had gedaan, wat er inmiddels al meer dan honderd waren, en ze relateerde heel weinig ervan aan haar eigen leven. 'Toen de jongen zich weer uitte en in het Frans begon te praten, wist je toen welk jaar het was?'
'Niet precies. Ik vroeg hem wat hij op tv had gezien, maar hij zei dat ze die niet hadden, alleen een radio. Ik wilde net van tactiek veranderen, want mijn kennis van de Franse radio is nihil, toen hij zei: "Maar ze hebben er een in het café in het dorp." Dus misschien eind jaren vijftig, begin jaren zestig.'
'Of later, als ze heel arm waren, of heel gelovig en dachten dat tv een slechte invloed zou hebben.'
'Dat kan. Het enige wat ik heb kunnen ontdekken, was waar hij woonde: in een plaatsje dat Taragnon heet. Ik heb het opgezocht in de atlas. Het is een klein stadje in het zuiden. In de Provence.'
'Nou, dan kunnen we in elk geval zijn regionale accent checken.'
Ze vielen allebei even stil: alleen het zachte gekraak op de lijn tussen Londen en Virginia was hoorbaar. Waarom aarzelde ze? Was het alleen de huidige werkdruk, de nachtmerrie om een week weg te gaan en Sebastian bij haar vader te laten, of was het de intensieve samenwerking met David Lambourne, terwijl ze niet zeker wist wat ze voor hem voelde? Maar ze riep zichzelf onmiddellijk tot de orde omdat ze dat dacht, besefte dat het dom

was om te denken dat al zijn telefoontjes, onder het mom van een flinterdun beroepsmatig fineer, alleen excuses waren om met haar te kunnen praten. Dit was een heel ander geval. Hoeveel echte gevallen van xenoglossie was ze in al die jaren tegengekomen, ondanks het feit dat ze een van de belangrijkste erkende deskundigen op dat gebied was? In haar laatste publicatie waren dat er drieëntwintig, hoewel ze slechts negen daarvan als belangrijk beschouwde, en daaronder waren vier kinderen geweest. Uit bijna driehonderd regressieve sessies. Xenoglossie: het spreken van een buitenlandse taal die de patiënt niet kent. Een parapsychologische goudader: zeldzaam en een van de sterkste bewijzen van het bestaan van echte regressie, zeker als het om kinderen ging. Ze zou Lambourne dankbaar moeten zijn dat hij haar had gebeld.

'Vertel me eens iets over Eyrans ouders en stiefouders. Is het een hecht gezin waar hij nu woont? Krijgt hij voldoende steun?'

'Ja, absoluut.' Lambourne gaf haar de achtergrond: Eyrans ouders die in Californië woonden toen ze verongelukten, de hechte band met zijn oom Stuart, zijn herinneringen aan Engeland. 'Met name een bepaalde periode in het verleden komt vaak in zijn dromen voor, een plek op een paar kilometer afstand van waar hij nu woont.' Gegoede middenklasse. In de dertig. Een reclameman. Mooi huis op het platteland. Zelf één kind, een dochtertje, net zeven jaar. Auto met vierwielaandrijving. Degelijk gezin.

'Klinkt ideaal.' Waarschijnlijk geen disfunctionaliteit uit die hoek, dacht ze. Maar zullen ze toestaan dat wij door Eyrans brein tapdansen terwijl we dit vorige leven verkennen? 'Het enige probleem dat ik op dit moment heb, David, is mijn werklast. Het klinkt heel opwindend en ik zou het liefst in het eerste het beste vliegtuig springen, maar ik denk niet dat ik hier nu meteen weg kan, pas over een dag of vijf, zes.'

'Als dat je eerstvolgende mogelijkheid is, mij best.' Maar hij klonk teleurgesteld. 'Ik wil liever geen sessies meer doen voordat jij hier bent, dus ik zal die van de volgende week afzeggen en een week opschuiven. Denk je dat je dan hier kunt zijn?'

'Ja, ik denk het wel.' Ze zat al te denken aan hoe ze zich moest voorbereiden voor de eerste sessie. 'We zullen die tijd in elk geval nodig hebben. Om te beginnen hebben we een Franse tolk nodig, bij voorkeur een die in Frankrijk is geboren en ons kan

vertellen of het regionale dialect klopt. En we moeten een notatiemethode tussen ons tweeën uitwerken, zodat er niet te veel stemmen zijn die de concentratie van de jongen verstoren. Er zijn ook een paar dingen die we van de stiefouders te weten moeten komen. Hoor eens, hou je eerstvolgende sessie aan, maar gebruik die om met de stiefouders te overleggen. In dit stadium vertel je hun dat de stem van zijn tweede persoonlijkheid tegen je heeft gepraat in het Frans, en dat je in je volgende sessie hoopt uit te vinden waarom dat precies is. Maar vertel hun niet – laat dat ook niet doorschemeren – dat die stem misschien uit een vorig leven afkomstig is. Dat weten we trouwens zelf nog niet eens zeker.' Het was nog maar seconden geleden geweest dat ze de case tastbaar had voelen worden, en nu gierde de adrenaline al door haar lijf, bang dat hij haar zou ontglippen.
'Hoeveel sessies zal ik voorlopig plannen?'
'Probeer er twee binnen vijf dagen te plannen. Dat moet ons de eerste antwoorden kunnen opleveren: of de regressie en de centrale persoonlijkheid echt zijn.'

Vanuit haar kamer, als ze schuin naar buiten keek, kon Marinella Calvan in de verte de Rotunda van de universiteit van Virginia zien, een kopie – schaal 1:2 – van het Romeinse Pantheon, die in de lente en zomer altijd een flinke stroom toeristen trok. Het middelpunt van de zetel der kennis, gesticht door Thomas Jefferson, dat tijdens de viering van het tweehonderdjarig bestaan werd uitgeroepen tot 'een van de mijlpalen van de Amerikaanse architectuur'. Dit was het oude, oorspronkelijke Amerika: de heilige studiezalen waar enkelen van de stichters aan de Grondwet hadden gewerkt, en een van de laatste plekken waar je een afdeling parapsychologie zou verwachten. Toch was de universiteit van Virginia in de afgelopen dertig jaar, veelal onder leiding van doctor Emmett Donaldson, een van de toonaangevende studiecentra van de parapsychologie in de Verenigde Staten geweest.
Echt? Een vreemd woord als je in aanmerking nam dat ze het grootste deel van de tijd bezig waren met het aanbrengen van enige structuur en kleur in het onechte, het onverklaarbare, niet alleen om zichzelf – binnen de faculteit – te overtuigen, maar vooral ook al die sceptici die zich stortten op elke publicatie over het onderwerp. Uiteindelijk kwam het erop neer dat veel

van hun vragen dezelfde waren als die van de sceptici: was de centrale persoonlijkheid in de regressie een beroemd iemand, iemand met een goed gedocumenteerd leven? Hoe stond het met de toegankelijkheid van de algemene historische gegevens over de betreffende periode en omgeving? De interesse van de patiënt in die dingen? De mogelijke input van familieleden of vrienden? In het geval van xenoglossie, waarvan het meest opvallende het gebruik van een vreemde taal was, moest Lambourne van de Capels zoveel mogelijk te weten zien te komen over Eyrans eerdere kennis van die taal: zijn cijfers voor Frans op school, schoolreisjes naar Frankrijk, of hij Franse vriendjes had, in het verleden met zijn ouders in Frankrijk op vakantie was geweest, Franse studieboeken of talencursussen had, wat zijn algemene bedrevenheid met de taal was. Als ze Eyran ten slotte als Jojo zouden horen praten, zou de tolk hopelijk weten of hij de taal vloeiend sprak en of zijn dialect overeenkwam met de genoemde regio en periode.

Xenoglossie en het houden van sessies onder hypnose waren het belangrijkste terrein waar haar werk afweek van dat van Emmett Donaldson, die door de jaren heen haar docent en mentor was geweest. Donaldson was een van de meest toonaangevende parapsychologen van de Verenigde Staten, een schatkamer van kennis over regressies die teruggingen tot vorige levens, op basis van meer dan 1.400 cases waar veel over was gepubliceerd, en tot op heden vijf boeken. Haar ervaring stak daar wat bleekjes bij af: 284 cases, 178 publicaties en één boek. Op één terrein was ze hem wel voor: haar optredens in talkshows, maar dat kwam omdat Donaldson zelf niet graag in de publiciteit trad. Ze was een keer op de radio geweest en twee keer op tv: een plaatselijk en een wetenschappelijk kabelstation. De Oprah Winfreys en Donahues waren nog verre toekomstdromen.

Ze werkte sinds 1979 regelmatig samen met Donaldson. Ze had haar graad gehaald en doctoraal gedaan op het Piedmont-college, had drie jaar lang een privé-praktijk gehad, gemerkt dat die haar niet beviel en was weer met Donaldson gaan werken. Ze had Donaldsons publicaties en werk met PLT al bewonderd toen ze nog op Piedmont zat. Drie jaar daarna was ze gaan samenwonen met een plaatselijke architect, maar tot haar vaders teleurstelling – afgezien van de compensatie dat ze haar eigen naam behield – waren ze nooit met elkaar getrouwd. Na eerst een mis-

kraam te hebben gehad, werd Sebastian ten slotte geboren in 1985. Donaldson was heel begripvol geweest en had haar drie jaar vrij gegeven, totdat Sebastian naar de kleuterschool kon. Maar de intensieve periode die wat betreft haar werk daarna aanbrak, legde zoveel extra druk op haar toch al moeizame relatie, dat zij en de architect nog geen twee jaar later uit elkaar gingen.
Het was in die periode dat ze ontdekte welke richting ze aan haar werk wilde geven. Donaldsons werk concentreerde zich voornamelijk op regressies in wakende toestand, conventionele vraag- en antwoordsessies. Dit hield in dat hij normaliter alleen kon werken met kinderen tot zeven à acht jaar, aangezien het conventionele geheugen met betrekking tot vorige levens na die leeftijd onveranderlijk werd gewist. Soms gebeurde dat al eerder, met name in samenlevingen waarin reïncarnatie niet werd geaccepteerd en herinneringen aan voorbije levens werden afgeschilderd als kinderlijke fantasieën. Een groot deel van Donaldsons werk had daarom plaatsgevonden in India en Azië, waar reïncarnatie wel volledig werd geaccepteerd en kinderen met herinneringen aan voorbije levens niet onder druk werden gezet door hun ouders.
Maar wilde ze toegeven aan de beperkingen van conventionele sessies en alleen maar in Donaldsons voetsporen treden? Het antwoord op beide vragen was 'nee', maar hoe kon ze er haar eigen draai aan geven? Toen ze werd aangetrokken door het bredere terrein van mogelijkheden qua leeftijd en cultuur dat regressies onder hypnose haar boden, had Donaldson haar erop gewezen dat er al zoveel praktiserende regressietherapeuten waren die hypnose toepasten, dus hoe zou ze zich dan van hen onderscheiden?
Donaldson had ook een van de indrukwekkendste archieven over PLT-werk met kinderen opgebouwd, en dat wilde ze niet volledig de rug toekeren. Uiteindelijk koos ze voor een benadering die – hoopte ze – het ideale compromis zou zijn: regressies onder hypnose, met een zo groot mogelijk aantal kinderen en speciale aandacht voor xenoglossie.
De meeste beoefenaars van hypnotische regressie hadden niet meer dan twaalf procent kinderen als patiënt, wat vooral te wijten was aan het feit dat de ouders bijna nooit toestemming gaven voor sessies onder hypnose. Ze hoopte dat ze dat percentage kon opkrikken tot minstens dertig procent. Het voorkomen van xenoglossie bij kinderen had ook veel meer betekenis, aangezien ze minder kans hadden gehad om een taal te leren.

Tijdens een van haar moeilijkste gevallen had Donaldson tegen haar gezegd: 'Zorg ervoor dat je zélf tevreden bent, Marie. Als je dat doet en daarmee tegelijkertijd de twijfelaars en critici tevredenstelt, dan zij het zo. Als je alleen de critici tevreden probeert te stellen, dan ben je er geweest. Ze zullen je kwetsbaarheid aanvoelen, weten dat je je alleen in de kijker probeert te spelen en je met huid en haar verslinden. Waarom denk je dat ik nooit liveoptredens doe?'
De case had er in het begin ideaal uitgezien: het negen jaar oude zoontje van een arts in Cincinnati, oorspronkelijk in regressietherapie vanwege agorafobie, de vrees voor open ruimten. Ze stuitte op een vorig leven van een Mexicaanse conquistador. Hij had deelgenomen aan een expeditie, was achteropgeraakt vanwege een kreupel paard, had dagenlang door de Coahuilawoestijn gezworven en was omgekomen van dorst en hitte. Het Spaans was overtuigend en ze had al extra sessies gepland om de authenticiteit van de andere zaken aan te tonen – de geografie, gebeurtenissen uit die periode, de gebruiken van het land, het dialect van de streek – toen de vader van de jongen belde. Zijn zoons fobie was genezen en hij wilde niet riskeren dat zijn geestelijke rust werd verstoord door vervolgsessies.
Ze was er kapot van geweest. Ook deze keer geen Oprahs en Donahues. Donaldson had gelijk: ze had haar hand overspeeld, te veel geprobeerd zich in de kijker te spelen. Maar het was moeilijk om je niet te laten beïnvloeden door het jarenlange scepticisme. Het meer voorkomen van regressies in Azië – door Donaldson aangetoond – was door één criticus afgedaan als 'van geringe betekenis. Er heerst veel te veel suggestie in een samenleving die reïncarnatie accepteert. Jonge kinderen, die toch al beschikken over een vruchtbare fantasie, kunnen te gemakkelijk in een bepaalde richting worden gestuurd.'
Het was een van haar voornaamste redenen geweest dat ze cases uit die regio had vermeden. Ze werden minder geloofd door het publiek. De universiteit vond het allang best, want studies in de Verenigde Staten en Europa waren minder belastend voor het researchbudget. Ze wist dat één goede case – zoals die jongen in Cincinnati – niet alleen haar carrière een duw in de goede richting zou geven, maar ook een nieuw licht kon werpen op het hele vak. PLT voor de massa. De jongen van hiernaast, met gemiddelde cijfers op school, die plotseling vloeiend een buitenlandse

taal spreekt, met een linguïst en een historicus die alles op authenticiteit controleren. Oké, nú geloven we je!
Marinella Calvan vroeg zich even af of Eyran Capel haar sleutel tot Oprah zou zijn. Waarschijnlijk niet. Ze was al eerder enthousiast geweest en teleurgesteld geworden. Er kon te veel fout gaan: de stiefouders van de jongen konden vervolgsessies weigeren, de jongen kon plotseling beweren dat hij Marshal Pétain of Maurice Chevalier was, zijn Frans kon van niet meer dan gemiddelde kwaliteit zijn, of hij kon regelmatig op vakantie of op schoolreis in Frankrijk zijn geweest. Het was nog te vroeg om te juichen.

20

Na de reconstructie, waarin Molet zijn hoop om zijn cliënt van alle blaam te zuiveren in rook had zien opgaan, deed het vooronderzoek met de getuigen, vlak voor Kerstmis, daar nog een schepje bovenop. Madame Véillan was heel zekesr van het tijdstip waarop ze Machanaud uit het laantje had zien komen: 'Iets na drie uur.' Marius Caurin was de volgende met het tijdstip waarop hij de jongen had gevonden, en toen kwamen de andere mensen die Machanaud die dag hadden gezien: Raulin, bij wie hij die ochtend had gewerkt, en de diverse barkeepers: Henri van Café Fontainouille en Leon die hem na kwart over drie had gezien. Herhalingen van de belangrijkste getuigenissen die van Machanauds oorspronkelijke politieverklaring niets over hadden gelaten. Nu allemaal officieel vastgelegd voor het echte proces.
Molet kon zich een voorstelling maken van het beeld dat de jury tijdens het proces zou worden geschetst. Een dag in het leven van een aan lager wal geraakte vagebond die af en toe eens op het land werkte, daarna een paar snelle eau de vies achteroversloeg om vervolgens halfdronken op weg te gaan om te ga stropen. Behalve dat hij deze keer een jongetje tegenkomt en besluit zijn lunchuur op te vrolijken met een potje seks en een moord. En dan weer naar het café te gaan, om wat? Het te vieren? Om zijn spijt in de alcohol te verdrinken, zijn handen weer rustig te krijgen... of die gruwelijke, bloederige beelden die hij

nog steeds ziet, uit zijn hoofd te krijgen? Of was het zo dat Leons café om kwart over drie een dagelijkse routine van hem was en dat hij ervoor wilde zorgen dat alles normaal leek?
Molet kende het percentage van de mensen die in het uiteindelijke proces werden vrijgesproken, nadat ze het hele vooronderzoek hadden doorlopen, en dat was niet best: minder dan acht procent. De beste kansen op vrijspraak deden zich voor tijdens het vooronderzoek met de onderzoeksrechter, maar het zag er nu voor Machanaud naar uit dat die waren verkeken. Hij zou de hele weg moeten afleggen.
De enige manier voor Machanaud om een lagere straf te krijgen was schuld bekennen, zeggen dat hij de jongen alleen buiten westen had willen slaan, nooit de bedoeling had gehad om hem te vermoorden; proberen om de aanklacht tot doodslag terug te brengen, wat normaliter een straf van vijf tot acht jaar zou opleveren. Hij had dat een keer tegen Machanaud gezegd en geprobeerd hem te doen inzien hoe zwaar het belastende bewijs zou wegen, maar Machanaud had zich beroepen op zijn onschuld en bijna woedend op het voorstel gereageerd. 'Ik laat me nog liever ophangen of naar Duivelseiland sturen dan dat ik iets beken wat ik niet heb gedaan!'
In februari begonnen de zittingen van het vooronderzoek zich meer te richten op karaktergetuigenissen over Machanaud. Molet zag hoe Machanauds ex-vriendin hem afschilderde als onvoorspelbaar en soms gewelddadig, en een opeenvolging van dorpelingen getuigde van zijn drinkgewoonten en rare uitspattingen, en het was op dat moment dat Molet een idee kreeg. Misschien zou hij toch nog in staat zijn om zijn cliënts nek te redden.

Elke Kerstmis die Dominic met zijn moeder vierde, vroeg hij zich af of het haar laatste zou zijn. Zes maanden tot een jaar, hadden de artsen gezegd, en er waren al zeventien maanden verstreken. Er werd geproost boven de kerstdis, maar was het alleen de kerst die ze vierden, of kwam het ook voor een deel omdat ze de dood te slim af waren geweest? Weer een jaar voorbij.
Zijn oudere zus Janine, haar man Guy en hun twee kinderen waren een week overgekomen uit Parijs, en voor één keer was het huis weer vol. Janine en Guy namen de logeerkamer, met hun dochtertje Céleste, en hun zoontje Pascal, die net negen was, sliep op een matras in Dominics kamer.

Toen zijn zus even alleen met hem was, vroeg ze hem naar de uitslag van het laatste onderzoek in het ziekenhuis. De boodschap was duidelijk: ze kon maar één of hooguit twee keer per jaar komen, en zou hun moeder er nog zijn als ze de volgende zomer weer kwam? Dominic had geen idee. Er waren momenten dat hij haar nog maar een paar weken gaf, en andere waarop ze nog maanden mee leek te kunnen.
Dominics oom had hem weer een pakketje met de laatste hits uit de Verenigde Staten gestuurd: *Sugar Shack*, *Mocking Bird*, en twee hits van een nieuwe producer die Phil Spector heette: *Then he kissed me* en *Be my Baby*. Edith Piaf was twee maanden daarvoor overleden, en zijn moeder, die nog steeds geen genoeg had van alle herdenkingsprogramma's die de radio uitzond, draaide nog veel van haar platen, zodat Dominic zijn nieuwe platen voor zichzelf en Pascal op zijn kamer draaide.
Mocking Bird van Innez Fox was Dominics favoriet, maar Pascal gaf de voorkeur aan Phil Spector. De jongen had nog nooit zo'n volle sound gehoord, en de krachtige orkestrale achtergrond en echoënde beat waren inderdaad indrukwekkend. Dominic vond ze nog mooier als hij het geluid wat opschroefde. Als de muziek door de kamer dreunde en hij het ritme door zijn lijf voelde dreunen, betrapte hij zich erop dat hij glimlachte. God wist wat de buren zouden denken als ze het hoorden: Phil Spector boven en Edith Piaf beneden. Hij zette de muziek wat zachter.
Het zien van de opwinding van de jonge Pascal – bij het openmaken van zijn kerstcadeautjes, toen hij dronken werd van de stiekeme slok wijn uit het glas van zijn vader, en nu springend op Dominics bed op de muziek van Phil Spector – deed Dominic even beseffen hoe vreselijk het moest zijn om een kind kwijt te raken. Hoe Monique had geleden, en dat waarschijnlijk nog steeds deed.
Dominic had haar sinds de herdenkingsdienst pas één keer in het dorp gezien. Louis had hem verteld dat ze pas een maand voor Kerstmis weer buiten was gekomen, en dan nog alleen als het niet anders kon. Als ze het kon vermijden deed ze dat, maar ze begon zich wat schuldig te voelen over alle hulp die ze nog steeds van de Fiévets kreeg. Dominic vond dat ze er beter uitzag dan tijdens de herdenkingsdienst; de zwarte kringen onder haar ogen waren bijna verdwenen en in die ogen was weer een

sprankje leven te zien. Ze zag hem niet en hij paste ervoor op dat hij niet te lang naar haar keek; hij vond haar schoonheid op de een of andere manier intimiderend, en hij wilde niet dat ze zich onbehaaglijk voelde omdat hij naar haar keek.
Het dorpsleven in Bauriac en Taragnon was weer enigszins tot rust gekomen, hoewel het nieuws over de verschillende vooronderzoeken bleef doorsijpelen via de diverse getuigen die werden opgeroepen. Dominic begon zich alweer zorgen te maken dat Machanauds verklaring over de auto opnieuw problemen zou geven tijdens het vooronderzoek in januari, maar die verliep zonder incidenten.
Het totale vooronderzoek had eind april moeten eindigen, maar Molet had op het laatste moment tot een nieuwe tactiek besloten die hen nog de hele maand mei bezig zou houden: het oproepen van karaktergetuigen ten gúnste van Machanaud, op dezelfde manier waarop Perrimond die tegen hem had gebruikt. Deze coup door Molet, die een keerpunt in de zaak kon zijn, had Dominic doen glimlachen en Poullain doen vloeken toen hij met het nieuws terugkeerde op de gendarmerie. Molet zou Perrimond laten werken voor zijn geld.
Het vooronderzoek werd begin juni afgerond en tweeëntwintig dagen later werden Perrimond en Molet door het Palais de Justice op de hoogte gesteld van het voornemen dat de zaak op 18 oktober zou dienen voor het Court D'Assize in Aix. Als het zover was, zouden er veertien maanden zijn verstreken sinds de moord op Christian Rosselot.

'Waarom denk je dat ik me dat kan veroorloven?'
'Oké, ik zal het goed met je maken. De ene helft nu en de andere over twee maanden, twee weken voordat het proces begint.' Ze hadden dezelfde methode gevolgd: Chapeau had naar zijn kantoor in Limoges gebeld en Duclos was naar buiten gegaan om hem terug te bellen.
Het bleef vijfduizend franc, dacht Duclos. Belachelijk! Bijna net zoveel als hij Chapeau de eerste keer had betaald. 'Ik denk niet dat ik meer dan vierduizend bij elkaar kan krijgen. Ook als we het in tweeën splitsen.' En zelfs dan zou hij rood moeten gaan staan op de bank.
Chapeau snoof. 'Weet je, ik zou eigenlijk zesduizend moeten vragen omdat je je eruit probeert te draaien. Ik zal dat deze keer

nog accepteren, maar de volgende keer als je probeert te onderhandelen, doe ik er duizend bij.'
'Wat bedoel je, de volgende keer? Als ik dit heb betaald, wil ik nooit meer iets van je horen.'
Chapeau zuchtte en liet zijn schouders hangen. 'En we konden het net zo goed met elkaar vinden. Jij denkt dat ik je alleen maar bel voor je geld. Is het nooit bij je opgekomen dat ik misschien je stem graag hoor?'
'Ach, krijg de pest!'
'Het is waar. Ik heb vrijwel geen familie meer, afgezien van een broer die bijna altijd op zee zit. Behalve af en toe mensen vermoorden en jou bellen heb ik weinig pleziertjes in mijn leven. Denk je nu echt dat ik dat wil opgeven?' Chapeau grijnsde en liet de stilte even voortduren om de boodschap, dat hij hem regelmatig zou bellen, te laten bezinken. Duclos reageerde niet. 'Maak je geen zorgen, ik ben slim genoeg om te begrijpen dat je voorlopig blut zult zijn. Ik weet wat je verdient, ik weet alles van je, dus ik weet ook wanneer ik je het best kan bellen. Je zult een tijdje niets van me horen.'
'Hoe lang?' vroeg Duclos op cynische toon. 'Zes maanden, een jaar, twee jaar?'
'Dat weet ik nog niet. Het hangt ervan af hoe snel ik denk dat je kunt sparen... of hoe goed het met je gaat. Maar bedenk wel dat als je die salarisverhoging of promotie krijgt, ik de eerste zal zijn om je te feliciteren!'
Duclos beet deze keer niet in het aas, want hij voelde dat Chapeau genoot van zijn woede. 'Laten we eerst deze zaak afhandelen. Waar en wanneer?'
Chapeau zei dat hij hem enigszins tegemoet zou komen door een stukje zijn kant op te rijden, tot Montpellier, maar niet verder. Hij stelde een wegcafé voor, langs de A7, ten noorden van de stad, de Eau de Hérault.
'Ik wil dit niet in een druk café doen,' protesteerde Duclos.
'Maak je geen zorgen; de paar keer dat ik daar ben geweest, was het niet zo druk. Maar als het je een onbehaaglijk gevoel geeft, er is een groot parkeerterrein aan de voorkant. We kunnen daar blijven. Als je mijn auto ziet, kom je naar me toe en stap je in.'
Ze spraken af voor aanstaande zaterdag, om kwart over zes 's avonds.

De drie rechters kwamen binnen: de rechter die de zitting zou leiden, in zijn rode toga, en de *pots de fleurs*, de twee assisterende rechters, in hun zwarte toga's, die aan weerskanten van hem plaatsnamen. De negen juryleden werden gekozen door lootjes te trekken uit een schaal met vijfendertig namen, wat werd gedaan door de zittende rechter, Hervé Griervaut, en zijn griffier. De negen geselecteerden namen hun plaatsen in aan weerskanten van de rechters.
Molet had Machanaud gewezen op zijn recht om maximaal vijf juryleden te wraken, maar adviseerde hem voorzichtig te zijn omdat het een jury onrustig en geïrriteerd kon maken. De verdediging deed geen wrakingen en het openbaar ministerie maar één. Perrimond wraakte een oude man die een gekreukeld pak en een baret droeg. Hij zag eruit als een landarbeider die een dagje uit was, dacht Molet. Perrimond had de man waarschijnlijk gewraakt omdat hij zich te gemakkelijk met Machanaud zou kunnen identificeren. Een nieuw jurylid werd uit de schaal gekozen.
Machanaud werd als eerste naar de getuigenbank geroepen. Rechter Griervaut vroeg hem om een overzicht van zijn bezigheden op de dag in kwestie, waarna Griervaut hem op bepaalde punten om opheldering vroeg. Dit laatste was meer voor de duidelijkheid dan om zijn woorden in twijfel te trekken. Dat zou Perrimond straks wel doen, dacht Molet. Voorlopig wilde Griervaut alleen een beeld geschetst zien, zowel voor zichzelf als voor de jury. Hij merkte wel op dat Machanaud in zijn eerdere verklaringen had gelogen en wilde weten of Machanaud zijn latere verklaring en getuigenis, die hij tijdens het vooronderzoek had gedaan, als correct beschouwde. Een aarzelend 'ja'.
Perrimond was de volgende. Hij legde veel meer nadruk op de leugens en veranderingen in de politieverklaringen, om de jury meteen al een sterk beeld te schetsen van een radeloze Machanaud die loog om zijn gruwelijke daden van die dag te verbergen. Vervolgens richtte hij zich op Machanauds bewering dat hij de jongen niet had gezien, noch had gezien of gehoord dat de jongen werd mishandeld, en hij confronteerde hem met de eerder gedane politieverklaring dat 'de jongen door niemand in het dorp was gezien, dus bij de rivier moest zijn gekomen via de velden daarachter'.
Molet kromp even ineen toen Perrimond Machanaud stap voor

stap meenam naar de diverse standpunten van de gendarme tijdens de reconstructie en tikte ongeduldig met zijn vingers op tafel bij elk onwillig 'ja' op de afstanden: twintig meter terug, veertig, zestig...
'Dus u hebt absoluut niets gezien, monsieur Machanaud,' stelde Perrimond. 'Enkele meters verderop werd een jongen mishandeld en vermoord en u had een duidelijk zicht op de enige plek waar hij de rivier overgestoken kan zijn. En toch hebt u niets gezien?'
Perrimond hield Machanaud nog eens dertig minuten in de getuigenbank, waarin hij van zijn eerdere verklaringen niets overliet, de nadruk legde op de inconsequenties, en de jury duidelijk in het geheugen prentte dat Machanaud zich niet alleen op de plaats van de misdaad had bevonden, maar ook dat het uitgesloten was dat daar iemand anders was geweest. Dan zou Machanaud hem hebben gezien. Perrimond besloot met de uitrusting die Machanaud had gebruikt om te vissen. 'Afgezien van uw hengel en aas, en een emmer met water voor de vis, wat had u nog meer bij u?'
'Een paar rubberlaarzen voor als ik het water in moest.'
'Verder nog iets? Een of andere soort beschermende plastic kleding?'
'O, ja, een plastic schort voor over mijn hemd en overall.'
'En waar was dat voor?'
'Om te voorkomen dat er bloed op mijn kleren kwam als ik de vis moest schoonmaken.'
Perrimond liep terug naar zijn tafel. 'Dank u.'
Een completer juridisch bombardement had Molet zelden meegemaakt. Machanaud was duidelijk geschrokken, maar zijn argumenten en zwakke protesten haalden niets uit. Toch vroeg Molet zich af waarom Perrimond was geëindigd met Machanauds visuitrusting; Machanaud die een duidelijk zicht had op de plek waarvan men aannam dat de misdaad er was gepleegd, zou toch een veel sterker slotbeeld hebben opgeleverd?

'Monsieur Fornier, toen u besefte dat de beschrijving van de auto die aan Briant was gegeven afweek van de beschrijving die aan u was gegeven, was u toen verbaasd?'
'Ik weet het niet. Ik heb er niet echt over nagedacht.'
Molet boog bedachtzaam zijn hoofd. Het eerste uur na de pauze

was gebruikt voor de politieverklaringen, gedomineerd door Perrimond die Poullain de zorgvuldig afgewogen vragen stelde die hun eerdere argumenten moesten ondersteunen.
Molet had dezelfde punten ook met Poullain doorgenomen, bijna twintig minuten lang, maar hij had geen hiaten kunnen ontdekken waar hij wat mee kon, en was ten slotte terechtgekomen bij Machanauds beschrijvingen van de auto en de veranderingen die daar later in waren aangebracht. Na een slopend spervuur van vragen gaf Poullain uiteindelijk toe dat het niet correct van hem was geweest om na te laten de verklaring te wijzigen ten behoeve van het vooronderzoek, en voegde daar toen haastig aan toe: 'Maar als leider van het onderzoek is het mijn plicht alleen informatie aan het dossier toe te voegen waarvan ik de stellige indruk heb dat die betrouwbaar is.' En zo waren alle eerdere voordelen weer verdwenen.
Molet had hem kort daarna laten gaan en Dominic Fornier naar de getuigenbank geroepen. Na de eerste paar minuten met Fornier kreeg hij de indruk dat Fornier nerveuzer was over het incident met de auto en misschien gemakkelijker te breken zou zijn dan Poullain, áls hij iets wist.
'Toen Machanaud u die avond in het café vertelde over de wijziging van zijn beschrijving van die auto, was u duidelijk verbaasd, nietwaar?'
'Ja.'
'Dus dat was de eerste keer dat u erover hoorde?'
'Ja, inderdaad.'
'Nogal wat verrassingen en veranderingen die avond, lijkt me,' zei Molet op cynische toon. Perrimond zag eruit alsof hij bezwaar wilde maken, maar hij veranderde van gedachten. 'Zou het voor u, als assistent van de leider van het onderzoek, niet normaal zijn dat u meteen zou worden ingelicht over zo'n verandering in een verklaring?'
Dominics handen lagen hevig zwetend op de lessenaar. Hij had een beklemmend gevoel op zijn borst. 'Nee, niet echt.'
'Vertelt u me dan eens wat de omstandigheden zouden zijn waaronder u niet zou worden ingelicht?'
'Misschien zoals in deze zaak, waarin mijn commandant al had vastgesteld dat de informatie vals was.'
'En wanneer deelde hij deze informatie met u?'
'Een dag of wat later, geloof ik.'

'Was dat waarom hij de wijziging niet in het dossier opnam?'
Dominic voelde het bloed naar zijn hoofd stijgen en wist zeker dat hij bloosde. Hij keek even snel in de richting van Machanaud, maar het beeld van zijn moeder was sterker... met haar armen naar hem uitgestrekt. Poullain en hij die werden verhoord en werden beschuldigd van meineed voor hun valse verklaringen. Wat was de prijs voor Machanauds leven? Hij kon gewoon niet liegen! Maar toen de beelden ten slotte vervaagden en hij zag dat Molet hem bezorgd aankeek en op het punt stond zijn vraag te herhalen, deed hij het op één na beste en vertelde hij slechts de halve waarheid. 'Ja, dat was het... begreep ik uit wat hij me later vertelde.'
Molet keek in zijn dossier en sloeg een bladzijde terug.
Als hij me nog maar één vraag stelde, dacht Dominic. 'Was dat de enige reden?' Hij wist op dat moment zeker dat hij hem alles zou hebben verteld, over Duclos en het telefoontje van Marcel Vallon dat hun via Perrimond ter ore kwam, de druk van Poullain om het te verzwijgen... die hele armzalige puinhoop die waarschijnlijk zijn carrière zou ruïneren – net als die van Poullain –, maar die tenminste Machanauds nek zou redden. En hij betrapte zich erop dat hij er bijna naar uitzag, hoopte dat Molet op zou kijken en hem de vraag zou stellen.
Maar Molet knikte naar hem en liep terug naar zijn plaats, waarna Griervaut Fornier nog een paar vragen stelde. Molet was nog steeds in gedachten. Hij had een glimpje van herkenning in Forniers ogen gezien, een bijna verontschuldigende blik toen hij naar Machanaud keek. Maar toen was het ineens weer verdwenen. Wat was het dat Fornier wist? Die vraag bleef hem nog enige tijd bezighouden, gedurende de rest van de politieverklaringen en het begin van de presentatie van het forensische bewijs.
Toen Perrimond kwam met het tijdverschil tussen de twee aanvallen, dat werd geschat op veertig minuten, en Dubrulle verklaarde dat dit was vastgesteld door de politiearts in het ziekenhuis en niet de forensische dienst, maakte Perrimond een abrupt einde aan zijn vragenronde.
Het viel Molet op dat Perrimond maar weinig vragen had voor Dubrulle, het hoofd van het forensische team uit Marseille, maar hij weet dat aan het feit dat Griervaut de meeste punten al met hem had doorgenomen.

Molet kwam achter zijn tafel vandaan. 'Monsieur Dubrulle. U hebt de gelegenheid gehad mijn cliënt bloed af te nemen voor vergelijkingstests, geloof ik. Klopt dat?'
'Ja. We hebben bloedmonsters gekregen nadat hij in hechtenis was genomen.'
'En komt monsieur Machanauds bloed overeen met het bloed dat op de plaats van de misdaad is gevonden?'
'Nee. We hebben alleen bloed van het slachtoffer gevonden. Type B positief. Dat van Christian Rosselot.'
Molet kromp even ineen toen hij de naam van de jongen in combinatie met het bloed hoorde uitspreken: een te krachtig beeld voor de jury. 'Er zijn ook kledingstukken meegenomen uit monsieur Machanauds huis en onderzocht op bloed en vezels van de kleding van de jongen. Is dat juist?'
'Ja.'
'Zijn er vezels gevonden die afkomstig waren van de kleding van mijn cliënt, of is er bloed van de bloedgroep van de jongen op zijn kleding aangetroffen?'
'Nee, we hebben zulke overeenkomsten niet kunnen aantonen. Maar in een zaak als deze zijn die ook niet van belang...'
'Is het in feite niet zo,' onderbrak Molet hem op scherpe toon, 'dat u helemaal niets hebt gevonden op de plaats van de misdaad en daarna? Geen vezels die mijn cliënt daar heeft achtergelaten of vlekken op zijn kleding die hem op ook maar enige wijze in verband brengen met de misdaad?'
'Nee, we hebben niets gevonden.'
Dubrulle klonk nu wat gematigder. Maar toen Molet zijn vragenronde besloot en verwachtte dat Griervaut hem zou laten gaan, vroeg Perrimond om een kruisverhoor. Het was pas de tweede keer dat hij dat had gedaan.
'Monsieur Dubrulle. U stond op het punt om te zeggen dat sommige zaken niet "van belang" waren toen mijn collega u onderbrak. Ik vroeg me af of u zo vriendelijk zou willen zijn om uw antwoord af te maken.'
'Nou, het was gewoon zo dat we op de plaats van de misdaad helemaal geen vezels, van welke soort dan ook, hebben gevonden.'
'Ook geen bloed of sperma of iets anders dat met een andere persoon in verband gebracht kan worden?'
'Nee, we hebben niets gevonden.'
'Dus het feit dat er niets was gevonden dat met monsieur

Machanaud in verband gebracht kon worden, was niet echt van belang?'
'Nee, niet echt.'
'Maar ik heb begrepen dat u in een bepaald deel van de bloedvlekken iets hebt gevonden wat wel van belang is. Een gedeelte waar de bloedvlekken van een lichter rood waren? Hoe kan dat gekomen zijn, denkt u?'
Molets zenuwen spanden zich en hij boog zich naar voren. Hij had geweten dat de informatie op een zeker moment boven tafel zou komen. Hij had het moeten begrijpen toen Perrimond het niet eerder doornam met Dubrulle. Perrimonds eerdere tactiek van het uitlichten van het visschort sloeg plotseling ergens op, en nu werd alles zorgvuldig in die richting gestuurd dat hij er een slotpunt van kon maken.
'Het leek erop dat iemand met water had geknoeid, mogelijk om het moordwapen of zijn lichaam schoon te spoelen. Het had een deel van het bloed van de jongen weggespoeld. Het was van dezelfde bloedgroep als dat van de jongen, maar verdund met water.'
'Goed, als iemand met gewone kleding...' Perrimond liet zijn hand over de revers van zijn pak gaan. '... laten we zeggen een gewoon katoenen overhemd en broek, had geprobeerd de bloedspatten van zijn kleding te wassen, zou dat dan gelukt zijn, of zouden er vlekken zijn achtergebleven?'
'Hij zou er slechts een klein deel afgepoetst kunnen hebben. Het grootste deel zou in de stof van de kleding zijn getrokken.'
'Maar als deze persoon nu een soort beschermende, waterproof kleding droeg, laten we zeggen een plastic schort of een soort slab of zoiets, zou dat dan wel zijn gelukt?'
'Ja, waarschijnlijk wel.'
'En zo'n kledingstuk zou zijn eigen kleding hebben beschermd tegen bloedvlekken?'
'Ja, dat lijkt me duidelijk.'
'Dank u.' Perrimond ging zitten en Griervaut gaf Dubrulle toestemming om de getuigenbank te verlaten.
Molets moed zonk hem in de schoenen. Toen hij zijn blik over de jury liet gaan, zag hij dat Perrimond zijn punt had gescoord.
Daarna volgden de getuigenissen van de ambulancebroeders en artsen. Molet keek op zijn horloge en vermoedde dat die waarschijnlijk zouden uitlopen tot de volgende ochtend. Toen de zit-

ting voor die dag werd geschorst, was er weinig nieuws gebeurd dat hem optimistisch stemde. Nu Perrimond hem met de forensische verklaringen het gras voor de voeten had weggemaaid, had hij nog maar heel weinig kaarten om uit te spelen. Als er kansen waren geweest om Machanaud van alle blaam te zuiveren, dan waren die nu waarschijnlijk verkeken. Het enige wat hem nog restte, waren de getuigenissen van een bejaarde verzetsstrijder en een legerarts, en zijn eigen slotpleidooi, om de nek van zijn cliënt te redden.

'En hoe lang hebt u uw praktijk gevoerd in het militaire hospitaal in Aubagne, dokter Lanquetin?'
'Ruim twintig jaar. Ik ben nu met pensioen, sinds een jaar of vier.'
'Wat was in die tijd uw specialisme?'
'De behandeling van verwondingen aan hoofd en schedel. Ik was praktiserend chirurg en hield me vrijwel uitsluitend bezig met hoofdwonden van soldaten en andere militairen in actieve dienst.'
'Zo.' Molet boog bedachtzaam zijn hoofd. Het was een idee geweest dat hij aan het einde van het vooronderzoek had gekregen, toen Perrimond zijn stoet van karaktergetuigen had opgeroepen om te getuigen over Machanauds vreemde, grillige karakter. Een van die getuigen had gezegd: 'Ik geloof dat hij zelfs een metalen plaatje in zijn hoofd heeft, als gevolg van een mislukte sabotageactie toen hij in het verzet zat.' Machanaud had het idee in eerste instantie verworpen, omdat hij het gevoel had dat het uitspelen van oude verwondingen alleen maar zou bijdragen aan het idee dat hij gek was en die middag iets vreemds had gedaan. Molet had hem toen toegegeven dat zijn kansen op vrijspraak vrijwel verkeken waren en dat het terugbrengen van de aanklacht tot doodslag waarschijnlijk hun laatste hoop was. Met tegenzin had Machanaud hem de naam gegeven van het ziekenhuis waar hij was behandeld.
Zijn behandelend arts was inmiddels overleden, maar het was Molet gelukt een gepensioneerde legerarts te vinden, Lanquetin, die gespecialiseerd was in hoofdwonden. Hij had hem, tezamen met een oude collega-verzetsstrijder, gepresenteerd tijdens een van de laatste vooronderzoeken en had fel beargumenteerd dat de aanklacht moest worden teruggebracht tot doodslag. 'De helft

van de zaak van het openbaar ministerie berust op het feit dat Machanaud een beetje vreemd is. Toch heeft hij nooit eerder zoiets als dit gedaan, en als hij het wel heeft gedaan, dan is me in al die maanden dat ik met mijn cliënt heb gepraat, duidelijk geworden dat hij daar absoluut geen weet van heeft. We hebben het hier over een vroegere verzetsstrijder, iemand met een metalen plaat in zijn hoofd die zijn schedel bij elkaar moet houden. En terwijl er aan de ene kant wordt gesteld dat hij vreemd en een beetje gek is, wordt aan de andere kant beweerd dat hij precies wist wat hij deed en wordt hij tot de strop veroordeeld. Belachelijk! Ik dien een motie in voor het terugbrengen van de aanklacht tot doodslag op grond van verminderde toerekeningsvatbaarheid, en ik zal de medische bewijzen leveren om die motie te ondersteunen.' Het was te verwachten dat Perrimond tegen de motie stemde. Naugier aanvaardde haar met tegenzin, maar alleen als alternatief. De aanklacht van moord met voorbedachten rade zou naast die van doodslag blijven bestaan. Het zou aan de jury zijn om te beslissen aan welke Machanaud schuldig was.
'Dus uw kennis op het gebied van verwondingen aan hoofd en schedel is heel uitgebreid?'
'Ja.'
'Hebt u tijdens uw carrière wel eens te maken gehad met metalen plaatjes in de schedel en de effecten ervan op de patiënt?'
'Ja, dat heb ik. Heel vaak zelfs.' Molet keek hem alleen maar vol verwachting aan en Lanquetin vervolgde: 'De effecten kunnen variëren, maar zo'n metalen plaatje is niet meer dan een laatste noodoplossing om twee delen van de schedel bij elkaar te houden die anders zouden kunnen verschuiven. In die hoedanigheid kunnen ze beïnvloed worden door koud of warm weer, of zelfs door abrupte bewegingen, met elektrische of chemische instabiliteit als gevolg.'
'Hoe uit die instabiliteit zich?'
'Die kan enorm variëren. We kunnen het hebben over een lichte hoofdpijn, wat lichtgeraakt gedrag of angst. Of in het andere uiterste: zeer opvliegend en zelfs gewelddadig gedrag.'
'Dus het zou heel aannemelijk zijn, dokter Lanquetin, dat iemand met een metalen plaatje in zijn hoofd, aangenomen dat de condities daarvoor juist zijn, zou kunnen lijden aan een tijdelijk geheugenverlies. Dat hij zich van een bepaald gebeuren absoluut niets herinnert.'

'Ja, dat kan.'
Molet liet Lanquetin de röntgenfoto's zien, die hij al eerder had bekeken, en Lanquetin bevestigde dat het hier ging om een flinke implantatie en dat er, gezien de positie bij de wandkwab, die een deel van de motoriek en gedragsfuncties bestuurde, onder de juiste condities sprake kon zijn van opvliegend of agressief gedrag als gevolg daarvan.
'Dank u, dokter Lanquetin.'
Perrimond besteedde heel weinig tijd aan zijn kruisverhoor van Lanquetin, met als enige aanval een poging om Lanquetin in diskrediet te brengen door te stellen dat het hem ontbrak aan kennis over de 'moderne geneeskunde' aangezien hij gepensioneerd was. Een aanval die deels op hem terugsloeg toen Lanquetin hem eraan herinnerde dat het implanteren van metalen plaatjes niet bepaald tekenend was voor de moderne chirurgie, en dat het zelfs een behandeling was die tegenwoordig nog zelden werd toegepast.
Het medische bewijs en de diverse karaktergetuigen die daarop volgden, hadden het grootste deel van de ochtend ingenomen. Molet had nog maar één getuige die hij kon oproepen: Vincent Arnaud, Machanauds vroegere collega uit het verzet. Molet besefte dat de slotpleidooien waarschijnlijk zouden moeten wachten tot na de lunch, omdat daar nu geen tijd meer voor zou zijn.
Arnauds getuigenis nam hen mee naar een andere tijd: 1943. Hij en Machanaud waren allebei achter in de twintig en collega's in het verzet, dat in de omgeving van Tours tegen de Duitsers vocht. Een bijeengeraapt zootje mannen met beperkte middelen, die deden wat ze konden. Arnaud vertelde over het dynamiet dat ze op een dag zouden laten ontploffen om een Duitse munitietruck tot staan te brengen en uit een hinderlaag te overvallen. Maar het dynamiet was vochtig en ontplofte te laat, waardoor de truck van de weg vloog en Machanaud raakte.
'En dat was de reden dat uw collega Gaston Machanaud in het ziekenhuid werd opgenomen en een metalen plaatje in zijn hoofd ingeplant kreeg?'
'Ja. Maar dat hoorden we pas dagen later; daarvoor was het maar de vraag of hij zou blijven leven of niet.'
Wat er later ook besloten zou worden, dacht Molet, dit, met Arnaud in de getuigenbank, was Machanauds beste moment. Machanauds ogen vulden zich met tranen van emotie. Oude col-

lega's, oude herinneringen. En eindelijk de bevestiging voor alle twijfelaars en critici dat zijn moment van glorie, het verhaal dat over zoveel bars was gegaan, niet alleen maar het gepraat van een dronkelap was. Misschien zouden ze hem nu geloven.

Het eerste kwartier van Perrimonds slotpleidooi was voorspelbaar. Dat Machanaud de enige aanwezige persoon op die plek was geweest, dat hij had gelogen in zijn eerste verklaring, dat tijdens de reconstructie was aangetoond dat hij niet alleen zicht had op de plek waar de jongen de rivier overstak, maar ook op die waar de eerste aanranding had plaatsgevonden, en dat het forensische bewijs had aangetoond dat het bloed was afgespoeld met water. 'En wie anders dan Machanaud beschikte voor een dergelijke actie niet alleen over rubber lieslaarzen en een plastic schort, maar ook over een emmer water?'

Met veel gevoel voor drama draaide Perrimond zich om en keek hij de juryleden een voor een aan. 'Vergis u niet, dit was een heel doelbewuste en afgemeten daad. Machanaud wist dat als de jongen op het laantje was gevonden en het ernaar uitzag dat de misdaad daar had plaatsgevonden, en naderhand zou worden ontdekt dat hij die middag bij de rivier had staan vissen, híj kon beweren dat het iemand anders was die deze gruwelijke misdaad heeft gepleegd.' Perrimond boog bedachtzaam zijn hoofd, gaf de jury even tijd om hierover na te denken. 'En kijk eens aan, als blijkt dát hij die middag bij de rivier is geweest, is dat exact wat hij beweert.'

Toen begon Perrimond met het onderuithalen van de argumenten die Molet daar mogelijk tegenin zou brengen. 'U zult waarschijnlijk van de verdediging horen dat de verdachte alleen maar de arme pechvogel is die zo ongelukkig was om zich op die zwarte dag op die plek te bevinden. Dat de eerste aanranding misschien zelfs ergens anders heeft plaatsgevonden en dat het kind naar het laantje is vervoerd voor de tweede. Maar hoe?' Perrimond liet zijn blik weer langs de juryleden gaan. 'Elke auto die is gepasseerd, in beide richtingen, terwijl Machanaud daar was, is nagegaan. De ene bestuurder zat meer dan een uur in een restaurant, met zijn auto voor iedereen zichtbaar op het parkeerterrein. De ander heeft al die tijd met Marius Caurin staan praten, en Caurin zelf, daarna, is op diverse plekken in het dorp gezien.'

Perrimond keek heerszuchtig om zich heen. 'Dit was Taragnon, een klein provincieplaatsje, en het was lunchtijd. Het was druk op straat. De politie heeft weken, maanden besteed aan het ondervragen van mensen, met maar één conclusie: Christian Rosselot was niet door het dorp gelopen. Noch was hij langs de boerderij daarachter gekomen; dat was te ver om en bovendien zou Marius Caurin hem dan hebben gezien. De verdediging is zo wanhopig, dat ze bereid is u alles te laten geloven. Alles behalve de feiten.'
Perrimond haalde zijn schouders op en glimlachte grimmig, maar toen werd hij snel weer ernstig. 'Nee, de jongen kan maar op één plek zijn gepasseerd, het bruggetje over de rivier, een stukje verderop, maar duidelijk zichtbaar vanaf de plek waar de verdachte zat te vissen. Het was daar waar hun fatale ontmoeting plaatsvond... en het was ook daar waar de verdachte de jongen ernstig mishandelde en voor dood achterliet. Een koelbloedige, meedogenloze daad die maar door één persoon kan zijn begaan, de persoon die hier nu voor u zit: de verdachte, Gaston Machanaud.'
Perrimond besloot met het eisen van de hoogst mogelijke straf, dat het belachelijk zou zijn om iets anders in overweging te nemen dan het oordeel schuldig aan moord met voorbedachten rade; met elk ander oordeel zouden ze zichzelf, het recht en de nagedachtenis aan een tienjarig jongetje tekortdoen. 'Dat nu alleen nog zwijgend, vanuit zijn graf, om rechtvaardigheid kan smeken. En erop vertrouwt dat u, in uw hart en ziel, tot het juiste oordeel zult komen.'
Perrimond kneep even zijn ogen dicht en knikte naar de jury, alsof hij een gebed had beëindigd, en hij maakte plaats voor Molet.
'Geen bloed. Geen vezels. Geen sperma. Niets wat mijn cliënt in verband brengt met de plaats van de misdaad. Ik zou graag willen dat u daar nog eens aan denkt als u hem tot de strop veroordeelt!' Molet liet zijn blik langs de jury gaan en ademde hoorbaar in. 'Behalve het feit dat hij daar was. Dat hij daar op dat moment zat te vissen, illegaal, zoals hij in het verleden zo vaak had gedaan. En ja, het openbaar ministerie heeft gelijk, ik ga u inderdaad vertellen dat er iemand anders is langsgekomen en deze misdaad heeft begaan. Want dat is exact wat er gebeurd is.'
Molet liep naar de zijkant van de rechtszaal. 'Een grondig poli-

tieonderzoek dat alle andere mogelijkheden uitsluit? We hebben het hier over hetzelfde onderzoeksteam dat niet eens in staat is van de ene dag op de volgende een verandering van een beschrijving van een auto in het dossier op te nemen. Een team dat, als het daarmee wordt geconfronteerd, zich eerst vastklampt aan het excuus dat mijn cliënt dronken was, om zijn eigen fout te verbergen. Een essentiële wijziging die niet eens aan het vooronderzoek is gepresenteerd – een feit waarvoor de onderzoeksrechter hen openlijk heeft berispt. Toch wordt er van ons verwacht dat we geloven dat ze een grondig onderzoek hebben gedaan. Een onderzoek dat alle andere mogelijkheden uitsluit. Terwijl ze niet eens in staat zijn een cruciaal stuk bewijs, dat hun op een dienblad wordt aangeboden, van de een naar de ander door te schuiven.

Ik denk dat de politie zich vooral heeft vastgebeten in het eerste het beste doelwit dat ze tegenkwam, mijn cliënt, en daarna een niet-bestaande zaak om hem heen heeft gebouwd. Een zaak op basis van één toevalligheid: dat hij daar was. Met geen enkel ander feit of concreet bewijsstuk dán deze toevalligheid. Wat doen we hier eigenlijk? Hoe hebben we ons allemaal zover kunnen laten meeslepen door dit beschamende waandenkbeeld? Een onschuldige stroper en plaatselijke dronkaard die op een dag ineens besluit een jongetje te molesteren en te vermoorden. Hij heeft in het verleden nog nooit jongetjes lastiggevallen, nooit een seksuele voorkeur in die richting laten blijken... en toch moeten wij geloven dat hij op deze dag, deze ene dag, al zijn redelijkheid en normale instincten ineens kwijt is. Ongelofelijk! Hoe het openbaar ministerie is gekomen tot de onbeschaamdheid om ons zo'n belachelijk verhaal te laten geloven, is me een raadsel.

Dus laten we nog eens goed nadenken. Wat hebben we? Laten we al die ridicule toevalligheden die door de politie en het openbaar ministerie op hun plaats zijn gemanoeuvreerd even buiten beschouwing laten en kijken wat we echt hebben. Een eenvoudige man met een lang verleden van stropen en géén verleden van het lastigvallen van jongetjes. We vragen ons af wat hij die dag heeft gedaan. Wat denkt u dat het meest waarschijnlijke antwoord is? Dat hij, zoals hij heeft gezegd, die dag heeft gestroopt, of de bespottelijke suggestie die alle regels van het redelijke denken tart, dat hij plotseling breekt met zijn verleden en dit jon-

getje kwaad doet. Want dat, precies dat, is wat hier vandaag wordt gesuggereerd.'
Molet zwaaide dramatisch met zijn arm. 'De straf die het openbaar ministerie hier vandaag eist en het bewijs waarmee het de eis ondersteunt, zijn zeer twijfelachtig. Aan de ene kant willen ze u laten geloven dat dit een koelbloedige moord met voorbedachten rade was. Aan de andere kant willen ze u laten geloven – met behulp van de vele karaktergetuigen die ze hebben opgetrommeld – dat de verdachte de ene helft van de tijd gek is en de andere helft dronken. Een volslagen onaangepaste mafketel. Een dorpsidioot die nauwelijks weet hoe hij zijn dagen moet doorkomen. Laat staan dat hij een moord als deze kan plannen, een moord zo smetteloos dat het hele politiekorps en een team van de forensische dienst er niet in zijn geslaagd ook maar één spoortje concreet bewijs te vinden.' Molet schudde langzaam zijn hoofd. 'Die twee gaan gewoon niet samen. De enige waarheid hebt u vandaag vlak voor de lunch kunnen horen: Gaston Machanauds vroegere collega van het verzet en de legerarts. Dat is de echte Gaston Machanaud. De verzetsstrijder die heeft gevochten voor zijn land, daarbij een gruwelijke verwonding heeft opgelopen waar hij sindsdien last van heeft gehad, en die nu alleen nog maar een paar dierbare herinneringen heeft waarover hij kan vertellen in de plaatselijke cafés. Dat is de man die het openbaar ministerie door u wil laten ophangen. Bedroevend!'
Molet haalde diep en moeizaam adem. 'Toch heb ik nog ruzie met mijn cliënt moeten maken om deze mensen hier vandaag en op een eerder vooronderzoek te laten verschijnen... ook al was het de enige manier om deze schijnvertoning nog een beetje eerlijk te doen verlopen. Om de aanklacht, als die er überhaupt mag zijn, terug te brengen tot doodslag. Doodslag als gevolg van verminderde toerekeningsvatbaarheid. Het zou bespottelijk zijn als er vandaag zelfs maar over een andere aanklacht gepraat zou worden.'
Molet boog beschaamd het hoofd. 'Maar door dat te doen, heb ik me voor een deel afgekeerd van wat ik echt geloof, namelijk dat mijn cliënt onschuldig is. Dat het enige ware dat het openbaar ministerie ons heeft aangetoond, het feit is dat hij daar was. Verder niets. Geen bloed. Geen sperma. Geen vezels. Niemand – hoe slim ook – kan die feiten verdoezelen. Noch kan het openbaar ministerie ons een redelijke verklaring geven voor wat hij

daar die middag deed, behalve de verklaring die hij zelf gaf. Dat hij daar zat te vissen. Zoals hij dat al zo vaak had gedaan.'
Molet knikte naar de jury en de drie rechters en ging zitten.

Na bijna twee uur keerde de jury terug. De stemmen van de negen juryleden en de drie rechters werden uiterst zorgvuldig geteld door de griffier, waarna Griervaut de uitslag voorlas: zeven tegen vijf voor niet schuldig aan moord met voorbedachten rade, negen tegen drie voor schuldig aan doodslag.
Molet voelde een steek van teleurstelling omdat hij geen vrijspraak had gekregen, maar die werd al snel gevolgd door opluchting: het had erger kunnen zijn. Veel erger. Maar Machanaud was kapot. Molet wist van een eerder vooronderzoek, toen ze een meningsverschil hadden gehad over Molets plan om de aanklacht te laten terugbrengen tot doodslag, dat Machanaud het waarschijnlijk nooit zou begrijpen, en nooit zou accepteren. Wat begrijpelijk was voor iemand die vermoedelijk onschuldig was. Ondanks zijn sterke slotpleidooi wist Molet hoe sterk de jury was beïnvloed door de presentatie en de vele getuigen van het openbaar ministerie, en dat ze zónder zijn alternatief van de verminderde aanklacht Machanaud waarschijnlijk schuldig bevonden zou hebben aan moord met voorbedachten rade.
Omdat een deel van de aanklacht voor doodslag was gebaseerd op verminderde toerekeningsvatbaarheid, bracht rechter Griervaut het onderwerp van een medisch en psychiatrisch onderzoek ter sprake. Molet pleitte voor een onderzoek in een onafhankelijke kliniek en Perrimond – zoals te verwachten viel – voor een onderzoek in een staatskliniek. Nadat Griervaut zijn twee hulprechters had geraadpleegd, schraapte hij even zijn keel en keek hij op om het uiteindelijke vonnis uit te spreken: dat Machanaud voor niet minder dan zes jaar naar de gevangenis zou gaan en tweemaal per jaar zou worden behandeld en onderzocht door een staatspsychiater. 'Als hij aan het eind van die periode nog niet mentaal fit is, zal hij worden overgedragen aan de zorg van een staatspsychiatrisch ziekenhuis om daar een passende behandeling te ondergaan totdat hij fit genoeg is om vrijgelaten te worden.'
Uiterlijk leek het erop dat Machanaud de volle zes jaar zou moeten uitzitten, en misschien nog een jaar in een of ander instituut, wist Molet. Maar als alles goed ging, zou hij binnen vier jaar

voorwaardelijk in vrijheid worden gesteld en onmiddellijk mogen vertrekken. Wat Molet niet had gezien, was de blik die Perrimond en een van de hulprechters uitwisselden toen het onderwerp van de staats- of privé-kliniek werd besproken. Wat hem wel als vreemd voorkwam was Perrimonds flauwe glimlach toen het uiteindelijke vonnis werd uitgesproken. Een vreemde reactie op wat toch zou moeten worden beschouwd als een nederlaag voor Perrimond.

21

Marinella Calvan was nog steeds aan het bijkomen van de lange vlucht, en de wijn had haar slaperig gemaakt. Toen David Lambourne haar nog eens inschonk, stak ze haar hand op om aan te geven dat een half glas genoeg voor haar was. 'Waar heb je Philippe gevonden?' vroeg ze.
'Op de London School of Economics, hier in de buurt. Hij is geen officiële tolk, maar een Franse student die sociale wetenschappen studeert. Maar zijn Engels is vrijwel volmaakt en hij was de beste met een Zuid-Franse achtergrond die ik op deze korte termijn kon vinden.'
'Hoe oud is hij?'
'Vierentwintig. Hij komt uit een klein plaatsje in de Franse alpen: Peyroules.'
Ze hadden meer dan een uur in Lambournes praktijk gezeten om de zaak door te nemen en hadden zich toen teruggetrokken in een kleine bistro in de buurt. Ze hadden al afgesproken dat er alleen Frans zou worden gesproken door de patiënt en de tolk. Eén stem die de vragen stelde. Marinella zou ze uittypen, zodat ze op de monitor verschenen, Philippe zou de vragen stellen en de antwoorden uittypen in het Engels, waarna ze op dezelfde monitor zouden verschijnen. De sessie zou dus bestaan uit een reeks vragen en antwoorden op een beeldscherm. Het was de enige manier om afleiding en verwarring te vermijden.
'Is zijn kennis van het patois van de jaren vijftig en zestig in die omgeving voldoende?'
'Volgens hem is daar niet zoveel veranderd. Zeker niet in de

stadjes die meer landinwaarts liggen.'
Marinella knikte en nipte van haar wijn. Daarvoor hadden ze al besproken wat Lambourne van de Capels te weten was gekomen: dat Eyrans cijfers voor Frans gemiddeld waren, dat ze een of twee keer in Frankrijk op vakantie waren geweest, maar dat er geen sprake was van langere perioden of uitwisselingsprojecten van school. Eyrans Frans was in het *La plume de ma tante*-stadium. Ze had al wat achtergrondinformatie over de Capels ingewonnen en vulde nu de gaten in. Sommige details, zoals hoe lang ze getrouwd waren, wist Lambourne niet. Het enige wat hun zorgen baarde was Lambournes spottende opmerking dat er in de omgeving waar ze woonden, East Grinstead, 'meer excentrieke religieuze groeperingen opereerden dan in enig ander deel van het land'. Toen ze daarop doorging, verzekerde Lambourne haar dat de Capels 'normaal' waren. De anglicaanse Kerk, maar niet meer praktiserend.
Toch stelde ze de voor de hand liggende vraag. 'Denk je dat ze dit allemaal geënsceneerd kunnen hebben?' Ze wist dat het de eerste vraag zou zijn die de critici hun zouden stellen. Een reclameman. Een levendige fantasie. Uit een omgeving die bekendstond om haar excentrieke gelovigen. In een mum van tijd zouden de media hen hebben bestempeld als mafkezen afkomstig uit de een of andere randgroep die niet alleen in reïncarnatie geloofde, maar die er zelfs van uitging dat we allemaal tegelijkertijd verschillende levens in verschillende dimensies leefden.
'Nee, dat denk ik niet. Ze waren er zelfs op tegen dat Eyran in therapie zou gaan. Tenminste, Stuart Capel was dat. Hij gaf toe dat hij Torrens' advies eerder had moeten opvolgen en Eyran meteen in therapie had moeten doen. Hij had gehoopt dat Eyran uit zichzelf zou herstellen.'
'Torrens?' De naam had ze wel eens eerder gehoord, maar ze kon zich niet meer herinneren in welk verband.
'De chirurg in Californië die Eyran heeft geopereerd en behandeld tijdens zijn coma. Hij heeft een eindrapport geschreven met een aanbeveling om Eyran psychotherapie te laten volgen. Niet alleen vanwege het verlies van zijn ouders, maar vooral om te bepalen hoeveel schade het coma heeft aangericht. De jongen is bijna drie weken buiten kennis geweest.'
'Heb je een kopie van Torrens' rapport?'
'Ja.'

'Mooi, mooi. Dat kan veel helpen.' Het kon niet beter. Psychotherapie, aanbevolen door een chirurg van Stateside.
'Ons of de jongen?'
Marinella temperde haar enthousiasme en beet even op haar lip na deze terechtwijzing van Lambourne. 'Het spijt me. Dat klonk waarschijnlijk nogal harteloos.' Hun motieven liepen uiteen, besefte ze. Hij wilde de jongen genezen, zij de waarde van regressietherapie bewijzen. Hoewel ze het erover eens waren dat regressietherapie hem zou helpen. Maar het was ongepast om haar eigen motieven boven de zijne te stellen. Ze glimlachte. 'Weet je, Donaldson heeft me altijd gewaarschuwd voor het zoeken naar publiciteit. Dat ik er elke keer door in de problemen was geraakt. Maar het is ongelofelijk wat we naar ons hoofd geslingerd kregen als er iets misging.' Ze vertelde hem over de critici, van wie er veel afkomstig waren uit hun eigen beroepsgroep, die als aasgieren langs de zijlijn zaten en wachtten tot ze een fout maakten. 'Eén verkeerde case, één onwaarheid die we hun niet kunnen uitleggen, en onze geloofwaardigheid is weer weg. Plotseling is alles wat we doen onwaar. Vragen en nog eens vragen, dreigen met kortingen op het overheidsbudget... "Waarom hebt u dat niet eerder ontdekt? Wordt uw volgende geval net zo'n fiasco?" Geen wonder dat we paranoïde worden en de andere doelstellingen uit het oog verliezen. Het spijt me.'
Lambourne knikte. Hij had haar al op haar gemak gesteld over hun uiteenlopende motieven door haar ervan te overtuigen dat hij zijn conventionele therapie niet kon voortzetten totdat de regressie meer had onthuld over Jojo. Maar er was nog steeds een kloof. Voor haar was dit gewoon een nieuw researchproject, voor hem was het een verbreding van PLT: Eyrans huidige problemen en obsessies die voor een deel afkomstig waren uit zijn verleden als Jojo. Maar het had geen zin om die kloof te benadrukken en de sfeer van hun samenwerking te verziekon voordat ze goed en wel waren begonnen. 'Als we ieder dertig procent kunnen bereiken van wat we oorspronkelijk hadden gehoopt, dan doen we het al beter dan in mijn normale sessies. Proost.'
Ze praatten nog een tijdje over de opzet van de sessie van de volgende dag, toen werd de conversatie algemener en de sfeer luchtiger.
'Is er nog iets opmerkelijks gebeurd sinds we elkaar voor het laatst hebben gezien?' vroeg hij.

'Je bedoelt zoals de conquistador-jongen?'
Lambourne boog zijn hoofd en keek naar zijn dessert. Hij wist hoe frustrerend dat geval voor haar was geweest, maar waarom begon ze daar nu over? Was het een bedekte waarschuwing: doe me niet tekort met deze, laat me dat niet nog eens meemaken?
'Ik hoopte eigenlijk op iets vruchtbaarders.'
'Niet echt. Veel conventionele regressies, maar slechts twee met xenoglossie... allebei volwassenen. Maar het taalgebruik was niet buitengewoon en op beide gevallen kon worden aangemerkt dat de patiënten in staat konden zijn geweest om de taal die ze spraken te leren, zeker op hun niveau van vakbekwaamheid.'
Door Lambournes bezorgde blik brak een klein glimlachje. Een glimlachje dat zei: misschien heb je vanaf morgen meer geluk. Hij was veel hoopvoller dan hij liet blijken. Het zag er heel hoopvol uit, moest ze bekennen, maar haar jarenlange strijd tegen de critici deed haar het ergste vrezen. Want zelfs als de authenticiteit kon worden aangetoond, zouden de Capels dan akkoord gaan met vervolgsessies, en hoe lang zou Lambourne ervan overtuigd blijven dat hun motieven dezelfde waren?

Sessie 6

'Het is donker en warm binnen. Buiten kan ik de wind door de bomen horen waaien en de vogels horen zingen... en soms hoor ik mijn vader, die op het land aan het werk is.'
Ze waren veertig minuten bezig en Marinella Calvan was nu al doodmoe. De sessie was langzaam op gang gekomen: een hortend ritme dat werd veroorzaakt door de pauzes die Philippe nodig had om de vertaalde antwoorden in te typen en Marinella om daar met een nieuwe vraag op te reageren. Er werd alleen maar Frans gesproken in de kamer. Hoewel de Engelse tekst op de monitors een bruikbaar typoscript opleverde, hadden ze besloten de bandrecorder ook te laten meelopen om de nuances en eventuele misinterpretaties van de taal later terug te kunnen horen. David Lambourne zat naast haar.
Delen van de sessie waren nogal chaotisch geweest: de jongen die veel tijd besteedde aan zijn beschrijving van een dagje naar het strand in La Lavandou, de meeuwen in de lucht, het zandkasteel dat hij had gemaakt, met een geul naar zee, zodat hij water

in de slotgracht kon laten spoelen. Ze wilde graag doorgaan, maar Lambourne legde in een kalmerend gebaar zijn hand op haar schouder, want hij dacht dat het beter zou zijn als ze de toon en stemming wat meer ontspannen maakten. Minuten daarvoor, toen ze hem hadden gevraagd over het gescheiden worden van zijn ouders, was hij sneller gaan ademhalen en had hij geaarzeld. Hij had iets gemompeld over 'fel licht... ik kan bijna niets zien...', en toen lag hij in het korenveld, met zijn gezicht tegen de grond, maar toen was zijn ademhaling zo gejaagd geworden, dat hij de woorden alleen nog maar in hakkelende lettergrepen kon uitspreken. Haastig had ze Philippe laten ingrijpen. Wat hem van zijn ouders had gescheiden, had hem duidelijk diep geraakt. Ze zouden er later op terugkomen.
Ze stuurde hem in de richting van dierbare, meer ontspannen herinneringen.
Zijn herinnering aan het dagje naar het strand was er een van, en zijn geheime schuilplek in het veld achter de boerderij, die hij nu beschreef, was een andere. Tussen het ontspannen gebabbel door was Marinella in staat geweest meer structuur in de sessie aan te brengen en hem te vragen hoe zijn vader en moeder heetten en hoe ver de boerderij lag van het dorp, Taragnon. Jojo was een bijnaam, die ze samen met Philippe drie keer moest corrigeren voordat ze hem goed had: Ji-jo, Gigot, en ten slotte Gigio, naar een van zijn favoriete poppen. Toen ze Gigio hadden gevraagd wat hij thuis op de radio had gehoord, hadden ze ook de periode kunnen vaststellen: begin jaren zestig.
'Soms spring ik tevoorschijn uit mijn schuilplek om mijn vader aan het schrikken te maken.'
'Brengt je vader veel tijd op het land door?'
'Ja... en in de garage naast het huis. Daar is al zijn gereedschap.'
'Is het een grote boerderij?'
'Ja. Minstens veertig hectare.'
Een klein boerenbedrijf, dacht Marinella. Maar voor zo'n jonge jongen waarschijnlijk groot.
'Kun je vanuit je schuilplaats het huis zien? Hoe ziet dat eruit?'
'Het veld glooit licht... en er is een erf bij de keuken. Soms, als het donker wordt, kan ik mijn moeder aan het werk zien in de keuken en weet ik dat het tijd is om naar binnen te gaan. Ik weet wanneer mijn vader in de garage is, want hij heeft het licht altijd aan omdat er geen ramen zijn.'

‘Heb je in het huis nog andere plekken waar je je graag verstopt? En je slaapkamer... vind je die leuk?’
‘Ja... maar mijn schuilplaats vind ik leuker. Mijn zusje komt altijd in mijn slaapkamer en speelt met mijn speelgoed. Ze heeft een keer een van mijn auto’s kapotgemaakt, de mooiste die ik had...’
Marinella keek geduldig toe terwijl de woorden op het scherm verschenen. Gigio beschreef hoe van streek hij was, want hij had de auto pas een paar weken; hij had hem voor zijn verjaardag gekregen. Hij had tegen haar geschreeuwd en ze was gaan huilen, en toen koos zijn moeder de kant van zijn zusje, en dat maakte hem nog meer van streek. Marinella stond op het punt om hem te onderbreken met een andere vraag omdat ze het gevoel had dat Gigio weer wat in het wilde weg babbelde, toen hij plotseling bedachtzamer werd.
‘Ik had niet zo boos op haar mogen worden, haar aan het huilen mogen maken. Ik hield van haar... probeerde haar altijd te helpen als ik dat kon. Later miste ik haar zo, net als mijn ouders.’
Marinella’s huid begon te tintelen. Vaak kon je in regressies alleen tot accurate details komen als je een persoon mee terugnam naar een bepaalde tijd of plek: een kamer, een dierbare herinnering, een gebeurtenis die in hun geheugen stond gegrift. Maar bij andere kon je sprongen in de tijd maken en perioden en gevoelens generaliseren. ‘Raakte je ook gescheiden van je zusje? En was dat in dezelfde periode dat je van je ouders gescheiden raakte?’
‘Ja.’
Of Gigio had zijn hele familie verloren, of hij was van hen gescheiden. Ze vroeg het hem.
Eyrans hoofd kwam naar voren, zijn ademhaling werd ineens gejaagder en zijn oogleden trilden terwijl hij met de beelden worstelde. ‘Ik was het... ik raakte gescheiden van hen... Ik weet nog dat ik dacht hoe bezorgd ze zouden zijn. En mijn vader... mijn vader... waarom kwam hij me niet zoeken? Er was een fel licht... zo fel, dat ik niets kon zien. En het veld... ik herkende het. Ik verwachtte mijn vader elk moment... dat hij me zou vinden... toen ik... toen... ik... ik...’ Eyran schudde zijn hoofd heen en weer, zweetdruppeltjes liepen langs zijn voorhoofd en zijn woorden gingen over in een stotend gehijg dat diep uit zijn maag afkomstig leek.

Lambourne legde zijn hand op Marinella's schouder, maar ze beoordeelde het gebaar verkeerd en typte: 'Nam je het je vader kwalijk dat hij je niet kon vinden... dacht je dat het voor een deel zijn schuld was?'
Eyran slikte en probeerde de gejaagde ademhaling onder controle te krijgen. 'Ja... voor een deel. Maar het was meer mezelf... ik nam het mezelf kwalijk. Ik bleef maar denken dat ze het niet aan zouden kunnen dat ik er niet meer was... dat ik hen op de een of andere manier teleurgesteld had... verdriet had gedaan. Mijn moeders gezicht, zo bedroefd... zo, zo bedroefd... haar ogen vol tranen... nee, het kon niet echt zijn... dit kon niet gebeurd zijn... nee, dat kon niet... niet echt... Nee... Nee!' Eyrans hoofd schudde nu wilder heen en weer en hij had zijn ogen stijf dichtgeknepen. Zijn adem raspte door zijn keel.
Lambourne boog zich over het toetsenbord en typte: *Stop. Hou op. Nu! Haal Gigio weg bij dat incident.*
Marinella keek verbaasd op. Ze hadden een code afgesproken waarin ze hun onderlinge berichten tussen haakjes zouden typen, zodat Philippe zou weten dat hij ze niet hoefde te vertalen. Ze was hier om Lambourne te helpen, zou er tevreden mee moeten zijn om Gigio onschuldige vragen over zijn achtergrond te stellen, hem door te laten praten en op die manier materiaal te verzamelen voor haar onderzoek, maar het was Lambournes doel om het verband tussen het gedeelde verlies van Eyran en Gigio te vinden en te bezweren. Daarom leek het haar waanzin om nu op te houden, net nu ze op de drempel van een mogelijke doorbraak stonden. Ze stond op het punt om te typen: (we zijn zo dicht bij het aantonen van het verband, een paar vragen nog), maar toen ze zag hoe indringend Lambourne haar aankeek, besloot ze ervan af te zien. Ze typte: *Toen je in je geheime schuilplaats bij het oude huis zat, hoe oud was je toen*? Ze nam Gigio mee naar een kalmere, gelukkiger periode.
Ze moesten twintig seconden wachten voordat Eyran de sprong in de tijd had gemaakt, zijn ademhaling weer tot rust was gekomen en hij antwoord gaf. 'Ik was toen tien.'
Marinella wist dat Gigio negen was toen ze een dagje naar Le Lavandou waren geweest, en zijn zusje vier. *Kun je je dingen herinneren van toen je ouder was, elf of twaalf?* Marinella was zich bewust van Lambournes ingehouden adem en de intense blik waarmee hij haar aanstaarde terwijl ze op antwoord

wachtte. Als ze had mogen praten, zou ze hebben uitgelegd dat zo'n algemeen overzicht meestal geen gevaar inhield, omdat het de dingen niet zo direct belichtte als de specifieke herinneringen aan bepaalde incidenten.

'Nee... na het licht en het veld was er niets meer... Ik... eh...' Eyran hield zijn hoofd schuin, alsof hij zocht naar beelden die net buiten zijn bereik lagen. 'Alles is grijs... grijs achter mijn ogen... dan weer een ander licht... dingen in de verte... te ver weg... ik kan ze niet goed horen... ik kan niet...' Wat gemompel, woorden en gedachten die wegzweefden.

Lambourne voelde hoe zijn zenuwen zich spanden. Dit was de tweede keer dat hij het over 'het veld' had. Impulsief boog hij zich naar voren en typte: *Was het een korenveld*?

Een korte pauze waarin Philippe eerst de vraag en toen het antwoord vertaalde. 'Ja... ja, dat was het.'

Marinella voelde aan Lambournes plotselinge gespannenheid dat het belangrijk was, maar toen ze hem aankeek, haalde hij zijn schouders op en keek hij terug alsof hij wilde zeggen: het is interessant, maar dat vertel ik je later wel. Nu ze wist dat Lambourne niet van haar verwachtte dat ze doorging op het gedeelde verlies tussen de jongens, ontspande ze zich en ging ze door met het verzamelen van algemene informatie om de leemten op te vullen in wat ze tot nu toe te weten waren gekomen: hoe vaak Gigio naar het dorp ging, zijn achternaam, waar hij naar school ging, hoe de weg bij hun boerderij heette, de namen van vriendjes en de buren.

Er was maar één moment dat Gigio weer begon door te draven, toen hij beschreef hoe hij op weg van school naar huis een tussenstop maakte bij de boulangerie in het dorp en hoe de vrouw daar, madame Arnand, hem vaak gratis *pan chocolat* gaf als haar man niet in de winkel was. Ze waren zo'n een of twee dagen oud, en ze zouden niet lang daarna weggegooid worden, maar haar man was te gierig om ze weg te geven, bekende ze hem op een dag. Het werd hun geheimpje, en de bakker vroeg zich waarschijnlijk af waarom dat jongetje zo vaak in zijn winkel rondhing en nooit iets kocht, en de vrouw naar Gigio knipoogde zodra haar man zich had omgedraaid.

Marinella liet Gigio maar doorpraten; het gaf haar nog een paar bruikbare details die ze kon checken, en voor het eerst in de sessie had Eyran echt geglimlacht. Ze voelde aan hoe in deze meer ontspannen sfeer de band sterker werd en het vertrouwen toenam. Als ze daarop voortbouwden, zouden ze in de volgende sessie misschien meer succes hebben met het breken door de barrières die Gigio had opgericht, en konden ze doordrukken tot de kern van het verdriet dat de twee jongens aan elkaar verbond.

Marinella zag dat David Lambourne op zijn horloge keek en naar haar knikte. Ze keek ook op haar horloge: een uur en twaalf minuten. Meer dan genoeg voor een eerste sessie. Ze begon af te bouwen, liet Gigio zijn verhaal afmaken over hoe hij op weg van school naar huis met een vriendje een oude autoband had gevonden en hoe ze die helemaal naar de boerderij hadden gerold, en toen wekte ze Eyran uit zijn hypnose.

Terwijl Lambourne Eyran meenam en ze hem in de wachtkamer met de Capels hoorde praten, liet ze de tekst terugrollen over het scherm van de monitor. Afgezien van Lambournes 'hou op'-commando, stond er maar één andere regel tussen haakjes: haar vraag aan Philippe of het regionale accent van Gigio's Frans klopte. Ze vroeg hem nu om het 'ja' dat hij had getypt toe te lichten. 'Komt het zowel met de tijd als met de regio overeen?'

'Ja, heel aardig. Zoals ik al tegen David zei, is daar door de jaren heen niet veel veranderd. Aan de kust is dat anders, door de grote toestroom van toeristen en mensen uit andere delen van Frankrijk die er zijn gaan wonen. Maar vijftig kilometer landinwaarts kom je in een andere wereld terecht.'

'Is het het soort patois dat door iemand gemakkelijk aangeleerd of gekopieerd kan worden?'

Philippe haalde zijn schouders op. 'Niet gemakkelijk. Misschien zou iemand uit Parijs of Dijon tot een redelijke imitatie kunnen komen, maar ze zouden zich verraden door het gebruik van sommige woorden. Maar iemand uit Engeland, voor wie Frans als tweede taal toch al moeilijk is... dat denk ik niet.'

Marinella gaf de computer het printcommando. De printer was bezig met de tweede pagina toen Lambourne binnenkwam. Marinella vroeg David naar het korenveld. 'Ik herinner me dat je iets zei over een korenveld in een van Eyrans eerdere dromen. Dacht je daarom dat het misschien belangrijk was?'

'Ja. Daarom, en omdat Eyran zei dat toen hij pas in het oude huis in Engeland woonde, het korenveld hem op de een of andere manier bekend voorkwam.'

'Nou, onze voornaamste prognose lijkt in elk geval te worden ondersteund,' merkte Marinella op. Eerder had ze al gespeculeerd dat als een echte regressie was bewezen, de herinnering aan verlies of verdriet in een vorig leven waarschijnlijk was aangewakkerd door Eyrans ongeluk en verlies. Op dezelfde manier dat veel door PLT blootgelegde fobieën latent aanwezig waren totdat ze werden gewekt door een soortgelijk incident. 'Ik denk dat we zullen merken dat als er voor het ongeluk al herinneringen waren, of een link tussen de twee, die voornamelijk onbewust waren, weinig meer dan fragmentjes van déjà vu's.'

'Mogelijk. Maar dat zullen we pas zeker weten, als we de details van het typoscript hebben vergeleken met die van de eerdere sessies.'

Marinella zag Lambourne even naar Philippe kijken en begreep de hint. Of hij wilde dit niet in het bijzijn van Philippe bespreken, of hij wilde meer tijd om na te denken over zijn prognose. Ze kon zelf ook wel een paar uur gebruiken om haar gedachten te ordenen. 'We lopen natuurlijk wel wat hard van stapel. Het eerste wat we moeten weten, is of de regressie en de persoonlijkheid daarvan echt zijn. Zo niet, dan kunnen we ons weer richten op de oorspronkelijke theorie van een tweede persoonlijkheid die door Eyran zelf is uitgevonden.' Ze draaide zich naar Philippe. 'Zou je het leuk vinden om wat extra geld te verdienen?'

Philippe grijnsde. 'De laatste keer dat een oudere, aantrekkelijke vrouw me dat vroeg, ben ik in de problemen geraakt.'

Marinella legde haar probleem uit. Uit de sessie waren verschillende namen en details tevoorschijn gekomen, en die moesten allemaal gecheckt worden. Het zou gaan om een aantal telefoontjes naar stadhuizen en ambtenaren van de burgerlijke stand in Frankrijk, en haar Frans was praktisch nihil. Marinella omcirkelde de namen. 'De Rosselots. De jongen Christian, zijn ouders Monique en Jean-Luc, en een zusje dat Clarisse heet. Uit Taragnon. Begin jaren zestig. Dat zou vrij gemakkelijk te vinden moeten zijn, áls ze tenminste bestaan.'

Vermoedelijk was de jongen gestorven toen hij pas tien jaar was. Ze zouden daarom moeten beginnen met zijn overlijdensakte. Daarna konden ze misschien de details over zijn leven bij elkaar zoeken, en kijken of die overeenkwamen met zijn beschrijvingen.

Deel twee

22

Jean-Luc Rosselot zat op het stenen muurtje en keek over het glooiende landschap naar het erf en het huis. Het was weer zomer en er waren acht maanden verstreken sinds het proces. De geur van de velden herinnerde hem aan de dag dat hij Christians fiets had gevonden, aan de dagen dat ze samen op het land hadden gewerkt, aan het bleke korenveld met de gendarmes die daar stonden als schaakstukken...
Christians geheime schuilhut had hij pas een paar maanden geleden opgeruimd. In de winter had die er te vervallen uitgezien, niet langer een aangename herinnering aan de tijd dat Christian hem gebruikte.
De beelden begonnen ook te vervagen. Daarvoor, als hij op het muurtje zat en over het land uitkeek, had hij zich vele malen kunnen voorstellen hoe Christian zijn kant op kwam rennen, naar hem zwaaide en zijn naam riep. Als hij dat beeld nu opriep, kon hij wel iemand zien rennen, maar was dat beeld onduidelijk en had het ieder jongetje kunnen zijn. De gelaatstrekken waren vaag en mistig, weinig meer dan een impressie van Cézanne. Hij vroeg zich af of dat kwam doordat zijn ogen traanden door die pijnlijke herinnering en hij niet goed kon zien, maar toen besefte hij plotseling dat hij zijn ogen dicht had gedaan en de beelden in zijn hoofd zaten.
De enige beelden die duidelijk bleven, te duidelijk, waren de beelden die hij juist kwijt wilde: de jonge gendarme op het erf, met Monique op haar knieën aan zijn voeten, de foto's van Christian nadat hij was gevonden, waar hij en Monique naar hadden moeten kijken tijdens het vooronderzoek voor de officiële identificatie, voordat hun de bijna lachwekkende vraag was gesteld of ze wilden dat de verdachte in staat van beschuldiging werd gesteld. De twee dagen in de rechtszaal, zijn woede toen de tactiek van de verdediging hem duidelijk werd, en de rechter die ten slotte het vonnis uitsprak: zes jaar. Zes jaar voor het leven van zijn zoon: het had zelfs niet de schijn van rechtvaardigheid. Verminderde toerekeningsvatbaarheid? Metalen plaatjes, legerartsen en vroegere verzetsstrijders. Het hele proces was een pathetische schijnvertoning geweest.
Het enige waar hij zich aan vast had kunnen klampen, was dat er

recht zou geschieden. Al het andere was hem al afgenomen. Trots, hoop, een vorm van redelijkheid die het onvoorstelbare kon verklaren, het onaanvaardbare van het feit dat hij Christian kwijt was. Was dat waarop hij had gehoopt, die dag in de rechtszaal? Enige uitleg over waaróm het was gebeurd, zodat de spoken konden gaan rusten? Uiteindelijk had de redelijkheid het net zo laten afweten als het recht. Want wat hadden ze ten slotte gezegd: dat de man zijn zoon hád vermoord, maar dat hem dat voor een deel vergeven kon worden, want hij had een metalen plaatje in zijn hoofd omdat hij twintig jaar geleden door een nazi-truck was aangereden.
Jean-Luc schudde zijn hoofd. Hij voelde zich moe, doodmoe. Het land en de strijd om het bestaan hadden hem de afgelopen paar jaar leeggezogen. En Christians dood, het politieonderzoek en het proces hadden hem zijn laatste restjes kracht en moed ontnomen. Hij voelde zich steeds meer opgelaten in het gezelschap van Monique en Clarisse, kon ze nauwelijks in de ogen kijken omdat hij wist dat ze zouden zien wat er achter de zijne lag: dat hij gewoon niet zoveel van hen kon houden als hij van Christian had gehouden. En zich ervoor schaamde dat hij hen teleurstelde. De laatste twee brieven van de bank had hij ongeopend in een la gestopt. Hij wist al wat erin zou staan.
Hij kwam langzaam overeind, veegde de tranen uit zijn ogen en begon door het veld naar het erf te lopen. Als hij Christian nu zag, dat heldere beeld, zwaaiend en roepend naar hem, zou dat hem misschien tegenhouden, ervoor zorgen dat hij er nog eens over na zou denken. Maar er was niets, alleen een verlaten veld. Leeg en droog onder de zomerzon, onverbiddelijk. Niets meer om zich aan vast te klampen, zelfs geen herinnering. Toen hij dichter bij het huis kwam, zag hij even iets bewegen achter het keukenraam. Monique was bezig in de keuken, maar ze had hem niet gezien en keek niet op toen hij over het erf naar de garage liep.

14 december 1969

Monique Rosselot probeerde de gedaanten in de kamer te onderscheiden. Alles was mistig, alsof ze door een stuk vitrage keek. De gestalten om haar heen waren onduidelijk, vaag, behalve de verpleegster die zich over haar heen boog en voor de zoveelste

keer vroeg 'of ze al iets onder haar middel voelde'.
'Ja... ja,' antwoordde ze hijgend, licht verontwaardigd nu vanwege de twijfelende toon van de verpleegster.
'Voelen' was een ernstig tekortschietend woord voor de vreselijke pijn die haar in haar greep hield, diep in haar maag begon en zich als een bosbrand verspreidde door haar dijen en onderrug. Ze had zo'n afschuwelijke pijn nooit eerder ervaren, nooit geweten dat mensen zoiets konden verdragen.
'Ik denk niet dat de epiduraal is aangeslagen,' hoorde ze een mannenstem zeggen. 'Misschien kunnen we haar nog een dosis geven.'
'Ik geloof niet dat we dat in dit stadium kunnen doen,' zei een ander.
En toen boog de verpleegster zich weer over haar heen. 'Voelt u nu dat uw lichaam zich begint te ontspannen?'
'Ja... ja.'
'Maar u voelt de pijn van onderen nog steeds?'
'Ja,' bracht Monique uit tussen haar opeengeklemde tanden door, terwijl haar adem in korte stoten naar buiten kwam en ze zich schrap zette tegen de pijn.
Dokter Jouanard zat met een dilemma. De patiënte had bijna een halfuur geleden al een dosis epiduraal gekregen. Na twintig minuten, toen door de voortdurende pijn van de patiënte duidelijk werd dat die niet voldoende werkte, was de baby inmiddels in het geboortekanaal terechtgekomen. Het zou voor de patiënte praktisch onmogelijk zijn om zich voorover te buigen om de wervelkolom de juiste kromming voor een tweede injectie te geven. En de injectie toedienen zonder de juiste kromming zou veel te riskant zijn. Een halve centimeter ernaast en de patiënte was voor de rest van haar leven verlamd. Ten slotte had hij besloten tot een lichte vorm van anesthesie, om de zenuwen te kalmeren en te ontspannen, maar de patiënte bij kennis te laten zodat ze haar spieren kon gebruiken als er geperst moest worden.
Die was nu tenminste gaan werken, maar de voortdurende pijn en het feit dat het kind niet verder was ingedaald, ondanks het aanhoudende persen van de patiënte, begonnen Jouanard zorgen te baren. Hij had het dossier met het medische verleden van de patiënte grondig doorgenomen: twee eerdere bevallingen, op natuurlijke wijze en zonder complicaties, en haar bekkenomvang was ruim voldoende, dus waarom dan nu deze problemen?

Met één hand op de buik kon hij de baby klem voelen zitten in het geboortekanaal en met de andere opende hij de vulva om beter te kunnen zien. Hij dacht dat hij het hoofdje zag, en nog iets anders, maar hij kon niet goed zien wat. Er was ook veel te veel bloed en hij vroeg zich af of er inwendig misschien iets kapot was gegaan. Hij stak zijn hand in de vulva en probeerde het hoofdje te voelen, te identificeren wat hij dacht dat het hoofdje was.

Hij draaide zijn hand rond en betastte de vorm van de gladde, vochtige huid: het was een schouder die hij recht voor zich had gevoeld, en dieper binnenin kon hij de thorax en een armpje voelen, en het hoofdje... het hoofdje lag scherp naar één kant gebogen. En er zat iets tussenin. Jouanard ging er nog eens met zijn hand omheen om het zeker te weten. Toen keek hij met een ruk op.

'Dokter Floirat, maak de patiënte onmiddellijk klaar voor een operatie onder algehele narcose.'

Floirat volgde de instructies op: een ECG-monitor en oscilloscoop werden naar voren gereden en de dosis thiopenthal werd klaargemaakt.

Jouanard deed een stap naar achteren en keek toe hoe de operatieassistente de instrumenten neerlegde. Het bloedverlies baarde hem zorgen. Drie à vier minuten om de monitors aan te sluiten, nog een minuut voordat de thiopenthal begon te werken. Hoeveel meer zou ze dan al verloren hebben? Hij gaf een verpleegster opdracht om het bloed weg te blijven deppen. Hij zag de ogen van de patiënte onrustig heen en weer rollen als reactie op deze nieuwe activiteit.

'Het is oké, het is oké,' stelde hij haar gerust. 'De epiduraal werkte niet voldoende. We geven u nu een algehele narcose. Straks is het allemaal weer voorbij. Ontspan u maar.'

Standaardzinnen. Inwendig was hij in paniek. Dwarsligging met een deel van de navelstreng om de nek van het kind gedraaid. Het persen met de obstructie had blijkbaar een inwendige bloeding veroorzaakt, en het kind kon al gewurgd zijn. Als de placenta was gescheurd, zou het kind weldra dood zijn, als het tenminste nog leefde. Als het de baarmoeder was, kon hij de patiënte ook verliezen. En hij kon niet weten waar die bloeding zat voordat hij haar had geopend.

De verpleegsters legden de laatste verbindingen met de monito-

ren. Floirat kwam naar voren en diende de thiopenthal toe. Jouanard keek op zijn horloge en telde de seconden af. Het bloedverlies was ernstig. Om de tien tot vijftien seconden moesten er nieuwe deppers worden gepakt. De patiënte was nog bij kennis en reageerde op de verpleegster die tegen haar bleef praten totdat ze volledig onder zeil was.
Toen de verpleegster haar vragen bleef herhalen, begon Monique in paniek te raken, bang vanwege al die plotselinge activiteit en de artsen die hun orders gaven. 'Wat is er aan de hand?' vroeg ze de verpleegster, maar ze kreeg een routinematige glimlach als antwoord.
'Niets. Maakt u zich geen zorgen. Ontspan u maar.'
Woorden die haar paniek alleen maar deden toenemen. Ze stak haar hand op. 'Ik wil mijn man zien. Alstublieft... ik wil hem hier graag bij me hebben. Om me te steunen.'
'Ja... maak u geen zorgen. We zullen hem laten halen.' Dezelfde getrainde glimlach van de verpleegster, die wist dat de patiënt elk moment onder zeil kon gaan.
De felle angst werd doffer en plotseling had de verpleegster gelijk. Er was niets om je zorgen over te maken. Haar lichaam voelde aan alsof het zweefde, wegdreef op de echo's van de stemmen achter haar.
'Ziet u... mijn man zal weten wat hij moet doen,' zei ze, en het waren haar laatste woorden voordat ze in een diep duister wegzakte.
In de eerste momenten van duisternis zag ze Christians gezicht. Hij rende door het veld, zwaaide en lachte naar haar. Maar het was niet het veld bij hun huis, het was er een dat ze niet herkende: een korenveld, met graan dat zachtjes wuifde in de wind. En ze dacht: ja, het zou leuk zijn als het een jongetje was. Een andere Christian. Ze zou deze keer goed op hem passen, van hem houden, dicht bij hem in de buurt blijven en ervoor zorgen dat hem nooit iets overkwam. O, God, alstublieft, alstublieft... geef me nog een kans.
Floirat scheen met zijn lampje in de ogen van de patiënte, checkte de pupillen op reactie en knikte. Jouanard maakte de eerste incisie. Hij had zich al verzoend met het feit dat ze het kind waarschijnlijk zouden kwijtraken. De uitdaging die hem nog resteerde, was het leven van zijn patiënte.

28 april 1974

Dominic Fornier stuurde de zwarte Citroën door de smalle straatjes van het Panier-district en drukte op zijn claxon om voetgangers te waarschuwen als hij een scherpe bocht moest maken. Als hij dan weer gas gaf, voelde hij de wind terugkaatsen van de muren aan weerskanten van hem. In de verte kon hij de groep mensen al zien staan. De meesten stonden samengeschoold aan het uiteinde van de straat. Hij parkeerde achter de twee zwarte Citroëns die er al stonden. Hij herkende Lasnel van de forensische dienst en inspecteur Bennacer, die druk bezig was met het ondervragen van een groepje mensen aan het eind van de straat.

Lasnel keek op van het lichaam en zag hem het eerst. 'Inspecteur Fornier. Net op tijd. Nog een paar minuten en de vleeswagen had hem meegenomen.'

Dominic knielde neer naast Lasnel. 'Ben je hier al lang?'

'Een minuut of vier, vijf. Maar het lijkt me een vrij duidelijke zaak. Het ziet ernaar uit dat de eerste steek hier is toegebracht, recht naar binnen, vrij diep, bijna tot in de luchtpijp, en dat het mes toen opzij is getrokken, dwars door de halsslagader.'

'Dan weten we in elk geval dat het waarschijnlijk een mes was, en geen scheermes. Dat scheelt al een hoop.' Dominic glimlachte en klopte Lasnel op de schouder.

De man lag met zijn gezicht op de grond en het bloed uit zijn hals vormde een donkerrode, bijna bruine plas onder en naast hem. Hij was nu bijna een uur dood. Dominic kwam overeind en ook Lasnel ging even opzij toen een rechercheur met een camera foto's kwam nemen. Hij gebruikte zijn flitser, want hoewel het middag was en de zon scheen, hulden de gebouwen aan weerskanten het smalle straatje in de schaduw. Dominic liep naar Bennacer.

'Zijn er getuigen?'

Bennacer schudde zijn hoofd en wees naar een vrouw van middelbare leeftijd met een vrij donker uiterlijk, vermoedelijk Marokkaans of Algerijns. 'Zij heeft hem gevonden, en kort daarna kwamen er twee mannen, van wie er een naar de dichtstbijzijnde telefoon is gerend en het alarmnummer heeft gebeld. De andere man staat daar.' Bennacer wees naar een oude man die een stukje achter de vrouw stond. 'Maar niemand heeft de feitelijke daad gezien.'

Dominic kreeg van Bennacer te horen dat de andere man, die een jaar of vijfentwintig was, niet was teruggekomen, maar waarschijnlijk was dat niet van belang. De portefeuille van het slachtoffer was weg, dus rechtstreekse identificatie was niet mogelijk, maar dat gaf niet, want Bennacer kende hem: Emile Vacheret, eigenaar van een plaatselijke club. De misdaad moest op een beroving lijken, maar Bennacer had zijn twijfels. Het was waarschijnlijk een milieu-afrekening.
Dominic knikte. Nu Bennacer zijn naam had genoemd, herinnerde Dominic zich het dossier. Hun belangrijkste informant over de activiteiten van het milieu, Forterre, had gerapporteerd dat er stappen waren ondernomen om een distributienetwerk voor drugs op te zetten met gebruikmaking van de clubs in Marseille. Vacheret was een van de clubeigenaars die in het dossier voorkwamen. Vacheret had zijn clubs jarenlang gebruikt als façade voor de handel in kleine hoeveelheden marihuana, maar er was druk op hem uitgeoefend om deze uit te breiden met heroïne. Emile Vacheret was ertegen geweest, maar van zijn zoon François, die nu begin dertig was, was bekend dat hij ervoor was. 'Dus het ziet ernaar uit dat ze geen zin hadden om nog vijftien jaar te wachten tot de oude baas met pensioen ging,' zei Dominic op zure toon. 'Denk je dat zijn zoon echt betrokken kan zijn bij de moord?'
'Nee, dat denk ik niet. Hij mag het misschien oneens zijn geweest met zijn vader, maar zo ver zou hij nooit gaan. Trouwens, nu Emile uit de weg is geruimd, krijgen ze met François toch hun zin, dus het was niet nodig om hem erbij te betrekken. Het kan ook als waarschuwing hebben gediend: er zijn weinig betere manieren om de zoon in het gareel te laten lopen.'
De interne politiek van het milieu, dacht Dominic. Essentiële kennis, opgedaan in de negen jaar dat hij hier had gewerkt. Naarmate de drugsmarkt zich had uitgebreid, met Marseille als een van de belangrijkste havens en distributiecentra van Europa, waren de *reglas de compté*, de afrekeningen, ook toegenomen. En zoals met veel van dit soort zaken zou er geen moordwapen worden gevonden, geen vingerafdrukken en geen getuigen. Alleen maar de gebruikelijke lijst met verdachten die in de dossiers en computers van de politiedepartementen zaten.
'Zijn er clubs van hem in deze buurt?'
'De dichtstbijzijnde is minstens drie blokken verderop. Niets in de directe omgeving.'

Dominic tuurde de straat achter de kleine menigte in. Elf dagen? Hij had nog elf dagen voordat hij zijn bureau in Marseille moest leegruimen en aan zijn twee jaar bij Interpol in Parijs zou beginnen. De zaak zou niet erg ver gevorderd zijn in die tijd, en zou ongetwijfeld terechtkomen bij zijn hoofdinspecteur, Isnard, waar hij zou eindigen op een van de twee stapels op zijn bureau: onopgeloste zaken en interne administratieve overbelasting. Als hij een beetje beweging in de zaak wilde, met goed straatwerk als hij er niet meer was, dan lagen zijn beste kansen bij Bennacer.
Dominic bladerde zijn notitieboekje door. Te veel losse uiteinden om in elf dagen aan elkaar te knopen: zaken waaraan werd gewerkt, dingen die hij nog moest doen voordat hij vertrok, en nu kwam daar nog meer bij. Al zijn vrije uren waren opgegaan aan het inpakken voor de verhuizing en de huurcontracten voor hun oude huis in Aubagne en hun nieuwe huis in Corbeil, vijfendertig kilometer van Parijs verwijderd.
Er zou ongetwijfeld een afscheidsborrel op het bureau worden gehouden, en, als daar tijd voor was, een laatste etentje bij Pierre Têtre in Cannes, met zijn vrouw en zoon. Ze hadden daar gegeten op de avond dat hij haar zijn aanzoek deed, en zes jaar geleden nog eens, toen hij zijn laatste examenuitslagen had binnengekregen en zijn overplaatsing van de gendarmerie in Marseille naar de rijkspolitie officieel werd. De twee jaar bij Interpol waren vrijwillig en zouden niets aan zijn huidige rang veranderen, maar het zou zijn werkervaring verbreden en bijdragen aan zijn promotie tot hoofdinspecteur; dat moest in twee tot drie jaar na zijn terugkeer mogelijk zijn. Maar zonder eerst het glas te heffen bij Pierre Têtre zou de verhuizing naar Parijs op de een of andere manier incompleet zijn.
Dominic keek op. De ambulance kwam eraan en de mensen in het smalle straatje moesten zich tegen de muren drukken om hem door te laten. Hij schreef een paar regels op een blaadje papier en gaf dat aan Bennacer. 'Ik weet niet of ik in staat zal zijn veel aan deze zaak te doen voordat ik vertrek. Maar laat hem alsjeblieft niet wegrotten op Isnards bureau. Doe het loopwerk zelf en bewerk je contacten in het milieu zo goed als je kunt. Dit wordt mijn telefoonnummer in Parijs. Bel me direct als er iets aan de hand is.'
Toen Dominic zijn boekje dichtdeed, zag hij op de twee na laat-

ste bladzijde 'Machanaud?' staan. Een jaar nadat hij zijn *inspectorate* van de rijkspolitie had gehaald, was hij door Taragnon gereden en was hij weer herinnerd aan de zaak. Machanaud had twee jaar daarvoor in vrijheid gesteld moeten zijn, of eerder nog als het om een voorwaardelijke invrijheidstelling ging. Hij had geprobeerd met Molet in contact te komen via het Palais de Justice en zijn vroegere advocatenkantoor, maar het enige wat hij te horen had gekregen, was dat hij zijn praktijk naar Nice had verhuisd; na nog vier telefoontjes had hij zijn pogingen om zijn telefoonnummer te achterhalen opgegeven. Toen had hij besloten om via Perrimonds kantoor te weten te komen wat er met Machanaud was gebeurd. Nadat hij drie keer Perrimonds secretaresse aan de lijn had gekregen en geen een keer was teruggebeld, had hij in de week daarna zo'n stortvloed van werk over zich heen gekregen, dat hij het was vergeten.
Hij moest er opnieuw aan denken toen hij een jaar geleden een krantenartikel over Alain Duclos zag, het eerste wat hij in de tien jaar sinds de moord over Duclos was tegengekomen. Het was een klein artikel over de nieuwe kandidaat voor de RPR in Limoges, Alain Duclos, die de afgelopen vijf jaar de functie van procureur-generaal had bekleed en een paar opmerkelijke successen had gescoord tegen bedrijven die de arbeidswet overtraden door illegale immigranten voor weinig geld het slechte werk te laten doen, een handelswijze die, volgens Duclos, 'de immigrant niet alleen misbruikte door hem in een hedendaagse vorm van slavernij te integreren, maar die het Franse volk ook van zijn recht op werk beroofde'. De redder van het volk, dacht Dominic cynisch. Duclos en de politiek waren blijkbaar voor elkaar geschapen.
Hij had zich weer voorgenomen om Perrimond nog eens te bellen, maar was het vergeten. Uiteindelijk had hij het een week geleden in zijn notitieboekje opgeschreven, onder alle andere dingen die hij nog moest afhandelen voordat hij vertrok. Ongetwijfeld maakte hij zich zorgen om niets. Waarschijnlijk was Machanaud na vier jaar vrijgelaten en had hij hooguit een jaar in een instituut doorgebracht om therapie te volgen. Hij zou Perrimond nog eens proberen te bellen zodra hij terug was op het bureau.

4 februari 1976

Regen kletterde tegen de zijruit van de auto. Duclos keek bezorgd op zijn horloge. Chapeau was al vijf minuten te laat. Misschien kon hij hun nieuwe ontmoetingsplaats niet vinden.
Het idee was het afgelopen jaar langzaam gegroeid, hoewel het er onbewust al veel langer moest zijn geweest. Bijna drie jaar geleden was een oom van hem overleden en had hij samen met zijn neef de ontruiming van het huis afgehandeld. Duclos kende een plaatselijke antiekhandelaar, maar hij en zijn neef hadden besloten eerst zelf eens in het huis rond te kijken en een inventaris te maken van de curiosa om te weten waar ze het over hadden als de antiekhandelaar kwam. In een oude hutkoffer op zolder had Duclos een legeruniform, lintjes en onderscheidingen én een oude dienstrevolver gevonden: een SACM 7,6 mm.
Zijn oom was legerofficier geweest tijdens de Vichy-regering, maar dat was niet iets waar de familie graag over sprak, noch hadden de memorabilia van het leger uit die periode enige verkoopwaarde. De inhoud van de hutkoffer zou waarschijnlijk niet bij de antiekhandelaar terechtkomen en hij betwijfelde of zijn oom de familie ooit op de hoogte had gesteld van het bestaan ervan. Toch was het wapen in een opmerkelijk goede conditie, het was blijkbaar regelmatig schoongemaakt en geolied, en nu lag het daar keurig in die koffer, met een doos munitie ernaast. Duclos keek op en spitste zijn oren – zijn neef was nog steeds beneden bezig – voordat hij de revolver en de patronen in zijn zak stak.
Hij had op dat moment geen idee waar hij hem ooit voor nodig zou kunnen hebben, maar als hij terugkeek, herinnerde hij zich zijn gretigheid om het wapen in zijn zak te steken, zijn bezorgdheid dat zijn neef plotseling boven zou komen en zou voorkomen dat hij het meenam. Misschien zat zijn voornemen al jarenlang in zijn onderbewustzijn.
Maar het was pas achttien maanden later, toen Chapeau zijn nieuwe eis stelde, dat de betekenis van het wapen echt tot hem doordrong. De eisen om geld kwamen bijna elk jaar en hadden hem stukje bij beetje uitgekleed. Elke stap omhoog op de ladder, elke salarisverhoging of toename van status, en Chapeau hing aan de telefoon. Gefeliciteerd!
Hij was zich bijna gaan afzetten tegen zijn successen, was fysiek

onwel geworden als hij een camera van een persfotograaf zag flitsen of zich liet interviewen, want hij wist dat Chapeau het zou lezen en hem zou bellen. Hij begon zelfs de motieven van zijn ambitie in twijfel te trekken, zichzelf ervan te verdenken dat hij stiekem hoopte dat Chapeau hem zou bellen, omdat alleen een voortdurende straf hem op de een of andere manier misschien kon verlossen van de nachtmerries die hem nog regelmatig achtervolgden: wakker schrikken, badend in het koude zweet terwijl de doordringende groene ogen van de jongen hem aanstaarden en smeekten... alstublieft, maak me niet dood!

In zijn dromen werden de kofferbak van zijn auto en de laatste seconden van de uiteindelijke daad een en hetzelfde moment, en keken de ogen hem aan vanuit het duister van de kofferbak net voordat hij de kei omlaag zwaaide. De eerste droom had hij zes maanden na de moord gehad en soms had hij last van korte flashbacks als hij de kofferbak opende. Kort daarna had hij de Alfa verkocht.

Maar op andere momenten had hij het gevoel dat hij genoeg had geleden, dat de dromen hem alleen nog achtervolgden omdat elk telefoontje van Chapeau hem eraan herinnerde, het incident weer tot leven bracht. En op zulke momenten wenste hij dat het allemaal voorbij was, de nachtmerrie van de aanhoudende telefoontjes, de eisen om geld en de bezorgdheid omdat hij met de stijgende lijn van zijn carrière elk jaar meer te verliezen had. De prijs die op zijn hoofd stond, was verhoogd.

En toen wist hij waarom hij de revolver had meegenomen, dat er maar één manier was...

Duclos' gedachten werden onderbroken. Chapeaus auto stopte langs de kant van de weg. Duclos stapte snel uit, want het was van vitaal belang dat ze niet in zijn auto zaten als hij de trekker overhaalde. Hij voelde de lichte regendruppeltjes op zijn gezicht en hoopte dat Chapeau het niet raar zou vinden dat hij buiten stond.

Chapeau stapte uit en kwam naar hem toe lopen. Nieuwe auto, zag Duclos: een Citroën CX Pallas. Met al het geld dat hij Chapeau de afgelopen jaren had betaald, zou hij zich nauwelijks een betere auto kunnen veroorloven. Hij stak zijn hand in zijn jaszak, voelde het koele metaal van de kolf van de revolver.

'Ik wist niet dat je zo'n natuurliefhebber was,' merkte Chapeau op, en zijn adem tekende een witte pluim in de lucht.

Het weer was ideaal. Hij had de ontmoeting expres uitgesteld tot het koel en regenachtig was. Hij kon nu een jas dragen zonder Chapeaus argwaan te wekken.
Chapeaus schoenen knerpten in het losse grind toen hij naderbij kwam schuifelen. De landweg liep door een bebost gedeelte vijfendertig kilometer ten noorden van Montpellier. Hij leidde naar een picknickterrein waar het 's zomers druk kon zijn, maar dat deze tijd van het jaar uitgestorven was. Duclos had het excuus verzonnen dat hij niet meer op een parkeerterrein van een restaurant wilde afspreken, zoals ze tot nu toe hadden gedaan, 'omdat een ober bij hun laatste ontmoeting herhaaldelijk naar hen had gekeken'. Chapeau zei dat het hem niet was opgevallen, maar hij was akkoord gegaan met een nieuwe ontmoetingsplek.
Chapeaus gelaatstrekken waren in de loop der jaren wat voller geworden. Hij had een onderkin gekregen en de wallen onder zijn ogen gaven hem het uiterlijk van een trieste, valse buldog. Hij droeg vaak een zonnebril om zijn slechte oog te verbergen, maar vandaag niet, want het weer was te somber.
'Het is koud hier,' zei Chapeau. 'Had je de kachel aan in je auto?'
Duclos keek achterom naar zijn auto, dacht snel na voordat zijn aarzeling hem verraadde. 'Jawel. Maar ik had behoefte aan een beetje frisse lucht. We zijn zo klaar.'
Chapeau bleef hem even aankijken. Duclos' hand klemde zich om de kolf van de revolver in zijn jaszak. Werd Chapeau al argwanend over de plek van hun rendez-vous en vroeg hij zich nu af waarom hij behoefte had aan frisse lucht terwijl het mistig was en regende?
Chapeau boog bedachtzaam zijn hoofd, en keek toen opzij. 'Je hoeft je hier geen zorgen te maken over nieuwsgierige obers. Goede plek als je van privacy houdt.' Toen draaide hij zijn hoofd langzaam terug totdat zijn blik weer op Duclos rustte.
Duclos vroeg zich af of Chapeau iets vermoedde, voelde een vaag getril dat vat kreeg op zijn benen. Hij haalde snel zijn hand uit zijn zak.
'Je moet wel heel trots op jezelf zijn, minister. Ik las het onlangs in de krant. Ik ben onder de indruk. Als ik je niet zo goed kende, zou ik geneigd zijn zelf op je te stemmen. Verrassend toch hoe je privé-leven zo kan afwijken van het beeld dat men van je heeft.'
Door de jaren heen had Duclos geleerd de bedoeling achter Cha-

peaus opmerkingen te doorzien. Wat hij nu bedoelde was: nu je publieke functie weer een tree is gestegen en nóg meer in tegenspraak is met je privé-leven, heeft de dreiging van de neergang ook een grotere waarde gekregen. Ik kan dus meer vragen.
'Wat zouden ze verbaasd zijn als ze wisten wat een zak je eigenlijk was.' Chapeau lachte. 'Je zou nooit meer een uitnodiging krijgen om clubhuizen van de padvinderij en sportverenigingen te openen!'
En ze eindigden altijd met een sneer, een uitdaging. Christus, alleen al daarom zou het heerlijk zijn om hem te vermoorden. Duclos schoof zijn hand weer in zijn zak, pakte de kolf vast en kromde zijn vinger om de trekker. Geen beledigingen en getreiter meer. Nooit meer zou hij in Chapeaus meelijwekkende vissenoog hoeven kijken, alleen om te zien dat het enige wat er wat leven en vrolijkheid in kon brengen, zijn eigen onbehaaglijkheid was.
De eerste keer dat hij erover had gedacht om Chapeau te vermoorden, was al vijf jaar geleden geweest. Hij had het door iemand anders willen laten doen, maar hij had zich snel bedacht. Zo was hij in eerste instantie in deze tredmolen van chantage terechtgekomen. Dan zou hij niet meer doen dan de ene chanteur door de andere vervangen. Toch had hij op dat eerste moment, toen hij zijn ooms revolver ontdekte, nooit durven dromen dat hij jaren later op een verlaten, regenachtige landweg zou staan met zijn vinger om de trekker.
Elke ontmoeting, elke sneer en belediging, elke betaling, de angst voor ontdekking en de val die per jaar dieper werd... hadden stukje bij beetje een lappendeken van pure haat geweven. Maar hij zou het zelf moeten doen, want er was niemand anders.
'Voel je je wel goed?' vroeg Chapeau.
'Ja... ja. Best,' stotterde Duclos. Hij voelde zijn zenuwen protesteren terwijl hij zich voorbereidde op de daad, en ook zijn benen waren weer gaan trillen. 'Laten we de zaak afhandelen. Zoals je al zei, is het koud hier.' Hij gaf Chapeau de envelop.
De revolver en de munitie zouden ontraceerbaar zijn. Niemand had hem de landweg in zien rijden en de plek was tientallen kilometers verwijderd van hun respectievelijke woonplaatsen. Er zou geen enkel verband zijn. Hij moest ervoor zorgen dat zijn eerste schot raak was, hem in de borst of buik treffen, gevolgd door twee of drie schoten om het af te maken. Een misser of op-

pervlakkige verwonding zou ervoor zorgen dat Chapeau terug zou schieten.
Chapeau maakte de envelop open en ging het geld tellen.
Nu Vacheret dood was, was ook de link tussen hun tweeën verdwenen. De laatste sporen van 1963 zouden met Chapeau het graf in gaan. Het was hem één keer gelukt, en hij kon het nu weer doen. Hij verstevigde zijn greep om de kolf en voelde zijn hand zweten. Het beste moment was als Chapeau omlaag keek en werd afgeleid door het tellen van het geld.
'Dertigduizend, was het niet?' vroeg Chapeau. Maar hij keek nauwelijks op van het tellen.
'Ja.' Twaalf jaar, geconcentreerd in een enkel moment. Zijn benen trilden oncontroleerbaar en hij voelde de druk op zijn borst toenemen. Hij slikte en probeerde zijn borstkas te ontspannen. Hij had eerst overwogen om Chapeau door zijn jaszak dood te schieten, maar had toen beseft dat hij de jas, met het gat in zijn zak en de kruitsporen, zou moeten dumpen en een spoor zou achterlaten. Maar hij was nu bang dat als hij de revolver tevoorschijn haalde, Chapeau hem zou zien. Die ene beweging in zijn ooghoek terwijl hij zijn geld stond te tellen, die ervoor zou zorgen dat hij zijn eigen wapen trok.
Chapeau was op twee derde van de eerste bundel. Duclos kende inmiddels de routine: Chapeau telde de eerste bundel helemaal, dan liet hij zijn duim snel langs de andere bundels gaan en keek hij of ze even dik waren als de eerste. Er waren in totaal zes bundels: elk van vijfduizend franc in biljetten van honderd franc.
Al die maanden van voorbereiding, en nu het moment daar was, kon hij zich nauwelijks bewegen. Hij was in een weekend zelfs naar een verlaten streek in de buurt van Limoges gegaan om te oefenen en zich ervan te overtuigen dat het kruit niet vochtig was, de revolver niet haperde en om een beetje aan het gewicht van het wapen in zijn hand te wennen. Maar wat had hij daar nu aan? Dit was geen kartonnen schietschijf meer, maar kogels door vlees en botten schieten! Zijn zenuwen gierden door zijn lijf en zijn hele lichaam begon te trillen. Misschien moest hij wachten tot Chapeau klaar was met tellen en hem in zijn rug schieten als hij van hem wegliep.
Chapeau was klaar met de tweede bundel.
Maar wat als Chapeau plotseling opkeek en aan zijn gezicht zag dat er iets mis was? Chapeau zou zien dat het koude paniek-

zweet op zijn voorhoofd stond en zijn wapen trekken voordat hij daar een kans voor zou krijgen. Chapeau liet zijn duim langs de andere bundels gaan... begon nu aan de vierde. Hij kon elk moment opkijken en dan waren zijn kansen verkeken.
Met een laatste stil gebed in de mistige lucht trok Duclos de revolver uit zijn zak.

23

Marseille, 3 oktober 1978

Geklop van harten. Hun eigen harten die de seconden aftelden. Alle drie de mannen in de auto luisterden ernaar terwijl ze wachtten tot het duister viel. Ze zagen nog twee mensen de bar uit komen.
'Hoeveel zijn er nu nog binnen, Tomi?' vroeg de man achter het stuur.
'Negen of tien, denk ik.' Twintig minuten daarvoor was Tomi de bar in gegaan voor een snelle verkenning, had hij een glas pastis achterovergeslagen en was hij weer vertrokken. 'Ik geloof niet dat het nog stiller wordt. Straks begint het weer vol te lopen.'
De chauffeur, Jaques, haalde de 11,43 mm automatic uit zijn schouderholster. Achterin tikte Tomi nerveus met zijn vingers op de loop van zijn pompactiegeweer. Geklop van harten. Ze hadden al eerder besloten dat ze geen mogelijke getuigen konden achterlaten. Toen ze twee dagen daarvoor de foto's en de helft van het geld hadden gekregen, was hun verteld dat de bar de enige plek was waar ze alle drie de doelwitten op hetzelfde moment zouden kunnen vinden. Tomi had al gecheckt of ze binnen waren.
Het uithangbord BAR DU TELEPHONE was maar voor een deel zichtbaar tussen de bomen waaronder hun auto stond. Jaques keek door de voorruit en in zijn spiegels: er kwam niemand aan. Hij knikte en ze trokken de nylonkousen over hun hoofden. Er werd niets meer gezegd toen ze achter hem aan de bar in liepen. Maar twee mensen draaiden zich om en keken hen aan toen ze binnenkwamen en hun wapens richtten. Ze hadden nauwelijks de tijd verrast te kijken toen de eerste salvo's oorverdovend door

de kleine ruimte klonken. Tomi zag een van de doelwitten aan het eind van de bar zitten, schakelde hem snel uit met een schot in zijn borst, draaide zich naar rechts en schoot op een man die naar de grond dook om dekking te zoeken. Jaques had hun tweede doelwit al gevonden en schoot twee andere klanten neer die probeerden te ontsnappen.

In het pandemonium van omvallende stoelen en tafels en brekende glazen van mensen die in paniek aan het vuur probeerden te ontsnappen, bewogen de drie zich door de bar met een gemak alsof het om een militaire oefening ging. Het was vooraf allemaal afgesproken: schoten in de borst, zoveel mogelijk mensen in zo kort mogelijke tijd neerleggen en hen dan afmaken met schoten in het hoofd. Gegil en geschreeuw vermengden zich met het gekreun van degenen die al waren geraakt, en de lucht was zwaar van de rook en de stank van verbrand cordiet.

Op een zeker moment stak Jaques zijn hand op en nam hij even de tijd om te zien wie er nog neergelegd moest worden. Een kleine beweging in de hoek; Tomi draaide zich om en vuurde. Alle anderen waren al zwaargewond of dood.

Een man van achter in de twintig keek smekend op toen Jaques zijn pistool op hem richtte. 'Monsieur, alstublieft, nee... nee!'

'*Pardon.*' Jaques duwde de loop in het zachte vlees onder het oor van de man en schoot.

Na nog eens vijftig seconden hadden ze iedereen in de bar in het hoofd of de nek geschoten. Jaques keek afkerig om zich heen; de slachting had de tegelvloer spekglad van het bloed gemaakt. Hij was al twee keer bijna uitgegleden. Jaques gaf een seintje en ze vertrokken. Er waren nog geen drie minuten verstreken sinds ze waren binnengekomen.

Kort nadat ze waren vertrokken, begon een man die bij de bar op de grond lag zacht te kreunen. Hij was twee keer in zijn nek geschoten maar had het wonderwel overleefd. De schutters hadden ook niet gelet op de beweging op de trap achter in de bar toen ze waren binnengekomen.

Nicole Leoni, de vrouw van de bareigenaar, zag de eerste schutter toen ze de trap af kwam lopen, was snel weer naar boven gerend en had zich opgesloten in de slaapkamer. Ze wist niet of de schutter haar wel of niet had gezien en staarde angstig naar de deur toen de schoten onder haar klonken, bang dat die elk moment open kon vliegen. Nadat het laatste schot had geklonken, bleef ze nog bijna drie minuten staan waar ze stond, waarna ze trillend over heel haar lichaam naar de deur sloop en luisterde, bang dat het een truc was en ze de trap op kwamen sluipen om haar te verrassen.

Er waren vijf dagen verstreken sinds de schietpartij. Het team dat verantwoordelijk was voor het onderzoek, was gelegerd in Noord-Marseille, waar de schietpartij had plaatsgevonden, maar werd al snel uitgebreid met teams uit het Vieux Port- en Panier-district, waar het informeren naar mogelijke verdachten werd geconcentreerd, en ten slotte het voormalige team van hoofdinspecteur Fornier in West-Marseille, vanwege hun contacten met Parijs en Forniers vroegere ervaringen als inspecteur in het Panier-district.
Coördinator van het onderzoek was districtscommissaris Pierre Chatelain. Dominic was bijna dagelijks gebeld door Chatelain, die er blijkbaar op gebrand was dat de samenwerking met Parijs gladjes verliep.
Dominic was goed op de hoogte van de achtergrond. Bendeoorlogen tussen rivalen in Nice en Marseille hadden de afgelopen twee jaar bijna zestig doden geëist. Zonder ook maar één reactie van de politici en hoge politiebazen in het noorden. Maar dit was anders. Naast drie bekende criminelen waren er ook zes onschuldige mensen vermoord. Negen doden. Twee meer dan tijdens het bloedbad op Valentijnsdag. Afgezien van de vergelijkingen die met Chicago konden worden gemaakt, begon men zich plotseling zorgen te maken dat toeristen in een regen van kogels terecht konden komen terwijl ze in een plaatselijk café een glas pastis dronken. Vakanties werden afgezegd of verplaatst naar het westen van de zuidkust, Italië of Spanje. En als het toerisme daalde, had dat ook invloed op de buitenlandse handel. Plotseling was het een onderwerp van nationaal belang. Ministers en politiebazen wilden resultaten. Snel.
Het plaatselijke misdaadnetwerk, het milieu, kreeg een van de heftigste politieonderzoeken sinds jaren voor zijn kiezen. De boodschap was duidelijk: maak elkaar af zoveel je wilt, maar laat het nooit tot buiten de broederschap komen.
Dominic en het merendeel van zijn divisie hadden praktisch vierentwintig uur per dag gewerkt sinds ze bij het onderzoek waren betrokken, en er lagen nog meer nachtdiensten in het voor-

uitzicht. Telefoons en faxen waren constant in bedrijf en om de zoveel tijd werden er door koeriers dossiers gebracht. Aan het eind van de tweede avond, toen de stapels dossiers waren gegroeid tot ze bijna de familiefoto van zijn glimlachende vrouw en twee zoons van zijn bureau duwden, werd hij eraan herinnerd dat hij thuis moest komen. 'Nog een paar uur, dan ben ik klaar.'
Zijn vrouw herinnerde hem eraan dat hun jongste zoon, Gerome, over drie dagen jarig zou zijn en dan zes zou worden. 'Probeer dan tenminste de komende twee dagen wat tijd vrij te laten om over zijn cadeau na te denken.'
'Maak je geen zorgen. Als ik morgen dit rapport heb ingediend, zal het allemaal wat rustiger worden.'
De twee uur waren er vier geworden tegen de tijd dat hij het rapport telefonisch had doorgenomen met Chatelain voordat hij het naar commissaris Aimeblanc stuurde.
Het uiteindelijke rapport telde zestien pagina's. Een complex en morbide verhaal over twee rivaliserende benden die elkaar de controle over casino's, clubs, paardenraces, afpersing en prostitutie probeerden af te snoepen. De achtergrond en het karakter van de bewuste slachting: een milieu-wraakactie voor de diefstal van een scheepslading imitatie-Omega, -Cartier en -Piaget-horloges uit Italië, gepleegd door drie mannen: André Leoni, eigenaar van de Bar du Telephone, en twee metgezellen, die op de fatale avond in de bar waren. Alle andere slachtoffers waren toeval.
De details over de moorden waren gruwelijk. Alle slachtoffers waren eerst in de borst of buik geschoten en vervolgens afgemaakt in executiestijl. Wonder boven wonder had één man, Francis Fernandez, die twee keer in de nek was geschoten, het overleefd. Maar hij was geen vaste bezoeker van de bar, en zijn signalement van de drie moordenaars was vaag, behalve dat ze 'nylonkousen over hun hoofden hadden en een van hen een baard had'. Er waren drie verschillende kalibers kogels op de plaats van de misdaad gevonden: 9 mm, 11,43 mm en 12 mm, de laatste waarschijnlijk afkomstig uit een geweer.
De reactie van Aimeblanc op het rapport kwam binnen drie dagen: hij wilde de lijst van mogelijke verdachten verkort hebben. Met zo weinig concreet bewijs zou succesvolle berechting puur afhangen van bekentenissen, dus een beter werkbare lijst van mensen die gehoord konden worden zou essentieel zijn. Aan het eind van die dag had Dominic de lijst teruggebracht tot twaalf

namen. Aimeblanc voegde daar zijn twee pagina's tellende samenvatting aan toe en stuurde hem naar minister Bonnet van Binnenlandse Zaken. Die voegde daar zijn voorwoord aan toe en liet de zaak kopiëren en verspreiden.
Veertien overheidsdepartementen stonden op zijn directe verzendlijst, en hij had nog achttien verzoeken binnengekregen. Sommige daarvan hadden te maken met overheidscommissies die zich bezighielden met regionale of landelijke criminaliteit, of de mogelijke uitstraling van het incident op de algehele criminele trends. Andere gewoon vanwege de bezorgdheid van kiezers die daar zakelijke belangen of vakantiehuizen hadden, of regelmatig in die omgeving op vakantie gingen. Op deze lijst met verzoeken stond ook de RPR-minister voor Limoges, Alain Duclos.

24

'Is er veel in de kranten over geschreven?'
'Een redelijke hoeveelheid. Twee of drie stukken in *La Provençal*, op z'n minst. Waarschijnlijk heeft de zaak in een bepaald stadium zelfs *Le Figaro* of *Le Monde* gehaald, hoewel waarschijnlijk in een overzichtsartikel en in combinatie met andere kindermoorden.'
'Wanneer weet je dat zeker?' vroeg Marinella. Haar bezorgdheid klonk door in haar stem, merkte ze, of misschien klonk ze zelfs zoals ze zich voelde: wanhopig, verslagen.
Philippe beschreef hoe hij de halve ochtend heen en weer was gerend tussen bibliotheken en persbureaus. 'Maar ik denk dat ik eindelijk een paar betrouwbare bronnen heb gevonden. Ik heb hun mijn faxnummer op de universiteit gegeven. Ik hoop de resultaten van hun zoektocht en de kopieën van de microfiches binnen een paar uur binnen te krijgen.'
Ze kon dus niets anders doen dan wachten totdat Philippe zijn faxen binnenkreeg. David Lambourne was in zijn spreekkamer met een patiënt, en het kostte haar moeite om hier in de wachtkamer bij de telefoon te blijven zitten. Ze wilde meteen met hem van gedachten wisselen. Was dat puur om sommige van haar frustraties af te reageren, of om een tweede standpunt te horen?

Ze staarde naar de telefoon. Als het later op de dag was geweest, had ze nog naar Sebastian en haar vader kunnen bellen, maar het was pas tien over vijf in de ochtend in Charlottesville. Bovendien had ze hen de vorige dag nog gebeld. Haar vader had rode poon met pepers klaargemaakt, met bonenrijst voor daarna, en de dag daarvoor hadden ze kip *arroz brut* gegeten, en hij klonk als een ober die in een restaurant het menu voorlas. Sebastian had het leuk gevonden om een maand lang bij haar vader te logeren. En als ze de universiteit wilde bellen – om te vragen wat er de afgelopen dagen was gebeurd, of een paar dingen met Donaldson te bespreken – zou ze nóg langer moeten wachten, bijna vier uur. Ze besloot een stuk te gaan wandelen om een deel van haar rusteloosheid kwijt te raken.
Ze liep bijna een kilometer en kwam terecht op Covent Garden. Ze besloot een kop koffie te gaan drinken op het plein en vond een delicatessenwinkeltje met een terras. Een strijkkwartet speelde Vivaldi terwijl ze kleine slokjes cappuccino nam.
Het was nog maar een dag geleden dat ze zo enthousiast was geweest over de case. Die natuurlijke roes van opwinding toen dat eerste stukje concrete informatie vrijkwam. Philippe had de overlijdensakte gevonden op de burgerlijke stand van het stadhuis van Bauriac: Christian Yves Rosselot. Overleden op 23 augustus 1963, om zes minuten voor tien 's avonds. Ouders: Monique en Jean-Luc. Adres: Rue des Rigouards, Taragnon. De jongen bestond niet alleen, maar de andere details klopten ook!
Maar de ambtenaar van de burgerlijke stand had gezegd dat er een briefje van een lijkschouwer aan de akte zat bevestigd. Marinella had Philippe gevraagd het na te gaan. Briefjes van lijkschouwers waren op zichzelf niets bijzonders en kwamen bij allerlei vormen van een onnatuurlijke dood voor, dus ze was niet onmiddellijk in paniek geraakt. Tegen het eind van die dag, nadat Philippe het spoor was gevolgd naar het kantoor van de lijkschouwer en het Ministère Publique dat het onderzoek had gelast, belde hij haar op en liet hij de bom vallen: de jongen was het slachtoffer van een moord geweest, een zaak die toen in die streek heel wat stof had doen opwaaien. Het was voor Philippe te laat geweest om die dag nog meer speurwerk te doen, want de bibliotheken en stadhuizen in Frankrijk waren al gesloten, en ze zou tot morgenochtend moeten wachten om bevestigd te horen waar ze zo bang voor was.

Aan de rand van het plein goochelde een mimespeler met drie rode ballen die hij met dramatische bewegingen achter zijn in witte handschoenen gehulde handen liet verdwijnen. Het leek een beetje op deze case: het ene moment zag je hem, het andere moment niet. Als ze doorging en haar artikel publiceerde, zouden ze haar thuis in Virginia uitlachen. Een belangrijke moordzaak die breed was uitgemeten in de pers. Bijna net zo erg als wanneer de jongen had beweerd dat hij Maurice Chevalier of Jeanne d'Arc was. Alle details hadden door hem opgezocht kunnen worden.
Wat haar nog enige hoop gaf waren de ouderdom van de artikelen en de weinige gegevens daarin over het gezin in Frankrijk. Maar ze wist heel goed dat het oordeel van de sceptici meedogenloos zou zijn: oude kranten die waren bewaard door familieleden die daar op vakantie waren geweest, recente boeken over prominente moordzaken uit voorbije jaren, nieuwe krantenartikelen die terugverwezen naar zaken uit het verleden. Ze wist dat ze niet eens kon beginnen met nadenken over haar verdediging; ze moest wachten tot ze nieuws kreeg van Philippe en pas dan zou ze de volle omvang van de schade kunnen vaststellen.
Ze voelde zich moedeloos en verslagen. Eindelijk stond ze op de drempel van wat een opwindende case leek te worden, om hem vervolgens vlak voor haar ogen in rook te zien opgaan. Werd dit een vast patroon in haar leven? Veelbelovende cases die steeds weer in teleurstellingen eindigden? Misschien kon ze beter meteen de eerste vlucht terug naar Virginia nemen, het snel uit haar hoofd zetten, zich weer op haar werk storten en zich daarmee bezighouden. Ze keek op haar horloge. Lambournes sessie zou een paar minuten geleden afgelopen moeten zijn. Ze ging terug.
David had een pot thee gezet toen ze binnen kwam lopen. Hij bood haar een kop aan, maar ze bedankte hem. 'Ik heb net koffie gedronken.'
Ze kwam terug op haar bezorgdheid van de vorige avond en legde hem de details voor: zoals ze had gevreesd, hadden de media aandacht besteed aan de zaak, en sinds het begin van de middag wist ze hoeveel. Ze zouden er rekening mee moeten houden dat de case gespeeld was, of – in het gunstigste geval – dat het onderbewustzijn beïnvloed was. Als zij dat standpunt niet innamen, zouden de critici dat zeker wel doen. Van de case en eventuele publicaties erover zou niets terechtkomen. 'Het spijt me, David, maar als het nieuws van Philippe bevestigt wat ik vrees,

gooi ik de handdoek in de ring. Ik ben al vier dagen gescheiden van mijn zoon en het heeft geen zin om hier te blijven als ik een zoveelste teleurstelling tegemoet ga.'
Lambourne stak zijn hand op om haar te stoppen. 'Wacht even. Als je de mening van de sceptici opzij zet, wat denk je dan? Denk je echt dat de jongen het speelt?'
'Ik weet het niet.' Ze dacht aan de kwetsbare, verloren stem en hoe overtuigend hij had geklonken. Ze schudde haar hoofd. 'Het is allebei mogelijk. Het ziet er verdacht uit, dat is alles. Maar ik moet een veilig standpunt innemen, rekening houden met de keerzijde van de medaille. Als ík dat niet doe, zullen anderen dat voor me doen, en me er vervolgens mee om de oren slaan. Ze zullen me voor gek zetten.'
Lambourne stond op het punt om te zeggen: is dat het enige wat telt, dat je voor gek wordt gezet? Maar hij besloot ervan af te zien. Het was te hard. 'Weet je zeker dat je niet te voorbarig bent met het voorspellen wat de critici hier misschien over zóuden kunnen denken? Probeer je je, zoals Donaldson al eens opmerkte, niet te veel in de kijker te spelen?'
'Dat kan Donaldson gemakkelijk zeggen; hij is nooit door de critici aangepakt zoals ik. Hij geeft nooit interviews. Hij gaat gewoon naar India of waar ook naartoe, schrijft zijn publicaties en boeken, en als de critici het niet eens zijn met zijn bevindingen, zal het hem een zorg zijn. Hij laat hen gewoon kletsen. Hij zit in zijn eigen kleine academische huisje dat hem beschermt tegen dit alles. In tegenstelling tot mij hoeft hij geen zitting te nemen in panels en het op te nemen tegen professor Novison en zijn speciale onderzoeksteam van idioten van de BV Sceptici en de priesters van de platte aarde die gemakshalve vergeten dat meer dan de helft van de religies op deze aarde gelooft in reïncarnatie. Donaldson kan gemakkelijk zeggen dat ik me in de kijker probeer te spelen, want hij heeft absoluut geen idee wat dat...' Marinella onderbrak zichzelf af toen ze David Lambournes gezichtsuitdrukking zag. Was hij geschrokken van haar heftige gevoelens, of voelde hij zich opgelaten omdat ze haar twijfels over Donaldson uitsprak? Ze slaakte een diepe, vermoeide zucht en verontschuldigde zich, gaf toe dat de druk van een veelbelovende case die haar dreigde te ontglippen haar even te veel was geworden. Ze liet licht beschaamd haar hoofd hangen. 'Donaldson heeft fantastisch werk gedaan en binnen het vak een re-

putatie opgebouwd die ik nooit zal kunnen evenaren. Ik had hem niet zo moeten bekritiseren. Het spijt me.'
Lambourne maakte een gerustellend gebaar. 'Dus, wat wil je doen? Wegrennen voor de regen van kritiek die misschien op je zal neerdalen en het nu opgeven... of de strijd voortzetten?'
'Ik weet het niet.' Marinella dacht even na. Toen begon ze plotseling te glimlachen. 'Je zou je zorgen moeten maken. Als dit allemaal nep is, is je patiënt in elk geval niet ziek. Misschien misleid door inventieve, sensatiebeluste idioten van stiefouders, maar niet psychisch gestoord.'
Lambourne keek haar vriendelijk glimlachend aan. 'Behalve één ding. Ik geloof die jongen toevallig. En ik ben vastbesloten om alles te proberen om hem van zijn probleem af te helpen.'
Marinella knikte. 'Weet je, ik geloof hem ook. Ongeacht hoe de sceptici dat later misschien ook zullen interpreteren.'
Nu de sfeer de juiste was, probeerde Lambourne haar weer wat moed in te spreken. Hij verzekerde haar dat haar bezorgdheid over de critici zowel voorbarig als vermoedelijk ongefundeerd was. Hij wees haar op het belang van het eerste rapport van dokter Torrens en het bewijs dat uit zijn eigen sessies tevoorschijn was gekomen. Te veel mensen om het allemaal mis te hebben.
'En wat hebben de Capels gedaan... het ongeluk en het coma soms ook in scène gezet?' De statistici zouden zich vermoedelijk ook aan haar kant scharen. 'Hoeveel regressies heb je hiervoor meegemaakt waarin mensen waren vermoord?'
'Maar één. Het slachtoffer van een politieke zuiveringsactie net na de Amerikaanse Burgeroorlog. Staat niets van op papier. Maar ik geloof dat Donaldson één of twee cases heeft.'
'Ik wed dat als je de archieven checkt, je zult ontdekken dat regressies waarin een moord voorkomt een bijna exacte weerspiegeling zijn van het echte leven, als je ze vergelijkt met andere manieren van overlijden. Eén op de vijfhonderd, één op de duizend... zoiets.'
Marinella wist dat eerdere studies hadden aangetoond dat regressies inderdaad een goede weerspiegeling van het echte leven waren: 51 procent mannen, 49 procent vrouwen, beide seksen voor het merendeel met een gemiddelde of wat minder goede achtergrond, heel weinig rijke of vooraanstaande personen. Ze kon zich niet herinneren of er ooit onderzoek was gedaan naar slachtoffers van moorden.

'En de meeste moorden die sinds de eeuwwisseling hebben plaatsgevonden, hebben de krant gehaald, dus dat is niet zo ongewoon.' Lambourne trok een wenkbrauw op. 'Heb je de *East Kent Gazette* ooit gelezen, of ervan gehoord? Of misschien een Mexicaanse krant?'
'Nee.'
'Nou, de kans dat de Capels een provinciale Zuid-Franse krant van dertig jaar geleden hebben gelezen, is ongeveer even groot. Vergeet het!'
'Maar het kan ook in *Le Monde* hebben gestaan, of in kleinere artikeltjes die zijn doorgedrongen tot de Britse pers. En dan blijft er nog de mogelijkheid van de boeken over moordzaken uit het verleden.'
'Voor *Le Monde* zul je moeten wachten op nieuws van Philippe. Maar de rest zou je zelf kunnen checken. Er is een goede bibliotheek niet ver van Chancery Lane. In een paar uur tijd kun je het allemaal nagezocht hebben.'
Marinella beet zachtjes op haar lip. 'Het is niet alleen voor hen... het is ook om mezelf te overtuigen. Het vertrouwen en enthousiasme terug te winnen om door te gaan.'
Lambourne wist niet zeker of hij haar had overtuigd of niet. Toen hij aan zijn volgende sessie begon, zat ze er nog steeds. Misschien zat ze op het telefoontje van Philippe te wachten, of was ze nog steeds alles op een rijtje aan het zetten.
Toen hij echter klaar was met zijn sessie, was ze weg. Twee uur later, twintig minuten nadat Philippe had gebeld en een boodschap had achtergelaten, belde ze vanuit de bibliotheek.
'Je had gelijk. Er is niets over in de Britse pers verschenen. Ik heb alles nagezocht.' Het enthousiasme was terug in haar stem. 'Ik ben nu de boeken aan het nakijken. Over een uur of zo weet ik het zeker.'
Lambourne vertelde haar dat Philippe had gebeld en Marinella vroeg of hij iets over *Le Monde* had gezegd. 'Nee, hij heeft alleen zijn nummer achtergelaten.'
'Oké, bedankt. Ik zal hem bellen.' Ze hing meteen op.
Lambourne zag haar pas weer aan het begin van de avond. Ze was in een uitgelaten stemming en bracht hem snel op de hoogte: *Le Monde* had er iets over geschreven, maar dat waren maar vijf regels op pagina twaalf, op de dag na de misdaad, en daarin werden alleen de naam van de jongen en het stadje ge-

noemd. De namen van zijn ouders of andere details werden niet vermeld. 'De jongen is blijkbaar nog vijf dagen in leven gebleven en toen hij overleed, is daar niets over in *Le Monde* verschenen. Drie stukken in *La Provençal*, één groot, twee klein. En helemaal niets in de Britse pers of in boeken.'

'Je lijkt opgelucht.'

'Ik ben in de wolken. En ik ben uitgehongerd, laten we gaan eten.'

Tijdens het eten kon David haar nauwelijks bijhouden. Dit was de Marinella die hij zich herinnerde: vol vertrouwen, optimistisch, energiek, ogen die fonkelden van enthousiasme. Hij was blij dat hij haar eerdere twijfels had kunnen wegnemen. Maar toen ze het hadden over de volgende stappen: het vinden van de Rosselots of vriendjes van vroeger die Eyrans rol van Christian Rosselot konden bevestigen, voelde hij zelf de eerste onzekerheid toeslaan.

Marinella praatte alsof ze plotseling op de snelweg zat nadat ze een tijdje verdwaald was geweest op een achterafweggetje, en nu met vol gas over de weg schoot en geen enkel obstakel zag. En hij maakte zich zorgen dat hij haar misschien een beetje te veel had aangespoord en dat, als ze plotseling op een obstakel zou stuiten en zich weer verslagen zou voelen, híj zich daar deels verantwoordelijk voor zou voelen. Nu hij haar enthousiasme weer had aangewakkerd en hij na de paar volgende sessies zou moeten besluiten dat het voortzetten van de regressietherapie niet in het belang van zijn patiënt was, zou het harteloos lijken als hij opeens de stekker eruit zou trekken.

Dat enthousiasme sleepte Marinella door de volgende twee dagen. Het eerste struikelblok was het feit dat de Rosselots niet meer in die omgeving gevonden konden worden. Een ambtenaar van het stadhuis raadde Philippe aan contact op te nemen met de gendarmerie in Bauriac. 'Zij hebben een groot deel van het onderzoek gedaan en misschien weet iemand daar waar ze gebleven zijn.' Philippe kon op de gendarmerie maar één persoon vinden die zich het onderzoek herinnerde, capitaine Levacher. Hoewel Levacher zelf niets wist over de Rosselots of waar ze tegenwoordig woonden, had hij wel een telefoonnummer van iemand die hem misschien verder kon helpen. 'Dominic Fornier. Hij heeft dertig jaar geleden aan het onderzoek meegewerkt.' Hij had ook het nummer van capitaine Poullain, die het onderzoek

had geleid, maar Levacher legde hem uit waarom hij dacht dat het zinniger zou zijn als hij met Dominic Fornier praatte. 'Hier heb ik het. Rijkspolitie, Panier-district, Marseille, 1974. Dat is het laatste nummer dat we van hem hebben.'
Philippe belde het nummer en kreeg een ander nummer, van het districtsbureau in West-Marseille. De mensen in West-Marseille waren argwanender en wilden geen informatie geven, vroegen alleen zijn naam en telefoonnummer en beloofden dat iemand hem terug zou bellen. Philippe kreeg dat telefoontje pas de volgende ochtend, toen een meisje dat Therése heette hem een nummer in Lyon gaf. Philippe belde het en kreeg te horen: 'Hoofdinspecteur Fornier is op dit moment in bespreking. Rondom het middaguur zal hij waarschijnlijk weer beschikbaar zijn.'
Philippe lichtte onmiddellijk Marinella in.
Ze keek op haar horloge: tien over halftien. Het was in Frankrijk een uur later, dus zou Philippe het over een uur of twee nog eens proberen. 'Fantastisch. Ik blijf bij de telefoon zitten en wacht je nieuws af.'
Nog twee uur en dan konden ze hopelijk Christian Rosselots leven in elkaar gaan zetten. Maar afgezien van deze opwinding voelde ze zich opeens ook rusteloos, slecht op haar gemak. De afgelopen twee dagen van onderzoek en Philippes papieren jacht door Frankrijk hadden toch het nodige van haar zenuwen gevergd. Terwijl ze de vlinders in haar buik tot rust probeerde te brengen, trof het haar dat het misschien ook iets anders kon zijn: het schrikbeeld van mogelijk falen was plotseling weer terug. Nog twee uur wachten.

25

8 december 1978

'Wat is dit: de nominaties voor de "huurmoordenaar van het jaar"-verkiezing?'
'Dat scheelt niet veel. Het is de lijst met verdachten van de schietpartij in de Bar du Telephone.' Duclos hield Brossards gezichtsuitdrukking in de gaten terwijl hij de lijst doornam, maar

die liet nauwelijks iets merken toen hij daarop zijn eigen naam zag staan. 'Weet je wat dit betekent?'
'Ja, het betekent dat de politie haar kostbare tijd gaat verspillen aan negen verdachten, van wie ik er één ben.'
'Het betekent ook dat je een zware maand tegemoet gaat. Je zult in de gaten worden gehouden, misschien worden opgebracht om ondervraagd te worden als het de politie uitkomt. Je leven zal verstoord worden, en het zal slecht voor de zaken zijn. De mensen zullen een tijdje niet bij je komen met opdrachten.'
'Behalve één ding. Ik ben de enige op de lijst van wie de politie geen goed signalement heeft. Alleen een vage compositiefoto en een alias dat ik ooit heb gebruikt. Ze zullen niet weten waar ze moeten beginnen.'
Duclos knikte. Hij kende het verhaal. Dat was deels de reden waarom hij dacht dat Brossard de ideale keus zou zijn. Het had hem bijna een week gekost om de ontmoeting via François Vacheret geregeld te krijgen. Het was meer dan drie jaar geleden, niet lang na de dood van zijn vader, dat hij voor het laatst bij Vacheret was geweest. Vacheret had moeite gedaan om hem een nieuw jongetje van Martinique op te dringen, maar Duclos had meteen zaken willen doen. Hij had Vacheret dezelfde lijst laten zien en hem gevraagd wie hij daarvan kende. Vacheret gaf hem drie namen. 'Vergeet Tomas Jaumard,' zei Duclos. Hij legde niet uit waarom: dat hij al eens zaken had gedaan met Jaumard via zijn vader, Emile Vacheret. 'Wie kun je van die andere twee aanbevelen?'
De korte biografie klonk ideaal: begin dertig, nooit gearresteerd of veroordeeld, een meester in vermommingen, weinig of niets in de politiedossiers afgezien van een compositiefoto en de beschrijving en *modus operandi* van zijn daden. Brossard droeg altijd verschillende pruiken en brillen om zijn uiterlijk te veranderen. Daarom ging men ervan uit dat zijn eigen haar kort was. Eugene Brossard was een valse naam afkomstig van een naamplaatje van een appartement waar hij twee dagen had verbleven tijdens een zoekactie van de politie. Hij was ze altijd een stap voor.
Duclos was er zeker van dat de Brossard die voor hem zat ook zwaar vermomd was: een dikke, blonde pruik in Beatle-stijl en een zonnebril met ronde glazen en een gevlekt hoornen montuur. Hij zag eruit als een karikatuur van David Hockney.
Het enige waar Brossard in eerste instantie bezwaar tegen had

gemaakt, was dat er een cassetterecorder meeliep. Duclos had hem uitgelegd waarom dat was: dat hij hem zo meteen honderdduizend franc ging aanbieden om iemand te vermoorden. De reden daarvoor was dat deze persoon een vriend van hem chanteerde. Duclos wilde er zeker van zijn dat deze chantage niet werd herhaald, dus diende de tape als verzekeringspolis, voor hen allebei. 'Nu ik een van mijn duistere geheimen heb onthuld, is het jouw beurt. Vertel me over een van je eliminaties.'
Brossard moest eerst lachen om dat voorstel, maar Duclos hield vol. 'Ik zal de tape nooit uit handen geven, want die is voor mij tenslotte net zo belastend als voor jou. Wat heb je te verliezen? Als je het niet wilt, mij best. Dan gaan ik en mijn honderdduizend franc wel naar een ander.'
Duclos luisterde toe terwijl Brossard met monotone stem de moord op een hoge overheidsambtenaar – een planoloog – beschreef, drie jaar daarvoor in Nice. Duclos herinnerde zich de zaak: een planoloog die in een omkoopschandaal met het milieu verzeild was geraakt. Het milieu kreeg hem te pakken voordat de procureur-generaal dat deed. Hij vroeg zich af waarom Brossard dit specifieke verhaal had uitgekozen. Was het bedoeld als waarschuwing om geen misbruik te maken van de tape? Ik heb al één hoge overheidsambtenaar vermoord. Belazer me en er zal een tweede volgen.
Brossard staarde Duclos onbewogen aan. Duclos kon zijn ogen nauwelijks zien achter de donkere glazen van zijn bril, alleen als hij ermee knipperde. Duclos voelde een rilling langs zijn ruggengraat trekken. Hij had zich in iemands aanwezigheid niet zo onbehaaglijk gevoeld sinds... sinds...
De herinnering aan zijn zwetende handpalm op de kolf van de revolver was nog levendig, hoe hij de revolver uit zijn zak haalde, heel langzaam... de vogels die plotseling wegvlogen uit een boom en ervoor zorgden dat Chapeau opkeek. Even was hij bang geweest dat Chapeau het wapen had gezien voordat hij het weer snel in zijn zak stak. Tot de laatste seconde van hun ontmoeting was hij bang geweest dat Chapeau zich plotseling zou omdraaien, zijn wapen zou richten en zou schieten. Hij was blijven staan toen Chapeau van hem wegliep, maar het moment om actie te ondernemen ging verloren. Half verdoofd had hij gezegd dat hij nog even in de frisse lucht wilde blijven staan toen Chapeau in zijn auto stapte en wegreed. De waarheid was dat hij zo

trilde, dat hij niet in staat was auto te rijden. Zodra Chapeau uit het zicht was verdwenen, had hij overgegeven. Hij wilde dit niet nog eens doormaken. Er waren nog eens achttien maanden verstreken, waarin hij zich door Chapeau had laten chanteren en beledigen, voordat hij de moed had kunnen verzamelen om deze ontmoeting te regelen.

Hij zag hoe Brossards lippen zich in een vage glimlach plooiden terwijl hij hem de moord beschreef, die nauwelijks zichtbare ogen achter de donkere glazen van zijn bril, en kon het niet helpen dat hij, ondanks al zijn voorzorgsmaatregelen, bang was dat hij de ene nachtmerrie door de andere verving. De kamer waarin ze waren rook naar ontsmettingsmiddel met dennengeur, die hard zijn best moest doen om die van muf beddengoed en slecht sanitair te verdoezelen. Een armoedig hotelletje in een achterafstraatje, waar hoeren hun klanten mee naartoe namen en dat hem was aanbevolen door Vacheret. Je gaf dertig franc aan een schoonmaakster en kreeg de kamer voor een uur, zonder dat er vragen werden gesteld. Ze had alleen een wenkbrauw opgetrokken en gegrijnsd toen ze twee mannen zag binnenkomen waarvan er één een rare blonde pruik droeg. Duclos wilde hier zo snel mogelijk weg.

Brossard keek weer naar de lijst. 'Dus die honderdduizend moet me een beter gevoel geven, ondanks het feit dat mijn naam op deze lijst staat?'

'Tegen de tijd dat je die honderdduizend krijgt, zal je naam hopelijk niet meer op de lijst staan. Ik betaal Vacheret nog eens vijftigduizend om het juiste gerucht op de juiste plaatsen te verspreiden, dat je de avond van de schietpartij in het restaurant van een vriend zat. Het was te vroeg om in een van zijn clubs te zitten. Binnen een paar weken zal het gerucht zich door het netwerk van het milieu hebben verspreid en kan je naam hopelijk van de lijst worden gehaald.'

Brossard knipperde met zijn ogen. Hij was onder de indruk. Cliënten planden meestal heel onbeholpen en hij moest altijd extra voorbereidingen doen om dat te compenseren. 'Nou, wie is het die je opgeruimd wilt hebben, en wanneer?'

'Dat is de andere reden dat ik je die lijst laat zien. Hij staat er ook op, de zesde naam van boven. Je kent hem waarschijnlijk: Tomas Jaumard.'

Brossard knipperde nog eens met zijn ogen, sneller nu. Hopelijk

had hij zijn lichte schrik verborgen weten te houden. Tomas Jaumard, alias Chapeau. Een van de ouwe getrouwe milieu-profs. Het was niet de eerste keer dat iemand Jaumard had proberen te vermoorden. Van de laatste twee huurmoordenaars die op hem af waren gestuurd, was er één onmiddellijk gedood door een kogel in zijn hoofd en was de andere in zijn buik en kruis geschoten: hij had vier uur op de operatietafel gelegen terwijl chirurgen de restanten van zijn mannelijkheid aan elkaar naaiden. Jaumard was aan de aanslag ontsnapt met alleen een schouderwond. 'Jaumard is een doelwit met een hoog risico. Voor dat type opdracht moet meer worden betaald. Het is de moeite niet waard om het voor minder dan honderdvijftigduizend te doen.'
Duclos staarde hem aan. 'Is dat vanwege de loyaliteit, omdat het anderen binnen het milieu misschien van streek maakt?'
'Nee. Ik doe mijn werk voor het milieu strikt als onafhankelijke en ben aan geen van beide partijen loyaliteit verschuldigd. Het is vanwege het extra risico. Jaumard is een van de weinige mannen op deze lijst voor wie ik als professional ontzag heb. Er is meer voor nodig om het voor te bereiden.'
Duclos knikte. Een sterke loyaliteit ten opzichte van het milieu was een van de laatste dingen waarover hij zich zorgen had gemaakt. Brossard vroeg waar en wanneer.
'Binnen twee maanden, dan hebben we wat tijd om je naam van deze lijst te laten verdwijnen,' zei Duclos. 'Dat je hun hete adem niet meer in je nek voelt. Het waar laat ik aan jou over. Je kunt het plannen zoals je wilt.'
Ze troffen hun laatste regelingen en spraken af wanneer ze elkaar weer zouden ontmoeten. Dan zou Brossard de opzet van een plan klaar hebben en zou Duclos hem het eerste deel van het geld geven. Brossard vertrok als eerste en had Duclos gevraagd nog een paar minuten in de kamer te blijven zitten. Duclos nam aan dat dit deel uitmaakte van Brossards obsessieve neiging om zijn identiteit te beschermen, maar Brossard gaf geen uitleg.
Toen hij door de gang liep, dacht Brossard: een totaal van tweehonderdduizend franc om Jaumard op te ruimen, als je de betaling aan Vacheret meetelde, en de cliënt had nauwelijks met zijn ogen geknipperd. Bijna twee keer zoveel als hij betaald had gekregen voor de stadsplanoloog in Nice. Jaumard had blijkbaar op de tenen van belangrijke mensen getrapt. Die arme ouwe Chapeau. Even later trok er een sluwe glimlach over Brossards

gezicht. Het was in elk geval leuk om te weten dat mensen in zijn beroepsgroep zo hoog werden aangeslagen. Hoger dan een stadsplanoloog. Hij kon slechtere grafschriften bedenken.
Alleen in de benauwde kamer begon Duclos zich al na een minuut onbehaaglijk te voelen. Een plotselinge rilling van radeloosheid herinnerde hem eraan hoe diep hij had moeten zinken om van Chapeau af te komen. Hij pakte zijn cassetterecorder en liep de kamer uit.

Marseille, 10 januari 1979

'We're jamming,
we're jammin' till the jammin's through;
we're jammin',
to think that jammin' was a thing of the past;
we're jammin',
and I hope this jammin's goin' to last...'

De motorkoerier swingde mee op het ritme van de muziek van zijn walkman toen hij van zijn motor stapte, hem op de standaard zette en het café binnenging. Het pakje in zijn hand was zo lang als zijn arm en half zo dik. Het café was ongeveer tien bij tien meter. Er waren veertien of vijftien mensen binnen, vier aan de bar en de rest aan de tafeltjes. Hij zag de mensen die hij verwachtte aan een tafeltje in de verre hoek zitten, maar keek niet te lang naar hen en richtte zijn aandacht meteen op de barman die zijn kant op kwam lopen. Hij haalde zijn oordopje uit zijn oor.
'Monsieur Charot?'
De barman trok een gezicht en haalde zijn schouders op.
De koerier draaide zijn pakje om en las het etiket. 'Monsieur Charot, Rue Baussenque 38.'
Een verbaasde blik van de barman. 'Het adres klopt, maar ik ken geen Charot. Ik zal het even aan mijn vrouw vragen.' De barman verdween achter het kralengordijn aan het eind van de bar.
Brossard stak het dopje weer in zijn oor. Achter zijn motorbril liet hij zijn blik door het vertrek gaan. Hij was maar in één plek geïnteresseerd: de tafel in de hoek met Chapeau en Marichel, de plaatselijke pooier die hij had betaald om Chapeau hiernaartoe te krijgen. Hij wilde dat het eruitzag alsof zijn aanwezigheid hier toevallig was: de verveelde koerier die wachtte terwijl werd na-

gekeken of hij op het juiste adres was, met zijn hoofd licht meedeinend in het ritme van de muziek van zijn walkman en zijn vingers tikkend op zijn pakje.
'*... We all defend the right that your children must unite;*
life is worth much more than gold;
we're jammin'... jammin'...'
De barman kwam terug door het kralengordijn, nu in het gezelschap van zijn vrouw. De barman wees, zijn vrouw haalde haar schouders op en verdween weer achter het gordijn. Toen de barman naar hem toe kwam, kon Brossard vanuit zijn ooghoek zien dat Marichel even naar hem keek. Niet kijken! schreeuwde Brossard inwendig. Laat me opgaan in de omgeving en vestig niet Chapeaus aandacht op me.
Hij had de regeling met Marichel een week geleden getroffen. Tienduizend franc voor een ontmoeting met Chapeau, doen alsof hij bemiddelde voor iemand die iemand wilde laten vermoorden. Brossard had Marichel alle details gegeven, praktisch voor hem uitgeschreven wat hij moest zeggen. Hem uitnodigen voor een klus was de beste manier om Chapeaus aandacht te krijgen. Maar Marichel zat waarschijnlijk te wachten op het moment dat het pakje zou worden geopend en hij opzij zou moeten duiken.
Brossard trok het dopje weer uit zijn oor en liet het op zijn schouder liggen. De barman legde uit dat zijn vrouw de naam ook niet kende. Brossard wees naar de hoek en vroeg of hij de telefoon mocht gebruiken. 'Even naar kantoor bellen om te vragen wat er is misgegaan.'
De barman knikte en liep naar de andere kant van de bar om een klant te bedienen.
Met het pakje onder zijn arm liep Brossard naar de munttelefoon aan de muur. Die was bijna recht tegenover het tafeltje waaraan Chapeau en Marichel zaten. Hij zag Chapeau opkijken toen hij langskwam, maar hij kon niet zien of Chapeaus blik op hem gevestigd bleef terwijl hij naar de telefoon liep, kon niet het risico nemen zich om te draaien of om te kijken.
Hij begon zich zorgen te maken: was er iets aan zijn vermomming wat niet klopte? Een of ander klein detail dat Chapeau misschien had opgemerkt. Hij had een paar pruiken met lang krullend haar geprobeerd, maar die waren te dik om goed onder zijn valhelm te passen. Uiteindelijk had hij er een gevonden die bo-

venop wat platter was en met krullen die lager begonnen, zodat ze onder zijn helm uit kwamen en tot op zijn schouders hingen. Gewoon een swingende motorkoerier met wat muziek om het gedreun van het stadsverkeer te vervangen.
Brossards vingers tikten op het pakketje toen hij het naast de telefoon neerzette. Uit het oordopje, dat langs zijn hals bengelde, klonk nog steeds muziek. '*The love that now exists, is the love I can't resist, so... jam by my side... We're jammin'... jammin', jammin'...*'
Hij pakte de hoorn van de haak en merkte dat zijn hand wat bezweet was toen hij zich voorstelde dat Chapeaus ogen nog steeds in zijn rug brandden. Hij begon te draaien, maakte de eerste nummers niet af zodat alleen de laatste drie telden: de telefonische tijdmelding. Terwijl de telefoon overging, draaide hij zich om en wierp hij een achteloze blik door het café. Chapeau zat weer naar Marichel te kijken, was druk met hem in gesprek gewikkeld. Marichel trok hard aan zijn sigaret en de rook kwam in korte stoten uit zijn mond terwijl hij praatte.
Het was op dat moment dat Brossard het meisje recht achter Chapeau zag zitten, en hij vloekte. Hij had Marichel gezegd dat ze een tafeltje bij de muur moesten kiezen. Die muur was wel achter hen vanaf de bar gezien, maar niet vanuit deze hoek. Het meisje was helemaal zichtbaar als Chapeau zich naar voren boog.
Bob Marley bonkte nog steeds tegen zijn hals, vijf centimeter onder zijn oor, terwijl hij naar de tijdmelding luisterde: ... bij de volgende toon is het negen uur, twaalf minuten en twintig...
Met de vuurkracht van het geweer zou het moeilijk worden het meisje niet eveneens te raken. En Brossard wilde schoon werk, zonder onschuldige slachtoffers. Brossard voelde hoe zijn zenuwen zich spanden toen Chapeau zich naar voren boog en zich een mogelijkheid voordeed, maar die was even snel weer verdwenen. Chapeau leunde weer ontspannen naar achteren. Het was tergend. Brossard overwoog de mogelijkheid om een stap opzij te doen als hij vuurde, de hoek kleiner te maken zodat de muur achter hem zou zijn. Maar zou die fractie van een seconde vertraging hem niet kwetsbaarder maken?
Chapeau luisterde aandachtig toe terwijl Marichel hem de opdracht uitlegde. Die leek oké, maar Marichel had sommige details al een paar keer herhaald en hij leek enigszins nerveus. Hij

had Marichel zien opkijken naar de motorkoerier bij de bar en had zelf ook even naar hem gekeken toen hij naar de telefoon liep, maar toen had hij zijn aandacht weer gericht op de zaken die ze aan het bespreken waren. Maar nu merkte hij dat Marichel om de zoveel tijd een zijdelingse blik in de richting van de koerier wierp, alsof hij probeerde in te schatten waar hij stond zonder hem direct aan te kijken. En plotseling werd hij zich bewust dat de koerier zijn blik door het café liet gaan, waarbij hij van hen naar de tafel achter hen keek.

Op dat moment werden alle andere kleine signalen hem duidelijk. Chapeau probeerde niet toe te geven aan dit besef, had zijn blik willen afwenden om zichzelf nog wat tijd te geven om erover na te denken, maar door de reactie van de koerier wist hij dat het al te laat was. De schrik was zichtbaar geweest in zijn ogen.

De koerier greep zijn pakje op het moment dat Marichel opzij dook.

Chapeaus eerste reactie was één hand op te steken terwijl hij opsprong en zijn andere hand vliegensvlug naar zijn wapen onder zijn jasje bracht. Hij zag het pakje opengaan en het compacte uzi-machinegeweer tevoorschijn komen toen het karton opzij werd gegooid. Maar hij wist zeker dat hij zijn wapen het eerst zou kunnen richten.

Brossard wist dat hij niet meer terug kon zodra Chapeau opkeek. Hij zag hem zijn hand opsteken in een 'stop'-gebaar, wat diende als afleiding terwijl zijn andere hand naar zijn wapen ging, maar hij had al besloten dat hij hem vanaf de rechterkant met de uzi zou neermaaien. Het meisje achter Chapeau was hij plotseling vergeten. Hij zag hoe zijn eerste kogels Chapeaus opgestoken hand doormidden schoten, maar zijn andere hand kwam snel omhoog en de loop van zijn wapen wees al bijna recht op zijn borst.

Chapeau had de in zwart leer geklede figuur duidelijk in het vizier toen hij de stekende pijn voelde en zag dat het bovenste deel van zijn hand was verdwenen. Hij vuurde zijn eerste schot op vrijwel exact hetzelfde moment af, zich afvragend waarom de terugslag zo groot was toen hij achteruit werd geworpen en ineens naar het plafond lag te kijken.

Brossards salvo trof Chapeau midden in de borst en wierp zijn arm opzij, zodat zijn kogel Brossard op meer dan een meter miste. Marichel stond nu twee meter naast de tafel en wierp ver-

wilderde blikken in het rond waarin een mengsel van verbazing en pure opwinding te zien was.
Brossard pauzeerde maar heel even, richtte en maakte zijn salvo af, genietend van de plotselinge totale verbijstering op Marichels gezicht. De regen van kogels versplinterde Marichels borstbeen en scheurde het bovenste deel van zijn schouder. Geen getuigen of iemand die wist van de set-up. Dat was veiliger. Brossard had daartoe besloten kort nadat hij Marichel had ingehuurd.
De meeste mensen in het café waren achter hun stoelen en tafels op de grond gedoken. Ergens bij de deur schreeuwde iemand hysterisch. Brossard bewoog zich dichter naar de twee lichamen op de grond. Chapeau ademde nog. Brossard zag zijn borstkas zwoegen om zuurstof binnen te krijgen terwijl zijn longen zich snel met bloed vulden. Chapeaus afgeschoten vingers lagen een paar meter verderop. Brossard schoot een kort laatste salvo in Chapeaus hoofd, toen in dat van Marichel, en rende de deur uit.

26

Dominic keek ongerust op de kaart. Acht of negen kilometer voorbij Bourgoin Jallieu splitste de weg zich in tweeën: de A43 naar Chambéry en de A48 met een afslag naar Grenoble.
Berichten van twee radioagenten vlogen heen en weer door de meldkamer.
Het was een zware ochtend geweest. Hij had het bericht dat hij Marinella Calvan moest bellen zien liggen zodra hij uit zijn bespreking was gekomen. Een nummer in Engeland, en hij vroeg zich af of het iets te maken had met zijn vroegere werk voor Interpol, hoewel de naam hem niet bekend voorkwam. Maar er waren zaken die meer spoed eisten: er was een bank beroofd in het La Guillotière-district van Lyon, en toen de auto was gesignaleerd, hadden drie politieauto's op de A43 in oostelijke richting de achtervolging ingezet.
Daarna was alles vreselijk misgegaan. Kogels, afgevuurd vanuit de ontsnappingsauto, hadden een van de politieauto's geraakt en de voorruit verbrijzeld, waarna de auto van de weg was gevlo-

gen en twee van de drie agenten die erin zaten ernstig gewond waren geraakt.
De enige manier om meer ellende te voorkomen was een wegversperring, bij voorkeur op een afslag.
'Het lijkt erop dat ze richting Grenoble gaan!' riep Morand, een van de radioagenten.
Dominic keek op van zijn kaart. 'We hebben een rustig punt nodig, een van de volgende drie afslagen. Een tolweg waar niet veel verkeer is. Heeft iemand een voorstel?'
'Elf of twaalf kan geschikt zijn,' zei Morand.
Dominic bekeek de afstanden: zestien en vierendertig kilometer. 'Het zal twaalf moeten worden. We hebben tijd nodig om de zaak op te zetten.'
Het kostte nog eens negen minuten. De voorste drie politieauto's namen de drie rijbanen in beslag en minderden geleidelijk aan vaart, zodat er voor afslag 12 een zichtbare opstopping ontstond. Bij de tolhekken van afslag 12 zouden de drie doorgangen geblokkeerd worden door ten minste twee voertuigen, politieauto's die er niet als zodanig uitzagen en een oud groen busje met CRS-mannen daarachter. De vierde doorgang zou open worden gelaten.
Ondertussen zou al het andere afslaande verkeer snel en zonder te betalen door de vrije doorgang worden gesluisd. Als de auto met de bankrovers de vrije doorgang naderde, zou op het laatste moment de slagboom omlaag worden gedaan om hen te dwingen vaart te minderen, en als ze erdoorheen braken, zouden twee teams CRS-mannen met geweren op de banden schieten.
Dominic keek geïrriteerd op toen de telefoon op zijn bureau begon te rinkelen. Het kon nieuws over de gewonde agenten zijn; hij had gevraagd de dringende gesprekken door te geven op zijn privé-lijn. Hij nam op. Het meisje van de receptie liet hem weten dat het weer Marinella Calvan vanuit Engeland was, en dat ze zei dat het dringend was.
'Oké, geef maar door.' Hij kon waarschijnlijk wel een paar minuten missen.
Toen Marinella zich voorstelde en verontschuldigde, en de reden van haar telefoontje begon uit te leggen, was het voor Dominic alsof de rest van het vertrek en alle activiteiten die daarin plaatsvonden plotseling stilvielen en naar de achtergrond verdwenen. Alleen de uitroepen kwamen erdoorheen. Op een zeker moment

stak Morand zijn duim omhoog en riep: 'Ze trappen erin! Ze zijn afgeslagen en komen op het tolhek af.'
Daarachter richtten vier CRS-agenten met kogelvrije vesten hun geweren op de open doorgang, klaar om te schieten als de auto erdoorheen kwam.
Toen Morand een luchtsprong maakte en er een kort gejuich opsteeg in de radiokamer, wist Dominic dat alles goed was gegaan.
'Eén ogenblik,' verontschuldigde hij zich bij Marinella Calvan, hij drukte de knop op het toestel in en draaide zich naar Morand. 'En?'
'Eén gewonde. De anderen kwamen naar buiten met hun handen omhoog, zonder tegenstand. Geen gewonden aan onze kant.'
Dominic knikte en glimlachte, maar Morand kon zien dat hij er maar half bij was. Dominic wist niet precies wat hem het meest verontrustte: de moeite die hij moest doen om te begrijpen wat Marinella zei – een jongetje in Engeland, therapiesessies onder hypnose en een mogelijk verband met Christian Rosselot – of zijn weggedrukte herinneringen aan die tijd, de pijnlijke gedachten die nu ineens weer werden blootgelegd. Zwarte, vage herinneringen waarvan hij dacht dat hij ze lang geleden had begraven.
Dominic drukte de knop op het toestel weer in. 'Het spijt me. Ja, ik denk dat ik u wel kan helpen. Ik ken iemand die de achtergrond van Christian Rosselot kan bevestigen.'
Maar toen hij de afspraak had gemaakt en de hoorn neerlegde, vroeg hij zich af, hoewel hij geïntrigeerd was, welke geesten er door dat helpen gewekt zouden worden. Herinneringen die hem een deel van zijn leven hadden gekost om ze te begraven. Hij schudde zijn hoofd. Dertig jaar? Misschien had hij zich nooit echt los kunnen maken van de gebeurtenissen van 1963.

27

De Provence, juli 1965

In de twee maanden nadat Jean-Luc was gestorven, had Monique zich weer teruggetrokken op de boerderij. De Fiévets deden

haar boodschappen weer en Dominic zag haar nooit in het dorp. Het onderzoek naar Jean-Lucs dood duurde niet lang en binnen tien dagen was men het eens over de oorzaak: zelfmoord. Jean-Luc had de tractor gestart, met opzet de garagedeur dichtgedaan en was binnengebleven tot hij was gestikt in de uitlaatgassen. Het eerste wat Monique, die op dat moment in de keuken was, erop had geattendeerd dat er iets niet in orde was, was het stampende gedreun van de tractor, dat door de muren naar buiten kwam. Toen dat maar bleef doorgaan en de tractor niet naar buiten kwam, was ze het erf opgelopen en had ze gezien dat de deuren dicht waren. Clarisse was haar achternagerend en had haar vader dood over het stuur van de tractor zien hangen toen ze de deuren had opengetrokken.
Een paar minuten lang had Monique vergeefs geprobeerd hem tot leven te wekken en toen was ze naar de Fiévets gerend om een ambulance te bellen. Toen ze terugkwam en Clarisse bij het levenloze lichaam van haar vader zag staan, met haar pop stevig tegen zich aan gedrukt en met tranen die over haar wangen biggelden, was dat een beeld dat haar lang zou bijblijven. Haar pop. Praktisch het enige wat ze nog had.
Dominic was niet direct betrokken geweest bij het onderzoek. Harrault ging ernaartoe en Servan assisteerde hem. Dominic was daar blij om, want hij wilde niet dat ze zich hem herinnerde als het vriendelijke gezicht van de gendarmerie dat altijd werd geassocieerd met een sterfgeval in haar gezin. Eerst bij haar voor de deur staan om haar te vertellen dat haar zoon dood was en dan, twintig maanden later, notities maken over de zelfmoord van haar echtgenoot. Hij zou haar nauwelijks onder ogen durven komen.
Toen ze zich na een paar maanden ten slotte weer in het dorp begon te vertonen, had Dominic zijn eigen crisis te verwerken. Zijn moeder had de twee weken daarvoor in het ziekenhuis gelegen en haar toestand was zo snel achteruitgegaan, dat de artsen ervan overtuigd waren dat ze geen week meer zou leven. Zij wist ook dat ze stervende was en had Dominic gesmeekt haar weer mee naar huis te nemen, tegen hem gezegd dat ze niet wilde sterven te midden van 'oude, zieke mensen'. Het was haar zelfs gelukt om haar mond in een ironische glimlach te plooien. Ze wilde omringd worden door leven en de dingen waar ze het meest van hield: de tuin, het gezang van de vogels in de bomen,

en haar zoon dicht bij haar. De artsen hadden gezegd dat ze in het ziekenhuis waarschijnlijk nog wat langer zou leven omdat ze haar daar beter konden verzorgen, maar Dominic hield voet bij stuk. Een paar dagen extra omringd door po's en de geur van ontsmettingsmiddel? Ze ging naar huis.
Ze hield het nog bijna drie weken vol. Het leek wel alsof ze geen afscheid wilde nemen van de schoonheid en de rust van de tuin. Het was september en nog steeds tussen de vijfentwintig en dertig graden, en de zon scheen vrijwel elke dag. Dominic stond elke ochtend vroeg op om de tuin te sproeien, waarna ze samen op de overdekte achterveranda gingen zitten en haar favoriete koffie dronken: Javaanse melange met een snufje cichorei en kaneel. Die herinnerde haar aan haar kindertijd. Omgeven door de dingen die de diverse stadia van haar leven markeerden – de koffie, de mandarijnenboom die haar man had geplant voordat hij stierf, haar zoon – voordat ze het met een gerust hart kon achterlaten. Alles op de juiste plaats. Het voelde goed.
Het werd een eenvoudige plechtigheid. Dominics zus was een paar dagen voor zijn moeders dood overgekomen en had hem geholpen met de voorbereidingen voor de begrafenis. Haar man en kinderen kwamen op de dag van de begrafenis over en Dominics oom van zijn moeders kant was er ook. Hij woonde in Bordeaux en Dominic had hem in de afgelopen tien jaar maar een paar keer gezien.
Niet lang daarna zag hij Monique in een café in Bauriac. Ze draaide haar hoofd om en groette hem met een licht hoofdknikje, waarna ze haar ogen neersloeg. Misschien wilde ze hem niet begroeten met iets wat op een glimlach leek, ze vond waarschijnlijk dat dat ongepast was. Maar in die ene seconde had Dominic het gevoel dat ze het wist. Dat haar blik hem vertelde: ik heb het gehoord en het spijt me. Niemand weet beter hoe je je voelt dan ik. We hebben allebei iemand verloren van wie we hielden.
Het zou Dominic niet al te zeer verbaasd hebben als ze het wist. Hij had zelf zoveel over haar leed gehoord van Louis, via Madeleine en de Fiévets. Eén ding dat was blijven hangen, waren de problemen die ze had met de plaatselijke bank, hoewel de details die Louis hem daarover gaf nogal vaag waren. Het enige wat de Fiévets wisten, was dat Jean-Luc een lening had afgesloten voor verbeteringen aan de boerderij en om gereedschap te kopen, en dat hij achter was geraakt met de betalingen. Hoeveel

achter wisten ze niet, maar wel dat Monique zich er steeds meer zorgen over maakte. Het werd ook genoemd als een andere mogelijke reden voor Jean-Lucs zelfmoord.
Marc Fiévet hielp mee op Moniques land als hij kon en ze deelden de opbrengst op de markt, maar omdat hij niet in staat was om meer dan dertig procent van het eigenlijke werk te doen, kon Monique elke maand maar de helft van de aflossing aan de bank betalen en was het uitgesloten dat ze haar achterstand inliep. Elke keer dat Louis nieuws had over de situatie, leek deze wanhopiger geworden te zijn. Ze had de boerderij te koop gezet zodra ze zich bewust werd van de problemen met de bank, maar er waren al drie maanden verstreken zonder dat zich gegadigden hadden gemeld.
Toen Louis hem op een dag vertelde over Moniques dilemma, kreeg Dominic een idee. Hij herinnerde zich een boer die hij ongeveer een maand daarvoor een waarschuwing had gegeven omdat hij zijn auto midden op een smalle landweg bij Taragnon had geparkeerd. Tijdens hun gesprek bleek dat hij een pachter was en dat het huis waar hij woonde een heel stuk van zijn land af lag. En aangezien er geen opritten of parkeerplekken langs het land waren, was hij wel gedwongen zijn auto op de weg te laten staan.
In de week daarna spoorde Dominic hem op om hem te vragen of een perceel land met een bijbehorende boerderij hem zou aanstaan. Ze wisselden wat informatie uit en het antwoord was 'ja'. Dominic informeerde eens naar hem bij Louis en bij een paar collega's op de gendarmerie, waarbij duidelijk werd dat de boer, Croignon, een harde werker was die het land efficiënt bebouwde en zijn huur altijd op tijd betaalde.
Een paar dagen later miste Dominic de kans om Monique zijn voorstel te doen. Ze stond in de deuropening van de plaatselijke boulangerie toen hij langs kwam lopen, en hij wist niet precies of het kwam door de andere mensen die binnen gehoorsafstand waren, of het feit dat het om een delicaat onderwerp ging en ze zich misschien zou schamen als ze merkte dat hij wist van haar privé-problemen. Of het besef, dat hij al eerder had gehad, dat haar schoonheid hem onrustig maakte. Hij voelde zich onhandig en verlegen in haar nabijheid. Tegen de tijd dat hij eraan dacht, was de gelegenheid al voorbij.
Daarna begon hij zelfs zijn motieven in twijfel te trekken: wilde

hij haar echt helpen, of gebruikte hij het alleen maar als mogelijkheid om met haar te praten? Toen hij er op een avond bij Louis een paar te veel op had en Louis hem liep te plagen en te stangen, gaf hij ten slotte met een sluwe glimlach toe dat het waarschijnlijk een beetje van beide was. Louis bood aan het ijs te breken door haar de boodschap via Valerié en de Fiévets over te brengen. 'Ze is zo wanhopig, dat het haar waarschijnlijk weinig kan schelen van wie de hulp komt,' plaagde Louis hem. Dominic glimlachte en draaide zijn bierviltje rond op de bar.
Ondanks de basis die de Fiévets hadden gelegd, was Dominic toch nerveus toen ze elkaar ontmoetten. Hij had zich geen zorgen hoeven maken. Nadat ze condoleances en een paar aarzelende openingszinnen hadden uitgewisseld, ging het goed. Dominic begon zich op zijn gemak te voelen en het was bijna alsof hij praatte met een zus die hij lang niet had gezien. Ze gaven elkaar wat achtergrondinformatie en Dominic legde haar zijn plan voor, toen het hem plotseling trof hoe eenzaam ze was. Niet alleen vanwege het verlies van haar zoon en man, maar omdat ze hier eigenlijk altijd eenzaam was geweest. Met name door de manier waarop ze hem naar zijn moeder vroeg, of zijn moeder het hier soms niet moeilijk had gevonden. Het viel voor buitenstaanders niet mee om hier geaccepteerd te worden, beaamde hij. Kort daarna vroeg ze hem hoe hij had kunnen wennen in deze streek. Hij legde uit dat zijn moeder maar half Indonesisch was en dat het bij hem nog nauwelijks zichtbaar was. Maar ja, het eerste jaar of zo was moeilijk geweest, alleen omdat hij van buiten kwam. De anderen op de gendarmerie hadden hem ook afgewezen vanwege zijn verleden in het Vreemdelingenlegioen en zijn ervaringen in Marseille. Dat hij niet 'een van hen' was en dat ook nooit zou worden.
Monique knikte begrijpend en de blik in haar ogen was warm en meelevend. Toen ze zijn blik zag, sloeg ze haar ogen neer en begon ze nerveus met het koffielepeltje te spelen. Misschien was dat hoe ze hem zag, dacht hij. Een medebuitenstaander die zich moest verweren tegen de vijandigheden van een hechte dorpsgemeenschap en die nu, door hun beider verdriet, met haar was verbonden. Ze hadden allebei iemand verloren die ze liefhadden.
Ze kwam terug op de details van het voorstel. 'Als deze Croignon mijn boerderij in zijn geheel pacht, vind je het dan echt goed dat ik in het huis van je moeder ga wonen?'

Dominic verzekerde haar dat het veel te groot voor hem was en bovendien wilde hij liever niet in de buurt blijven van alle herinneringen die daar nog waren. 'Jij hebt waarschijnlijk hetzelfde gevoel over jouw huis.' Ze hadden de belangrijkste details al besproken. Zij zou in zijn moeders huis gaan wonen en hij in het kleine appartement boven Louis' café. Het enige struikelblok was dat Louis' huidige huurder pas over vier maanden weg zou gaan. Ten slotte hadden de Croignons Dominic aangeboden om die tijd in de vierde slaapkamer boven de garage te komen logeren. Gratis, als dank voor het voorstel van de deal. Dominic zou Monique het eerste jaar geen huur rekenen en daarna zouden ze een symbolisch bedrag overeenkomen om zijn primaire kosten bij Louis te dekken.
Monique stak haar hand uit en pakte glimlachend de zijne vast. 'Dank je.' Ze was oprecht dankbaar voor de hulp, maar ze had zich enige tijd verzet tegen het idee dat ze hem pas na een jaar zou gaan betalen, totdat ze zag hoe vastbesloten hij was. Hij wilde het eerste jaar absoluut niets over geld horen. Dominic schrok even van de elektriciteit van haar aanraking, en hij voelde dat hij begon te blozen.
Ze was enthousiast over het voorstel, niet alleen omdat de pachter een goede huur betaalde, maar hij zou haar de eerste twee jaar ook dertig procent geven van de opbrengst van de gewassen die al waren geplant. Ze kon de aflossingen aan de bank dekken en weer een beetje orde in haar leven scheppen, en een nieuw huis zou ook een deel van de herinneringen en emotionele last wegnemen. Maar ze wilde er toch een nachtje over slapen en even met de Fiévets praten. Konden ze elkaar de volgende dag nog eens ontmoeten, zelfde tijd, zelfde plaats?
Er waren nog twee ontmoetingen voor nodig om alles te regelen: het probleem zat in de banklening, want hoewel de huur gemakkelijk de nieuwe aflossingen dekte, moest er iets worden gedaan aan de achterstallige betalingen. Dominic rekende haar een paar mogelijkheden voor, maar Monique zat er wat beschaamd en verloren naar te kijken. 'Jean-Luc deed de geldzaken altijd.' Ze vroeg Dominic of hij met haar mee wilde gaan naar de bank om haar uit te leggen hoe alles in elkaar zat. Nu was hij dat eigenlijk toch al van plan geweest, want hij zou beter in staat zijn om met een goed voorstel te komen. Zij zou zich misschien laten afschepen of iets belangrijks weglaten.

Dominic wilde haar graag helpen en greep elke kans aan om haar vaker te kunnen zien. De volgende dag had hij een afspraak geregeld met Bertrand Entienne, de bedrijfsleider van de Banque Agricole du Vars. Monique pakte zijn hand weer vast en deze keer kuste ze hem op beide wangen.
Een handvol ontmoetingen en nu al koesterde hij sterke gevoelens voor haar. Ze was niet alleen beeldschoon, maar ook warm en meelevend, oprecht. Een vrouw als zij had hij nog nooit ontmoet. Hij vroeg zich af of ze hetzelfde voor hem zou voelen, maar toen schudde hij snel zijn hoofd. Hij gedroeg zich bespottelijk. Hij kende haar nauwelijks en zij hem evenmin. Tot nu toe was dit een relatie die uitsluitend gebaseerd was op de behoefte aan hulp. Als hij er niet in slaagde de bedrijfsleider van de bank te overtuigen en zijn voorstel werd van tafel geveegd, zou ze nog nauwelijks een reden hebben om hem opnieuw te ontmoeten, hield hij zichzelf nuchter voor.

Bertrand Entienne was begin veertig, had donkerbruin, vet, achterovergekamd haar en een rond, blozend gezicht. Hij rookte een pijp en zijn gebaren waren hoffelijk en formeel toen hij hen zijn kantoor binnenliet. Maar hij glimlachte tenminste, leek te willen helpen, dacht Dominic hoopvol.
Toen Dominic zijn voorstel echter uitlegde, was die glimlach algauw verdwenen.
'Het spijt me, maar we schijnen tegengestelde belangen te hebben,' zei Entienne. 'Ik dacht dat u hiernaartoe was gekomen met een voorstel om de lening in zijn geheel af te lossen. Dat de boerderij verkocht was of er een andere regeling was getroffen. Ik geloof dat ik in mijn laatste brieven heel duidelijk ben geweest dat dat in dit stadium het enige is wat de bank kan accepteren.'
Dominic negeerde de weigering en zette door, legde op beleefde toon uit dat Monique Rosselot de afgelopen vier maanden had geprobeerd de boerderij te verkopen maar daar niet in was geslaagd. De markt was slecht op dit moment en het kon nog maanden duren voordat er een koper was gevonden, áls die überhaupt gevonden kon worden. 'Het is toch beter om nu een bepaalde zekerheid te hebben en de regeling te herzien in de wetenschap dat de aflossingen in de toekomst op tijd zullen worden gedaan.'

Entienne legde zijn pijp in de asbak. 'Ik zou het doen als ik het kon, maar het is onmogelijk. De papieren zijn al een paar weken geleden doorgestuurd naar de juridische afdeling. Ik heb in mijn laatste brief heel duidelijk uitgelegd dat deze actie te verwachten was. Als de papieren eenmaal bij hen zijn, kan ik er niets meer aan doen. Dan is het mijn verantwoordelijkheid niet.' Hij sloeg zijn armen over elkaar en pakte zijn ellebogen vast. Een afsluitend gebaar.

Dominic was er echter zeker van dat dit slechts een openingszet was. Dat Entienne zijn standpunt wel zou verzachten als hij eenmaal wat cijfers had gezien. 'Ik heb het volgende uitgewerkt.' Dominic schoof hem de map met zijn voorstel toe. 'Zoals u zult zien, zijn alle nieuwe aflossingen gedekt en zullen de achterstallige betalingen in drie à vier jaar zijn ingelopen. Ik neem aan dat we dat kunnen terugbrengen tot twee jaar als de bank daarop staat.' Maar Dominic merkte dat Entienne nauwelijks belangstelling had voor de cijfers die hij hem liet zien.

Entienne schudde zijn hoofd. 'Het spijt me, maar het ingrijpen door de juridische afdeling maakt het overwegen van een voorstel als dit onmogelijk. Als het dossier eenmaal bij hen is, wordt het bedrag van de lening in zijn geheel opeisbaar als onderdeel van de voorbereiding op een gerechtelijke procedure. Dat houdt bovendien in dat de rente veel hoger zal uitvallen vanwege de extra kosten die aan de interventie van de juridische afdeling zijn verbonden. Dus vrees ik dat deze cijfers onjuist zijn.'

Dominic vroeg wat die rentepercentages waren. Entienne sloeg een dossier open, zette een brilletje op de punt van zijn neus en bekeek de kolommen. Hij pakte zijn pijp uit de asbak, trok er even aan en las een paar bedragen voor.

Dominic telde ze bij elkaar op en voelde zijn moed in zijn schoenen zinken. Dit was bespottelijk: 42 procent per jaar. Bijna net zoveel als bij een woekeraar in Marseille. 'En welke andere opties zijn er, afgezien van betaling van de lening in zijn geheel voordat de papieren worden doorgestuurd voor een gerechtelijke procedure?'

'Die zijn er helaas nauwelijks. Wanneer alle achterstallige aflossingen plus de verhoogde rente in één keer worden terugbetaald, zou een voortzetting van de bestaande regeling misschien mogelijk zijn. Maar dat zou besloten moeten worden door de kredietcommissie van de bank, zonder garanties dat het wordt toege-

kend. En over een week of zo vanaf nu zal zelfs die optie niet meer bestaan. Dan zit het dossier al te ver in de molen. Ziet u, als de gerechtelijke procedure eenmaal in werking treedt, is de bank verplicht het volledige bedrag op te eisen.'
Dominic was woedend. Maar uiterlijk bleef hij kalm en hij legde uit dat het voor madame Rosselot onmogelijk was om op zo'n korte termijn aan zo'n geldbedrag te komen. Hij legde nogmaals de nadruk op de regelmatige inkomsten van de verpachte boerderij en probeerde tot een herziene aflossingsregeling te komen. 'De pachter is buitengewoon betrouwbaar. Het zou de bank zekerheid geven, madame Rosselot zou waarschijnlijk twee achterstallige aflossingen ineens kunnen terugbetalen om haar goede wil te tonen, en vanaf dat punt zou alles zonder problemen door kunnen gaan.'
Entienne wilde niet buigen. Het was duidelijk dat hij niet blufte. 'Het spijt me echt. Maar ik kan er niets meer aan doen. Als u hier één of twee maanden geleden naartoe was gekomen, zou het misschien een andere zaak zijn geweest.'
Dominic voelde zich verslagen. Monique zat naar de grond te kijken en schaamde zich zichtbaar. Hij had haar teleurgesteld. Hij deed nog een laatste wanhopige poging. 'Maar de bank zou toch met me eens moeten zijn dat mijn voorstel ook in haar belang is en veel beter is dan wachten op een eventuele verkoop terwijl de markt zo onzeker is. Er is geen enkele garantie dat zich überhaupt een koper zal aandienen voordat de zaak voor de rechter komt.'
Entienne begon licht te blozen en wat ongeduldig te worden door Dominics volhardende houding. Hij legde zijn handen op tafel en sloeg toen snel zijn armen weer over elkaar. 'Dat, vrees ik, is een probleem dat madame Rosselot met de juridische afdeling van de bank zal moeten oplossen. Zoals ik u al eerder heb uitgelegd, monsieur Fornier, heel duidelijk, dacht ik, is het mijn zaak niet meer.'
Het werd Dominic rood voor de ogen. Entiennes zelfingenomen houding. Die pijp, dat brilletje, die handen die gevouwen op het dossier lagen... al die gebaren die zich verzetten tegen het echte leven en menselijkheid. Hoe ruïneerde je iemands leven zonder er zelf bij betrokken te raken? Hij had zin om over het bureau te springen en zijn vuist midden in dat zelfingenomen gezicht te planten.

Dominic haalde diep adem. 'Laat me u ook iets uitleggen, monsieur Entienne, net zo duidelijk, hoop ik. Waarschijnlijk hebt u gehoord van de Rosselots, of weet u iets van hen uit dat dossiertje dat u voor u hebt liggen. Wat u misschien wel of misschien niet weet, is dat Monique Rosselot twee jaar geleden haar enige zoon heeft verloren, toen hij het slachtoffer werd van een moord. Ik was een van de rechercheurs die het onderzoek deden. Toen, net een paar maanden geleden, heeft ze haar man verloren toen hij zelfmoord pleegde. Of hij kon het leven zonder zijn dierbare zoon niet aan, of misschien waren het de dreigbrieven die u hem bleef sturen die hem over de schreef hebben gejaagd.'
'Ik ben me heel goed bewust van de situ...'
Dominic stak abrupt zijn hand op. 'Ja, ja... ik ben ervan overtuigd dat u dat bent, monsieur Entienne. Dat is ons duidelijk geworden uit uw houding van vandaag.' Entienne, die zich toch al opgelaten voelde door de weg die het gesprek was ingeslagen, keek boos op toen hij het sarcasme in Dominics stem hoorde.
'Monsieur Rosselot,' vervolgde Dominic, 'heeft de lening bijna drie jaar geleden bij deze bank afgesloten. Hij is achter geraakt met zijn verplichtingen, maar hij is er nu niet meer. Daarmee geconfronteerd heeft madame Rosselot zowel de moed als het goede vertrouwen opgebracht om hier vandaag naartoe te komen. Niet alleen haar eerste bezoek maar ook haar eerste voorstel aan deze bank. Een heel duidelijk en werkbaar voorstel, kan ik daaraan toevoegen. Afgezien van wat zij heeft geleden door het verlies van haar zoon en haar man, moet ze een hoop veranderingen aanbrengen in haar leven, en alles wat ze hier vandaag vraagt, is of de bank een paar kleine aanpassingen kan doen en haar halverwege tegemoet kan komen.'
Entienne keek nog steeds boos. Hij had zijn handen nog steviger in elkaar geklemd dan daarvoor. 'Het spijt me. Zoals ik al eerder heb uitgelegd, is er echt niets wat ik kan doen.'
'U hebt alles doorgestuurd naar de juridische afdeling, zo'n drie, vier weken geleden? En wilt u me nu echt vertellen dat u niet de macht hebt om ongedaan te maken wat u in eerste instantie in beweging hebt gezet?'
'Zo eenvoudig is dat niet. Ik moet met sterke argumenten komen als ik het dossier wil terugkrijgen van de juridische afdeling en goedgekeurd wil krijgen door de kredietcommissie. Wat – zoals ik u al heb uitgelegd – alleen mogelijk is als alle achterstallige

betalingen plus de strafrente vrijwel onmiddellijk worden voldaan.'
'En u vindt een jonge moeder die zowel haar zoon als haar man heeft verloren als argument niet sterk genoeg?'
Entienne haalde duidelijk niet op z'n gemak zijn schouders op. 'Het is moeilijk om dergelijke persoonlijke situaties op dit niveau met de andere afdelingen te bespreken. Achter elk dossier zit een verhaal, een of ander soort tragedie.'
'Aha, nu komen we dichter bij de waarheid. Het is niet onmogelijk, maar alleen gênant. Dus u bent bereid op te offeren wat dit gezin nog heeft in het leven om te voorkomen dat u in een enigszins gênante situatie terechtkomt – alles wat slecht zou kunnen zijn voor uw staat van dienst – tegenover de juridische afdeling en de kredietcommissie?'
Entiennes boosheid was uitgegroeid tot regelrechte haat. Hij forceerde een glimlach. 'Net als u, monsieur Fornier, ben ik maar een werknemer. Zoals u zich te houden hebt aan de regels van de Franse wet, moet ik me houden aan de regels van de bank. Het spijt me. Ik wilde dat de zaken anders lagen.'
Geen opties meer, dacht Dominic. Hij had alles geprobeerd, zowel de vriendelijke als de harde benadering, het suikerklontje en de voorhamer, maar Entienne gaf geen centimeter toe. Ze vertrokken.
'De klootzak!' vloekte Dominic binnensmonds toen ze de gang op liepen. 'Het spijt me. Ik heb waarschijnlijk meer kwaad dan goed gedaan.'
Monique greep zijn hand vast en kuste hem op beide wangen, zei dat ze geroerd was door de manier waarop hij voor haar in de bres was gesprongen. 'Neem het jezelf niet kwalijk. Je hebt je best gedaan.'
Maar uiteindelijk was het allemaal zinloze grootspraak geweest, dacht hij, die geen bal had opgeleverd. Erger nog, waarschijnlijk had hij Entienne zo tegen zich in het harnas gejaagd, dat alle verdere kansen op een compromis over de lening, als die zich voordeden, ook verkeken waren.
Toen ze de bank uit liepen, vroeg hij zich af hoe ze deze nieuwe crisis, boven op alle andere ellende die ze had meegemaakt, in godsnaam zou moeten verwerken. Hij besefte ook met een deprimerend gevoel dat hij de zaak zo ernstig had verprutst, dat ze hem misschien niet meer zou willen zien.

'Verdomde hufters! Allemaal! Zeker op de Agricole du Vars. En die Entienne is de grootste lulhannes van allemaal. Dat had ik je wel kunnen vertellen voordat je naar hem toe ging.'
Louis' visie op het plaatselijke bankwezen. Bauriacs gebruikelijke 'ze moeten altijd de armen hebben', maar dan in extreme vorm. Precies wat Dominic nodig had om hem op te beuren, aangezien de drie glazen bier en de twee cognacs daar niet in waren geslaagd. Zijn boosheid op Entienne gloeide als vuur dat Louis met plezier nog eens extra opstookte met verhalen over banken in het algemeen en de Agricole du Vars en Entienne in het bijzonder.
'Het zou me niet verbazen als een van de directeuren van de Agricole du Vars zijn oog op dat perceel heeft laten vallen. Ze weten dat ze weduwe is en niet in staat is zo'n grote som geld bij elkaar te krijgen.' Louis had het allemaal al eerder meegemaakt. Het was een vriend van hem overkomen. De directeur had zijn oog op het perceel laten vallen, schoof de zaak zo snel mogelijk door naar de juridische afdeling, ze schroefden de rente op, daar kwamen de proceskosten nog bij, en uiteindelijk was het zo'n berg geld dat hij die onmogelijk nog bijeen kon krijgen. De prijzen op de veiling waren minimaal en de bankdirecteur kocht het perceel voor iets meer dan de helft van de waarde. 'Het is een legale methode. Met al die hoge rente en proceskosten had mijn vriend bijna niets meer over toen hij het geld van de veiling kreeg.'
Dominic keek in zijn glas alsof hij naar inspiratie zocht. Hij kon hetzelfde scenario voor Monique in het verschiet zien liggen, met niets anders dan de verkoop van het land en de boerderij om er een eind aan te maken. 'Wat is de gemiddelde tijd om in deze streek een boerderij te verkopen?'
'De markt is nog nooit zo slecht geweest. Acht tot tien maanden, soms nog veel langer. Mensen gooien ze soms op de markt, laten ze daar twee jaar staan zonder dat iemand belangstelling toont, geven het dan op en halen ze er weer af.'
Louis ging weer door met zijn scheldkanonnade op banken en de hypocrisie van Entienne, aangezien hij tegenwoordig een jonge maîtresse had. Dominic luisterde maar half. Acht maanden? Er waren er al vier voorbij. Zou Monique de resterende vier nog halen? Met een ruk keek Dominic op naar Louis. 'Wat zei je nou?'
'Wat? Over dat meisje? Of die verdomde hypocriet van een Entienne?'

‘Het meisje. Hoe lang is dat al aan de gang?’
‘Ongeveer een jaar, denk ik.’
‘En weet zijn vrouw het? Hoeveel mensen weten het?’
‘Zijn vrouw heeft absoluut geen idee. Voor de rest wordt er alleen maar wat gefluisterd in het dorp. Misschien komt het uiteindelijk een keer bij zijn vrouw terecht, misschien ook niet.’
‘Hebben ze een speciale plek waar ze elkaar ontmoeten? Of doen ze dat elke keer anders?’
‘Zij werkt bij de juwelier niet ver van de bank, maar ze loopt naar de achterkant van het blok huizen ertegenover en daar pikt hij haar meestal op.’ Louis boog zich een stukje over de bar. ‘Ik heb gehoord dat ze dan naar Hotel l’Espigoulier op de weg naar Aubagne gaan. Hij onder het mom van lange lunches met cliënten.’
‘Op welke dagen?’
‘Maandags en donderdags.’
De donderdag daarop, omstreeks lunchtijd, reed Dominic met zijn Solex het parkeerterrein van Hotel l’Espigoulier op. Hij had bij de bank al gekeken in wat voor auto Entienne reed, en inderdaad, hij stond voor het hotel. Dominic reed het parkeerterrein af en ging vijftig meter verderop staan wachten.
Het was een smalle op- en afrit en er kwamen maar heel weinig auto’s voorbij. Ze dachten waarschijnlijk dat hij een snelheidscontrole deed. Het duurde meer dan veertig minuten voordat Entiennes auto verscheen.
Dominic startte de Solex. Hij moest de aanrijding perfect timen; als hij te vroeg was, zou hij onder de wielen terechtkomen.
Entiennes auto draaide de weg op en begon snelheid te maken. Oké... nu!
Dominic schoot tevoorschijn van de oprit en raakte de zijkant van Entiennes auto. Nu bleek dat zijn bezorgdheid om te vroeg te zijn hem iets te laat had gemaakt, en in plaats van over de motorkap te vliegen, raakte hij de voorruit, schoot zijn knie door het raampje aan de passagierskant, vloog hij in een dramatische snoekduik over de auto en kwam aan de andere kant terecht.
De val zag er goed uit en Dominic brak hem met zijn onderarmen. Maar hij was hard tegen de voorruit geslagen en zijn schouder voelde stijf aan. Bovendien had zijn neus de voorruit geraakt en die bloedde hevig en kleurde zijn overhemd rood. Ach, des te beter voor het effect, dacht hij toen hij opstond.

Dominic deed eerst een halve minuut of hij duizelig was en moeite had om zich te oriënteren op wat er was gebeurd en waar hij was. Entienne was zich rot geschrokken en hij richtte zich eerst op het meisje dat naast hem zat. Haar aanvankelijk hysterische geschreeuw was al overgegaan in gesnik.
Entienne stapte langzaam uit terwijl Dominic zijn notitieboekje tevoorschijn haalde en daarin begon te schrijven. Op dat moment, onder al dat bloed en dat verfomfaaide uiterlijk, herkende hij Dominic en stotterde hij: 'O, u...' Toen zei hij snel: 'Bent u in orde? Het spijt me, ik zag u niet. U kwam uit het niets tevoorschijn.' Maar zijn verontschuldigingen veranderden al snel in boosheid. 'Hoe haalt u het in uw hoofd om zo plotseling de weg op te rijden?'
'Ik kan u hetzelfde vragen,' zei Dominic op koele toon. Dominic schreef het kentekennummer op en vroeg Entienne om zijn papieren.
'Hoe bedoelt u?'
'Wat ik bedoel is dat ik naar links en naar rechts heb gekeken voordat ik de weg op reed en die was vrij. En toen kwam u uit het niets tevoorschijn en reed u me aan!'
'Maar zo is het helemaal niet gebeurd. De weg voor me was vrij, en ú schoot plotseling tevoorschijn. Ik heb u niet eens gezien, alleen maar die klap gehoord toen u me raakte.'
Dominic grijnsde. 'Nou... u zult voor de rechtbank in de gelegenheid zijn om uw versie van het verhaal te geven. Uw papieren, alstublieft!'
Entiennes gezicht gloeide rood op. 'Dit is belachelijk! U weet heel goed dat het zo niet is gebeurd,' sputterde Entienne tegen. Maar zijn stem werd al wat aarzelender en onzekerder.
'Ik weet helemaal niets. Ik weet alleen dat u een gevaar op de weg bent en dat u me dood had kunnen rijden. Ik dien een aanklacht wegens onverantwoordelijk rijgedrag in. En als ik uw papieren niet binnen dertig seconden in mijn hand heb, voeg ik daar obstructie van de rechtsgang aan toe!'
Entienne boog zich in de auto en haalde zijn papieren uit het handschoenenkastje. Plotseling was hij op onbekend terrein en had hij geen vat op de situatie. Niet langer beschermd door de muren van zijn kantoor, zijn dossiers, zijn pijp en zijn brilletje, was hij kwetsbaar. Een klein, blozend jongetje. Dominic genoot van elke seconde. Hij boog zich dreigend naar hem toe toen

Entienne hem de papieren toestak.
Dominic schreef de gegevens op en vroeg Entienne om zijn volledige naam en adres. Entienne sprak de laatste woorden uit tussen opeengeklemde kaken en zei toen: 'Ik weet waarom u dit doet, maar het zal u niet lukken. Ik heb een getuige.'
Dominic keek naar het meisje, dat haar ogen zat te drogen met een zakdoek en probeerde haar make-up niet te veel te beschadigen. 'O, ja, dat vergat ik nog. Uw getuige. Natuurlijk. Uw naam en adres, alstublieft?'
Het meisje en Entienne keken elkaar aan. Entiennes gezicht was nu purper. 'Hoor eens... is het echt nodig dat ze hierbij betrokken wordt?'
'Maar ze is uw getuige, monsieur Entienne. Ze is de enige persoon die in de rechtszaal naar voren kan komen om uw versie van het ongeluk te steunen. Waarom zou u haar er in hemelsnaam níet bij willen betrekken?' Dominic glimlachte.
'Het is gênant, dat is alles.' Entiennes handen lagen rusteloos in zijn schoot. 'En als ze niet voor mij getuigt, wat gebeurt er dan?'
'Dan geef ik mijn versie en u geeft de uwe. Aangezien ik politieman ben, zal mijn versie ongetwijfeld overeind blijven en zult u worden veroordeeld voor gevaarlijk rijgedrag en mishandeling. Drie jaar uw rijbewijs kwijt en mogelijk drie tot zes maanden gevangenisstraf, dat hangt van de rechter af. Ik weet niet wat de bank van zo'n veroordeling zou vinden.' Dominic zag hoe elk woord doel trof. Aarzelend besef, ten slotte gevolgd door aanvaarding, toen hij zijn hoofd liet hangen. Op exact dezelfde manier waarop Entiennes woorden een paar dagen geleden Moniques toekomst hadden geruïneerd. Dit was wraak van de meest goddelijke soort. 'O, ik vergeet nog iets. Ook als uw vriendin niet optreedt als uw getuige à decharge, moet ik toch haar gegevens opschrijven. Net zoals de tijd en de naam van het hotel waarvan u wegreed. Essentiële achtergrondinformatie voor de hoorzitting. En ik denk dat er wel een plaatselijke verslaggever geregeld kan worden om een stukje over de zaak te schrijven. Dus, mademoiselle, uw gegevens, alstublieft?'
Entienne schudde langzaam zijn hoofd en zijn stem klonk zacht en verslagen. 'Ik denk niet dat dat nodig zal zijn.' Zijn ogen keken Dominic slechts vluchtig aan. 'Kunnen we niet tot een soort regeling komen? Ik weet zeker dat u iets in gedachten had toen u al deze moeite deed.'

Dominic keek Entienne met een scherpe blik aan. 'Hebben we het nu over het buigen van regels, monsieur Entienne? Exact dezelfde regels waarvan u me onlangs in uw kantoor vertelde dat ze niet gebogen mochten worden?'
'Ja, ja. Daar hebben we het over.' Totale verslagenheid.
'Nou, ik neem aan dat we later deze middag een ontmoeting zouden kunnen hebben op uw kantoor om het relatieve van de regels van onze respectievelijke beroepen te bespreken. Ik wil toch graag even de gegevens van het meisje noteren. Als we tot een overeenkomst komen, gaat mijn dossier nergens naartoe. En ik weet zeker, monsieur Entienne, dat voor het uwe hetzelfde geldt.'
Entienne knikte zonder op te kijken. Ze spraken af om halfvijf.
Dominic liet hen eerst wegrijden, en op weg terug naar Bauriac negeerde hij de nieuwsgierige blikken die vanuit passerende auto's op hem werden geworpen door mensen die zich waarschijnlijk afvroegen waarom die gendarme op zijn Solex met zijn hevig bloedende neus zo breed zat te glimlachen.

De nieuwe regeling was binnen tien dagen goedgekeurd. Het lukte Dominic zelfs om vijf jaar de tijd te krijgen voor het inlopen van de achterstallige aflossingen en de strafrente te laten kwijtschelden. Entienne sprak geen woord meer over de juridische afdeling; het was alsof het dossier daar nooit was geweest.
Ze vierden het met een fles champagne bij Louis. Dominic had wel iets verteld aan Monique, maar alleen dat Entienne een kleine zwakheid had die hij in hun voordeel had gebruikt. Maar toen de drank was gevloeid, had Louis niet kunnen weerstaan haar het hele verhaal te vertellen.
Monique keek geschrokken op toen Louis haar het dramatische verslag gaf van Dominic die over het dak van Entiennes auto vloog. 'Dat had je niet moeten doen, Dominic. Je had ernstig gewond kunnen raken.' Maar Dominic genoot van zijn overwinning toen ze zijn arm vastpakte en hem op zijn wangen kuste. De derde keer in evenzoveel weken.
Croignon betrok de boerderij een paar dagen later en de dag daarvoor werd gebruikt voor de verhuizing van koffers met kleding en persoonlijke bezittingen tussen de verschillende woningen, waarbij Louis hen hielp met zijn bestelbusje.
Toen ze bij de kamer boven de garage kwamen, waar Christians kleren en speelgoed opgestapeld op het bed lagen, keek ze hem

wat gegeneerd aan. 'Vind je het erg als ik die meeneem naar jouw huis en ze in een van de kamers leg?'
'Nee, helemaal niet. Er zijn drie slaapkamers. Het is aan jou hoe je die wilt gebruiken.' Dominic was meer verbaasd over het feit dat er inmiddels twee jaar waren verstreken en ze zich nog steeds vastklemde aan haar herinneringen. En niet een of twee persoonlijke bezittingen, maar een hele kamer die als een soort gedenkplaats was ingericht. Hij had tot dat moment ook niet beseft dat de kamer waarin hij de komende maanden ging wonen, die van Christian was geweest.
Twee weken later nodigde Monique hem uit voor het avondeten. De twee culturen werden vertegenwoordigd door een stoofpot van lamsvlees en aubergine met couscous. Hij nam een fles rode chateauneuf mee en een Pinokkio-kleurboek voor Clarisse. Tijdens het eten bekende ze hem dat ze zich nog steeds schuldig voelde over het feit dat ze hem het eerste jaar geen huur betaalde en dat ze dat goed wilde maken door hem eens per week voor het eten uit te nodigen. Dat zou ook, legde ze uit, een kleine compensatie zijn voor het feit dat zijn eigen kookfaciliteiten verre van ideaal waren, nu hij die de eerstvolgende maanden samen met de Croignons moest gebruiken. Het was het minste wat ze kon doen.
In eerste instantie wees hij de noodzaak van wederdiensten af, maar ze stond erop en bovendien was het een manier om haar regelmatig te kunnen zien. Hij accepteerde het aanbod met beleefde tegenzin.
De etentjes waren elke vrijdagavond, of de eerste vrije avond van het weekend als hij vrijdags avonddienst had. Het was moeilijk om het exacte moment aan te geven waarop hun vriendschap overging in wederzijdse genegenheid en vervolgens in liefde. Het was wel waarschijnlijk dat dat voor hem eerder gebeurde dan voor haar.
Eerst waren het alleen de kleine signalen. Een blik in haar ogen, een glimlach, lichte kusjes op zijn wang om hem te bedanken voor de wijn of cadeautjes die hij had meegebracht. Zelfs toen die ogen hem openlijk leken uit te nodigen, kon hij nog steeds de pijn in haar blik zien en hield hij zich in. Dan was hij plotseling bang dat hij misbruik van haar maakte en werd hij er weer aan herinnerd hoe beschadigd en kwetsbaar ze nog steeds was.
Zelfs de avond dat ze voor het eerst de liefde bedreven, vijf

maanden nadat de wekelijkse etentjes waren begonnen, kon niet echt worden gezien als het keerpunt in hun relatie. Ze had meer gedronken dan voor haar gebruikelijk was en was wat aanhalig geworden. Na het eten, toen Clarisse naar bed was en ze koffie met cognac dronken, kwam ze op zijn schoot zitten, kuste ze hem en zei ze dat ze hem wilde laten zien wat ze met zijn kamer had gedaan.

Ze nam hem mee naar boven, maar voordat ze de deur van zijn kamer opendeed, vroeg ze hem zijn ogen dicht te doen en even te wachten. Toen hij zijn ogen opendeed, zag hij de zachte lichtgloed van vijf brandende kaarsen. In het flakkerende licht zag hij, toen zijn ogen zich hadden aangepast, een handgeknoopt tapijt op de vloer liggen, en aan de muur achter het bed hing een ikat wandkleed. Ze kuste hem, ze vielen op het bed en zijn gemompelde 'Het is prachtig' werd al snel gesmoord.

Ze maakte zich van hem los en vroeg hem of hij zijn ogen weer dicht wilde doen, en toen ze hem zei dat hij ze weer mocht openen, stond ze naakt aan het voeteneind van het bed en had haar huid in het zachte kaarslicht de tint van koffie met room. Ze boog zich over hem heen en begon zijn kleren uit te trekken, gaf hem zachte kusjes op zijn hele lichaam en liet zich ten slotte boven op hem rollen. Haar lichaam gleed prettig over het zijne, glanzend van de zoet geurende olie waarmee ze zich had ingesmeerd, en ze begon zich langzaam en sensueel te bewegen totdat zijn opwinding compleet was.

Hun liefdesspel was eerst traag en licht, maar werd geleidelijk aan heftiger. De blik in haar amandelvormige ogen was diep en bezield, en hij streelde haar wimpers met zijn vingertop, liet die vinger toen langzaam over haar wang en langs haar hals gaan. Maar naast liefde en overgave was er nog iets anders te zien in die ogen: de geesten uit het verleden, die haar in hun greep leken te houden, alsof haar plotselinge opwinding zowel een poging was om zich van die geesten te ontdoen, als om zich te verliezen in de liefde. Het was een race tussen de twee.

En toen zijn eigen hoogtepunt kwam, viel zijn hoofd hijgend opzij en deed het beeld van de kaarsen en tranen van genot op haar wangen hem weer denken aan het ziekenhuis. Aan haar lange nachtelijke waken terwijl ze bad dat Christian in leven zou blijven.

Ze moest het in zijn ogen hebben gezien, of hebben gevoeld aan de teruggekeerde spanning in zijn lichaam, want plotseling draaide ze zich om. Ze staarde ook enige tijd in gedachten naar de kaarsen, met één vinger op haar lippen. 'Het spijt me,' mompelde ze toen.

Later die avond, toen hij terug was in Christians oude kamer bij de Croignons, nam de wind toe. Dominic hoorde hem ruisen door de bomen en het korenveld achter het huis. Hij dacht terug aan de dag dat ze bij de rivier hadden gestaan en het zo hard waaide, aan de gendarmes die als schaakstukken in het veld stonden. Onaangename gedachten, geesten uit het verleden, en het duurde lang voordat hij in slaap viel.

In de drie weken daarna, op de avonden dat ze hun etentjes hadden gehad, had Monique zich geëxcuseerd. In de vierde week belde ze hem op en vroeg ze of hij naar haar toe wilde komen, maar dat ze weer goede vrienden moesten zijn, zoals het geweest was. 'Het spijt me. Ik had dat die avond niet moeten doen. Ik was er nog niet klaar voor, en het was niet eerlijk tegenover jou. Ik zou het heel goed begrijpen als je me niet meer wilde zien.'

Hij ging naar haar toe. Hij had geleerd dat de geesten van het verleden soms tussen hen in zouden staan, en als hij de signalen goed had ingeschat, zou hij geweten hebben dat ze dat altijd zouden blijven doen. Een deel van haar hart en ziel was voor eeuwig begraven met Christian en Jean-Luc.

Er verstreken nog eens drie maanden voordat ze weer minnaars werden. Monique beloofde hem dat ze hem niet meer alleen in bed zou laten liggen. Maar in de daaropvolgende maanden, toen de lente naderde, zouden er nog steeds momenten voorkomen waarop ze het gewoon niet kon. Dan zat ze plotseling weer in de greep van het verleden, scheurden de herinneringen en geesten haar in stukken en wist ze gewoon dat ze op dat moment niets te bieden had, noch aan hem, noch aan Clarisse.

Dominic had er altijd begrip voor als die momenten zich voordeden en dan belde hij haar de volgende dag om te vragen of ze zich al beter voelde. Meestal duurde haar donkere gemoedstoestand niet lang, hooguit een paar dagen.

Toen de zomer aanbrak, gingen ze 's avonds buiten eten, op de achterveranda. Monique had een babysitter gevonden die niet ver weg woonde, en ze begonnen meer uit te gaan. Hij nam haar mee naar de bioscoop, naar *Lawrence of Arabia*, en ze zaten op

de achterste rij, hielden elkaars hand vast en kusten elkaar als twee tieners. Op haar verjaardag nam hij haar mee naar Pierre Têtre, een nieuw restaurant dat hij in Cannes had ontdekt. Het was in een smal straatje dat flauw afliep naar de haven, vol andere restaurants met terrassen en kleine tafeltjes waarop kaarsen brandden. Monique vond de sfeer betoverend.
Het was aan het eind van de zomer dat hij haar ten slotte zijn aanzoek deed. Ze leek bezorgd. Ze herinnerde hem eraan dat ze niet alleen een dochter had, maar dat het verleden ook littekens op haar had achtergelaten. Haar hart zou zomaar weer terug in het verleden zijn. Kon hij daarmee leven?
Hij zei dat hij dat kon, maar diep in zijn hart dacht hij dat ze zich geleidelijk aan wel zou herstellen – hij had in de afgelopen maanden al verbetering gezien –, totdat de geesten en de pijn van haar herinneringen uiteindelijk onbetekenend zouden worden of helemaal zouden verdwijnen. En hij gaf heel veel om Clarisse, voor wie hij vaak cadeautjes meebracht en die hij af en toe omhelsde, en hoewel hij dan nog niet haar tweede vader was, was hij in elk geval al wel haar favoriete oom.
Monique liet hem twee maanden wachten voordat ze hem haar jawoord gaf, om er zeker van te zijn dat elke impulsiviteit van zijn kant was bezonken. Ze trouwden in februari 1967. Louis was getuige en hij zag er komisch uit in zijn smoking. De besloten receptie werd ook bij Louis gehouden, en Louis had nogal moeite om zich los te maken van zijn rol van eigenaar, zodat hij om de zoveel tijd bevelen tegen de obers blafte. Harrault en Levacher waren de enigen die van de gendarmerie waren uitgenodigd.
En Dominic had gelijk: de geesten van het verleden begonnen zich terug te trekken, totdat hun eerste kind werd geboren. Een zoon. Afgezien van het feit dat het een heel zware bevalling was die zowel moeder als kind het leven had kunnen kosten, zou Dominic de waarschuwingstekens moeten hebben onderkend toen Monique al aan het begin van haar zwangerschap zei dat ze hoopte op een jongetje.
Een tweede teken dat ze het kind misschien zou zien als een vervanging voor Christian, had Dominic moeten opvangen toen ze hem vroeg of, als het een jongetje was, ze hem Yves mocht noemen, Christians tweede voornaam. Hij begon zelfs te hopen dat het een meisje zou worden, alleen al om mogelijke complicaties

te vermijden. Een nieuw kind om een oud verlies goed te maken: een macabere kluwen van emoties die alleen maar tot problemen kon leiden.
Maar uiteindelijk gaf hij zich over aan het lot en troostte hij zichzelf met de gedachte dat als het een jongetje werd en het kind er op de een of andere manier in slaagde om Moniques afhankelijkheid van het verleden te doen verdwijnen, hij een geschenk uit de hemel zou zijn.
Hij had geen idee hoe ver hij ernaast zat.

Pas twee maanden na de geboorte vertelde Monique hem over haar droom. Over de momenten nadat ze er bij de verpleegsters op had aangedrongen dat ze haar man zo graag bij zich wilde hebben, toen ze volledig onder narcose was geraakt en de artsen vochten voor haar leven, en zij Christian had gezien.
In de droom zaten ze te eten bij Pierre Têtre. Dominic was daar met haar naartoe gegaan op de dag dat ze hem had verteld dat ze zwanger was; misschien was dat de associatie die was opgeroepen, dacht hij. Toen ze de straat inkeek, zag ze in de verte Christian lopen. Toen ze opstond van de tafel en naar Christian toe ging lopen, waren alle mensen en de andere tafeltjes in het straatje naar de achtergrond verdwenen; alleen haar voetstappen en het kaarslicht waren er nog geweest. De kaarsen verlichtten haar weg naar de eenzame gedaante van Christian voor haar en de haven, die als een mistig silhouet achter haar lag. Ze had zijn gezicht duidelijk gezien, en de tranen die in zijn lichtgroene ogen stonden. Toen ze dichterbij kwam, dacht ze dat ze hem hoorde zeggen: 'Het is oké... het is oké' maar het klonk nauwelijks meer dan gefluister. En op dat moment had ze haar hand uitgestoken om hem aan te raken, maar hun handen hadden elkaar niet geraakt. Toen was ze wakker geworden. Een verpleegster stond over haar heen gebogen en zei haar dat alles in orde was. 'U hebt een zoontje.'
Ze had het niet eerder over de droom gehad, legde ze uit, omdat haar vreugde over de geboorte van Yves al het andere had overstraald.
In de eerste paar jaar leken haar toewijding en aandacht voor Yves normaal: de liefde en genegenheid van een trotse moeder voor haar pasgeboren kind. Maar naarmate de jaren verstreken, viel het Dominic op hoe angstig en beschermend ze was. Het

werd een obsessie: ze verloor Yves geen moment uit het oog, overtuigde zich ervan dat er nooit een onbewaakt moment in zijn leven was. Dominic zei er wat van. Dit was geen normale manier van opgroeien, zei hij. Yves kreeg veel te weinig vrijheid en kon nooit eens voor langere tijd met zijn vriendjes spelen zonder dat zij er met haar neus bovenop stond.
Monique beloofde herhaaldelijk beterschap, maar áls ze haar waakzaamheid verminderde, was dat minimaal. Het enige wat werkte was de geboorte van Gerome, een paar jaar later, hoewel dat pas duidelijk werd toen hij oud genoeg was om met Yves te spelen en hem gezelschap kon houden. Zo konden ze voor een deel op elkaar letten en elkaar beschermen.
Haar overdreven waakzaamheid werd in hun huwelijk een regelmatig terugkerend gespreksonderwerp. Ze was zich er heel goed van bewust dat het niet goed was. 'Maar ik wil nooit meer het verdriet en de pijn van het verlies van een kind meemaken.' Zij en Jean-Luc hadden zich deels schuldig gevoeld aan de dood van Christian. Hadden het gevoel dat ze hem te veel vrijheid hadden gegeven door hem de meeste dagen in de velden en bij vriendjes te laten spelen. Wat alleen maar natuurlijk was, bracht Dominic ertegen in, aangezien hij zelf zo'n jeugd in Louviers had gehad. Ze had Yves veel te strak gehouden en nu rustten haar beschermende vleugels weer te zwaar op Gerome.
Op haar beurt waren Moniques adviezen als het ging over zijn carrière net zo doortastend. Ze kreeg hem zover dat hij toegaf dat hij in Bauriac was gebleven vanwege zijn zieke moeder en een jaar nadat ze waren getrouwd moedigde ze hem aan om overplaatsing aan te vragen. Wat zijn carrière betreft stagneerde hij in Bauriac. Dominic moest erkennen dat hij dat ook wel eens had gedacht, maar hij had zich min of meer in slaap laten sussen door de dagelijkse routine. Monique was ervoor nodig geweest om het naar boven te halen.
Het waren ook Moniques aanmoedigingen die hem ertoe brachten om niet lang daarna zijn inspecteursexamens af te leggen, en sindsdien had ze hem wat zijn carrière betreft nog veel meer nuttige adviezen gegeven. Ze deed dat op een heel zachtaardige manier die eigenlijk niet meer was dan een reeks vragen die ze hem stelde, zodat hij uiteindelijk het gevoel had dat hij het allemaal zelf had verzonnen.
Het was ironisch, dacht Dominic. Ze had zo'n intuïtief inzicht

op zijn carrière, op dezelfde manier waarop ze de fouten zag die ze zelf als moeder maakte. Een duidelijk beeld dat alleen verkregen kon worden als het werd losgekoppeld van het probleem en er overzicht ontstond. Maar in het geval van Yves wilde hij dat hij ernaast had gezeten.
In zijn tienerjaren begon de anti-reactie op Moniques beschermende opvoeding zich te uiten. Hij was vijftien toen hij het huis uit ging en verkeerd gezelschap opzocht. Hij begon met af en toe wat promotiewerk voor een keten van clubs en discotheken, deelde kaartjes uit aan de mensen op straat. Hij kwam 's avonds laat in die clubs terecht en begon veel te drinken, wat hij later aanscherpte met drugs, eerst alleen marihuana, toen ook cocaïne. Hij begon te free-basen en nam extra werk aan als drugskoerier voor enkele van de clubs om zijn gebruik te bekostigen. Vaak werd hij voor de ene helft in geld en de andere in cocaïne betaald. Dominic had hem op een avond opgepakt toen ze een inval deden in een aantal clubs.
Ze waren Yves bijna twee jaar kwijt. Al die tijd was Monique ontroostbaar. Wat had ze fout gedaan? Ze had alles gedaan om hem af te schermen en op het rechte pad te houden, maar toch was hij haar ontglipt. Niet één keer zei Dominic 'Heb ik het je niet gezegd', of had hij haar verweten dat haar obsessieve beschermingsdrang misschien de oorzaak van het probleem was en deze hang naar vrijheid en rebellie juist had veroorzaakt.
Dominic was in staat Yves' naam uit de boeken te houden, maar verbond daar een voorwaarde aan: dat hij minstens een halfjaar thuis zou blijven en zou proberen af te kicken voordat hij besloot wat hij met zijn leven wilde doen. Hij bleef uiteindelijk tien maanden – een moeilijke periode van aanpassingen en regelmatige bezoeken aan het consultatiebureau voor drugs – totdat zijn diensttijd begon. Yves ging bij de Franse marine.
De twee jaar van discipline gecombineerd met het reizen verbreedde Yves' blik. Hij kwam terug als een ander mens en tekende zelfs nog een jaar bij om een speciale cursus scheepvaartcommunicatie te volgen. Toen hij dat had gedaan, trad hij als brigadier in dienst bij de rijkspolitie in Marseille. De geschiedenis herhaalde zichzelf.
Binnen twee jaar was hij degene die het Vieux Port-district op drugs controleerde. Zijn achtergrond van scheepvaartcommunicatie en kennis van de drugshandel waren van onschatbare

waarde in een gebied waar het merendeel van de drugs via de haven binnenkwam. Gerome zat intussen op de universiteit in Nice, waar hij wiskunde studeerde, met informatica als bijvak, met de bedoeling later computerprogrammeur te worden. Hij was nooit een probleem geweest.

Monique had haar neiging om een van beiden als een soort vervanging voor Christian te zien, al lang geleden overboord gezet, maar ze maakte zich nog steeds zorgen over Yves, vooral vanwege zijn huidige baan. Dat hij op een dag de deur van een verkeerd pakhuis open zou doen en in de loop van een pistool zou kijken.

Gedurende al die jaren dat Dominic zich had afgezet tegen de overdreven beschermingsdrang van Monique, was hij regelmatig bang geweest dat hij het op een dag wel eens mis zou kunnen hebben. Dat hij Monique eerst had aangemoedigd de teugels te laten vieren, haar had gezegd dat ze zich geen zorgen hoefde te maken omdat er niets zou gebeuren, en er toch iets zou gebeuren. Hij had zich vaak proberen voor te stellen hoe hij haar dan onder ogen moest komen. Want als het een tweede keer gebeurde en hij zich daar deels verantwoordelijk voor zou voelen, zou hij niet weten hoe.

Toen Marinella Calvans telefoontje Dominic in Lyon bereikte, was Yves nog steeds inspecteur in Marseille en werkte Gerome voor een computerfirma in Sophia Antipolis. Clarisse was getrouwd, had drie kinderen – twee dochters en een zoon – en woonde met haar man, een verkoopleider in een bedrijf dat in veevoer handelde, in de buurt van Alès.

Dominic had voor hem en Monique het appartement in Lyon aangehouden, maar zes jaar geleden hadden ze iets ten noorden van Vidauban, maar vijfendertig kilometer van Taragnon, een boerderij met vier slaapkamers gekocht. Gerome woonde daar en reisde op en neer naar zijn werk, en zij brachten er ten minste twee weekends per maand door. Sommige weekends kwam Yves hen ook gezelschap houden en Clarisse en haar gezin deden dat om de paar maanden.

De woorden echoden door zijn hoofd. Ja, ik ken wel iemand die Christian Rosselots achtergrond kan bevestigen. Maar afgezien van de geesten die dat in Moniques hoofd zou kunnen wekken, had hij zijn eigen geheimen in de loop der jaren ook begraven.

Hij had haar namelijk nooit verteld dat hij aan Machanauds schuld twijfelde. Omdat de lichte straf die hij had gekregen zo'n teer punt was en Monique vond dat die voor een deel de reden van Jean-Lucs zelfmoord was geweest, zou het ronduit harteloos zijn om erover te beginnen. Het zou suggereren dat Jean-Lucs zelfmoord compleet zinloos was geweest, en dat kon hij haar niet aandoen.

Om dezelfde reden vertelde hij Monique niets toen hij jaren later ontdekte hoe lang Machanaud precies vast had gezeten: veertien jaar, die hij deels in de gevangenis en deels in psychiatrische inrichtingen had doorgebracht. Dat Jean-Luc zou glimlachen in zijn graf omdat Machanaud uiteindelijk toch de juiste straf had gekregen, zou een magere troost zijn. Want het beeld dat zijn zelfmoord zinloos was geweest, zou blijven bestaan.

Marinella Calvan zei tegen hem dat ze hem per koerier een cassettebandje met een bijbehorend typoscript zou sturen. Het zou er morgenochtend vroeg moeten zijn. Zijn eerste reactie was dat het allemaal onzin was die waarschijnlijk snel rechtgezet kon worden. Toch vroeg hij zich af of zijn grote nieuwsgierigheid werd veroorzaakt door het onrecht dat Machanaud misschien was aangedaan, en werd versterkt door zijn schuldgevoel toen hij jaren later – te laat – ontdekte hoe groot dat onrecht was. Maar hoeveel geesten en geheimen uit het verleden zou hij moeten opgraven om de waarheid te ontdekken?

28

Limoges, mei 1982

Alain Duclos legde een plakje gerookte zalm op een klein achthoekig stukje brood en stak het in zijn mond. De ober bleef wachten om te zien of hij nog iets anders zou nemen: kaviaar, garnalen of paté met bieslook. Maar Duclos knikte en de ober liep door.

De RPR vierde feest na haar overwinning in de plaatselijke verkiezingen. Het laatste feest, twee jaar geleden, hadden ze gehouden in het oude stadhuis met zijn midden van marmeren zuilen,

kroonluchters en gebeeldhouwde plafonds. Maar parkeren was een regelrechte ramp geweest, dus hadden ze deze keer gekozen voor een modern hotel aan de rand van de stad. De obers in livrei en met hun zilveren dienbladen leken enigszins misplaatst in deze zaal met zijn lage plafond en gedempte tl-licht.
Tijdens de eerste veertig minuten van de receptie had Duclos weinig meer gedaan dan knikken als een speelgoedhond op de hoedenplank van een auto terwijl hij de onophoudelijke stroom felicitaties in ontvangst nam. 'Dank u. Ik ben blij dat u hebt kunnen komen. En nog bedankt voor uw steun tijdens onze campagne.' Een paar keer was hij zo dom geweest om te vragen: 'En hoe gaan de zaken?' Om vervolgens verveeld te worden met een golf zakelijk geleuter die onveranderlijk eindigde met de woorden: 'Misschien dat u daar nu enige invloed op zou kunnen uitoefenen.'
Een geforceerd glimlachje als antwoord. 'Ik zal zien wat ik kan doen.' Maar hij dacht: klootzakken. Zelfs al was hij in staat op lokaal niveau invloed uit te oefenen, dan stond morgen de concurrent voor de deur om tegen hem te zeuren en hem hetzelfde te vragen. Dus blijf gewoon glimlachen, overtuig hen ervan dat ze je vrienden zijn en dat je echt, écht met hen meeleeft, en als ze blijven aandringen, dan zeg je dat hun bedrijfstak er een is die op je lijst de hoogste prioriteit geniet. Maar uiteindelijk kwam het erop neer dat ze de klere konden krijgen. Dat was veiliger. Je raakte minder vrienden en stemmen kwijt als je de situatie gewoon liet zoals die was.
Hij was blij dat hij nu eindelijk even alleen kon zijn. Een kans om de zaal door te kijken in plaats van voortdurend van de een naar de ander te kijken en te knikken en glimlachen naar de plaatselijke zakenbonzen en afgevaardigden van Economische Zaken. Zijn vrouw stond niet ver weg, nog net zichtbaar achter het groepje dat bij de bar stond, en was in gesprek met een van zijn belangrijkste pr-medewerksters, een vriendin van haar van voordat ze getrouwd waren, toen de twee meisjes samenwerkten op zijn kantoor. Sindsdien had ze weinig nieuwe vrienden gemaakt.
Achttien maanden waren ze getrouwd. Geen euforie of gelukzaligheid, maar dat had hij ook nooit verwacht, en zij, als hij de moeite zou nemen om het aan haar te vragen, waarschijnlijk ook niet. Het kwam hen allebei gewoon goed uit. Een nuttig huwelijk

dat het juiste beeld van hem schepte voor de verkiezingen. Ze zagen er goed uit samen, en hij was zich steeds meer bewust geworden dat, als hij de vijfenveertig naderde en nog steeds ongetrouwd was, mensen zich misschien dingen zouden gaan afvragen.
Ze werkte al bijna vijftien maanden op zijn kantoor voordat ze hem voor het eerst opviel en hij naar haar ging informeren; daarvoor was hij te veel in beslag genomen door zijn problemen met Chapeau om aan iets anders te denken. Haar sollicitatiedossier had hem al wat achtergrondinformatie gegeven: Betina Canadet. Tweeëndertig jaar. Ongehuwd. Afgestudeerd en haar graad in de sociale economie gehaald aan de Sorbonne. Had voornamelijk gewerkt op niet-overheidskantoren in Rouen, waar haar familie oorspronkelijk woonde. Werd in 1976 lid van de RPR en kwam eind 1979 op het partijkantoor in Limoges werken toen haar ouders naar die stad verhuisden.
De rest was hij te weten gekomen van een van zijn medewerkers, Thierry. 'Wat, de ijskoningin?' Duclos raakte geïntrigeerd. Thierry was een schatkist vol informatie als het ging om politieke geruchten en kantoorgeroddel. Twee mensen op kantoor hadden al eens een poging gewaagd en waren van een koude kermis thuisgekomen. Thierry gaf hem een snelle samenvatting: nee, ze was niet lesbisch, en een van de twee mannen had ze zelfs aardig gevonden. Ze hield gewoon niet van seks. Tragisch geval. Slachtoffer van een verkrachting na een afspraakje toen ze begin twintig was. Daarna had het jaren geduurd voordat ze het gezelschap van mannen zelfs maar kon verdragen, laat staan dat ze zich bij mannen op haar gemak voelde of, moge God het verhoeden, ze hen echt moest aanraken. Hij moest haar tijd geven, zacht voor haar zijn. De relatie had maar zes weken geduurd. 'Wie gaat daar een jaar of zo tijd aan besteden als een soort emotioneel therapeut, als de kans bestaat dat het niets oplevert? Misschien raakt ze er nooit overheen. Wie zal het zeggen?'
Een maand later begon Duclos met haar uit te gaan. 'Wat is dit, de ultieme uitdaging?' plaagde Thierry hem. 'Is het niet genoeg dat je de verkiezingen wint? Wil je nu ook de ijskoningin veroveren, slagen waarin alle anderen hebben gefaald?'
Duclos' geamuseerde glimlach gaf aan dat de noordpool inmiddels al was veroverd. 'Het enige wat er voor nodig was, was de juiste man om op het ontdooiknopje te drukken. Sommigen hebben het, anderen niet.'

In werkelijkheid was het een relatie die vrijwel uitsluitend was gebaseerd op haar bewondering voor zijn politieke status en macht en zijn geduld met haar seksuele en emotionele onzekerheid. Ze had nog nooit iemand ontmoet die zo geduldig en begripvol was.

Hij keek nu naar haar en ze wierp hem een glimlachje toe. Ze was in de afgelopen twee jaar nauwelijks veranderd: ergens tussen Twiggy en Piaf, met grote smekende blauwe ogen die 'help me, red me, ik ben kwetsbaar' zeiden.

Het had weinig met liefde te maken. Het was alsof je een bang reekalfje meenam uit het bos, haar geruststelde en ervoor zorgde dat ze zich wat zekerder voelde. Hij beschermde haar tegen de boze buitenwereld, tegen al die akelige, grijpgrage mannen en hun eisen. Toch voelde zij zich ook een beetje schuldig, was ze ongerust dat ze hem niet behaagde zoals ze hem zou moeten behagen, ondanks zijn ontelbare geruststellingen. Zo zag hij haar niet. Ze hoefde zich geen zorgen te maken. Hij hield van haar om haar ziel, haar karakter, haar vriendelijkheid en kwetsbaarheid, en de seks was veel minder belangrijk. Als ze er klaar voor was, dan hoorde hij het wel.

Ze moest soms bijna huilen om zijn geduld en begrip. En vanwege de moeite die zij ermee had, het werk dat hem vermoeid maakte, of zijn opgelaten gevoel omdat hij aanvoelde dat ze zich ter wille van hem forceerde, bedreven ze op z'n meest één keer in de twee maanden de liefde. Dat kon hij net opbrengen, en soms zag ze er zelfs wat jongensachtig uit. Misschien was dat het waardoor ze hem in eerste instantie was opgevallen. En, als kroon op zijn werk waren zijn collega's danig onder de indruk geweest van zijn seksuele bekwaamheid, die de ijskoningin had doen smelten, en dat hij was geslaagd waarin zij hadden gefaald: de vrouw in haar naar boven te halen.

Zijn enige zorg was dat ze op een dag misschien naar de andere kant zou doorslaan. Dat ze hem zou aankijken met die grote ogen en dat die dan plotseling vol passie zouden zijn in plaats van kwetsbaarheid en onzekerheid. Dat ze meer zou aandringen en veeleisender zou worden en, als hij dan nog steeds weigerde of excuses bleef verzinnen, ze ten slotte zijn geheim zou ontsluieren. Dat de leugen zou uitkomen.

Hij schudde een lichte huivering van zich af. Maar zover was het nog niet, zou het in de nabije toekomst ook niet zijn, en hopelijk

zou het nooit gebeuren. En het was nu drie jaar geleden dat hij zich had ontdaan van de schaduw van Chapeau. Geen telefoontjes en dreigementen meer midden in de nacht, niet dat constante uitzuigen meer, of Chapeaus geniepige gelach en platvloerse humor.
Drie jaar? Het was alsof de ketenen van zijn enkels en het juk van zijn schouders waren genomen. Hij had nog nooit zo'n vrijheid gekend. Of zo'n gelukzalig gevoel. Hij keek nog eens naar zijn vrouw en glimlachte naar haar.

Gedempte stadsgeluiden. Het vage gedreun van verkeer en af een toe een autoclaxon. Ergens in de verte huilde een sirene. Dominic was meer geïnteresseerd in de woorden op het bandje, die door de halfopen deur de gang op zweefden.
'... Madame Arnand geeft me meestal een stukje pan chocolat, als haar man er niet is.'
'Hoeveel keer per week ga je bij haar langs?'
'Twee of drie keer, denk ik. Maar soms is hij er, en dan geeft ze me niets. Dan knipoogt ze alleen als hij niet kijkt, alsof ze wil zeggen "de volgende keer", en knikt ze naar me. Madame Arnand heeft me een keer uitgelegd dat hij te gierig was en dat ze problemen zou krijgen als ze me iets gaf terwijl hij er was. Hij geeft het nog liever aan de kippen of laat het wegrotten.'
'En je komt langs de boulangerie als je van school naar huis gaat?'
'Ja. Hij is maar een paar honderd meter van de school. Daarna moet ik nog een halve kilometer lopen naar de boerderij. Maar meestal heb ik een vriendje bij me.'
Monique was op twee derde van het bandje dat door Calvan was opgestuurd. Dominic had het twee keer helemaal afgespeeld onmiddellijk nadat het op het bureau was bezorgd, waarna hij sommige stukken nog eens had herhaald. Afgezien van de belangrijkste voor de hand liggende details zei het hem niet veel, en terwijl hij naar het bandje luisterde, besefte hij hoe weinig hij eigenlijk over Christian wist. Hij had aan het onderzoek meegewerkt, eindeloze rapporten over de aanranding en de moord uitgetypt, had maandenlang gegeten, geslapen en gedroomd terwijl de zaak hem bezighield. Maar in feite had hij weinig of niets over de jongen zelf geweten. Hij had zich beziggehouden met zijn dood, niet met zijn leven.

Christians leven had tien hele jaren van het bestaan van zijn vrouw opgeëist – van haar tienertijd tot halverwege de twintig – en terwijl hij zich liet meenemen door de stem op het bandje, realiseerde hij zich hoe weinig hij van die tien jaar wist. Belachelijk. Pathetisch! Dertig jaar met dezelfde vrouw getrouwd zijn terwijl hele delen van haar leven hem volslagen onbekend waren.
En al die jaren had hij haar nooit iets gevraagd. Hij had altijd gedacht dat het te pijnlijk zou zijn, te moeilijk, iets wat weggedrukt moest worden naar het verleden, waar het thuishoorde. Toch was dit tien jaar oude jongetje – dit jongetje over wiens laatste uren hij alles wist, alle schokkende, bloederige details, en wiens leven hem tegelijkertijd volslagen onbekend was – altijd bij hem geweest. Bij de geboorte van hun eerste zoon, Yves. Bij Geromes geboorte. Toen de twee werden gedoopt. Op de momenten dat ze langs de velden reden en Monique in gedachten naar het wuivende koren staarde. Als hij haar over de eettafel met de kaarsen zag kijken en haar blik plotseling bleef kleven aan het kaarslicht, en ze hem niet meer zag. Als haar ogen vochtig werden en hij wist dat de herinnering weer terug was.
Elke keer was het te zien in haar ogen dat haar gedachten weer jaren teruggingen. Een blik vol pijn en verdriet, maar waarin op hetzelfde moment ook iets van vreugde en ironie te zien was: een dikke emotionele soep die werd gezeefd door de mistige sluiers van de tijd. En dan, ten slotte, die serene blik, de acceptatie die het verdriet verzachtte. De blik die zei: natuurlijk herinner ik het me. Hoe kan ik dat ooit vergeten? Droevige, verloren gegane herinneringen. De laatste overgebleven tekenen van de liefde die geweest was.
Een liefde waar Dominic nooit getuige van was geweest, nooit deel van uit had gemaakt, nooit naar had gevraagd. Hij was nooit in staat geweest die liefde te associëren met vlees en bloed, met woorden en handelingen, alleen maar met de blik in de ogen van zijn vrouw: de plotselinge grijze onweerswolken die ook weer snel verdwenen.
Totdat dit cassettebandje werd bezorgd. En hij dacht: o, god. God. Kon dat echt de stem zijn? De plotselinge manifestatie van de geest, de herinnering die de afgelopen dertig jaar vanuit de schaduw op hem had geloerd? Of was het gewoon bedrog? Tegenstrijdige emoties die zijn maag ineen deden krimpen, die er-

voor zorgden dat hij zich diep binnenin leeg en tegelijkertijd merkwaardig opgewonden voelde. Taragnon. De winkels in het dorp. De boerderij. Die onderdelen leken in elk geval te kloppen. Afspelen, terugspoelen, opnieuw afspelen... worstelen met kleine nuances en formuleringen voordat hij eindelijk onderuit kon zakken. Hoe kon hij er zeker van zijn? Hoe kon hij dat ooit weten? Hij wist nauwelijks iets over de jongen. Die was niet meer dan een schaduw, een schaduw van een herinnering die nu weer tot leven was gewekt en zichtbaar was in de ogen van zijn vrouw.
Maar de belangrijkste vraag had hij tenminste kunnen beantwoorden: het bandje leek echt genoeg om het aan Monique te laten horen. De grote lijnen klopten; dit was niet een of ander belachelijk verhaal dat meteen kon worden ontmanteld door onjuiste beschrijvingen van het dorp of de jongen die de verkeerde weg naar huis nam.
Dominic vroeg zich af of hij daar diep in zijn hart op had gehoopt. Iets wat betekende dat hij het bandje terug kon sturen naar Londen zonder Monique ermee lastig te vallen. Het terug te verwijzen naar het verleden, waar hij alles tot nu toe veilig had kunnen begraven door geen vragen te stellen, door nooit over het onderwerp te beginnen en nooit iets te vertellen over het politieonderzoek, het proces en de nasleep voor Jean-Luc of Machanaud. Veilig.
Maar tegelijkertijd verlangde hij er wanhopig naar dat het echt was. Waarom? Om te weten wat er in 1963 echt was gebeurd? Om zijn schuldgevoel over Machanaud te verzachten? Was dat de ruil? Zijn eigen schuldgevoel sussen ten koste van Moniques gemoedsrust? Na al die jaren de geesten weer tot leven te wekken, de pijn en de donkere wolken terug te zien in haar ogen? Hij zweette en voelde zich onwel terwijl hij het bandje afspeelde, stond op een zeker moment op het punt om het uit de recorder te rukken en terug te sturen, maar toen kregen de kracht van de details en het dunne, verloren stemmetje van de jongen hem te pakken, zo hard te pakken, dat er diep binnen in hem een onweerstaanbare, brandende nieuwsgierigheid oplaaide. Hij wilde het weten. Hij wilde wanhopig graag weten of het echt was.
En dat was het moment waarop hij zichzelf ervan begon te overtuigen dat hij dit net zozeer voor Monique deed. Zij zou het ook willen weten. Hoe zou ze zich voelen als ze ontdekte dat hij het

voor haar had achtergehouden? Dat hij het bandje had teruggestuurd zonder het aan haar te laten horen? Om haar te beschermen tegen de gruwelen van de voorbije herinneringen? Ze zou vinden dat hij haar had beroofd van de kans om een soort contact te leggen met haar lang geleden overleden zoon, hoe moeilijk en indirect dat contact ook zou zijn. Te veel begraven herinneringen. Het zou bijna net zo slecht zijn als blijven zwijgen, niet voor de rechtbank ten gunste van Machanaud te getuigen. Bijna.
Het bandje werd teruggespoeld. Een knop klikte. Een bepaald deel werd opnieuw afgespeeld.
'... toen we de binnenband hadden meegenomen naar het strand, was hij zo groot, dat ik bijna door de opening zakte.'
'Waar was dat?'
'Het strand van Nartelle... bij St. Maxime.'
Toen hij Monique het bandje had gegeven, had ze hem bestookt met allerlei vragen. Waar? Wanneer? Wie? Welke psychiaters? Zijn antwoord was min of meer een herhaling van de nuchtere uitleg van Marinella Calvan, die hij meteen had teruggebeld om opheldering te vragen over een paar belangrijke punten nadat hij het bandje voor het eerst had afgespeeld. Regressies die teruggingen tot eerdere levens. De universiteit van Virginia. Het was begonnen als een conventionele psychiatrische therapie. Een Engels jongetje van Christians leeftijd, die allebei zijn ouders had verloren in een auto-ongeluk. Xenoglossie: het gebruik van een vreemde taal die de patiënt onbekend is. Het regionale patois was al nagegaan en authentiek bevonden, maar we willen nu graag weten of de belangrijkste details op het bandje kloppen.
Terwijl hij het zei, zag hij de verbijstering en verwarring op Moniques gezicht steeds groter worden en haar wezenloos naar het bandje staren, en ten slotte liet hij moedeloos zijn schouders hangen. Hij stak zijn armen naar haar uit. 'Hoor eens, ik weet dat het vreemd klinkt. Ik heb geen idee of het echt of nep is. Maar de details over het dorp kloppen in elk geval. Speel het bandje af en dan praten we daarna, nemen we de details en de achtergrond door. Als je wilt kun je die vrouw in Engeland zelf bellen en haar alles laten uitleggen.'
Klik. Stop. Terugspoelen. Weer klik.
'... de band was heel groot, alsof hij van een bus of vrachtwagen was geweest. Mijn vriendje en ik besloten hem mee te nemen en naar huis te rollen. We moesten dat met ons tweeën doen.'

'Hoe heette je vriendje?'
'Gregoire.'
'En hij zat bij jou op school?'
'Ja.' Een korte stilte. De jongen slikte en schraapte zijn keel. 'Toen we eindelijk thuis waren, zagen we dat er maar één gat in de binnenband zat. Mijn vader kon hem gemakkelijk plakken, zodat we hem mee konden nemen als we naar het strand gingen. Dan kon ik hem als zwemband gebruiken...'
Dominic stond halverwege de gang en de keuken te treuzelen en te luisteren. Hij wilde Monique alleen laten terwijl ze naar het bandje luisterde. Alleen met haar gedachten en emoties. Hij wilde de uitdrukking op haar gezicht niet zien, of er zelf uitzien als een of andere schooljongen die gretig op de uitslag van zijn proefwerk wacht. En? En? Hij had zich geëxcuseerd en gezegd dat hij iets te eten ging klaarmaken in de keuken – hij was nog niet verder gekomen dan het pakken van een stuk brie uit de koelkast en het blikken trommeltje met volkorentoost – maar toen hij het geluid van het bandje hoorde, was hij weer teruggelopen naar de gang voordat hij de toostjes had klaargemaakt.
Klik. Stop. Terugspoelen. Afspelen.
'... De hut is een van mijn favoriete schuilplekken. Ik heb hem zelf gebouwd, tegen een stenen muurtje in het veld achter het huis.'
'Hoe ver is dat van je huis?'
'Een meter of honderd. Vanaf daar kan ik het erf achter het huis duidelijk zien, en de voordeur, zien of er iemand...'
Tring. Tring. Tring. Het plotselinge, harde gerinkel van de telefoon in de gang doorbrak Dominics gedachten en deed hem opspringen van schrik. Hij herinnerde zich ineens dat hij had gevraagd of ze hem thuis wilden bellen als er nieuws was over de gendarmes in het ziekenhuis. De ene was buiten gevaar, maar de toestand van de andere was nog steeds kritiek.
Hij nam op, knikte wezenloos terwijl hij luisterde, maar was in gedachten nog steeds bij het bandje en zijn vrouw. 'O. Ja. Oké. Wanneer was dit? Aha. Verlamd, zeg je?' Hij merkte dat zijn stem afwezig en ongeïnteresseerd klonk en forceerde wat meer interesse. 'Wanneer zijn ze zeker van de schade die is aangericht door de verbrijzelde ruggenwervel?'
'... kan ik mijn moeder bezig zien in de keuken en weet ik dat het

tijd is om naar binnen te gaan. Ik weet wanneer mijn vader in de garage is, want hij heeft altijd het licht aan... er zijn geen ramen.'
'Ze zijn op dit moment meer röntgenfoto's aan het maken. Zodra ze die terug hebben, gaan ze de volgende operatie plannen. Daarna zullen ze meer weten.'
'Zo. Dus, hoe lang duurt dat? Zes uur, twaalf?'
'Tien tot twaalf, waarschijnlijk. Ik betwijfel of we voor morgenochtend meer zullen horen.'
'... Ik hielp haar altijd als ik kon. Ik miste haar later zo, net als mijn ouders.'
'Ik begrijp het.' Dominics huid tintelde. Hij was zo afgeleid, probeerde naar twee stemmen tegelijk te luisteren.
'Maar verwacht geen wonderen. Ze zijn er vrijwel zeker van dat hij zijn benen niet meer zal kunnen gebruiken. Ze weten alleen nog niet hoe ernstig het met de rest gesteld is.'
'... en ik herinnerde me dat ik dacht aan mijn vader... mijn vader... waarom hij me niet kwam zoeken...'
'O.' Iets van opluchting. Geen nationale driekleur of doodskisten, maar ze moesten wel op huisbezoek. Op bezoek in het ziekenhuis. Met zijn vrouw en naaste verwanten praten. Woorden van medeleven mompelen.
'... bleef maar denken dat ze niet aan zouden kunnen dat ik voor hen verloren was... dat ik hen op de een of andere manier had teleurgesteld... Hun verdriet. Het gezicht van mijn moeder, zo bedroefd... zo... zo bedroefd... Haar...'
Klik. Stop. Stilte.
Dominic luisterde of hij de recorder weer hoorde klikken, maar er gebeurde niets. Monique was blijkbaar klaar met luisteren.
'Dat is wat ze op dit moment te weten moeten komen. Of de rest van zijn lichaam ook verlamd is, zijn armen en bovenlichaam...'
'Ja.' Zijn gedachten waren er nu helemaal niet meer bij. Er was maar één ding dat hij wilde weten. 'Laten we er morgenochtend nog eens over praten. Hopelijk weten we dan meer.' Dominic hing op.
Hoewel hij Monique niet onder druk wilde zetten of haar op welke manier ook een onaangenaam gevoel wilde bezorgen, wist hij dat zijn ongeduld zichtbaar was toen hij de woonkamer in liep, en dat hij er waarschijnlijk uitzag als de schooljongen die gretig op de uitslag van zijn proefwerk wachtte. Hij zei niets, maar zijn ogen zeiden genoeg en hij dacht: en? En?

Monique bleef even zwijgend naar de grond staren, keek toen eindelijk op en begon te praten. Maar de woorden zelf waren van secundair belang, want hij had het al gezien in haar ogen. De onweerswolken en grijze schaduwen waren terug. En deze keer vreesde hij dat het veel, veel langer zou duren voordat ze weer verdwenen zouden zijn.

29

Marseille, oktober 1982

> Marc Jaumard, broer van Tomas Jaumard, alias 'Chapeau'. Zou de eerstgenoemde, of ieder die eerstgenoemde kent of op de hoogte is van zijn huidige verblijfplaats, zich alstublieft zo spoedig mogelijk willen melden op het kantoor van Fourgot & Gauthereau, 3e etage, Rue André Isaia 19, Marseille? Tel: 698546.

Marcelle Gauthereau bekeek de kleine advertentie in de rubriek 'Oproepen' van *La Provençal*, zoals hij dat de afgelopen drieënhalf jaar elke zes maanden had gedaan. Hij vroeg zich soms af waarom hij de moeite nog nam. De oproep was nog precies dezelfde als de eerste, en waarschijnlijk hadden ze er hetzelfde zetsel voor gebruikt. Toch betrapte hij zichzelf erop dat hij automatisch het adres en het telefoonnummer checkte. Met name het telefoonnummer. Daarna bekeek hij de positie op de pagina, om te zien of hij op de goede plek stond en niet verloren ging tussen alle dik omkaderde commerciële advertenties en de vele smeekbeden om romantische kennismakingen.
De envelop was getekend en verzegeld geweest en was zes jaar geleden bij de notaris achtergelaten. Hij was de jurist geweest die optrad als getuige voor zijn cliënt, Tomas Jaumard, en het was aan hem geweest om na Jaumards dood zijn instructies aangaande de envelop uit te voeren. Tomas' broer Marc moest ingelicht worden en hij, Marcelle Gauthereau, zou Marc dan vergezellen naar het notariskantoor, waar Marc zich zou legitimeren, een ontvangstbewijs zou tekenen en de envelop die hem door

zijn broer was nagelaten, overhandigd zou krijgen. Simpel als wat.
Behalve dat Marc Jaumard was verhuisd toen hij hem het overlijdensbericht stuurde. Zijn brief werd teruggestuurd, zonder nieuw adres. Gauthereau stuurde een assistent op pad en een week later werd duidelijk dat Marc weer terug was naar zee, maar hij werkte niet meer voor zijn oude rederij. Nadat hij de oude rederij had gebeld en het nummer dat ze hem hadden gegeven, liep het spoor dood bij een vroegere collega en flatgenoot. Het enige flauwe licht dat op zijn huidige verblijfplaats kon worden geworpen, was dat Marc waarschijnlijk was gaan varen voor een rederij in Genua. 'Misschien houdt hij daar een kamer aan voor de tijd dat hij aan wal is.'
Er was nog steeds wat geld over van het voorschot dat Tomas Jaumard hem had gegeven om zijn testament uit te voeren. Maar het testament kon niet uitgevoerd worden zonder Marc Jaumard, want er waren geen andere nabestaanden. Gauthereau ging advertenties plaatsen. Elk halfjaar één in Marseille en elk jaar één in Genua, in het Italiaans. Er was genoeg geld om in totaal twaalf advertenties te bekostigen. Gauthereau was erg nieuwsgierig naar de inhoud van de envelop. Wat zou erin zitten: namen, data en belangrijke contacten? Drugsroutes en -bergplaatsen, gegevens over Chapeaus bankrekening in Zwitserland? Kon hij zoveel verdiend hebben als 'knoopgatsman' voor het milieu?
La Provençal had het artikel over zijn dood opgesierd met zijn bijnaam. Ze hadden allemaal bijnamen: Tomi Boisset, 'De Muur'; Jaques Imbert, 'Tomcat'; Pierre Cattaneo, 'De Priester'. Dat droeg op de een of andere manier bij aan de mystiek en dreiging die hen omhulden. Chapeau? De kranten hadden niet uitgelegd wat die bijnaam betekende, noch had hij Chapeau er ooit naar gevraagd. Het uitzitten van de paar korte zakelijke besprekingen die ze hadden gehad, was al moeilijk genoeg geweest. Hij had zichzelf er elke keer op betrapt dat hij voortdurend op de klok zat te kijken, zich onbehaaglijk voelde door de aanblik van Jaumards trage vissenoog, en hem geen overbodige vragen stelde.
Nog twee advertenties in Marseille en één in Genua en dan was het voorschot op. Daarna zou de envelop alleen nog stof vergaren in het notariskantoor en zou niemand ooit weten wat erin zat.

Sessie 7

Marinella Calvan luisterde naar Lambournes stem op de achtergrond, terwijl hij Eyran Capel onder hypnose bracht. De drie vragen die Dominic Fornier hem gesteld wilde hebben, stonden op het blaadje papier dat voor haar lag.
Zoals gebruikelijk zou Lambourne eerst tien minuten gebruiken om Eyran op zijn gemak te stellen en hem algemene, alledaagse vragen te stellen; daarna zou hij Eyran langzaam mee terug nemen in de tijd en Gigio tevoorschijn halen.
Dan zou Philippe het overnemen in het Frans en zou Marinella haar eerste vraag in de computer tikken. Hoewel Forniers Engels goed was, waren de vragen oorspronkelijk in het Frans gesteld en had Philippe ze vertaald. Maar ze zou beginnen met haar eigen vragen, er eerst voor zorgen dat Christian Rosselot zich op zijn gemak voelde in de sfeer en de tijd, en dan pas sturen in de richting van Forniers vragen.
Hoewel Fornier helemaal achter in de kamer zat en alleen toekeek, schiep zijn aanwezigheid een extra spanning. Was dat om wat hij vertegenwoordigde: iemand die Christian Rosselot had gekend, gevoelens voor hem had gehad? Wat tot nu toe alleen maar een stem uit het verleden was geweest, was nu plotseling tastbaar en echt. Een jongetje om wie mensen hadden gegeven, van wie mensen hadden gehouden, net zoals zij van Sebastian hield. Forniers aanwezigheid en de achtergrond van zijn vrouw, de moeder van de jongen, hadden de case plotseling een andere dimensie gegeven.
Of was het haar bezorgdheid dat de stem en de details niet echt zouden blijken te zijn en dat ze dat na een paar vragen zeker zou weten? Dan zat er niets anders op dan haar koffers te pakken en diezelfde avond nog terug te vliegen naar Virginia. Een zoveelste teleurstelling. Of misschien was het omdat ze met zoveel mensen in die kleine spreekkamer zaten en luisterden naar de woorden van een jongetje dat al lang dood was, naar elke moeizaam uitgesproken lettergreep, ze zelf niet mochten praten en zelfs elk kuchje of lichte zucht onderdrukten? Terwijl ze, afgezien van Philippe, allemaal een ander soort hoop en verwachtingen koesterden over wat deze sessie misschien zou opleveren.
De verschillende oogmerken van haar en Lambourne waren de vorige avond, in hun gesprek tijdens het eten, pas echt duidelijk

geworden. Het was een discussie die ze tot dan toe hadden uitgesteld, want het had geen zin om lucht te geven aan hun respectievelijke visies op het verband tussen Eyran en Christian voordat ze wisten of de regressie echt was of niet. Fornier had de vorige ochtend gebeld en gezegd dat de details op het bandje zowel hem als zijn vrouw juist leken, maar dat hij een paar extra vragen had om er echt zeker van te zijn. 'Meer persoonlijke dingen. Dingen die alleen Christian kon weten.'
David Lambourne was zich ernstig zorgen gaan maken na zijn laatste gesprek met Stuart Capel. 'Eyran droomt nog steeds, hoewel niet zo intens en frequent als daarvoor... op z'n hoogst misschien één keer per twee weken,' vertelde Lambourne haar. 'Maar Stuart Capel heeft me enkele pittige vragen gesteld over hoe we denken te verklaren dat deze regressie Eyran zou helpen.'
'Komt Gigio er nog steeds zo prominent in voor?' vroeg Marinella.
'Misschien niet meer zoveel, ongeveer in de helft ervan. Maar Eyran zegt dat hij net zo van streek raakt en bang is als Gigio er niet in voorkomt. Dan heeft hij geen vriendje om hem gezelschap te houden en de gevaren en valkuilen samen tegemoet te treden.'
'Of om hem op een dwaalspoor te brengen en hem juist naar het gevaar toe te leiden.'
Lambourne haalde zijn schouders op. 'Het punt is dat Stuart Capel zich dingen begint af te vragen over onze uitleg van de link tussen de twee jongens. Hij suggereert dat het misschien niet in Eyrans belang zou zijn.'
'O.' De analyse van een amateur, net wat ze nodig hadden bij de toch al afwijkende visies van haar en Lambourne. De kloof tussen conventionele psychiatrie en parapsychologie, met Lambournes geringe ervaring op het terrein van PLT als wankele touwbrug ertussenin. En nu begon Fornier vragen te stellen die uit weer een andere hoek afkomstig waren.
Fornier was met name nieuwsgierig geweest naar de vraag of het mogelijk was om achter de schetsmatige en onvolledige beschrijvingen op het bandje een preciezere beschrijving van de momenten van kort voor de moord te krijgen. Marinella had hem uitgelegd dat – zoals Fornier al had kunnen horen aan de reactie op het bandje – dat een terrein was dat Christian duidelijk

het meest van streek maakte en daarom bijna helemaal was gewist. 'Daarom zal het een van de moeilijkste onderdelen zijn om informatie over los te krijgen. Hoezo?'
Fornier had er niet op in willen gaan. 'Nee, zomaar.' Maar de toon van zijn stem en de manier waarop hij naar haar antwoord luisterde, zorgden ervoor dat Marinella nieuwsgierig werd. Ze hadden de algemene omstandigheden die de moord omgaven al in het kort besproken: seksuele aanranding voor de uiteindelijke moord; stomp voorwerp, vermoedelijk een kei; een korenveld bij een rivier; vijf dagen lang in coma.
Een korenveld?
Lambourne was van mening dat het coma en de vierenvijftig seconden durende hartstilstand daarvoor het contact tussen de twee jongens hadden gelegd. Want waarom had Eyran geen eerdere herinneringen aan Gigio Christian, maar pas daarna? 'Het was een ingrijpende lichamelijke gebeurtenis die beide levens aan elkaar heeft gekoppeld. Het verlies van dierbare personen heeft de deur geopend en functioneerde als gedeelde emotionele ervaring, maar het coma was de gedeelde lichamelijke ervaring die de deur wijdopen heeft gezet.'
Marinella ging daarmee akkoord, hoewel ze het gevoel had dat de link er onbewust al eerder moest zijn geweest. 'Eyran had een déjà vu bij het korenveld toen ze pas dat huis in Engeland hadden betrokken. Hij droomde niet van korenvelden alleen omdat die herinneringen aan Engeland hem zo dierbaar waren, of omdat hij echt het gevoel had dat hij zijn ouders daar terug zou kunnen vinden, maar door Christian. Diep in zijn hart weet Eyran dat hij zijn ouders heeft verloren op die snelweg in Californië – of hij dat nu accepteert of niet –, maar het korenveld is duidelijk het terrein van Christian Rosselot. Het is Christian die de scheiding van zijn ouders niet kan accepteren en Eyran is min of meer door hem op sleeptouw genomen.'
Lambourne schudde zijn hoofd. Hij was het er niet mee eens. Hun respectievelijke visies sloegen wat dat betrof verschillende richtingen in. Lambourne bracht daar het voor de hand liggende tegenin: dat Christians ouders in niet een van zijn dromen voorkwamen, die van Eyran wel in de zijne, en dat beide jongens zich alleen hadden gericht op het terugvinden van Eyrans ouders. Desondanks had ze het gevoel dat deze theorie ondersteunde dat van de twee jongens die zich verzetten tegen de ac-

ceptatie van een verlies, het verzet van Christian het sterkste was. In zijn geval was het alleen dieper weggedrukt. Eyran was er in elke droom praktisch met zijn neus middenin gevallen.
Maar toen Lambourne zich bleef verzetten tegen haar visie, flapte ze er op een zeker moment uit: 'Wat scheelt je? Ben je soms bang dat als je die theorie accepteert, je zelf wegdrijft van wat je het beste kent: de conventionele analyse?' En ze had er onmiddellijk spijt van, want ze zag meteen dat ze een gevoelige snaar had geraakt. Het wierp een te fel licht op wat ze allebei wisten: zodra Gigio was geïdentificeerd als Christian Rosselot, een aantoonbaar eerder bestaan in plaats van een beschermende noodsprong van Eyrans psyche, kon het grootste deel van Lambournes conventionele theorieën naar de prullenbak worden verwezen. Dit was haar terrein. PLT contra Freud. De onoverbrugbare kloof tussen psychiaters en parapsychologen. Psychiaters die hen nauwelijks hoger inschatten dan een soort toverdokters, en parapsychologen die de psychiaters bestempelden als 'te conventioneel en kortzichtig'. Te veel van de critici die zich door de jaren heen tegen haar en Donaldson hadden gekeerd, waren 'conventionalisten' geweest, maar het was niet eerlijk om dat nu allemaal op Lambourne af te reageren. Ze zwakte het snel af met: 'Ben je bang dat als ik gelijk heb, ik misschien nog een tijdje langer in je praktijk blijf kamperen?'
Lambourne stak zijn glas omhoog en glimlachte. 'Dat is iets, zoals je weet, waar je me nooit over zult horen klagen.'
Misschien lag het aan haar. Misschien trok ze de scheidingslijnen te scherp: zij hield zich bezig met het verleden, Lambourne met het heden. Allebei zochten ze naar een verklaring op het terrein waarvan ze het meest wisten. Maar Lambournes glimlach en opmerking brachten ook het onbehaaglijke gevoel terug over waar ze in eerste instantie bang voor was geweest: dat hun visies recht tegenover elkaar stonden en dat Lambourne haar alleen had gebeld omdat hij zich plotseling even geen raad wist met een case en dat een goed excuus was om haar weer eens te zien. Hij stelde prijs op haar gezelschap. Maar zodra het nieuwe eraf was, zouden hun verschillen weer aan het licht komen. Het had niet lang geduurd, dacht ze. Acht dagen.
Toch was ze blij dat hij had gebeld. Ze was nog maar drie vragen verwijderd van het mogelijke begin van een van de meest veelbelovende cases van haar carrière. En daarom mocht David

Lambourne vriendelijk naar haar glimlachen zoveel hij maar wilde.
Ze bepaalde haar aandacht weer tot de sessie toen Lambournes stem zweeg en hij naar haar knikte. Philippe boog zich naar voren en zij typte de eerste vraag op de monitor.

Dominic wist niet precies wanneer het hem voor het eerst trof dat hij de informatie op de bandjes zou kunnen gebruiken voor een heronderzoek van de gegevens die te maken hadden met de moord op Christian Rosselot. Zijn eerste gedachten hierover – kort na het eerste telefoontje van Marinella Calvan – waren zo vluchtig en onduidelijk geweest, dat hij er nauwelijks aandacht aan had besteed. Waarschijnlijk bedrog; vage of ongefundeerde informatie, ook in tweede instantie van tafel geveegd, plus het besef dat er nog meer obstakels zouden volgen: ongeschikt materiaal om heropening van het onderzoek te ondersteunen, en de juridische problemen die in het verschiet lagen, zodat hij zich nogal gereserveerd had opgesteld. Reserves die echter waren verdwenen toen hij Moniques reactie op het bandje had gezien.
Maar na zijn laatste gesprek met Marinella Calvan waren die obstakels ineens weer hoger geworden en nu leken ze vrijwel onoverkomelijk: aangezien het dit onderdeel is dat Christian het meest van streek maakt, zal de moord voor het grootste deel uit zijn geheugen zijn gewist. Het zou moeilijk worden om details naar boven te halen.
Het waren die delen van het bandje die hij het vaakst afspeelde: '... En toen was er opeens een fel licht... zo fel... dat ik niets meer kon zien. En het korenveld... ik herkende het...' Wat kon dat zijn geweest, dat plotselinge, felle licht? Het was een heldere, zonnige dag geweest. Misschien had Christian de hele tijd in de dichte bosjes langs de rivieroever gezeten, was hij daar plotseling uit tevoorschijn gekomen en had hij op het laantje en in het korenveld in het felle licht gestaan. Of misschien was hij geblinddoekt en vastgebonden geweest en was die blinddoek hem opeens afgedaan.
Er was eerder gerefereerd aan licht dat 'pijn deed aan zijn ogen', niet lang voordat hij met zijn gezicht tegen de grond was gedrukt. '... de korenaren prikten tegen de zijkant van mijn gezicht... ik hoorde mijn eigen ademhaling ertegenaan. Dat is het enige wat ik hoor... verder niets... niets...' De stem viel weg en de

ademhaling werd zwaarder, stotender. '... Ik... ik probeerde op te kijken, maar ik kon het niet... kon het niet... ik... ik...' Daarna werd de stem steeds verkrampter en onduidelijker. Philippes stem maakte hem snel los van het incident. Het was niet eens duidelijk of Christian voorover in het koren was gevallen of tegen de grond was geduwd, of hij al was geslagen of dat dat nog moest komen.

Calvan had gelijk. De herinnering aan de moord was zoveel mogelijk uit zijn geheugen gewist. Dominic kon zich niet voorstellen dat eventuele volgende sessies meer zouden kunnen onthullen dan hetzelfde warrige, onduidelijke gemompel. Iemand met kennis van de zaak, opgedaan uit de paar krantenartikelen, zou een meer gedetailleerde versie van het gebeuren in elkaar kunnen sleutelen. Zelfs de details die nieuw waren – zoals het plotselinge licht – waren vaag en konden op allerlei manieren geïnterpreteerd worden. Een heropening van de zaak op grond van nieuwe informatie had geen schijn van kans. Zeker niet als die informatie afkomstig was van een jongetje dat al dertig jaar dood was en die sprak vanuit het graf via een ander jongetje dat in therapie was omdat hij psychische problemen had. De procureur aan wie hij dit zou voorleggen, zou hem midden in zijn gezicht uitlachen.

Toch bleef de intense nieuwsgierigheid om de waarheid te weten te komen aan hem knagen, dus ontdeed hij zich van het laatste obstakel en gaf hij de hoop op een nieuw officieel onderzoek op. Hij overtuigde zichzelf ervan dat hij het graag wilde weten voor zichzelf, de nieuwsgierigheid van een oude politieman die de waarheid wilde weten voordat hij met pensioen ging. Om uiteindelijk het boek te kunnen sluiten. En voor Machanaud, of ten minste voor...

Philippes stem brak zijn gedachten abrupt af. '*C'est l'été. C'est le mois de mai.* Het is 1961. Je bent acht jaar oud. Je had tot het eind van die maand samen met je vader op het land gewerkt. Waar heb je hem mee geholpen?'

Moniques eerste vraag. Dominic keek vol verwachting op, voelde zijn mond droog worden en de spanning in de kleine spreekkamer toenemen.

De jongen fronste zijn wenkbrauwen en trok rimpels in zijn voorhoofd alsof hij naarstig zocht naar de beelden en herinneringen van zo lang geleden. Hij zag er heel anders uit dan hoe hij

zich Christian herinnerde: golvend donkerblond haar, een paar sproetjes op de brug van zijn neus, lichtbruine ogen. Christians haar was veel donkerder geweest, met meer krullen, een lichtbruine huidskleur en doordringende groene ogen. Het was moeilijk om de twee met elkaar in verband te brengen.
De gedachterimpels verdwenen langzaam uit zijn voorhoofd. 'We haalden het lange gras weg tussen de druivenranken die mijn vader aan het begin van het jaar had geplant.'
Marinella keek naar de gefronste wenkbrauwen en vroeg zich af of Eyran had gemerkt dat hem ineens meer gerichte vragen werden gesteld, in plaats van de vrij algemene vragen van tijdens de laatste sessie.
'En wat gebeurde er toen je je vader hielp op het land?'
De rimpels keerden weer terug, minder diep; hij was onzeker over de vraag. Na een tijdje: 'Het was heel warm. Ik... eh... ik begon me zorgen te maken dat ik niet genoeg deed. Mijn vader werkte heel snel en ik kon hem niet goed bijhouden.'
'Maar er gebeurde die dag iets waardoor je helemaal stopte met werken,' zei Philippe. 'Wat was dat?'
Hij begon het te begrijpen en de rimpels verdwenen weer. 'Ik werd door een bij gestoken.' Een pauze. Marinella typte iets op haar toetsenbord. Philippe wilde hem net aanmoedigen toen Eyran vervolgde: 'Maar mijn moeder had geen pleister of jodium. Ze deed er azijn op, en daarna bloem, met een propje watten. Dat nam de ergste pijn weg. Ze zei dat ze dat van haar moeder had geleerd.'
Dominic voelde zijn nekhaartjes overeind komen. Toen hij de vragen had doorgenomen met Monique, had ze hem verteld dat Christian Jean-Luc had geholpen toen hij werd gestoken door een bij. En dat ze er azijn en bloem op had gedaan omdat ze geen jodium in huis had. Zonder het te willen huiverde Dominic toen de tinteling zich door zijn lichaam verspreidde. Het was Christians stem. Er was weinig twijfel meer.
Nu hij er zelf bij zat, was het heel anders dan die afstandelijke stem op het bandje. Hij zag hoe de jongen worstelde met de gedachten en beelden, hoe hij zijn wenkbrauwen fronste en zijn lippen bevochtigde met zijn tong terwijl hij zocht naar de juiste woorden. De woorden van een ander jongetje uit een andere tijd. De beschrijving van Christian en Jean-Luc die zij aan zij op het land werkten, vader en zoon, allebei al dertig jaar dood, tekende

een krachtig en schrijnend beeld. Dominic balde zijn handen tot vuisten en emoties van droefenis en nostalgie grepen hem hard bij de keel.
Hij had afgesproken dat hij het typoscript naar Monique zou faxen en in Londen op haar antwoord zou wachten, en als haar antwoord bevestigend was, zou hij daar blijven om met Marinella dieper op de zaak in te gaan. Maar als er weinig meer informatie over de moord naar boven gehaald kon worden, wat voor zin zou dat dan hebben?
De tweede vraag ging over een partijtje jeu de boules op het dorpsplein. Het was op een zondag, Christian was negen en het was een paar maanden na zijn verjaardag. Philippe legde de nadruk op de dag, want Christian was wel vaker met Jean-Luc naar het dorp geweest voor partijtjes jeu de boules. Maar op deze specifieke zondag was er iets gebeurd.
'Er was een aanrijding.' Eyrans oogleden trilden en hij wachtte tot het juiste beeld op zijn plaats viel. 'Niets ernstigs. Twee auto's reden om het plein heen en de ene reed tegen de andere aan. De twee bestuurders, allebei mannen, waren heel boos op elkaar en stonden naar elkaar te schreeuwen. De meeste mannen die aan het spelen waren, werden erdoor afgeleid, want het zag ernaar uit dat ze elk moment met elkaar op de vuist konden gaan.'
'En wat gebeurde er toen?'
Eyran had zich inmiddels aangepast aan het ritme van de meer specifieke, gerichte vragen en had minder tijd nodig om na te denken. 'Een van de spelers, Alguine, toen hij dacht dat iedereen naar de twee auto's op het plein stond te kijken, ging bij zijn boule staan en schoof hem met zijn voet dichter naar de *cochonnet* toe.'
'Wat deed jij toen?'
'Ik keek om me heen en merkte dat niemand het gezien had, alleen ik. Alguine was snel weggelopen bij zijn boule, dus ik liep er stiekem naartoe en toen de mannen hun aandacht weer op het spel richtten, keek ik opeens omlaag en zei ik: "Sorry, maar ik heb per ongeluk tegen deze boule geschopt toen ik naar het ongeluk stond te kijken. Ik zal hem weer op zijn plaats leggen." Ik zag Alguine naar me kijken, maar hij zei niets. Toen ik het later aan mijn vader vertelde, kwam hij niet meer bij van het lachen.'
Jean-Luc had het aan Monique verteld, wist Dominic, en zij had het onlangs aan hem verteld, toen ze de vragen voorbereidden.

Anekdotes die na al die jaren werden doorgegeven als in een estafetteloop. Een paar vage verfstreken die een beeld gaven van Moniques vroegere leven, dat hem onbekend was.
Dertig jaar? Machanaud was meer dan tien jaar geleden overleden. Had veertien jaar in de gevangenis gezeten. Maar zes jaar vrijheid daarna. Een handvol schemerige jaren om een stel eau de vies achterover te slaan en zijn verhalen te vertellen over zijn glorietijd in de *resistance* en zijn laatste strooptochten. Het recht was geschied, maar niet heus.
Als hij vier jaar geleden Molet, Machanauds advocaat, niet tegen het lijf was gelopen in de gang van het Palais de Justice in Lyon, zou hij het helemaal niet hebben geweten. Molet was daar voor een hoorzitting van een cliënt uit Nice. Ze herkenden elkaar onmiddellijk, hoewel Dominic hem wel het een en ander moest toelichten voordat Molet zich herinnerde van wanneer en waar. Nadat ze wat beleefdheden hadden uitgewisseld, kwamen ze al snel op het onderwerp Machanaud. Molet was daarbij het meest aan het woord en Dominic luisterde toe, verbaasd, toen vol schuldgevoel en ten slotte woedend.
Molet had dat schuldgevoel blijkbaar opgemerkt, want hij bekende dat hij zelf ook niet had geweten dat Machanaud in het elfde jaar nog steeds in een psychiatrische inrichting was vastgehouden. 'Ik dacht dat hij al eeuwen geleden was vrijgelaten. Maar het kostte me nog drie jaar om hem vrij te krijgen. Herziening van het vonnis was maar eens per jaar mogelijk.'
Molet gaf hem vervolgens een beschrijving van Perrimonds enorme invloed op ziekenhuisdirecteuren en staatspsychiaters, die hij aanwendde om ervoor te zorgen dat Machanaud niet werd vrijgelaten. Het Provençaalse establishment dat elkaar diensten bewees – op de golfclub of tijdens borrels in landhuizen – in zijn ergste vorm. 'Elke keer kreeg ik een negatief psychiatrisch rapport terug. Pas een jaar na Perrimonds dood werd Machanaud vrijgelaten.'
'Ik kreeg een boule vlak bij de witte, maar een paar centimeter ervan af. Mijn vader was heel verbaasd. Maar een van de andere spelers kwam zo dichtbij, en uiteindelijk moest er gemeten worden om te zien wie er gewonnen had.'
Dominic keek op zijn blaadje. Dit maakte geen deel uit van de voorbereide vragen. Marinella Calvan liet Christian doorpraten om hem een kans te geven zich te ontspannen en aan het andere

ritme te wennen. Dit was blijkbaar ook een gebeurtenis die hem dierbaar was.
De flauwe glimlach van de jongen gaf Dominic een licht onbehaaglijk gevoel. Herinneringen aan geluk dat verloren was gegaan, aan een voorbije tijd.
Molet had Dominic recht in de ogen gekeken, alsof hij misschien verwachtte dat hij hem zijn schuldgevoel zou bekennen. Maar Dominic zei niets. Wat kon hij zeggen? Dat het zeven jaar had geduurd voordat hij voor het eerst op het idee kwam om eens na te gaan hoe het met Machanaud was afgelopen? En dat hij, toen hij Molets telefoonnummer niet had kunnen vinden, ten slotte naar Perrimonds kantoor had gebeld? En dat hij, toen hij na drie telefoontjes geen antwoord had gehad, zo door zijn werk in beslag was genomen, dat hij het vergeten was? En dat hij, die weinige keren dat hij eraan terugdacht, zichzelf had wijsgemaakt dat Machanaud waarschijnlijk al jaren geleden was vrijgelaten? Hij had nooit de moeite genomen om de telefoon te pakken en het na te gaan. Hij had het te druk gehad.
En zelfs als hij dat allemaal had uitgelegd, zou Molet hem waarschijnlijk gevraagd hebben waarom hij zich daar nu nog zorgen over maakte. En dan zou hij hem de rest ook moeten uitleggen: dat hij in die tijd had getwijfeld aan Machanauds schuld, dat de politie de beschrijving van de auto in de doofpot had gestopt en hij was gedwongen daaraan mee te doen omdat hij anders naar een gendarmerie in Noord-Frankrijk zou zijn overgeplaatst en zijn moeder had moeten achterlaten om in eenzaamheid te sterven. Hoe kon hij dat uitleggen? Dus uiteindelijk hield hij zijn mond.
Maar Dominic was er op dat moment van overtuigd dat Molet het allemaal van zijn gezicht had gelezen, dat hij had gezien hoe schuldig Dominic zich voelde toen hij tot zijn schrik besefte hoe lang Machanaud opgesloten had gezeten.
'... het was in Alassio. We waren daar een weekend naartoe gegaan.'
'En daar heb je het gekocht?'
'Ja. Ik had mijn zakgeld opgespaard, maar het was niet genoeg. Dus heb ik mijn ouders gevraagd of ze me de rest wilden geven, zodat ik het kon kopen.'
De derde vraag, wist Dominic. Een weekend naar Alassio in Noord-Italië. Alassio. Portofino. Hij dacht terug aan de blikken

klok met de naam Portofino, toen hij voor het eerst bij de Rosselots was en in de keuken zat om hun vragen te stellen over de laatste keer dat ze hun zoon hadden gezien.
'Hoe heb je hen zover gekregen?'
'Ik heb hun gezegd dat ik meer zou lezen. Ik beloofde hun dat als ik zo'n nachtlampje had, zo mooi, ik meer zou lezen. Elke avond.'
'Hoe zag dat lampje eruit?'
'Het was gemaakt van een schelp die de vorm van een oud galjoen had. Er zat een lampje in en als je dat aandeed, werd de schelp bijna doorzichtig en scheen het licht door de patrijspoorten naar buiten. Het was prachtig.'
'Dus het was die belofte die je ouders ervan overtuigde dat ze je de rest van het geld moesten geven?'
'Ja.'
'En heb je je aan die belofte gehouden en ben je meer gaan lezen?'
'Ja. Ik las praktisch elke avond, in bed, voordat ik ging slapen.'
Dominic keek naar de grond en beet op zijn lip. Hij kon het bijna niet meer aanhoren. Hij had nooit beseft dat het bijwonen van de sessie zo'n enorm effect op hem zou hebben. Christians stem, die hun na al die jaren vertelde wat een braaf jongetje hij was geweest. Alsof dat op de een of andere manier nog steeds belangrijk voor hem was.

30

Dominic logeerde in het Meridien Waldorf, op ongeveer achthonderd meter van David Lambournes praktijk in Holborn. Hij had daar de afgelopen nacht geslapen maar hoopte er geen tweede nacht te hoeven blijven. Daarom was hij helemaal klaar om onmiddellijk te vertrekken: zijn koffers waren gepakt en stonden in een bergkast, maar hij kon nog wel de faciliteiten van het hotel gebruiken. Met name de fax.
Het had Philippe bijna twee uur gekost om het typoscript weer van het Engels terug te vertalen in het Frans, en nog eens vijftig minuten voordat het door een koerier werd afgeleverd bij het ho-

tel. Hij las het vluchtig door op zichtbare fouten en faxte het direct door naar Monique in Lyon. Hij had haar al gebeld om te zeggen dat het eraan kwam en kon haar bijna zien staan, thuis, in zijn kantoor, klaar om de bladzijden uit het apparaat te rukken als ze zoemend tevoorschijn kwamen.
Piep. Dominic bleef nog een paar minuten bij het apparaat op antwoord staan wachten. Toen zei hij de bediende waar hij zou zijn als het antwoord kwam, liep naar beneden, naar de bar, en bestelde een armagnac.
Toen het eerste slokje in zijn maag terechtkwam, die verwarmde en zijn zenuwen kalmeerde, begon hij na te denken over het typoscript dat hij zojuist had gelezen. De gedetailleerdheid was hem sterker bijgebleven dan de sessie zelf. En het contrast met de warrige, onvolledige beschrijving van de moord zelf was levensgroot. Dat had hij weer: vlijmscherpe details over een partijtje jeu de boules, pan chocolat en weekendjes naar Alassio, maar weinig of niets bruikbaars over de moord zelf.
Er waren bijna twintig minuten verstreken toen de bediende hem een fax kwam brengen. Dominic was aan zijn tweede armagnac. De fax was handgeschreven en luidde simpelweg:

> Ik ben ervan overtuigd dat het Christians stem is. Niemand anders kan die dingen weten. Ik begrijp niet hoe of waarom, maar het is zijn stem.

Twintig minuten? Er waren maar vijf minuten voor nodig om het hele typoscript te lezen. Had Monique gehuild, was ze overmand door emoties die het haar onmogelijk hadden gemaakt om meteen haar antwoord op te schrijven? Of was ze gaan zitten nadenken over het korte antwoord dat ze hem terug had gefaxt, erop gebrand om niet te veel emotionaliteit te tonen, of dat mengsel van argwaan en woede dat haar was ontsnapt toen ze voor het eerst het bandje had afgeluisterd? Dat nu was teruggebracht tot de eenvoudige woorden: ik begrijp niet hoe of waarom. Toen ze samen de vragen hadden voorbereid, had ze op beheerste, bijna bitse toon tegen hem gezegd: 'Ik wend niet voor dat ik iets begrijp van dit bandje dat ons is gestuurd. Maar als de antwoorden op deze vragen juist zijn, Dominic, verwacht dan in godsnaam niet van me dat ik geloof dat dit onbekende Engelse jongetje de wedergeboorte van Christian is. Er kan misschien

een of andere vage, onverklaarbare geestelijke band zijn. Maar verder dan dat ga ik niet.'
Dominic keek op zijn horloge en maakte een planning: Marinella Calvan bellen en haar het nieuws vertellen, een afspraak met haar maken, een minuut of veertig voor de afspraak zelf, dan snel terug naar het hotel om zijn bagage op te halen en meteen door naar Heathrow voor zijn vlucht van vijf over halfzeven. Het zou erom hangen, zeker als het verkeer tegenzat.
Dominic overwoog zijn afspraak met Calvan te laten zitten. Haar alleen Moniques bericht door te faxen, haar daarna te bellen en dan meteen naar het vliegveld te rijden. Toen hij op het idee van een gesprek met haar was gekomen, was hij daartoe geïnspireerd door de hardnekkige gedachte dat hij de informatie misschien zou kunnen gebruiken om de zaak te heropenen. Nu was het alleen nog om zijn eigen nieuwsgierigheid te bevredigen. Maar Calvan zou waarschijnlijk blijven volhouden dat de details die de moord zelf omgaven onvoldoende en te diep weggedrukt zouden zijn. Zelfs de laatste wens waar hij zich aan vastklampte – uitzoeken of al die jaren van twijfel en schuldgevoel onterecht waren geweest – zou niet in vervulling gaan. Een gesprek had dus geen zin.
Toen Dominic zijn besluit had genomen, voelde hij zich op een bepaalde manier opgelucht. Hij sloeg zijn laatste slokje armagnac achterover. Goed, geen gesprek dus. Misschien wel zo goed. Want zelfs al gaf Marinella Calvan haar medewerking, dan zou hij het toch aan Monique moeten uitleggen. Alles uitleggen wat hij in de afgelopen dertig jaar voor zich had gehouden. Hij had daar altijd vreselijk tegen opgezien, en nu zou het tenminste begraven kunnen blijven.

'Ik begrijp het niet. Er was een verdachte gevonden en die is berecht en veroordeeld; dat maak ik tenminste op uit die paar krantenartikelen die Philippe voor me heeft vertaald. Ik dacht dat de zaak al tientallen jaren geleden was afgesloten.'
'Je hebt gelijk. Dat is ook zo. Maar er zaten een paar discrepanties in de zaak waar ik nooit erg gelukkig mee ben geweest.' Marinella zat hem met een scherpe blik aan te kijken, probeerde grip te krijgen op zijn voorstel om de informatie die uit de sessie voortkwam te gebruiken om het onderzoek naar de moord te heropenen. Discrepanties? Wat kon hij zeggen tegen deze vrouw

die hij nauwelijks kende? Dat hij was geprest om mee te werken aan een doofpotaffaire om bij zijn stervende moeder te kunnen blijven? Dat zijn jarenlange schuldgevoel weer was aangewakkerd toen hij had gehoord hoe lang een mogelijk onschuldig man in de gevangenis had gezeten? Maar als hij Machanauds onschuld aantoonde, zou dat schuldgevoel alleen maar groter worden, zou hij zijn vrouw moeten vertellen over zijn aandeel in de affaire en zou zij weten dat de zelfmoord van haar vroegere echtgenoot zinloos was geweest. Marinella Calvan zou haar wenkbrauwen alleen maar verder optrekken. Wat wílde hij er eigenlijk mee bereiken? Misschien wilde hij wel Machanauds schuld bewijzen, zodat hij de deur van de twijfel voor eeuwig achter zich dicht kon trekken. Maar uiteindelijk was het enige andere wat hij kon bedenken: 'Ik was toen nog erg jong en assisteerde alleen maar in het onderzoek. Ik had heel weinig invloed op hoe het werd gedaan. Voor mij is dit als een tweede kans. En hoeveel van ons krijgen echt een tweede kans?'
Een tweede kans? Die woorden ontroerden Marinella. 'Ik waardeer het zeer dat je zo graag achter de waarheid wilt komen, zelfs na al die jaren. Als ik kon, zou ik je graag helpen. Maar je hebt het bandje van de eerste sessie gehoord, toen we aankwamen bij die laatste momenten voor de moord. Eyran werd praktisch catatonisch. Afgezien van het feit dat het zonder meer riskant is om hem terug te slepen naar de herbeleving van de moord, denk ik gewoon niet dat we er veel mee zullen opschieten. Het grootste deel ervan is diep weggedrukt. Hij wil er gewoon niet aan denken.'
Gekletter van bestek twee tafels verderop, een serveerster met een Australisch accent, die met haar collega praatte. Dominic werd even afgeleid. Toen hij om vier uur had gebeld en met Marinella had gesproken, was David Lambourne net aan een nieuwe sessie begonnen. Hij vertelde Marinella hoe weinig tijd hij nog had voor zijn vliegtuig opsteeg en ze spraken af dat ze elkaar over twintig minuten zouden treffen in Café Opera op Covent Garden.
Details? Het contrast tussen de scherpte van de details in het typoscript en het vage gemompel als het ging om de momenten vlak voor de moord, was wat Dominic op zijn idee had gebracht. Wat hem plotseling had doen besluiten Marinella Calvan te bellen en toch een afspraak met haar te maken. Christian weidde

verder uit en was gedetailleerder als het ging om verhalen waarin hij zich meer ontspannen voelde, op zijn gemak. Dat verklaarde op zijn beurt ook waarom zijn verslag van de moord zelf zo vaag en onvolledig was. Maar drie kwartier of een uur daarvoor, toen Christian zijn moordenaar voor het eerst ontmoette, voordat de seksuele aanrandingen hadden plaatsgevonden, voordat Christian zelfs maar besefte dat hij misschien in gevaar was, zou hij zich ook meer ontspannen en op zijn gemak hebben ge voeld. Nu, terwijl hij deze gedachten uitlegde aan Marinella Calvan, woorden die op weg naar het café talloze malen door zijn hoofd waren getold, hield hij haar gezichtsuitdrukking nauwlettend in de gaten. 'Hij zou in staat moeten zijn om een helder en accuraat verslag van dat moment te geven. Het moment dat hij zijn moordenaar ontmoette.' Er werd een vleugje erkenning zichtbaar, toen iets anders: twijfel of fascinatie, Dominic kon het niet zeggen.
Marinella schudde haar hoofd. 'Ik weet het niet. Het zou kunnen, denk ik.' Ze voelde zich emotioneel geraakt. Het beeld van de jonge, onervaren gendarme in de marge van het onderzoek, niet in staat om enige invloed uit te oefenen en desondanks sterke twijfels koesterend. Een twijfel die jarenlang zorgvuldig verborgen wordt gehouden en dan wordt versterkt en onbehaaglijk dichtbij komt als hij met de moeder van het vermoorde jongetje trouwt. Zoals Javert in *Les Misérables* geeft hij het onderzoek nooit helemaal op, totdat zich uiteindelijk, een generatie later, een mogelijkheid voordoet om de waarheid boven tafel te krijgen. Een tweede kans? Was dat niet hoe zij zich voelde over deze case: een kans om zichzelf te bewijzen na de Cincinnati-case en de andere mislukkingen?
Toen sloeg de realiteit weer toe. Simpel en ontegenzeggelijk. David Lambourne zou het nooit toestaan. Stuart Capel helemaal niet. Tenzij ze heel sterke argumenten had om hen te overtuigen. Fascinatie en haar verlangen om te helpen beten terug. Maar afgezien van de korte samenvatting die Fornier haar de vorige dag had gegeven, was de moord voor haar tot nu toe alleen maar een reeks moeizaam uitgesproken, onsamenhangende woorden geweest die haar van drie decennia geleden via Eyran Capel bereikten. 'Vertel me eens wat meer over het onderzoek. Het enige wat ik ervan weet is wat er in de kranten heeft gestaan en wat jij ons gisteren hebt verteld: het korenveld, de seksuele aanrandingen,

een stomp voorwerp en dat Christian vijf dagen in coma heeft gelegen voordat hij stierf. De man die veroordeeld is, wat doet je twijfelen aan zijn schuld?'
'Het bewijs was te indirect. Hij was maar een eenvoudige landarbeider en stroper die daar op dat moment toevallig was. Geen verleden van seksuele vergrijpen of pogingen daartoe met jongetjes. Geen geweldpleging. Maar desondanks bouwde de aanklager die toevallige aanwezigheid uit tot een overtuigende zaak.'
'Maar ik begreep uit die krantenartikelen dat hij niet is veroordeeld voor moord. Dat hij er ten slotte van afkwam met doodslag.'
'"Van afkwam", vrees ik, is niet de meest passende term als het gaat om wat Machanaud uiteindelijk is overkomen.' Dominic vertelde haar het beklagenswaardige verhaal over Perrimond die gunsten uitwisselde met ziekenhuisdirecteuren en staatspsychiaters. 'Machanaud heeft in totaal veertien jaar vastgezeten.'
Marinella verslikte zich bijna in haar koffie. 'Mijn god. Dat is belachelijk. Het spijt me. Dat klinkt bijna als een persoonlijke vendetta.' En onmiddellijk vroeg ze zich af waarom het haar speet voor Fornier, afgezien van het feit dat het hem iets kon schelen wat er met Machanaud was gebeurd.
'Daar leek het ook veel op.' Dominic legde haar uit hoe in de zaak het establishment snel in bescherming was genomen. Dat de persoon die hij had verdacht een jonge assistent-procureur was die logeerde bij een van de grootste landeigenaren van de streek. 'Een goede vriend van de burgemeester. Het was ondenkbaar dat zo iemand een dergelijke gruwelijke misdaad kon plegen. Daartegenover stond dat Machanaud een aan lager wal geraakte stroper en dronkelap was. Hij werd gezien als een veel eenvoudiger doelwit, minder problematisch, en ze hebben net zo lang indirect bewijs bij elkaar gezocht totdat ze een sterke zaak tegen hem hadden.'
'Wat is er met die assistent-procureur gebeurd?'
'Hij is maar één keer ondervraagd. Het feit dat zijn auto op een parkeerterrein bij een restaurant stond, gaf hem een alibi. Hij is later een toonaangevend politicus geworden, RPR-kandidaat voor Limoges.' Dominic stak zijn koffiekopje in de lucht alsof hij een toost uitbracht en glimlachte. 'Hij is nu een van Frankrijks illustere vertegenwoordigers in Brussel. Een lid van het

Europees Parlement. Hij heeft het heel goed gedaan, onze beste monsieur Alain Duclos.'
De beelden van Javert kwamen terug. Zijn volhardende achtervolging die decennia duurde. En er zat nu een naam aan bevestigd: Alain Duclos. Maar Marinella voelde zich wat onbehaaglijk toen ze de moedeloosheid in Dominics stem hoorde. Een leven van machteloze strijd tegen de politie én het establishment, en nu zou zij hem misschien wéér teleurstellen. Waar hoopte ze op, welke draai moest ze aan de case geven om over de barricades te komen die – wist ze – zouden worden opgericht als ze om meer sessies vroeg? 'En Machanaud? Wat is er met hem gebeurd nadat hij was vrijgelaten?'
'Hij is ruim tien jaar geleden overleden. Hij heeft nog maar zes jaar van zijn vrijheid kunnen genieten.'
Marinella knikte nadenkend en sloeg even haar ogen neer. Ze begon te vrezen dat Forniers verdenking van Duclos, net als die van Javert, wel eens net zo ongefundeerd kon zijn. 'Maar als de auto van deze Duclos nu ergens is gezien en dat hem een alibi geeft, hoe komt het dan dat jij hem verdenkt?'
Dominic liet zijn vinger afwezig langs de rand van zijn koffiekopje gaan. Hoe kon hij dat uitleggen? Een blik, een fonkeling in die ogen van tweeëndertig jaar geleden? Iets wat hem verteld had dat Duclos nerveus was, dat hij iets te verbergen had. Of was het zijn overdreven verzorgde mooiejongensuiterlijk. Dat hij eruitzag als iemand die misschien kleine jongetjes molesteerde. Calvan zou hem net zo hard uitlachen als Poullain al die jaren geleden had gedaan. Het enige wat hij ten slotte zei was: 'Er waren discrepanties in de waarnemingen van die auto. Details waar ik niet gelukkig mee was.' Daar had je hem weer met zijn discrepanties. Zijn vaste schuilplaats als er geschoten werd. Moest hij zich dan door een bekentenis worstelen over de doofpotaffaire met de auto? Zelfs als Marinella Calvan enige sympathie kon opbrengen voor zijn motief van zijn zieke moeder, zou dat zijn zaak verder niet veel goed doen.
'Denk je dat de mensen die Duclos' auto hadden gezien daarover hebben gelogen?'
'Nee. Maar Machanaud zei dat hij hem langs had zien rijden toen hij zat te vissen, een paar minuten voordat hij zelf wegging.'
'Maar hij kan gelogen hebben om zijn eigen nek te redden.'
'Ja. Dat was wat de openbaar aanklager zei.'

Marinella forceerde een flauwe glimlach. 'O. Sorry.' Ze voelde dat er meer was, maar Dominic wendde even later gegeneerd zijn blik af. Ze vielen stil en het rumoer in het café werd weer hoorbaar. Wat het ook was, hij vond het na tweeëndertig jaar blijkbaar nog steeds de moeite waard om het voor zichzelf te houden. Als Dominic Fornier echt geloofde dat er informatie kon worden verkregen door de moord te vermijden en zich te richten op het moment dat Christian Rosselot zijn moordenaar voor het eerst had ontmoet, waar en wanneer moest dat dan zijn geweest? Het enige wat Fornier daar tot nu toe over had gezegd, was dat het 'veertig minuten tot een uur daarvoor' moest zijn geweest. 'Waar denk je dat Christian zijn moordenaar heeft ontmoet, bij het laantje en het korenveld, of ergens anders?'
'In elk geval daar in de buurt. De veronderstelling is dat wie hij daar ook heeft ontmoet, ze zich de meeste tijd in het groen op de rivieroever verstopt moeten hebben. Er zijn een paar auto's langsgekomen. Als ze voor langere tijd in het korenveld waren gebleven, zouden ze gezien zijn.'
'Is dat waar de aanranding ook heeft plaatsgevonden, op de rivieroever?'
'Ja. Er was sprake van twee aanrandingen, met een tussenruimte van dertig tot vijftig minuten. Het is zeker dat de tweede bij het laantje heeft plaatsgevonden, en de eerste daar waarschijnlijk vlak in de buurt.'
'Als het Duclos was en niet Machanaud, denk je dan dat Christian hem daar heeft ontmoet?'
'Dat weet ik niet. Dat is een van de dingen die ik in de eventuele vervolgsessies te weten hoopte te komen.' De draaiende plafondventilator wierp flauwe schaduwen op de grond. Dominic keek ernaar en dacht terug aan de reconstructie. Onweerswolken die voorbijschoven boven het zongebleekte koren. 'Machanaud gaf toe dat hij bijna twee uur op dezelfde plek had zitten vissen. Dat werd een van de sterkste argumenten van de openbaar aanklager. Want als Christian daar iemand anders had ontmoet, zou Machanaud hen gezien moeten hebben.'
Twee aanrandingen? Met dertig tot vijftig minuten ertussenin? Marinella probeerde zich een voorstelling te maken van de rest van de gebeurtenissen, zich een duidelijker beeld te vormen. 'Je beseft dat de details over de beide aanrandingen waarschijnlijk net zo vaag zullen zijn. Christian zal ze, net als die van de

moord, diep weggedrukt hebben.'
'Ja.'
'Afgezien van het feit dat ze op zichzelf al schokkend genoeg zijn, kan Christian op dat moment al vermoed hebben dat zijn belager hem later zou vermoorden.'
'Dat begrijp ik.'
'De enige duidelijke informatie die we waarschijnlijk zullen kunnen krijgen, is die, zoals jij al aangaf, over het moment dat Christian zijn moordenaar ontmoette. Maar dan hebben we het over een periode van een paar minuten, op z'n hoogst.'
'Dus je helpt me?'
'Ik weet het niet. Zoals ik al zei ligt het nogal moeilijk.' Marinella beet op haar lip. De mogelijke obstakels dienden zich weer in volle omvang aan. Hoe zouden Lambourne en Stuart Capel reageren als ze merkten dat de sessies plotseling het verlengstuk van een moordonderzoek waren geworden? Ze zou blij mogen zijn als ze haar voor een deel tegemoetkwamen. 'Als het alleen aan mij lag, ja, dan zou ik je helpen. Maar het ligt niet alleen aan mij. Mijn collega David Lambourne heeft de opdracht Eyran Capels huidige problemen te genezen. En Eyrans stiefvader Stuart zal waarschijnlijk niet al te blij zijn als hij merkt dat Eyrans therapie plotseling een heel andere kant op wordt gestuurd. Maar ik zal doen wat ik kan.'
Ze had eraan kunnen toevoegen: hoewel ik nergens op zou rekenen als ik jou was, maar Dominic zag er al verslagen uit en het enthousiasme in zijn ogen was plotseling weer gedoofd. Ze bekeek zijn gezicht eens goed. Dat donkere haar, flink grijzend bij zijn slapen, die verleidelijke, nauwelijks zichtbare oosterse vorm van zijn ogen. De lachrimpeltjes van toen hij haar vanmiddag begroette, die nu de pijn van dertig jaar tekenden. Het kon niet gemakkelijk geweest zijn, dacht ze: trouwen met de moeder van het vermoorde jongetje en toch al die jaren blijven twijfelen.
'Ik zal mijn best doen. Dat beloof ik je.'
'Dank je.'
Marinella voelde een lichte huivering toen Dominic even haar hand aanraakte. Het was niet de aanraking zelf, maar iets wat ze pas kon plaatsen toen ze afscheid hadden genomen en ze hem zag weglopen, met hangende schouders, of misschien toch gesteund door haar laatste belofte. Maar toen besefte ze plotseling hoe afhankelijk Dominic van haar was en begon ze zich weer

zorgen te maken dat ze hem uiteindelijk zou moeten teleurstellen.
Er restte nog maar één sessie om een deel van de details over Christian Rosselots leven in te vullen, voordat ze terugvloog naar Virginia en Sebastian. Maar zelfs gewapend met dit ongelofelijke verhaal – de zoektocht van een man die nog steeds de waarheid probeerde te ontdekken over een moord van meer dan dertig jaar geleden – en met zowel Lambourne als Stuart Capel die zich verzetten tegen het voortdurende gewroet in het verleden, was ze bang dat ze de uitkomst al wist.
Forniers verhaal had haar diep geraakt, maar hoe moest ze hen in godsnaam overtuigen?

Genua, januari 1983

Marc Jaumard keek naar de kleine advertentie in de rubriek 'Oproepen'. Hij had haar al twee keer gelezen en deed dat nu voor de derde keer, woord voor woord, in een poging de eventuele bedoeling erachter te doorgronden. Hij had alleen deze advertentiepagina, die uit *La Provençal* was gescheurd en hem toe was gestuurd door een vriend in Marseille.
Jaumard voer nu al meer dan vier jaar voor dezelfde rederij die zijn thuishaven had in Genua. Hij was op zee geweest toen zijn broer stierf, had dat pas zes weken later ontdekt toen hij terugkeerde in Genua. Krantenknipsels in een envelop, hem toegestuurd door dezelfde vriend in Marseille: AFREKENING IN CAFÉ, MILIEUOORLOG LAAIT OP en CAFÉ AU SANGUIN. Het artikel in *La Provençal* beschreef zijn broer als 'een bekend lid van het milieu', wat heel complimenteus was als je in overweging nam dat hij hoofdzakelijk mensen vermoordde voor geld.
En nu, bijna vier jaar later, deze pagina. Jaumard vroeg zich af of het was wat het op het eerste gezicht leek: op de een of andere manier verbonden met de dood van zijn broer. Hij was nogal overhaast uit Marseille vertrokken: met drie maanden huurachterstand, een banklening voor een auto die hij meenam, en een ex-vrouw die schreeuwde om alimentatie. De advertentie kon een truc van de bank zijn om hem op te sporen, of van de advocaat van zijn vrouw, om hem financieel uit te kleden. De indruk wekken dat het op de een of andere manier te maken had met de

dood van zijn broer, misschien een kleine erfenis van het bloedgeld dat hij ergens had weggestopt. Om hem vervolgens in zijn nekvel te grijpen.
Het zou een beetje ver gaan voor de bank om in te spelen op zijn gevoelens voor zijn langgeleden begraven broer, maar zijn ex-vrouw achtte hij tot alles in staat. Hij vroeg het zich af. Hij wierp even een blik op de telefoon en richtte zijn aandacht toen weer op de advertentie, las de afzonderlijke zinnen en woorden, vormde ze met zijn mond en stelde zich zijn ex-vrouw voor, zittend bij het bureau van haar advocaat terwijl de advertentie werd opgesteld.

31

Oppervlakkige ademhaling. Flauw licht dat vanuit de gang op het gezicht van de slapende Eyran viel. Stuart Capel stond over het bed gebogen en dacht na. Vanuit sommige hoeken kon hij op Eyrans gezicht Jeremy's gelaatstrekken herkennen. Hij dacht terug aan Jeremy toen hij nog klein was en ze samen speelden. Eyran was de laatste link met die herinneringen.
Verloren nu, allemaal zo ver weg, en nóg verder weggedrukt door de verwarring en nachtmerries die Eyrans geest teisterden. En de Eyran die hij zich herinnerde – de zorgeloos glimlachende jongen van voor het ongeluk, van hun bezoek aan Californië – bleef buiten zijn bereik.
Zeven sessies in vijf weken. Was Eyrans toestand erop vooruitgegaan? Zeker, de frequentie van de dromen was afgenomen. Voor de sessies waren dat er gemiddeld twee per week geweest, en nu nog maar één per week of per tien dagen. Bovendien waren ze minder gewelddadig en beangstigend. Van de vier dromen van de afgelopen vijf weken waren er twee met en twee zonder Gigio geweest.
De laatste ontwikkeling vond Stuart het moeilijkst te accepteren: regressies die teruggingen tot vorige levens? Gigio niet langer een zelf gecreëerde, beschermende persoonlijkheid uit het deel van Eyrans psyche dat weigerde te aanvaarden dat zijn ouders dood waren, maar iemand die echt had bestaan? Een leven dat

Eyran blijkbaar van 1953 tot 1963 in Frankrijk had geleid? Als Christian Rosselot? Hij schudde zijn hoofd. Het was zo onwaarschijnlijk, bespottelijk, de zoveelste afslag op die vreselijke weg die ze sinds Jeremy's dood hadden moeten volgen. Maar deze zijweg zonder herkenningspunten en verkeersborden leidde hen onverbiddelijk weg van het enige element van Eyrans toestand waaraan hij zich vast kon klampen: het niet accepteren van de dood van zijn ouders. Daar kon hij zich iets bij voorstellen. Hij had dat gevoel soms zelf ook heel sterk, hij had de afgelopen weken erg zijn best moeten doen om Jeremy's dood te accepteren, en was daar maar voor een deel in geslaagd. Een vriendelijk gezicht in zijn dromen, iemand die hem meenam om Jeremy terug te vinden; hij kon zich voorstellen dat dat heel geruststellend was, heel troostend. Het zou hem op de een of andere manier het gevoel geven dat Jeremy niet helemaal weg was.
Maar zijn terughoudendheid om Eyran in therapie te doen had voortgeduurd tot na de tweede sessie, toen David Lambourne hem had gewezen op het mogelijke gevaar van een dominerende tweede persoonlijkheid die Eyran over de grens van schizofrenie kon duwen. Pas toen had hij het gevoel dat hij de juiste beslissing had genomen en werden zijn eerdere angsten tot bedaren gebracht.
Nu die theorie in de prullenmand was verdwenen, waren Stuarts twijfels weer terug. Voor de laatste sessie met Marinella Calvan had hij tegen Lambourne zijn bezorgdheid uitgesproken over het voortdurende gewroet in Eyrans verleden. Lambourne had daarop geantwoord dat de vroegere, bestaande persoonlijkheid van Gigio/Christian ook een plotselinge scheiding van zijn ouders had ervaren en dat deze secundaire invloed daarom nog steeds van belang was. En afgezien van die gedeelde ervaring van het verlies waren er nog meer elementen die de twee levens met elkaar verbonden: het coma waarin beide jongens hadden gelegen, Eyrans hartstilstand, het korenveld uit Eyrans dromen, dat ook de laatste plek was die in Christians leven voorkwam. Door meer te weten te komen over Christian Rosselot, zouden ze beter in staat zijn Eyrans huidige probleem aan te pakken.
Stuart was maar deels overtuigd geweest en waarschijnlijk was dat te zien geweest op zijn gezicht, want Lambourne had eraan toegevoegd: 'Met deze laatste sessie van mevrouw Calvan zouden de belangrijkste uitstapjes naar het verleden gedaan zijn. We

kunnen dan opnieuw bepalen in welke richting we de toekomstige sessies zullen sturen.'

Hoewel Stuart het niet helemaal eens was met Calvans visies, had hij wel veel waardering voor haar overtuigingskracht. Na de vorige sessie had ze hem en Amanda bedankt voor de mogelijkheid om haar in Eyrans verleden te laten graven en ze had uitgelegd hoe ze hoopte dat dat zou kunnen helpen: het was niet alleen een kwestie van symbolen, maar het vaststellen waar deze een grotere betekenis hadden. In welke van de twee levens was het niet accepteren van het verlies en de scheiding het sterkst geweest? Hopelijk zouden de twee sessies en de aantekeningen en typoscripten ervan daar het antwoord op geven. En hun een sterker raamwerk verschaffen om de conventionele therapie op voort te zetten.

Calvan had op dat punt in de richting van Lambourne geknikt en Stuart had de wat bewolkte blik in Lambournes ogen gezien, alsof hij het daar niet mee eens was, of ze in een eerder stadium woorden hadden gehad over dat onderwerp. Maar Lambourne had zijn mond gehouden en Calvans knikje beantwoord met een geforceerd glimlachje.

De enige keer dat Stuart eerder met Calvan had gesproken, was gedurende de twintig minuten na haar eerste sessie met Eyran, waarin ze hem het een en ander had verteld over haar achtergrond van regressies met kinderen en xenoglossie. Ze gaf de voorkeur aan xenoglossiecases met kinderen vanwege de onwaarschijnlijkheid dat ze de taal op een andere manier hadden geleerd. Vloeiend Spaans, middeleeuws Duits, Fenicisch, onbekende regionale dialecten. Honderden erkende casestudies en publicaties, verzameld door haar en haar mentor, doctor Emmett Donaldson. Indrukwekkend allemaal, ongelofelijk. Op de een of andere manier te ongelofelijk om waar te zijn. Stuart had zijn twijfel niet uitgesproken, maar Calvan had die blijkbaar wel aangevoeld, want plotseling vroeg ze hem of hij, afgezien van Eyran, iemand kende die in coma had gelegen. Nee, die kende hij niet. Maar, drong ze aan, hij had waarschijnlijk wel gehoord over mensen die in coma hadden gelegen en die daarna aan amnesie leden. Geheugenverlies. 'Ja,' had hij geantwoord. Calvan had hem vervolgens in het kort uitgelegd dat als een periode van coma in staat was om het geheugen te wissen, de dood daar zeker toe in staat zou zijn. 'Mensen hebben de neiging om niet in eerdere levens te geloven omdat ze zich gewoon niets herinneren van een eventueel eerder leven. Ze hebben niets om het aan te relateren. Maar dat betekent niet dat ze geen eerder leven hebben gehad. De meeste mensen onder hypnose herinneren zich eerdere levens. En mijn collega dokter Donaldson heeft grote successen geboekt met zijn sessies met kinderen tot ongeveer zeven jaar in wakende toestand. Daarna verdwijnt het vermogen om je voorbije levens te herinneren geleidelijk aan.'

Stuart kon haar voor zich zien, in Virginia, heen en weer lopend voor haar eerstejaarsstudenten, hen verbijsterend met deze zelfde woorden. Waarom was hij dan nog steeds zo sceptisch?

Hij moest terugdenken aan de woorden waarmee Marinella Calvan na de laatste sessie afscheid van hem had genomen. 'We weten nu in elk geval dat het om een echt eerder leven gaat en het gevaar van mogelijke schizofrenie dus verdwenen is. We hoeven niet meer bang te zijn dat een tweede persoonlijkheid het heft in handen zal nemen.'

Maar die woorden hadden Stuart nauwelijks opgelucht. Iets concreets – iets waarbij hij zich in elk geval iets kon voorstellen – vervangen door iets wat hij nog steeds niet kon bevatten, dat zat hem gewoon niet lekker. Ondanks de duidelijke voordelen ervan die door Calvan werden benadrukt.

Toen hij tegen Amanda zijn twijfels uitsprak over de aanhoudende sessies, wierp ze hem onmiddellijk voor de voeten dat hij nooit voor therapie was geweest en dat hij, nu de eerste hindernis zich voordeed en de zaak een wending nam waar hij het niet mee eens was, al meteen bereid was om de handdoek in de ring te werpen. 'Laat het aan de deskundigen over, Stuart. Het is hún probleem. Daarom hangen hun muren vol met diploma's in de psychiatrie en psychologie en de jouwe niet. Je moet niet proberen hen te overtreffen op hun eigen vakgebied.'

Dus dat was hoe ze het zag. Het eeuwenoude meningsverschil. En als het hún probleem was en hij zich niet zo liet obsederen door Eyran, dan kon hij meer tijd aan zijn eigen gezin besteden. Aan Tessa en haar. Eyran werd gemakshalve even naar de zijlijn geschoven: hij was het probleem van een ander. Maar als Stuart de sessies een halt toeriep, dan was het probleem Eyran weer helemaal terug bij hen.

Maar Amanda's opmerking, hoe verkeerd ze het ook zag, wierp wel een feller licht op zijn eigen twijfel. Oorspronkelijk had hij gehoopt dat de sessies de barrières zouden neerhalen en de denkbeeldige persoonlijkheid uit Eyrans geest zouden verdrijven. Dat hij weer dichter bij de echte Eyran zou komen. De Eyran die hij zich herinnerde. Maar nu was de persoonlijkheid een bestaande, en geen denkbeeldige. Geen persoonlijkheid die na een paar vragen op Lambournes bank opzij geschoven kon worden. En afgezien van zijn bezorgdheid over de vraag in welke richting de toekomstige sessies nu zouden sturen, vroeg hij zich ook af of het zijn scepsis was die deze bezorgdheid van brandstof voorzag, of het feit dat hij het niet wílde geloven. Aanvaarden dat er een tweede persoonlijkheid was die altijd in Eyran zou blijven bestaan, hoe diep ze ook in zijn onderbewustzijn groeven. Dat hij Eyran dus weer zou moeten delen.

Het was te laat om de avondvlucht naar Lyon te nemen, dus besloot Dominic nog een nacht in het Meridien te blijven. Hij koos voor de middagvlucht van de volgende dag, zodat hij de hele ochtend nog zou hebben om op nieuws van Marinella Calvan te wachten. Ze zouden hun laatste sessie om elf uur beginnen en hij verwachtte dat ze zijn voorstel vlak voor of direct na de sessie op tafel zou brengen, in de aanwezigheid van zowel Lambourne als de Capels.
Hoewel ze haar twijfel tegen hem had uitgesproken, hadden haar vragen en oprechte belangstelling hem de indruk gegeven dat ze hem graag wilde helpen. Dominic was hoopvol.
Om elf uur was er nog niet gebeld. Ze had dus of het onderwerp nog niet op tafel gebracht, of ze wilde de sessie niet ophouden, of ze wilde hem niet bellen als de Capels er nog waren. Of misschien waren ze wel tot een akkoord gekomen en zou ze een paar van de prangende vragen meteen stellen. Hij zou nog een uur of zo geduld moeten hebben.
Dominic moest die tijd zien te doden. Hij had eerder al naar het bureau in Lyon gebeld om zich door inspecteur Guidier, zijn plaatsvervanger terwijl hij weg was, bij te laten praten over de stand van zaken in Frankrijk. Nu belde hij Guidier nog een keer en vroeg hem contact op te nemen met het openbaar ministerie in Lyon. ‘Probeer Verfraigne te pakken te krijgen. Het is in dit stadium alleen nog een hypothetische zaak.’ Dominic legde uit wat hij wilde: de vermoedelijke rechtsgangprocedure voor een moordzaak die na meer dan dertig jaar wordt heropend. Alle mo-

gelijke obstakels en valkuilen. 'Hij valt niet onder de jurisdictie van Lyon, maar die van Aix-en-Provence. Dus de namen van procureurs en degenen die in een dergelijk scenario hoger in de hiërarchie zitten, zouden ook nuttig kunnen zijn.'
Guidier werd nieuwsgierig. 'Iets interessants?'
'Kan zijn. Kan zijn.' Dominic wilde er niets over zeggen totdat hij Marinella Calvan had gesproken, wilde het lot niet tarten. Maar informatie inwinnen over de te volgen procedure gaf hem tenminste het gevoel dat de zaak in beweging werd gezet. 'Ik vertrek hier om tien over halftwee. Maar ik zal pas om een uur of zes, zeven op het bureau in Lyon zijn. Alleen om een paar dossiers op te halen voordat ik voor het weekend naar Vidauban vertrek.' Hij gaf het telefoonnummer van het hotel voor als er eerder nieuws was.
Dominics tweede telefoontje was naar Pierre Lepoille van Interpol. Lepoille was een van de beste Interpol-agenten die hij kende. Hij was een jaar of vijfentwintig geweest en had research gedaan toen ze samenwerkten op het bureau van Interpol in Parijs. Lepoille was nu vierendertig jaar en een echte telg van het elektronische tijdperk. Een wandelende encyclopedie met kennis over de meest uiteenlopende onderwerpen, en wat hij niet wist, kon hij met een paar aanslagen op zijn toetsenbord oproepen: Interpols eigen databank, het AIS-programma van de FBI, Minitel of Internet.
Lepoille maakte deel uit van de vaste staf van inlichtingenofficieren die politiefunctionarissen zoals hijzelf begeleidde tijdens hun twee jaar durende stage bij Interpol. Of contacten onderhield met ontelbare politiekorpsen over de hele wereld. Toegang krijgen tot databanken, codes breken, dwars door de maagdelijke barrières van *cyberspace* stormen, er waren maar weinig geheimen veilig voor Lepoille. De gedachte aan een crimineel die werd aangehouden in Kuala Lumpur terwijl er een onderzoek naar hem liep op een sheriffskantoor in Tupelo in Mississippi, dankzij een paar trefzekere aanslagen op zijn toetsenbord, vond Lepoille ronduit verslavend.
Zijn enige andere verslaving waren Gauloises, maar aangezien er in de computerruimte niet meer gerookt mocht worden, waren Lepoilles beide verslavingen ernstig met elkaar in conflict. Hij greep dan ook elk excuus aan om even naar de kantine te gaan, stak al op zodra hij de deur van de computerruimte achter zich

dicht had gedaan en stak vervolgens de ene Gauloise met de andere aan. Maar na enige tijd begonnen dan de ontwenningsverschijnselen van het weg zijn van zijn computer te sterk te worden en ging hij weer gauw terug. Dominic herinnerde zich heel wat gesprekken met een kettingrokende Lepoille in de kantine.
'Dominic. Leuk weer eens iets van je te horen. Dat is lang geleden.'
Ze spraken een paar minuten over de gebeurtenissen van de afgelopen acht maanden, toen ze elkaar voor het laatst hadden gezien, en toen vroeg Dominic wat hij wilde: 'Parapsychologie. Zaken die zijn bewezen door paranormale fenomenen, ook zaken waarin dat is mislukt. En in het laatste geval ook de juridische obstakels die daarbij de kop opstaken.'
'In Frankrijk, of ook daarbuiten?'
'Vooral in Frankrijk. Maar grote, grensverleggende zaken in het buitenland kunnen ook nuttig zijn.'
'Oké.' Lepoille vroeg hem niet waar het voor was. De talloze verzoeken om inlichtingen die hij wekelijks kreeg, hadden hem wat afgestompt. Lepoille had er een gewoonte van gemaakt er niet meer naar te vragen.
Dominic gaf hem zijn nummer in Vidauban voor het geval hij morgen of overmorgen al nieuws zou hebben en nam afscheid. Toen slaakte hij een diepe zucht en leunde hij achterover. Het was gebeurd. De zaak was in beweging gezet. Hij kon nu niets anders doen dan wachten op wat er terugkwam. Hij keek op zijn horloge: acht voor twaalf. Over acht minuten zou Calvan klaar zijn. De telefoon kon overgaan en dan zou hij weten of zijn bezigheden van de afgelopen vijftig minuten tijdverspilling waren geweest of niet.

Om kwart over twaalf, toen hij nog steeds niet was gebeld door Marinella Calvan, begon Dominic nerveus te worden en keerden zijn twijfels in volle hevigheid terug. Hij besefte hoe dom hij waarschijnlijk was geweest, hoe hij zijn blinde enthousiasme de vrije loop had gelaten en over Calvans twijfels heen was gewalst, die had weggeduwd op dezelfde manier waarop Christian zich de moord niet wilde herinneren. Dominic begon allerlei andere, voornamelijk mankgaande excuses te bedenken voor het feit dat ze nog niet had gebeld, en ten slotte nam hij de hoorn van de haak. Hij kon de gedachte aan nog een uur wachten bij de te-

lefoon, totdat hij naar het vliegveld moest, terwijl hij het zo graag wilde weten, niet langer verdragen.
'Ze is er helaas niet.' David Lambournes stem. 'Ze is gaan winkelen. Ze moest blijkbaar nog een paar dingen kopen voordat ze terugvliegt naar Virginia.'
'Hoe laat vertrekt ze?'
'Vanavond. Halfzeven, zeven uur.' Een korte stilte. 'Kan ik misschien iets voor u doen, inspecteur Fornier?'
'Het was alleen dat ze had gezegd dat ze me zou bellen.' Als Lambourne iets wist, dan zou hij daar hopelijk over beginnen. Maar hij zei alleen maar: 'O, ik begrijp het.' Dominic wilde hem niet rechtstreeks vragen of ze de zaak met hem had besproken. Dat was te lomp. 'Ziet u haar vandaag nog, of gaat ze meteen terug naar haar hotel?'
'Ze zei dat ze tussen drie en vier waarschijnlijk nog een halfuurtje langs zou komen, om een paar laatste aantekeningen met me door te nemen voordat ze vertrok.'
Laatste aantekeningen? Dominic vroeg zich af of ze dat moment had gekozen om het onderwerp ter sprake te brengen en dat de reden was dat ze hem nog niet had gebeld. Maar toen bedacht hij zich dat hij om die tijd zelf onderweg naar Lyon zou zijn. 'Kunt u haar vertellen dat ik heb gebeld? Het is heel belangrijk. Ik vertrek straks zelf, maar ze kan een bericht achterlaten op het bureau, of me in het weekend op dit nummer bereiken.' Dominic gaf Lambourne de nummers van zijn hoofdkwartier in Lyon en zijn huis in Vidauban en hing op.
De daaropvolgende vierentwintig uur werd Dominic heen en weer geslingerd tussen twijfel en hoop over wat Calvan hem te melden zou hebben.
Er was geen nieuws of bericht voor hem toen hij om tien over halfzeven op het bureau in Lyon aankwam, alleen een dossier met spoed, dat Guidier op zijn bureau had gelegd en bekeken moest worden voor een vooronderzoek op maandag, en een briefje:

> Verfraigne is tot maandag op het gerechtshof. Dan volgt meer informatie. Maar zijn assistent wist de naam van de procureur in Aix: Henri Corbeix.

Dominic pakte het dossier en het briefje en belde Monique om te zeggen dat hij onderweg was. Hij had haar al gebeld voordat hij aan boord van het vliegtuig ging om haar te vertellen dat ze het weekend naar Vidauban zouden gaan. Hopelijk zou ze het

meeste al hebben ingepakt en voorbereid.
Toen hij thuiskwam stonden de koffers al bij de deur, maar ze had ook een zeebaars gebakken, met pepers en dille op een bedje van rijst. Zijn lievelingsmaal. Er stond een glas witte bordeaux naast. Ze had zelf al gegeten, maar ze dacht dat hij wel iets zou willen eten voordat ze vertrokken.
Hij grijnsde verontschuldigend. 'Het spijt me. Ik heb aan boord van het vliegtuig al gegeten, dus veel honger heb ik niet,' loog hij. 'Ik had het je moeten zeggen toen ik je belde.'
Monique keek naar het eten. Hij kon niet zeggen of ze even uit het lood was geslagen door zijn weigering, of dat ze gewoon stond na te denken over wat ze met de vis moest doen. Hij wilde graag zo snel mogelijk weg om te zien of er op het antwoordapparaat in Vidauban een bericht van Marinella Calvan stond, maar nu voelde hij zich schuldig. 'Hoe lang heb je nodig?'
'Een minuut of vijf, zes. Ik moet me alleen nog even opmaken en een paar dingen in een tas stoppen.'
'Nou, nu je het toch al hebt klaargemaakt, ziet het er te goed uit om het weg te gooien. Ik zal kijken wat ik op kan.'
Tegen de tijd dat Monique klaar was, had hij al de vis en twee derde van de rijst op, en sloeg hij zijn laatste slok bordeaux achterover terwijl hij de eerste tassen van de grond pakte.
'Is er ergens brand?' vroeg Monique toen ze halverwege de rit waren.
Dominic had tot op dat moment niet beseft hoe hard hij reed: 168 kilometer per uur, terwijl hij meestal niet harder dan 130, 140 reed. Hij minderde vaart tot 150 kilometer per uur.
Na de vlucht en de gebeurtenissen van die dag was Dominic doodmoe. Het laatste stuk van de rit deden de koplampen van het tegemoetkomende verkeer pijn aan zijn ogen, vooral op de onverlichte wegen toen ze hun boerderij bij Vidauban naderden. De rit had twee uur en twintig minuten geduurd, terwijl ze er meestal bijna drie uur over deden.
Maar toen hij op de afspeelknop van het antwoordapparaat drukte, stonden daar geen berichten van Calvan op. Alleen een bericht van Lepoille. 'Paranormale fenomenen. Interessant spul. Ik heb nog niet veel in Frankrijk kunnen vinden, maar ik blijf het proberen. Wel vrij veel uit de Verenigde Staten, waaronder een paar grote zaken. Ik heb morgen een korte dienst, van twaalf tot vier. We praten dan verder.'

Monique zag zijn gezichtsuitdrukking toen hij opkeek van het antwoordapparaat. 'Is er iets mis?'
'Nee, niets... niets.' Het was waarschijnlijk meer zijn teleurstelling die ze bespeurde dan dat ze reageerde op het korte bericht op het bandje. Calvan zou nu halverwege haar lange vlucht naar Virginia zijn, dus vanavond hoefde hij geen berichten meer te verwachten. En met het tijdsverschil zou hij op zijn vroegst morgen aan het begin van de middag gebeld kunnen worden.

De volgende ochtend merkte Monique zijn rusteloosheid op. Er vielen stilten in hun gesprekken tijdens de koffie en het verse brood dat ze erbij aten. Als het warm genoeg was, aten ze meestal buiten, maar het was die ochtend nogal fris, zodat ze een dikke badjas over haar T-shirt en spijkerbroek droeg. Dominic droeg een sweatshirt.
Ze vroeg zich af of zijn spanning te maken had met het cassettebandje en het typoscript dat ze had gelezen, en zijn trip naar Londen. Psychoanalyses, regressies die teruggingen tot eerdere levens, stemmen uit het verleden, en nu een bericht over paranormale zaken op het antwoordapparaat. Waarschijnlijk was het voor hem allemaal net zo vreemd als voor haar.
Toen ze dat eerste bandje hoorde, had ze al haar emoties weggedrukt, had ze haar twijfels ingeslikt en een mechanische volharding aangewend om de vragen voor te bereiden, zowel om zichzelf af te schermen als om het materiaal zo snel mogelijk terug te sturen naar degenen van wie het afkomstig was: die psychiaters, of oplichters, of wat ze ook waren.
Maar toen ze het typoscript las, merkte ze dat ze worstelde met een snel wisselende reeks emoties: ongeloof, boosheid, woede omdat het misschien bedrog was, en had ze bepaalde stukken steeds weer opnieuw gelezen, zoekend naar fouten en bewijzen dat het was verzonnen, en had ze het niet wíllen geloven... totdat ze het ten slotte had moeten accepteren; een aanvaarding die dwars door haar heen sneed en haar tot op het bot verkilde. Het was Christians stem. Daar bestond geen twijfel over. Ze wist niet hoe of waarom, deed ook niet of ze er iets van begreep. Maar hij was het. En zij deed haar plicht; na drie pogingen om haar gedachten in een paar regels op papier te zetten zonder onsamenhangend of overdreven emotioneel te klinken, had ze haar korte bericht naar Londen gefaxt.

Ze had niet gehuild, toen. Haar tranen waren de volgende ochtend pas gekomen, toen ze het typoscript nog eens doorlas. De eerste keer had ze het puur klinisch en objectief gelezen, met als enige vraag: is dit Christians stem? Alsof ze een deskundig karakter- of stemanalist was. Maar de tweede keer was ze echt gegrepen door Christians stem, had ze zich de zachte klank herinnerd, de vreugde en opwinding die erin doorklonken, altijd zo open en onschuldig: '... Het was gemaakt van een schelp in de vorm van een oud galjoen. Het lampje erin maakte de schelp bijna doorzichtig en het licht scheen door de patrijspoorten naar buiten. Het was prachtig.' En op dat moment had ze Christians gezicht duidelijk voor zich gezien, zo blij toen Jean-Luc hem de rest van het geld gaf en de winkeleigenaar het galjoen van de plank pakte en aan Christian gaf. En toen kwamen al die andere momenten dat hij blij was geweest plotseling bij haar op: toen hij trots naar haar opkeek met een van zijn eerste tekeningen van school, toen ze de arm van zijn Topo Gigio-pop er weer aan had genaaid en hij haar zoende om haar te bedanken, toen hij haar vroeg of ze hem een verhaaltje wilde voorlezen nadat ze hem in bed had gestopt, die heldere groene ogen die vol verwachting naar haar opkeken. Het zachte gevoel van zijn handjes op haar wangen. Nu allemaal weg. Voorbij. Al zoveel jaren voorbij. Al zo lang.
Haar tranen hadden haar plotseling overvallen en haar langgerekte snikken hadden haar lichaam oncontroleerbaar doen schokken. En ze had heen en weer gewiegd in het ritme van haar gesnik, talloze keren 'al zo lang' gemompeld, alsof het een mantra was die er uiteindelijk voor zou zorgen dat ze haar zelfbeheersing terugvond, weer normaal werd. Verdriet dat haar plotseling overviel na al die jaren kwam haar onbekend voor. Ze had al veertien jaar niet meer om Christian gehuild, sinds Geromes tiende verjaardag, toen ze zich plotseling Christians tiende verjaardagsfeestje had herinnerd, zijn laatste. Maar dat hielp evenmin, en haar gevoel van schaamte omdat ze al zo lang niet had gehuild, maakte de zaak alleen maar wranger.
Misschien had ze Dominics lievelingsmaal wel klaargemaakt om haar verdriet en verwarring te verbergen toen hij thuiskwam. Daar. Zie je wel. Alles is oké. Normaal.
Ze had tijdens de rit niet veel gezegd, wilde het onderwerp niet ter sprake brengen voor het geval haar emoties en tranen haar

weer zouden overspoelen. Ze had het typoscript gelezen en de stem herkend. Ze had haar fax naar Londen gestuurd. Ze had gehuild. Het was afgelopen.
Maar toen had ze gemerkt dat Dominic ook niet veel zei, dat hij rusteloos en gespannen leek en harder reed dan normaal. En nu, vanochtend, terwijl hij zijn koffie dronk, voelde ze diezelfde spanning.
'Is er iets gebeurd in Londen? Je lijkt zo onrustig, alsof je op nieuws zit te wachten.'
'Ik ben gewoon moe.' Dominic forceerde een glimlach. 'En ik zal een hoop werk moeten inhalen. Je weet hoe het gaat als je weg bent. Het werk stapelt zich op.'
'Ik vroeg me af of het misschien iets te maken had met die bandjes en typoscripten. Dat die je op de een of andere manier van streek hebben gemaakt.'
Dominic keek haar aan. Het bleke licht van de vroege ochtend viel op de lijntjes van verdriet op haar gezicht. Lijntjes waarvan hij had gehoopt dat ze in de loop der jaren zouden verzachten en niet meer terug zouden komen. Ze was nog steeds ongelofelijk mooi, een donkere Sophia Loren met maar weinig grijs in haar donkere haar. En als hij naar haar glimlachte, dan zou ze die glimlach beantwoorden en kon hij diezelfde lijntjes zien als lachlijntjes, en zouden de pijn en de droevige herinneringen plotseling verdwenen zijn. Maar hij had het gevoel dat ze meer voor zichzelf dan voor hem sprak. Hij stak zijn hand uit en legde die op de hare.
'Natuurlijk was ik erdoor van streek. Maar ik maakte me meer zorgen over het effect dat ze op jou zouden hebben.'
'Ik heb een beetje gehuild. Maar nu ben ik weer oké.' Ze forceerde een glimlach en voelde hoe haar ogen weer een beetje gingen branden. Ze was niet van plan geweest om te zeggen dat ze had gehuild, maar even wat medeleven en een glimlach van Dominic en het was eruit. Hij had dat effect op haar.
'Weet je het zeker?'
Ze knikte alleen maar, sloeg haar ogen neer en nam een slokje koffie.
Dominic vroeg zich af of het wel zo'n goed idee was geweest om het weekend naar Vidauban te gaan. Het had een goed idee geleken om weg te gaan, zowel voor hem als voor Monique. Maar nu hij de halve wereld zijn telefoonnummer had gegeven

en hij hoopte onderuitgezakt in zijn stoel te kunnen zitten terwijl de reacties kwamen binnenstromen, voelde hij zich opeens geisoleerd, rusteloos. Nog vier uur wachten voordat Lepoille zou bellen, nog vijf of zes voordat hij iets van Calvan zou horen. Hij kon aan Guidiers dossier beginnen om de tijd te doden, maar hij betwijfelde of hij zich voldoende zou kunnen concentreren. Hij werd te veel door andere dingen in beslag genomen.
En wat Monique betreft vroeg hij zich af of Vidauban misschien niet te nostalgisch was meteen na het lezen van het typoscript. Dat had hij pas bedacht toen ze de vorige avond de oprit op reden en hij het huis en het erf in het licht van de koplampen zag. Toen ze het zes jaar geleden hadden gekocht, leek er voldoende tijd verstreken te zijn sinds Christian en Taragnon om haar daaraan te herinneren. Alleen de nostalgische link met een streek waarvan ze veel hadden gehouden. Het huis zag er ook anders uit dan de boerderij in Taragnon: de voorgevel was helemaal recht. Maar drie jaar geleden had hij er een kleine kantoorruimte aangebouwd en vanaf dat moment was de gelijkenis veel groter geweest. Behalve dat zijn kantoor een groot raam had met uitzicht op het erf, in plaats van de blinde muur van de zijkant van Jean-Lucs garage. En zij keken niet uit op het open veld maar op een kleine rotstuin die opliep naar een groepje dennenbomen en een halfsteens muurtje twintig meter verderop, dat hun perceel van het volgende scheidde. Het enige open veld dat zij konden zien, lag achter de tuin aan de andere kant van het huis.
Na het ontbijt trok Dominic zich terug in zijn werkkamer omdat hij niet wist wat hij anders moest doen. Hij bladerde wat papieren en dossiers door en bekeek de eerste bladzijden van Guidiers dossier zonder dat het echt tot hem doordrong. Pas na tienen verscheen Gerome op de patio voor zijn ontbijt en kwam Dominic weer naar buiten om hem gedag te zeggen. Met zijn werk ging het goed. Met Jaqueline ging het ook goed, vertelde Gerome grijnzend. Ze was niet gekomen, omdat hij naar een vriend in Montpellier zou gaan. Hij zou in Montpellie blijven overnachten en ze zouden hem morgen omstreeks het middaguur wel weer zien. 'Nog een paar uur werken aan de computer en ik ben weg.'
Computer. Dominic dacht weer aan Lepoille. Nog drie uur voordat hij op kantoor zou zijn.
Dominic raakte eindelijk geïnteresseerd in Guidiers dossier: berovingen op grote schaal vanaf een motorfiets. Twee jongeren op

een motor, die de afgelopen zeven maanden gemiddeld twaalf berovingen per week hadden gepleegd, hadden bijna een minimisdaadgolf veroorzaakt. Toen ze ten slotte waren gepakt, was het aantal straatroven gedaald tot niet meer dan vijf per maand.
Toen om tien over elf de telefoon rinkelde, werd hij helemaal in beslag genomen door het dossier en moest hij zich eruit losrukken. Het was Lepoille. Zijn enthousiasme was aanstekelijk, hoewel Dominic het moeilijk vond om het allemaal telefonisch te bespreken. In de Verenigde Staten waren verscheidene zaken geweest die met paranormale fenomenen te maken hadden, met als belangrijkste: de 'Son of Sam'-moorden, de Boston Strangler, de zaak van Mona Tinsley en die van Manson/Bugliosi, het uitoefenen van psychische invloed op anderen om hen een moord te laten plegen. Sommige politiedepartementen maakten er zelfs regelmatig gebruik van als al het andere mislukt was: de namen Gerard Croiset en Peter Hurkos werden hierbij het vaakst genoemd. Maar tot nu toe heel weinig in Frankrijk. 'Behalve de nabestaanden in de Petit Gregoire-zaak die al in een vroeg stadium een medium hadden geconsulteerd om te weten te komen of de jongen dood was of alleen maar werd vermist. De politie hier schijnt nauwelijks haar heil te zoeken bij paranormaal begaafden, alleen familieleden en soms de pers. En het komt zelden voor dat er in een officieel politieonderzoek of bewijsmateriaal voor de rechtbank gebruik van wordt gemaakt. Ik ga een paar tips in Parijs na, maar daar weet ik maandag meer over. Ik heb een hele stapel prints van Interpol en e-mails op mijn bureau liggen. Een deel kwam gisteravond, maar het meeste kwam vanochtend binnen. Ik zal ze maandag allemaal naar je toe fietsen.'
'Geweldig. Ik verheug me er nu al op.' Hopelijk kwam er iets uit tevoorschijn als hij ze las, want uit Lepoilles korte beschrijvingen kon hij niet meteen iets opmaken. 'En bedankt voor je hulp, Pierre.'
Maar zes uur later, toen hij nog steeds niet was gebeld door Marinella Calvan, begon Dominics opwinding weer te tanen en de twijfel weer toe te nemen. Hoewel die deze keer, in tegenstelling tot daarvoor, terecht was. Het was nu middag in Virginia en hij had zijn dringende verzoek bij Lambourne achtergelaten. Ze was helemaal niet van plan hem te bellen. Misschien had ze er zelfs bij gezeten toen hij Lambourne belde en hem gebaard dat hij moest zeggen dat ze er niet was. Als hij maandag zijn pakje

van Lepoille kreeg, kon hij het waarschijnlijk meteen in de prullenmand gooien. Het was dom van hem geweest om zo hoopvol te zijn.

Marinella Calvan was met de United Airlines-vlucht van tien voor acht op weg naar Virginia. In de stoel naast haar zat een heel dikke en overvriendelijke handelsreiziger die Bob heette en op weg was naar Richmond, bij wie ze zich ten slotte met een paar beleefde hoofdknikjes had geëxcuseerd om zich weer te verdiepen in het dossier op haar schoot.
Ze had aantekeningen gemaakt op een nieuw blaadje papier terwijl ze het typoscript doorlas. De gedetailleerdheid was opvallend te noemen. Ze kenden nu alle belangrijke feiten over Christian Rosselots leven: waar hij woonde, waar hij naar school ging, wat zijn dagelijkse en wekelijkse gewoonten waren, en een rijke schat aan herinneringen, waarvan enkele die alleen hij kon weten. Ze had de laatste sessie voornamelijk gebruikt om de gaten in te vullen. Maar op een zeker moment, toen Christian het had over zijn beste vriend Stephan, was ze met een ruk rechtop gaan zitten en was haar huid gaan tintelen. 'Hij zat bij mij op school, maar hij woonde aan de andere kant van het dorp. Het was Stephan waar ik naartoe ging op die dag dat ik in het korenveld verdwaalde... Ik heb het niet gehaald naar zijn huis.'
'En heb je Stephan daarna nog gezien?'
'Nee... nee.'
Marinella stond op het punt om te typen: *Vertel me meer over die dag. Heb je iemand anders ontmoet? Hoe kwam het dat je niet bij Stephans huis kon komen?* Maar Lambourne had haar met een scherpe blik aangekeken, en zelfs Eyrans simpele 'nee' had nerveus en aarzelend geklonken, en zijn ademhaling was versneld. Ze kon Fornier bijna over haar schouder voelen meekijken, aandringend, haar aanmoedigend. Maar zelfs al kon ze die eerste vraag stellen zonder dat Lambourne ingreep, dan zou Eyran misschien zo overstuur raken, dat ze de rest van de sessie niets meer uit hem los zou krijgen. Dit was haar laatste kans. Ze nam Eyran mee terug naar gelukkiger tijden, toen hij speelde met zijn vriendje Stephan.
Nu schreef ze: *Het korenveld is niet alleen een symbool voor Christians scheiding van zijn ouders, maar misschien ook die van zijn beste vriend. Christian kan Eyran zien als een plaats-*

vervanger van die beste vriend, de vriend die hij op die noodlottige dag niet kon bereiken.
Ze had geprobeerd het onderwerp van Forniers verzoek voorzichtig op tafel te brengen door te stellen dat er misschien nog meer vragen zouden zijn. Maar Lambourne had onmiddellijk afkerig gekeken en gezegd dat Stuart Capel had geklaagd over het laatste bandje, over de gerichte vragen die Eyran aarzelend en soms bijna defensief maakten. 'Ik heb hem verzekerd dat deze laatste sessie meer open zou zijn en Eyran meer vrijheid zou bieden. Wat voor vragen?' En ze had gedaan of het niet echt belangrijk was. 'Ze kunnen wel wachten.' Als Lambourne en Stuart Capel zich al verzetten tegen een paar extra gerichte vragen, dan kon ze de sturing van de sessie in de richting van een officieel moordonderzoek wel helemaal vergeten. Ze had het tenminste geprobeerd.
Kort na de laatste sessie was ze gestuit op een andere mogelijke link: *Er stroomde een rivier vlak bij de plek waar Christian Rosselots lichaam was gevonden, en in een van Eyrans dromen komt het beekje bij Broadhurst Farm voor, dat later uitgroeit tot een groot meer. Misschien gelooft Christian op een bepaalde manier dat als hij in staat was geweest die rivier over te steken, hij had kunnen ontsnappen aan zijn belager en zijn lot. En in Eyrans droom symboliseert het meer de scheiding van zijn ouders. Maar het is duidelijk dat Christian die scheiding het sterkst met water associeert.*
Het debat met Lambourne over wie het gevoel van scheiding sterker ervoer – Christian of Eyran, in het heden of het verleden – was irrelevant. De links waren er allemaal. De Freud-aanhangers en conventionalisten zouden het prachtig vinden. Symbolen voor het verlies van dierbaren waren klassiek.
Als ze in de verdediging gingen en probeerden zich eronderuit te wurmen, had ze meer dan genoeg informatie om hen mee om hun oren te slaan: dokter Torrens' eerste aanbeveling om Eyran in therapie te doen, de EEG-afwijking in de hersenactiviteit die hij had geconstateerd, Lambournes sessies – zijn bezorgdheid over de dominantie van de tweede persoonlijkheid en de dreiging van schizofrenie – en ten slotte Eyran die onder hypnose in het Frans begon te praten en het feit dat zij erbij was gehaald. Een dossier met meer dan zestig pagina's aantekeningen al voor de drie bandjes en het zesenveertig pagina's tellende typoscript

van haar eigen sessies, nu grondig gecontroleerd door een Franse hoofdinspecteur van politie en zijn vrouw. Niet een stel religieuze mafketels die hun kinderen Regenboogje of Zonnestraaltje noemden.

Het zou een goede publicatie worden, een van haar beste tot nu toe. Correctie: het zou een uitstekende publicatie worden.

Marinella zette de hoofdtelefoon op en zocht de pop- en amusementskanalen af totdat ze wat klassieke muziek had gevonden. Offenbachs *Barcarolle* werd gespeeld.

Toen ze na het winkelen bij Lambourne terugkwam, had ze gehoord dat Dominic Fornier had gebeld. Ze voelde zich schuldig omdat ze hem niet had teruggebeld. Het beeld van hem, toen hij wegliep na hun gesprek, de onverzettelijke rechercheur die al die jaren de last van de twijfel op zijn schouders had gevoeld en zich nu vastklampte aan een laatste kans, stond in haar geheugen gegrift. Ze had haar hand uitgestoken naar de telefoon net voordat ze van haar hotel naar het vliegveld vertrok, maar had toen besloten het niet te doen. Ze zou hem morgen bellen. Ze was er niet zeker van of ze alleen opzag tegen zijn teleurstelling, of dat ze tijdrekte om betere woorden te vinden om het hem uit te leggen.

Griegs *Morgenstimmung*. Gedragen, rustgevend. Ze hoopte dat ze gauw in slaap zou vallen. Naast haar zat Bob in een tijdschrift te bladeren. Maar de volgende stukken – Brahms' *Hongaarse Dans* en Tsjaikovski's *Slavische Mars* – wekten haar weer uit haar sluimering en stimuleerden haar geest. Ze betrapte zichzelf erop dat ze het ritme van de *Slavische Mars* zat mee te tikken op de leuning van haar stoel terwijl ze dacht aan de belangrijkste punten van haar publicatie die al de sceptici die haar al die jaren hadden geplaagd, de mond moest snoeren.

Pas toen Mozarts *Andante* begon, werd ze weer overspoeld door trage golven van rust en ontspanning en diende haar slaap zich weer aan.

Maar toen het derde gedeelte begon, trof de gedachte haar: een politicus.

De man die Fornier had verdacht, was nu een vooraanstaand politicus! Een lid van het Europees Parlement. Een moordzaak. Heropend na meer dan dertig jaar. Met een van 's lands belangrijkste politici als hoofdverdachte! Als Forniers verdenking terecht was, zou dit een grote zaak worden. Een enorme zaak! En

een van de eerste die bewezen zou worden door regressie die terugging tot eerdere levens. Haar gedachten volgden elkaar in zo'n hoog tempo op, dat het haar bijna de adem benam.
Ze zag het al helemaal voor zich: Oprah Winfrey was zeker, en ze zat de krantenkoppen van de *New York Times* en de *Washington Post* al te lezen terwijl ze werd geschminkt voor Maury Povich en Larry King: *Ik heb begrepen dat deze zaak in Frankrijk net zo groot is als die van O.J. Simpson hier. Maar de toegevoegde waarde ervan is dat het doorslaggevende bewijs afkomstig was van* PLT, *en dat heeft het Franse rechtskundige establishment letterlijk in tweeën gespleten.*
De zaak was al groot, maar het lag nu binnen haar mogelijkheden om hem reusachtig te maken. Als Forniers vermoeden juist was en ze speelde het goed, dan zou de zaak gedurende het hele proces alle Amerikaanse media domineren. Acht maanden lang, een jaar? Dat zou meer bijdragen aan de acceptatie van PLT dan alle eerdere pogingen bij elkaar. De gedachten en beelden volgden elkaar razendsnel op: lezingen, meer overheidssubsidie, boeken, praatprogramma's... *Newsweek*.
Ze hield haar adem in terwijl haar gedachten bezonken en haar aanvankelijke twijfel een zinloze strijd leverde met dit veelbelovende vooruitzicht, de enorme omvang ervan, en ze barstte plotseling uit in gelach. Een lach die snel zijn terughoudendheid verloor en heser werd.
Bob keek haar aan en zei iets. Ze zette haar hoofdtelefoon af.
'Is dat de *Bill Cosby Show*?' vroeg hij. 'Hij is grappig, hè?'
'Ja. Maar niet half zo grappig als Mozart.'
Hij keek haar verbaasd aan en keek weer snel in zijn tijdschrift. Dat zou hem wel een tijd stil houden, dacht ze.
Marinella zette haar hoofdtelefoon op, liet zich weer meeslepen door Mozart en deed langzaam haar ogen dicht. Zelfs als de dader niet de politicus was die Fornier verdacht, zou het aantonen van de schuld of onschuld van iemand die al veroordeeld was goed genoeg zijn voor een paar grote krantenkoppen, misschien wel op de voorpagina. Ze moest het ten minste proberen. Ze zou het zichzelf altijd kwalijk blijven nemen als ze een kans als deze liet lopen. Het was waarschijnlijk het beste als ze Fornier belde nadat ze met Lambourne en Stuart Capel had gesproken, want ze wilde hem niet weer hoop geven om hem vervolgens teleur te stellen.

Het zou niet eenvoudig worden. Alle obstakels die door Lambourne en Stuart Capel waren opgericht en haar ten slotte hadden doen afzien van het naar voren brengen van Forniers voorstel, stonden er nog steeds. Ze zou heel overtuigend moeten zijn.

32

Marseille, oktober 1983

Marc Jaumard liep vlak achter Marcelle Gauthereau. Als het zou gebeuren, dan zou dat binnen zijn, dacht Jaumard. Hij zou alles tekenen, Gauthereau en de notaris zouden beleefd naar hem knikken en dan zou er plotseling iemand uit de schaduw tevoorschijn komen om hem de dagvaarding voor te lezen. Ze gingen het notariskantoor binnen en Jaumard keek achterom om te zien of Gauthereau niet de deur achter hem op slot deed. Hij keek ook naar de bronzen plaquette in de hal voordat hij Gauthereau de twee trappen op volgde: PATRICE ROUSSEL, NOTARIS.

Roussel was achter in de vijftig, had dun, grijzend haar, een ingevallen gezicht en strakke, afgemeten gebaren. Beleefde hoofdknikjes, halve glimlachjes die geen tanden lieten zien terwijl hij de gegevens las, en dezelfde betekenisloze glimlach toen hij Jaumard zijn identiteitskaart teruggaf.

Het duurde veel langer dan Jaumard had verwacht. De deur naar de receptie had eerst halfopen gestaan en hij had één oog op de receptioniste kunnen houden om te zien of ze aanstalten maakte om de deur op slot te doen. Om te zien of er plotseling iemand binnenkwam. Maar ze had de verbindingsdeur dichtgedaan toen ze het kantoor uit liep nadat ze een dossier op Roussels bureau had gelegd.

Jaumards hart bonkte in zijn keel terwijl de papieren heen en weer werden geschoven tussen hem en de notaris. Weer een vraag, weer een regel die kon worden ingevuld. Weer een stempel en een zegel met de zwierige handtekening van de notaris erboven. Jaumard betrapte zichzelf erop dat hij ondertussen vanuit zijn ooghoek naar de dichte deur keek, verwachtte dat die elk moment open kon vliegen en hem de dagvaarding zou worden

overhandigd. Hij veegde zijn zwetende handpalmen af aan zijn broekspijpen.
En toen werd hem opeens een envelop toegeschoven. Of misschien was dat de dagvaarding wel, dacht hij tot zijn schrik. Behoedzaam keek hij naar de voorkant van de envelop. Alleen zijn naam met p/a Patrice Roussel eronder. Het zag er wel uit als zijn broers handschrift. Hij aarzelde, besloot plotseling de envelop niet te openen in het bijzijn van deze twee paar nieuwsgierige ogen. Hij wilde hier weg en liefst zo snel mogelijk. Hij stak de envelop in zijn achterzak en stond op. 'Bedankt, heren.'
'Ik dacht dat u hem misschien in mijn aanwezigheid had willen openen,' bood Gauthereau hem aan. 'Voor het geval er iets in staat dat meteen mijn aandacht verdient.'
'Nee... nee. Het is oké.' Jaumard liep achteruit naar de deur. 'Ik bel u wel als er iets is.' Hij deed de deur open en was het kantoor uit, glimlachte even snel naar de receptioniste, liep nog een deur door en was op de trap, die hij met twee, drie treden tegelijk afdaalde, het laatste stuk bijna rennend nam tot hij ten slotte weer op straat stond.
Gauthereau staarde Jaumard even geamuseerd na voordat hij afscheid van Roussel nam. Al die jaren van wachten, het contact dat pas een jaar na zijn laatste advertentie was opgenomen, en in een paar minuten was het allemaal voorbij. Gauthereaus nieuwsgierigheid over wat er in de envelop zou zitten, was in de loop van die jaren gegroeid: een verborgen buit, een geheime bankrekening, drugsroutes, een zwartboek met belangrijke milieucontacten? Nu zou hij het waarschijnlijk nooit weten.
Nog geen zestig meter verderop, toen hij de hoek om was gelopen, bleef Jaumard staan, hij slaakte een lange, diepe zucht en leunde met zijn rug tegen de muur. De zenuwen gierden nog steeds door zijn lijf. Hij besloot zelfs daar niet te riskeren de envelop te openen, deed dat pas toen hij bijna een kilometer verderop achter in een klein café zat.
Afgezien van de barman waren er maar drie mensen in het café, en het duurde nog een paar uur voordat het lunchtijd was. Hier voelde Jaumard zich veilig voor nieuwsgierige ogen en hij maakte de envelop open. Hij moest de inhoud twee keer lezen voordat de betekenis ervan echt tot hem doordrong. Een glimlach kroop langzaam over zijn gezicht. Het was nogal een erfenis die zijn broer hem had nagelaten. Alain Duclos. RPR-minister

voor Limoges. Moord op een kind in 1963. Een huurmoord die nooit was uitgevoerd. Ongelofelijk. De drie bladzijden tellende brief bood hem zelfs de mogelijkheid om er twee dingen mee te doen. Hoewel hij dacht dat hij al wist welke van de twee hij zou kiezen.

Marinella Calvan had meer dan tien minuten met Stuart Capel aan de telefoon gezeten en als ze aan het begin van het gesprek nog wat hoop had gehad, dan was die nu verdwenen.
Ze had het hele weekend nagedacht over hoe ze het onderwerp het best kon brengen. De waarheid zeggen zou haar niet helpen. Eyrans therapie die werd aangepast om een bijdrage te leveren aan een moordonderzoek zou gewoon niet worden geaccepteerd. Maar als ze dicht in de buurt bleef van wat ze echt geloofde, dat Christians weigering om de scheiding te accepteren veel sterker was dan die van Eyran, dan zou ze misschien succes hebben. De oprechtheid en het enthousiasme zouden doorklinken in haar stem. Het zou ook meehelpen haar aanvankelijke onzekerheid over haar motieven kwijt te raken. Maar tegen de tijd dat ze in gedachten een verhaal had uitgewerkt en dat had verfraaid met behulp van haar notities, was dat de belangrijkste drijfveer geworden en werd het meehelpen aan een moordonderzoek daar en passant bij meegenomen.
Maar ondanks de sterke uiteenzetting van de case die ze nu aan Stuart Capel deed – Christian die het laatste uur van zijn leven bijna helemaal had gewist, de symbolen in Eyrans dromen van het meer en het korenveld die in Christians leven een veel grotere relevantie hadden dan in dat van Eyran, dat ze pas echt grip konden krijgen op Eyrans acceptatie van het verlies en de scheiding als ze die van Christian helemaal hadden blootgelegd –, was hij niet overtuigd. Hij had geen 'nee' gezegd, alleen dat hij er nog eens over na wilde denken, en 'we kunnen het er morgen nog eens over hebben'. Maar ze had het gevoel dat het uitstel meer diende om haar zachtjes voor te bereiden op dat uiteindelijke 'nee'.
Ze moest meer steun hebben voor haar argumenten. 'Dit is niet alleen mijn visie, maar ook die van mijn voormalige afdelingshoofd dokter Donaldson. Hij heeft op dit terrein meer jaren ervaring dan David Lambourne en ik bij elkaar.' Donaldson zou haar visie misschien wel steunen, maar tijdens het gesprek dat ze hier

eerder over hadden gehad, had hij alleen maar bedachtzaam geknikt en maar een paar onbetekenende opmerkingen gemaakt. Over een paar dagen, als hij de kans had gehad om haar aantekeningen en typoscripten beter te bestuderen, zou ze pas echt weten hoe hij erover dacht.

Stilte aan de andere kant van de lijn. Misschien was hij aan het omzwaaien. Ze besloot door te drukken. 'Hoor eens, het zou maar voor twee weken zijn. Vier sessies op zijn hoogst. Ik denk dat dat genoeg moet zijn. Daarna kan Eyran weer doorgaan met zijn conventionele therapie met David Lambourne.'

'Het was eigenlijk David Lambourne met wie ik wilde praten voordat ik een beslissing nam,' zei Stuart. 'Hebt u al met hem gesproken?'

'Nee, dat heb ik niet.' Als ze Lambourne had gebeld, zou hij 'nee' hebben gezegd. Als Stuart Capel hem nu belde, waaruit zou blijken dat ze achter zijn rug om had gehandeld, zou dat 'nee' zelfs nog definitiever zijn. Lambourne had haar Stuart Capels telefoonnummer na de laatste sessie alleen gegeven om een paar persoonlijke gegevens over Eyran te kunnen verifiëren voor haar publicatie. Haar laatste hoop: onomwonden eerlijkheid. 'Ik heb niet met hem gesproken, omdat ik zijn standpunt al ken. Hij is het niet eens met mijn visie. Daarom heb ik rechtstreeks naar u gebeld. Als u hem belt, dan zal hij u alleen maar hetzelfde vertellen.'

'Ik begrijp het.'

Zwaaide hij weer om, of was hij in de war gebracht door haar directe benadering? De bal was in elk geval weer in het spel. Het belangrijkste excuus voor uitstel was weggenomen.

Stuart herinnerde zich de blik die Lambourne haar had toegeworpen toen ze het onderwerp na de laatste sessie op tafel bracht en vermoedde dat ze er al eerder woorden over hadden gehad. Maar zij was er tenminste eerlijk over. 'Aangezien u al weet wat Lambournes bezwaren zijn, waarom vertelt u mij dan niet wat die zijn?'

'Het is in feite heel simpel. Hij denkt dat de oplossing bij Eyran in het heden ligt en ik denk dat die bij Christian in het verleden ligt. Het enige verschil is dat ik meer materiaal heb om mijn argumenten te ondersteunen. Davids benadering wankelde al toen ik in Engeland aankwam, en het enige wat we sindsdien hebben ontdekt, is dat de denkbeeldige persoonlijkheid een bestaande is.

Verder niets. Welke richting moet David hierna inslaan? Hij heeft nu niet eens meer die tweede persoonlijkheid die hij kan verkennen. De conventionele freudiaanse benadering kan het raam uit en zijn kennis van PLT is beperkt. Hij zit op een dood spoor.'

'Wat als u het mis hebt?'

'Die mogelijkheid bestaat altijd. Maar wat hebben we te verliezen? Vier sessies in twee weken en dan ben ik weg. Dan heeft David Lambourne Eyran weer terug om met hem te bereiken wat hij wil bereiken. Maar als ik gelijk heb, kan dit de doorbraak zijn waarnaar we hebben gezocht.' Ze hoorde haar eigen stem, het enthousiasme erin, en voelde opeens iets van schaamte.

Twee weken? dacht Stuart. Eyran was al vijf weken in therapie en ze waren niet veel verder dan toen ze waren begonnen. Het leek niet te veel gevraagd, en Calvans argumenten waren overtuigend. Maar hij had nog steeds sterke bedenkingen – deels omdat hij deze persoonlijkheid uit het verleden weigerde te accepteren, deels vanwege de problemen met Lambourne die dat misschien zou opleveren – toen hij plotseling werd getroffen door een andere gedachte: Amanda. Als ze erachter kwam dat hij 'nee' had gezegd, zou ze dat waarschijnlijk zien als het zoveelste voorbeeld van zijn tegenwerking, zijn poging om de amateurpsychiater uit te hangen en te bepalen wat voor Eyran het best was, ook al beweerden de deskundigen het tegendeel. 'Oké, ik ga akkoord met de sessies. Maar alleen die vier. Meer niet. En u zult zelf Lambourne moeten bellen om de weg te effenen. Als hij me daarna belt, zal ik bevestigen wat we overeen zijn gekomen, maar ik heb geen zin om midden in een conflict tussen jullie beiden terecht te komen.'

Stuart kon aan de korte stilte aan de andere kant van de lijn horen dat zijn plotselinge ommezwaai haar had verrast.

'Ja... ja. Natuurlijk. Ik zal hem bellen.' Nog maar één hindernis te nemen. Maar Marinella was ervan overtuigd dat Lambourne zich niet zo gemakkelijk zou laten ompraten.

Veertien over twaalf in Lyon. De sessie in Londen zou al begonnen zijn.

Toen Dominic op dinsdag uiteindelijk werd gebeld, had hij de hoop dat hij nog iets van Marinella Calvan zou horen praktisch opgegeven. Hij had op maandag naar Lambournes praktijk ge-

beld, maar had het antwoordapparaat gekregen. Hij had geen bericht ingesproken.
Marinella was begonnen met zich te verontschuldigen voor het feit dat hij zo lang had moeten wachten. Maar ze had eerst willen weten wat ze moest zeggen, een speciale theorie willen ontwikkelen voordat ze Lambourne of Stuart Capel benaderde. Ze legde Dominic de theorie en het daaruit voortgekomen akkoord uit.
Zijn enthousiasme werd opeens getemperd door verbazing. 'Dus ze weten niet dat ze een bijdrage aan een moordonderzoek leveren?'
'Nee. Dan waren ze nooit akkoord gegaan. Maar ik was deze theorie toch al aan het verkennen ten gunste van Eyrans therapie. Het was iets wat ik in een eerder stadium al tegen dokter Lambourne heb uitgesproken, en later met mijn collega dokter Donaldson heb besproken. Hij is het eens met mijn prognose: de sleutel ligt bij Christian in het verleden, en niet bij Eyran. Hoe graag ik je in eerste instantie ook had willen helpen, ik weet zeker dat je zult kunnen begrijpen dat het ethisch onjuist zou zijn om jouw zaak te laten gelden voor Eyran Capels mentale gezondheid en stabiliteit. We hadden gewoon geluk dat de twee uiteindelijk samen bleken te gaan.'
Calvan legde hem vervolgens uit dat als uitkwam dat het om een bijdrage aan een moordonderzoek ging, dat problemen zou geven. Met name dokter Lambourne was moeilijk over te halen geweest; hij zou ongetwijfeld al snel beweren dat het onderzoek al die tijd al het hoofddoel was geweest en proberen de sessies stop te zetten. Later, zeker als er uit de sessies iets voortkwam wat de moeite waard was, zouden de details van het moordonderzoek uiteindelijk boven tafel komen, maar hopelijk waren de sessies dan al in een veel verder stadium of zelfs al afgelopen. 'Maar zelfs dan mocht dat alleen beschouwd worden als een bijproduct van de extra sessies en niet als belangrijkste beweegreden. Dat je pas over de mogelijkheid van heropening van het onderzoek bent gaan nadenken toen je de eerste typoscripten had gelezen. Tenminste, als daar iets in onthuld wordt.'
Als. Als. Als. Dominic staarde naar het faxapparaat in de hoek. De afspraak was dat ze het typoscript direct na de sessie zou faxen. Dertig jaar wachten op de waarheid en er nu nog maar een uur van verwijderd zijn. Hoewel hij de redenering begreep,

maakte het dubbele van zijn afspraakje met Calvan hem extra zenuwachtig. Alleen zij tweeën wisten het. Het was bijna incestueus. Op dezelfde manier dat hij het voor zijn vrouw geheimhield, deed zij dat met Lambourne en Capel. Te veel geheimen. Er moest wel iets misgaan.
Als twee stoute kinderen die verstoppertje speelden of als ridders joegen op de schaduwen van herinneringen van dertig jaar geleden. Zowel opgewonden door hun geheimpje als door het avontuur zelf. Niet in staat om iets tegen hun ouders te zeggen, omdat die zouden zeggen dat ze beter hadden moeten weten en een eind zouden maken aan hun spelletje.
De avond daarvoor had hij een goede mogelijkheid gehad om Monique erover te vertellen, maar hij had er nog steeds geen gebruik van gemaakt. Als er niets uit Calvans sessies naar boven kwam of dat alleen maar bijdroeg aan Machanauds schuld, had dat ook geen zin. Als. Als. Als.
Om de theorie te steunen die Calvan had kunnen verkopen, zou hij bij de eerste sessies niet aanwezig zijn. Misschien kon hij de derde of de vierde bijwonen. Dat zouden ze later bespreken. In de tussentijd zou ze hem de typoscripten faxen, net zoals Lambourne en Stuart Capel die zouden lezen om ze op authenticiteit te controleren en voor 'advies over vragen in de daaropvolgende sessies'. Hoe ze Christian in de juiste richting moest sturen. Als Dominic dan bij de laatste sessies aanwezig zou zijn, zou dat niet vreemd lijken, en zou daar op een natuurlijke wijze uit kunnen volgen dat hij op informatie was 'gestuit' die hem misschien zou kunnen helpen bij zijn onderzoek.
Maar de gedwongen afstand en het feit dat hij opzettelijk uit de buurt van Londen werd gehouden, maakten hem alleen maar onrustiger. Zijn zenuwen waren gespannen omdat er in die kleine kamer, bijna zevenhonderd kilometer bij hem vandaan, dingen gebeurden waar hij geen vat op had. Christians onzekere stem die hun op dat moment de geheimen van meer dan dertig jaar geleden vertelde en hij die dat pas over een uur zou weten. Of ze zaten er vlakbij als Christian plotseling uit koers raakte, en als hij erbij was geweest, had hij Calvan in haar oor kunnen fluisteren: 'Nee, nee... neem hem mee terug! Vraag hem dit!'
Er heerste een hectische drukte op het bureau: rinkelende telefoons, mensen die naar elkaar riepen, ratelende typemachines. Dominic had zijn deur dichtgedaan om zich te concentreren op de

stapel papieren die 's ochtends zijn onmiddellijke aandacht verdiende: laatste goedkeuringen van dossiers voordat ze doorgestuurd konden worden naar het openbaar ministerie, een onderzoek uit St. Etienne naar de overeenkomst bijautodiefstallen in die regio, een medisch rapport van een verkrachtingszaak. De geluiden kwamen nu gedempt door zijn deur, maar Dominic kon zich nog steeds niet concentreren. Het lukte hem hooguit een halve bladzijde te lezen voordat zijn gedachten weer afdwaalden en hij zich afvroeg wat er op dat moment in Londen gebeurde. En dan keek hij weer achterom naar het faxapparaat, gefrustreerd omdat deze de afstand en zijn onvermogen van dat moment symboliseerde, en hem toch ook hoop gaf. Het was zijn enige verbinding met wat er aan het gebeuren was.
In de twee dagen na Marinella Calvans telefoontje had hij van Lepoille nog meer papieren ontvangen over zaken die paranormale elementen bevatten. Hij had ze gelegd op de stapel die hij maandag had ontvangen en er nauwelijks naar gekeken. Hij werd al genoeg heen en weer geslingerd tussen hoop en teleurstelling en kon het gewoon niet opbrengen om ze in dit stadium door te nemen. Verfraigne van het openbaar ministerie in Lyon had gebeld en had hem informatie gegeven over de hiërarchie op het gerechtshof in Aix-en-Provence en de bijbehorende namen. Hij had ze opgeschreven maar had nog niemand gebeld. De lijst lag op het dossier met Lepoilles informatie op de hoek van zijn bureau.
Een stapel papier en dertig jaar twijfel, wachtend op één fax.

Sessie 9

'Speelde je vaak met Stephan bij de rivier?'
'Ja, vrij vaak.'
'Wat voor soort spelletjes deden jullie? Zwommen jullie er ook?'
'Nee. Het water was te koud. Maar we speelden meestal op de oever van de rivier.'
De rivieroever. De plek waarvan de politie dacht dat de jongen daar was vastgehouden tussen de twee aanrandingen. Maar de herinneringen eraan waren nog open, zorgeloos, en Christians geest had de link nog niet gelegd. Een paar minuten daarvoor

had hij het gehad over het korenveld dat daar vlakbij was. Marinella wist uit haar laatste sessie dat Stephan een van zijn beste vriendjes was. Het had haar een aanknopingspunt geleken om te beginnen.
De eerste tien minuten van de sessie waren gedaan door Lambourne, die Eyran mee terug nam, voordat zij het had overgenomen. Ze kon het zich verbeelden, maar het kwam haar voor dat Lambourne daar meer tijd voor nam dan gewoonlijk. Het was de enige manier die hem nog restte om zijn afkeuring te laten blijken.
Ze was begonnen met de andere keren dat hij met Stephan had gespeeld, hun favoriete plekken en spelletjes, in een algemene, ontspannen sfeer. Christian mocht erop ingaan zo diep en uitgebreid als hij wilde, zonder beperkingen. Maar dan zou ze hem langzaam maar zeker een kant uit duwen, als een kat die zijn prooi besluipt. De opzet was dat Christian er niets van zou merken. Ze had al een poging gedaan, maar had haar doel gemist. Ze had gedacht dat ze voldoende algemene vragen had gesteld en had hem gevraagd wat er was gebeurd op de dag dat hij bij Stephan ging spelen, maar daar nooit was aangekomen. ‘Heb je iemand anders ontmoet? Wat is er gebeurd?’
Opnieuw begon Christian over het felle licht na een lange periode van duisternis, dat hij op dat moment wist dat hij vlak bij Stephans huis was omdat hij het korenveld herkende, maar toen de herinnering aan de aanval terugkwam, werd hij al snel onsamenhangend. Eyran schudde zijn hoofd heen en weer en zijn ademhaling werd moeizamer. Ze voelde dat Lambourne op het punt stond om zich over het toetsenbord te buigen en maakte Christian snel los van het incident.
Ze bewerkte hem nu nog behoedzamer. Rivieroever? Ze wilde deze keer niet te snel doordrukken. ‘Wat voor spelletjes deden jullie op de rivieroever?’
‘Soms bouwden we een dam. Er was verderop een smal stroompje dat uit het heuvelland kwam en in de rivier uitkwam. In de zomer stond het meestal droog, maar in de lente kon het water er heel snel stromen.’
‘Hoe bouwden Stephan en jij die dam?’
‘We namen takken en bladeren en mengden er modder doorheen. Stephan bracht dan een schop mee zodat we een kuil konden graven. Op een dag hebben we naast de rivier een heel grote

kuil gegraven, die vol water laten stromen en de terugweg geblokkeerd met takken en bladeren.' Een dierbare herinnering. Eyrans stem klonk levendig, enthousiast, en zijn ogen glansden. 'Er kwam steeds meer water in, totdat hij ten slotte overstroomde. Het was ongelofelijk... bijna als een klein meer.'
Marinella dacht terug aan een van Lambournes eerder opgenomen sessies: 'Het meer leek opeens veel groter... als een reusachtig, zwart wateroppervlak.' Ze wierp een vragende blik in de richting van Lambourne, maar zijn gezicht bleef onbewogen. Waarschijnlijk was het zijn weerstand om een mogelijke doorbraak toe te geven, of misschien had hij het verband gewoon niet opgemerkt.
'We groeven een smal kanaaltje naar opzij en blokkeerden dat met takken en modder. Dan, als het bijna vol was en overstroomde, braken we de dam door en renden we mee met de vloedgolf totdat deze in de rivier uitkwam.' Een pauze, opwinding die langzaam doofde. Eyrans gezichtsuitdrukking werd bedachtzamer. 'Mijn moeder vond het niet zo leuk als ik daar speelde. Ik kwam altijd vies en vol modder thuis.'
Marinella liet het moment voortduren. 'Heb je daarna nog stroomafwaarts bij de rivier gespeeld?'
'Maar een paar keer.'
'Als je dat deed, ging je daar dan alleen naartoe? Bijvoorbeeld, als je door het korenveld moest en dat bruggetje daar moest oversteken?'
'Ja, soms.'
Voorzichtig. Voorzichtig. 'En heb je daar ooit iemand anders ontmoet, meer stroomafwaarts bij de rivier?'
'Nee... nee, dat geloof ik niet.' Eyran fronste zijn wenkbrauwen. 'Ik kan het me niet herinneren.'
'De dag dat je naar Stephan toe zou gaan en daar nooit aankwam. De dag dat je fiets kapotging. Heb je die dag iemand bij de rivier ontmoet?'
'Nee... ik heb daar niemand ontmoet. Ik ben de rivier daar niet overgestoken... ik... ik... er was...' Eyran viel stil en slikte. Even leek het erop dat hij meer zou zeggen, maar toen was de herinnering verdwenen.
Poging twee. Marinella kon Lambourne achter haar bijna voelen grijnzen. Toen hij had ontdekt dat ze achter zijn rug om had gehandeld, hadden ze hun ergste ruzie tot nu toe gehad. Ze had een

hoop dingen gezegd waar ze onmiddellijk spijt van had gehad: zijn beperkte PLT-ervaring, dat hij zich vastklampte aan wat hij dacht dat veilig was en niet aan dat wat in het belang van de patiënt was. Het bevestigde Lambournes conventionele status of misschien het feit dat hij Engelsman was dat zijn benadering veel minder persoonlijk was en voornamelijk de ethiek van patiënt/therapeut volgde: dit was zíjn patiënt, ze had eerst met hém moeten overleggen en hém de beslissing moeten laten nemen. Het was fout van haar geweest dat ze direct contact met Stuart Capel had opgenomen om hem haar theorie te verkopen.
Fait accompli. Het argument over wat er tot nu toe was gedaan, leidde
– zoals te verwachten was – nergens toe. Ze zette Lambourne snel op zijn plaats door hem direct te vragen in welke richting hij van plan was de volgende sessies te sturen, en toen hij daar slechts een aarzelend antwoord op had, ramde ze haar eigen oplossing erin. 'Als ik het mis heb, wat heb je dan verloren? Twee weken. Daarna heb je je patiënt terug en kun je zijn geest verkennen zoals jij dat wilt.' Ze deed dit niet voor haar eigen lol; ze had allang wat ze wilde, meer dan genoeg materiaal voor haar publicatie. En ze had weer haar zoon alleen moeten laten. 'Ik kan nog eens twee weken van huis missen als kiespijn. Ik doe dit alleen omdat ik er sterk in geloof dat het zal werken.'
Geleidelijke overgave met elke slag die doel trof. Lambourne zat met zijn mond vol tanden. Maar het was een toegeven met tegenzin, en met de nadruk op voorzichtigheid. Hij was nog steeds niet overtuigd van haar theorie. 'Eén misstap, één aanwijzing dat je te dicht in de buurt komt van iets wat een negatief effect op mijn patiënt kan hebben, en ik maak een eind aan de sessies.'
Ze kon Lambourne nu voelen loeren. Grijnzend omdat hij niet eens had hoeven ingrijpen. Ze had haar misstap gemaakt. De sessie ging niet de kant op die ze wilde. Hij had gelijk gehad en zij had het mis.
Plotseling voelde ze hoe de spanning in de kleine spreekkamer haar begon in te sluiten. Lambournes gegrijns, Fornier die op een politiebureau midden in Frankrijk op haar fax zat te wachten, het belachelijke schaakspel met geheimen dat Fornier en zij speelden, Philippe die zat te wachten tot hij haar volgende vraag kon vertalen, haar eigen ambities... het begon haar allemaal weer uit handen te glippen.

Ze volgde Dominics raad op om terug te gaan naar het moment dat Christian voor het eerst iemand tegenkwam en hij nog geen gevaar vermoedde. Maar het enige wat ze ontdekte, was dat Dominic gelijk had: waarschijnlijk was het niet Machanaud, tenzij Christian hem later had ontmoet. Christian had niemand ontmoet bij de rivier. Maar als het daar niet was, waar dan wel?
'Toen je fiets kapotging, ben je toen door de velden achter het dorp gelopen? Waar ben je naartoe gegaan?'
'Ik heb mijn fiets in het lange gras verstopt en ben toen teruggelopen naar de weg.'
'En toen?'
'Toen ben ik over de weg in de richting van het dorp gaan lopen.'
Fornier had gezegd dat niemand in het dorp de jongen had gezien. 'Ben je in het dorp aangekomen? Heb je daar iemand gezien of ontmoet?'
'Nee... er stopte een auto. Een man bood me een lift aan.'
Marinella moest haar handen beheersen omdat ze ineens trillend op de toetsen lagen. De informatie was uiteindelijk toch plotseling tevoorschijn gekomen, als een straatrover in een donker steegje. Ze verborg snel haar verbazing. Ze verwachtte niet dat Lambourne deze informatie bijzonder alarmerend zou vinden, maar zij vond dat wel, want zij wist wat de betekenis ervan was voor Fornier.
'In wat voor soort auto reed hij?'
'Het was een sportwagen. Een groene sportwagen.'
'Van welk merk?'
'Dat herinner ik me niet. Die man heeft het me verteld... maar ik ben het vergeten.'
Marinella's handen hielden even stil boven haar toetsenbord. Misschien zou ze er later op terugkomen. Die informatie moest ergens te vinden zijn. 'En hoe zag die man eruit?'
'Hij was nogal mager, met donker haar.'
'Was hij jong of oud?' Marinella zag hoe Eyran zijn wenkbrauwen optrok toen Philippe de vraag had vertaald. Ze bedacht zich dat voor een tienjarig jongetje iedereen oud zou lijken, dus voegde ze eraan toe: 'Was hij jonger of ouder dan je vader?'
'Jonger. Minstens vijf jaar jonger.'
'Wat gebeurde er toen? Zijn jullie door het dorp gereden?'
'Nee. Hij bood aan om me terug te rijden naar de plek waar mijn

fiets kapot was gegaan. Ik zei dat dat niet hoefde, maar hij stond erop. Hij stopte langs de weg, draaide de auto om en reed terug.'
Terwijl Christian beschreef hoe ze terugreden en de onverharde weg opdraaiden die naar zijn fiets leidde, probeerde Marinella zich voor te stellen dat ze naast hem in de auto zat. Naast dit jongetje van meer dan dertig jaar geleden, dat nog nauwelijks een uur te leven had. Wat had hij gezien dat nu zou kunnen helpen? Kleine zweetdruppeltjes stonden op Eyrans bovenlip. Ze kon zijn nervositeit voelen. Ze vroeg hem hoe de auto er vanbinnen uitzag.
'Het dashboard was van hout en achterin was nauwelijks plaats, alleen een heel smal bankje.'
'Toen jullie over dat laantje reden, heb je toen nog iemand anders gezien, in de verte misschien?'
'Nee... er was niemand in het korenveld. Ik wees aan waar hij moest stoppen... mijn fiets lag... lag verstopt in het lange gras.'
De spanning hing zwaar in de kleine kamer. Eyrans ademhaling was sneller geworden en zijn oogleden trilden licht. Ongerustheid en angst over wat hem te wachten stond kregen meer grip op hem.
Ze was bang dat Lambourne zich elk moment naar voren kon buigen om haar te stoppen. Wist dat als ze te hard doordrukte en Eyran over de grens duwde en in een staat van catatonie bracht, dit haar laatste sessie kon zijn. Maar het verlangen om te weten wat er daarna was gebeurd, was te overweldigend. Als een onverbeterlijk gokker kon ze niet weerstaan haar laatste gok te wagen en hem nog één vraag te stellen. 'Toen je bij je fiets kwam, wat gebeurde er toen?'
'De rem van het achterwiel zat vast. De man probeerde hem los te krijgen, maar toen stak hij opeens zijn hand uit en raakte hij me... toen... hij... greep hij me... hard... trok... ik... daar...'
Marinella kon Christians paniek als een snelle lift omhoog zien vliegen en besloot hem los te maken voordat Lambourne ingreep. Maar plotseling veranderde Christians gezichtsuitdrukking, werd hij wat rustiger.
'Er was... iets... daarvoor was iets... voordat we het laantje op reden. Een truck reed ons voorbij.'
Marinella had even tijd nodig om de gedachtesprong te verwerken. 'Heeft de bestuurder je gezien?'
'Dat weet ik niet... ik heb geen idee.'
'Hoe zag die truck eruit? Wat stond er op de zijkant?'

‘Hij was grijs en heel lang. Er stond MARSEILLE op de zijkant... en de letters V-A-R... N.’
‘Nog iets anders? Kun je nog iets anders zien?’
‘Nee, alleen Marseille... Marseille. Ik herinner me dat ik daar een keer met mijn vader naartoe ben geweest. We gingen naar de haven en zagen hoe de vis werd binnengebracht... de vissers met hun netten.’
Vanaf dat moment was Marinella hem kwijt. Het dagje naar Marseille met zijn vader. Vrolijk gekleurde vissersbootjes. Bouillabaise in een havencafé. Een leuk, uitgebreid verhaal: opnieuw dierbare herinneringen. Ze was blij met deze verandering in de sfeer na de wurgende spanning van zojuist, maar een paar minuten later, toen het verhaal zijn natuurlijke einde had bereikt, raakte ze gefrustreerd toen ze Christian niet meer terug kon krijgen op het laantje. De link was verdwenen.
Een hele prestatie. Christian was meegegaan tot een punt waarvan hij wist dat ze daar graag meer informatie over wilde hebben, was toen een vraag teruggesprongen en was doorgeschoven naar een plek waar hij zich veiliger voelde. Zijn invloed op de richting van de vragen was groter dan ze van hem had verwacht.
Maar toen ze twintig minuten later het typoscript naar Dominic Fornier faxte, trof het haar dat dit, hoewel ze blij was met de informatie die ze had opgediept, als ze heen en weer geslingerd bleef worden tussen Christians dreigende paniekaanvallen en afleidingsmanoeuvres om zichzelf weer op veilig terrein te krijgen, wel eens de enige informatie zou kunnen zijn die ze zou kunnen krijgen.

Het typoscript was een paar minuten daarvoor binnengekomen en Dominic zat het naarstig door te bladeren. Op de eerste bladzijde had Marinella Calvan met de hand geschreven:

> Doorbraak! Je had gelijk: het was de stroper Machanaud niet. Het klinkt tenminste niet zo. Ik hoop dat je er iets aan hebt.

Dominic wilde zo snel mogelijk het deel vinden waaruit bleek dat het Machanaud niet was, maar zijn aandacht werd afgeleid. Hij zag Guidier afwachtend in de deuropening staan.
‘Het gaat om dat rapport uit St. Etienne,’ zei Guidier. ‘Er is wat haast mee, want ze hebben al iemand in hechtenis genomen. Ze

moeten hem óf snel in staat van beschuldiging stellen, óf hem vrijlaten. Ze willen het vergelijkingsrapport over de autodiefstallen meteen van ons terug hebben.'
'... De dag dat je fiets kapotging. Heb je die dag iemand bij de rivier ontmoet?'
'Nee... ik heb daar niemand ontmoet. Ik ben de rivier daar niet overgestoken.'
Dominic keek abrupt op. Hij had alleen 'St. Etienne', 'dringend' en 'hechtenis' gehoord. 'Ja, ja... ik weet het. Ik zal het afhandelen. Maar ik moet even tien minuten alleen zijn. Tien minuten!' Dominic wuifde even met zijn hand. 'Doe de deur achter je dicht en zorg dat niemand me stoort. En geen telefoontjes!'
Dominics blik ging meteen weer naar het typoscript en zijn geest schreeuwde: waar? wie? Hij hoorde nauwelijks dat Guidier de deur achter zich dichtdeed en liet zijn vinger snel zigzaggend over de pagina gaan... Christian die vanaf de plek waar hij zijn fiets had achtergelaten terugliep naar de weg... Ze hadden het mis gehad: hij wás niet dwars door het veld gelopen, totdat de woorden een paar regels later hem troffen als mokerslagen: een sportwagen. Een groene sportwagen. Een slanke man met donker haar. Duclos! Duclos had Christian al opgepikt voordat hij in het dorp aankwam!
Dominic kneep even zijn ogen dicht. Hij had het altijd vermoed, hoewel het hem nu trof dat het nooit meer was geweest dan een vermoeden. Hij had zijn verdenkingen weggedrukt, zijn twijfels, tijdens de vooronderzoeken en het proces erna, tijdens de getuigenverklaringen waarin werd gezegd dat men Duclos in het restaurant had gezien en toen de hele zaak een draai nam die stuurde in de richting van Machanaud en weg van Duclos. En in de dertig jaar die daarop volgden, had hij het alleen maar dieper weggestopt. Het verbaasde hem dat er nog een sprankje twijfel was overgebleven, dacht hij grimmig. Net genoeg om hem elke tien jaar een paar minuten bezig te houden. Schandalig. Als hij het echt had geloofd, overtuigd was geweest van Duclos' schuld, dan zou hij niet zo geschokt zijn geweest toen hij de woorden las, dan had hij het niet opeens zo koud gekregen en zich zo desolaat gevoeld, niet zo'n hol gevoel in zijn maag gehad toen hij zichzelf dwong zijn ogen te openen en Christians beschrijving las van de auto die omdraaide, terugreed en de onverharde weg op draaide, Christian die de plek aanwees waar hij zijn fiets in

het lange gras had verstopt, en zijn groeiende paniek toen Duclos zijn hand uitstak en hem aanraakte.
Of was het zijn eigen schuldgevoel dat hem trof, omdat hij zijn mond had gehouden? Machanauds onschuld en al die jaren dat hij vast had gezeten. Tot een paar minuten geleden was dat ook niet meer dan een licht knagende twijfel geweest.
V-A-R-N? Een truck uit Marseille? Er kon hem zo gauw niets te binnen schieten. Dominic las de laatste bladzijde van het typoscript, ging toen terug en concentreerde zich weer op de stukken waar Christian met Duclos was, herlas de afzonderlijke regels en zocht naar details en kleine nuances. Toen ging hij terug naar het begin van het typoscript en las het nog eens helemaal door om te zien of hij misschien iets anders over het hoofd had gezien.
Ten slotte keek hij op en wreef zich de ogen. De verrukking dat hij iets had wat Christian in Duclos' auto plaatste, eindelijk, na al die jaren, groeide langzaam maar zeker uit boven zijn eerste schrik en het holle gevoel in zijn maag, en hij klemde zich eraan vast, besloot ervoor te gaan, ja! Hij gaf met zijn hand een klap op zijn bureau en dwong zichzelf tot actie. De mogelijke start van een nieuwe zaak, waar hij eerst niets had. Nu had hij iets wat hij naar een procureur kon sturen. Het gaf hem een golf nieuwe energie waar hij de komende uren op kon teren.
Onmiddellijk nadat hij het St. Etienne-onderzoek had afgehandeld, wierp hij zich op de stapel papier van Lepoille op de hoek van zijn bureau – Manson, Hurkos, Joseph Chua, Geller, Berkowitz – en werkte hij zich door de duistere diepten van moordzaken met paranormale elementen, op zoek naar die paar overeenkomsten die misschien de interesse van een procureur zouden kunnen wekken. Tegen het eind van de middag had hij zijn aantekeningen klaar en werkte hij ze uit in een vijf bladzijden tellende brief aan Henri Corbeix. Afgezien van de achtergrond van de oorspronkelijke zaak en het proces, was de toon van de brief vooral onderzoekend, verkennend. Zoekend naar de beste weg vooruit, de rechtsgangprocedures, waar ze naar moesten zoeken in de nog resterende sessies en welke ondersteuning ze, afgezien van de bevestiging van Monique en de reputaties van Calvan en Lambourne, nog meer nodig zouden hebben. Zijn opmerkingen over vroegere zaken met paranormale elementen kwamen aan het eind van de brief en hij voegde daar kopieën van de relevante informatie van Lepoille aan toe.

Ondanks de verkennende toon van de brief viel het Dominic op dat de achterliggende bedoeling van de brief – Corbeix ervan overtuigen dat deze buitengewoon onwaarschijnlijke zaak enige kans maakte op een succesvolle berechting – nog duidelijk was.

33

Limoges, mei 1985

Grote ogen vol passie staarden hem dwingend aan. Lichtbruin met grijze vlekjes. De rest van de droom was minder duidelijk, mistig, maar het sensationele gevoel brandde er dwars doorheen. Alain Duclos was opgewonden.
De jongen was nog heel jong, nog geen twaalf. Het was de jongen die hij had gezien toen hij de laatste keer in Parijs was. Hij kon zich zijn naam niet herinneren, alleen nog dat hij een half Haïtiaanse, half Franse mulat was.
Hij zag de pareltjes zweet op de lichtbruine huid van de jongen, maar zijn grootste opwinding kwam voort uit het feit dat het in zijn droom allemaal zo tastbaar was: hij kon het zweet voelen, de warme vochtigheid terwijl hij voor- en achteruit schoof en de jongen zijn hoofd omdraaide en hem aankeek. Hij volgde de gladde contouren van het lichaam van de jongen, de lichte welving van zijn rug, en liet zijn duim langzaam over de bobbeltjes van zijn ruggengraat gaan. Toen spreidde hij langzaam zijn benen, boog zich over hem heen en liet zijn hand over zijn buik gaan, voelde de warmte van zijn lichaam tegen het zijne... bewoog zijn handen toen langzaam naar boven, over zijn ribbenkast, naar zijn borst... totdat hij... hij voelde iets... hier was iets mis! Die borst was te ontwikkeld, veel te zacht en te vlezig. Hij kromp plotseling ineen van afschuw. De jongen had borsten!
De glimlach van de jongen veranderde langzaam in een grijns, en toen Duclos beter keek door de flarden van zijn droom, zag hij dat zijn haar helemaal niet donker en golvend was, maar kort en blond. Het was Betina. Ze had hem bedonderd!
Ze trok een pruillip en blies hem een kusje toe, maar hij voelde opeens alleen nog maar walging. Het zweet rook nu zuur en naar

rozen en het plakte vies tegen zijn huid, en haar poging om hem met een blik vol brandende passie aan te kijken was zowel stompzinnig als pathetisch... ze maakte hem misselijk. Een golf zuur steeg op uit zijn maag, een gevoel van opperste walging, en hij schreeuwde geluidloos: 'Je hebt me bedonderd!' en duwde haar van zich af.
Maar plotseling lag ze onder hem en klemde ze zich aan hem vast, keek ze naar hem op met die grote, vochtige ogen, staarde ze dwars door hem heen en smeekte geluidloos: 'Ik wil je... ik wil je. Geef me een kind!' Ze had haar armen en benen stevig om zijn rug geklemd, trok hem dichter naar zich toe, en haar tong schoot uit haar mond en bevochtigde haar lippen... en hij kon niet wegkomen. De plakkerigheid van haar huid tegen de zijne omhulde hem helemaal, haar armen en benen gleden als walgelijke, slijmerige reptielen over zijn rug... en die penetrante, zure geur van haar zweet... die slangentong die flitsend uit haar mond kwam... en hij begon te protesteren en schreeuwde: 'Nee... nee... Je hebt me bedonderd! Laat me los... laat me gaan... laat me...'
Met een ruk zat Duclos rechtop in bed en het duurde even voordat zijn ogen zich aan het duister hadden aangepast. Het zweet voelde plotseling koud aan op zijn huid. Hij keek opzij. Betina sliep nog; hij had haar niet gewekt.
Ik wil een kind. De eerste keer dat ze erover was begonnen, was bijna drie jaar geleden geweest. Ze werd op haar volgende verjaardag zesendertig en als ze niet één of twee kinderen had tegen de tijd dat ze veertig was, zou het misschien te laat zijn. Twee? Hij probeerde nog steeds te wennen aan het ondenkbare idee van één. Ze had zijn blik verkeerd geïnterpreteerd en had geprobeerd hem gerust te stellen. 'Ik weet dat het voor jou soms ook niet gemakkelijk is geweest... wat meestal mijn schuld was vanwege mijn vroegere probleem. Maar dit is belangrijk voor me. Ik zal mijn best doen, ik beloof het.'
Een nachtmerrie die uitkwam. Hij had meer dan twee weken met koorts in bed gelegen. Vermoedelijk psychosomatisch. Maar daarna was hij inventiever geworden: hoofdpijn, allergieën, verrekte spieren, plotselinge zakenreisjes, stress en overwerk... zijn excuses waren lachwekkend, pathetisch. Ze joegen hem vrees aan en elke keer dat ze rond bedtijd naar hem glimlachte, brak het koude zweet hem bijna uit.
Maar tussen al die excuses en zakenreisjes door was hij er op

miraculeuze wijze in geslaagd de seks beperkt te houden tot eens per acht tot tien weken. En zelfs dan lukte het hem weleens het halverwege op te geven, onder het mom dat hij te gestresst was, of hij voelde dat zij te nerveus was, misschien te veel haar best deed. Zodat er ten slotte maar drie of vier gelegenheden per jaar overbleven voor de eventuele verwekking van een kind.
Maar het was wel het slechtst mogelijke moment voor het probleem dat nu de kop op had gestoken. De telefoontjes van Marc Jaumard waren tien maanden voor haar vurige wens een kind te krijgen begonnen. Vijf jaar zonder telefoontjes, en nu, plotseling, uit het niets, waren ze weer begonnen. Duclos kon het nauwelijks geloven. Al een paar maanden na Chapeaus dood had hij de gedachten aan mogelijke repercussies uit zijn hoofd gezet, was hij ervan overtuigd dat hij het probleem voor eens en voor altijd had opgelost. Al die jaren zonder chantage en die eerste gelukkige jaren met Betina, en nu begonnen beide problemen hem tegelijkertijd te kwellen. Duclos schudde zijn hoofd. Het leek wel een of andere bespottelijke, wrede grap.
Marc Jaumard had niet dezelfde grove, uitdagende stijl als zijn broer, maar hij was diverse keren dronken geweest, alsof hij zich eerst moed had moeten indrinken voordat hij durfde te bellen. Duclos had niet gewild dat Jaumard naar zijn kantoor belde, dus hij had hem zijn privé-nummer gegeven. Vaak werd er 's nachts gebeld, waarschijnlijk nadat Jaumard de hele avond aan een bar had gehangen, en dan moest Duclos zijn stem dempen, en soms moest hij dan onmiddellijk weg voor de een of andere geïmproviseerde ontmoeting, zodat Betina argwanend was geworden.
Tijdens een van hun mislukte liefdessessies had ze zich opeens woedend opzij gerold en hem gevraagd of hij een verhouding had, want wie belde hem 's nachts toch steeds? Het idee van hemzelf in bed met de vieze, dikke Jaumard die zwaar naar de Pernod stonk, deed hem hardop in lachen uitbarsten. Eén keer, toen Jaumard hem om twee uur in de nacht wakker belde en Betina hem beschuldigend aanstaarde, had hij haar nijdig de hoorn toegestoken. 'Luister zelf maar. Het is gewoon een of andere dronken klootzak.'
Er viel een stilte aan de andere kant van de lijn terwijl Jaumard zijn verbazing verwerkte, waarna hij zich lallend verontschuldigde voor het feit dat hij zo laat belde. 'Heddizzz... het is alleen maar een zaak die ik met uw man moet regelen.'

Hij dacht dat haar jaloezie, haar bezorgdheid dat hij misschien een verhouding zou hebben, voor een deel de oorzaak was van haar nieuwe hang naar liefde, maar toen hij die bezorgdheid had weggenomen, had dat weinig verschil gemaakt. Ze bleef net zo volhardend als altijd. Uiteindelijk, acht maanden later, raakte ze zwanger. Al zijn pogingen om dat te voorkomen waren voor niets geweest. Ze was nu in haar vierde maand.
Toen ze hem vertelde dat ze zwanger was, was er een koude rilling omhooggekropen langs zijn ruggengraat. Zijn reactie verbaasde hem eerst. Hij moest zich juist opgelucht voelen. De beproeving was voorbij. Er werd niets meer van hem geëist in bed. Ze had nu wat ze wilde. Wat baarde hem nu meer zorgen? Zijn afschuw van seks met haar of het feit dat ze zwanger was?
Maar maanden later, toen ze voorstelde een scan te laten maken om te zien of het kind gezond was, betrapte hij zichzelf erop dat hij tegen dat idee was, voordat hij besefte dat hij daar geen goede, gegronde reden voor had. Behalve één. Op dat moment werd hem zijn bezorgdheid plotseling duidelijk. Hij was bang dat het misschien een jongetje zou zijn! Een meisje, best, een jongetje in die eerste jaren, ook goed. Maar als hij ouder zou worden en hem zou gaan herinneren aan de jongetjes die hij ontmoette tijdens zijn stiekeme reisjes naar Parijs en Marseille, dat vooruitzicht maakte hem buitengewoon onrustig. Zijn eigen zoon. Die grote, onschuldige ogen die dwars door hem heen staarden... die op de een of andere manier zijn geheim zouden aanvoelen. Een ergere nachtmerrie kon hij niet bedenken.

Dominic sprak Corbeix vrijdag, aan het eind van de middag. Corbeix was het grootste deel van de dag op het gerechtshof geweest en verontschuldigde zich voor het feit dat hij maar een halfuur tijd had gehad om de brief en de kopieën te bekijken. 'Het ziet er intrigerend uit. Maar geef me het weekend om het eens goed door te nemen. Dan spreken we elkaar maandag weer.'
Kort nadat Dominic alles naar Corbeix had opgestuurd, waren de vragen weer door zijn hoofd gaan spoken. Wat was er gebeurd meteen nadat Christian met Duclos bij zijn fiets was? Volgens het oorspronkelijke medische rapport de eerste seksuele aanranding. Maar wat had Duclos daarna met hem gedaan, tussen de twee aanrandingen? Had Christian vastgebonden gele-

gen, ergens in de buurt van zijn fiets, of had Duclos hem meteen meegenomen naar de plek waar hij uiteindelijk was gevonden, of hem misschien stroomopwaarts van Machanaud in het bos verstopt? Welke van de drie het ook was, het restaurant waar Duclos in de tussentijd was geweest, was duidelijk bedoeld om hem een alibi te verschaffen. Ze hadden er nooit bij stilgestaan dat Christian misschien al die tijd ergens vastgebonden had gelegen en alleen was gelaten, hadden altijd aangenomen dat zijn belager de hele tijd bij hem was gebleven en niet het risico zou hebben genomen dat hij door iemand anders werd gevonden. Als dat was gebeurd en zijn belager was teruggekeerd naar de plek waar hij hem had achtergelaten, had er een kans bestaan dat hij recht in de armen van de gendarmes was gelopen. Duclos had nogal een risico genomen.
'Maar ik merkte dat pas toen ik uit het donker kwam. Het korenveld...'
Weer die duisternis. Een periode van duister tussen de eerste en de tweede aanranding. Vermoedelijk een blinddoek. Hij had het afgelopen donderdag telefonisch met Marinella Calvan besproken, had de details van het typoscript gekoppeld aan wat bekend was uit het oorspronkelijke onderzoek. Punten waar in de volgende sessie naartoe gestuurd kon worden.
Een groene sportwagen? Christian had niet gezegd dat het een Alfa Romeo was. Er kon tegen in worden gebracht dat er op dat moment in die omgeving andere sportwagens waren. Hij merkte dat hij zich nu al bezighield met hindernissen waarop Corbeix zou kunnen stuiten.
Toen hij 's maandags halverwege de middag nog niet door Corbeix was gebeld, begonnen er weer andere zorgen door Dominics hoofd te spoken. Misschien was Corbeix wel een fervent RPR-aanhanger en zou geen haar op zijn hoofd eraan denken om de zaak voor de rechter te brengen. Hij belde Verfraigne en aan het eind van hun gesprek over Corbeix' kwaliteiten en wapenfeiten als procureur informeerde Dominic achteloos naar diens politieke voorkeur. 'Hij is socialist, geloof ik.'
Had hij in zijn openingsbrief wel genoeg aandacht besteed aan de kwetsbare aard van de zaak? Hij zocht in dit stadium alleen nog naar de richting die ze moesten kiezen, waar ze naar moesten zoeken in de resterende sessies, wat zou kunnen helpen om de zaak van een puur gevoelsmatige en verkennende in een pro-

cedeerbare te veranderen. Corbeix zou hem in dit stadium toch niet meteen opzij schuiven, nee toch?
Corbeix' telefoontje kwam ten slotte om iets na vijven en hij stelde voor dat ze elkaar de volgende dag om halftwaalf zouden ontmoeten. Dominic bedacht zich dat Marinella Calvan op dat moment midden in haar tweede sessie zou zitten en stelde voor daar halfdrie of drie uur van te maken. 'Dan kan ik een tweede typoscript meebrengen dat misschien meer licht op de zaak werpt.'
Corbeix ging akkoord met drie uur. Nog geen enkele indicatie van wat hij ervan dacht, merkte Dominic. Het had hem even tijd gekost om Corbeix' stem te herkennen. Die klonk wat schor en een beetje buiten adem, bijna een andere stem dan die hij vrijdag had gehoord. Corbeix had het kort gehouden en de indruk gewekt dat hij het gesprek zo snel mogelijk wilde beëindigen.
Toen het typoscript de volgende dag kwam, was de periode tussen de twee aanrandingen, de duisternis, geen geheim meer: '... alleen een reservewiel. De ruimte was heel beperkt. Mijn arm lag over het wiel heen... ik kon me nauwelijks bewegen.' Dominics handen trilden toen hij klaar was met lezen. Hij kneep zijn ogen dicht, haalde diep adem en moest zijn uiterste best doen om zijn zenuwen weer onder controle te krijgen. Hij dwong zichzelf tot enige kalmte en rationaliteit voordat hij wegging voor zijn afspraak met Corbeix.

Dominic had het typoscript gekopieerd en las mee terwijl Corbeix het zijne las.
'Laten we doorgaan vanaf het moment dat je bij je fiets was geweest. Je had het over een periode van duisternis. Waarom was het donker?'
'Ik lag in de kofferbak van een auto... de auto van die man.'
'Dezelfde man die met jou bij je fiets was?'
'Ja.'
'Was er nog iets anders in die kofferbak, tassen of bagage? Iets wat je kon zien of voelen?'
'Nee... alleen een reservewiel. De ruimte was heel beperkt. Mijn arm lag over het wiel heen... ik kon me nauwelijks bewegen.'
'Was je vastgebonden?'
'Ja... mijn handen en voeten. En een doek voor mijn mond.'
'Kon je je überhaupt bewegen?'

'Een heel klein beetje... achteruit met mijn voeten. Maar dat heb ik maar één keer geprobeerd... toen we waren gestopt en ik buiten stemmen hoorde. Ik heb tegen de zijkant van de auto geschopt.'
'Denk je dat ze je hebben gehoord?'
'Nee. Na een tijdje hoorde ik een autoportier dichtslaan, een motor die werd gestart en toen reed de auto weg.'
'Was het een vrouw of een man die je hoorde?'
'Het waren twee vrouwen.'
'En in die periode dat jullie waren gestopt, heb je toen nog iets anders gehoord?'
'Alleen voorbijrijdend verkeer. Een paar andere auto's die optrokken en wegreden... maar die waren meestal verder weg. Geen andere stemmen.'
'We gaan terug naar daarvoor, voordat jullie waren gestopt. Kon je iets horen? Kon je horen welke kant jullie op reden?'
'Nee... niet echt. Na een tijdje kon ik wel horen dat we langs huizen reden... maar ik wist niet of het Taragnon of Bauriac was. Ik kon niet zeggen welke kant we op waren gereden.'
'Toen jullie waren gestopt, hoe lang denk je dat jullie daar hebben gestaan?'
'Minstens een halfuur... maar ik weet het niet precies. Ik werd moe. Het was heel warm in de kofferbak. Op een zeker moment viel ik in slaap. Ik lag te denken aan mijn vader en toen viel ik in slaap... en ik begon over hem te dromen.'
'Wat droomde je?'
'Ik droomde dat ik in mijn schuilhut bij de boerderij was en dat mijn vader op het erf aan de rand van het veld was. Ik sprong tevoorschijn om hem te verrassen en zwaaide naar hem... maar hij zag me niet.'
'Maakte het je van streek dat hij je niet zag?'
'Ja. Ik begon naar hem toe te rennen en te roepen en nog harder te zwaaien... maar hij zag me nog steeds niet. En toen draaide hij zich gewoon om en liep hij terug naar het huis. Ik had het gevoel dat hij me in de steek liet. Ik bleef maar denken: waarom komt mijn vader me niet zoeken... waarom doet hij... hij...?'
'Was de hut een plek waar je vaak speelde?'
'Ja... het was een van mijn favoriete schuilplekken.'
'En heb je er wel eens vriendjes mee naartoe genomen?'
'Alleen Stephan een keer. Maar er was nog een andere schuil-

plek waar we vaak samen speelden. We hadden een kamp gemaakt in een holle boom niet ver van waar hij woonde... we...'
Christian begon aan een uitvoerige beschrijving van de spelletjes die hij met Stephan speelde, kwam toen uit bij herinneringen aan andere keren dat hij zich had verstopt: op de hooizolder van de boerderij, in een voorraadkast op school. Marinella Calvan slaagde er niet meer in hem terug te sturen naar de kofferbak van de auto en wat daarna gebeurde.
Het eerste deel van de sessie had bestaan uit algemene details om Christian in de juiste stemming te krijgen, en toen had Calvan geprobeerd door te gaan vanaf het moment waar Christian de vorige keer was opgehouden: zittend bij zijn fiets en Duclos die hem aanraakte. Christians reactie had voornamelijk uit onsamenhangend gebrabbel bestaan, en twee mislukte pogingen later had Calvan ineens haar tactiek gewijzigd, had de fiets gelaten voor wat die was en had ingezoomd op de periode van duisternis. Toen Corbeix bij dat gedeelte kwam, zag Dominic hem even ineenkrimpen en werd zijn stemming zichtbaar somberder en intenser.
Dominic had zijn bloed voelen stollen bij de gedachte aan Christian die vastgebonden als een geplukte kip in het benauwde duister van de kofferbak van een auto lag terwijl Duclos in een restaurant een glas gekoelde Chablis zat te drinken. Was dat alleen voor een alibi, of zat Duclos, terwijl hij van zijn wijn zat te nippen, heel rustig te overwegen wat hij nu met de jongen ging doen? Hem vermoorden, of hem misschien eerst nog een keer goed misbruiken? Misschien zou hij eerst zijn dessert moeten nemen en dan beslissen. De schoft!
Ondanks Dominics bewuste pogingen van de afgelopen twee uur om kalm te blijven, wist hij dat zijn reacties nog steeds heftig konden zijn als Corbeix zou beginnen met het presenteren van de eerste opties.
Corbeix wreef over de brug van zijn neus en keek op. 'In je brief schrijf je dat Duclos' belangrijkste alibi is dat hij in het restaurant is gezien. Hoe lang was hij daar?'
'Een uur, een uur en een kwartier misschien.'
'Dus in totaal kan de jongen anderhalf uur in de kofferbak hebben gelegen?'
'Ja.'
Terwijl Corbeix doorging met lezen, liet Dominic zijn blik voor

het eerst door de kamer gaan: een beker voor badminton: Toulon, 1988; nog drie bekers met inscripties die te klein waren om ze te kunnen lezen. Een foto van Corbeix in de haven, met zijn vrouw en twee kleine meisjes, vermoedelijk zijn dochters, trots glimlachend bij een speedboot die nauwelijks groot genoeg leek om de vier plaats te bieden. Een familiefoto met Corbeix, zijn vrouw en vier meisje met leeftijden variërend van ongeveer zeven tot veertien jaar. Corbeix de sportman en de gezinsman.
Corbeix was achter in de veertig, een centimeter of vijf kleiner dan Dominic, brede schouders en smalle heupen, een massief, krachtig figuur. Een imponerende verschijning in de rechtszaal, volgens Verfraigne, en meedogenloos als het ging om een zaak waar hij echt in geloofde. Hij had dik, golvend zwart haar dat achterovergekamd was, en doordringende donkerbruine ogen met half geloken oogleden. Ogen die een beetje vermoeid leken te raken van het lezen, of misschien was het zijn steeds somberder wordende humeur naarmate Duclos' acties dieper tot hem doordrongen.
Een computer had de oude zwarte schrijfmachine vervangen, een airconditioner de plafondventilator, en er lag een bruin kleed op de tegelvloer. Hij had Minitel en een fax, maar verder zag het Palais de Justice er nog vrijwel exact hetzelfde uit als dertig jaar geleden.
Het leek bijna surrealistisch dat er meer dan dertig jaar waren verstreken sinds hij met Perrimond, Poullain en Naugier in een soortgelijk kantoor had gezeten. Een jonge gendarme die min of meer meedeinde op het tij van de gebeurtenissen. Deze keer had hij de kans om zelf iets te doen. Hoewel hij zich toch niet kon losmaken van de ironische gedachte dat het vandaag misschien helemaal niet zoveel anders zou zijn. Dat hij nog steeds passagier was aan boord van een schip waarop Corbeix aan het roer stond.

Toen Corbeix klaar was met het lezen van het typoscript, verdeelde hij de daaropvolgende vijftien minuten zijn aandacht tussen de twee typoscripten, Dominics brief en de meegestuurde kopieën, voornamelijk om met Dominic enkele punten uit het oorspronkelijke politierapport door te nemen: het tijdstip van de misdaad, forensische details, Duclos' doen en laten voor en na de misdaad, de weg die het openbaar ministerie had gevolgd, en

de rechtsgangprocedure met Machanaud. Daarna keerde hij terug naar de recente informatie en hoe die in het geheel paste.
Toen Dominics pakketje aankwam op Corbeix' bureau, had hij het typoscript gelezen alsof het een nieuwe getuigenverklaring was, voordat hij na enige tijd besefte dat het een stem was afkomstig uit een vorig leven van een patiënt op de bank van een psychiater. Hij had het bijna teruggestuurd met een briefje: 'Je maakt zeker een grapje!' Maar toen, na de eerste bladzijde van Forniers begeleidende brief, was hij door gaan lezen en ten slotte terechtgekomen bij de bijlagen: de geloofsbrieven van Calvan en Lambourne, medische en psychiatrische evaluaties, erkende PLT-cases en politieonderzoeken met op paranormale wijze verkregen bewijsmateriaal uit het verleden. Hij was niet zozeer getroffen door de geloofwaardigheid die ze het typoscript probeerden toe te dichten, als wel door de sterke drang om de waarheid boven tafel te krijgen, die hij erachter vermoedde. Fornier had zich heel wat moeite getroost om te bewijzen dat deze zaak procedeerbaar was. Meer moeite dan de meeste onderzoekers wier middelmatige politierapporten zijn bureau passeerden. En toen zag hij waarom: Fornier was met de moeder van het slachtoffer getrouwd. De eerste horde die genomen zou moeten worden.
Aangezien Corbeix niet precies wist hoe hij dat tactvol moest brengen, volgde hij de weg die hem het eerst te binnen schoot. 'Er moet de naam van iemand anders op het dossier als leider van het onderzoek. Als jouw naam erop staat, kunnen ze ertegen inbrengen dat er sprake is van persoonlijke betrokkenheid. Dat je oordeel niet objectief is.' Corbeix kwam met een naam: Gérard Mallienė, een inspecteur in Aix. Dominic kende hem niet. Corbeix reageerde snel op Dominics bezorgde blik. 'Het zou gewoon jouw onderzoek blijven. Het gaat alleen om een naam boven de rapporten. Het is zijn jurisdictie en hij is vrij van enige persoonlijke betrokkenheid. Jij zult genoemd worden als adviseur omdat je aan het oorspronkelijke onderzoek hebt meegewerkt. Maar in werkelijkheid zal het onderzoek andersom verlopen: jij hebt de leiding en Malliené levert af en toe een bijdrage en geeft advies als hij kan.'
Hoewel Dominic aanvankelijk even schrok van het voorstel, kon hij Corbeix' redeneertrant wel begrijpen. Het betekende in elk geval dat Corbeix serieus nadacht over de zaak. 'Dus je denkt

dat er een kans is dat we deze zaak met succes kunnen lanceren?'
Corbeix stak zijn hand op. 'Nee, dat zeg ik niet. Er is grond voor een onderzoek, meer niet. Genoeg om de zaak te heropenen voor een rogatoire générale waarvoor ik morgenochtend meteen een onderzoeksrechter zal benaderen. Maar een zaak voor het openbaar ministerie is iets anders. We hebben nog lang niet genoeg, en ik wacht nog op wat inbreng van buitenaf.' Corbeix keek naar de kopieën die Dominic hem had gestuurd. 'Een van hen is de procureur die wordt genoemd in de zaak van de jonge Gregoire, die je me hebt gestuurd. De ander is een juridisch deskundige van de Sorbonne, die zich sterk maakt voor "onorthodoxe rechtsgangprocedures".'
Een weekend van notities en twee twintig minuten durende telefoongesprekken eerder zag het er een stuk minder florissant uit. Parapsychologie werd wel gebruikt, maar getuigenissen kwamen nauwelijks voor in voorbereidingen van zaken. In de zaak van de Yorkshire Ripper was de verdachte al gehoord en uit het onderzoek geschrapt toen een paranormaal begaafde man later zijn truck beschreef en de politie opnieuw bij hem op bezoek ging. De uiteindelijke in-staat-van-beschuldigingstelling vond plaats op grond van ander, niet eerder onthuld bewijs en de bekentenis die op grond daarvan werd gedaan. De tip van de paranormale man kwam er niet in voor. In de zaken met de jonge Gregoire, Stanley Holliday en 'the Son of Sam' ging het net zo. De uiteindelijke berechting vond steeds vrijwel uitsluitend plaats op grond van ander bewijs of een uiteindelijke getuigenis. Toen Corbeix hem deze grimmige samenvatting gaf, betrok Dominics gezicht.
Corbeix grijnsde verontschuldigend. 'Het lijkt er bijna op dat onderzoekers bang zijn om de betrokkenheid van parapsychologie voor het hof toe te geven. Ik neem aan dat de hulp inroepen van een parapsycholoog voor hen een soort erkennen van hun nederlaag is: al onze normale onderzoeksmiddelen en kanalen hebben gefaald, dus nu komen we naar jou. Onderzoekers geven dat niet graag toe. Of misschien zijn ze geattendeerd op de moeilijkheid van het overtuigen van een jury door een procureur als ikzelf.'
'Maar in de zaak van Therese Basta...' Dominic probeerde zich de naam te herinneren uit zijn notities van een paar dagen gele-

den. 'Ik dacht dat het hof daarin een hele hoop parapsychologisch bewijs kreeg voorgelegd.'
'Teresita Basa. Joseph Chua, die zich details van haar moord herinnerde door middel van stemmen in zijn dromen. Ja, bijna al zijn bewijs is aan het hof gepresenteerd, maar de eerste hoorzitting resulteerde in een verdeelde jury. Als de moordenaar geen schuld had bekend, had de zaak waarschijnlijk nooit tot een goed einde gebracht kunnen worden.' Corbeix zag Dominic even omlaag en opzij kijken, alsof hij zocht naar een gedachte die net buiten zijn bereik lag. 'Ik heb gezien dat veel van je materiaal afkomstig is van Interpol General Reference.' Corbeix wist dat alleen Central Reference beschikte over officiële politierapporten en rechtbankverslagen. Bij General kwam het materiaal van buiten, voornamelijk van kranten, onafhankelijke rapporten of niet-vertrouwelijke politiegegevens. Corbeix klopte op de kopieën. 'Kranten doen dat graag, aandacht besteden aan zaken waarin parapsychologie voorkomt. Levert goede kopij op. In zaken met geen andere aanwijzingen zal de politie ook toegeven dat ze met parapsychologen praat. Maar als het om de voorbereiding van een rechtzaak gaat, worden de parapsychologen altijd vergeten.'
'En de Manson/Bugliosi-zaak?' vroeg Dominic.
'Anders. Daar ging het meer om gedachteoverbrenging en beïnvloeding dan om puur parapsychologisch bewijs, en zelfs toen bleef het nog een heel moeilijk te bewijzen zaak. Een grensverleggende zaak in die tijd. De zaak was voornamelijk gebaseerd op de veronderstelling dat één persoon een heleboel andere personen sterk beïnvloedde – iets wat wereldwijd geaccepteerd wordt. En wat we hier hebben – voorbije levens en reïncarnatie – wordt dat niet. Er is nooit eerder een zaak als deze geweest.'
'Jawel, die zijn er wel. Twee, allebei in India.' Dominic genoot even van de verbazing op Corbeix' gezicht. Een kleine victorie in deze steeds toenemende stroom van teleurstellingen. 'Marinella Calvan wacht op meer informatie van haar collega, dokter Donaldson, en zal het me morgen laten weten.'
'Ja... ja. Ik ben wel geïnteresseerd. Maar ik ben er niet zeker van hoe dat ons zou kunnen helpen.' Corbeix haalde zijn schouders op. 'India. In zekere zin onderstreept dat mijn laatste punt. Daar wordt reïncarnatie geaccepteerd, hier niet.'
Aanvankelijk dacht Dominic dat Corbeix hoopvol was, dat ze

een zaak hadden, maar nu leken alle wegen weer geblokkeerd. Hij was weer bijna terug bij waar hij begonnen was: de gedachte dat een procureur benaderen zinloos was.
'Veel van de zaken die u hebt genoemd, konden toch met succes worden afgerond nadat de politie de verdachten opnieuw verhoorde en bekentenissen kreeg,' merkte Dominic op. 'Met dit nieuwe bewijs zijn we misschien in staat Duclos te confronteren met het gegeven dat we weten hoe hij het heeft gedaan, weten dat hij tussen de twee aanrandingen in met het slachtoffer in zijn kofferbak in het restaurant heeft gezeten. We zijn nu in een veel sterkere positie om hem daarmee te confronteren.' Zijn toon was te gespannen, wanhopig, dacht Dominic. Hij klonk zoals hij zich voelde: zich vastklampend aan strohalmen.
'Het helpt. Maar in de meeste van die zaken was er sprake van een of ander stuk hard bewijs, waarna de politie kon doordrukken tot een bekentenis. Dat is wat ons ontbreekt. En in het geval van Duclos, een vooraanstaand politicus en voormalig procureur, zullen we geluk moeten hebben om langs zijn ongetwijfeld peperdure advocaat te komen als die voor het eerst te lezen krijgt hoe we aan al dit prachtige materiaal zijn gekomen. En áls we zo gelukkig zijn en Duclos opnieuw kunnen verhoren, dan kan hij zowel zijn mond houden als ontkennen, want hij zal weten dat we hem niet kunnen vervolgen met wat we hebben.'
Dominic kneep hard in het typoscript dat hij in zijn hand had. Zover komen en dan alles laten glippen? Een beeld van Duclos die zijn glas hief, zelfingenomen lachend. Een gevoel van verlies, van wanhoop, omdat wat zo voor het grijpen leek te liggen, hem nu weer dreigde te ontglippen. Een koud, smerig gevoel dat zijn zenuwen pijnigde en indruiste tegen alle gevoel voor rechtvaardigheid, hoezeer hij zich in de afgelopen vijfendertig jaar had gehard tegen het idee dat het recht en rechtvaardigheid niet altijd hetzelfde waren. En hoezeer hij ook besefte dat Corbeix waarschijnlijk gelijk had.
Corbeix zag Dominics verslagen blik en voelde zich geroepen hem wat moed in te spreken. 'Hopelijk krijgen we morgen of zo wat bruikbaars van de mensen met wie ik contact heb gehad,' zei Corbeix. Hij was bang geweest dat Forniers persoonlijke banden en betrokkenheid bij de zaak misschien tot valse verwachtingen zouden leiden, en daarom had hij de nadruk gelegd op de negatieve aspecten, zodat hij zich geen illusies zou maken over de

enorme obstakels die ze op hun weg zouden vinden. Maar nu was hij bang dat hij misschien een wat te zwart beeld had geschetst. 'Ik heb dit eerder voorbereid: enkele belangrijke punten waarvan ik denk dat ze ons met de zaak kunnen helpen. Enkele ervan zijn essentieel, andere alleen maar wenselijk.'
Dominic pakte het blaadje papier van Corbeix aan en las:

> 1. Paranormaal bewijs. Nauwelijks of niet terug te vinden in rechtbankverslagen. Sterk materiaal vereist dat verder gaat dan alleen de acceptatie van PLT. Nieuwe aanwijzingen en concreet bewijs, onthuld in de sessies, die Duclos duidelijk in verband brengen met de jongen en onafhankelijk van de sessies gehanteerd kunnen worden. Misschien iemand die de jongen in Duclos' auto heeft gezien.
> 3. Duclos' verleden met jonge jongetjes. Duclos is blijkbaar getrouwd. Een claim dat hij geen verleden met jongetjes heeft, maar toch op deze ene dag zomaar besluit dit bepaalde jongetje seksueel te molesteren en vervolgens te vermoorden, zal geen stand houden voor een onderzoeksrechter of jury.
> 4. Erkenning van de sessies die plaatsvinden in Londen. Een Franse notaris zal bij een van de sessies aanwezig moeten zijn en moeten bevestigen dat deze in zijn ogen echt was en op de juiste wijze is uitgevoerd, binnen de richtlijnen – wat die ook zijn – die gelden voor psychotherapie onder hypnose. Met andere woorden: dat het geen bedrog is.

Corbeix boog zich naar voren en wees. 'Het eerste punt hebben we zo'n beetje afgehandeld. Het laatste is essentieel als we bandjes of typoscripten als bewijs aan het hof willen presenteren. Ik zal het regelen. Wanneer zijn de laatste twee sessies?'
'Aanstaande dinsdag en donderdag.'
'Dinsdag is te snel. Ik zal het regelen voor donderdag en je morgen de details doorbellen.' Corbeix maakte een aantekening op een blocnote. 'Maar om de zaak voor de rechter te krijgen zijn de punten twee en drie doorslaggevend. Als je erin slaagt om iets van een verleden van Duclos met jonge kinderen boven tafel te krijgen, dan hebben we een kans dat we hem in een nieuwe ver-

hoorsituatie kunnen dwingen, zoals jij eerder voorstelde. Het is onwaarschijnlijk dat hij de moord zal bekennen als hij alleen maar wordt geconfronteerd met molestatie van een kind, maar als we hem daarop kunnen pakken, kan hij op maximaal vijf jaar rekenen. En als hij dan vrijkomt, zal al de publiciteit eromheen er zeker voor zorgen dat het is gedaan met zijn politieke carrière.'

Dus er was een kans dat ze zijn carrière konden ruïneren en hem misschien vijf jaar in de cel konden krijgen, áls ze iets vonden. Het had weinig met rechtvaardigheid te maken, maar – een schrale troost – het was een begin. Een paar minuten geleden had Corbeix nog op een stenen muur geleken; nu wierp hij hem tenminste nog een reddingslijn toe, hoewel die dun was.

'Ik ben ervan overtuigd dat je contacten hebt om zulke dingen aan de weet te komen.' Corbeix haalde zijn schouders op. 'Maar onze voornaamste hoop is gevestigd op de vraag of jij uit de resterende sessies een of andere concrete aanwijzing tevoorschijn kunt halen. Iets waarmee gewerkt kan worden. Dan hebben we heel misschien een kans om hem met succes voor moord aan te klagen. Dan gaan we voor de hele mep.'

'Een concrete aanwijzing...' praatte Dominic hem onbenullig na, alsof dat hem zou helpen. En toen besefte hij het bespottelijke ervan: na dertig jaar? Welke kans hadden ze daar in hemelsnaam op? Zelfs als ze zo gelukkig waren dat ze iets vonden, dan zou de helft van de mensen die hen konden helpen dood zijn. Maar voor het eerst deze middag maakte Corbeix een hoopvolle, enthousiaste indruk. Dus ten slotte – nadat ze de laatste details hadden afgehandeld en nieuwe afspraken hadden gemaakt – liet hij zich meevoeren op die golf. Hij bande zijn twijfels en gevoelens van wanhoop zoveel mogelijk uit zijn geest. Hij dwong zich één doel voor ogen en duwde al het andere opzij – de geringe kans, de mogelijke tegenslagen en obstakels – totdat hem ten slotte nog maar één ding voor de geest stond: een concrete aanwijzing. En hij had nog maar twee sessies om die te vinden.

34

Limoges, juni 1985

Een jongetje. Betina had de scan toch laten maken.
Duclos moest er weer aan denken toen hij de ruitenwissers heen en weer zag gaan over de voorruit. Het had eerder die dag harder geregend, maar nu miezerde het alleen nog maar. De ruitenwissers stonden in de intervalstand. Het licht sprong op groen, maar de auto voor hem reageerde nogal traag.
Een liefdadigheidsbal, het vierde al dit jaar. Ergerlijk maar noodzakelijk. Betina zat naast hem in een blauwsatijnen avondjurk die haar vijf maanden zwangerschap goed camoufleerde, totdat ze ging zitten. Babyblauw.
Het zou allemaal goed komen. Eventuele problemen zouden zich pas over jaren aandienen. Zolang het jongetje nog een baby was, zou hij Betina's verantwoordelijkheid zijn, iets om haar bezig te houden. Ze zou het druk krijgen met luiers en voeden, en hij zou de huilende baby als excuus kunnen gebruiken om in de andere slaapkamer te gaan slapen. Weg van die handen die hem 's nachts soms vastpakten en hem steeds meer kippenvel bezorgden. De zwangerschap was geweldig geweest. Ze had hem al vijf maanden niet aangeraakt. En de eerste achttien maanden na de geboorte zouden waarschijnlijk een soort verlenging van die zwangerschap worden.
Daarna, als hij een kleuter was, zou ze het druk hebben met wantjes breien en hem achternarennen om te voorkomen dat hij van de trap viel of zijn vingertjes in het stopcontact stak. En vader zou zich 's avonds terugtrekken in zijn werkkamer met het excuus dat hij nog werk te doen had en de deur achter zich dichtdoen. Afzondering. Het hele trieste gebeuren zou misschien niet eens zo slecht zijn, zou hem misschien zelfs een paar goede mogelijkheden bieden om op afstand van Betina te blijven.
Het verkeer op de Rue Montmailler zette er meer vaart achter. Duclos trapte het gaspedaal in en paste zijn snelheid aan.
Het zou pas kunnen gebeuren als zijn zoon ouder werd, minstens een jaar of zes, zeven was, dat hij hem misschien zou gaan herinneren aan de andere jongetjes en gebeurtenissen waar hij liever niet over nadacht, zijn geheime leven dat hij zo zorgvuldig voor Betina verborgen had gehouden. Hij deed nooit iets met jonge-

tjes als hij in Limoges was, probeerde dan niet eens aan jongetjes te denken. Het gebeurde alleen als hij op reis was, naar Parijs of Marseille, dat hij zich daaraan overgaf. Verder hield hij alles ver uit de buurt, zowel in gedachte als daad, van zijn eigen voordeur. Onder zijn eigen dak? Een vragende of onderzoekende blik... en hij zou zich afvragen of zijn zoon misschien iets wist. Hij zou terugdenken aan de keren dat hij het jongetje aangekleed zag worden, of uitgekleed om in bad of onder de douche te gaan, en zich afvragen of zijn blik bij een van die gelegenheden net een seconde te lang op hem was blijven rusten en hij op die manier zonder het te weten de argwaan van de jongen had gewekt. En als hij zich daaraan schuldig had gemaakt, zou hij zichzelf blijven kwellen met de vraag of dat was gebeurd omdat hij op dat moment was herinnerd aan iemand anders of een aangenaam samenzijn uit het verleden. Want zó zou hij zijn eigen zoon natuurlijk nooit zien... natuurlijk niet.
Plotseling lichtten voor hem een paar remlichten op, wazig door de regendruppels op de voorruit. Er gebeurde even niets en pas toen trapte hij op de rem. De wielen blokkeerden en de auto begon te glijden.
Hij herinnerde zich het ongeluk pas helemaal toen hij er achteraf op terugkeek. Hij was niet ernstig gewond, alleen een buil op zijn hoofd die ervoor had gezorgd dat hij even een black-out had. Het was Betina's kant van de auto die de grootste klap opving. En toen hij met haar in de ambulance naar het ziekenhuis reed, op de momenten dat ze even bij kennis kwam, pakte ze zijn hand vast en mompelde: 'Mijn kind... mijn kind. Alsjeblieft.' De onderkant van haar satijnen jurk was doorweekt met bloed en een van de ambulancebroeders had hem opengeknipt met een schaar, het bloed drooggedept en met een bezorgd gezicht haar buik betast.
De laatste seconden van het ongeluk speelden zich steeds weer af in zijn hoofd en hij bleef zich afvragen: waarom had hij zo laat geremd en de auto op het allerlaatste moment in een slip gebracht, zodat Betina's kant de grootste klap opving? Afwezigheid en de tijd die hij nodig had om zich los te maken van zijn gedachten beantwoordden de eerste vraag, en een of andere stompzinnige reflex omdat hij gewend was alleen te rijden, de tweede.
Maar zelfs al op dat moment was zijn schuldgevoel op zijn

hoogtepunt en terwijl hij in de hand van zijn vrouw kneep en zij zich vastklampte aan het leven binnen in haar, begon zich ergens in zijn geest – dat kleine plekje waar de rest van zijn duistere geheimen en schaduwen van zijn leven huisden – het besef te vormen van de ware reden. Hij duwde die gedachte weg en kneep harder in de hand van zijn vrouw.

Moe, zo vreselijk moe. De middagen waren meestal erger dan de ochtenden. Henri Corbeix was nog steeds op zijn kantoor, met het licht aan, want een halfuur daarvoor was het gaan schemeren. Hij had zo lang in dezelfde houding gezeten terwijl hij aantekeningen maakte, dat hij er een stijve rug van had gekregen. Hij stond op uit zijn stoel, strekte zich en liep zijn kamer door om zijn spieren wat te ontspannen. Maar zelfs dat deed zijn benen al trillen door het gewicht dat ze plotseling moesten dragen. Hij keek bedroefd naar zijn boekenkast. Het was al meer dan twee jaar geleden dat hij was gestopt met badminton. Na de diagnose had hij het nog een jaar geprobeerd, maar het was hem ten slotte te veel geworden. Eerst had hij het alleen gemerkt als hij zich moest strekken voor lage ballen die bijna buiten zijn bereik waren, maar die hij vroeger nog wel wist te halen. Maar kort daarna waren zijn benen ook al bij de gemakkelijke ballen gaan trekken en trillen, en was hij na een kwartier al buiten adem en doodmoe. Hij was ermee opgehouden voordat het gênant werd voor zijn tegenstanders.
Het enige wat hij nog wel had kunnen volhouden, waren de weekends in de zomer op hun boot, die in Les Leques lag. Het dagje vissen. Brood, brie en paté. Een flesje wijn en blikjes frisdrank in een piepschuimen koelbox voor de meisjes. Soms naar Ile Verte aan de overkant van de baai varen.
Maar deze zomer was hij bang dat zelfs dat niet meer kon. De laatste keer dat ze ernaartoe waren gegaan, was de pijn van zijn spierkramp steeds erger geworden, vooral toen de zee wat onrustiger was. Hij had zich nauwelijks kunnen verzetten tegen het aanhoudende geklop in zijn benen, dat hem in een staccato ritme herinnerde aan de ziekte die zijn lichaam aan het verwoesten was. Stukje bij beetje werden zijn spierweefsel en zenuwen opgevreten totdat zelfs de lichtste beweging hem doodmoe maakte. Zoals door een rechtszaal lopen. Of zich een tijdje concentreren om aantekeningen te maken.

MS. Multiple sclerose. De medicijnen om zich ertegen te verweren lagen achter in zijn onderste la: steroïden, Oxybutin, Methylprenistolne. Middelen om het te genezen waren er niet, maar deze medicijnen zouden ervoor zorgen dat hij 'ermee om kon gaan, zijn spierkramp verlichten als die toesloeg', volgens de arts. Sommige dagen waren beter dan andere. Hij vroeg zich af waarom hij zijn medicijnen nog steeds verstopte onder de papieren in zijn onderste la. Het was een gewoonte die was overgebleven uit de tijd dat hij net wist dat hij de ziekte had. Maar nu wist de helft van zijn collega's het en dat was al bijna een jaar zo, al vanaf het moment dat hij zijn vervroegde pensioen had aangekondigd. Hij zou nog fulltime blijven werken tot het komende zomerreces in augustus, om zijn lopende zaken af te handelen, dan zou hij aftreden als procureur en nog een jaar alleen de ochtenden werken als adviseur van zijn opvolger, Hervé Galimbert, die nu zijn assistent was. Dan zou hij helemaal met pensioen gaan, tenzij zijn ziekte een remissie vertoonde.
Dat was onwaarschijnlijk. De laatste paar maanden waren het ergst geweest. Onmiddellijk nadat hij was opgestaan, voelde hij zich al doodmoe, daarna teerde hij op de golf energie die zijn steroïden hem gaven en die, als hij geluk had, hem tot het eind van de middag op de been hield. Maar als hij een zware dag had of in de rechtszaal aan het werk was, dan was die golf al veel eerder uitgewoed.
Vaak als hij na zijn werk thuiskwam en zijn jongste dochter, Chantelle, die pas zeven was, hem in zijn armen vloog, had hij nog nauwelijks de kracht om haar meer dan twee meter te dragen. Op zulke momenten waren de effecten van zijn ziekte voor hem het moeilijkst. Want hij ontkende ze. Zijn drie andere dochters had hij op kunnen tillen en in het rond kunnen zwaaien zoveel hij wilde. Hij zou een steeds grotere last voor zijn gezin worden, totdat hij uiteindelijk niets anders kon doen dan stil in een hoekje zitten en af en toe over zijn pijnlijke benen wrijven terwijl zijn dochters hem kwamen vragen of hij nog een kopje koffie of iets te lezen wilde hebben. Zijn boosheid en koppigheid laaiden hoog in hem op. Ze gingen dit jaar naar die boot toe, al kostte het hem zijn leven!
Corbeix ging zitten en bekeek zijn aantekeningen. De volgende sessie was morgenochtend, de laatste aanstaande donderdag. Hij had al een notaris geregeld om met Fornier mee naar Londen te gaan.

Hij had Fornier niet verteld over zijn ziekte en dat hij na augustus niet in staat zou zijn zelf het proces te voeren. Geen punt. In welk stadium de zaak ook was, hij kon hem met een gerust hart overdragen aan Galimbert, die er capabel genoeg voor was. Fornier had al genoeg aan zijn hoofd nu hij aanwijzingen voor pedofilie moest opdiepen en moest proberen uit de laatste twee sessies concrete bewijzen boven tafel te krijgen, om zich ook nog eens zorgen te hoeven maken over een procureur die misschien halverwege vervangen zou moeten worden.
Corbeix keek naar zijn kalender: nog drie weken in april. Augustus. Zelfs als ze snel iets vonden en hij de aanklacht binnen een maand kon indienen, zouden ze blij mogen zijn als ze dan de eerste vier of vijf onderzoeken achter de rug hadden.
Toen hij zijn aandacht weer op zijn notities en Forniers papieren richtte, werd hij getroffen door de omvang van de zaak. Een vooraanstaand politicus. Moord. Een grensverleggende zaak voor het openbaar ministerie, de eerste van zijn soort in Frankrijk die was gebaseerd op zulk onorthodox bewijsmateriaal. Een zaak die het Tapie-schandaal er zou doen uitzien als een parkeerboete.
Maar het luisterde allemaal zo nauw, lag zo ver buiten hun bereik. Te veel obstakels, te veel elementen die ze niet konden overzien, wat waarschijnlijk de andere reden was dat hij niets tegen Fornier had gezegd. Hij betwijfelde of Fornier over de eerste horde zou komen. Dan zou er helemaal geen sprake zijn van een zaak. Toch, in een hoekje van zijn geest – hetzelfde waarin hij zich afvroeg wat hij zou doen als hij de loterij zou winnen of op een ochtend wakker zou worden en zou merken dat zijn ziekte was verdwenen – besefte hij dat als Fornier het voor elkaar kreeg om iets boven tafel te krijgen, dit zeker de grootste zaak van zijn hele carrière zou worden. Een mooier slot kon hij niet bedenken. Het zou heel verleidelijk worden om tot het eind toe door te gaan.
Corbeix schudde zijn hoofd. Hij zou zijn motie opstellen en indienen, de zaak op het juiste spoor zetten en hem in augustus overdragen aan Galimbert, zoals hij oorspronkelijk van plan was geweest. Hij had geen energie meer voor een dergelijke overwinning.

Sessie 12

De band draaide geruisloos. Het geluid van Marinella Calvans vingers op het toetsenbord van de computer, gevolgd door Philippes stem in het Frans. Met vijf personen in de kamer, die allemaal vol verwachting naar de eenzame figuur van Eyran op de bank keken, was de sfeer geladen. Of misschien kwam het omdat Dominic wist dat het hun laatste kans was.
'Ging je vaak met je ouders naar het dorp?'
'Ja, maar meestal in het weekend. Bijna nooit doordeweeks, als ik naar school moest.'
'Waar ging je dan naartoe, als je met je ouders in het dorp was?'
'Meestal naar winkels met mijn moeder... en soms stopten we bij een café om even iets te drinken. En er was een winkel met landbouwartikelen vier kilometer voorbij Bauriac, waar ik soms met mijn vader naartoe ging. Achter die winkel hadden ze...'
Dominic schakelde zijn gedachten uit. Marinella had hem verteld dat ze de eerste minuten gebruikten voor algemene achtergrondinformatie om Christian in de juiste stemming te brengen. Dominic keek naar het typoscript van de vorige sessie, met zijn eigen aantekeningen in de kantlijn:
'... Toen je ten slotte uit het duister van de kofferbak van die auto kwam en je ogen zich hadden aangepast aan het licht, wat zag je toen?'
'Het veld... het korenveld en het laantje langs de rivier.'
'Nog iets anders? Was er afgezien van jezelf en de man die je mee had genomen in zijn auto nog iemand anders?'
'Nee... er was niemand anders.'
'Vertel me wat je daar hoorde. Hoorde je iets wat daar niet thuishoorde?'
'Nee... niet echt. Alleen het gekabbel van de rivier... het geruis van de wind door de bomen.'
'Denk nog eens goed na. Waren er nog andere geluiden? Zelfs de geringste geluiden op elk willekeurig moment terwijl je in het korenveld was?'
'Nog meer water... water dat op de grond terechtkwam.'
'Nog iets anders?'
'Klokken of bellen... onduidelijk... in de verte... maar het licht nam af. En een ander licht... ik stak mijn hand uit... maar ik had geen gevoel meer in mijn hand... de pijn... de...'

(Onsamenhangend gemompel hier, voor het grootste deel onverstaanbaar. Eyran ging door.)
Hier had Dominic in de kantlijn geschreven: *Kerkklokken? Het geluid van water: hoe ver weg?* Hij richtte zijn aandacht weer op Marinella toen hij haar de kerk hoorde noemen. Ze was van de plaatsen in het dorp waar Christian regelmatig kwam overgeschakeld naar hun bezoeken aan de kerk.
'En als je daar was met je ouders, kun je je dan herinneren of je daarvoor of daarna het geluid van kerkklokken hoorde?'
'Ja... soms. Meestal werden ze geluid voordat we ernaartoe gingen.'
'Kun je je dat geluid voor de geest halen en het je nu duidelijk herinneren?' Een gemompeld 'ja' van Eyran. 'En als we nu weer teruggaan naar het moment dat je uit het duister van de kofferbak komt en in het felle licht terechtkomt... je zei dat je het geluid van bellen of klokken hoorde. Was dat hetzelfde geluid dat je je van de kerk herinnert, of was het iets anders?'
'Nee... het was anders. Niet zo ver weg... en het was hoger, een klingelend geluid.'
De bellen van de geiten! Dominic herinnerde zich dat Machanaud in zijn verklaring had gezegd dat hij toen weg was gegaan omdat een herder zijn geiten door het veld daarnaast hoedde. Dezelfde herder die Duclos waarschijnlijk had gestoord, en Christian, die toen blijkbaar nog net bij bewustzijn was. Plotseling kreeg Dominic een idee. Hij krabbelde een paar woorden op een blaadje en gaf het aan Marinella.
Ze had haar nieuwe vraag al half getypt, maar besefte dat het moeilijk zou zijn om hier later op terug te komen. Ze drukte op Backspace en typte: *Hoorde je, ongeveer op datzelfde moment, dat de man zijn auto startte of wegreed?*
'Nee... dat herinner ik me niet... ik hoorde niets anders... ik... er... er was niets.'
Dus Christian had zijn bewustzijn verloren op het moment dat de herder met zijn geiten naderde en voordat Duclos zijn auto startte. Een minuut of twee op z'n hoogst. Dominic had gezien dat Lambourne met een scherpe blik opkeek toen hij Marinella het blaadje gaf. Lambourne had ook niet al te gelukkig geleken toen hij werd voorgesteld aan de notaris, Fenouillet, die af en toe aantekeningen maakte terwijl hij de interactie tussen Marinella, Philippe en Eyran Capel volgde. Dominic had gezegd dat hij be-

paalde delen van het typoscript bij het officiële rapport over de moord wilde voegen en dat daarom de aanwezigheid van een notaris vereist was. Marinella had hem gezegd dat ze het gevoel had dat ze op die manier het dichtst bij de waarheid kwamen. Fenouillet sprak niet voldoende Engels voor Lambourne om hem rechtstreeks naar de reden van zijn komst te vragen, en gelukkig hield Philippe zich op de achtergrond.
'Daarvoor herinnerde je je duidelijk het geluid van water dat op de grond spetterde. Niet het water van de rivier, maar iets anders. Hoe ver weg was dat geluid? En kun je me zeggen wat dat was?'
'Het was tamelijk dichtbij... maar een paar meter verderop. Water dat op de grond terechtkwam.'
'Kwam dat geluid uit de richting van waar de man met de auto stond?'
'Ja... ik denk het.'
Dominic dacht terug aan Perrimond, die had gesteld dat Machanaud het bloed van zijn schort had gespoeld met een emmer water uit de rivier. Maar waar had Duclos dat water vandaan? Hij had de jongen niet lang genoeg alleen gelaten om naar de rivier en terug te lopen.
Stilte. Marinella sloeg een bladzijde van haar aantekeningen om voordat ze weer iets typte. *Na die momenten in het korenveld, herinner je je of je daarna je ouders nog hebt gezien?*
'Nee... kan me niet herinneren... herrin...' Binnensmonds gemompel dat wegstierf. Eyrans oogleden trilden en hij leek zich in te spannen, alsof de beelden er wel waren maar hij ze niet goed kon zien.
'En denk je dat dat de reden is dat het korenveld het symbool is geworden voor de scheiding van je ouders? Waarom je daar in je gedachten steeds naar terugkeert?
'Nee, nee... dat is het niet... niet...' Het trillen hield op; de beelden werden blijkbaar duidelijker. 'Het is gewoon dat als ik aan daarna probeer te denken, dan kan ik dat niet... ik kan het niet.'
Marinella drukte door nu ze voelde dat ze beet had. Haar eerste tactische zet, om Christian de invloed van het korenveld op Eyrans dromen te laten toegeven, was misschien te hoopvol geweest. 'En je vriend? Werd het korenveld ook een symbool voor je scheiding van hem?'
'Nee... ik speelde daar gewoon met Stephan, dat is alles. Het herinnerde me daaraan. Dat is alles wat ik dacht als ik het koren-

veld zag. Spelen... dat we daar samen speelden.'
'Ga je in je gedachten terug naar het korenveld om daar met Stephan te spelen?'
'Nee... niet meer.' Eyran slikte.
'En sindsdien? Hoe voel je je er nu over? Wat voel je als je denkt aan het korenveld?'
'Ik weet het niet... iets...' Eyran draaide zijn hoofd iets weg. De huid bij zijn slapen trilde en trok. Christians gedachten worstelden zich door drie decennia van duisternis en vochten zich een weg naar boven. 'Iets warms... helder licht... maar ik kan de warmte niet voelen... ik kan niets voelen...' Eyran schudde zijn hoofd langzaam heen en weer. 'Ik... er... daarna was niets... alleen een flauw licht achter het duister... maar ik kan niets voelen... kan niets voelen...'
Dominic zag dat Lambourne zich abrupt naar voren boog. Marinella had hem verteld dat Lambourne had gedreigd de sessies te staken als Eyran het gevaar liep in een staat van catatonie terecht te komen, en ze had al een paar keer op het randje gestaan. Nu zat ze er weer vlakbij.
'We gaan terug... terug. Maak je los!' Marinella kon Lambournes handen naast haar boven het bureau voelen zweven, klaar om iets in te typen op haar toetsenbord. Ze durfde niet opzij te kijken, bleef van Eyran naar haar toetsenbord kijken.
Marinella had uitgelegd dat het korenveld centraal stond in Eyrans therapie en hoe ze had gehoopt vanaf daar de sprong te maken naar het essentiële punt dat Dominic van Corbeix te horen had gekregen: dat ze moesten proberen Christian zover te krijgen dat hij toegaf dat de man met de auto, Duclos, hem had vermoord. 'Zo niet,' had Corbeix gezegd, 'dan zal de verdediging proberen eronderuit te komen en stellen dat hij alleen verantwoordelijk was voor de seksuele vergrijpen. Dat hij de jongen daarna ongedeerd heeft achtergelaten.' Maar zoals Marinella Dominic al eerder had gewaarschuwd, zou dat het moeilijkste zijn om de jongen te laten toegeven. En nu waren alle kansen om die sprong te maken waarschijnlijk verkeken.
'Ik begrijp dat die herinneringen naar zijn, en dat je ze liever niet wilt oproepen. Ik weet dat het pijnlijk voor je is, maar jij weet ook dat jou die dag iets slechts is overkomen. Dat weet je, hè?'
Eyran fronste zijn wenkbrauwen en slikte. 'Ja... ik...'
'En je weet ook dat de man van die auto daar op de een of andere

manier verantwoordelijk voor was. Dat was waarom je die dag je vriendje niet kon zien. Je weet dat die man je heeft geslagen en je heeft tegengehouden toen je weg wilde.' Marinella wist dat het woord 'doden' of 'vermoorden' weer een aanval van paniek zou opleveren. 'Herinner je je dat die man je heeft geslagen?'
Dominic hield zijn adem in toen hij besefte dat ze voor het volle pond ging, en hij was er zeker van dat ze hem in de richting van een andere herinnering zou sturen. Hij zag Lambourne verbijsterd van haar naar de computer kijken toen Eyran zijn wenkbrauwen nog dieper fronste.
'Als het niet de man van de auto was…' drong Marinella aan, '... als het iemand anders was, vertel het ons dan. Was het iemand anders die je heeft geslagen?'
Eyran schudde zijn hoofd. Kleine zweetdruppeltjes verschenen op zijn voorhoofd. 'Nee... nee... hij was het.'
Bijna onmiddellijk daarna zei Lambourne hardop: 'Ik kan niet geloven dat je dat hebt gedaan!'
Eyran hield zijn hoofd schuin en trok zijn wenkbrauwen op, zodat hij er opeens verbaasd uitzag.
Marinella typte: *En ik kan niet geloven dat jij dát hebt gedaan! Je hebt de regel van één stem gebroken.*
Philippe keek op van zijn monitor, haalde zijn schouders op en glimlachte. Ze was vergeten het tussen haakjes te zetten, maar hij wist wel dat hij het niet hoefde te vertalen.
Marinella typte vervolgens: *We zitten al met de problemen van twee kinderen die iets niet kunnen accepteren. Laten we er geen derde probleem aan toevoegen: jij die niet kunt accepteren dat ik misschien gelijk heb.*
De woede was van Lambournes gezicht te lezen. Hij keek gefrustreerd heen en weer van de monitor naar haar. Geweldig, dacht ze. Ruzie maken per computer. Behalve dat Lambourne niet kon antwoorden omdat zij het toetsenbord afschermde met haar armen en hij niet durfde te riskeren nog eens hardop te praten. Precies het soort ruzie waar ze van hield.
De spanning greep Dominic bij de keel toen hij vermoedde dat Lambourne een eind aan de sessie zou maken. Hij onderdrukte snel de blijdschap en bewondering die hij voor Calvans moed had gevoeld. Philippe zat nog steeds te stralen en Fenouillet was even opgehouden met aantekeningen maken en had geen idee wat er aan de hand was. Maar uiteindelijk schudde Lambourne

alleen maar zijn hoofd en haalde zijn schouders op, alsof het hele meningsverschil opeens onbelangrijk was. Maar er was toch nog iets duisters in Lambournes blik achtergebleven toen hij snel van Marinella naar hemzelf en Fenouillet keek alsof hij dacht: zoveel vragen over de moord, en waarom is de aanwezigheid van die notaris opeens noodzakelijk?
'We gaan terug naar het moment dat je je fiets had verstopt. Naar het korenveld en het laantje. Heb je daar iets gehoord? Wil je me dat vertellen?'
'Er viel niets te horen, echt. Alleen de wind, zachtjes.'
'Nog iets anders? Zijn er geluiden op de achtergrond? Kun je iets horen, wat dan ook?'
Dominic merkte dat ze naar de tegenwoordige tijd was overgeschakeld: zijn er, kun je? Na de vorige sessie had Marinella hem verteld over een FBI-team in New York dat gespecialiseerd was in het onder hypnose verhoren van getuigen van misdaden om gedetailleerdere beschrijvingen te krijgen. De tegenwoordige tijd zorgde ervoor dat de getuige zich direct op de plek van de misdaad geplaatst voelde en de details waren meestal preciezer en uitgebreider. Marinella had dezelfde techniek in de vorige sessie met Eyran toegepast, maar het resultaat was teleurstellend geweest. Afgezien van het stromende water en de klingelende bellen hadden ze niets van waarde kunnen ontdekken. Ze had Christian gevraagd of hij met de man in de auto langs winkels was gereden, of hij tijdens de rit terug naar zijn fiets iemand had gezien, of hij in het korenveld of bij het laantje iemand had gezien, of hij afgezien van de truck uit Marseille nog andere auto's of vrachtwagens had gezien. Niets, niets, niets.
Hij had tegen zijn bureau en archiefkast geschopt van frustratie toen hij het typoscript las. Nu vroeg ze hem of hij iets 'had gehoord' toen hij bij zijn fiets was: weer niets. Ze raakten zo langzamerhand door hun mogelijkheden heen. Marinella ging terug naar de truck uit Marseille en vroeg Christian of hij zich wilde concentreren op de letters op de zijkant. 'Zijn er nog andere woorden of letters die je je herinnert?'
'L-E. Le nog iets. P-O-N... T...'
'Nog iets anders?'
Het was hopeloos, dacht Dominic. Delen van woorden op een truck van meer dan dertig jaar geleden. Zelfs als ze die door een

wonder wisten te traceren, zou de bestuurder dan nog weten dat hij daar al die jaren geleden had gereden? Wat zou hij zich daarvan herinneren? Het geklingel van de bellen van de geiten? Ze hadden de herder ondervraagd, kort nadat Machanaud het over hem had gehad, maar hij had niets gezien; er stonden te veel bomen bij de rivier. Wat was er verder nog? Water dat op de grond terechtkwam? De stem van een vrouw op een parkeerterrein? Hopeloos!
Dominic keek bezorgd op de klok: nog twintig minuten. De letters waren uitgebreid met E-I: Pontei, niet eens een heel woord. Marinella bladerde haar aantekeningen door, wanhopig op zoek naar een weg die ze nu nog kon inslaan... en op dat moment drong het tot hem door, zakten zijn spanning en verwachting weg in een moeras van leegte. Ze zouden niets vinden! Ze had alle mogelijkheden keer op keer verkend en alleen nog wat onbelangrijke details waren overgebleven. Hij kon Duclos' gezicht bijna voor zich zien, zelfingenomen grijnzend naar hen.
Marinella was teruggegaan naar het onderwerp van de scheiding en vroeg Christian of er afgezien van zijn ouders, zusje en vriendje nog andere mensen waren die hij sinds die dag miste. Dat was waarschijnlijk het beste, dacht Dominic moedeloos, want als er toch geen nieuwe aanwijzingen uit voort zouden komen, konden ze net zo goed aan het hoofddoel van de therapie tegemoetkomen.
... Zelfingenomen grijnzend terwijl hij in het restaurant van zijn wijn zat te nippen... terwijl hij de touwen losmaakte en Christian voor de tweede keer verkrachtte... terwijl hij de kei keer op keer op Christians hoofd terecht liet komen en het leven uit hem sloeg. Dominic schudde zijn hoofd. De beelden waren zo intens, dat hij ze onmogelijk kon verdragen, want ze wísten nu dat Duclos het had gedaan, maar ze konden weinig anders doen dan machteloos toezien terwijl hij vrij bleef rondlopen. En hij zou dat gevoel houden, datzelfde walgelijke, beschamende gevoel, elke keer dat hij Duclos' foto in de krant zag, die zelfingenomen grijns op zijn gezicht... als hij een of ander nieuw fabriekscomplex opende, als hij sprak op een partijbijeenkomst, grijnzend naar hen omdat ze hem niets konden maken... als hij met zijn vuist op de lessenaar sloeg om de punten in zijn campagne te onderstrepen, net zoals hij op die dag de kei op Christians hoofd terecht had laten komen. En Dominic zou het niet kunnen opbren-

gen om naar die foto's te kijken... nu hij wist... wist dat...
'Opa André?' De naam wekte Dominic abrupt uit zijn gedachten. Een naam met betrekking tot de scheiding die hij nog niet eerder had gehoord: vader, moeder, Clarisse... maar geen opa André.
Dominic las de hele zin op de monitor: 'Ik herinner me dat ik dacht aan opa André en klampte me vast aan het geluk dat ik van hem had gekregen.'
Dominic schreef snel een paar woorden op; *Wat voor geluk? Hoezo? Waar is hij op dat moment?*, en gaf het blaadje aan Marinella Calvan.
Ze typte: *Wat was dat geluk dat opa André je had gegeven*?
'Het was een munt... een geluksmunt.'
'En je had die munt in je hand toen je aan opa André dacht?'
'Ja... ik had mijn hand eromheen geklemd voordat ik in slaap viel. Maar toen ik wakker werd, besefte ik opeens dat hij uit mijn hand was gevallen.'
'Waar was je toen je die munt liet vallen?'
'In de kofferbak van de auto van die man.'
'En kon je de munt terugvinden?'
'Nee, het was te donker... Ik zocht om me heen. Maar ik kon alleen maar het reservewiel voelen... Hij lag er niet op of naast. Ik was hem nog steeds aan het zoeken toen de kofferbak openging... het licht deed pijn aan mijn ogen.'
'En toen je merkte dat je de munt had laten vallen, werd je toen bang dat er misschien iets naars zou gebeuren?'
'Ja... ja. In het donker hielp de munt me. Het was iets wat ik kende en me aan thuis herinnerde. Maar toen ik hem niet meer had...'
Toen Marinella terugkeerde naar hechting en verlies, raakte Dominic even haar arm aan, verontschuldigde hij zich met een knikje en verliet hij de kamer. Het was niet waarschijnlijk dat er nog iets interessants tevoorschijn zou komen en hij kon het niet opbrengen om nog tien minuten te wachten voordat hij navraag zou doen. Hij liep Lambournes wachtkamer door, ging naar buiten en toetste op zijn mobiele telefoon Moniques nummer in Lyon in.
Na drie keer overgaan nam ze op en Dominic kwam zo snel mogelijk terzake. 'Een munt. Een geluksmunt die Christian van zijn grootvader had gekregen. Weet je dat nog?'

'Ja... ik herinner het me.' Aarzeling, verbazing door de plotselinge sprong aan een herinnering van dertig jaar geleden. 'Maar waarom?'

'Het is belangrijk. Er is iets tevoorschijn gekomen uit de sessies in Londen. Ik vertel het je later wel.' Een plotselinge huivering toen hij besefte dat hij het niet langer kon uitstellen; die avond zou hij haar alles moeten vertellen: zijn weggedrukte twijfel, de auto die was gezien, Machanaud, Jean-Lucs onterechte zelfmoord. 'Wat voor munt was het?'

'Een Italiaanse munt van twintig lire, zilver. Uit 1928.'

'Was hij zeldzaam?'

'Nogal. Jean-Lucs vader had hem jaren daarvoor uit Italië meegebracht. Hij heeft hem Christian voor zijn achtste verjaardag gegeven.'

Dominic zweeg en dacht na. Als Duclos de munt had gevonden, zou hij hem meteen weggegooid hebben. Maar Christian had er niet naar kunnen zoeken. Wat als hij achter of onder het reservewiel terecht was gekomen, of tussen het gereedschap, uit het zicht? Een kans. Een piepklein kansje.

Monique vertelde hem dat ze de munt later niet tussen Christians spullen was tegengekomen. 'In al die verwarring – met het politieonderzoek en Christian die in het ziekenhuis lag – heb ik er niet aan gedacht. Ik merkte pas maanden later dat hij er niet meer was. Maar blijkbaar is het nu belangrijk... heel belangrijk. Waarom?'

En opnieuw beloofde Dominic dat hij het haar die avond zou vertellen, en hij schakelde snel over naar algemeenheden voordat hij het gesprek beëindigde. Een generatie lang had hij de waarheid voor zijn vrouw verborgen gehouden en nog steeds probeerde hij tijd te rekken.

Een geluksmunt? dacht Dominic bedroefd. Het enige geluk dat hij zou kunnen geven, zou na tweeëndertig jaar een beetje rechtvaardigheid voor Christian Rosselot zijn.

35

Limoges, juni 1985

Een wonder. Duclos keek door twee lagen glas naar het deerniswekkende lichaampje van zijn pasgeboren zoon: de glazen wand die het observatiekamertje van de intensive care scheidde en het glas van de couveuse. Broodmager, nauwelijks langer dan de onderarm van een volwassene en paarsachtig blauw; het enige wat hem in leven hield waren de zuurstof die hem werd toegediend en alle slangetjes en draden die hem voedden en zijn lichaamsfuncties in de gaten hielden.

Een wonder dat, volgens de artsen, waarschijnlijk niet langer dan een paar uur zou duren. Zijn zoon zou geluk hebben als hij de volgende ochtend haalde. Die paar uur etsten zich vlijmscherp in zijn geheugen: een glazen kist. Zo zou hij zich zijn zoon blijven herinneren, tijdelijk bewaard in een glazen kist als een speling der natuur, een bezienswaardigheid.

Betina was nog niet bijgekomen uit haar verdoving. De enige kans om zowel haar als het kind te redden was een keizersnede geweest. De anesthesist had zich ongelofelijk gehaast toen hij haar liet terugtellen en haar reacties checkte voordat de chirurg zijn incisie maakte. Ze waren de monitors nog aan het aansluiten toen hij dat deed.

Betina had gebeden en gesmeekt om het leven van haar kind toen ze haar op een brancard naar de operatiekamer reden. De eerstehulparts had haar hand vastgepakt en gezegd: 'Maak u geen zorgen, het komt allemaal goed.'

Maar toen ze in de operatiekamer kwamen, hadden de grimmiger atmosfeer en de bezorgde gezichten haar in paniek doen raken en ervoor gezorgd dat ze dacht dat het misschien niet goed zou komen. 'Als er een keus is, red dan eerst mijn kind. Stel zijn leven boven het mijne.'

'We doen ons best dat soort keuzen niet te hoeven maken,' zei de chirurg, '... tenzij God ons daartoe dwingt.'

Betina lag nog steeds te worstelen met de betekenis van die woorden, stond op het punt de chirurg om een duidelijker antwoord te vragen toen de anesthesie vat op haar kreeg.

Ze zou de eerste twee à drie uur nog niet bij kennis zijn, wist Duclos. En wat moest hij haar dan vertellen? 'Hij leeft, maar dat

zal niet lang duren. De doktoren hebben hun best gedaan. Helaas.' Of misschien zou hij hier nog een uur bij zijn zoon blijven zitten, hem dan smeren met de belofte dat hij straks terug zou komen, maar dan opgehouden worden. Het aan de artsen overlaten om het Betina te vertellen. Het drama te vermijden om haar in tranen te zien, op dezelfde manier waarop hij in de afgelopen jaren alle andere drama's en confrontaties met Betina uit de weg was gegaan. Trouwens, de artsen waren daar meer bedreven in dan hij, waren gewend de juiste woorden te kiezen voor dit soort situaties omdat ze die vrijwel dagelijks meemaakten. Hij zou er een hopeloze puinhoop van maken. Als het kind stierf voordat Betina bij kennis kwam, was het helemaal beter als hij er niet was, want hij zou het haar onmogelijk kunnen vertellen als ze bijkwam. En als hem nog enkele uren leven restten, zou ze zich vastklampen aan haar hoop en daar nog enige troost in vinden.
Ze hadden zelfs over een naam gepraat: Joël. 'Hallo, Joël,' mompelde hij, en hij zag zijn adem beslaan toen hij zijn gezicht dichter bij het glas bracht. Het kwetsbare lichaampje, zo zielig en machteloos met al die slangetjes en draden die naar de monitors liepen, herinnerde hem opeens aan Christian Rosselot in het ziekenhuis... aan hemzelf die zich over hem heen boog om het laatste leven uit hem te wringen. Zonder het te willen huiverde hij. Was hij echt zo radeloos geweest? Hoe kon iemand... iemand... En op dat moment, terwijl hij zijn ogen vochtig voelde worden en er een traan over zijn wang biggelde, besefte hij dat het nu net zo goed zijn hand kon zijn die naar Joël werd uitgestrekt om hem te smoren. Het besef dat zijn laatste ruk aan het stuur niet alleen een instinctieve daad van zelfbescherming was geweest, maar dat hij voor een deel had beantwoord aan een diepe, duistere angst, hoewel die misschien irreëel was, voor toekomstige complicaties die hij niet aan zou kunnen.
Was dat de reden dat hij nu huilde, dacht hij? Tranen van berouw, de eerste, voorzover hij zich kon herinneren, die hij de vrije loop liet bij het zien van zijn zoon; dat echte leven, heel anders dan de onduidelijke vormen op de scan van de buik van zijn vrouw, had hem hard bij de keel gegrepen. Of was het omdat hij nu met zekerheid wist dat zijn zoon zou sterven, nooit groter zou worden dan het deerniswekkende, rimpelige lichaampje dat hij voor zich zag? Hij kon zijn tranen hier veilig de vrije loop laten, want al zijn zorgen, of die nu reëel waren of op bespottelijke ma-

nier waren gevormd door zijn eigen geest, waren voorbij.
Het deed er nauwelijks nog iets toe. Als alles wat er nog restte een paar uur door glas beschermd leven was, wat kon hij dan anders doen dan zijn verdriet uiten? Hij was politicus. Hij kende de juiste emotie voor elke gelegenheid.

Tussen zijn andere werk door werden de blikken die Dominic het afgelopen uur om de zoveel tijd op de telefoon wierp, steeds bezorgder. Na zijn eerste telefoontje naar Lepoille hadden ze elkaar een uur daarna opnieuw gesproken, maar sindsdien was er niets meer gebeurd. Er was al bijna een halve dag verstreken en Lepoille had nog niets gevonden. Wat was er gebeurd?
Zeven maanden? Duclos was er blijkbaar op gebrand geweest om zich te ontdoen van zijn auto. Onaangename herinneringen. De papieren lagen over zijn bureau verspreid: gefaxte pagina's van de Alfa Romeo-club in Parijs: *Handboek Alfa Romeo Giulietta Sprint, 1961*. De registratie van de volgende eigenaar: Maurice Caugine, en een adres in St. Junien, dertig kilometer van Limoges.
Gegevens over de kofferbak en de plaats van het reservewiel en het gereedschap stonden op de zevende bladzijde die hem werd gefaxt. In de velg van het reservewiel zaten acht ovale gaten die de omvang van twee grote muntstukken hadden. Allemaal groot genoeg om een munt van twintig lire doorheen te laten vallen. Hij had ook een fotokopie met een afbeelding en beschrijving van de munt uit een catalogus voor verzamelaars: *Italiaans 20 lire-stuk, 1928, zilver, 15 gram, Emanuelle III op de voorkant,* God zij met Rome *op de achterkant, uit een serie die is geslagen tussen 1927 en 1934*.
Het reservewiel nam de halve kofferbak in beslag. Zoals Christian had beschreven, was er maar heel weinig ruimte. Zelfs als hij in een soort foetushouding had gelegen, zou een deel van zijn lichaam, of tenminste zijn armen, op het reservewiel moeten hebben gelegen. Als hij in slaap was gevallen en zijn geluksmunt had losgelaten, kon die best op het reservewiel terechtgekomen zijn en door een van de ovale gaten zijn gevallen. Of hij was eerst op het wiel blijven liggen, door het trillen van de auto of verschuiven van Christian opzij geschoven en toen door een van de gaten gevallen.
Als de munt naast het wiel terecht was gekomen, zou Duclos hem

hebben gevonden en in zijn zak gestoken of weggegooid hebben. Maar als hij door een van de gaten was gevallen... Zeven maanden? Hoe groot was de kans dat Duclos in die periode geen band had verwisseld? De eerste persoon die een band had verwisseld, zou de munt gevonden hebben.

Maurice Caugine had de auto meer dan drie jaar gehouden. De kans dat hij in die periode géén band had verwisseld, was heel klein. Dus óf hij had de munt gevonden, of hun laatste kans was verkeken.

Lepoille had hem binnen een uur teruggebeld met slecht nieuws: Maurice Caugine was acht jaar geleden overleden. 'Maar het lijkt erop dat zijn vrouw hem heeft overleefd. Ik ga haar nu proberen te traceren.'

Sinds dat telefoontje van drie uur geleden was er niets meer gebeurd. Dominics moed was in zijn schoenen gezakt toen hij het nieuws hoorde. Weer een nieuw obstakel: ze waren nu niet alleen afhankelijk van de vraag of Maurice Caugine de munt had gezien, maar ook of hij daar iets over tegen zijn vrouw had gezegd. En dat op zo'n manier dat ze het zich na dertig jaar nog herinnerde.

Corbeix was aanvankelijk enthousiast geweest over de aanwijzing van de munt. 'Het klinkt alsof hij zeldzaam genoeg is om niet op een andere manier in die kofferbak terechtgekomen te zijn dan door die jongen die op die dag in Duclos' kofferbak heeft gelegen, áls je tenminste iemand kunt vinden die hem daar heeft zien liggen. Laat me weten hoe het zich ontwikkelt. Ik licht ondertussen Mallienè alvast in over de zaak.' Ze hadden de te volgen procedure al met elkaar besproken: Dominic zou elke één of twee weken een rapport indienen, zoals de zaak vereiste, en hij zou dat naar Mallienè doorsturen om hem daar zijn commentaar op te laten geven voordat de zaak aanhangig werd gemaakt. Puur uit veiligheidsoverwegingen om er zeker van te zijn dat Mallienè geen elementen zou tegenkomen waar hij het niet mee eens was. 'Ik zal hem vragen of hij morgen of zo contact met je wil opnemen om je de details te laten bevestigen.'

Corbeix had hun gesprek beëindigd met de mededeling dat hij binnen een dag of wat meer informatie hoopte te krijgen over zaken met paranormale elementen van een speciale afdeling van het openbaar ministerie in Parijs. Het deed Dominic goed dat de zaak steeds meer van Corbeix' aandacht begon op te eisen. Maar het

viel hem wel op dat Corbeix Mallienė pas had benaderd toen Dominic hem over de aanwijzing van het muntstuk had verteld, en de onderzoeksrechter die de rogatoire générale zou leiden, zou Corbeix waarschijnlijk pas terugbellen als hij zeker wist dat de zaak procedeerbaar was. Ze hadden nog een lange weg te gaan.
Dominic staarde weer naar de telefoon. Nadat hij en Corbeix weer wat hoop hadden gekregen, kon het na een enkel telefoontje allemaal voorbij zijn. Madame Caugine kon ook wel overleden zijn, of naar het buitenland vertrokken en praktisch ontraceerbaar zijn, of in een verpleeghuis zitten en zwaar dementerend zijn. Dat ze zich niet eens kon herinneren wat ze de vorige dag had gedaan, laat staan meer dan dertig jaar geleden. Al die mogelijkheden spookten door Dominics hoofd.

Pierre Lepoille bevond zich op bekend terrein. Hij typte het nummer van Jocelyn Caugines identiteitskaart in. Hopelijk had het kantoor dat haar pensioen uitkeerde haar huidige adres.
Maurice Caugine opsporen was gemakkelijk geweest. Het nummer van zijn identiteitskaart had op de registratiepapieren van de auto gestaan en daarmee was Lepoille nagegaan waar hij zijn pensioen had ontvangen voordat hij stierf: in La Rochelle, niet ver van St. Junien. Maar madame Caugine was een andere zaak. Hij had geen gegevens van haar, geen nummer van haar identiteitskaart, en zelfs geen voornaam. Op de papieren die hij over Maurice Caugine had gevonden, stonden geen gegevens over zijn vrouw. Daarom was het traceren van haar een stuk tijdrovender. Hij probeerde alle Caugines die in dat jaar in die omgeving pensioen hadden ontvangen: twee mannen en een vrouw. De vrouw had een ander adres en haar man was twintig jaar geleden overleden. Dus Caugines vrouw was na zijn dood blijkbaar ergens anders naartoe verhuisd, maar waarnaartoe?
Hij probeerde verscheidene algemene zoekopdrachten en combinaties voordat hij het opgaf. In sommige streken woonden zoveel Caugines, dat effectief zoeken praktisch onmogelijk was. Omdat hij niet onmiddellijk een antwoord kon vinden, ging hij door met wat ander dringend werk dat hij opzij had geschoven toen hij Dominics verzoek kreeg. Er was bijna een uur verstreken toen hem een idee te binnen schoot: creditcards! Niet haar huidige, maar een die ze had gebruikt binnen drie jaar nadat ze was verhuisd. De meeste creditcardmaatschappijen hanteerden

de regel dat ze het vorige adres bewaarden als het huidige adres minder dan drie jaar oud was.
Hij begon met 1989, voerde Caugine en Dourennes – de naam van de straat waar ze in La Rochelle hadden gewoond – in als sleutelwoorden, en bingo! Zeven keuzen, het merendeel in Parijs en maar één in La Rochelle. Jocelyn Caugine had een creditcard aangevraagd in Arcachon, ten zuiden van Bordeaux. Twee aanslagen op zijn toetsenbord later had hij al haar persoonlijke gegevens en het nummer van haar identiteitskaart. Hij controleerde het huidige adres waar haar pensioen naartoe werd gestuurd, voor het geval ze weer verhuisd was, en toen belde hij Dominic.

Het kostte Dominic meer dan twee uur voordat hij Jocelyn Caugine uiteindelijk aan de telefoon had. Toen hij de eerste keer belde, werd hem door een andere vrouw met dezelfde achternaam, Josette Caugine, waarschijnlijk haar dochter, verteld dat ze boodschappen was gaan doen. 'Het zal niet zo lang duren voordat ze terug is.' De moordzaak van het decennium, die werd opgehouden door een oud vrouwtje dat courgettes en blikjes kattenvoer bij de plaatselijke Continentale aan het kopen was, dacht Dominic geamuseerd. Als naam gaf hij alleen Fornier op, zonder inspecteur. Hij wilde haar niet aan het schrikken maken. Hij zou straks wel terugbellen.
De tweede keer kreeg hij Jocelyn Caugine direct aan de lijn. Deze keer stelde Dominic zich wel voor met zijn volledige functie. Ze klonk heel helder en geïnteresseerd en liet geen spoor van aarzeling horen. Ja, ze herinnerde zich de auto nog heel goed. 'We reden er vaak mee van St. Junien naar la Rochelle, vooral in de weekends.' Toen kroop er een lichte aarzeling in haar stem en klonk ze ineens bezorgd. 'We zitten toch niet in de problemen, is het wel?' Het 'we' alsof haar echtgenoot er nog steeds was om een deel van de verantwoordelijkheid te dragen.
'Nee, nee... absoluut niet. U en uw man hebben niets verkeerd gedaan. Maar het gaat om een heel belangrijk politieonderzoek waarin uw hulp van grote waarde kan zijn.'
'O, natuurlijk... als ik u ergens mee kan helpen.'
De geestdrift was weer terug in haar stem. Een oud dametje dat meehielp met een onderzoek in Maigret-stijl. Waarschijnlijk het spannendste wat ze in jaren had meegemaakt. 'Ik zou graag wil-

len dat u teruggaat in de tijd, madame Caugine. De tijd waarin uw man die auto had. Kunt u zich herinneren of hij ooit een muntstuk in de auto heeft gevonden?'
'Een munt?'
Dominic liet de stilte even voortduren. Ze klonk bijna retorisch, dacht na, ging haar geheugen na. 'Ja, een zilveren munt uit Italië.'
'Uit Italië, zegt u? Geen Frans geld?' vroeg ze. Een gemompeld 'nee' van Dominic. 'Was het een waardevolle munt?'
'Nee, niet bijzonder. Maar zoals ik al zei is het buitengewoon belangrijk voor het onderzoek waar we nu mee bezig zijn.'
'Ik weet het niet... ik kan me niets dergelijks herinneren.'
Dominic kon haar aan de andere kant van de lijn bijna terug in de tijd voelen gaan, zoekend naar herinneringen die net buiten haar bereik lagen. Hij voelde dat ze hem wilde helpen. Hij drong aan: 'Het was een vrij grote zilveren munt. Twintig lire, uit 1928. Kunt u zich herinneren of uw man zoiets ongebruikelijks in de kofferbak van zijn auto heeft gevonden?'
Een korte stilte van madame Caugine, die diep nadacht en toen een zucht slaakte. 'Het spijt me. Nee... ik kan het me echt niet herinneren. U hebt niet veel aan me, is het wel?'
Dominic voelde de eerste tekenen van onrust. Het begon hem te ontglippen. Maar hoe waarschijnlijk was het dat haar man in drie jaar tijd geen wiel had verwisseld? Hij was ervan overtuigd dat hij die herinnering naar boven kon halen als hij de juiste vraag stelde. 'Uw man kan de munt waarschijnlijk alleen gevonden hebben als hij een wiel van de auto verwisselde. Kunt u zich herinneren of hij dat wel eens heeft gedaan?'
'Ja... ja. Dat herinner ik me.' Er klonk weer wat hoop door in haar stem.
'Wanneer was dat?'
'We waren op weg naar zijn broer in Parijs. Onderweg kregen we een lekke band.'
'Zei uw man toen misschien dat hij iets in de kofferbak had gevonden toen hij het reservewiel eruit haalde?'
'Nee.'
'Of misschien in de uren of dagen daarna?'
'Nee, niet dat ik me herinner.'
'Was het overdag? Was er genoeg licht?' Dominic kon de groeiende wanhoop in zijn stem bijna horen.

'Ja, het was halverwege de middag.'
Dominic ging in gedachten razendsnel de andere mogelijkheden na. 'En kunt u zich herinneren dat uw man iets heeft gezegd over het verwisselen van een wiel toen u er niet bij was?'
'Niet dat ik weet. Nee... het spijt me.'
'Of misschien had hij het wiel al een keer verwisseld en heeft hij er toen iets over gezegd. Kunt u zich herinneren dat hij misschien toen iets ongebruikelijks had gevonden?'
'Nee, ik ben bang van niet. Zoals ik al zei, kan ik me niet herinneren dat mijn man het ooit over zoiets heeft gehad.'
Haar stem klonk weer wat nerveus, nu ook met iets defensiefs erin. Dominic voelde zich schuldig: het beeld van een oud dametje op wie hij steeds meer druk uitoefende om haar uit te horen. Hij nam gas terug. 'Het spijt me. Ja, dat hebt u me al verteld.' Dominic keek op: mensen die druk pratend aan de telefoon zaten, ratelende toetsenborden, iemand die het nieuwe dienstrooster op het planbord bekeek. Dominics blik vloog radeloos heen en weer door het grote vertrek, zoekend naar inspiratie voor wat hij nu moest zeggen. Maar hij wist niets meer. Hij had alles al gehad. 'Misschien dat u zich later nog iets herinnert.' De bekende zin terwijl zijn geest nog steeds wanhopig zocht naar iets wat hij misschien over het hoofd had gezien. Niets. Niets. Hij gaf haar zijn nummer.
'Als ik me iets herinner, zal ik u zeker bellen, inspecteur.'
Dominic bedankte haar en hing op. Maar hij wist dat ze waarschijnlijk niet zou bellen, alleen maar beleefd probeerde te zijn. Ze had zich heel duidelijk herinnerd dat het wiel was verwisseld, en als er iets over de munt was gezegd, zou ze zich dat ook hebben herinnerd. Maurice Caugine had de munt niet gevonden. Het was allemaal afgelopen.
Dominic bleef nog lang op het bureau voor het geval ze zou bellen, en het was bijna acht uur voordat hij zijn spullen begon in te pakken. Maar zoals hij had verwacht, had ze niet gebeld. Het was al donker toen hij buiten kwam, een frisse lenteavond. Hij liep er verslagen bij hoewel hij zich op een bepaalde, merkwaardige manier ook opgelucht voelde. De laatste twee weken hadden veel gevergd van zijn zenuwen. Hij had nauwelijks een hele nacht geslapen sinds hij dat eerste bandje had gehoord. Een nachtmerrie van goochelende psychiaters, typoscripten, politierapporten en rechtbankverslagen vol geesten uit het verleden van zijn gezin,

waarvan hij vanaf het begin had geweten dat hij ze beter met rust kon laten. Hij slaakte een lange, diepe zucht en voelde het opeens allemaal van zich af glijden. Het was voorbij. Een flink glas cognac en hij kon het opbergen in zijn mentale archiefkast, bij de andere indringende, bittere ervaringen die hij in de loop der jaren had opgedaan. Zijn leven zou weer zijn zoals het was geweest voordat Marinella Calvan hem had gebeld.

De telefoon rinkelde toen Duclos zijn huis binnenkwam. Er brandde geen licht. Hij deed het licht in de gang en de woonkamer aan terwijl hij naar het toestel liep om op te nemen.
'O, jij bent het.' Jaumard. De teleurstelling klonk door in Duclos' stem. 'Ik verwachtte een telefoontje van iemand anders.'
'Iets belangrijks?'
'Ja, ik wacht op een belangrijk telefoontje uit het ziekenhuis. Ik heb nu geen tijd om te praten.'
'Wat is er gebeurd?'
'Het is mijn...' Duclos stopte. Hij wilde het verhaal over het ongeluk niet delen met Jaumard. De aangepaste versie: '... mijn vrouw. Ze is voortijdig bevallen. Er waren complicaties.'
'Ik wist niet eens dat ze zwanger was.'
'Dat hoef je ook niet te weten. Dat is jouw zaak niet.' Zijn stem klonk vlak en ongeduldig.
'Izzzett... is het een jongetje of een meisje?'
Duclos kromp ineen; hij wilde dat hij er niets over had gezegd. 'Een jongetje.' Jaumards slepende manier van praten was hem alweer opgevallen. Zoals gebruikelijk had hij zich eerst weer flink volgegoten voordat hij belde. 'Ik moet ophangen, de lijn vrijhouden...'
'Dat is mooi. Je houdt van jongetjes, nietwaar? Nou, ik hoop dat moeder en zoon het goed maken.'
Duclos voelde zijn gezicht verstrakken. Was dit gewoon de dronken, lompe Jaumard, of een of andere poging om zijn broers getreiter te imiteren? Hij had zin om de hoorn op de haak te smijten en de weinige hersens die Jaumard in zijn hoofd had eruit te rammen. Hij had hem jaren geleden al moeten vermoorden, op dezelfde manier als hij dat met zijn broer had gedaan. Hoewel hij ervan overtuigd was dat Jaumard – hersens of niet – ook wel een paar bladzijden uit het boek van zijn broer had gescheurd en die ergens bij een advocaat als verzekeringspolis had

achtergelaten. 'Hoor eens, zoals ik al zei heb ik nu geen tijd om te...'
'Ik weet het. Zzzorry. Ik belde alleen omdat ik over een paar dagen uitvaar.'
Altijd hetzelfde, dacht Duclos. Jaumard wilde weer geld van hem hebben voordat hij op reis ging. Het enige wat daartegenover stond, was dat hij dan een halfjaar of een jaar niets van hem zou horen. 'Oké. Bel me morgenavond maar, als je nuchter bent. Dan kunnen we iets afspreken.'

'Hoe heet hij?'
'Eynard. Justin Eynard.'
De naam zei Dominic niets. De Parijse onderwereld was hem onbekend. De twee jaar die hij voor Interpol in Parijs had gewerkt, had hij besteed aan internationale zaken. Marseille zou bekender terrein voor hem zijn, maar van Bennacer had hij nog niets gehoord. Nu kwam zijn enige aanwijzing van Deleauvre in Parijs.
'Wat is zijn achtergrond?'
'Hij begon met bars met meisjes, en daarna winkels met seksartikelen en pornovideo's die onder de toonbank werden verkocht, met veel tijdschriften en video's voor pedofielen. Uiteindelijk opende hij een homodisco. Maar veel van de jongens daar zijn minderjarig, veertien, vijftien jaar, maar die zitten zwaar opgemaakt in donkere boxen, zodat je het nauwelijks merkt. En als je de barman benadert en zegt dat je ze "nogal oud" vindt, dan geeft hij je een adres. Eynard runt ook een zogenaamde discrete club daar vlak in de buurt. En hij is ook begonnen sommigen van zijn jongetjes beschikbaar te stellen voor makers van kinderporno.'
'En, wat kunnen we hem aanwrijven?'
'We naderen het punt dat we hem kunnen pakken via een van zijn mensen. Een inval kortgeleden in het pedofiele circuit leidde terug naar Eynard. Hun contact, Ricauve, heeft veel tijd doorgebracht in Eynards disco. Hij zegt dat hij Duclos daar niet alleen heeft gezien, maar hem ook heeft zien weggaan met een van de barmannen die de cliënten normaliter naar het privé-huis escorteren. We zijn een deal aan het sluiten met Ricauve voor informatie, dus we zouden in staat moeten zijn Eynard zwaar onder druk te zetten. Hij heeft een hoop te verliezen, dus we zijn er

vrij zeker van dat hij uit de school zal klappen en Duclos zal aanwijzen.'
'Klinkt bemoedigend.' Dominic voelde zijn enthousiasme terugkeren. Na de teleurstelling van het muntstuk voelde hij weer een sprankje hoop. Duclos mocht dan misschien wegkomen met moord, maar ze konden hem wel pakken voor het misbruiken van minderjarige jongetjes. Hem door het systeem sleuren, zijn carrière ruïneren en hem twee tot vier jaar in de gevangenis krijgen. Dat was tenminste iets. 'Laat me weten hoe dat gesprek met Ricauve verloopt.'
Dominic hing op. Lepoille had ook geprobeerd hem op te peppen door voor te stellen dat het de moeite waard was om de eigenaar van de Alfa ná Caugine na te gaan. Hij was meteen aan de slag gegaan. Op dat punt had Dominic niet veel hoop. Een muntstuk dat in bijna vier jaar tijd niet was gevonden? Aan de aandacht van zowel Duclos als Caugine ontsnapt? Onwaarschijnlijk.
Maar de sterkste aanmoediging had hij de avond daarvoor van Monique gekregen. 'Als je hier echt in gelooft, zo sterk dat het je meer dan dertig jaar heeft achtervolgd, hoe kun je het dan nu opgeven?'
Dominics gebruikelijke glas cognac na het werk waren er drie geworden. Het duurde een tijdje voordat Moniques opmerking hem wekte uit zijn verslagenheid. 'Misschien ben ik gewoon moe,' probeerde hij zich te verdedigen.
Of was het het plotselinge omdraaien van de rollen van de avond daarvoor dat hem op het verkeerde been had gezet? Afgezien van zijn medeplichtigheid bij het zien van de auto had hij haar alles verteld: zijn twijfels over Machanauds schuld, zijn verdenking van Duclos, hoe hij had moeten meegaan in de richting die het onderzoek had genomen, Machanauds lange gevangenisstraf. Hij had er al die jaren niets over gezegd omdat het onderstreept zou hebben dat Jean-Lucs zelfmoord zinloos was geweest. Hij had dat te pijnlijk gevonden. Bovendien was het alleen nog maar een vermoeden. Zelfs toen hij de mogelijkheid kreeg om nieuw bewijs uit de psychiatrische sessies te halen, had hij dezelfde redenen gehad om haar niets te vertellen en was hij sceptisch gebleven omdat het erop leek dat er niets concreets uit tevoorschijn zou komen. 'Het had geen zin om je van streek te maken als het uiteindelijk toch op niets zou uitdraaien.' Totdat hij over het munt-

stuk had gehoord. Dat was het moment geweest dat hij had beseft dat hij misschien iets tegen Duclos kon bewijzen.
De schaduwen waren teruggekeerd, de donkere wolken in haar ogen. Twijfel, ongeloof, na een tijdje gevolgd door acceptatie. Hij had haar gemoedstoestand aangevoeld – dat hij in een paar korte zinnen haar zo lang in stand gehouden gedachten over de misdaad en Jean-Lucs zelfmoord had doen wankelen, daar nu twijfels over de openheid van hun relatie aan had toegevoegd, de geheimen die hij zoveel jaren voor haar verborgen had gehouden – en de behoefte gevoeld zich dramatischer uit te drukken: 'Het is bijna alsof Christian ons via dit andere jongetje in een bepaalde richting stuurt. Ons aanwijzingen geeft om zijn moordenaar op te sporen.'
'Ja, griezelig, Dominic. Griezelig.' Daarna was ze lange tijd stil gebleven. Ze had een paar vragen over de procedure en de stand van zaken gesteld en was kort daarna naar bed gegaan. Ze leek gesloten, in gedachten, liet nauwelijks blijken hoe ze zich voelde. Hij was ervan overtuigd dat het nog niet helemaal tot haar was doorgedrongen.
Maar de avond daarna, toen hij zich gedeprimeerd voelde en het gevoel had dat de zaak op een dood spoor zat, wierp ze hem alles voor de voeten: 'Als Christians stem je leidt, dan is dat op de een of andere manier voorbeschikt. Dan moet dat zo zijn. En nu vertel je me dat het onmogelijk is. Ik heb nooit kunnen accepteren wat er is gebeurd, Dominic. Maar ik heb me tenminste neer kunnen leggen bij het recht dat is geschied, zoals dat is gebeurd. Jean-Luc is zelfs daar nooit toe in staat geweest. En nu blijkt plotseling dat het allemaal verkeerd is gebeurd. Jij hebt je twijfels dertig jaar voor jezelf gehouden, en nu vertel je me erover. En dan vertel je me dat het onmogelijk is, dat je op een dood spoor zit. "De kans dat er recht zal geschieden, waar ik het pas over had, kunnen we wel vergeten." Nee, Dominic. Zo mag dit niet eindigen.'
Dominic legde de nadruk op de juridische complexiteit van de zaak, voor het grootste deel herhalingen van wat Corbeix hem had verteld: dat paranormaal bewijs voor de rechtbank in Frankrijk praktisch niet voorkwam, dat ze zonder concreet bewijs dat werd ondersteund door een derde partij machteloos zouden zijn, dat ze ondanks de waarde van de bandjes en typoscripten en Calvans reputatie voor het hof geen schijn van kans maakten.

Moniques blik schoot heen en weer terwijl hij dat zei. 'Maar er móet iets zijn, iets!'
Voor haar was deze nieuwe situatie pas een dag oud, besefte hij, en zij voelde zich gesterkt door de frisse nieuwheid ervan. Voor hem was het het einde van een dertig jaar durende speurtocht. Ze had geen idee hoe moe hij zich voelde. Hij vertelde haar over de paar zwakke opties die hem nog restten.
Ze was voor hem op haar knieën gaan zitten, had haar armen om zijn bovenbenen geslagen en onderzoekend naar hem opgekeken. 'Als dat alles is wat je nog rest, Dominic, pak het dan met beide handen aan. Spoor de volgende eigenaar van de auto op, hoe klein die kans ook is. En als dat niet lukt, ga dan terug naar wat je nog hebt: probeer aan te tonen dat Duclos een verleden met jonge jongetjes heeft, sleep hem voor de rechter en ruïneer zijn carrière. Doe wat je kunt. Je hebt dertig jaar gewacht: geef het nu niet op!'
Het eerste wat Dominic deed, was bellen naar Bennacer, Deleauvre en Lepoille. De zaak begon weer in beweging te komen. Maar even voor vier uur belde Lepoille terug met slecht nieuws: de eigenaar van de auto na Caugine was dood. 'Hij was vrijgezel toen hij de auto kocht, is pas veel later getrouwd, en nu is zijn vrouw ook dood. Er is een zus met wie hij een tijdje een huis heeft gedeeld, maar dat was twee jaar voordat hij de auto kocht. Ik denk niet dat we veel aan haar zullen hebben.'
Hij voelde deze keer nog nauwelijks verslagenheid, en na de gebeurtenissen van de vorige dag had hij al min of meer geaccepteerd dat hun kansen om Duclos aan te klagen voor moord verkeken waren.
Twee dagen later belde Deleauvre om hem te vertellen dat hun eerste poging om Eynard onder druk te zetten niet goed was gegaan. 'Hij was erg achterdochtig en defensief, en wilde niets zeggen zonder zijn advocaat. We hebben een tweede "officieuze" ontmoeting afgesproken in een van zijn clubs, in het bijzijn van zijn advocaat. Maar hem zover krijgen dat hij een deal met ons sluit, kan minder gemakkelijk worden dan we hadden gedacht. Het hangt ervan af hoe zijn advocaat reageert.'
Dominic zag zijn laatste hoop om Duclos in zijn kraag te grijpen in rook opgaan.
Zijn stemming was op een absoluut dieptepunt toen drie uur later het telefoontje kwam. De agent van de receptie zei dat er een

vrouw aan de lijn was die 'iets over een munt' had. Dominic dacht eerst dat Lepoille de zuster van de tweede eigenaar had gevonden.
Het was Jocelyn Caugine. 'Sorry dat ik u lastigval, inspecteur. Maar ik heb me iets herinnerd. Ik weet niet of u er iets aan hebt of niet. Mijn man had de auto gekocht van een garage in de buurt van Limoges. Ze hadden blijkbaar een soort inruil gedaan met de vorige eigenaar. Misschien hebben zij het wiel verwisseld en de munt gevonden.'
Dominic voelde hoe de hoop weer opborrelde. 'Herinnert u zich de naam van die garage nog?'
'Iets met "beau". Ik weet het niet precies meer. Maar het is de enige garage langs die weg, een kilometer of vier voor Limoges langs de weg vanaf St. Julien. Aan de linkerkant als je Limoges nadert.'
'Madame Caugine, u bent geweldig. Geweldig!'
'Nou, ik hoop dat u er iets aan hebt.' Ze leek wat te schrikken van zijn enthousiasme.
Iets aan hebt? dacht Dominic met een brede glimlach. Hij had haar wel kunnen omhelzen tot haar wangen purper van opwinding waren.
Dominic bestelde de grootste levensmiddelenmand die hij kon krijgen
– cognac, champagne, een keur aan kazen en patés, truffels en bonbons – en liet die bij Jocelyn Caugine bezorgen met een kaartje: *Van uw favoriete inspecteur.* Toen belde hij Lepoille.

36

De TGV schoot door het vlakke land van de Sologne.
Nog drie namen om op te sporen. Dominic belde Lepoille met zijn mobiele telefoon. 'Heb je al wat?'
'Ik ben er net mee bezig... daar komt het...' Het geluid van Lepoilles vingers op het toetsenbord. 'Eén gevonden tot nu toe. Leeft nog. Een adres in Limoges... en, ja, een telefoonnummer.' Lepoille las het voor, duidelijk articulerend zodat Dominic het boven het geraas van de trein uit kon verstaan. 'Nog niets over

de andere twee. Ik denk niet...' Lepoilles stem stierf weg toen hij zich omdraaide en iets naar de andere kant van de computerkamer riep, gedempte stemmen op de achtergrond, het zachte getik van vingers op toetsenborden...

... De kamer waar Dominic de afgelopen twee dagen zoveel tijd had doorgebracht, tot 's avonds laat, onophoudelijk koffie drinkend uit plastic bekertjes, vol verwachting over Lepoilles schouders kijkend terwijl ze wachtten op de volgende verbinding met Internet of de ASF-databank, instructies die door de kamer werden geroepen terwijl Lepoille en zijn twee assistenten opdrachten in hun computers voerden en toen, eindelijk, de namen en telefoonnummers...

Lepoille was terug. 'Nog niets. We hebben een familielid van de ene gevonden, maar verder nog niets. We bellen je zodra we iets hebben. Hoe laat ben je hier?'

Dominic rekende het uit: over iets meer dan een uur was hij in Parijs, dan overstappen naar Rouen. 'Om een uur of zes.' Hij had vijftig minuten tijd kunnen winnen door te gaan vliegen, maar het was van vitaal belang dat hij voortdurend telefonisch bereikbaar was.

Dominic belde het nieuwe nummer meteen nadat hij zijn gesprek met Lepoille had beëindigd. Het was in gesprek.

Waanzin. Een jongen onder hypnose heeft het over een muntstuk van dertig jaar geleden, een oude vrouw herinnert zich een garage... en de halve computerafdeling van Interpol was al twee dagen aan het werk.

Honderden computerbestanden waren nagezocht. Negen namen en bijbehorende identiteitsnummers van de monteurs die dertig jaar geleden in een garage in de buurt van Limoges werkten. Vier waren er gevonden. Drie waren er dood. Nog twee moesten er gevonden worden. Tijdelijke werknemers die in 1964 niet op de loonlijst hadden gestaan, zouden vrijwel onmogelijk te vinden zijn.

Van de vier die waren gevonden, woonden er twee nog steeds in Limoges, één in Narbonne en één in Rouen, maar die had geen telefoon. Dominic had besloten zelf naar Rouen te gaan terwijl Lepoille zijn zoektocht voortzette. Als hij met de trein ging, konden ze contact houden en meteen bellen als er nieuwe aanwijzingen waren.

Dominic toetste het nummer in Limoges weer in: Serge Roudele.

Er werd opgenomen. Dominic stelde zichzelf voor en vroeg Roudele of hij in 1964 bij garage Mirabeau had gewerkt.
'Ja, dat heb ik... hoezo?'
'Het gaat over een Alfa Romeo. Een Alfa Romeo Giulietta Sprint.' De twee monteurs die Dominic al eerder had gesproken, hadden zich de auto niet herinnerd. Hoe kon je tussen die honderden auto's die een monteur in de loop der jaren zag, deze ene ertussenuit halen? 'Ik weet dat u waarschijnlijk heel veel auto's hebt gezien, maar misschien niet zoveel Alfa Romeo's. Dit was een coupé-versie, een klassieker. Donkergroen.'
Een korte stilte en toen: 'Nee, het spijt me. Ik kan me niet herinneren dat ik die heb gezien.'
'De eigenaar was een jonge jurist, Alain Duclos. Hij heeft zich opgewerkt tot uw plaatselijke kandidaat voor de RPR.'
'Ik deed mijn werk alleen maar op de werkvloer en had nooit contact met eigenaars. Ik wist nooit welke auto van wie was.'
'Een heel exclusieve auto.'
'Het spijt me. We hadden zoveel klassiekers en sportwagens. Die vormden een belangrijk deel van het werk van de garage, dus ik heb er heel wat gezien. Maar ik kan die Alfa niet plaatsen.'
Net als de anderen, dacht Dominic. Maar hij vroeg toch naar de munt. Eén auto tussen zoveel andere zou moeilijk te plaatsen zijn, maar het gebeurde niet elke dag dat er in een kofferbak een zeldzame munt werd gevonden. 'Een Italiaanse munt van twintig lire. Zilver. Vrij groot. Hij is waarschijnlijk gevallen en onder het reservewiel terechtgekomen.'
Een pauze. Een lange pauze. Ergens in de verte blafte een hond.
'Het spijt me, inspecteur. Een dergelijke gebeurtenis kan ik me echt niet herinneren.'
'Of kunt u zich misschien herinneren dat iemand anders in de garage zo'n munt vond... dat erover werd gepraat?'
'Nee, niets, helaas.'
'Nou, als u zich later misschien iets herinnert, belt u me dan.' Dominic gaf hem het nummer van zijn zaktelefoon. 'Het zou ons enorm helpen in een heel belangrijke moordzaak. Er zullen geen maatregelen worden getroffen tegen degene die de munt misschien in zijn zak heeft gestoken, en er is zelfs een kleine beloning uitgeloofd: vijfduizend franc. Ongeveer het dubbele van de huidige marktwaarde.'

Het scenario was elke keer vrijwel hetzelfde: het schetsen van de situatie, de auto, het muntstuk, de ernst van de zaak, de verzekering dat degene die hem in zijn zak had gestoken niet van diefstal beschuldigd zou worden, en de beloning als uitsmijter.
Dominic liet de stilte voortduren in de hoop dat hij nog een reactie zou krijgen, maar Roudele herhaalde alleen dat hij zich daar helaas niets van herinnerde. Dominic bedankte hem en beëindigde het gesprek.
Waanzin. Het was hopeloos. Nog een halfuur voordat hij Parijs binnenreed. Een race door heel Frankrijk op zoek naar die paar fragmenten van herinneringen van tientallen jaren geleden. Nog één aanwijzing te checken en nog twee namen om op te sporen.
Maar ondanks de geringe kans dat hij ze na al die jaren nog zou vinden, ervoer Dominic een merkwaardig gevoel van beheersing: zijn contact met Lepoille en de centrale computerruimte van Interpol terwijl hij zich met meer dan driehonderd kilometer per uur naar hun volgende aanwijzing spoedde, Lepoille die op zijn beurt in verbinding stond met een netwerk van alle mogelijke computers in het hele land en daarbuiten, zoekend, sorterend en de informatie terugsturend naar hem. Een spinnenweb van controle, zo weids en machtig, dat het het lot dat zich tegen hen had gekeerd, op de een of andere manier zou moeten kunnen verslaan. Modern Frankrijk. Zoeken naar aanwijzingen over de moord op Christian Rosselot op een manier die dertig jaar geleden onmogelijk zou zijn geweest.
Hoewel hij meer dan een uur later, toen hij in een café in Rouen een kop warme chocola met een glas calvados zat te drinken, door de regen naar Guy Léveques huis zat te kijken en wachtte tot hij thuiskwam, opnieuw merkte hoe prettig hij degelijk, ouderwets detectivewerk vond. Zoals het vroeger was.

'Pardon. Sorry.'
Het meisje zag haar baas met twee andere mannen in de box zitten, trok snel het gordijn dicht en ging met haar klant naar een andere box.
'Oké, dus wat hebben we?' vroeg Sauquière. 'Mijn cliënt getuigt over deze Alain Duclos. Zegt dat hij regelmatig naar Perseus 2000 komt en naar jonge jongetjes vraagt. Wat krijgt mijn cliënt daarvoor terug?'
Deleauvre keek van Sauquière naar Eynard. Eynard met zijn

paardenstaart en belachelijke paars satijnen overhemd dat over zijn boeddha-achtige figuur stond gespannen; Sauquière in zijn Armani-jasje, met zijn vluchtig heen en weer schietende ogen en vette, achterovergekamde haar. Het was moeilijk te besluiten wie er het meest verlopen uitzag. Aanvankelijk was het gesprek moeizaam verlopen, totdat Sauquière besefte welke kaarten Deleauvre in handen had: een glasheldere getuigenis van Ricauve, die Eynard ervan beschuldigde dat hij jongetjes leverde voor het maken van kinderporno. Sauquière had plotseling interesse getoond in het voordeel dat zijn cliënt zou hebben als hij de naam van iemand anders noemde. Deleauvre zuchtte. 'Hij zal toch enige tijd moeten zitten. Maar daar maken we maximaal twee jaar van in plaats van de vier of vijf die hij normaliter zou krijgen. Met goed gedrag is hij over vijftien maanden weer vrij.'
'En de clubs?'
'Perseus zal waarschijnlijk een halfjaar dicht moeten.'
Sauquière haalde zijn schouders op. 'Dat is bespottelijk. Dat kun je nauwelijks een deal noemen.'
Deleauvre glimlachte gespannen. Het sluiten van de club was de zere plek: de dreiging dat Eynards inkomen terugliep, dat zijn vette winsten aan zijn neus voorbijgingen. Ze bleven daar nog even over ruziën: drie maanden, een maand, en toen kreeg Deleauvre een idee: homoactivisten? Perseus sluiten kon gevoelig liggen. 'Als het gerucht wordt verspreid dat deze hele zaak alleen maar in gang is gezet om een van de belangrijkste uitgaansmogelijkheden van homo's te sluiten, kan dat politiek gevoelig liggen en zou dat iets zijn wat een rechter liever wil vermijden... als we het accent op de juiste plek leggen.'
Een kwartier later was de basis voor de deal gelegd: achttien maanden tot twee jaar voor Eynard, Perseus bleef open of, in het ergste geval, zou één maand sluiten als gebaar van goede wil. De huidige 'club' voor jonge jongetjes ging dicht, maar als ze die discreet ergens anders wilden openen, wilde Deleauvre dat niet weten. Maar het was afgelopen met het leveren van jongetjes voor pedofiele tijdschriften en video's.
Sauquière keek in zijn agenda. 'Morgen kan ik niet. Dan heb ik een drukke dag op het gerechtshof.'
Ze spraken af voor de dag daarna, om tien uur 's ochtends. De sessieruimte op het politiebureau, een opgenomen getuigenis waarvan de belangrijkste statements vooraf zouden worden

vastgelegd. 'Jij bekijkt die eerst, je cliënt legt op basis daarvan in zijn eigen woorden de getuigenis af en iedereen is gelukkig.' Deleauvre glimlachte en de drie schudden elkaar de hand.

Eynard had al die tijd nauwelijks iets gezegd. Sauquière had hem goed getraind: een paar woorden aan het begin en ten slotte zijn reactie op het feit dat hij zijn straf zou uitzitten in een open strafinrichting. 'Ik heb gehoord dat dat praktisch hotels zijn. Ik kan mijn zaken van daaruit blijven runnen. Mijn achterstallige administratie wegwerken.'

Deleauvre liep terug door de bar en de meisjes boden hem hun diensten aan. Sommigen droegen zilverkleurige satijnen broekjes en zwarte doorkijktopjes, anderen alleen maar een tangaslipje. Een van hen trok zijn aandacht toen hij langsliep en ze haar vinger in haar champagneglas doopte, haar topje opzij trok zodat hij haar borst zag en met haar vochtige vinger uitdagend haar tepel streelde. Ze glimlachte naar hem. Ze was beeldschoon en heel sensueel: een jonge Deneuve. Uitdagend. Hij glimlachte naar haar terug alsof hij wilde zeggen 'de volgende keer' en zorgde dat hij op straat kwam.

Buiten, in Pigalle, bleef de glimlach op Deleauvres gezicht staan toen hij zijn zaktelefoon tevoorschijn haalde. Fornier zou blij zijn: ze hadden Duclos' hoofd op een dienblad.

Dominic stond naar de grond te staren toen de stem hem uit zijn gedachten wekte... 'Munt, en je verliest...' en toen hij opkeek, zag hij Duclos daar staan. Ze stonden op het laantje bij het korenveld. Maar het was niet een jonge Duclos; het was de Duclos van de laatste krantenfoto die hij had gezien.

Duclos had de munt in zijn hand. Hij opende die hand heel even en gunde Dominic een tergend korte blik op het muntstuk. Duclos glimlachte. Dominic deed een wanhopige uithaal naar de munt, maar Duclos kneep zijn hand dicht en draaide zich snel weg... 'Jij verliest, Fornier!' In één beweging wierp hij de munt met een grote boog de lucht in...

Dominic zag hem hoog over de bosjes en de bomen langs het laantje zeilen... besefte met een plotselinge paniek dat als hij er niet achteraan ging om te zien waar hij neerviel, hij hem later nooit meer terug zou vinden. Hij begon te rennen, erachteraan, dwars door de bosjes en het groen, voelde de takken langs zijn benen schrapen terwijl hij de hellende rivieroever volgde. Alstu-

blieft. God... laat hem niet in de rivier terechtkomen. Als hij in het water terechtkwam, zouden ze hem nooit meer terugvinden. Voor altijd verloren tussen de glimmende stenen op de bodem of onder de modder.
De munt zeilde hoog over hem heen terwijl hij zich nog steeds door het groen worstelde... Jij verliest... jij verliest... Buiten adem van het rennen, de toenemende wanhoop toen de munt langzaam maar zeker uit het zicht verdween... 'Koffie, monsieur?'... het gevoel dat hij hem nooit zou kunnen inhalen voordat hij de grond raakte. Hij zou niet kunnen zien waar hij neerviel, zou nooit meer in staat zijn...
'Monsieur, koffie?'
Dominic schrok wakker. Een serveerster schonk een kop koffie in voor de man aan de overkant van het gangpad. Dominic wreef zich de ogen, kreeg haar aandacht en knikte. 'Ja, alstublieft.'
Hij ging rechtop zitten en probeerde de stijfheid uit zijn rug te wrijven. De drukte en spanning van de laatste paar dagen en de lange avonden met Lepoille begonnen hun tol te eisen. Hij voelde zich voortdurend moe. De koffie gleed brandend door zijn droge keel en verkwikte zijn gedachten.
Misschien was het zo wel gebeurd. Duclos had de munt gevonden en hem het bos in gegooid, of hij was naar de waterkant gelopen en had hem in de rivier gegooid. Of hij had zich er later van ontdaan, tezamen met Christians overhemd en de met bloed besmeurde kei.
Ze hadden nog maar één mogelijkheid een aanwijzing te vinden. Eén kans van de negen waarmee ze begonnen waren. Lepoille had hem gebeld om hem een andere naam te geven toen hij in het café in Rouen zat te wachten totdat Leveque thuiskwam. Hij had meteen gebeld. Niets. En Leveque was net zo hopeloos geweest, had zich zelfs nauwelijks de garage herinnerd, laat staan de auto of een muntstuk.
Delen van de vijf gesprekken tolden in willekeurige volgorde door zijn hoofd. De man van zijn tweede telefoontje had gezegd: 'Een munt, zegt u?... Wel, dat is interessant...' Dominic had zijn hartslag voelen versnellen, maar toen was de man doorgegaan met een verhaal over zijn neef, die een verwoed muntenverzamelaar was. 'Ik geloof dat hij zo'n soort munt in zijn verzameling heeft. Die heeft hij nog niet zo lang geleden gekocht...'
Dominic schudde zijn hoofd. Bijna allemaal hadden ze geïnte-

resseerd geklonken toen hij het over de munt had. 'Was hij waardevol?... Wat voor soort, zei u?... Was hij afkomstig van een diefstal?' Vragen over auto's hadden ze wel verwacht; ze hadden de afgelopen tientallen jaren weinig anders gezien, maar een munt die in verband stond met een moordonderzoek? Iets wat afweek van waar ze dagelijks mee te maken hadden? Hij was er zo zeker van geweest dat een van hen, een van hen moest... Roudele! De gedachte diende zich abrupt aan. De pauze. De lange pauze toen hij Roudele naar de munt vroeg, en de hond die blafte op de achtergrond. Roudele had hem geen enkele vraag over de munt gesteld, geen nieuwsgierigheid getoond. Bijna alsof het op dat moment allemaal weer in hem naar boven was gekomen en hij precies wist waar Dominic het over had. Hij hoefde er niet naar te vragen.

De gedachte bleef knagen. Maar het kon van alles geweest zijn. Misschien was hij even afgeleid: iemand die door de kamer liep, iets interessants op tv, Roudele die zich afvroeg waarom de hond buiten blafte. Misschien had Dominic zelf bij iedereen langs moeten gaan, om de uitdrukking op hun gezichten en de blik in hun ogen te kunnen zien.

Was Roudele afgeleid, of wist hij iets? Dominic kneep even zijn ogen dicht en zuchtte. Niets onderstreepte de hopeloosheid van de zaak meer dan het feit dat de laatste naam die van een vrouw was. Vermoedelijk een secretaresse of receptioniste. Het was vrijwel zeker dat ze niet zelf aan de auto had gewerkt, dus zijn enige hoop was dat ze misschien had genoteerd of gehoord dat een van de monteurs iets had gevonden. Misschien van een van de drie die inmiddels overleden waren. Maar hoe groot was de kans dat ze iets wist wat de andere niet wisten?

Dominic leunde achterover en probeerde nog wat te slapen. Misschien kon hij nog een uur inhalen voordat ze Lyon binnenreden. Hij was uitgeput.

Toen twintig minuten later zijn mobiele telefoon piepte, bevond hij zich nog steeds op het randje van de slaap omdat zijn rondspokende gedachten verhinderden dat hij echt onder zeil ging. Vol verwachting haalde hij het apparaat tevoorschijn.

Het was Deleauvre. 'We hebben Duclos. Eynard gaat tegen hem getuigen!'

Zijn enthousiasme kwam langzaam, want hij was nog steeds half in slaap. Zo moe. 'Dat is geweldig. Wanneer gaat dat gebeuren?'

'Overmorgen. 's Morgens om tien uur.' Deleauvre gaf een samenvatting van zijn deal met Sauquière.
'Zijn er kinderen om de getuigenis te ondersteunen?'
'Nee, dat ligt gevoelig. Veel van hen zijn illegaal of weggelopen van huis. Te gecompliceerd.'
Achttien maanden tot twee jaar, dacht Dominic. Het maximum van vier of vijf jaar kon alleen gekregen worden als er een kind tegen Duclos getuigde en het misbruik kon worden bewezen. Een schrale troost voor moord, maar nu zou tenminste Duclos' carrière geruïneerd zijn. 'O, wat kunnen de grote jongens toch diep vallen,' zei hij glimlachend. Hij bedankte Deleauvre voor zijn hulp en ze spraken af elkaar meteen na Eynards verklaring te ontmoeten.
Toen Dominic de telefoon in zijn zak stak, zag hij zijn spiegelbeeld in het raam van de trein: de donkere wallen onder zijn ogen, zijn gejaagde blik. Het gezicht van iemand die er ook echt uitzag alsof hij al dertig jaar achter hetzelfde aan joeg. Maar af en toe sprongen er elektrische vonken van de trein, die door de duisternis buiten en zijn spiegelbeeld braken, en dat was precies zoals dit onderzoek voelde: jagen door het duister met slechts een paar lichtpuntjes hoop.

Serge Roudele herinnerde zich de munt meteen. Hij was vergeten dat het een Alfa Romeo coupé was geweest en had in het begin van het gesprek niet kunnen bepalen welke richting Forniers vragen zouden nemen.
Hij had in die tijd zijn vaders muntenverzameling geërfd, maar was zelf nauwelijks bekend met de zeldzaamheid en waarde van de munten. De munt had er gewoon mooi uitgezien en er bestond een kans dat hij zeldzaam was. Maar toen hij het had nagegaan, bleek dat nogal tegen te vallen. Zelfs toen hij hem meer dan tien jaar geleden had verkocht, tezamen met de rest van zijn vaders verzameling, betwijfelde hij of hij er meer dan vijf- of zeshonderd franc voor had gekregen.
En de huidige waarde? Het aanbod van vijfduizend franc was waarschijnlijk bijna vier keer de marktwaarde. Inspecteur Fornier nam zeker aan dat de munt in perfecte staat was, terwijl die maar matig tot redelijk was. Zijn eerste gedachte was diefstal geweest, maar zou de politie nu echt iemand vervolgen voor diefstal van een munt van die waarde, en dat na dertig jaar? En

toen Fornier zei dat het om een moord ging, had hij een koude rilling over zijn rug voelen trekken. Hij had zo snel mogelijk een eind aan het gesprek willen maken om daar eens goed over na te denken.
Een beloning. Geen represailles. Maar wilden ze de munt zelf terug, of wilden ze alleen weten of hij hem had gezien? Wat zouden ze denken als hij vertelde dat hij hem had verkocht? En kon hij echt zeker zijn van Forniers belofte dat er geen represailles zouden volgen? Hij had een keer een tv-programma gezien over een politie-eenheid in de Verenigde Staten die getuigen naar de rechtbank lokte met brieven waarin prijzen in loterijen werden beloofd. Een deel van het politiewerk bestond nu eenmaal uit het besodemieteren en te slim af zijn van criminelen. Hoe zouden ze de mensen anders zover krijgen om tegen iemand te getuigen?
De beloning was verleidelijk; hij kon het geld goed gebruiken. Maar wat als hij recht in een val liep? Het was zijn hebzucht geweest die er in de eerste plaats voor had gezorgd dat hij de munt in zijn zak had gestoken; en nu zat hij daardoor dus in de problemen, hield hij zichzelf voor. Met een tweede poging om zijn vondst te gelde te maken, zou hij waarschijnlijk het lot tarten.

37

Straatsburg, april 1995

Alain Duclos' handen trilden toen hij de assemblee van de Europese Unie toesprak. Het medische debat van het decennium, en hij was de centrale *rapporteur*. Het kwam nu allemaal aan op dit laatste stadium van het debat: de zaak van John Moore en de uitspraak van het hooggerechtshof in Californië.
De stemming die vandaag zou plaatsvinden, was van cruciaal belang. Het telefoontje dat hij eerder die dag had gehad, was op het slechtst mogelijke moment gekomen. 'Er zijn vragen gesteld waarbij jouw naam werd genoemd. Iemand is nieuwsgierig...' Bonoit, een jonge procureur uit Limoges, die nu op het openbaar ministerie in Parijs werkte. Bonoit had eerst naar Duclos' kantoor in Brussel gebeld en gezegd dat de zaak nogal delicaat was.

Duclos had hem tien minuten later teruggebeld uit een telefooncel.
De ministers hadden hun rapport voor zich liggen en Duclos gaf een opsomming van de belangrijkste punten. Het medisch centrum van de universiteit van Californië had een unieke celstructuur ontwikkeld uit de door kanker aangetaste milt van John Moore, daar patent op aangevraagd en het hele project met de bijbehorende rechten, die werden geschat op meer dan een miljard dollar, aan de farmaceutische industrie doorverkocht. 'Meneer Moore is vervolgens naar de rechter gestapt met de claim dat hij de eigenaar was van het lichaamsdeel waaruit de celstructuur is ontwikkeld, maar hij verloor de zaak. De kern van die uitspraak was dat zodra het orgaan meneer Moores lichaam had verlaten, het niet langer zijn bezit was, en er dus patent op kon worden aangevraagd.'
'Ik heb begrepen dat bij de eerste actie die meneer Moore heeft ondernomen, de rechtbank in zijn voordeel had beslist.'
Duclos keek naar de rij tolken achter de halve kring van de leden van het Europese Parlement: PDS, Italië. 'Ja, maar die uitspraak is herroepen door het hooggerechtshof van Californië. Een andere factor die daarbij gewicht in de schaal wierp, waren de vele jaren genetisch onderzoek die nodig waren om tot de ontwikkeling van die celstructuur te komen. Een kwestie van "toegevoegde waarde" aan de uniekheid van het orgaan, als u wilt.'
'Het is niet direct mijn vakgebied, maar vanwege het bizarre karakter wordt er al op een aantal afdelingen over gepraat: vragen over vroegere rechtszaken die paranormale elementen bevatten. Het heeft iets te maken met een onderzoek dat oorspronkelijk in 1963 heeft plaatsgevonden. Het schijnt dat...'
Een andere stem klonk op. De Duitse Groenen. 'Die "uniekheid", meen ik, was wel degelijk van belang toen meneer Moores blaas werd verwijderd. Meneer Moore beargumenteert niet alleen dat hij de grootste bijdrage heeft geleverd aan die uniekheid, maar ook dat hij daar nooit over geraadpleegd is. Dat deze ontwikkeling heeft plaatsgevonden zonder zijn toestemming en dat hij dus – zoals hij beschrijft in zijn eigen woorden – "lichamelijk misbruikt" is. Zijn lichaamsdeel was niet langer van hem en opeens eigendom van de industrie geworden.'
Een zacht gemompel: steun zowel als protest. De Groenen hadden meneer Moore uitgenodigd als spreker op een persconferen-

tie toen de zaak was overgedragen aan de geschillencommissie, herinnerde Duclos zich. Als hij zijn recht niet in de Verenigde Staten kon krijgen, dan kon hij tenminste geschiedenis schrijven door invloed uit te oefenen op de toekomst van de Europese wetgeving inzake patenten. Maar alle mogelijke belangengroeperingen – medische ethici, mensenrechtenactivisten, de milieubeweging, grote en excentrieke religieuze groeperingen – hadden hem met krachtige stem gesteund. Het eigenaarschap van lichaamsdelen was een emotioneel onderwerp.
Terwijl de debatten en argumenten ervoor en ertegen voortduurden, liet Duclos zich min of meer meedrijven op de stroom. Van hem als rapporteur werd een onpartijdig standpunt verwacht, alleen maar een heldere presentatie van de feiten en de verschillende argumenten. Hoewel hij al wist wat hij zelf wilde: afwijzing. Een moeilijke, zo niet schijnbaar onmogelijke taak. De EU-commissie had zich al sterk gemaakt voor een herziening van het patentenstelsel. De motie zou het vast wel halen. Als dat niet zo was, dan zou het de eerste keer zijn dat een motie, goedgekeurd door de commissie in een plenaire vergadering, door het parlement weggestemd zou worden. Dan zou de hele geschillenprocedure vragen gaan oproepen.
Hij had bij Bonoit aangedrongen op meer informatie over het hernieuwde onderzoek, maar Bonoit wist weinig meer. Hij beloofde dat hij nog wat graafwerk zou doen en Duclos kon hem over een paar dagen terugbellen. Het wachten was moordend voor Duclos, en nu kwam daar de spanning van dit debat nog bij. Ongelofelijk waartoe jaren van chantage je konden brengen: het manipuleren van de stemmen in een sleuteldebat. Maar deze coup was zo groot, dat hij net zozeer voor hemzelf als voor Jaumard was. Dit was zijn pensioenverzekering.
De sporen van bezorgdheid waren hopelijk niet zichtbaar op zijn gezicht en hij drukte zijn handen hard op het dossier dat voor hem lag, om het trillen tegen te gaan. Raadselachtige genialiteit waarmee hij de verscheidene vragen onderuithaalde. De kracht van het argument van de Groenen had hem een waardevolle troefkaart in handen gegeven.
Tot slot van zijn uiteenzetting gaf Duclos een korte opsomming van de argumenten waaraan lucht was gegeven. Een man die claimt dat zijn celstructuur op zichzelf uniek is. Een laboratorium dat claimt dat het drie jaar is bezig geweest met de ontwik-

keling van die structuur en dus de grootste bijdrage heeft geleverd aan de uniekheid ervan. 'Maar wat is het moment waarop de rechten overgaan van de oorspronkelijke eigenaar naar het wetenschappelijke onderzoek en de industrie?' Duclos pauzeerde om zijn woorden kracht bij te zetten. 'Ja, wetenschappelijk onderzoek en industrie moeten worden beschermd om te kunnen bloeien. En de wetgeving in de Verenigde Staten zou de assemblee een uitstekende leidraad moeten kunnen geven als het daarom draait. Maar de vele controversiële vragen die deze beslissing oproept, moeten ook in overweging worden genomen. Met op dit moment als belangrijkste vraag: kan de assemblee nog met een gerust hart slapen als een dergelijke regelgeving in Europa van kracht wordt, en zich afwenden van de argumenten die ertegen zijn, alleen op grond van het feit dat de industrie steun nodig heeft voor wetenschappelijk onderzoek? Geven we de voorkeur aan de wetenschap boven de rechten van de mens? Dank u.'
Duclos deed zijn dossier dicht. Hij transpireerde hevig. Hopelijk had hij de juiste toon gekozen zonder te opvallend te zijn, maar daar kon hij nooit zeker van zijn. De reacties waren wisselend. Er zat niets anders op dan te wachten totdat de stemmen binnenkwamen.

Metz, april 1995

Duclos vond het nooit prettig om Marchand vanuit Straatsburg of Brussel te bellen, dus koos hij ook deze keer voor een telefooncel toen hij onderweg was. Hij vond er een langs een stille weg acht kilometer voorbij Metz. Marchand nam bijna onmiddellijk op.
'Wat zijn de ontwikkelingen?' vroeg Duclos.
'De overschrijving is drie dagen geleden gedaan. Het zou nu op je rekening moeten staan.'
'Heb je de kranten gezien?'
'Ja, heel bemoedigend. Ze waren heel verheugd.'
Voor iemand die de telefoon afluisterde was dit een totaal onbegrijpelijk gesprek, dacht Duclos. Er werden geen namen en onderwerpen genoemd. Alleen zij tweeën wisten welke gaten er waren ingevuld: het Europese Parlement had het wetsvoorstel

voor aanpassing van de regelgeving voor patenten op het gebied van de biotechnologie afgekeurd. De Commissie en de lobbybeweging van de industrie hadden moord en brand geschreeuwd en waren begonnen met praten over het indienen van een nieuw wetsvoorstel. Maar het huidige wetsvoorstel was vijf jaar in voorbereiding geweest, en een nieuw, zelfs al kwam het erdoorheen, kon nog drie jaar duren.
Een opmerkelijke coup. Beter zelfs dan ze hadden verwacht. Ze waren overeengekomen dat ze na het besluit een maand zouden wachten om de rust weer te laten keren, en dan zou de overschrijving plaatsvinden. Er zouden nieuwe overschrijvingen volgen voor elk jaar dat er op dit gebied geen nieuwe wetswijziging van kracht werd.
'Het ziet ernaar uit dat we met deze een goede slag hebben geslagen. Het kan twee tot vier jaar duren,' merkte Marchand op.
'Laten we het hopen. Ik denk dat ik dit jaar mijn kerstinkopen in Genève kom doen.'
'Ja, goed. Het zou leuk zijn je weer eens te zien.'
Dat viel nog te bezien, dacht Duclos. Tijdens de enige ontmoeting die ze hadden gehad, had hij gemerkt dat Marchand hem niet mocht, en hij had Marchand evenmin gemogen. Marchand, die als lobbyist eerder vanuit Zwitserland dan vanuit Brussel opereerde, behoorde in Duclos' ogen tot de groep van industriejuristen en -lobbyisten die vooral uit waren op eigen gewin en beten naar de kuiten van Duclos en andere politici. De lobbyisten waren op hun beurt vaak rancuneus omdat politici niet genoeg aandacht hadden besteed aan de 'belangen' van hun cliënt en lieten dan geen enkele kans voorbijgaan om hen als incompetent te bestempelen. Maar de pikorde was altijd duidelijk: de politici keken vol minachting neer en de lobbyisten vol wrok omhoog.
Behalve dan dat Duclos zich los had gemaakt van de kudde en een corrupt politicus was. Een van de weinigen waarvan Marchand vond dat hij op hem neer kon kijken. De sfeer van wederzijdse minachting was tijdens hun ontmoeting dan ook te snijden geweest. Het enige wat ze gemeenschappelijk hadden, was het geld dat ze met hun samenwerking verdienden. Vreemd toch hoe geld zijn eigen criteria schepte, dacht Duclos, en zelfs sociale kloven overbrugde.

Duclos moest een huivering van zich af schudden. Telefooncellen. De derde in net zoveel dagen. Eindelijk meer informatie van Bonoit.
'Wie leidt het onderzoek?' vroeg Duclos bezorgd.
'Corbeix. Een procureur in Aix-en-Provence.'
De naam zei Duclos niets. 'In welk stadium is het onderzoek?'
'Voorzover ik weet nog voor de rogatoire générale.'
'Wie werken eraan mee?'
'Er zijn twee namen: Malliené en Fornier. Ze hebben om de een of andere reden nogal wat graafwerk gedaan bij pooiers en homoclubs in Parijs en Marseille.'
Duclos voelde de onuitgesproken vragen. 'Vreemd,' zei hij. Hij voelde zijn huid tintelen. Fornier? De naam klonk bekend, maar hij wist niet meer waarvan.
'Wat is er aan de hand, Alain?' Bonoit klonk bezorgd. 'Weet je, ik zou dit soort gesprekken niet eens met je moeten voeren. Het is gewoon dat... nou, ja... in het verleden...'
'Ik weet het, en ik waardeer het.' Zat Bonoit te vissen of wilde hij gerustgesteld worden? Duclos had Bonoit veel steun gegeven tijdens zijn eerste jaren op het openbaar ministerie in Limoges. Wilde Bonoit niet dat het imago van zijn mentor beschadigd zou worden, of wilde hij beloond worden voor zijn gunsten? 'Het is niets. Ik ben daar jaren geleden al over ondervraagd en van alle blaam gezuiverd. Toen hebben ze de echte boosdoener gevonden en die is veroordeeld. Het klinkt een beetje als een politieke heksenjacht op mij, oude vijanden die onder hun stenen vandaan komen kruipen. Waarschijnlijk vanwege dat biotechnologie-gedoe. Dat schijnt een hoop mensen van streek gemaakt te hebben. Bij sommige lieden ben ik op dit moment niet bepaald populair.'
Bonoit mompelde iets wat nauwelijks tot hem doordrong. Duclos voelde zich plotseling helemaal slap worden. Parijs! Zijn hart bonkte in zijn keel. Hij kon nauwelijks wachten dit gesprek te beëindigen en een ander te voeren.
Hij bedankte Bonoit snel en Bonoit beloofde hem terug te bellen als hij meer wist. Duclos bladerde de laatste bladzijden van zijn adresboekje door en zocht naar het nummer. Het duurde even voordat hij het had gevonden, het nummer dat hij bijna vijftien jaar geleden voor het laatst had gebeld. De cijfers stonden door elkaar, in groepjes van twee, die omgedraaid moesten worden. Een nummer uit een lang vergeten verleden, waarvan hij nooit

had gedacht dat hij het nog eens zou bellen: een bar in een achterafstraatje in Marseille, die zijn boodschap zou doorgeven aan Eugene Brossard.

Corbeix' lichaam vertelde hem praktisch elke dag dat het een uur voordat het begon te schemeren tijd was om naar huis te gaan. Dan waren de steroïden uitgewerkt en keerden de spierkrampen terug in zijn benen. Hij had er bijna vijf dagen geen last van gehad en toen was het plotseling weer begonnen. Ongeveer omstreeks de tijd dat Fornier had gebeld om hem te zeggen dat alle sporen naar het muntstuk dood waren gelopen.
Fornier had een hoop werk in de zaak gestopt. Fornier had ook laten blijken dat hij in staat was op korte termijn gunsten te incasseren, zoals hij een halve Interpol-afdeling aan het werk had gezet om hem te helpen bij zijn hectische speurtocht door heel het land. Negen mensen van dertig jaar geleden opgespoord binnen drie dagen. Corbeix was onder de indruk. Maar ondanks Forniers moeite en vindingrijke aanpak had het uiteindelijk allemaal niets opgeleverd. Hij had zo lang met de zaak geleefd, was zo dichtbij gekomen, en nu zag hij alles uit zijn handen glippen. Een wrede afloop. Corbeix had te doen met Fornier.
Zoekend tussen de magere kansjes die hun nog restten, had Fornier hem gevraagd of hij iets bruikbaars had gevonden tussen de oude Franse rechtzaken die paranormale elementen bevatten. Hij had het niet over zijn hart kunnen krijgen om Fornier te vertellen dat hij op een soortgelijk dood spoor zat en had gezegd dat hij nog op nieuws zat te wachten. Na vijf dagen graven op de verschillende departementen van het openbaar ministerie in Parijs had hij acht zaken gevonden waarin familieleden of de pers de hulp van paranormaal begaafde mensen hadden ingeroepen, en in sommige daarvan waren gegevens daarover aan het politierapport toegevoegd, maar in geen ervan was het tot echt bewijs voor de rechtbank gekomen. De algemene opvatting was dat zelfs al geloofde een procureur dat hij met dat bewijs een jury in het uiteindelijke proces kon overtuigen, een onderzoeksrechter een heel andere zaak was. De meesten lieten het vallen uit vrees dat ze de zaak niet door het vooronderzoek zouden krijgen.
Een docent rechten van de Sorbonne, die het openbaar ministerie adviseerde als het om onorthodoxe zaken ging, had een paar bruikbare punten opgediept uit soortgelijke zaken in de

Verenigde Staten, maar het bleef een feit dat paranormaal en PLT-bewijs in Frankrijk tot nu toe alleen met succes als achtergrond of in combinatie met ander bewijs was gepresenteerd. 'Zonder concreet bewijs, hoe weinig ook, en bij voorkeur van de levenden in plaats van de doden, zie ik geen basis waarop deze zaak gebouwd zou kunnen worden.'
En nu hun laatste spoor naar het muntstuk was doodgelopen, was hun laatste hoop om Duclos aan te klagen voor moord ook in rook opgegaan.
Maar uit wat Fornier hem had verteld, was er tenminste op één terrein nog hoop: Justin Eynard, een Parijse seksclubeigenaar. Zoals het eruitzag, hadden ze een goede kans om Duclos voor kindermishandeling veroordeeld te krijgen. Nog een béétje licht aan de horizon. Morgenochtend om tien uur. Ongetwijfeld zou Fornier tegen elf uur of halftwaalf een resultaat hebben, zou hij hem bellen en daarna zou Eynards verklaring uit zijn fax komen schuiven. Dan kon hij tenminste op één punt de zaken in een positieve richting gaan sturen.

Justin Eynard lag op zijn rug op het bed terwijl het meisje de knoopjes van zijn overhemd losmaakte. Ze keek wellustig glimlachend naar hem op. Een zonnige glimlach met een vleugje ondeugd erin. Juanita uit Santa Domingo, dat was alles wat hij van haar wist. Een verleidelijke combinatie van zwart en Spaans bloed: een huid met de tint van koffie met een scheutje room en grote bruine ogen. Heel bijzonder.
Ze hield al zijn bewegingen in de gaten terwijl ze zijn borst kuste en met elk knoopje dat loskwam haar mond langzaam naar beneden liet gaan. Het checken van de handel: het buitengewone privilege van de baas van een hoerentent. Eynard had er altijd op gestaan dat hij alle nieuwe meisjes zelf uitprobeerde, om hun kwaliteiten te beoordelen voor zijn cliënten.
Eynards spieren spanden zich toen haar hoofd nog verder omlaag ging. Een paar trage likjes, en toen nam ze hem helemaal in haar mond. Eynard hapte naar adem. God, ze was goed. Ze droeg een witsatijnen avondjurk met een split tot op haar dij, die prachtig contrasteerde met de tint van haar huid. Terwijl ze zoog en hem met haar ene hand heen en weer bewoog in haar mond, trok ze met haar andere hand haar jurk opzij om hem haar billen te laten zien. Ze stak ze iets omhoog. Onder haar jurk droeg ze

een perzikkleurige tanga. Twee bolletjes mokka-ijs, gescheiden door een schijfje perzik.
Eynard kon in de spiegel naast hem zien dat ze haar tanga handig opzij trok en zichzelf begon te strelen in het ritme van de bewegingen van haar mond. Haar nagels waren lang en gelakt in een blauwgroene tint, met zilveren sterretjes erop, en om de zoveel tijd liet ze haar vinger even naar binnen glijden.
Eynard was in de hemel. Zijn adem kwam in korte stoten naar buiten en zijn opwinding groeide, en na een laatste likje rolde het meisje van hem weg. Ze pelde haar jurk van haar lichaam, boog zich voorover om haar billen te accentueren en begon toen weer met zichzelf te spelen, terwijl ze haar vinger in hetzelfde ritme in en uit haar mond liet glijden. Eynard kreunde vol verwachting.
Langzaam schoof ze haar tanga naar beneden, stapte eruit en toen boog ze zich over Eynard heen. Haar borsten waren stevig en rond, met grote bruine tepels ter grootte van biscuitjes. Mokka-ijs met chocoladebiscuitjes. Dat was het enige waaraan Eynard kon denken.
Na nog een paar likjes om de kennismaking te hernieuwen zwaaide Juanita haar been over hem heen en liet ze zich langzaam op hem zakken. Ze reikte achter zich en pakte hem zachtjes bij zijn ballen, alsof ze hem nog dieper naar binnen wilde duwen. Toen ze in het ritme van haar bewegingen begon te komen, sloot ze vol overgave haar ogen en stak ze de pink van haar andere hand in haar mond.
Eynard voelde zijn opwinding groeien, een tintelend gevoel dat bij zijn hielen begon en omhoogkroop. Jezus, dit meisje wist wat ze deed. Zijn cliënten konden hun lol op. Hij streelde haar borsten en nam een van haar tepels tussen zijn vingers.
Ze bereed hem langzaam en vastberaden en voerde het tempo heel geleidelijk op. Absolute controle. Hier was een virtuoos aan het werk. Eynard begon te zweven, voelde het getintel hoger komen.
'Doe ogen dicht. Ik geef grote beurt.' Het sterke Spaanse accent deed zijn opwinding alleen maar toenemen.
Eynard glimlachte en sloot gehoorzaam zijn ogen. Hij voelde haar vinger in zijn mond glijden, en ze begon zijn tong te plagen terwijl haar andere hand weer naar achteren ging en hem zachtjes strelend met elke stoot dieper naar binnen duwde.
Zo lekker... heerlijk.

Eynard voelde iets naast haar vinger zijn mond in glijden, iets koels en langs... metaal? De vinger gleed uit zijn mond. O, god, een vibrator. Hij had haar moeten zeggen dat hij niet van dat soort dingen hield.
Zijn ogen gingen open en hij wilde zijn hoofd wegdraaien van het voorwerp... maar een hand op zijn voorhoofd maakte dat onmogelijk. Plotseling kwam het voorwerp duidelijk in beeld: een geluiddemper van een pistool. En de handen van het meisje lagen nog steeds op zijn borst. Er stond iemand achter hem! Eynard werd overvallen door paniek. Angst en de bittere smaak van het metaal tegen zijn tong deden hem bijna kokhalzen. Het meisje maakte zich van hem los en klom van hem af. Hij was slap geworden; zijn opwinding was verdwenen.
Eynard keek nog even verlangend naar haar rug toen ze naar de badkamer liep, want hij wist op dat moment dat ze waarschijnlijk het laatste meisje was dat hij ooit zou zien.

'Het is gebeurd.'
'O. Mooi. Ik heb het geld overgemaakt, zoals afgesproken.'
Brossard had het al gecontroleerd maar zei daar niets over.
Weer een telefooncel, weer een gesprek zonder namen en details. Duclos stelde zich voor hoe Brossard in Parijs in een soortgelijke telefooncel stond. Ze hadden elkaar deze keer niet eens ontmoet om de zaak te regelen. Alleen maar een stem die uit de telefoon klonk. Hij vroeg zich af hoe Brossard er nu uitzag. Toen besefte hij dat hij niet eens wist hoe Brossard er toen had uitgezien, vijftien jaar geleden, met zijn blonde pruik en dikke, hoornen brilmontuur.
Duclos had een paar dagen daarvoor naar Eynards club gebeld omdat hij van plan was dat weekend naar Parijs te komen, en een van de barmannen had zich verontschuldigd met de mededeling dat Justin de laatste tijd nogal onder druk stond en of hij later kon terugbellen. 'Iets ernstigs?' had Duclos gevraagd. 'Nee, gewoon wat gedonder met de politie over een paar kinderpornovideo's.' Zodra Bonoit het had over de politie die pooiers aan de tand voelde op zoek naar achtergrondinformatie, wist Duclos dat Eynard een probleem zou kunnen zijn.
Als de politie bleef graven naar iets over hemzelf en minderjarige jongetjes, was de kans groot dat ze uiteindelijk iets zou vinden. Hij zou de volgende keer nog vindingrijker moeten zijn.

Koren. Korter dan Dominic zich herinnerde. Het was lente: in de maanden daarop zou het ongetwijfeld met alarmerende snelheid uit de grond schieten en geoogst kunnen worden.
Het was eenendertig jaar geleden dat hij hier bij ditzelfde veld had gestaan, op de dag van de reconstructie. Het had toen flink gewaaid en het koren had wild heen en weer gewuifd. Nu was het netjes gemaaid en verzorgd, en nog een halve meter van de lengte waarop het geoogst zou worden. En vandaag was er geen wind, leek de lucht stil te staan, met een dunne laag lichtgrijze bewolking waar wat flets zonlicht doorheen kwam.
Stilte. Steriele stilte. De plaats van de misdaad, schoongespoeld door de wisselende seizoenen, de jaren en de verschillende gezinnen die dit land sindsdien in eigendom hadden gehad. Geen spoor meer terug te vinden. Alleen de vage, verre beelden die hun best deden zich opnieuw af te spelen in Dominics geest.
Oorspronkelijk was Dominic van plan geweest om gewoon in Vidauban te blijven. Maar een halfuur nadat hij het nieuws over Eynard had gehoord, was hij naar het eerste het beste café gegaan voor een glas cognac. Hij had Guidier met zijn mobiele telefoon vanuit het café gebeld: 'Ik ben de rest van de dag weg. Ik bel je aan het begin van de avond voor eventueel nieuws. Als er iets dringends is, bel me dan op mijn zaktelefoon.'
Tijd om na te denken, om zijn gedachten te ordenen. Hij zou waarschijnlijk nog een dag of twee in Vidauban blijven. Hij had rust nodig, had de afgelopen weken nauwelijks geslapen. Hij was uitgeput.
Toen hij op de boerderij aankwam, was hij meteen doorgelopen naar de slaapkamer en op zijn rug op het bed gaan liggen. Afzondering. Gerome was aan het werk en zou waarschijnlijk niet voor zes of zeven uur thuis zijn. Monique was in de flat in Lyon en dacht ongetwijfeld dat hij gewoon aan het werk was. Hij zou haar later bellen om te zeggen dat hij hier bleef slapen. Misschien zou hij Gerome meenemen naar het buurtcafé, dan kon hij hem helpen zijn zorgen te verdrinken.
Maar hij had niet kunnen slapen, had wezenloos naar het plafond liggen staren terwijl er allerlei gedachten door zijn hoofd tolden. Sporen naar de munt waren er niet meer. Eynard was er niet meer. Er was helemaal niets meer. Maar die conclusie wilde niet bezinken, voelde gewoon niet goed. Moniques woorden van een paar dagen geleden: 'Er moet iets zijn, iets!' Een of ander

klein detail op al die bandjes of in de typoscripten over Eyran Capel. Hij was boos deze keer, voelde hoe de woede door zijn aderen stroomde en hem voortdreef.
Toch was het pas twee uur later, na de lunch en een hele serie aantekeningen met als koppen: *Muntstuk? Truck? Restaurant? Laantje?* – vragen met slechts een paar antwoorden –, dat hem ten slotte iets bruikbaars te binnen schoot: een fles water! Hij had onder de douche gestaan toen hij er opeens aan dacht, was even doodstil blijven staan terwijl het water om hem heen op de grond kletterde... 'Ander stromend water... water dat op de grond terechtkwam...' Duclos was net uit een restaurant gekomen, dus hij hoefde niet naar de rivier te lopen waar Machanaud hem had kunnen zien.
Dominic besloot naar het korenveld bij Taragnon te rijden. Hij ging staan waar hij dacht dat Duclos was gaan staan na zijn laatste aanranding: een paar meter het korenveld in, met zijn auto vlak achter zich. Dominic riep het beeld op in zijn hoofd: Duclos heeft zijn kleren uitgetrokken, misschien op de stoel van de auto of over de rand van de open kofferbak gehangen. De met bloed besmeurde kei heeft hij in zijn hand en zijn lichaam zit vol bloedspetters. Hij weet dat hij niet te lang bij het laantje kan blijven staan, want er kan iemand langskomen.
Terug naar de auto... Dominic liep de paar passen terug naar de auto, hoorde de korenaren ritselen onder zijn voeten... hij haalt de fles water uit de auto en spoelt zich af. Dominic stelde zich het warme weer van die dag voor; misschien steeg er een nevelige damp op van het veld.
Dan droogt hij zich af met... waarmee? Een doek of handdoek uit zijn auto, of Christians overhemd? Misschien was dat de reden dat Christians overhemd weg was. Hoe dan ook, het was duidelijk dat Duclos het ergens had gedumpt, tezamen met de kei.
En de munt? Had Duclos de munt gevonden? Was dat de reden dat geen van de automonteurs of de Caugines hem hadden gevonden? Als dat zo was, had hij hem dan meteen weggegooid, of later, met de kei en Christians overhemd? Of was hij zo stom geweest om hem in zijn zak te steken, als aandenken? Een trofee.
Dominic schudde zijn hoofd en glimlachte grimmig. Het plotselinge beeld van een inval in Duclos' huis, 's morgens vroeg – de munt die gevonden wordt in een la onder zijn ondergoed en zij-

den dassen, Corbeix die hem op zijn schouder slaat om hem te feliciteren –, deed hem weer beseffen hoe radeloos hij was.
Dominic stak het laantje over en liep naar de oever van de rivier. Het water was grijs en kalm, weerspiegelde de lucht die erboven hing. Geen glimp van stenen of keien; Dominic kon nauwelijks de bodem zien.
Toen stond hij ineens weer over Molets schouder te kijken naar een paar bladeren die voorbijdreven. Het eerste besef dat Machanauds zaak hun uit handen glipte. Drie decennia die in één seconde verdwenen.
Dominic keek naar de plek langs de rivier waar Machanaud die dag had gestaan, toen omhoog langs de oever, naar de plek waar Duclos zijn auto had geparkeerd. Veertien jaar gevangenisstraf? Voor een middagje stropen, voor die paar vissen die Machanaud had gevangen voor zijn avondeten? Dominic schudde zijn hoofd.
Hij besloot al het andere nog eens na te gaan. Hij timede de tijd naar het restaurant: vier minuten. Het was nu een ijzerwinkel. Dominic bleef op het parkeerterrein staan, deed zijn ogen dicht en stelde zich voor hoe Duclos binnen tijd zat te rekken, ervoor zorgde dat hij werd gezien, voor zijn alibi, dat hij iets koos van het menu en dat in alle kalmte opat, met een glas wijn erbij. Christian in het duister van de kofferbak, waarschijnlijk maar een paar meter van de plek waar hij nu was, vastgebonden en bang. Dromend over zijn vader en de boerderij... zich afvragend of hem kwaad gedaan zou worden. Dominic huiverde.
Er komen twee vrouwen uit het restaurant. Christian hoort hun stemmen, schopt tegen het plaatwerk van de auto. Maar op dat moment rijdt er een truck voorbij en die overstemt het geluid. De portieren van de auto gaan open, dicht, en ze rijden weg. Duclos vraagt om zijn rekening en bestelt een fles water om mee te nemen.
Dominic reed weg, terug naar de plek waar Christian zijn fiets had achtergelaten. Er reed een Citroën voorbij, even later gevolgd door een Mercedes-busje. De letters op Christians truck, uitvergroot: MARSEILLE, V-A-R-N en LA PONTEI...? Er was in Marseille een klein industriepark dat La Ponteille heette, maar ze hadden niet erg hard gezocht. Een chauffeur die zich na dertig jaar herinnerde dat hij een sportwagen met een jongetje erin voorbij zag komen? Die radeloze machteloosheid weer.

Waar de fiets had gelegen, stonden nu wijnranken, en van het veld erachter waren nog maar twee rijen perzikenbomen overgebleven. Misschien als de forensische dienst hier goed had gezocht, dacht Dominic. Er was op Christian geen sperma gevonden, alleen maar inwendige kneuzingen die aangaven dat hij was verkracht. Duclos had zich uit hem teruggetrokken toen hij moest ejaculeren. Bij het korenveld was niets gevonden, maar hoe groot zou de kans hier geweest zijn? Christians fiets was toen al gevonden en meegenomen, en Dominic wist niet eens of hij wel op de juiste plek stond. Tussen wat had kunnen zijn en wat uiteindelijk was gebeurd... Dominic zuchtte. Waarschijnlijk hadden ze gewoon niets gevonden.
Hij reed terug naar Bauriac. De looierijen aan de rand van het stadje waren gesloten en vervallen. Een bord kondigde aan dat hier een nieuw industriegebied werd ontwikkeld, dat in april 1997 klaar zou zijn. Geen giftige dampen meer. Die zijn ogen deden branden toen hij op weg was naar Monique om haar te vertellen dat...
Dominic stopte op het dorpsplein en keek naar het vroegere café van Louis. Louis. Zeven jaar geleden was hij overleden. Hij was met Valerié getrouwd, ze hadden drie kinderen en hadden het café bijna twintig jaar geleden aan iemand anders overgedaan. Ze hadden een klein hotel gekocht aan de kust, bij Mandelieu. Dominic had er met zijn gezin een paar zomervakanties doorgebracht, had er hele dagen gevist en herinneringen opgehaald op Louis' speedboot. Gerome was bevriend geraakt met Louis' jongste zoon, Xavier, en ze hadden nog steeds contact. Valerié had het hotel nog steeds, maar ze hadden haar nog maar twee keer gezien sinds Louis' dood.
Dominic stapte uit en liep naar het café. Hij was er niet meer binnen geweest sinds Louis het had verkocht, was in al die jaren eigenlijk nooit meer teruggegaan naar Taragnon of Bauriac. Te pijnlijk. Zelfs toen ze de boerderij in Vidauban hadden gekocht en erlangs kwamen op weg naar Aix, had Dominic altijd een andere route gekozen.
Zwart en chroom: stoelen met zwarte fluwelen bekleding, tafels met zwarte rookglazen bladen en chromen frames. De bar was ook zwart en had drie brede chromen strips aan de voorkant. Het was er praktisch leeg, met maar een paar volhouders aan de bar en aan een tafeltje. De nieuwe eigenaar richtte zich blijkbaar op

het avondpubliek. Of misschien was dit waar tieners en motorrijders tegenwoordig van hielden.
Dominic bestelde een cognac. Geen jukebox. Een krachtige geluidsinstallatie speelde *Run to you* van Brian Adams, gevolgd door Franse rapmuziek. De barman was jong, slank en had een paardenstaart. Een groter contrast met Louis was bijna niet mogelijk. Dominic glimlachte. Hij dronk zijn glas leeg en bestelde er nog een. De drank deed hem goed en riep beelden op: Louis die met Valerié danste bij de jukebox, hij die op weg was naar Monique, om haar te vertellen dat... de truck die voorbijreed, Christian die gevangenzat in de kofferbak, de munt... Duclos die zelfingenomen glimlachend zijn wijnglas hief. Dominics hand klemde zich om zijn glas.
Hij sloeg zijn cognac achterover en bestelde er nog een. De muziek was veranderd in hardrock. Dominic liep naar het toilet om eraan te ontsnappen. De beelden waren te levendig, te duidelijk. Hij wilde dat hij niet teruggekomen was. Hij plensde wat water in zijn gezicht om zich op te frissen. Maar toen hij overeind kwam en zijn gezicht in de spiegel zag, trof het hem opeens: hij was hier niet alleen naartoe gekomen om naar aanwijzingen te zoeken, maar ook voor zichzelf. Om zijn herinneringen nog eens op te halen, om ze dan voor eens en voor altijd te begraven. Terwijl hij diep in zijn hart wist dat het allemaal zinloos was, hopeloos. Er kwamen heus geen nieuwe, opzienbarende feiten naar boven door alleen maar hier te zijn. Duclos was hen dertig jaar geleden allemaal te slim af geweest en dat was hem nu weer gelukt. Op de een of andere manier had hij Eynard te pakken gekregen voordat zij dat konden. Het was afgelopen. Voorbij! Zelfs als ze iets vonden, dan zou Duclos er ongetwijfeld in slagen hen weer te slim af te zijn, hij zou...
‘*Ça va, monsieur?* Is alles in orde met u?’
Dominic keek over zijn schouder. Bij het urinoir stond een oude man die hem bezorgd aankeek. Beelden van Machanaud die zijn glas eau de vie hief. ‘Hoe gaat het met het onderzoek?’
‘Ja, best, prima,’ mompelde Dominic. Hij moest hier weg. Hij betaalde de barman, sloeg zijn glas cognac achterover en ging weer op weg naar Vidauban. Hij schoof een cd in de speler om de hardrock, die nog steeds doorklonk in zijn hoofd, te verdrijven. *Simply Red.* Gerome had het hem laten horen. Soulmuziek van zijn generatie. Jaren voordat hij Gerome had laten kennis-

maken met zijn eigen oude soulcollectie.
Dominic voelde hoe de muziek hem kalmeerde. De beelden en emoties bezonken langzaam. Hij had nooit terug moeten gaan... nooit. Hij sloeg met zijn hand op het stuur van ergernis.
'Nothing ever felt good...
because nothing ever could;
I'll keep holding on...
keep holding on...'
Dominic beet op zijn lip. De tranen die plotseling in zijn ogen sprongen gaven het antwoord. En alle emoties en beelden die hij had proberen terug te dringen, die als een bijtend zuur onder de oppervlakte hadden liggen borrelen, braken plotseling los: Monique in het ziekenhuis met haar brandende kaars, hij die voor haar deur stond om haar te vertellen dat Christian dood was, dood. De gendarmes die met hun stokken door het korenveld liepen, de eenzame figuur van Jean-Luc, achter in het veld. Louis die lachte, hem nog een cognac inschonk en knipoogde naar een meisje dat langsliep. Zijn moeder, glimlachend in het schemerduister als ze naar de tuin en de mandarijnenboom keek. Allemaal voorbij nu, allemaal. Oude vrienden, geliefden, de talloze collega's die waren overleden aan hartaanvallen en leverkwalen. Zelfs de herinneringen aan al die mensen waren in de loop der jaren vaag en onduidelijk geworden.
Het enige wat er nog over was, was een stem. De eenzame, verlaten stem van een jongetje dat meer dan dertig jaar geleden was vermoord.
De tranen brandden in zijn ogen, en Dominic dacht: ik ben te oud om te huilen. Ik heb te veel gezien, te veel vrienden begraven. Veel te veel. Maar al die jaren dat hij zijn herinneringen had onderdrukt, zijn tranen had bedwongen, op zijn lip had gebeten bij iedere vriend die hij was kwijtgeraakt, elke begrafenis, hadden een muur van zelfbescherming om hem heen gebouwd. En nu zijn laatste verdediging was doorbroken, zijn muur was afgebrokkeld door die eenzame, kwetsbare stem, de gebeurtenissen van de afgelopen week en nu die plotselinge vloedgolf van herinneringen, kwam de rest daar achteraan en sloegen zijn emoties meedogenloos toe. Opeens schokte zijn hele lichaam van het snikken.
De weg voor hem werd vaag door de tranen in zijn ogen, een abstract schilderij in pasteltinten. Hij moest naar de kant sturen en stoppen.

Hij huilde om de onrechtvaardigheid, huilde om de verloren jaren, om alle geliefden en vrienden die waren begraven en vergeten, huilde en huilde en huilde totdat zijn hele lichaam schudde en schokte, een bespottelijk, beschamend getril dat hem ondanks zijn verdriet als bijna amusant voorkwam. En hij merkte even later dat hij door zijn aanhoudende gesnik heen zat te gieren van het lachen, en toen hij opkeek zag hij een jongeman langsrijden die bezorgde blikken in zijn richting wierp.
Hij veegde snel zijn ogen af en riep zichzelf tot de orde.
De rest van de rit naar Vidauban voelde hij zich merkwaardig kalm en opgelucht. Alsof deze onverwachte uitbarsting al zijn wrange herinneringen aan het verleden, tezamen met zijn valse hoop en frustraties van de afgelopen weken, had weggespoeld. Het was verleden tijd. Het was voorbij. Hoe had hij zich ooit kunnen verbeelden dat hij een probleem van dertig jaar geleden nu nog op kon lossen? Die hindernis was nooit bedoeld geweest om door hem genomen te worden.
Zijn leven stond weer op de rails, alles stond eindelijk weer in het juiste perspectief, en toen Dominic zich in Vidauban op zijn bed liet vallen, voelde hij hoe de vermoeidheid van de afgelopen dagen ten slotte vat op hem kreeg. Hij viel vrijwel meteen in slaap. Hoewel er een paar vage geluiden door zijn hoofd bleven spoken: het getingel van de bellen van de geiten, de kerkklokken die de herdenkingsdienst voor Christian Rosselot aankondigden...
Geluiden die in zijn onderbewustzijn teweeg werden gebracht door het gepiep van de telefoon in zijn jaszak.
Aan de andere kant telde Serge Roudele de keren dat de telefoon overging. Hij besloot hem nog drie keer te laten overgaan en het dan op te geven. Hij was al argwanend geweest, en als er niet werd opgenomen, was dat voor hem een duidelijke boodschap dat het nooit de bedoeling was geweest dat hij terugbelde, een bevestiging van zijn vermoeden toen hij door Fornier was gebeld: dat het een truc was. Dan zou hij niet meer terugbellen.

38

Het lampje van de taperecorder werd rood toen er een zacht piepje klonk. De man die het apparaat bediende, Lassarde, keek op. Het was al de derde opname van die avond, van de bijna honderd gesprekken die ze de afgelopen vijf dagen hadden opgenomen. Hoe lang was Bennacer van plan de lijn te blijven afluisteren? Hij nam een slokje van zijn koffie en staarde afwezig naar de draaiende spoelen.
'Hoe laat denkt u hier te zijn?'
'Ongeveer negen uur, halftien, op zaterdag. Zoals gebruikelijk. U had het over een nieuw jongetje. Hoe is hij in vergelijking met mijn vaste, Jean-Pierre? Is hij net zo jong?'
Even stilte aan de andere kant, toen werd er zacht een keel geschraapt. 'Hoor eens, laten we dat liever bespreken als u hier bent. Maak u geen zorgen, u zult niet teleurgesteld worden.'
Lassarde ging rechtop zitten. Jongetjes. Aurillet, de kinderpooier die ze afluisterden, klonk nerveus, want hij noemde hun leeftijden liever niet over de telefoon. Maar wie was er aan de andere kant van de lijn? Uit wat hij tijdens de briefing had gehoord, betwijfelde hij of het Duclos was. Dit klonk als een regelmatige klant, iemand die daar praktisch elk weekend op bezoek kwam. Voorzover hij wist was Duclos meer een bezoeker die bij vlagen kwam. Maar hoewel Duclos zelden belde, hoopten ze dat hij zijn bezoek een keer zou aankondigen, ook al moesten ze daar nog weken op wachten. Geduld.
Lassarde keek naar de digitale monitor, waar nu een telefoonnummer op verscheen: het netnummer van Toulon. Zoals hij had vermoed, was de beller een vaste klant uit de buurt. Brussel, Straatsburg of Limoges, dat waren de plaatsnamen die ze in verband met Duclos verwachtten. Het gesprek werd afgesloten met een paar beleefdheden, niets van betekenis. Lassarde wenkte Bennacer en speelde het fragment voor hem af.
Bennacer keek op toen het afgelopen was. 'Het hoeveelste gesprek is dit waarin over jongetjes wordt gepraat?'
'Het zevende of achtste. De rest was het gewone dagelijkse spul: barvoorraden, privé-gesprekken, de boekhouder, een afspraak met een aannemer die een nieuwe tegelvloer in zijn belangrijkste club, Nimbus, gaat leggen. Heel alledaags. En dit is het eerste

gesprek waarin bijna over de leeftijden van de jongetjes wordt gesproken.'
Anders kon Aurillet claimen dat het om jongens van zestien jaar en ouder ging, dacht Bennacer, de wettelijke leeftijd om homoseksuele diensten te verlenen. Het zou nog een hele klus worden om eerst Aurillet en dan Duclos te pakken te krijgen. Zelfs als er een gesprek kwam dat de twee met elkaar in verband bracht.
Er verstreken drie dagen voordat er een gesprek doorkwam dat Lassarde overeind deed zitten.
'... hij is weggelopen van huis, zoekt een veilig onderkomen. Hij is ideaal voor jou. Kan niet ouder dan twaalf of dertien zijn.'
'Ik weet het niet... ik weet niet of ik hierbij betrokken wil raken.'
'Wat is er mis? Je hebt het eerder gedaan.'
Lassarde glimlachte. Een straatpooier die Aurillet zijn handel leverde. Aurillets poging om eronderuit te komen had hem in dieper water doen belanden. De rest van het gesprek was niet erg interessant, en Aurillet was weinig mededeelzaam voordat hij het gesprek beëindigde. 'Kom dan maar met hem langs. Maar ik kan echt niets beloven.'
Maar veertien uur later kwam Lassarde Bennacer opnieuw storen. Bennacer zag de uitdrukking op Lassardes gezicht, brak zijn telefoongesprek af en liep snel achter Lassarde aan naar het kleine kamertje. De opname was al halverwege.
'... waarschijnlijk pas over drie weken. Ik wil er alleen zeker van zijn dat Bernard er dan is.'
'Ja, hij zal er zijn. Alles zal geregeld worden, zoals altijd. Weet u al op welke dag? Zal het in het weekend zijn, zoals u gewend bent?'
'Ja, waarschijnlijk wel. Op zaterdag, denk ik, aan het eind van de middag.'
Bennacer keek naar de monitor: 32-2-236521. Een nummer in Brussel. Toen keek hij Lassarde strak aan. 'Is het hem?'
Lassarde knikte nauwelijks zichtbaar en trok hard aan zijn sigaret.
'Prima. Ik verheug me op uw komst.'
Een klik. Het rode lampje ging uit en de recorder sloeg af.
'Oké, laat nog eens vanaf het begin horen,' zei Bennacer. 'Spoel hem terug...'

Dominic drukte op 'play'.
'Met Duclos. Kun je praten? Is er iemand bij je?'

'Nee, het is in orde.'
'Ik kom binnenkort langs.'
'Wanneer?'
'Dat weet ik nog niet precies, waarschijnlijk pas over drie weken. Ik wil er alleen zeker van zijn dat Bernard er dan is.'
'Ja, hij zal er zijn. Alles zal geregeld worden...'
Een auto toeterde naast Dominic toen hij over de rotonde reed. Iemand probeerde in te voegen van rechts. Na de rotonde zag hij een lange rij auto's voor zich en reed het verkeer heel langzaam. Dominic had het cassettebandje al een keer beluisterd. Toen Bennacer hem belde, had Dominic hem gevraagd de band over de telefoon af te spelen, zodat een van zijn radioagenten een kopie op een cassette kon maken. Hij stond op het punt om op weg te gaan voor een bespreking met Corbeix en wilde dit graag meenemen.
Dominic had ongeduldig over de radioagent gebogen gestaan terwijl de kopie werd gemaakt, had het gesprek een keer haastig afgeluisterd en had toen een portable recorder en het bandje gepakt en was naar zijn auto gerend. Maar hij was bang dat hij, met die tien minuten extra wachten en nu dat drukke verkeer richting Lyon, te laat zou komen voor zijn afspraak met Corbeix.
Drie weken? Nee, hij had geen zin om nog eens drie weken te wachten. Al het andere over Duclos lag praktisch op zijn plaats. Dominic nam de beslissing in zijn auto, op dat moment. Terwijl het verkeer weer langzaam in beweging kwam, belde hij Bennacer met zijn zaktelefoon. Hij kreeg de receptie van het bureau in Marseille en toen kwam Bennacer aan de lijn.
'Ga ervoor,' zei Dominic. 'We kunnen ons niet veroorloven langer te wachten. Val Aurillets club binnen, pak hem op en leg hem het vuur na aan de schenen over Duclos.'
'Denk je dat we genoeg hebben?'
'Laten we het hopen. Maar ik denk dat we niet veel meer zullen krijgen. We hebben minderjarige jongetjes in het ene gesprek en Duclos in het andere. Laten we het gewoon proberen en ons uiterste best doen om ze aan elkaar te koppelen. Succes.'

'We moesten de auto een grote beurt geven, alles nakijken, en hem schoonmaken voor de showroom.'
'Wat was uw specifieke taak daarbij?'
'Ik moest alle banden checken, de profielen, of er genoeg lucht

in zat, en de wielbalans en uitlijning controleren. Daar viel ook de controle van het reservewiel onder.'
Dominic kwam de kamer binnen en knikte naar Corbeix. 'Sorry dat ik zo laat ben.' Hij nam plaats aan de tafel, aan dezelfde kant als Corbeix en de notaris.
Corbeix boog zich over de bandrecorder. 'Hoofdinspecteur Fornier arriveert om vijftien uur twaalf. Gesprek wordt voortgezet...' Corbeix keek even naar zijn aantekeningen. 'Nu, die controle van de spanning en wielbalans, wat hield die precies in?'
'Die hield in dat we alle banden eraf moesten halen, de wielen moesten laten ronddraaien om de balans te checken en dan de banden weer op spanning moesten brengen. Ook het reservewiel, dat zich in dit geval in de achterbak bevond.'
Dominic merkte dat ze het inleidende gedeelte blijkbaar al achter de rug hadden, de informatie over het jaar dat Roudele in de garage had gewerkt en het soort auto. Details die hij dezelfde avond van Roudeles telefoontje al op band had vastgelegd.
Elf dagen en de hele zaak was op zijn kop gezet. Verbazing en opwinding over Roudeles telefoontje hadden hem snel uit zijn slaap gewekt. Hij had even met Corbeix gebeld en was dezelfde avond nog naar Limoges gevlogen. Hij had zijn gesprek met Roudele opgenomen en een afspraak met hem gemaakt voor een officiële verklaring in het bijzijn van Corbeix en een notaris. Twee dagen later was bij Bennacer op het bureau een anonieme tip binnengekomen over Duclos en een plaatselijke pooier die minderjarige kinderen leverde, Vincent Aurillet. Binnen vierentwintig uur hadden ze bij de Franse Telecom voor elkaar dat ze zijn lijn konden afluisteren. Nu had dat ook iets opgeleverd. Dominic was uitgelaten.
Het enige nadeel was dat hij pas een uur sliep toen Roudele hem belde, en dat hij sindsdien van de hernieuwde opwinding nog nauwelijks een oog had dichtgedaan. Drie weken in een op hol geslagen achtbaan die hem heen en weer slingerde tussen hoop, wanhoop en weer nieuwe hoop. Zijn zenuwen hadden het zwaar te verduren gehad. Hij had zich nog nooit zo moe gevoeld. Alleen zijn adrenaline dreef hem nog voort.
'En toen u die dag het reservewiel verwijderde, wat vond u toen?'
'Een munt, een zilveren munt.'
'Wilt u die alstublieft voor ons omschrijven?'

'Het was een Italiaanse munt, uit 1928. Een twintig lire-stuk.'
'En was die munt bijzonder zeldzaam of waardevol?'
'Redelijk zeldzaam in Frankrijk. Het was tenminste de eerste keer dat ik er hier een tegenkwam. Maar in Italië zijn ze minder zeldzaam, omdat de waarde niet hoog is.'
'Wat hebt u met de munt gedaan toen u hem vond?'
'Ik heb hem in de zak van mijn overall gestopt.'
'Heeft iemand gezien dat u dat deed?'
'Nee... niet dat ik weet.'
De atmosfeer in de kamer was gespannen. Alleen Corbeix en Roudele waren aan het woord en de notaris keek zwijgend toe. In de pauzen tussen de vragen was alleen het zachte geruis van de bandrecorder te horen. Dominic zag dat zijn hand op het tafelblad licht trilde. Een gevolg van zijn vermoeidheid en nervositeit toen hij zich door het drukke verkeer hiernaartoe haastte.
'En nadat u de munt had meegenomen, wat hebt u er toen mee gedaan? Hoe lang is hij in uw bezit geweest?'
'Ik heb hem met mijn vaders muntenverzameling bewaard, tot een jaar of tien, elf geleden. Toen heb ik hem met de rest van de verzameling verkocht.'
'Herinnert u zich de naam van de winkel waar u de verzameling hebt verkocht?'
'Ja. Een muntenhandel in het centrum van Limoges: Bagoudet.'
Corbeix boog zich weer naar voren. 'Ik wil aan het dossier toevoegen dat de muntenhandel in kwestie op 26 april is bezocht door hoofdinspecteur Fornier. Een aankoopbon voor de munt in kwestie is gevonden, met de datum 18 oktober 1984. De eigenaar van de muntenhandel heeft een verklaring afgelegd die aan het dossier is toegevoegd...' Corbeix zocht tussen de papieren die voor hem lagen, vond de verklaring en las het nummer voor. De notaris wierp een blik op de verklaring en gaf hem toen terug.
Nadat Dominic bij Roudele was geweest, was hij in Limoges blijven overnachten om de volgende dag naar de muntenhandel te gaan. Corbeix had dat belangrijk gevonden voor de ondersteuning van Roudeles verklaring, voor het geval Duclos' verdediging zou proberen die onderuit te halen door te stellen dat die alleen was afgelegd om de beloning te incasseren. De muntenhandel leverde de laatste ontbrekende schakel.
De munt was meegebracht uit Italië door Jean-Lucs vader, aan

Christian gegeven, in Duclos' auto en de zak van een monteur terechtgekomen... en het spoor eindigde ten slotte in een bedompte kelder van een bejaarde muntenhandelaar die daar zijn stoffige dossiers doorbladerde. Op de een of andere manier leek dat gepast. En toen was alles in een stroomversnelling terechtgekomen: afgetapte telefoons, verklaringen en notarissen, een wervelwind van papieren die over Corbeix' bureau joeg. Draden die weken geleden nog alle kanten op liepen, kwamen nu allemaal bij elkaar. Dominic haalde diep adem en probeerde zijn opgejaagde zenuwen te kalmeren. Hij was zich ervan bewust dat terwijl hij hier met Corbeix en Roudele zat, tweehonderd kilometer verderop Bennacer en zijn mannen Aurillets kantoor zouden binnenstuiven...

'Ik kan u echt niet helpen. Het spijt me, ik wilde dat ik het kon.'
'O, maar ik denk dat u dat kunt.' Bennacer had de drie meest incriminerende gesprekken aan elkaar geplakt, zodat hij ze achter elkaar kon afspelen. Hij drukte op 'play' en hield Aurillets gezichtsuitdrukking nauwlettend in de gaten.
De enige andere persoon in de kleine verhoorkamer was Moudeux, een boom van een hoofdagent aan wie Aurillet was geboeid toen ze achter in de zwarte Citroën naar het bureau reden. Moudeux, die ruim een kop groter was dan Aurillet, had hem het grootste deel van de rit zitten provoceren: 'Je houdt van bondage, hè? Ik heb begrepen dat jullie de handel vaak zelf testen. Probeer je die jongetjes eerst zelf uit? Hoe doe je dat, doe je hen dan zoiets om?' Moudeux deed zijn geboeide hand omhoog. 'Met zo'n lelijke griezel als jij zal dat wel moeten. Om te voorkomen dat ze ervandoor gaan.'
Aurillet had al die tijd zijn mond gehouden. De eerste vragen van Bennacer had hij achteloos ontkennend beantwoord. Moudeux hield zijn mond, zat Aurillet alleen maar met een lome, sombere blik en een dreigende glimlach op te nemen. Toen de band begon te lopen, schoot Aurillets blik nerveus heen en weer over het tafelblad. Aurillet leek wat verbaasd toen het stuk over Duclos werd afgespeeld, want in tegenstelling tot de andere twee werd daarin niet over jongetjes gesproken. Er werd wel een naam genoemd: Bernard.
'Prima. Ik verheug me op uw komst.'
Bennacer zette de band stop. 'Zo, we hebben je dus duidelijk

voor het leveren van minderjarige kinderen én je connectie met Alain Duclos. Wat we nu willen weten, is hoe lang die relatie met Duclos teruggaat. Alle details.'
'Ik begrijp het niet. Waarom bent u zo geïnteresseerd in hem?'
'Dat houdt verband met een ander onderzoek waar we mee bezig zijn. Jij bent niet degene waarin we werkelijk geïntereseerd zijn. We zijn voornamelijk geïnteresseerd in je relatie met Duclos. Waar en wanneer je hem in de afgelopen jaren jongetjes hebt geleverd.'
Aurillet schudde zijn hoofd. 'Jongetjes?' Hij lachte nerveus. 'Die Marcus is gek. Twaalf en dertien jaar oud. Hij weet dat ik hen nooit zo jong neem, maar hij blijft het proberen. Blijft me maar bellen.'
Bennacer staarde hem uitdrukkingsloos aan. 'Ik heb geen tijd om hier te blijven zitten terwijl jouw geloofwaardigheid en mijn geduld op de proef worden gesteld. We weten dat je de diensten van minderjarige jongetjes verkoopt. Maar zoals ik al zei, en ik herhaal het nog maar eens, ben jij niet degene die onze belangstelling geniet. Dat is Duclos.' Bennacer zuchtte. 'Dus laten we het nog eens proberen. Nog één keer: Duclos en jonge jongetjes. Wat weet je?'
Aurillet keek naar zijn schoenen. Toen naar de bandrecorder. 'Het is moeilijk. Ik weet niet waar dit toe zal leiden. Misschien beschuldig ik mezelf wel. Ik denk niet dat ik nog iets zeg zonder mijn advocaat erbij.'
Bennacer keek naar het plafond. Hij probeerde de toon van zijn stem rustig te houden: 'Dat is je recht. Als je dat echt wilt, ben ik bang dat we op dit moment niets meer met elkaar te bespreken hebben. Ik ga dit verhoor voor tien minuten onderbreken en laat je alleen om je beslissing te nemen. Als die nog steeds dezelfde is als ik terugkom, dan zul je worden vastgehouden tot je advocaat er is.' Bennacer draaide zich om naar de microfoon. 'Verhoor afgebroken om vijftien uur achttien.'
Bennacer stopte de band. Aurillets ogen volgden Bennacer naar de deur, zijn blik schoot even terug naar Moudeux en hij keek alsof hij wilde zeggen: je laat me toch niet met hém alleen?
Moudeux glimlachte. Hij stak zijn hand uit en legde hem op die van Aurillet. 'Maak je geen zorgen. Ik hou je gezelschap.'
Aurillet kromp ineen en trok haastig zijn hand weg. De deur ging dicht.

Bennacer bleef zestien minuten op de gang staan. Toen hij de kamer weer binnenkwam, had Aurillet een bange, opgejaagde blik in zijn ogen. Hij had de indruk dat er al verscheidene minuten stilte heerste tussen Aurillet en Moudeux. Aurillet had zijn beslissing kennelijk al enige tijd geleden genomen.
'Oké. Ik ga akkoord. Wat wilt u weten over Duclos?'
Bennacer startte de band weer. Hij vroeg niet wat er tijdens zijn afwezigheid was gebeurd dat Aurillet van gedachten had doen veranderen. Moudeux' sluwe glimlach vertelde hem dat alles min of meer was gegaan zoals ze hadden gepland.

'Was Aurillet lastig?'
'Nee, dat viel wel mee. Er was een link moment toen hij zijn advocaat wilde laten komen. Maar ik heb hem even alleen gelaten met een van mijn hoofdagenten, Moudeux, die hem op de mogelijke fouten in zijn houding heeft gewezen. Moudeux heeft hem de relatieve voordelen van zijn samenwerking met ons uitgelegd.'
'Officieel of officieus? Is het opgenomen als deel van het verhoor?' vroeg Dominic.
'Nee. Ik heb de band stopgezet voordat ik de kamer uit ging. Ik geloof niet dat ik het prettig vind om Moudeux' ongebreidelde taal terug te horen. Maar gelukkig hoeft hij nooit veel te zeggen. Hij torent boven de meeste mensen uit en heeft een geweldige glimlach. Naast hem ziet Jack Nicholson eruit als moeder Teresa.'
Dominic lachte en liet de whisky rondwalsen in zijn glas. Bennacer had naar zijn mobiele telefoon gebeld, een kwartier na hun gesprek met Roudele, toen hij nog in Corbeix' kantoor was om een paar laatste dingen met hem door te nemen. Corbeix had een fles Southern Comfort uit de kast gehaald en voor hen allebei een flink glas ingeschonken. Een tussentijdse viering: de succesvolle afsluiting van het ene stadium en het begin van het volgende.
Dominic zette zijn toestel uit en vertelde Corbeix wat Bennacer hem had verteld. 'Ik heb hem gevraagd of hij een kopie van de verklaring naar je kantoor wil faxen zodra het uitgetypt is. Over een uur of zo is het er wel.'
Corbeix hief zijn glas. 'Weer een stukje op zijn plaats.'
Ze zaten even zwijgend van hun whisky te genieten. Dominic

was doodmoe. Hij voelde zich op de een of andere manier onrustig, wist niet goed wat hij moest doen. Na die laatste weken van hectische activiteit had hij opeens het vreemde gevoel dat er niets meer voor hem te doen was. Het lag nu allemaal in Corbeix' handen. 'Wanneer ga je een arrestatiebevel aanvragen?'
'Even kijken.' Corbeix zocht tussen zijn papieren. 'Ik heb pasgeleden de werkroosters van de leden van het Europese Parlement opgevraagd. Ik wil het hem niet in Brussel laten overhandigen; dat is een administratieve nachtmerrie. De eerstvolgende keer dat Duclos in Straatsburg is, is over negen dagen. Ik heb in elk geval nog zes dagen nodig om mijn papierwerk af te ronden en een onderzoeksrechter in te lichten. Dus... de derde of de vierde mei.'
'Ik zou er graag bij zijn als hij wordt gearresteerd.'
'Dat is niet nodig. Twee leden van de gerechtelijke politie van Straatsburg zullen naar hem toe gaan, hem het arrestatiebevel overhandigen en Duclos' transport naar Aix regelen.'
'Ik zou er toch graag bij zijn.' Dominic glimlachte. 'Afgezien van de kranten is het heel lang geleden dat ik Alain Duclos voor het laatst heb gezien. Ik was toen nog maar een jonge gendarme. Het zou een heel nostalgische ervaring zijn.'
'Ik weet dat het lang heeft geduurd voor je.' Corbeix grijnsde terwijl hij nog een slok whisky nam: pijn en sympathie. 'Weet je zeker dat je zijn gezelschap wel aankunt?'
'Ik zal Duclos niet de trappen van het parlementsgebouw af slaan, als je daar bang voor bent. Hoe verleidelijk dat misschien ook is.' Dominic haalde zijn schouders op en zijn glimlach verdween. Hij was in gedachten. 'Zo'n groot deel van deze zaak is vanaf een afstand afgehandeld. Het was vaak zo ontastbaar en onecht. Ik heb iets concreets nodig om dat proces te beëindigen. Het arrestatiebevel dat wordt overhandigd, de boeien die hem om worden gedaan, de uitdrukking op Duclos' gezicht. Dan weet ik het pas echt: we hebben hem! Nu moet ik mezelf nog steeds knijpen om te geloven dat het allemaal voorbij is.'
En ik begin net, dacht Corbeix. Maar dit was niet het moment om Fornier te herinneren aan de moeilijkheden die nog moesten komen. Dat Duclos' zwaargewichtadvocaten de zaak uit zoveel richtingen zouden neerhalen, dat hij nauwelijks tijd zou krijgen om adem te halen. Hopelijk had hij zich ingedekt op hun voor-

naamste kwetsbare punten, maar wat als hij iets over het hoofd had gezien? Eén misstap en Duclos liep na de eerste paar vooronderzoeken weer vrij rond. 'Nou, de eerstvolgende negen dagen heb je in elk geval niets te doen. Maar waarschijnlijk kun je wel wat rust gebruiken. Je ziet er moe uit.' Een grijns die deze keer niet erg lukte. Voor iemand met MS een nogal boude uitspraak. Ironisch. Hij wendde zijn blik af en dacht aan zijn eigen taak, aan het feit dat hij waarschijnlijk niet genoeg energie zou hebben om de zaak af te ronden.
'Ja. Acht dagen slaap. Eén dag pure vreugde. Na dertig jaar aan deze ene zaak te hebben gewerkt, durf ik wel te zeggen dat ik het verdiend heb. Salut!'
Dominic boog zich naar voren en ze tikten hun glazen tegen elkaar.
Maar achter Corbeix' glimlach zag Dominic nog steeds een donkere schaduw van onzekerheid. Zijn eigen uitgestelde geloof van deze afsluitende stadia weet hij aan het feit dat de zaak tot nu toe was geplaagd door zoveel obstakels en problemen, en nu hij die niet meer zag, voelde hij zich niet langer op bekend terrein. Na zo lang wachten was het op de een of andere manier nog steeds vreemd dat het nu eindelijk allemaal binnen handbereik lag. Maar nu hij Corbeix zijn laatste slok whisky zag nemen, vroeg hij zich af of dat kwam doordat de realiteit weer even om de hoek kwam gluren. Dat er iets nieuws de kop op zou steken, dat Duclos weer een konijn uit zijn hoge hoed zou toveren, hun zaak zou ruïneren en aan zijn straf zou ontsnappen.

'Ze zetten de zaak door.'
Een deel van hem had al gevreesd dat dat zou gebeuren, was al begonnen met voorzorgsmaatregelen nemen. Maar een ander deel van hem was blijven twijfelen: daar hadden ze toch het lef niet voor, noch hadden ze enig bewijs! En het was dit deel dat standhield, het weigerde te accepteren. Duclos had het opeens koud en voelde zijn spieren zich spannen. Hij stond in een telefooncel op de Rue Archimede, op twee blokken afstand van het parlementsgebouw. Hij keek wezenloos naar het verkeer en de voorbijgangers.
De lange stilte maakte Bonoit plotseling ook onzeker en twijfelend. 'Weet je, ik zou je niet eens moeten bellen. Dit moet echt de laatste keer zijn.'

'Ja, ja... ik begrijp het.' Duclos brak zich los uit zijn gepeins. 'Welke grond hebben ze daar in godsnaam voor? Wat voor bewijs?'
'Ik ken de details niet, maar er werd iets gezegd over een automonteur die een muntstuk had gevonden in een vroegere auto van je. En nog steeds dat paranormale gedoe op de achtergrond, waar ik het al eerder over had.'
Een munt? Een munt die in zijn oude auto was gevonden? Onmogelijk. Het moest een truc zijn. Hij had de auto onmiddellijk na het gebeuren helemaal nagezocht, alle hoeken en gaten, en had er daarna nog zeven maanden in gereden zonder iets te vinden. 'Ik blijf het volkomen belachelijk vinden. Zoals ik al eerder zei, gaat het hier volgens mij over een of andere onterechte politieke heksenjacht die waarschijnlijk overgewaaid zal zijn voordat hij goed en wel begonnen is.' Maar Duclos hoorde de nervositeit en spanning in zijn eigen stem. De plotselinge bezorgdheid dat hij misschien iets over het hoofd had gezien, tegenover iets kwam te staan wat hij niet kende. Voor het eerst was hij bang. Zijn hand trilde en lag klam en vochtig om de telefoonhoorn.
Of was het van pure boosheid, woede? Dertig jaar lang had hij zijn land gediend, had hij gevochten voor wetsvoorstellen en -wijzigingen ten gunste van iedereen, en nu hadden ze het lef om dit opeens boven tafel te halen. Die parvenu van een Fornier met zijn zootje politiemensen en procureurs uit de Provence. Schandalig! Na Bonoits eerste telefoontje had hij twee dagen lang zijn geest afgezocht en zich uiteindelijk herinnerd wie Fornier was: de jonge gendarme die assisteerde in het onderzoek! Met die stugge, niet overtuigde uitdrukking op zijn gezicht had hij zich op de achtergrond gehouden toen Poullain hem bij de Vallons was komen opzoeken. Hoe had zo iemand zich in godsnaam kunnen opwerken tot hoofdinspecteur?
'Er is nog iets,' vervolgde Bonoit. 'Fornier was blijkbaar betrokken bij het oorspronkelijke onderzoek...'
'O?' Duclos deed alsof dat hem verbaasde.
'Zijn huidige betrokkenheid heeft alleen daarmee te maken. Gewoon iemand die er toen aan meewerkte en die nu de gaten van het verleden kan invullen. Maar het gaat dieper.' Bonoit wachtte even. 'Een paar jaar na de moord is Fornier met de moeder van het slachtoffer getrouwd, Monique Rosselot. Ze zijn nu man en vrouw.'

Duclos was aangeslagen en voelde een knagend gat in zijn maag. Een leegte die zich verzette tegen de bespottelijkheid van wat hij net had gehoord. Hij wilde schreeuwen: maar ze was al getrouwd, met Jean-Luc Rosselot. Dat heb ik toen in de krant gelezen! Maar hij besefte dat hij op die manier misschien de vraag opriep waarom hij zo geïnteresseerd was geweest in de zaak. Hij voelde zich geroepen om iets te zeggen wat verder ging dan 'o, ik begrijp het'. Toen trof het hem plotseling: persoonlijke betrokkenheid? 'Zou Fornier, gezien die achtergrond, er nu wel bij betrokken mogen zijn?'
'Dat is inderdaad een betwistbaar punt. En blijkbaar de reden dat Mallienė de leiding van het onderzoek heeft. Fornier assisteert alleen maar en geeft achtergrondinformatie, voor de continuïteit tussen de oude en de nieuwe zaak. Maar het gerucht gaat dat Fornier bijna al het loopwerk doet. Mallienė heeft de supervisie en zet overal zijn handtekening onder, mogelijk om claims van bevooroordeeldheid wegens persoonlijke betrokkenheid te voorkomen.'
De glimlach verscheen langzaam op Duclos' gezicht en zijn bezorgdheid nam af. Nog iets wat hij mogelijk in zijn voordeel kon gebruiken. 'Interessant.' Hij bedankte Bonoit. 'Ik waardeer het zeer dat je je nek hebt uitgestoken om me te helpen.'
Bonoit zei dat het niets voorstelde. 'We zijn toch vrienden?' Na een kort 'bon chance' beëindigde hij het gesprek.
In de stilte die daarop volgde, besefte Duclos dat hij waarschijnlijk nooit meer iets van Bonoit zou horen. Als het arrestatiebevel een feit was, zouden er veel meer oude vrienden en collega's zijn die ineens liever op een afstand bleven, dacht hij grimmig.
Een munt? Dat was het enige wat hem dwars bleef zitten. Al het andere – automonteurs en paranormale zaken – klonk als het soort onzin dat Thibault, zijn advocaat, binnen de kortste keren van tafel zou vegen. Hij zou hem morgen bellen. Dan konden ze alvast beginnen met zijn verdediging, voordat de meute wolven hem insloot.
Duclos kon bijna voor zich zien hoe Fornier zich in de handen stond te wrijven. Zijn vergeefse hoop op de uiteindelijke overwinning. Maar ondanks alles wat inmiddels met Aurillet was geregeld, en deze nieuwe informatie, had Duclos er nog steeds vertrouwen in dat hij als winnaar uit de bus zou komen. En dan zou hij Fornier een lesje leren dat hij niet snel zou vergeten.

Misschien had hij die whisky niet moeten nemen. De werking van de steroïden nam af in de middag, en de alcohol had zijn probleem waarschijnlijk alleen maar verergerd. Corbeix voelde de spierkrampen al omhoogklimmen in zijn rechterdij. Hij had nog minstens een uur willen blijven nadat Fornier was vertrokken, om zijn aantekeningen van hun gesprek van die middag uit te werken, maar hij voelde nu de eerste waarschuwingssignalen al. Als hij langer dan tien minuten bleef, zou hij het misschien niet eens naar het parkeerterrein halen. En dan had hij nog eens twintig minuten nodig om naar huis te rijden.
Een steeds terugkerende angst was dat zijn benen het onderweg zouden opgeven en hij niet eens meer in staat zou zijn de koppeling of de rem in te trappen. Op slechte dagen liet hij zich met een taxi heen en weer rijden. Maar deze ochtend was vrij goed begonnen, zonder krampen, en toen, kort na hun gesprek met Roudele, had hij de eerste gevoeld. Bijna alsof zijn lichaam hem eraan wilde herinneren dat het een vermoeiende dag was geweest. Terwijl het gesprek in volle gang was en de adrenaline door zijn aderen stroomde, had hij nauwelijks iets gevoeld.
Was dat hoe het zou zijn tijdens de vooronderzoeken die in het vooruitzicht lagen? Eerst voortdrijven op een zee van adrenaline, om je kort daarna compleet gesloopt te voelen? Vandaag was goed begonnen, hield hij zichzelf voor, maar hoe moest het op de dagen dat hij al doodmoe was als hij uit bed was gestapt en aan zijn ontbijt zat?
Corbeix deed de dossiers in het koffertje, liep zijn kantoor uit en draaide de deur achter zich op slot. De gangen waren verlaten. De meeste stafleden waren al een uur geleden naar huis gegaan.
Er was nog heel wat te doen. Forniers werk zat erop en het zijne begon net. En hij wist nu ook met zekerheid dat hij van Galimbert weinig of geen hulp hoefde te verwachten. Hij had Galimbert een week daarvoor uitgehoord en daarna nog eens, toen ze de aanwijzing van het muntstuk hadden. Hij vond het te mager, te experimenteel. 'Te veel dingen die mis kunnen gaan, zeker tegen zo'n hooggeplaatste figuur.'
Bezwaren, bezwaren, en geen steun. Galimbert was niet happig op de zaak. Als hij hem na het zomerreces aan Galimbert moest overdoen, om hem af te maken, zou Galimbert na de eerste de beste serieuze aanvaring met Duclos' advocaat de handdoek in de ring gooien.

Corbeix schudde zijn hoofd terwijl hij de treden van het Palais de Justice afliep. De RPR. Kort na hun eerste discussie over Duclos had hij zich herinnerd dat Galimbert een fervent RPR-aanhanger was. Ze waren procureurs, dienaren van de wet, en politiek mocht hun werk niet beïnvloeden. Regeringspartijen wisselden van kleur, maar zij waren er altijd, dienend, om het recht te handhaven. Maar hij kon niet helpen dat hij zich afvroeg of Galimberts gebrek aan enthousiasme niet voor een groot deel werd veroorzaakt door Duclos' RPR-status. Hij was blijkbaar een van Galimberts helden.
Corbeix grijnsde verbitterd. Het deed er nu nauwelijks iets toe. Hij stond er alleen voor. Hij moest de strijd aangaan in een van de grootste rechtszaken in de Franse misdaadgeschiedenis terwijl hij nauwelijks de energie had om naar het parkeerterrein te lopen. Onder aan de treden bleef Corbeix staan om op adem te komen, keek even om naar de imposante ontvangsthal van het Palais de Justice en de woorden boven de ingang: LIBERTÉ, ÉGALITÉ, FRATERNITÉ. Toen liep hij door en zijn onzekere voetstappen weerkaatsten hard tussen de straat en de bakstenen muren.

Echoënde voetstappen op marmeren vloeren. Dominic volgde de twee agenten van de gerechtelijke politie van Straatsburg door de hal van het parlementsgebouw naar de liften. Toen ze daarna de gang in liepen die naar Duclos' kantoor leidde, was die bekleed met dik tapijt. Gedempt, geluidloos, alsof het hun laatste meters naar Duclos wilde maskeren.
Maar een nogal bezorgde bewaker bij de receptie in de hal had de tijd genomen om hun legitimaties te bekijken, hun namen te noteren en naar Duclos' secretaresse te bellen voordat hij hen doorliet. Duclos wist dat ze eraan kwamen.
Ze liepen de receptieruimte van het kantoor binnen: een secretaresse, een assistent achter haar. Geen spoor van Duclos. Dominic hield zich op de achtergrond terwijl een van de agenten, Paveinade, de secretaresse de reden van hun bezoek uitlegde. Zijn collega, Caubert, knikte alleen maar toen ze van de een naar de ander keek.
Halverwege de receptie ging een tussendeur open en Duclos kwam naar buiten. Zijn mond stond open en hij staarde Paveinade vragend aan. 'Wat moet dit in hemelsnaam voorstellen? Wat is de bedoeling van deze inbreuk?'

Dezelfde arrogante, neerbuigende blik, dacht Dominic. Hoewel er van zijn ronde, gladde mooiejongensgezicht nog weinig over was; Duclos' gezicht was dik en pafferig, en de lijntjes en wallen onder zijn ogen verraadden zijn leeftijd.
Paveinade begon opnieuw, wat onzekerder deze keer: het arrestatiebevel afkomstig uit Aix, de opdracht die ze vanochtend in Straatsburg hadden gekregen om hem in hechtenis te nemen. 'Ik heb hier de papieren. U zult zien dat ze allemaal in orde zijn.' Paveinade hield hem de papieren voor, maar Duclos staarde hen alleen maar vol verachting aan.
'Wat zijn jullie dienstnummers?' snauwde Duclos. 'En wie is jullie korpscommandant? Geef al jullie gegevens, het arrestatiebevel en de naam van jullie korpscommandant aan mijn secretaresse. Ik zal hem meteen door haar laten bellen om deze toestand op te lossen.'
Gehoorzaam haalde Paveinade zijn legitimatie tevoorschijn en liet hem aan de secretaresse zien. Bedeesd, met een lichte blos op zijn gezicht, volgde Caubert zijn voorbeeld.
Dominic keek naar Duclos. Hij had met Corbeix afgesproken dat hij zich op de achtergrond zou houden en alleen zou toekijken. Hij zou te gemakkelijk zijn zelfbeheersing kunnen verliezen. Hij had gehoopt wat slaap in te halen tijdens de negen dagen die hij moest wachten. Maar door het vooruitzicht hem eindelijk het arrestatiebevel te kunnen overhandigen, was dat maar ten dele gelukt. Hooguit vier, vijf uur per nacht. Zijn zenuwen stonden nog steeds op scherp, en nu probeerde Duclos hem zijn moment van victorie af te nemen. Opeens was het alsof zíj onder verdenking stonden en gearresteerd moesten worden! Nog een paar centimeter speelruimte en Duclos zou hun bezoek in een compleet circus veranderen. Het werd Dominic rood voor ogen. Duclos' arrogantie waarmee hij probeerde de rollen om te draaien en het heft in handen te nemen, herinnerde hem eraan hoe Duclos zo lang aan de wet had kunnen ontsnappen.
Dominic legde zijn hand op Cauberts legitimatie toen hij die op het bureau van de secretaresse legde. 'Dat zal niet nodig zijn. Het arrestatiebevel is in orde, ondertekend door inspecteur Mallienė en een onderzoeksrechter in Aix-en-Provence. En als hoogste in rang hier vandaag aanwezig, is het mijn taak toe te zien en me ervan te overtuigen dat deze mannen van de gerechtelijke politie in staat zijn hun werk te doen en het arrestatiebe-

vel zonder beletsel kunnen overhandigen.' Dominic keek Caubert aan en vervolgde op scherpe toon: 'Nou, stop die legitimatie weg en doe waarvoor je hier bent gekomen. Lees de gevangene zijn rechten voor en doe hem de handboeien om, zodat hij naar de auto gebracht kan worden.'
Duclos' blik ging heen en weer tussen Dominic, Caubert en Paveinade. Een strijd om wie de sterkste wil had, hoewel Duclos opeens niet meer zeker leek te weten welke volgende actie het meeste effect zou hebben. 'Dit is belachelijk, absurd!'
Duclos' ogen bleven nog even op de drie mannen gericht en toen draaide hij zich om naar zijn secretaresse. Hij ademde langzaam uit, vermoeid. Geen energie meer om met zijn belagers te ruziën. 'Bel Jean-Paul Thibault; zijn nummer zit in mijn database. Vertel hem wat er gebeurd is.' Toen richtte hij zich weer tot de twee agenten en Dominic. 'Een van de eerste dingen die hij zal doen, is contact opnemen met jullie respectievelijke korpscommandanten in Straatsburg en Lyon. Ik denk niet dat jullie enig idee hebben van de ernst van de fout die jullie hier maken. Ik zou er niet op rekenen dat een van jullie in de toekomst nog promo...'
'Spaar uw adem, minister,' onderbrak Dominic hem, want hij zou liever dood neervallen dan dat hij Duclos dit laatste, quasi moraliserende gekrakeel zou toestaan. 'Ik ben niet een van uw kiezers. Noch zult u, als het aan mij ligt, ooit nog op uw zeepkist staan om uw kiezers toe te spreken.' Dominic knikte naar Paveinade en Caubert. 'Neem de gevangene mee.'
Toen Paveinade Duclos' armen omhoog deed om hem de boeien om te doen, mompelde hij: 'Het spijt me, meneer.' Nog steeds zijn autoriteit eerbiedigend, hoewel nu met tegenzin. Dominic kon zich niet voorstellen dat Paveinade zich zou verontschuldigen bij een straatzwerver als hij die in de boeien sloeg.
'Dit is bespottelijk,' siste Duclos. 'Je maakt een onherstelbare fout.'
Dominic boog zich naar hem toe. 'Nou, als u betaalt voor uw onherstelbare fouten, dan zal ik betalen voor de mijne.'
Ze brachten Duclos weg. Nieuwsgierige blikken, verbijstering van mensen die ze tegenkwamen in de gang. Of dat was omdat ze Duclos herkenden, of alleen de aanblik van iemand met handboeien om, kon Dominic niet zeggen. Twee mensen stonden in de lift toen ze naar beneden gingen, zij wierpen voorzichtige, zijdelingse blikken op de handboeien.

Dominic genoot van elke seconde. Hij had zich niet meer zo vermaakt sinds die bankmanager in Taragnon. Duclos hield zich nu rustig en zei niets. Hij keek beschaamd naar de grond, wilde niet kijken in de ogen van de mensen die ze tegenkwamen.
Nog één keer zei Duclos iets, toen ze de treden van het parlementsgebouw afliepen. 'Weet je, ik herinner me jou, Fornier.' Duclos keek hem nu recht aan; tot op dat moment had hij direct oogcontact vermeden.
'Ja, en ik ben u nooit vergeten.' Dominic glimlachte gespannen. 'Ik zal u bloemen sturen als u in de gevangenis zit.'
Dominic ging voor in de auto zitten en bleef recht voor zich uit kijken toen ze wegreden. Hij wilde nu dat hij zich aan zijn oorspronkelijke plan had gehouden, op de achtergrond was gebleven en zich koest had gehouden. Zijn handen lagen tot vuisten gebald op zijn bovenbenen. Hij kookte nog steeds van woede. Al die jaren van wachten, de intensiteit van het onderzoek van de afgelopen weken, en het enige waarmee hij kon besluiten, was een goedkope verwijzing naar Duclos' seksuele voorkeur. Maar het gaf hem tenminste nog enige bevrediging dat Duclos even met zijn ogen had geknipperd, wat geen uitgestelde reactie op zijn schrik of verbazing was, maar alsof er een oude, onaangename herinnering naar boven was gekomen en hij even tijd nodig had om de twee met elkaar in verband te brengen.

39

Jean-Paul Thibault baande zich een weg door de massa reporters op de trappen van het gerechtsgebouw. Camera's klikten, microfoons werden in positie gebracht. Ze hadden zich eerst op Duclos geconcentreerd, maar toen Duclos zijn hand opstak en Thibaults assistente Madeleine hem snel meenam naar de auto, hadden ze zich weer naar Thibault omgedraaid. De advocaat raakte zijn metalen brilletje aan en bevochtigde zijn lippen. De microfoons kwamen dichterbij.
'Zoals u zult kunnen begrijpen, wenst mijn cliënt in dit stadium geen commentaar te geven. Het enige wat ik kan zeggen, is dat ik van plan ben op korte termijn de onschuld van mijn cliënt aan

te tonen, dat de beschuldigingen die tegen hem zijn geuit totaal ongefundeerd en van generlei waarde zijn.'
Een warrige brij van vragen kwam terug: '*Match*... *Le Monde*... *Le Provençal*... Wanneer zal... Hoe stelt u zich voor... Zal monsieur Duclos...' Thibault pikte er één vraag uit: 'Waarom denkt u dat deze beschuldigingen nu pas, na zoveel jaar, zijn geuit?' Een jonge vrouw achterin: *Le Figaro*.
'Goede vraag. Waarom nu? Monsieur Duclos heeft een volledige, goed sluitende verklaring afgelegd toen deze zaak toentertijd werd onderzocht. Hij heeft niets te verbergen. Ik kan daar ook aan toevoegen dat er toen een verdachte is gevonden die is berecht en veroordeeld. Een heropening nu is een juridische schijnvertoning, zeker op grond van het bewijsmateriaal dat is gepresenteerd. Ik denk dat de reden voor deze plotselinge heropening gezocht moet worden in de politieke zaken waarbij monsieur Duclos de laatste tijd betrokken is geweest. Dank u.'
Thibault liep de trap af naar zijn auto.
De meute volgde: meer vragen. Ze hadden in het aas gehapt. Opnieuw pikte Thibault er één vraag uit. 'Over welke politieke betrokkenheid hebt u het?'
Thibault had het portier van zijn auto al halfopen toen hij zich omdraaide. Gespeelde tegenzin, alsof de pers het uit hem trok. Hij zuchtte. 'Zoals u vermoedelijk weet, is monsieur Duclos onlangs opgetreden als rapporteur in een dispuut dat de verkeerde kant op is gegaan voor de Europese biotechnische industrie. Wij nemen aan dat de zaak is heropend om hem in diskrediet te brengen. Ik mag u er ook aan herinneren dat dit allemaal gebeurt kort na een schandaal waarbij een zekere socialistische politicus uit Marseille betrokken was. Nogal toevallig, zou men kunnen zeggen.' Thibault glimlachte. 'Als ik u was, zou ik niet verder kijken dan monsieur Duclos' politieke vijanden als u zoekt naar degenen die achter deze bespottelijke schijnvertoning zitten.'
Thibault stak zijn hand op en stapte in de auto, negeerde de verdere vragen die nog werden geroepen. Hij had gezegd wat hij wilde zeggen. Madeleine reed weg.
Hij draaide zijn hoofd om en glimlachte naar Duclos. 'We hebben vandaag goed werk gedaan, denk ik. Dat kan morgen een interessante pers worden.'
'Ja, dat denk ik ook. Goed gedaan.' Hoewel Duclos' glimlach een stuk onzekerder was. Hij bleef met een half oog kijken naar

de zwarte Citroën van de politie die hen volgde, zijn schaduw voor de eerstvolgende maanden.

Twee dagen na de zitting waarin de hoogte van de borg werd vastgesteld, kwam de eerste officiële verklaring van de RPR: van de partijvoorzitter en de zittende eerste minister. 'We hebben uitvoerig gesproken met minister Duclos, die er absoluut van overtuigd is dat deze beschuldigingen vals en ongefundeerd zijn. Hij zal zich er krachtig tegen verzetten en de partij zal hem daarbij moreel steunen. Het is echter minister Duclos' persoonlijke opvatting dat het voor hem niet goed zou zijn als hij zijn taken als partijvertegenwoordiger, zowel hier in Frankrijk als in Brussel, bleef voortzetten zolang deze zaak niet opgelost is. Zijn ontslagaanvraag van vandaag is met tegenzin geaccepteerd door de partijvoorzitter.'
De boodschap was zoals verwacht: 'morele steun' betekende dat de partij hem geen concrete steun kon bieden, maar dat hun gedachten bij hem waren. Veel succes en *bon voyage*.

Acht dagen. Langer had Duclos niet achter de tralies gezeten voordat hij op borgtocht vrijkwam. Nogal een contrast met Machanaud, dacht Dominic verbitterd. Het rechtssysteem aan het werk. Met *egalité* als middelste motto.
Maar het was geen volledige borgtocht, drong Corbeix er bij Dominic op aan. Meer een soort huisarrest, met voortdurend een gendarme in Duclos' buurt. Die postte bij zijn voordeur in Limoges of bij zijn hotelkamer in Aix als Duclos daar was voor de hoorzittingen van het vooronderzoek. Zijn paspoort was ingenomen, zijn banktegoeden waren bevroren en hij had praktisch al zijn financiële reserves moeten aanspreken voor de borg. 'Dit is het beste waar we in deze situatie op konden hopen.'
Twee dagen waren er verstreken sinds de zitting over de borg. Een ernstiger bespreking deze keer met Corbeix. Geen whisky. Niet veel te vieren. Corbeix' bureau lag bezaaid met de belangrijkste kranten, waarvan de meeste het nieuws op de voorpagina brachten.
Het borgbesluit was geen totale verrassing. Zodra Corbeix had gehoord van Duclos' advocaat, Jean-Paul Thibault, was hij tenminste gewaarschuwd voor wat hij ongeveer kon verwachten: arrogantie, onbeschaamdheid, geschreeuw over het 'bespottelijke'

van deze zaak bij elke mogelijkheid die zich voordeed. Thibaults kantoor was een toonaangevend *cabinet* in Parijs, met kantoren in Brussel en Washington. Zware jongens in bedrijfsrecht, en hoewel hun strafrechtdivisie veel kleiner was, was die heel competent en agressief. Thibault was een van hun jongste partners en hij had zich in de kijker gespeeld toen hij in de jaren tachtig de vrouw van een beroemde Parijse modeontwerper vertegenwoordigde, toen ze van moord werd beschuldigd. Daarna volgde nog een aantal zaken die veel aandacht trokken en verwierf hij zich de reputatie van een goede strafpleiter voor 'de betere kringen'.
Thibault, met zijn metalen brilletje, zijn zwarte haar dat met gel achterover was gekamd en zijn pakken met twee rijen knopen, had in tien jaar tijd het beeld van zichzelf geschapen van de snelle, veelbelovende yuppie-advocaat. Maar hij had zijn imago in de loop der jaren niet aangepast zodat hij, nu hij tegen de vijftig liep, een indruk wekte die zowel louche als scherp was.
Dominic was in gedachten toen Corbeix hem inlichtte over Thibaults achtergrond. 'Dat klinkt niet zoveel anders dan een jonge Duclos.'
'Misschien is dat de reden dat Thibault hem is opgevallen. Dat Duclos iets van zichzelf in hem ziet.'
Zoals te voorzien was had Thibault bij de zitting over de borg meteen al zijn kanonnen voor zijn cliënt in stelling gebracht: Duclos' status, zijn vele jaren als gekozen, publieke figuur, zijn grote toewijding aan Frankrijk. Corbeix had daar de ernst van de beschuldiging en het feit dat Duclos geld had tegenover gesteld; hij had de middelen om te ontsnappen.
Ze ruzieden daar bijna een uur over totdat de onderzoeksrechter, Claude Barielle, besloot: bevriezing van alle banktegoeden, inname van het paspoort en huisarrest. De raadslieden van beide partijen zouden binnen tien dagen worden ingelicht over de volgorde van de vooronderzoeken.
Corbeix had Claude Barielles besluit in eerste instantie met enthousiasme begroet. Hij had de indruk dat Barielle, die pas tweeëndertig jaar was en over een scherpe, leergierige geest beschikte, meer open zou staan voor de achtergrond van PLT dan sommige van de oudere onderzoeksrechters. Maar tijdens de zitting over de borg was hij zich zorgen gaan maken dat Barielle tegenover iemand als Thibault misschien wat te onervaren zou kunnen zijn. Thibault, een meester in de manipulatie, was ge-

wend zich als een vechthaan door de grootste rechtszalen van Parijs te bewegen, en in deze kleine, provinciale rechtszaal van Aix, met zo'n jonge onderzoeksrechter, zou Thibault wel eens de indruk kunnen krijgen dat hij Barielle in een mum van tijd zijn koffertje kon laten dragen.
In de meeste zittingen van het vooronderzoek waren de advocaten van de verdediging vooral passagiers aan boord van het vlaggenschip van de onderzoeksrechter. Ze waren alleen aanwezig als hun cliënt moest verschijnen en mochten de getuigenverhoren alleen bijwonen als ze vooraf een 'verzoek tot wederhoor' indienden. De procureurs konden, als ze dat wilden, daar ook bij aanwezig zijn, voornamelijk om aantekeningen te maken of suggesties te doen, maar uiteindelijk kwam het erop neer dat ze slechts bij de helft van de zittingen in de rechtszaal waren en de onderzoeksrechter het werk lieten doen.
Corbeix grijnsde. Gezien zijn huidige conditie kwam een dergelijke aanpak hem misschien wel goed uit. Maar hij kon aan de koppen van de kranten op zijn bureau al zien dat het zo'n soort vooronderzoek niet zou worden. Thibault zou een hoop verzoeken tot wederhoor indienen en met modder gooien zodra hij de kans kreeg.
'Ik denk dat ons zwaar weer te wachten staat. En waarschijnlijk al eerder dan ik had verwacht.'
Dominic wierp ook een blik op de kranten. Een ervan had Duclos al de bijnaam 'biotech-parlementariër' gegeven. De andere refereerden daaraan in hun artikelen. De moordzaak en het dispuut over de biotechnologie waren al met succes met elkaar in verband gebracht in de geest van de lezer. 'Wat denk je dat Thibaults tactiek zal zijn?'
'Op het eerste gezicht is het gewoon een rookgordijn dat hem goed uitkomt. Een afleidingsmanoeuvre. Maar als je verder kijkt is het een heel slimme vorm van manipulatie. De huidige wetgeving met betrekking tot de biotechnologie is pro leven, pro rechten van de mens. Tegelijkertijd wordt er van ons verwacht dat we geloven dat de man die de wet heeft beschermd, ook in staat is tot moord. Thibault probeert Duclos al als een heilige af te schilderen voordat we goed en wel zijn begonnen. Hij gaat helemaal voor het snelle succes.'
'Met een speciale reden? Hij heeft de borg voor zijn cliënt geregeld, dus waarom deze haast?'

'Denk erover na. Thibault heeft de boude uitspraak gedaan dat deze hele zaak ongefundeerd is. Maar als het vooronderzoek zich voortsleept, zullen de mensen niet alleen gaan twijfelen aan die uitspraak, maar zal het, of ze nu winnen of verliezen, gedaan zijn met Duclos' politieke carrière. Alleen als het Thibault lukt deze zaak snel te laten seponeren, heeft Duclos nog een kans om terug te komen.'
Ze hadden het in hun vorige gesprek gehad over de moeilijke taak die voor hen lag, tot aan de laatste barricade toe, bedacht Dominic zich. En nu bracht Corbeix de mogelijkheid van een vroege nederlaag ter sprake. Wilde Corbeix hem alleen harden tegen een mogelijke teleurstelling, of zag hij verliezen echt als een reële mogelijkheid?
Twaalf dagen later, toen Corbeix het rooster van de eerste zes zittingen van het vooronderzoek voor zich had liggen, plus alle verzoeken tot wederhoor van Thibault, werd zijn vrees bewaarheid. Dit zou een hard gevecht worden, in elk stadium. Maar één verzoek tot wederhoor verbaasde hem. Hij staarde er lang en aandachtig naar voordat hij de papieren opzij legde, en vroeg zich af: was dit bluf, of wist Thibault iets wat zij niet wisten?

Marinella Calvan hield de telefoonhoorn met haar schouder tegen haar oor geklemd en bekeek de eerste bladzijde van de officiële uitnodiging die ze had ontvangen. 'Ja, ja. De zestiende. Over ruim drie weken.' Ze had haar agente, Stephanie Bruckmann, aan de telefoon. 'Ja, dat klopt. De kosten zijn deze keer voor hun rekening. Ik hoef niet meer te bedelen om reisgeld.'
'Wie heeft die uitnodiging voor je vertaald?' vroeg Bruckmann. 'Die leuke docent Frans, waar je het over had, die je op de campus was tegengekomen?'
'Nee. Inspecteur Fornier heeft me vanuit Frankrijk gebeld. Heeft het met me doorgenomen. Ik gebruik Tom alleen voor de krantenartikelen. Er is iets anders wat me is opgevallen.' Marinella sloeg *Le Figaro* open, die naast haar lag. 'De eerste zitting van het vooronderzoek, wat dat ook moge zijn, is aanstaande dinsdag. Maar er wordt veel geschreven over de betrokkenheid van deze Duclos bij die biotechnologie-zaak.'
'Dat biotechspul is goed voor ons. De John Moore-zaak heeft hier breed uitgemeten in de kranten gestaan. Heeft een paar mooie koppen opgeleverd. "Miltloos in Seattle" was een van de

mooiste.' Ze hoorde Marinella grinniken aan de andere kant van de lijn. 'Dus dat kan ons helpen om een landelijke interesse op te bouwen?'
'Laten we het hopen.'
Stephanie Bruckmann dacht een ogenblik na. Ze was de afgelopen maand bezig geweest met het plannen van lezingen, deals voor een boek en praatprogramma's, maar had zich daarna wat terughoudender opgesteld. De voorbereidingen waren gedaan, de interesse van de markt gewekt, maar de impact zou veel en veel groter zijn als de pers de zaak eenmaal had opgepikt. En die zou nog versterkt worden als bekend werd dat Marinella in een rechtszaak getuigde. Ze had Marinella gevraagd haar te bellen zodra ze haar uitnodiging uit Frankrijk had ontvangen. 'Hoor eens, ik denk dat ik rechtstreeks voor Larry King ga. Ik had zijn redactie al een paar dagen geleden aan de telefoon, meteen na het artikel in de *Washington Post*. Laten we Oprah en de rest voor later bewaren. Op dit moment is het een sterk internationaal-politiek verhaal, maar nog geen sterk Amerikaans verhaal. Laten we het een paar weken de tijd geven op dat front door te groeien. Maar op dit moment is het prima voor King. Ik zal zijn redactie morgenochtend meteen bellen.'

Thibault gedroeg zich tijdens de eerste twee zittingen van het vooronderzoek. Het grootste deel van de tijd zat hij aantekeningen te maken, met zijn assistente Madeleine naast zich, keek hij heerszuchtig over zijn brilletje, zoekend naar iets waar hij vraagtekens bij kon zetten, maar zei hij over het algemeen weinig. Nauwelijks bezwaren of interrupties.
Corbeix had niet geweten wat hij moest verwachten. Omdat Duclos' aanwezigheid bij beide zittingen noodzakelijk was, had Thibault geen verzoeken tot wederhoor hoeven indienen om daarbij aanwezig te zijn.
Barielle zat aan een tafel, met links van hem de griffier, die alles in een computer typte. Ondanks zijn jonge leeftijd had Barielle een krachtige uitstraling. Hij was vroegtijdig kalend en had scherpe, doordringende blauwe ogen. Hij duldde geen nonsens. De kamer waarin de hoorzitting werd gehouden, was niet groter dan acht bij zes meter.
Het doel van de eerste zitting was de globale presentatie van de zaak: de bevindingen van het openbaar ministerie om die te on-

dersteunen en het doel dat men nastreefde, gevolgd door de reactie van de verdediging. Corbeix begon met de achtergrond van het onderzoek uit 1963 en de belangrijkste punten van het proces; de details zouden worden gepresenteerd door Fornier in het derde vooronderzoek. Vervolgens werkte hij snel toe naar de link tussen de beide zaken: Eyran Capel en de laatste PLT-sessies. Corbeix paste ervoor op daar niet te veel over uit te weiden, want hij wilde zo snel mogelijk naar het muntstuk toe – hun belangrijkste concrete bewijs – zonder bezwaren en interrupties over PLT uit te lokken van Thibault. Die trok zijn wenkbrauwen op en keek naar het plafond toen hij het erover had, boog zich half glimlachend opzij om Madeleine iets in het oor te fluisteren, maar er kwam geen bezwaar.

Toch was Corbeix erop gebrand om PLT voorlopig nog even op de achtergrond te houden. 'Er zal veel bewijs worden gepresenteerd over de erkenning van PLT-werk. Niet alleen over deze case met Eyran Capel en Christian Rosselot, maar over honderden andere erkende zaken die vele jaren teruggaan. Talloze buitengewoon begaafde psychiaters en psychologen kunnen getuigen van de authenticiteit van deze therapie. Er zijn vele uren van bandopnamen en stapels typoscripten beschikbaar. Marinella Calvan, de psychologe die de sessies heeft geleid en een van de toonaangevende PLT-experts ter wereld, zal hier ook voor ons verschijnen, net zoals de psychiater die PLT-sessies voor Eyran Capel in eerste instantie heeft aanbevolen. En ten slotte een Franse notaris die een van de laatste sessies heeft bijgewoond.' Corbeix legde een hand op het dossier. 'Maar ondanks dit alles zal het openbaar ministerie deze zaak niet voeren – ik herhaal: niet – op basis van dergelijk bewijs. Dat dient alleen als achtergrond en ter ondersteuning van het concrete bewijs: een muntstuk dat door een automonteur in de kofferbak van Alain Duclos' auto is gevonden.

PLT is daarom alleen een middel om een doel te bereiken, en geen doel op zichzelf. En het muntstuk is van belang omdat het niet zomaar een muntstuk is: het is een vrij zeldzaam, zilveren Italiaans lire-stuk dat Christian Rosselot heeft gekregen van zijn grootvader, die het uit Italië had meegebracht. Christian Rosselot heeft op die noodlottige dag het ouderlijk huis verlaten met het muntstuk in zijn broekzak, waarna het vervolgens werd teruggevonden in de kofferbak van monsieur Duclos' auto, ook al is dit pas jaren later aan het licht gekomen.'

Corbeix gebaarde richting Thibault. 'Ik weet zeker, edelachtbare, dat er door de verdediging veel bezwaar zal worden gemaakt tegen PLT, puur vanwege het ongebruikelijke en speculatieve karakter, zeker als het als bewijs in een rechtszaak dient. Daarom wil ik nogmaals benadrukken dat het in deze zaak alleen zal dienen als achtergrond en ter ondersteuning. Maar hoe de verdediging ook zal proberen PLT in diskrediet te brengen of er twijfel over te zaaien, ze zal het simpele, onweerlegbare feit niet kunnen ontkennen dat die munt daar was. Geen mythische ontdekking, maar een tastbare. En de enige steekhoudende verklaring voor het feit dat hij daar lag, is dat de jongen – Christian Rosselot – op de dag dat hij werd vermoord in de kofferbak van Alain Duclos' auto heeft gelegen.' Corbeix knikte even naar Barielle, toen naar Thibault, en hij ging zitten.

Thibault besteedde de eerste tien minuten vooral aan een karakterbeschrijving van zijn cliënt, bijna een exacte herhaling van zijn pleidooi tijdens de zitting over de borg. Hoe ondenkbaar het was dat iemand van Duclos' status, die zich zo had ingezet voor de gemeenschap, een dergelijke misdaad zou plegen. Een bespottelijke parodie op de wet, die nooit had mogen toestaan dat deze beschuldigingen tot uiting werden gebracht. Toen schakelde Thibault moeiteloos over naar de achtergrond van PLT en paranormaal bewijs.

'Niets anders benadrukt sterker hoe groot deze bespottelijkheid is en het laat heel goed zien hoe groot en meelijwekkend de wanhoop van het openbaar ministerie is.' Maar tot Corbeix' opluchting en verbazing besteedde Thibault weinig tijd aan het onderwerp. 'Deze elementen zijn zo twijfelachtig, dat ze voor mij nauwelijks de moeite waard zijn om ze in diskrediet te brengen.' Alsof hij al min of meer aannam dat Barielle ze eveneens als klinkklare nonsens zou beschouwen. Of misschien bewaarde hij zijn belangrijkste wapens voor de hoorzitting met Marinella Calvan, dacht Corbeix.

Thibault benadrukte de gevoeligheid van de politieke positie van zijn cliënt en de nogal verdachte en toevallige timing van dit alles, zo kort na het controversiële dispuut over de biotechnologiewetgeving. 'Iedere politicus heeft vijanden, en als een industrietak wordt geraakt voor een bedrag van acht miljard dollar, is het niet ondenkbaar dat die vijanden in actie komen. Dus waarom deze beschuldiging tegen mijn cliënt zich plotseling

manifesteert, moge duidelijk zijn. Na meer dan dertig jaar komt ze opeens uit het niets tevoorschijn. Maar het hóe erachter is veel interessanter. Een samengeraapt zootje toevalligheden en verzinsels dat aan elkaar is gebreid door het openbaar ministerie, met een paar mystici om het nog ergens op te doen lijken, allemaal alleen om aan deze belachelijke politieke heksenjacht bij te dragen.' Thibault keek Barielle recht aan. 'Echt, edelachtbare, ik heb in al mijn jaren voor het hof nooit een schaamtelozer geval meegemaakt van bijeengeraapte bewijzen en vooroordelen ter ondersteuning van de beschuldigingen van het openbaar ministerie, en het zal me dan ook een genoegen zijn om aan te tonen wat die in werkelijkheid is: een zaak die absoluut geen inhoud en bestaansrecht heeft.' Thibault boog even zijn hoofd en haalde vermoeid adem. 'Helaas is het voor mijn cliënt wel zo, dat hoe de uitkomst ook is, en omdat we weten hoe het er in de politiek aan toe gaat, het met zijn carrière vermoedelijk gedaan zal zijn. Zijn vijanden zullen in beide gevallen gewonnen hebben. Wat, denk ik, al die tijd al de opzet is geweest, aangezien ze heel goed wisten dat dergelijk wankel bewijs binnen de kortste keren van tafel geveegd zou worden. Laten we daarom hopen dat er ten minste op één front recht zal geschieden. Dank u.'
Thibaults enige verweer tot nu toe. Een nogal boude uitspraak, vond Corbeix. Bevooroordeeldheid? Maar over het algemeen nogal tam voor Thibault. Het lag voor de hand dat er nog veel ergere dingen zouden komen.
Toen Thibault weer zat, glimlachte Barielle. 'Tja, monsieur Thibault, ik denk dat uw opvattingen over deze zaak ons al duidelijk waren, net als voor iedereen die de kranten leest. Ik zou u willen verzoeken om uw opvattingen in de toekomst eerst aan mij voor te leggen voordat u ze wereldkundig maakt, en niet andersom.'
Thibault begon te blozen, haalde nauwelijks zichtbaar zijn schouders op en knikte alleen maar. Een verontschuldiging kon hij onmogelijk uit zijn mond krijgen.
Corbeix glimlachte ook. Misschien was Barielle toch niet zo'n mak lammetje als ze hadden gedacht.

Het eerste deel van de tweede hoorzitting werd gewijd aan Serge Roudele, die zijn naam noemde, vertelde van wanneer tot wanneer hij in de garage in Limoges had gewerkt en toen zijn verklaring over het muntstuk aflegde.

Duclos was erbij aanwezig omdat hij later zou moeten getuigen. Hij zag er weinig op zijn gemak uit toen hij naar Roudeles verslag luisterde. En dat was maar goed ook, vond Corbeix, want het was het voornaamste concrete bewijs dat hem zou kunnen veroordelen. Duclos zou al geweten kunnen hebben van de munt uit de rechtbankpapieren, maar niet alle details. Corbeix voelde iets van vrolijkheid toen hij Duclos' bezorgdheid zag. Waarschijnlijk zat hij zich af te vragen hoe vaak hij in de zeven maanden daarna de kofferbak had geopend zonder de munt te zien. Of waarom – o, waarom toch? – hij in al die tijd nooit een lekke band had gehad.
Thibault wachtte totdat Barielle klaar was met zijn vragen, deed een beroep op zijn recht op wederhoor en zei dat het maar drie vragen betrof. Barielle knikte en stelde ze voor hem: 'Hebt u de munt in kwestie gestolen?'
'Nou... ja... tenminste, ik heb hem meegenomen.'
'Zou u die daad als diefstal aanmerken?'
'Ja... ik neem aan van wel.' Hij bloosde licht en voelde zich weinig op zijn gemak.
'En was er een beloning uitgeloofd voor degene die naar voren zou komen met informatie over het muntstuk?'
'Ja, dat was zo.' Roudele klonk defensief. 'Maar die was niet zo groot, in vergelijking met de werkelijke waarde.'
Thibault maakte geen slotopmerkingen en Roudele mocht gaan. Maar de punten stonden in het verslag en Corbeix was ervan overtuigd dat Thibault er later nog uitgebreid op terug zou komen, zou proberen Roudele in diskrediet te brengen. Corbeix gaf een samenvatting van de verklaring van de eigenaar van de muntenhandel, las de belangrijkste punten uit zijn verklaring voor, gaf hem toen aan Barielle, die hem schoof naar zijn griffier om hem in het dossier op te nemen.
Duclos' getuigenis was, zoals te verwachten was, een herhaling van de verklaring die hij in 1963 had afgelegd. Hij had door Taragnon gereden, had een restaurant bezocht, was even gestopt bij een garage en was toen doorgereden naar Juan-les-Pins.
Toen Duclos uitgesproken was, vroeg Barielle: 'Toen u door Taragnon reed, bent u toen op een zeker moment een jongetje tegengekomen?'
'Nee, dat ben ik niet.'
'Hebt u op welk willekeurig moment ook een jongetje in uw auto gehad? Voorin of in de kofferbak?'

'Nee.'
'Hoe lang hebt u in totaal in dat restaurant doorgebracht?'
'Een uur tot een uur en een kwartier...'
Barielle vervolgde met een reeks directe, op mechanische toon gestelde vragen, elf in totaal, en maakte korte aantekeningen van de antwoorden die hij erop kreeg. Voordat het hele vooronderzoek voorbij was, zou hij de vragen nog een keer of tien stellen, steeds vanuit andere contexten en hoeken die elke keer scherper zouden zijn of confronterend met afwijkende verklaringen van getuigen. Dat was de voornaamste taak van een goede onderzoeksrechter: zoeken naar de waarheid. Maar Corbeix kon zich nauwelijks voorstellen dat Barielle, als hij het bandje hoorde met de stem van een langgeleden overleden jongetje dat een andere versie van het gebeuren gaf, zou vragen: 'Wat hebt u daarop te zeggen, monsieur Duclos?'
Dat herinnerde Corbeix eraan, terwijl hij naar Duclos' getuigenis luisterde, dat zijn bewering in het vorige vooronderzoek, dat de PLT alleen maar diende als achtergrond en ter ondersteuning, voor een deel onjuist was: de zaak hing dan wel af van het concrete bewijs van het muntstuk, maar Eyran Capels PLT-typoscripten zouden het complete beeld geven van wat er die dag écht was gebeurd.
Alle details die Duclos nu zo zorgvuldig ontweek.

Jean-Paul Thibault had zich met opzet koest gehouden tijdens de eerste zittingen. Ten eerste luisterde hij graag, probeerde hij één te worden met de sfeer waarin de zaken verliepen, de gevoeligheden en nuances van de procureur en de onderzoeksrechter, hun sterke en kwetsbare punten. Wanneer hij moest toeslaan en waar juist niet. En als hij dat deed, de momenten waarop zijn acties de grootste impact zouden hebben, om vervolgens de doodklap uit te delen.
Maar hij had nog twee andere redenen om zich deze keer even in te houden: research en achtergrond. Het blootleggen van de meest kwetsbare punten van de getuigen. De dag nadat hij het dossier over de zaak had ontvangen, had hij zijn twee beste onderzoeksmedewerkers op pad gestuurd om informatie te verzamelen over Roudele, Fornier en Mallienė in Frankrijk, Lambourne en de Capels in Groot-Brittannië, en Marinella Calvan in de Verenigde Staten.

Per dag kwamen nu de stukjes informatie binnen. Helaas was er niets te vinden over Roudele. Geen eerdere veroordelingen voor diefstal; het muntstuk was blijkbaar een opzichzelfstaand incident. Hij zou later wel besluiten of hij dat punt door zou drukken.
Maar met Fornier waren ze op een goudader gestuit. Genoeg stukjes om een lappendeken te maken. Een deken om Fornier de mond te snoeren en hem in het volgende vooronderzoek in stijl aan de schandpaal te nagelen.

'Hoe zijn we gevaren?' Dominic tikte met een pen op zijn bureau. Papieren en dossiers, rinkelende telefoons, interrupties. Een gewone ochtend. Dominic was nauwelijks in staat geweest om ergens zijn aandacht bij te houden. Hij had twintig minuten geleden al naar Corbeix' kantoor gebeld, maar had te horen gekregen dat die nog niet terug was van het gerechtshof. De tweede keer was hij meteen doorverbonden met Corbeix.
'We staan ook na de tweede waarschijnlijk nog voor. Thibault heeft Roudele aangepakt over de diefstal van de munt, maar erg serieus was dat niet. En Duclos heeft hetzelfde lamlendige en bespottelijke verslag van zijn bezigheden van die dag gegeven als toen jij zijn verklaring in 1963 opnam.'
'Ik had niets anders verwacht.'
'Nee, ik ook niet.' Corbeix bleef even zwijgen. Het gemak waarmee ze door de eerste twee zittingen waren gezeild, had hem herinnerd aan de slachtpartij die hij voelde aankomen. Hij had Fornier al gewaarschuwd voor het verzoek tot wederhoor van hem en Malliené voor de volgende zitting. Dominic had er een grapje over gemaakt: 'Dus of Thibault heeft zijn plek op de eerste rij gereserveerd en gaat zitten toekijken... of we kunnen Malliené beter waarschuwen voor wat hem te wachten staat.' Corbeix had ook gelachen, maar wat nerveus. Ze wisten allebei wie Thibault onder vuur ging nemen.

'Kan ik praten? Is je lijn veilig?'
Duclos' hart zonk in zijn schoenen. Het was Jaumard. Thibault zou om deze tijd klaar zijn op het gerechtshof. Duclos had gehoopt dat hij het was: nieuws over hoe zijn aanval op Fornier en Corbeix was verlopen.
'Ja, het is oké. Je kunt praten. Ik word niet afgeluisterd.' Betina

was beneden en de gendarme stond voor de voordeur. De telefoon was waarschijnlijk zijn enige veilige toevluchtsoord. Thibault had er een zwaarwegend punt van gemaakt op de zitting over de borg. Er de nadruk op gelegd dat nu zijn cliënt tot huisarrest was veroordeeld, hij gedwongen was al zijn contacten telefonisch te onderhouden. Een veilige lijn was daarom essentieel. Afluisteren zou de vertrouwelijkheid tussen jurist en cliënt schaden en dan zou hij onmiddellijk nietigverklaring van het vooronderzoek eisen. Barielle ging akkoord: er zouden geen telefoons worden afgetapt.
Duclos schrok van zijn eigen domheid. Hij had beter kunnen zeggen: 'Nee, de lijn is niet veilig.' De laatste persoon van wie hij op dit moment iets wilde horen, was Jaumard. Toch voelde hij tegelijkertijd ook een soort morbide nieuwsgierigheid. 'Maar toch zou je me hier niet moeten bellen. Wat wil je?'
'Dat lijkt me duidelijk, is het niet? Ik lees ook kranten. Je gaat voor schut, hè? Het is mijn oudedagsvoorziening die hier verdomme het riool in gaat!'
'Welnee, het is allemaal onzin. Dit hele gedoe zal snel worden rechtgezet. Misschien is dat in dit vooronderzoek al gebeurd; of het gebeurt in het volgende, op z'n laatst. Mijn advocaat staat ze op dit moment op het gerechtshof aan het kruis te nagelen.'
'Daar heb ik alleen jouw woord voor. En ik voel er weinig voor om te gaan zitten wachten tot het misgaat. Zodra jij weet dat je eraan gaat, betaal je me niet meer.'
Het had geen zin om het te ontkennen, want ze wisten allebei dat het waar was. 'Je belt vroeg vandaag. Normaliter bel je 's avonds, of 's nachts.'
'Ja, nou... ik wilde mijn hoofd erbij hebben. Dit gaat over mijn toekomst. Het is heel goed mogelijk dat dit mijn laatste kans is.'
Duclos voelde wat er ging komen, maar hij vroeg er niet naar, wilde hem niet aanmoedigen. Net als met al het andere stelde hij het uit tot het laatst. Hoewel een deel van hem zich nog vastklampte aan de hoop dat hij het mis had.
Een lange, diepe zucht van Jaumard. 'Ik wil mijn pensioen nu incasseren. De helft meteen, de rest een week voordat het proces begint. Op die manier heb ik een spaarcentje als je voor de bijl gaat.'
'En als dat niet gebeurt?'
'Dan hoor je de eerstvolgende drie jaar niets van me.' Jaumard

zweeg even. 'Driehonderdduizend franc nu. Driehonderdduizend vlak voor het proces begint.'
Duclos hakkelde: 'Dat is bespottelijk. Ik kan niet aan zoveel geld komen! Ik heb op dit moment helemaal geen geld voor je. Al mijn bankrekeningen en tegoeden zijn bevroren.'
'Lul niet. Mensen als jij kunnen altijd wel ergens geld vandaan halen.'
'Niet als ze terechtstaan voor moord. Die lui van het gerechtshof hebben al mijn rekeningen doorgespit toen mijn borg werd vastgesteld. Ik heb op dit moment niets.' Toch had Jaumard gelijk; ondanks alles kon hij wel degelijk aan geld komen. Maar dat geld, op een Zwitserse bankrekening, van Marchands biotechmensen, daar mocht niemand iets van weten: vierhonderdduizend dollar bij de uitkomst van het dispuut, nog eens vierhonderdduizend dollar toen de wet erdoor was, en honderdtwintigduizend dollar voor elk jaar dat er geen nieuwe regels voor patenten kwamen, met een maximum van zeven jaar. Zijn noodfonds voor als alles misging. Maar Jaumard was wel de laatste persoon die hij deelgenoot wilde maken van dat geheim.
'Het kan me niet schelen hoe je aan dat geld komt; zorg ervoor dat ik het krijg! Want ik wacht niet langer. Ik bel je morgen om je een bankrekeningnummer voor de overschrijving te geven.'
Duclos kreeg een hol gevoel in zijn maag. Dit was een nieuwe Jaumard: gespannen, irrationeel, en voor één keer nuchter. De geheelonthouder Jaumard: een licht ontbrandbaar mengsel van delirium tremens en onbeheerste spanning. 'Het is onmogelijk. Ik heb je gezegd, als ik probeer...'
'Doe het!' snauwde Jaumard. 'Als je tegen de tijd dat ik bel nog geen manier hebt uitgedokterd om binnen vierentwintig uur driehonderdduizend franc naar me over te maken, hang ik de volgende dag aan de telefoon met de politie om te praten over het dagboekje van mijn broer. Het Palais de Justice in Aix, was het niet?'
Jaumard liet de stilte even voortduren en hing toen op.

Corbeix zag waar Barielle op aanstuurde met zijn eerste paar vragen, zag het probleem dichtbij komen als een truck die recht op hem afkwam. Thibault voerde de druk tijdens de hoorzittingen op.
'En hoe lang bent u al getrouwd met de moeder van het slachtoffer, hoofdinspecteur Fornier?'

‘Negenentwintig jaar.’
‘Is deze betrokkenheid kenbaar gemaakt aan procureur Corbeix toen u hem benaderde voor deze zaak?’
‘Ja, ik heb het hem verteld.’
Corbeix stak zijn hand op om te interrumperen. Barielle wachtte met zijn volgende vraag en knikte.
‘Veel van de gegevens hierover staan in het eerste dossier dat ik bij u heb ingediend, edelachtbare.’ Corbeix kwam half overeind. Gelukkig hadden zijn pijnen hem bij de vorige vooronderzoeken met rust gelaten, en ook de laatste paar dagen was het goed gegaan. Maar nu voelde hij de eerste aanzet tot spierkrampen. ‘We hebben geen geheim gemaakt van de relatie tussen hoofdinspecteur Fornier en Monique Rosselot.’
‘Dat waardeer ik. Maar als u me nog even toestaat. Of in dit geval: als de verdediging me toestaat...’ Barielle gebaarde naar Thibault, ‘... dan zal alles hopelijk duidelijk worden.’
Barielle had al een keer een tien minuten durend privé-overleg met Thibault gevoerd voordat hij doorging met het stellen van de vragen. Alle vragen tijdens het vooronderzoek moesten eerst worden voorgelegd aan de onderzoeksrechter, om rechtstreekse intimidatie van de getuigen te vermijden.
‘Wat heeft er in eerste instantie voor gezorgd dat u werd betrokken bij het heropende onderzoek?’ vroeg Barielle aan Dominic.
‘Het feit dat ik, toen Marinella Calvan contact met mij opnam, min of meer nog de enige te traceren persoon was die betrokken was geweest bij het oorspronkelijke onderzoek.’
‘En de reden dat deze medewerking werd voortgezet?’
‘Ongeveer dezelfde: mijn kennis van het oorspronkelijke onderzoek. Ik was daardoor in een veel betere positie om de stukjes in elkaar te passen als er nieuw bewijs naar boven kwam.’
‘Op welk punt werd de leiding van het onderzoek overgedragen aan inspecteur Mallienè?’
‘Nadat ik de zaak met procureur Corbeix had besproken.’
‘En wat waren de redenen daarvoor?’
‘Deels omdat inspecteur Mallienè dient onder de jurisdictie van Aix, van waaruit de zaak aanhangig zou moeten worden gemaakt, en deels omdat monsieur Corbeix zich zorgen maakte over mogelijke bevooroordeeldheid vanwege mijn relatie met Monique Rosselot.’
‘Ik begrijp het.’ Barielles stem klonk vlak. ‘En dus niet puur als

rookgordijn om die genoemde bevooroordeeldheid te verhullen?'
'Nee. De volledige verantwoordelijkheid lag bij inspecteur Mallienė. Hij had de vrijheid om mijn bijdragen aan het onderzoek, als hij het daar niet mee eens was, te negeren.'
'Inspecteur Mallienė leidde het onderzoek?'
'Ja.'
'En, laten we eens even kijken, wat heeft inspecteur Mallienė, als leider van het onderzoek, precies gedaan in deze zaak? En dan zou ik dat graag willen vergelijken met de gebruikelijke taken van iemand die een onderzoek leidt...'
Terwijl Barielle doorging met een reeks van vragen over de respectievelijke bijdragen van Mallienė en Fornier aan het onderzoek, staarde Corbeix naar het tafelblad. Afwezig tekende hij figuurtjes op een blocnote. Cirkeltjes en vierkantjes die steeds kleiner werden: het besef dat hij werd ingesloten. Hij voelde een koude rilling langs zijn nek lopen. De rest van zijn lichaam was te verdoofd, te verkrampt en stond te stijf van de steroïden om iets te voelen. Of Thibault had vermoed dat Mallienė alleen maar een stroman was, of hij was daar door iemand over getipt. En nu had hij Barielle overtuigd, die zich gedroeg als een vos met een konijn in zijn bek, en die weigerde los te laten. Corbeix klemde zijn hand om de pen. Die verdomde Thibault. Hij was nauwelijks in staat geweest om Thibault te laten werken voor zijn geld. Thibault kon nu elk moment gaan schreeuwen over bevooroordeeldheid, Barielle zou het daar waarschijnlijk mee eens zijn, en Thibault zou nietigverklaring van het vooronderzoek eisen. Het kon allemaal voorbij zijn voordat hij zijn tekening af had.
Op een bepaald punt ging Fornier terugvechten. 'Omdat zoveel van het latere bewijs gekoppeld was aan de eerdere bevindingen, lag het voor de hand dat ik het merendeel van het loopwerk zou doen. Als we het anders hadden aangepakt, zou dat niet gewerkt hebben.'
Maar het deed weinig goed. Het was duidelijk dat het Forniers onderzoek was en dat Mallienė alleen was benoemd om er zijn naam onder te zetten. Barielle was er niet blij mee.
Barielle vroeg naar Forniers politieke voorkeur en liet hem toen gaan. Vreemde vraag, dacht Corbeix terwijl hij opkeek. Mallienė, die al een keer voor Fornier was gehoord, werd opnieuw binnengeroepen.

Mallienė deed zijn best om zijn rol en betrokkenheid aan te dikken, maar toen de vragen zich richtten op wat hij in elk stadium precies had gedaan, was het gemakkelijk om tussen de regels door te lezen.
Op een zeker moment was Corbeix er nog maar half bij met zijn gedachten. Hij kon niets doen. Hij wreef zich de ogen omdat ze begonnen te steken, terwijl hij ook zijn spierkrampen voelde toenemen. Vaak kwamen de twee tegelijk: verslechtering van het zicht, dat soms gepaard ging met extreme duizeligheid. Maar nu was het slechts een vage mist en een waterig branden. Door deze mist vervaagden de gebeurtenissen om hem heen. Barielle zou zijn reeks vragen afronden, een snelle samenvatting geven, Thibault zou zijn nietigverklaring eisen en Barielle zou die toekennen. Zijn laatste hoop was dat Forniers verzet en Mallienė's poging om een grotere betrokkenheid op te eisen, hoe doorzichtig ook, misschien nog enige twijfel zouden zaaien. Zo niet...
Corbeix keek abrupt op toen hij zijn naam hoorde noemen. Dat was snel, dacht hij. Mallienė was al klaar, dus nu zou Thibault toch zeker aan zijn resumé beginnen? Hij knikte en kwam overeind, maar hij voelde zijn benen trekken van de pijn, de krampen harder in zijn kuiten bijten. Het kostte hem even tijd om zich te richten op wat er werd gezegd.
'Ik vind dit hoogst ongebruikelijk,' zei Barielle.
'Onder normale omstandigheden, ja,' beaamde Thibault. Hij gebaarde met zijn hand naar Corbeix, zonder naar hem te kijken. 'Maar ik denk dat inmiddels al duidelijk is aangetoond dat dit geen normale omstandigheden zijn. Dit is meer een uitbreiding van de eerdere punten die zijn gerezen over de bevooroordeeldheid tegen mijn cliënt. Hoewel ze, zoals u zult zien, net zo steekhoudend zijn.'
Barielle wierp een wat opgelaten blik in de richting van Corbeix en wenkte Thibault naar zich toe. Na een kort meningsverschil met Thibault, die op een bladzijde in zijn dossier wees, gebaarde Barielle Corbeix weer te gaan zitten en haalde hij verontschuldigend zijn schouders op. Omdat dit wel even kon duren, of om wat komen ging?
En plotseling drong het tot Corbeix door: Thibault probeerde Barielle zover te krijgen dat die hem ondervroeg! Bespottelijk. Wat had Thibault in 's hemelsnaam voor troefkaart achter de hand? Wat hoopte hij hiermee te bereiken? Bevooroordeeld-

heid? Een brok intense helderheid drong zich door de mist voor zijn ogen.
Uiteindelijk keerde Thibault terug naar zijn plaats. Barielle keek Corbeix aan. 'Het spijt me, monsieur Corbeix. Ik weet dat dit nogal ongebruikelijk is. Maar er zijn enkele vragen gerezen over uw betrokkenheid, die opheldering behoeven.' Barielle tuurde nog enige tijd naar de getypte pagina die Thibault bij hem had achtergelaten. 'Ik heb begrepen dat u ziek bent, monsieur Corbeix. Kunt u me vertellen wat de aard van uw ziekte is?'
'Ik heb multiple sclerose.'
'En is dit al langgeleden vastgesteld?'
'Ongeveer drie jaar geleden.' Corbeix keek naar Thibault, woedend omdat deze zijn ziekte onder vuur nam. 'Maar dit is geen geheim. Ik heb de *Garde de Sceaux* van het Palais de Justice daar vorig jaar oktober al over ingelicht. We hebben afgesproken dat ik eerst halve dagen ga werken en daarna met vervroegd pensioen ga. Ik begrijp alleen niet wat dat met deze zaak te maken heeft.'
'Ik weet het. Ik weet het.' Barielle stak een hand op om hem te kalmeren. 'Ik weet dat uw gedeeltelijke pensioen al is gepland.' Barielle keek weer op het blaadje. 'En als onderdeel van dat gedeeltelijke pensioen had u gepland dat u uw zaken zou overdragen aan procureur Galimbert, begrijp ik.'
'Ja, dat is correct.'
'Behalve deze zaak.' Barielle keek Corbeix nu recht aan. 'Dit is de enige zaak die u niet aan hem overdraagt.'
Corbeix knipperde met zijn ogen. Plotseling besefte hij welke kant dit op zou gaan. God, was er nog iets wat Thibault niet had ontdekt? 'Ja.'
'Wat was de reden daarvoor?'
'Ik heb de zaak met Galimbert besproken, maar hij voelde er gewoon weinig voor. Daarom besloot ik hem zelf voort te zetten.'
'Zelfs al had u daarvoor al besloten dat u na het zomerreces misschien te ziek zou zijn om deze werklast te dragen?'
'Ja. Mijn uiteindelijke besluit was misschien tegen beter weten in. Maar als Galimbert de zaak niet wilde hebben, welke keus had ik dan? Bovendien hadden we te maken met de buitengewone complexiteit ervan.'
Een beleefd knikje en gespannen glimlachje van Barielle. 'Wat is de politieke voorkeur van procureur Galimbert?'

'RPR. *Rassemblement Pour la Republique*. Hoezo?'
Barielle negeerde de vraag. 'En wat is uw politieke voorkeur?'
'Ik ben socialist.'
Opeens trof het Corbeix: hij was socialist, Fornier was socialist, Thibault die klaagde over politieke bevooroordeeldheid tegen zijn cliënt, en nu waren zij in de kijker gezet als hadden ze de regels naar hun hand gezet. Hij moest Thibault nageven – ook al was hij een schoft – dat hij zijn zaakjes goed voor elkaar had.
Thibault stak zijn hand op. Barielle zag het. Corbeix verwachtte Thibaults eis tot nietigverklaring, zijn *coup de grâce*.
Maar Thibault had een brochure in zijn hand. 'Ik denk dat enkele interessante feiten over deze speciale ziekte ook het vermelden waard zijn, edelachtbare.' Thibault begon voor te lezen uit de brochure: 'In ernstige gevallen kan dit tijdens periodieke aanvallen leiden tot verminderd zicht, duizeligheid en een disfunctioneren van de hersenen, wat geheugenverlies en tijdelijke verminderde toerekeningsvatbaarheid tot gevolg kan hebben.'
Corbeix' bloed begon te koken. Hij had geaccepteerd dat hij over een jaar of zo misschien in een rolstoel zou zitten, geaccepteerd dat het voor hem steeds moeilijker zou worden om zijn jongste dochter op te tillen, dat hij binnenkort zijn boot zou moeten verkopen omdat zelfs een dagtripje ernaartoe voor hem te vermoeiend zou zijn, maar wat hij niet accepteerde, was dat deze Parijse mooiprater van een advocaat verkondigde wat zijn ziekte inhield, noch wat hem in de toekomst al dan niet te wachten stond.
'En gezien de effecten van deze ziekte op de hersenen, denk ik dat er vraagtekens mogen worden gezet bij de mentale competentie van monsieur Corbeix.' Thibault pauzeerde even voor het effect. 'Of dat, in deze zaak, als hij die doorzet, de combinatie van bevooroordeeldheid en mentale ongeschiktheid zijn oordeel niet te veel zou kleuren.'
Maar Corbeix wist dat als hij een zinnig protest wilde laten horen, hij op zou moeten staan, en hij voelde de spierkrampen steeds heftiger worden toen hij overeind kwam. Hij zette zich schrap tegen de pijn en voelde het zweet langs zijn gezicht stromen. Maar hij was vastbesloten daar niets van te laten merken, weigerde een zichtbare demonstratie te geven die de beweringen van Thibault zou bevestigen. Toen hij rechtop stond, brandden de spieren in zijn benen zo fel, dat deze hem weer omlaag dreig-

den te trekken. 'Monsieur Thibault is geen arts. En ik verzet me ertegen dat hij de tijd van dit vooronderzoek verspilt met zijn amateurdiagnoses. Zeker als het mijn gezondheid is die ter discussie staat.'
'Ik probeerde alleen maar wat duidelijkheid te brengen in...'
'Ik weet heel goed wat u probeert,' onderbrak Corbeix hem. 'U valt mijn mentale competentie aan. De effecten die u beschrijft gelden alleen voor extreem zware gevallen. Van dat stadium ben ik nog ver verwijderd, en misschien, als God dat wil, zal ik dat stadium nooit bereiken. Uw pathetische amateurdiagnose is ongeveer even belachelijk en ongegrond als dat ik zou suggereren dat drie generaties van inteelt u hebben gemaakt tot de idioot die u vandaag bent.'
'Messieurs, alstublieft... alstublieft!' Barielle probeerde de orde te herstellen.
Corbeix wierp nog een laatste punt op tafel. 'En wat betreft monsieur Thibaults insinuatie over politieke bevooroordeeldheid, als uwe edelachtbare me toestaat, die is even ridicuul als dat ik Thibaults recht zou betwisten om monsieur Duclos te verdedigen, alleen omdat hij ook een RPR-aanhanger is.'
Corbeix ging zitten. Een klein succesje op het laatste nippertje, maar zou het genoeg zijn? Thibault had in een eerder stadium zeker genoeg gedaan om Barielle ervan te overtuigen dat er sprake was van voldoende bevooroordeeldheid om de zaak nietig te verklaren.
Thibault maakte een snelle optelsom van de bezwaren die hij had geuit: persoonlijke bevooroordeeldheid vanwege familiebanden en politieke bevooroordeeldheid. Bevooroordeeldheid waar je ook keek. En ten slotte de vraag over Corbeix' mentale competentie: was zijn beoordelingsvermogen nog goed, en zou het dat over een maand of drie nog steeds zijn? Alain Duclos' recht op een eerlijk en onpartijdig proces was ernstig geschaad. Onder dergelijke omstandigheden zou Thibault het absoluut terecht vinden als de zaak nietig werd verklaard. Thibault ging zitten.
Barielle knikte en raadpleegde nog even zijn aantekeningen. Corbeix had een droge keel, maar hij merkte dat hij niet kon slikken. Ten slotte keek Barielle op om het verlossende woord te spreken.

40

'En wanneer moet je in Frankrijk getuigen?'
'Dinsdag over een week.'
'Ik heb begrepen dat de rechtbankprocedures daar heel anders zijn dan hier, en dat je in feite zult verschijnen in een soort voorbereidende hoorzitting?'
'Ja, blijkbaar. Er zal me worden gevraagd achtergrondinformatie over PLT te verstrekken en op die manier de band tussen de twee jongens aan te tonen. En later, als de eigenlijke rechtszaak plaatsvindt, zal ik worden opgeroepen om min of meer dezelfde informatie te verstrekken tegenover een jury...'
Het was lunchtijd bij Boehmier & Kemp in Washington D.C. Het enige rustige moment van de dag. Jennifer McGill had snel een broodje gegeten en gebruikte haar lunchtijd om het achterstallige papierwerk van die ochtend in te lopen. Op de achtergrond was CNN te zien, met het geluid zacht.
Een naam die op tv werd genoemd, klonk haar opeens bekend in de oren, hoewel ze niet meteen wist waarom. Abrupt keek ze op van het dossier dat ze had zitten lezen en zette het geluid harder. Larry King was op tv, met iemand die sprekend op Mary Elizabeth Mastrantonio leek en die ze nooit eerder had gezien.
'Zelfs rond die hoorzittingen schijnt in Frankrijk al een soort mediacircus te zijn ontstaan. Er wordt politieke bevooroordeeldheid geclaimd en we hebben natuurlijk de beslissende betrokkenheid van Alain Duclos bij die grensverleggende biotechnologiezaak. Gezien de enorme aandacht die eraan wordt geschonken, zul je ongetwijfeld onder vuur worden genomen over het kwetsbare karakter van PLT in de bewijsvoering, hoe denk je daarmee om te gaan?'
'Door me strikt te houden aan het bewijs en de feiten die ons ter beschikking staan. De sessies waarbij ik aanwezig was hebben alleen al negentig pagina's typoscript opgeleverd, en voor mijn aankomst zijn er al meer dan zestig pagina's aantekeningen en typoscript gemaakt door een collega-psychiater...'
En toen wist ze opeens de naam weer: Calvan. Niet een van haar zaken, maar een die werd behandeld door Gerry Sterner. Maar ze herinnerde zich dat Gerry een paar dagen terug was benaderd door een onderzoeksmedewerker uit Parijs.

Ze rukte de hoorn van de telefoon en drukte op de knop van de centrale. 'Susan? Is Gerry er nog?'
'Ik geloof dat hij in de bibliotheek is. Ik verbind je door.'
Een paar seconden later hoorde ze Sterners stem. 'Ja?'
'Gerry. Jennifer hier. Ga naar de dichtstbijzijnde tv. Snel! Die Calvan van jou is bij Larry King.'
Na een kort bedankje vloog Sterner door de gang naar de kantine. Twee secretaresses zaten naar *Pacific Drive* te kijken.
Hij greep de afstandsbediening. 'Sorry. Sorry. Noodgeval!'
Larry King verscheen op het scherm, met zijn gebruikelijke rode bretels. 'Zijn je eerdere gevallen bekend waarin PLT werd gebruikt als bewijsvoering in een moordzaak?'
'Twee in India, hoewel maar een ervan het tot het eigenlijke proces heeft gehaald. Maar dit is de eerste zaak van zijn soort in een gemeenschap die de concepten van reïncarnatie en PLT afwijst. En dus, in die context...'
Sterner stormde de kantine uit en greep de eerste de beste telefoon in een aangrenzend kantoor. Zijn secretaresse was lunchen, dus hij belde de receptie. 'Susan, bel Jean-Paul Thibault bij Guirannet & Fachaud in Frankrijk voor me, wil je? Het is daar al bijna avond, dus je moet snel zijn.'

Kon het... kon het waar zijn?
Ja, had Monique al na het tweede bandje besloten, enkel en alleen omdat ze geen andere redelijke verklaring kon bedenken. Niemand anders dan Christian kon die dingen zo gedetailleerd weten. Hoewel ze nog steeds die muur van weerstand voelde, dezelfde als toen ze tegen Dominic had gezegd dat ze een of ander vaag, paranormaal verband misschien wel kon accepteren, maar niet dat dit de wedergeboorte van Christian was.
Maar naarmate de sessies en opnamen vorderden, gevolgd door de hoorzittingen, had ze haar visie langzaam maar zeker bijgesteld, hoewel ze daar nooit iets over tegen Dominic had gezegd. Eerst alleen door het horen van Christians stem en de beschrijvingen op het bandje... en de vele schrijnende herinneringen die toen plotseling bovenkwamen. Maar toen was ze nieuwsgierig geworden naar Eyran Capel.
Ze had alleen wat achteloze vragen gesteld als Dominic het had over de vorderingen in de sessies en de zaak. Hoe ziet die jongen eruit? Is er een gelijkenis met Christian? Herinnert hij zich iets

als hij wakker is? Ontkennende antwoorden op elke vraag, geen magisch beeld in haar geest waaraan ze zich kon vastklampen, niets anders dan een stem op een bandje. Ze had ze herhaaldelijk afgespeeld, net zo achteloos gevraagd of ze de nieuwe bandjes mocht horen, haar best gedaan om de groeiende intensiteit van haar nieuwsgierigheid niet te verraden.
Ze had willen vragen of ze een van de sessies mocht bijwonen, maar dan zou ze te veel blijk geven van haar groeiende obsessie, en Dominic had haar al verteld hoe moeilijk het was om bij de sessies aanwezig te zijn, en over het geheime spelletje dat Marinella Calvan en hij gedwongen waren te spelen. Het was hem ten slotte gelukt om nog één laatste sessie bij te wonen, tezamen met een notaris.
Toen, een paar dagen geleden, had Dominic gezegd dat Stuart en Eyran Capel naar Frankrijk zouden komen voor de volgende hoorzitting, en dat ze hadden afgesproken elkaar voor de zitting te ontmoeten. Ze had op dat moment op het punt gestaan om te zeggen: 'Daar zou ik graag bij zijn', maar toen had Dominic haar verteld waar ze naartoe zouden gaan: het korenveld! Het korenveld bij Taragnon. Plotseling raakten haar nieuwsgierigheid en alles wat ze al zo lang weg had gedrukt ernstig in conflict. Ze kon niet terug naar die plek, nooit meer.
En dus maakte ze zichzelf wijs dat het niet belangrijk was en klampte ze zich vast aan Dominics eerdere woorden: dat Eyran gewoon een Engels jongetje was met een leuk, vrolijk gezicht, donkerblond haar en een paar sproetjes naast zijn neus, dat hij niet op Christian leek en zich niets herinnerde als hij wakker was...
Wat moest ze doen? Naast deze jongen gaan staan, die ze niet kende, en hem vragen stellen waarop hij geen antwoord kon geven... terwijl haar hart en ziel aan stukken werden gescheurd door de herinneringen? Misschien was het nooit de bedoeling geweest dat ze hem zou ontmoeten. Misschien moest dit privé blijven. Zij alleen met haar bandjes... alleen met Christians stem.
Ze keek over de rand van haar wijnglas naar Dominic. Ze waren klaar met eten en de tafel was al afgeruimd. Dominic zat haar ook bedachtzaam aan te kijken.
'Zijn er problemen?' vroeg ze.
'Ik weet het niet. Misschien. Het ging niet goed vandaag. Maar we zullen de uitkomst pas over een paar dagen weten.' Toen de

deuren van de kamer waarin de zitting had plaatsgevonden eindelijk openzwaaiden, had Corbeix een woedende uitdrukking op zijn gezicht gehad. Hij had Dominic uitgelegd hoe hij onder vuur was genomen en wat Thibault eiste, maar ze hadden allebei even hun mond gehouden toen Thibault naar buiten kwam. Barielle wilde het verslag van zijn griffier raadplegen voordat hij uitspraak deed. Over vier dagen zouden ze die horen.
'Wat kan er gebeuren?'
Dominic zuchtte. 'We staan er slecht voor. De zaak kan nietig verklaard worden. Dan is alles afgelopen.'
De blik in Moniques ogen werd zachter. Ze forceerde een glimlach en legde haar hand op die van Dominic. 'Het spijt me, Dominic. Je hebt zoveel werk in deze zaak gestopt, er zo hard voor gevochten.' Er verscheen een aarzelende glimlach op zijn gezicht, maar ze kon de pijn en het verdriet zien die erachter lagen. Het gaf hem weinig troost. Ze pakte zijn hand stevig vast. 'Luister, Dominic. Als de zaak mislukt, dan moet je je daar niet schuldig over voelen vanwege mij. We hebben samen een goed leven gehad. Je hebt me twee geweldige zonen gegeven. Je hebt me heel gelukkig gemaakt. Meer kan iemand niet doen. Ik kan niet van je verwachten dat je dat van Christian ook nog rechtzet.'
'Dank je.' Dominic nam haar hand in de zijne. Maar hij wist dat ze dit waarschijnlijk alleen zei om hem te troosten als de zaak eventueel zou mislukken. Hij twijfelde er geen seconde aan dat ze, net als hij, Duclos graag aan de zijmuur van de Arc de Triomphe genageld zou zien voor wat hij Christian had aangedaan.
'Je hoeft dit niet voor mij te doen. Ik heb me al lang geleden losgemaakt van de geest van Christian.'
Maar hij deed dit net zozeer voor zichzelf, wist hij. Om de zaak recht te zetten. Hoewel ze waarschijnlijk nooit zou weten hoe schuldig hij zich voelde over Machanaud. Ze had gelijk: ze hadden samen een geweldig leven gehad. Alles met elkaar gedeeld, behalve die paar geheimen. 'Vind je het niet erg dat alles nu weer terugkomt? Dat de geesten op een bepaalde manier weer tot leven worden gewekt?'
'Een beetje, maar dat is logisch.' Ze kromp even ineen. Ze wilde niet toegeven hoe groot de obsessie voor haar was. Hij had al genoeg druk op zijn schouders. 'Maar we mogen ons leven daar niet door laten bepalen. Als het lot beslist dat Duclos wordt ver-

oordeeld, dan zij het zo. Als dat niet gebeurt, dan geldt hetzelfde. Wat moet gebeuren, zál gebeuren. Kwel jezelf niet met de gedachte dat je dat kunt veranderen, Dominic. Straf jezelf niet. Je hebt aan deze zaak alles gedaan wat je kon. Als dat uiteindelijk niet genoeg blijkt te zijn, laat het dan los. Niemand zal het je kwalijk nemen, daardoor minder over je denken. Zeker ik niet.'
Zoals altijd zacht en begrijpend. Haar ogen keken hem aan en voegden diepte toe aan haar woorden. Sprekende bruine ogen die hem al hadden doen smelten toen hij ze voor het eerst zag, die hem in de loop der jaren fonkelend hadden aangekeken over talloze door kaarsen verlichte tafels, bij de geboorte van Yves en Gerome, de tientallen verjaardagen en feestjes die ze sindsdien hadden gevierd. Een goed leven. God, wat hield hij van haar.
Maar achter die zachtheid en dat medeleven in haar ogen zag hij nog steeds de pijn. De schaduwen die haar na Christians dood door de decennia heen hadden achtervolgd. Schaduwen die dat medeleven ontkrachtten en schreeuwden: grijp hem, grijp hem! Zorg dat Christian recht wordt gedaan. Laat hem niet ontkomen.

Betina's stem klonk uit de keuken. 'Ik breng nu de taart binnen.'
Joël glimlachte. Duclos glimlachte ongemakkelijk terug. Ze zaten aan de uiteinden van de eettafel, zo ver mogelijk van elkaar af. Wat altijd dringender gewenst was als Betina niet in de kamer was. Alsof zij de enige link tussen hen was en ze zonder haar niet normaal konden communiceren.
Betina kwam binnen met de taart en de sfeer ontspande. Wit glazuur met blauwe letters: HARTELIJK GEFELICITEERD JOËL. Tien kaarsjes.
Een wonder. Nadat hij vijf dagen tegen de dood had geknokt in een couveuse, was Joël opeens sterker geworden. Nog eens twee maanden met zorgen over gezonde botaanmaak, en Joël had nergens meer last van gehad.
Late felicitaties van collega's toen Joël eenmaal buiten levensgevaar was. Sigaren. 'Je moet dolgelukkig zijn!' Ja, ja, natuurlijk. Zijn beste politiciglimlach. Inwendig was hij te verdoofd om te weten hoe hij zich voelde. Maar Betina zou tenminste gelukkig zijn, was de overheersende gedachte. Het zou haar bezighouden, en weg van hem houden. Wat hem wel zo goed uitkwam.
Blond haar in pagestijl. Blauwe ogen. Joël leek op zijn moeder,

op alle fronten. Hij zag weinig terug van zichzelf in de jongen.
Betina glimlachte bewonderend naar de twee boven de taart.
'Het is fijn om je thuis te hebben, Alain. Zeker bij gelegenheden als deze.'
'Ja, het is fijn om thuis te zijn.' Duclos forceerde een glimlach, maar hij dacht: stomme trut. Een gendarme voor de voordeur en zijn leven en toekomst hingen aan een zijden draadje. Dat kon je moeilijk de ideale thuiskomst noemen. Maar hij wist wel wat ze bedoelde: tussen Brussel en Straatsburg, al zijn zakenreisjes en weekends dat hij ertussenuit kneep – ook onder het mom van zakelijke afspraken –, was hij vrijwel nooit thuis. Vaak zagen ze hem maar twee of drie keer in evenveel maanden. Inwendig lachte Duclos om de ironie: dat was dus hun relatie, hun schijnvertoning van een huwelijk, dat er een gerechtelijk bevel voor nodig was om hem thuis te krijgen.
Verjaardagen? Ondanks Betina's commentaar was dit een van de weinige keren dat hij er lijfelijk bij aanwezig was. Hij had al drie van Joëls verjaardagen gemist: twee was hij er vergeten en dat had Betina hem nauwelijks kunnen vergeven, en één was samengevallen met een belangrijke zakenreis. Hij had een cadeau laten sturen en Joël opgebeld vanuit Praag om hem te feliciteren. De zachte, onzekere stem van een zevenjarige aan de andere kant van de lijn: 'Dank u wel, papa.' Hij kon zich waarschijnlijk nauwelijks herinneren hoe zijn vader eruitzag. Hij was er bijna nooit.
En als hij er was: afstand. Hij kon het voelen in de blik van de jongen, als die op hem bleef rusten. Misschien was dat niet zo vreemd omdat hij altijd weg was, of het was de sterke band tussen Joël en Betina die hem tot een vreemdeling maakte, iemand die hun gezamenlijke activiteiten stoorde en buiten hun dierbare kringetje viel? Maar tijdens zijn somberder buien werd hij knap nerveus van de blik van de jongen. Dan vroeg hij zich af of het niet alleen een vragende blik was vanwege zijn lange afwezigheid, maar ook een wetende blik, alsof de jongen op zulke momenten dwars door hem heen keek en zijn duistere geheim had geraden, waar hij al die jaren al bang voor was geweest. Maar hij was zo voorzichtig geweest, had daar echt zijn best voor gedaan. Hij had nooit op die manier naar Joël gekeken, nooit. Zijn blonde haar en blanke huid hadden dat gemakkelijker gemaakt. Hij was niet het type waar Duclos zich toe aangetrokken voelde.

Trouwens, dit was zijn zoon, zijn zoon! Hij zou nooit, nooit...
'Voel je je wel goed?'
'Ja, best. Prima.' Maar hij voelde zijn hart jagen en had zijn handen onder de tafel tot vuisten gebald.
Betina keek hem aan met een blik vol medeleven en bezorgdheid. 'Ik weet dat dit niet gemakkelijk voor je is. Maar probeer je een beetje te ontspannen. Je bent nu thuis, met je gezin. Bij mensen die om je geven.'
Hij slaakte een lange, diepe zucht. 'Ja, ja, je hebt gelijk.' Hij probeerde de spanning van zich af te zetten en opende langzaam zijn handen. Nog drie dagen, dan zou hij weten of de zaak geseponeerd werd. En zo niet, dan lag hun volgende kans daarop bij Marinella Calvan. Thibault had hem de vorige dag gebeld om hem enkele smakelijke details te vertellen over wat hij over haar had ontdekt, en hij had er alle vertrouwen in dat hij haar in stijl onderuit zou kunnen halen. Misschien zou hij zich geen zorgen moeten maken. Als ze over drie dagen geen goed nieuws van Barielle kregen, dan zou het toch zeker na de volgende zitting voorbij zijn.
Maar dat was zijn enige zorg niet, hield hij zichzelf voor. Later die middag zou Jaumard ongetwijfeld weer bellen en zou hij naar Genève moeten bellen om de overschrijving te regelen. De rechtszaak, Jaumard, zijn naam in elke krant, een gendarme voor zijn deur en daarachter een meute verslaggevers en fotografen die op hem afstormden en hun camera's lieten klikken elke keer dat hij zich liet zien. Op sommige momenten voelde hij zich alsof alles hem insloot.
Na de eerste krantenkoppen had hij Betina ervan overtuigd dat het allemaal verzonnen was. Niets hiervan was waar. 'Mijn advocaat zal de zaak binnen de kortste keren ophelderen.' Ze had er niet naar gevraagd, maar hij had zich willen verantwoorden voordat er vragen van haar kant kwamen. Betina had zijn antwoord zonder zichtbare terughoudendheid geaccepteerd, maar hij kon niet helpen dat hij zich bleef afvragen of een deel van haar hem niet verdacht: al die zakenreisjes, zijn lange weekends weg, het feit dat hij zelden het bed met haar deelde. Precies het patroon dat zou passen bij een dergelijk geheim leven.
Betina stak de kaarsjes aan en glimlachte. En Joël glimlachte ook, met ogen die fonkelden in het licht van de kaarsjes.
Ogen die wisten. Duclos schudde de gedachte van zich af. Hij

deed wat Betina hem had aangeraden, ontspande zich. Hij was bij zijn gezin. Mensen die om hem gaven.
Maar hoeveel had hij door de jaren heen om hén gegeven? Een zoon die hem soms voorkwam als een volslagen onbekende. Een vrouw met wie hij nauwelijks sliep. Fonkelende ogen, vol warmte en begrip, en het enige wat hij al die jaren had gedaan, was ervoor wegrennen.
En nu hadden ze hem thuis verwelkomd. Zijn gezin. De hechte familiekring van Betina en Joël waar hij zo lang buiten had gestaan. Waar hij zélf buiten was gaan staan. Hij liet dit nieuwe gevoel van welkom-zijn tot zich doordringen, waande zich in de warmte ervan terwijl hij Betina de laatste kaarsjes zag aansteken. Betina glimlachte en Joël glimlachte. Hij kon zich niet herinneren dat hij deze gevoelens van hechtheid en warmte ooit eerder had ervaren. Maar toch was hij in de weken dat hij thuis was ook andere dingen gaan zien, een ander soort glimlachjes. Bezorgde, geforceerde glimlachjes die een spanning creëerden die soms met een mes te snijden was. Op zulke momenten dacht hij wel eens dat hij beter af zou zijn in de gevangenis, dan hier met die twee opgesloten te zitten.
En toen die onechtheid van hun glimlachjes opeens tot hem doordrong, kwam de gedachte weer bovendrijven: ze wisten het. Ze wisten het allebei. En hier zat hij dan, opgenomen in de mierzoete hechtheid van zijn gezin, omringd door kaarsjes en lieve glimlachjes. Gevangen.
Wit glazuur met blauwe letters. Tien jaar? O, mijn god, net zo oud als Christian Rosselot toen hij stierf.
Flakkerend kaarslicht. Joëls glimlachende gezicht erboven, zijn ogen groot toen hij zijn lippen tuitte om de kaarsjes uit te blazen. Maar het enige wat Duclos zag was die ene kaars die Monique Rosselot in het ziekenhuis brandde, haar gezicht weerspiegeld in het glas, Christian Rosselot die met smekende ogen naar hem opkeek, maak me niet dood... maak me niet dood!
En op het moment dat zijn zoon de kaarsjes uitblies, kwam de kei op zijn hoofd terecht... zag hij zichzelf het leven uit Christian Rosselot slaan, zijn licht doven. Hij voelde de kleine schedel verbrijzelen toen de kei hem raakte, voelde het warme bloed op zijn borst spetteren. En toen zat hij ineens in de auto met Betina, gaf hij een ruk aan het stuur... haar doordringende gegil net voordat ze de truck raakten...

Duclos beet hard op zijn lip en rende de kamer uit. Hij ging naar de slaapkamer en smeet de deur achter zich dicht.
Even later kwam Betina binnen. Ze kwam naast hem op het bed zitten en sloeg troostend haar arm om zijn schouder.
Duclos boog zijn hoofd, vond het moeilijk haar aan te kijken.
'Als de dingen zo slecht gaan, overvalt het me gewoon dat dit misschien Joëls laatste verjaardag is waar ik voorlopig bij kan zijn,' loog hij. Tranen zouden gepast hebben, maar ze kwamen niet; zijn emoties waren als opgedroogde putten.
'Ik weet het. Ik weet het,' troostte Betina hem.
Maar diep in zijn hart vroeg hij zich af wát ze wist, of vermoedde. Misschien zaten ze allebei wel te liegen.

Corbeix belde meteen naar Dominics bureau toen hij de uitspraak van Barielle had vernomen. 'We zijn erdoor. Maar wel met de hakken over de sloot. Barielle heeft ons een strenge reprimande gegeven die zal worden opgenomen in het dossier voor het eigenlijke proces, en die door Thibault nog steeds kan worden gebruikt om ons mee om de oren te slaan. Maar voorlopig leven we nog. Nog net. Hoewel ik ervan overtuigd ben dat er maar heel weinig hoeft te gebeuren om Barielle de zaak alsnog nietig te laten verklaren.'
'Nou, dat is tenminste hoopvol nieuws. Bedankt.' Dominic legde de hoorn neer en dacht: Marinella Calvan? Thibault zou haar ongetwijfeld zwaar onder vuur nemen over PLT, maar bij haar zou er tenminste geen sprake zijn van bevooroordeeldheid. Calvan wist waarschijnlijk weinig of niets van de Franse politiek, noch kon die haar iets schelen.

Duclos nam op nadat de telefoon één keer was overgegaan. Hij had zijn gesprek met Thibault, over Barielles uitspraak en de strategie die ze in de volgende zitting met Marinella Calvan zouden volgen, eigenlijk net beëindigd. Hij dacht dat Thibault iets was vergeten en daarom terugbelde. Maar het was Georges Marchand vanuit Zwitserland.
Na het inleidende 'Kun je praten?' en 'Hoe red je je?' kwam Marchand al snel met de reden van zijn gesprek.
'Ik ben een paar dagen geleden gebeld door mijn mensen. Ze zijn niet gelukkig met al die aandacht die door de kranten aan het biotechnologiebesluit wordt besteed. En ze vinden het buitenge-

woon onaangenaam als het in verband wordt gebracht met de zaak die tegen jou loopt, om voor de hand liggende redenen.'
'Het is alleen maar een tactiek van mijn advocaat. Ze hoeven zich geen zorgen te maken.'
'Wat wil hij ermee bereiken?'
'Het biotechnologiebesluit levert hem een goede achtergrond om politieke bevooroordeeldheid tegen mij te claimen. Een sterk voorbeeld van politieke vijanden die opeens uit het kreupelhout tevoorschijn komen. We hebben de zaak tijdens de laatste hoorzitting al bijna nietig kunnen laten verklaren en zullen dat nu vrijwel zeker in de volgende laten doen. Dan is het hele gedoe snel overgewaaid. Vinden ze wel weer een nieuw schandaal om op de voorpagina te zetten.'
Het bleef even stil aan de andere kant van de lijn. 'Een paar dagen geleden waren ze alleen nog maar bezorgd, maar toen ze vandaag het nieuws in *Le Figaro* lazen, raakten ze echt in paniek. Herinner je je Lenatisse?'
'Ja.' Lenatisse was een Franse socialist, lid van het Europese Parlement, die zich krachtig had uitgesproken voor een wetswijziging op het vlak van de biotechnologie, en die enkele stekelige opmerkingen had gemaakt over Duclos die de Groenen bevoordeelde.
'Een journalist schijnt de opmerkingen van je advocaat aan die van Lenatisse gekoppeld te hebben. Heb je het al gezien?'
'Nee, nee, nog niet.' Hij kreeg de kranten niet vroeg, kwam eigenlijk nog nauwelijks buiten met gendarme en pers voor de deur. Hij moest wachten tot later op de dag, als Betina de kranten meebracht als ze boodschappen had gedaan.
'Ik zal het je voorlezen. "Inderdaad boude beweringen van raadsman Thibault over een politieke heksenjacht op zijn cliënt nadat die het debat over de biotechnologiewetgeving had voorgezeten. Maar die hebben wel een paar intrigerende reacties uitgelokt: met name die van minister Lenatisse in een eerder commentaar, hoewel wat schertsend gemaakt, dat Alain Duclos in de zak van de Groenen zou zitten. Want als Alain Duclos uiteindelijk toch schuldig wordt bevonden aan moord, dan is er geen buitengewoon wild voorstellingsvermogen voor nodig om te geloven dat hij waarschijnlijk ook een corrupt politicus is. Misschien krijgen minister Lenatisses opmerkingen dan alsnog inhoud."'
'O.' Duclos kreeg het koud. Er werd weer een nieuwe dimensie

aan zijn problemen toegevoegd. 'Ik kan me voorstellen dat ze zich zorgen maken. Maar het wijst tenminste alleen in de richting van de Groenen. Jouw mensen zullen de laatsten zijn die worden verdacht.' Toen besefte hij dat hij nogal ongeïnteresseerd klonk. 'Maar ik heb begrepen waar je naartoe wilt. Ik zal tegen Thibault zeggen dat hij in moet binden. Geen links meer met het biotechnologiebesluit. En, zoals ik al zei, binnenkort is de hele zaak toch van de baan.'

'Laten we het hopen.' Het zou Marchand niet verbazen als de schrijver van het stuk inspeelde op de wensen van een of andere lobby van de kant van de industrie. Tot nu toe was het zo dat als Duclos werd veroordeeld voor moord, het besluit nog steeds overeind stond. Maar als er met succes kon worden aangetoond dat er mogelijk sprake was van corruptie, moest het debat heropend worden. 'Er was nog een andere reden om in dit stadium contact met je op te nemen.' Marchand zuchtte. Uit het laatste telefoontje van zijn cliënt had hij opgemaakt dat dit hun eerste zorg was, maar hij kon de juiste woorden niet vinden, ze leken zo ongepast binnen de relatie die hij tot op heden met Duclos had. 'Ik weet dat je raadsman ervan overtuigd is dat hij je van alle blaam kan zuiveren. Maar als er iets misgaat, en je behoefte hebt aan extra hulp, bel dan. Je moet weten dat als de zaken er het slechtst voor staan, je hier vrienden hebt. Mensen die je zullen helpen.'

'Ja, ja. Natuurlijk. Ik zal het onthouden.'

Marchand hing op. Duclos leek wat van zijn stuk gebracht door hun aanbod, had op dit moment waarschijnlijk geen idee wat dat inhield. Of misschien was hij er zo van overtuigd dat zijn advocaat hem van alle blaam zou zuiveren, dat hij nog niet eens had nagedacht over andere mogelijkheden.

Het was niet een geheel onbaatzuchtig gebaar van zijn cliënt, wist Marchand. Want het laatste wat ze wilden, was een veroordeelde Duclos die zijn uiterste best zou doen om deals te sluiten en uit de school te klappen over vele jaren als corrupt politicus, en heel wat schade kon aanrichten in de industriële wereld als hij dat deed.

41

Een conversatie in drie etappes: vragen van Barielle die via een tolk werden gesteld aan Marinella Calvan, wier antwoorden vervolgens weer werden vertaald door de tolk.
Het herinnerde Marinella aan de sessies met Philippe en Eyran.
'Welke methode heeft bij het houden van de sessies uw voorkeur?' vroeg Barielle.
'Hypnose.'
'Ik heb begrepen dat uw mentor, dokter Donaldson, de voorkeur gaf aan sessies met mensen in wakende toestand. Wat was de reden daarvoor?'
'Hij had soms het gevoel dat hypnose suggestief kon werken. Een ongegronde verbeelding kon aanwakkeren als het verkeerd werd toegepast.'
'Juist. Dus hypnose zou gebruikt kunnen worden om denkbeeldige, onechte scenario's te creëren?'
'Ja. Maar zoals ik al zei, alleen als het verkeerd wordt toegepast.'
Corbeix keek op. De eerste aarzeling van de kant van Calvan. Het eerste halfuur was vooral gegaan over haar achtergrond op de universiteit van Virginia en haar werkrelatie met Donaldson. Corbeix had de vorige dag bijna een uur op Barielles kamer gezeten om vooraf met hem de punten van het dossier door te nemen. Hij vermoedde dat Thibault net zoveel tijd had uitgetrokken om hetzelfde te doen. Als het meest ongebruikelijke onderdeel van de zaak was het van belang dat Barielle grip op het materiaal had. Tegelijkertijd maakte het onorthodoxe karakter ervan het tot het onderdeel dat Thibault in diskrediet zou proberen te brengen. Corbeix probeerde zijn eigen vragen te herkennen en welke door Thibault waren beïnvloed. Soms was die scheidslijn moeilijk te trekken, en bovendien konden het vragen zijn die Barielle er zelf aan had toegevoegd. Behalve nu: er werd twijfel gezaaid over hypnose. Hier was Thibault aan het werk.
'Bij het werken met kinderen, zoals Donaldson vrijwel uitsluitend deed, hebben we in veel gevallen te maken met een levendige verbeelding. En Donaldson werkte vaak met kinderen in India en Azië, waar reïncarnatie wordt geaccepteerd als onderdeel van hun cultuur.'

'En u hebt over het algemeen vermeden om te werken met kinderen uit die regio?'
'Ja. Ik heb voornamelijk gewerkt met kinderen in de Verenigde Staten en Europa.'
'Had u daar een speciale reden voor?'
Marinella dacht even na. 'De uitdaging, neem ik aan. Het was voor mij een grotere uitdaging om te graven in eerdere levens van kinderen afkomstig uit een cultuur waarin reïncarnatie normaliter niet wordt geaccepteerd, dan in een waarin dat wel het geval is. En dit maakte hypnose natuurlijk als een essentieel onderdeel ervan, om de diep begraven en zwaar onderdrukte herinneringen naar boven te krijgen.'
Een frisse wind van Barielle. 'Kunt u me vertellen hoe de percentages liggen van mensen die in de Verenigde Staten en Europa geloven in regressietherapie die teruggaat tot eerdere levens?'
'In de Verenigde Staten is dat percentage nog steeds aan het toenemen. Op dit moment is dat ongeveer dertig, vijfendertig procent, denk ik. Maar ik heb begrepen dat het in Europa iets lager ligt, twintig tot vijfentwintig procent. Hoewel er onder de rest veel zijn die aarzelen of het niet weten.'
'O. Maar zou het redelijk zijn als we zeiden dat het merendeel van de mensen in de Verenigde Staten en Europa het niet volledig aanvaardt of gelooft?'
Marinella sloeg even haar ogen neer, vond het niet leuk om dat toe te geven. 'Ja, dat is zo.'
'Is dit in uw eigen werk van betekenis geweest? Iets wat u hebt beschouwd als een obstakel, dat u, als dat mogelijk was, graag veranderd zou zien? Dat meer mensen het zouden geloven?'
Marinella haalde haar schouders op en glimlachte. 'Ja, natuurlijk. Dat is iets waar iedereen die werkt met PLT en aanverwante therapieën voortdurend voor vecht: een bredere acceptatie. Dat is de reden dat we zoveel tijd besteden aan het documenteren van sterke cases.' Ze trok een wenkbrauw op alsof ze wilde zeggen: wat een domme vraag. Dagen, weken besteedden ze soms aan het afluisteren van de bandjes en het lezen van de typoscripten. Negentig bladzijden alleen al van de sessies met Eyran Capel, met Donaldson en zijzelf die de hele week tot twee uur 's nachts bezig waren geweest om het materiaal klaar te maken voor een bruikbare publicatie voor de universiteit. 'Het is een

voortdurende strijd tegen de sceptici, van wie er velen afkomstig zijn uit onze eigen beroepsgroep. Uit de meer behoudende en conventionele hoek van de psychiatrie en psychologie.'
'Het zou dus redelijk zijn om te zeggen dat uw verlangen om een breder publiek te overtuigen van de waarde van PLT een sterke drijfveer is geweest achter uw carrière tot nu toe?'
'Ja.' De eerste waarschuwingssignalen; Marinella voelde de behoefte om snel het evenwicht te herstellen. 'Dat was de belangrijkste reden dat ik me ben gaan specialiseren in xenoglossie: het gebruik van een vreemde taal die de betreffende persoon onbekend is. Waarschijnlijk de sterkst mogelijke ondersteuning van echte regressies, zeker als dat jonge kinderen betreft die weinig of geen kans hebben gehad om die taal te leren. Dit was de voornaamste reden dat dokter Lambourne me in eerste instantie benaderde voor de Eyran Capel-case. Mijn werk met xenoglossie.'
'Eyran Capel was voor u een bijzonder grote en belangrijke case?'
'Ja.' Dat kon je wel zeggen; ze was nog nooit iets tegengekomen wat er zelfs maar in de buurt kwam.
Barielle bladerde zijn aantekeningen door. 'Maar ik heb begrepen dat u een aantal jaren geleden een relatief succes hebt gescoord met een xenoglossiecase? Een jongetje in Cincinnati. Kunt u me vertellen wat er toen gebeurd is?'
Marinella wierp een scherpe blik in de richting van Corbeix. Ze had hem daar in de briefing van vanochtend niets over verteld, dat wist ze zeker, noch had ze er ooit iets over tegen Fornier gezegd. Toen viel haar blik op de veelzeggende halve glimlach van Thibault. Hij wendde snel zijn blik af en keek naar iets in zijn dossier wat hem werd aangewezen door zijn assistente. Jezus, die waren aan het graven geweest! 'Ik had mijn publicatie al half klaar en had aangekondigd dat die zou verschijnen, toen de vader van de jongen hem terugtrok uit de sessies.'
'Wat gaf hij daar als reden voor?'
'Dat hij niet het gevoel had dat zijn zoon voordeel zou hebben van nog meer sessies. Hij was zelfs bang dat die hem zouden schaden.'
'Dus ik zou mogen zeggen dat dit iets was wat u niet graag opnieuw zou willen zien gebeuren, dat een patiënt voortijdig uit de therapie werd teruggetrokken.'
'Nee, natuurlijk niet.' Lichte ergernis omdat het zo voor de hand lag. 'Ik denk dat niemand dat graag zou zien.'

Barielles blauwe ogen staarden haar doelbewust aan. 'Vertelt u me dan eens, wat was de reactie van dokter Lambourne of van Stuart Capel, Eyrans oom en stiefvader, toen u hun vertelde dat de laatste sessies zouden worden gebruikt om aanwijzingen te vinden voor de moord op Christian Rosselot?'
Marinella's mond werd opeens droog. Ze had het gevoel dat er plotseling een val voor haar werd opengezet. Ze begon te blozen. 'Nou, we wisten op dat moment nog niet dat we daarnaar op zoek waren. Dat kwam pas veel later aan de orde.'
'Maar ik heb begrepen dat hoofdinspecteur Fornier aanwezig was bij sommige van de laatste sessies?'
'Ja, maar alleen bij de laatste.' Plotseling zag ze de nooduitgang en stormde ernaartoe. 'Dat was het moment dat hij voor het eerst de mogelijkheid zag om belangrijke details over de moord te weten te komen en toen vroeg hij of hij de sessie mocht bijwonen.'
'En de andere sessies?'
'Ik heb hem de typoscripten en de bandjes gestuurd.'
'Dus hij had al die tijd al interesse in de case, maar hij maakte de reden van die interesse pas op het laatste moment kenbaar?'
'Ja.' Marinella haalde haar schouders op. 'Ik geloof niet dat hij er zelf van overtuigd was, tot dat laatste moment.'
'Ik begrijp het.' Barielle observeerde haar met een broeiende, bedachtzame blik. Hij leek er niet tevreden mee. Hij bladerde zijn aantekeningen door en keek toen naar Corbeix. 'Wat hebt u in uw dossier als datum staan dat notaris Fenouillet werd benaderd om mee te reizen naar Londen? U kunt dat waarschijnlijk gemakkelijker vinden dan ik.'
Corbeix bloosde licht toen de aandacht plotseling op hem werd gericht. Hij zocht snel tussen zijn papieren. 'Hier heb ik het: 3 april.'
Barielle vroeg naar de data van de sessies in Londen en Corbeix keek weer naar zijn aantekeningen. Ten slotte zei hij: '30 maart, 4 april, 6 april en 11 april.'
'Dus vlak voor de tweede sessie.' Barielle richtte zijn aandacht weer op Marinella Calvan. 'Blijkt daar niet uit dat Fornier zich al na de eerste van die laatste reeks sessies bewust was van die mogelijkheid? En heeft hoofdinspecteur Fornier in dat stadium niets gezegd over het eventuele gebruik van de informatie voor het voortzetten van zijn onderzoek?'

Marinella veranderde van tactiek, want ze besefte dat als ze deze weg bleef volgen, dat een negatief beeld van Fornier zou geven. 'Nou, niet direct. Maar hij heeft zeker met de gedachte gespeeld.'
'Gespeeld? Kunt u misschien iets exacter zijn over wat er wel en niet is gezegd?'
Corbeix werd nerveus toen Barielle en Calvan kibbelden over de woorden die waren gebruikt: was ze zich nu bewust dat die laatste sessies een bijdrage aan een moordonderzoek zouden leveren of niet? Dit ging zo even door, maar het enige wat hij ten slotte uit haar kon krijgen, was dat ze het zich 'vaag bewust' was geweest. Maar ze had het pas zeker geweten toen de sessies ten einde liepen, daarvoor absoluut niet.
'En deze "vage bewustheid", is die op een zeker moment kenbaar gemaakt aan dokter Lambourne of Stuart Capel?'
'Ik kan iets in die richting gezegd hebben,' mompelde Marinella. 'Dat weet ik niet precies meer. We hebben tamelijk veel met elkaar gepraat, want sommige elementen van de case waren buitengewoon gecompliceerd, zoals u zult begrijpen.'
Barielle staarde Calvan ongeduldig aan. 'Dit is een directe vraag, mevrouw Calvan. Wist Lambourne of Stuart Capel dat deze laatste sessies misschien een bijdrage zouden leveren aan een moordonderzoek?'
'Niet direct.' Marinella vocht terug. 'Hoe kunnen ze dat in dat stadium hebben geweten als ik dat zelf nog niet eens zeker wist? Zoals ik al zei, wist hoofdinspecteur Fornier het vlak voor de laatste sessie pas zeker.'
Barielle zuchtte. Calvans gedraai matte hem af. En de vraagstelling via de tolk maakte dat alleen maar erger. 'Nou, gelukkig zullen we binnenkort in staat zijn dokter Lambourne en Stuart Capel daar direct naar te vragen. Maar om dit onderwerp voorlopig met u af te sluiten, mevrouw Calvan, u blijft er dus bij dat u tijdens de sessies niet wist dat deze zouden worden gebruikt om een bijdrage te leveren aan een moordonderzoek, tot de allerlaatste sessie?'
'Ja, dat is correct.'
'En als we even aannemen dat u het wel had geweten en dokter Lambourne en Stuart Capel daarover had ingelicht, wat denkt u dat dan hun reactie zou zijn geweest?'
'Dat weet ik niet.' Maar inwendig huiverde ze, want dat wist ze wel degelijk.

'Laat mij dan iets proberen. Zou het gezien uw eerdere ervaringen met dat jongetje in Cincinnati niet waarschijnlijk zijn dat u bang was dat ze Eyran voortijdig zouden terugtrekken, dat ze niet akkoord zouden gaan met de voortzetting van de sessies?'
'Dat weet ik niet,' hakkelde Marinella. 'Dat is pure speculatie. Die gedachte heeft nooit...'
Barielle walste over haar protesten heen, wachtte niet eens tot ze waren vertaald. 'Of zelfs al zou dat niet gebeurd zijn, dan moet u daar zeker bang voor zijn geweest. En dat was de reden dat er niets is gezegd tegen dokter Lambourne of Stuart Capel. Omdat u bang was dat u een van de grootste cases van uw carrière zou kwijtraken.'
Corbeix legde zijn hoofd in zijn handen terwijl Barielle doorging en nu de nadruk legde op hoe groot deze case voor haar was: lezingen, een contract voor een boek, praatprogramma's, haar optreden van een paar weken geleden bij Larry King, dat Barielle op video had gezien. Thibaults mensen hadden hard gewerkt. Heel hard. Thibault had Barielle deze keer wel een bijzonder smakelijk gebraden konijn voorgehouden en het was duidelijk dat Barielle niet tevreden zou zijn voordat hij het laatste stukje vlees eraf had geknabbeld.
'Er is geopperd door de verdediging dat de omvang van deze case en uw opzet om daar mogelijk roem en fortuin mee te vergaren, uw onbevooroordeeldheid ernstig hebben geschaad. Dat, als dokter Lambourne en Stuart Capel waren ingelicht over het doel van de laatste reeks sessies, ze daar nooit mee akkoord waren gegaan. En dat die laatste sessies met Eyran Capel, door hun die informatie niet te verschaffen, in feite onder valse voorwendselen hebben plaatsgevonden. Met als gevolg dat geen van de bewijzen die daarin zijn vergaard, door het hof geaccepteerd kunnen worden.'
Corbeix zag Barielle naar zijn papieren kijken. Misschien raadpleegde hij de exacte tekst die Thibault hem had gegeven. Ongetwijfeld weer een eis tot nietigverklaring.
'En op grond van het bewijs dat ik tot nu toe heb gezien, ben ik geneigd die eis toe te kennen. Maar, zoals ik al zei, voordat ik mijn besluit neem, wil ik eerst dokter Lambourne en Stuart Capel horen.' Barielle sloeg een bladzijde van zijn dossier om.
'Tot slot, mevrouw Calvan, wanneer was het dat u werd getroffen door de mogelijke omvang van deze case? Wanneer bent u

begonnen met het organiseren van lezingen en optredens in praatprogramma's?'
Eindelijk een gemakkelijke vraag, dacht Calvan. 'Nou, dat lijkt me duidelijk. Pas na de laatste sessie.'
'Dus ergens midden april?'
'Ja, zoiets.'
'Dan zou ik graag willen dat u hier even naar luistert.' Barielle haalde een cassetterecorder onder zijn bureaublad vandaan. 'Ik zal u naderhand om uw commentaar vragen.' Met een plechtig gebaar drukte Barielle op de 'play'-knop. Het geluid was zacht en blikkerig, en Barielle draaide het harder totdat iedereen in de kamer het kon horen.
'... het is een artikel dat we aan het voorbereiden zijn voor het nummer van volgende week.'
'Welke krant, zei u?'
'De *Miami Herald.*'
Marinella herkende de stem meteen: haar agente, Stephanie Bruckmann. Stephanie had haar verteld dat de *Miami Herald* had gebeld.
'... we hoopten een korte bio over Marinella Calvan te combineren met een human interest-stuk over die rechtszaak in Frankrijk. Ik zag een paar dagen geleden dat interview bij King. Het klinkt als een fascinerende zaak...'
Een mannenstem. Wie het ook was, hij was goed. Eerst de juiste sfeer creëren met algemene vragen en dan langzaam inzoomen op de details. De antwoorden kwamen moeiteloos en uitgebreid terug van Bruckmann, en de twee stemmen klonken blikkerig zingend door de kamer.
Marinella voelde zich alsof ze was aangerand. Ze had zich voorbereid om over PLT onder vuur genomen te worden, dat er vraagtekens zouden worden gezet bij de geloofwaardigheid ervan en dat ze uit alle mogelijke richtingen aangevallen zou worden. Maar uiteindelijk kwam het erop neer dat alleen haar eigen geloofwaardigheid werd aangevallen. Met dit bandje als doodsteek. Een van Thibaults Stateside-griezels die zich voordeed als journalist. Ze voelde zich alsof er was ingebroken in haar huis, dat de la van haar nachtkastje was doorzocht, iemand haar dagboek had gevonden en dat nu hardop voorlas. Wat een achterbaks gedoe.
'En wanneer heeft ze voor het eerst contact met u gezocht voor het plannen van lezingen en geven van interviews?'

'Ergens in april, geloof ik.'
'Weet u de exacte dag nog? Dat is belangrijk, ziet u, om de bio accuraat te houden.'
Stilte. Geritsel van papier. 'Ja, hier heb ik het. Ik begon de zaken in beweging te zetten op... op 24 april. Maar ze had al eerder contact opgenomen, zo'n week of drie daarvoor. Ze belde me vanuit Londen, vertelde me wat er onderweg was over PLT en een moordzaak. We hebben er daarna, naarmate de sessies vorderden, nog een paar keer over gepraat.'
Als Marinella nog niet had geraden wat het cruciale punt op het bandje zou zijn, dan wist ze dat nu, door de manier waarop Barielle naar haar opkeek. Doordringende blauwe ogen. Ze kon het van zijn gezicht lezen: drie weken voor de 24e. De derde april! Een paar dagen na de eerste sessie. Ze hing aan het kruis.
Ze wilde schreeuwen: dit is niet eerlijk! Ik deed dit niet alleen voor mezelf, maar voor de acceptatie van PLT in zijn geheel! Schreeuwen vanwege de onrechtvaardigheid en de laaghartige manier waarop dit bandje was opgenomen. Schreeuwen naar Thibault en zijn griezels en die slijmerige moordenaar van een politicus die hem had ingehuurd. Maar het beeld dat overheerste was dat van Dominic Fornier die op die dag in Covent Garden verslagen van haar wegliep. Heel zijn leven had hij achter Duclos aan gezeten, en nu was het haar stompzinnigheid die het voor hem verpestte. Zíj had de zaak geruïneerd.
En ze kon nu niets meer zeggen wat Barielle nog zou geloven; het zou alles alleen maar erger maken. Dus luisterde ze alleen maar toe tot het bandje afgelopen was, stond daar met een rood gezicht, voelde zich slap en bedrogen terwijl haar laatste restjes geloofwaardigheid het riool in verdwenen.

Koel marmer. Dominic voelde de kilte van de gang. In tegenstelling tot de kamers waren de gangen van het Palais de Justice in de loop der jaren nauwelijks veranderd. Tijdloos. Hij dacht terug aan Perrimond, aan Machanaud, aan alle procureurs en de vele arme, verloren zielen die in de afgelopen dertig jaar in deze kille gang hun lot hadden zitten afwachten.
Net zoals Dominic nu op deze houten bank naar de marmeren vloer zat te staren. Vuil had zich ingevreten in het marmer, het enige overgeblevene van hen die hier op hun lot hadden zitten wachten. Bevlekte herinneringen.

Marinella Calvan was kort daarvoor naar buiten gekomen en had hem een overzicht gegeven van de opeenvolging van rampen die binnen had plaatsgevonden. 'Het spijt me. Het is allemaal vreselijk misgegaan. Ik snap echt niet waar ze al die informatie vandaan hebben gehaald.'

Dominic kon zien dat ze van streek was. Ze had langs hem heen kunnen lopen en zich de trappen van het Palais de Justice af kunnen haasten zonder de tijd te nemen om zich bij hem te verontschuldigen. Hij waardeerde het. 'Het is al goed. We hebben ons best gedaan. Als het niet zo mag zijn, dan zij het zo.' Moniques woorden. 'Maar zelfs de publiciteit tot op heden zal Duclos geen goed hebben gedaan.'

Toen Marinella naar buiten was gekomen, was David Lambourne naar binnen geroepen. Ze zei: 'Ik denk niet dat we van hem bijzondere gunsten hoeven te verwachten.'

Achter Dominic, op een bank, zaten Stuart en Eyran Capel. Stuart zou direct na Lambourne voor de onderzoeksrechter verschijnen, en daarna zou Eyran de zitting van die dag afsluiten. Aangezien de jongen geen directe herinneringen had aan wat er onder hypnose had plaatsgevonden, zou hem alleen worden gevraagd naar zijn naam en geboortedatum, en een bevestiging van de data en tijdstippen waarop hij aan de sessies had deelgenomen.

Dominic wist niet precies hoeveel Stuart Capel had gehoord van zijn gesprek met Marinella Calvan, maar toen ze zich naar hen omdraaide om hun gedag te zeggen, zag Dominic dat Stuart haar even bezorgd aankeek. Ze wisselde een paar woorden met hem en Eyran, streek de jongen even door zijn haar en kort daarna was ze verdwenen. Dominic herinnerde zich dat ze zelf een zoontje van Eyrans leeftijd had.

Nadat hij Dominic in gedachten naar de grond had zien staren, zei Stuart: 'Ik neem aan dat dit als een dreun komt?'

'Ik weet niet of het al helemaal tot me is doorgedrongen.' Dominic zuchtte. Dus Stuart had iets gehoord, of Marinella had er iets over gezegd. 'Het lijkt gewoon zo'n vreselijk lange tijd. Die afgelopen paar weken voelen aan als dertig jaar. Ik moest mijn hele verleden herbeleven.' Een pijnlijke glimlach. 'Al mijn zonden.'

Ze zaten even zwijgend naast elkaar. Te denken aan het doodgelopen proces. Stuart Capel was de eerste die de stilte verbrak.

‘Wanneer is de zitting met je vrouw?’
‘Over twee zittingen vanaf nu. Dat zal nog wel een maand of zo duren.’
Stuart knikte. Lambourne had hem twee weken na de laatste sessies met Calvan kopieën van de typoscripten gestuurd. Toen Eyrans toestand ineens opvallend begon te verbeteren, was Stuart nieuwsgierig geworden naar wat dat keerpunt had veroorzaakt. Maar hij had de spookachtige, bijna surrealistische inhoud van de typoscripten moeilijk in verband kunnen brengen met Eyran. Er was, afgezien van zijn dromen, maar weinig van die schemerwereld doorgedrongen tot Eyrans leven. Stuart had Eyran de typoscripten niet laten lezen, maar hij had hem wel verteld over de belangrijkste punten van de rechtszaak. Eyran was heel enthousiast geweest dat hij meehielp aan een echte moordzaak. Pas later begon de diepere betekenis ervan tot hem door te dringen. Dat het in een vroeger leven was geweest, en dat hij in dat leven het slachtoffer was geweest. Eindelijk vielen de stukjes van deze duistere puzzel op hun plaats. De laatste stadia van het lange genezingsproces. Acceptatie.
En als onderdeel van de definitieve afsluiting ervan hadden ze afgesproken dat ze eerder die ochtend met Fornier naar het korenveld zouden gaan. Ze logeerden in Cannes en Fornier zat in Lyon, dus spraken ze af in een café op het dorpsplein van Bauriac en reden ernaartoe. Een halfuur hadden ze door het verlaten korenveld gelopen, en het had wat extra kleur en vorm aan de stem op het bandje gegeven, maar geen echte antwoorden opgeleverd.
Maar een deel van Eyrans toenemende nieuwsgierigheid was voor Monique Rosselot geweest, en Stuart had toen naar haar gevraagd. ‘Zou ze vanmiddag bij de zitting aanwezig zijn? Eyran had gehoopt haar te ontmoeten.’ En Dominic had hem de volgorde van de zittingen uitgelegd. Monique zou pas twee zittingen later verschijnen om de details op de bandjes te bevestigen en te vertellen over het muntstuk dat Christian in zijn broekzak had gehad toen hij op die noodlottige dag van huis ging.
Ze waren in een huurauto achter hem aan naar Aix gereden, dus ze hadden er verder niet meer over gepraat. Maar nu Stuart er weer over begon, zei Dominic: ‘Nu dit allemaal gebeurd is, betwijfel ik of haar zitting nog wel gehouden zal worden. Hoor eens, geef me je telefoonnummer voordat je vertrekt. Ik zal met Monique praten.’

Stuart had zijn portefeuille tevoorschijn gehaald en er een kaartje uit gevist. 'Dit is het nummer van mijn werk in Londen.' Dominic pakte het kaartje aan en stopte het in zijn portefeuille. Toen Dominic het met Monique had gehad over hun bezoek aan Taragnon, had hij daarna een lange stilte laten vallen. Hij had haar niet rechtstreeks willen vragen of ze mee wilde: te ongevoelig. Maar ze had alleen op haar lip gebeten en haar blik afgewend. Haar nieuwsgierigheid ging blijkbaar niet zover. Het kon aan Taragnon hebben gelegen, of de herinneringen die de jongen misschien in haar zou oproepen. 'Hoeveel sessies komen er nu nog?' vroeg Dominic. Stuart had al eerder gezegd dat ze aan het afbouwen waren.
'Nog maar drie, dan zou het gebeurd moeten zijn.'
Dominic glimlachte naar Eyran. Een geforceerde glimlach terug, aarzelend. Stuart zei dat hij goed vooruit was gegaan, maar waarschijnlijk was hij een beetje bang omdat hij straks moest getuigen, dacht Dominic. 'Maak je geen zorgen. De onderzoeksrechter is redelijk tam. Ze geven hem om het uur een paar bananen en een handje pinda's.' Een bredere glimlach nu van Eyran, alle gereserveerdheid was verdwenen. De jongen zag er goed uit. Er was tenminste nog iets goeds voortgekomen uit dit hele gedoe. 'Als je onthoudt dat hij ook ooit elf jaar is geweest, kan je niets gebeuren.'
Stuart glimlachte ook en knikte. Hij waardeerde deze korte opmontering. 'Er is wat onenigheid geweest tussen Lambourne en Marinelle Calvan over de oorzaak van Eyrans probleem. Maar uiteindelijk bleek Calvans theorie de juiste te zijn. Eyrans ongeluk en de periode dat hij in coma heeft gelegen, is op de een of andere manier gekoppeld aan dat coma van Christian Rosselot en heeft het verleden geopend. Totdat de gebeurtenissen die hebben geleid tot dat eerdere coma volledig in kaart zijn gebracht en uitgebannen, kan Eyran geen grip krijgen op de problemen die zijn eigen leven verstoren. Zijn eigen verdriet onder ogen zien en aanpakken.' Maar die woorden herinnerden Stuart aan het harde oordeel dat zojuist over Calvan was uitgesproken. 'Het spijt me wat er net met haar is gebeurd. Een aardige vrouw; ik mocht haar wel. Ik neem aan dat ze het goed bedoelde.'
'Dat weet ik wel zeker.' De onstuimige, goedbedoelende Marinella Calvan. Eén vrouw met een PLT-vaandel tegen een heel leger ongelovigen. Haar motieven waren duidelijk veel grootser

en nobeler dan de zijne. Het enige wat hij had gewild, was rechtvaardigheid voor een tienjarig jongetje.
Dominic schudde zijn boosheid snel van zich af; ze had niet kunnen weten hoever Thibault en zijn trawanten zouden gaan. Het was gewoon de zoveelste in een lange reeks rampen. Nadat ze zich door de laatste zitting hadden geworsteld, had Corbeix aan hem toegegeven wat een van de belangrijkste struikelblokken was geweest: zijn ziekte. Ze hadden zichzelf al die tijd voor de gek gehouden, dacht Dominic bijna geamuseerd: de verloren stem van een tienjarig jongetje op een cassettebandje, een oudere politieman die nog één zaak wilde oplossen voordat hij met pensioen ging – een zaak die hem drie decennia lang had achtervolgd –, en een half kreupele procureur. Die het opnamen tegen een van de grootste advocatenkantoren van Parijs en een vooraanstaand politicus. Ze hadden nooit een kans gehad.

Corbeix voelde zijn spierkrampen toenemen naarmate de zaak hem uit handen glipte. Hij keek machteloos toe terwijl Barielle zijn vragen stelde aan Lambourne. Hij kon weinig meer doen dan blijven zitten waar hij zat en met zijn handen over zijn zere benen wrijven.
'Dus, samenvattend, u bent op geen enkel punt ingelicht door mevrouw Calvan over de opzet dat de informatie die loskwam uit de sessie misschien zou worden gebruikt voor een moordonderzoek?'
'Nee, dat ben ik niet.'
'We hebben eerder van dokter Calvan gehoord dat ze met die gedachte "had gespeeld" of die had geopperd. Is u daar iets van bekend?'
'Nee. Ik kan me niet herinneren dat iets dergelijks is gebeurd.'
Lambourne had heel duidelijk gemaakt dat hij er niets van wist, met dezelfde ergernis die hij al eerder had getoond, en dat hij andere motieven dan de belangen van zijn patiënten als puur onethisch beschouwde. Het had een averechts effect op het herstel van zijn patiënt kunnen hebben.
Toen Corbeix dat hoorde, zag hij nog een laatste kansje om terug te vechten. Zijn beenspieren protesteerden toen hij overeind kwam. Hij moest even overleggen met Barielle en toen werden zijn vragen gesteld.
'Zoals procureur Corbeix aangeeft, dokter Lambourne, met be-

trekking tot uw opmerking over het mogelijke negatieve effect op uw patiënt, was het niet zo dat het terugvoeren van Eyran Capel naar de gebeurtenissen rondom deze moord in een vorig leven uiteindelijk tot een doorbraak in zijn behandeling heeft geleid?'
'Ja, dat klopt.' Hij gaf het met tegenzin toe. 'Hoewel ik denk dat dat meer aan het toeval dan aan opzet te danken was.'
'U bent ook, heb ik begrepen, duidelijk ingelicht over het feit dat inspecteur Fornier en een notaris een van de laatste sessies zouden bijwonen.'
'Ja, maar er was me verteld dat dit puur voor het vastleggen van eventuele extra informatie over de moord was.'
'Is het op geen enkel moment bij u opgekomen dat dat "vastleggen" eventueel iets te maken zou kunnen hebben met een heropend onderzoek naar de moord?'
'Nee, ik vrees van niet.'
Maar die laatste woorden van Lambourne klonken wat gespannen, vond Corbeix. Een paar zwakke tegenstootjes, hoewel Corbeix betwijfelde of het genoeg zou zijn. Lambourne mocht gaan en Stuart Capel werd binnengeroepen.
Corbeix keek toe terwijl Stuart Capel werd gevraagd naar zijn naam, leeftijd en relatie tot Eyran Capel, en zijn eerdere gevoel van hopeloosheid keerde terug. Straks zou Barielle aan Capel vragen of hij zich bewust was geweest van het feit dat deze laatste sessies een bijdrage leverden aan een moordonderzoek, en dan zou Capel zeggen dat dat niet zo was. Corbeix kon nog een paar punten en bezwaren naar voren brengen, maar zou het enig verschil maken? Hij betwijfelde het. Ze hadden zich met veel geluk door de voorlaatste zitting kunnen worstelen, maar Barielle had hen gewaarschuwd dat als dergelijke omstandigheden zich opnieuw zouden voordoen...
'U en uw vrouw zijn benoemd tot voogd van uw broers zoon, is dat juist?'
'Ja, dat is juist.'
'En op welk moment werd u zich ervan bewust dat Eyran geestelijk in de war was en mogelijk behoefte had aan therapie?'
'Een week of twee, drie nadat ik hem had meegenomen uit het ziekenhuis in Californië.' De vraag bracht herinneringen terug. Adem die in witte wolkjes uit hun monden kwam in de heiige lucht toen de kist met Jeremy in de grond zakte. De eerste nare

dromen. Hij die de trap op rende toen hij Eyran hoorde gillen.
'De eerste indicatie van zijn mentale verwardheid, heb ik begrepen, was een reeks akelige dromen. Is dat juist?'
'Ja, dat klopt.'
'En door het beangstigende karakter van die dromen hebt u uiteindelijk besloten om Eyran bij dokter Lambourne in therapie te doen?'
'Ja. Dokter Lambourne was me aanbevolen door Eyrans chirurg in Californië, dokter Torrens.' Kerstmis in Oceanside, alleen hij en Eyran. Tacodips en kalkoen. Afwezige, aarzelende blikken. Toen had het hem voor het eerst getroffen: dit is niet de Eyran die ik me herinner!
Barielle werkte snel toe naar het moment waarop Calvan erbij was geroepen, de overschakeling van conventionele naar regressietherapie. Dit was een onderdeel dat hij al uitgebreid met Lambourne en Calvan had doorgenomen.
Maar toen Stuart haar naam hoorde noemen, dacht hij: zij was het die de theorie opperde die leidde tot de doorbraak met Eyran, die hem de Eyran had teruggegeven die hij zich herinnerde, en nu...
'De sessies met Calvan waren in twee fasen te verdelen, heb ik begrepen,' vervolgde Barielle. 'De eerste was een algemeen verkennende fase. Maar in de tweede fase, die meer dan een week later aanbrak, kwam dokter Calvan blijkbaar met een theorie waarvan ze dacht dat die aan Eyrans herstel kon bijdragen?'
'Ja, dat is juist.' En ze had gelijk gehad, dacht Stuart. Haar theorie had gewerkt. En nu wilden ze van hem dat hij haar verraadde... haar de doodsteek toebracht!
'En toen die laatste sessies werden aangekondigd, heeft dokter Calvan u toen op enig moment ingelicht over het feit dat die misschien zouden bijdragen aan een heropend moordonderzoek?'
Maar het enige waaraan Stuart kon denken was Calvans gezichtsuitdrukking toen ze de gang op kwam. Forniers teleurstelling toen ze het hem vertelde. Verraad. Dit was fout. Aarzelend mompelde hij: 'Dat weet ik niet precies meer. Ik geloof het wel.'
Thibault keek abrupt op, zette zijn stalen brilletje recht en kneep zijn ogen halfdicht. Barielle keek Capel doordringend aan. Twijfel, ongeloof.
'U bent hier zeker van, meneer Capel? Dit is een heel belangrijk punt.'

Fornier die verslagen naar de grond keek. De hoop die hij eerder die dag bij het korenveld in Forniers ogen had gezien, was plotseling verdwenen. Verslagenheid. Hij zat nu op die kille gang, op de bank naast Eyran. Twee overlevenden. Het laatste vluchtige beeld dat hij had gezien voordat hij binnen was geroepen.
Met meer zelfvertrouwen zei hij: 'Ja, daar ben ik tamelijk zeker van. Ze heeft het erover gehad voordat die laatste reeks sessies begon.'
Thibault was opgesprongen. 'Maar dit is bespottelijk! We hebben van dokter Lambourne gehoord, en zelfs uit dokter Calvans eigen mond, dat dit niet het geval was.'
'Als hier iets bespottelijk is, dan is het aan mij om dat te bepalen,' vermaande Barielle hem. Hij vroeg Thibault te gaan zitten en zich te onthouden van verdere interrupties. Toen stelde hij Capel de vraag nog eens, op minder confronterende wijze. 'Kunt u mij deze discrepantie in de getuigenissen misschien verklaren?'
'Ik vrees dat het misschien mijn schuld is dat dokter Lambourne het niet wist. Misschien ben ik vergeten het tegen hem te zeggen. Maar als dokter Calvan beweert dat ze er niets over heeft gezegd, dan doet ze zichzelf tekort. Misschien is ze gewoon vergeten dat ze het tegen me heeft gezegd. Er waren op dat moment een hoop andere, dringender zaken te bespreken, met name de juiste behandeling voor Eyran. Het kan daarbij gemakkelijk ondergesneeuwd zijn geraakt.'
Corbeix zag Thibaults stille woede en glunderde. Zijn tactiek had gefaald. Aanvankelijk ongeloof van Barielle, maar ten slotte toch acceptatie. Als dienaar van de wet was het zijn eerste taak de getuigenissen te verzamelen, niet die te interpreteren. Of Barielle nu nog twijfels koesterde of niet, in het rechtbankverslag zou staan dat Marinella Calvan had aangekondigd dat de laatste sessies een bijdrage zouden leveren aan een moordonderzoek. Geen nietigverklaring!
Corbeix was er bijna zeker van dat Stuart Capel had gelogen, maar waarom? Misschien was het beter dat hij dat niet wist, dan hoefde hij zichzelf later niet te verwijten dat ze Duclos voor een deel door oneerlijk handelen aan het kruis hadden genageld. Wat hij wel wist was dat de spierkrampen plotseling uit zijn benen waren verdwenen. Hij stuurde zijn boot naar de haven en het enige wat hij voor zich zag, was een vlakke, kalme zee.

42

'*Un Coca-Cola et une bière.*'
De ober zette hun glazen neer. Stuart Capel knikte naar hem en de ober liep weg. Eyran nam een slokje van zijn cola en keek naar het strand.
'Gaat het nu weer goed met je?' vroeg Stuart.
'Ja, best.'
Stuart had Eyran beloofd dat ze na de beproeving van de getuigenis naar het strand zouden gaan, en La Lavandou was het eerste wat ze tegenkwamen toen ze uit Aix terug waren gereden.
Eerst had Eyran het prima naar zijn zin gehad. Hij had in zee gezwommen, op zijn rug in het water gedreven, en alle spanning was uit zijn lichaam verdwenen. Maar toen hij weer naast Stuart op het strand zat, waren de contouren van de haven en de kustlijn hem op de een of andere manier vertrouwd voorgekomen. Een gevoel van déjà vu.
'Zijn we hier eerder geweest?' had hij gevraagd.
'Nee. Alleen op het strand van Cannes. Maar je bent een paar jaar voordat je naar de Verenigde Staten ging een keer met je vader en moeder in Zuid-Frankrijk geweest. Je moet toen vijf of zes geweest zijn.'
'Misschien is dat het.' Maar Eyran wist onmiddellijk dat het dat niet was. Hij herinnerde zich andere dingen van die vakantie, maar niet dit strand. De stemmen om hem heen, pratende en roepende mensen, en de opgewonden kreten van kinderen die langs de vloedlijn speelden, echoden in zijn hoofd. En toen braken die andere vertrouwde beelden plotseling door: het korenveld, het dorpsplein daar in de buurt, mannen die jeu de boules speelden terwijl ze langsliepen. Het was alsof zijn nervositeit vanwege de hoorzitting alles had weggedrukt, maar zodra hij zich ontspande, werd de opening in zijn geest weer groter.
Stuart had gevraagd of hij zich wel goed voelde, en hij had iets gemompeld over dat het waarschijnlijk door de hoorzitting kwam en omdat hij voor een rechter moest verschijnen. Maar toen Stuart zijn blik angstig heen en weer zag schieten tussen de mensen op het strand, leek het hem beter om hier gauw weg te gaan. Hij had voorgesteld om ergens iets te gaan drinken. Nu informeerde hij opnieuw of Eyran zich wel goed voelde.

Dat was tenminste één ding waarmee hij geluk had gehad, vond Eyran. Hij had zijn oom Stuart altijd graag gemogen, wist dat zijn oom echt om hem gaf en hem niet alleen in huis had genomen als een verplichting tegenover zijn vader.
'Het was gewoon iets met dat strand. Iets wat ik...' Eyran stopte zichzelf. Zelfs zijn herinnering aan het korenveld was nu aangenaam. Misschien was dat waarom hij zich daarvoor zo geblokkeerd had gevoeld: toen lag de nadruk op onaangename herinneringen. Maar het enige wat hij nu voelde was warmte, en het herinnerde hem aan de velden bij Broadhurst Farm, waar hij had gespeeld toen hij jonger was.
Stuart zat hem nieuwsgierig en met één opgetrokken wenkbrauw aan te kijken. 'Je weet zeker dat alles oké is?'
Eyran knikte snel en nam nog een slokje cola. Hij kon nu goed opschieten met Tessa, had zich goed aangepast op zijn nieuwe school en al een paar nieuwe vriendjes gemaakt, zijn nachtmerries waren opgehouden en hij hoefde nog maar een paar sessies te doen. Alles wás oké.
Toch wist hij dat als hij nu over nieuwe herinneringen begon, Stuart zich weer zorgen zou gaan maken en misschien zou gaan denken aan voortzetting van de sessies. En dat zou Stuart waarschijnlijk vervelender vinden dan hijzelf. Dus als er na die laatste paar sessies nog herinneringen over waren, dan zou hij die zelf proberen op te lossen, en ze zouden zijn privé-domein blijven, net als het landje bij Broadhurst Farm.
'Ja. Ik voel me nu weer goed,' zei Eyran, en hij wendde snel zijn gezicht af van Stuarts naar waarheid speurende blik en keek weer naar het strand dat hij zich herinnerde uit een andere tijd.

Dominic reed op de A7 in zuidelijke richting, naar het vierde vooronderzoek in Aix-en-Provence.
Helder water. Corbeix' indruk na de twee besprekingen die Dominic met hem had gehad in de twaalf dagen voor de volgende zitting. Thibault had met grof geschut geschoten en gemist. Er stonden hun nog steeds enkele obstakels te wachten, maar Corbeix zag die als strakker gedefinieerd. Hij wist ongeveer wat hij kon verwachten. Het zou mogelijk moeten zijn om min of meer probleemloos door de overige vooronderzoeken naar het echte proces te laveren.
Met name de eerstvolgende zitting zou een makkie moeten zijn:

Vincent Aurillet en Bennacer over Duclos' verleden met jonge jongetjes, daarna Barielle met een opsomming van het bewijs dat Dominic en Corbeix tot op heden hadden verzameld. Maar het grootste feest zou Aurillet zijn. 'Thibault zal zo verstandig zijn om zich gedeisd te houden,' zei Corbeix. 'Aurillets bewijs is onweerlegbaar. Duclos' stem op een bandje en Aurillet die uit de school zal klappen over Duclos' verachtelijke verleden met jonge jongetjes. Ik betwijfel of we een verzoek tot wederhoor zullen krijgen.'

Maar op het allerlaatste moment, drie dagen voor de hoorzitting, werd er een ingediend.

Het enige wat Corbeix kon bedenken, was dat Thibault mogelijk Aurillets duistere achtergrond wilde aanvallen. 'Hij wil proberen hem op die manier in diskrediet te brengen. Ik kan me niet voorstellen dat hij iets anders de moeite waard zou vinden.'

Maar Dominic vroeg het zich af. Alle andere verzoeken tot wederhoor waren minstens twee dagen daarvoor ingediend. Het leek er deze keer bijna op dat ze op het laatste moment iets hadden ontdekt en expres zo lang mogelijk hadden gewacht om Corbeix geen kans te geven zich erop voor te bereiden. De gedachte liet Dominic niet los.

Dominic keek op zijn dashboardklokje: vier minuten voor twee. Hij wilde minstens twintig minuten voor zichzelf voordat om drie uur de zitting met Bennacer en Corbeix begon. Bennacer kwam met Aurillet over uit Marseille. Na wat er met Eynard was gebeurd, hadden ze met Aurillet geen enkel risico genomen en hem onder politiebewaking in een hotelkamer opgesloten.

De aandacht die de pers aan de zaak besteedde, was de afgelopen twee weken flink toegenomen. Op de stoel naast Dominic lag een exemplaar van *Le Monde*, met Duclos' opgejaagde gezicht, gefotografeerd door het zijraampje van een auto, op de voorpagina. Een van de weinige keren dat Duclos zich sinds zijn huisarrest buiten had gewaagd.

Een van de meer beschouwende artikelen, hoewel vrijwel steeds dezelfde lijn werd gevolgd: er werden vergelijkingen getrokken met de Tapie-zaak en die van Medecin, de voormalige burgemeester van Nice die naar Uruguay was gevlucht toen hij van corruptie was beschuldigd. Het nieuwe Frankrijk tegen het oude. Het noorden tegen het zuiden.

Het nieuwe Frankrijk. Dertig jaar geleden kon het in de Pro-

vence zo'n jaar duren voordat een telefoonaansluiting was aangelegd. Nu kon een nieuw Minitel-systeem binnen vierentwintig uur worden geregeld. De trein naar Parijs deed er toen tien uur over; nu deed de TGV het in minder dan de helft. Maar Frankrijk was ook trots op de politieke evolutie die in die periode had plaatsgevonden: de vroegere bureaucratie was gestroomlijnd, het vroegere 'ouwe jongens'-circuit dat elkaar bevoordeelde en beschermde, was ontmanteld en de corruptie met name in de provincie – was aangepakt. Met het zuiden altijd als leverancier van de ergste daders.
Het feit dat Duclos uit Limoges kwam was voor het gemak over het hoofd gezien. De misdaad was in de Provence gepleegd, het oorspronkelijke proces had daar plaatsgevonden en het nieuwe zou er eveneens plaatsvinden. Misdaad en corruptie in het zuiden leverden nog altijd een populair en vertrouwd beeld. En goede kopij.
Hoewel er deze keer een iets andere draai aan werd gegeven: het oorspronkelijke proces en het onvermogen om Duclos aan te pakken, en dat in plaats van hem een arme vagebond en stroper was veroordeeld, werd gezien als typerend voor de protectionistische houding van de plaatselijke bureaucratie. Een voorbeeld van de vroegere corruptie. En het nieuwe proces fungeerde als nieuwe bezem, vormde een deel van de nieuwe stroming die moest afrekenen met de corruptie van de afgelopen decennia. Kenmerkend voor wat afgebroken had moeten worden om het nieuwe Frankrijk op te bouwen.
Het proces van het decennium. Het bevatte alle ingrediënten: een vooraanstaand politicus, een rechercheur die hem drie decennia lang meedogenloos had achtervolgd, regressietherapie en parapsychologen in praatprogramma's, een debat over biotechnologie dat om miljarden dollars ging, mogelijke corruptie en politieke handjeklap. Corbeix en hij zouden nu ongetwijfeld worden beschouwd als helden van het nieuwe Frankrijk, die de strijd aanbonden tegen de corruptie in het zuiden. Dominic schudde zijn hoofd. In de kern ging het eigenlijk maar om één ding: kon er eindelijk recht geschieden voor de moord op een tienjarig jongetje?
Dominic drukte het gaspedaal verder in tot hij bijna 165 kilometer per uur reed. Dat recht was nu zeker dichterbij. Hij bande zijn bezorgdheid over Thibaults laatste verzoek tot wederhoor uit zijn gedachten.

'Ik dacht dat je zei dat het na het laatste vooronderzoek allemaal afgelopen zou zijn.'
'Als er op het laatste moment geen onverwachte dingen waren gebeurd, zou dat ook zo zijn,' verdedigde Duclos zich. 'Maar het zal nu zeker in het volgende gebeuren.'
'Eerst het laatste, nu weer het volgende. Mijn mensen beginnen onrustig te worden, en met reden.' Marchand klonk ongeduldig. 'Ondanks het feit dat je advocaat misschien is opgehouden met het zinspelen op dat onderwerp, is het biotechnologiebesluit weer ter sprake gekomen. Zoals ze in de media zeggen, is het een van die verhalen die een heel eigen leven gaan leiden.'
Paniek. Iedereen raakte in paniek, alles begon hem in te sluiten. Duclos wreef zich in zijn brandende ogen. Hij had al wekenlang slecht geslapen. Zelfs hij was in paniek geraakt toen de laatste zitting was mislukt, begon zich zorgen te maken dat dit het patroon voor elke zitting zou worden: eerst die groeiende hoop dat de zaak nietig verklaard zou worden en dan, op het allerlaatste moment, de vernietiging van die hoop. Hij was al gaan denken aan laatste noodmaatregelen, voor als al het andere mislukt was, en had ten slotte weer naar Brossard gebeld. 'Er zijn nog twee mensen die misschien op dezelfde manier moeten vertrekken als Eynard.' Hij zou weer bellen als hij er zeker van was dat de actie zou moeten worden doorgezet. Eigenlijk betwijfelde hij of het wel noodzakelijk zou zijn, maar het was een geruststellende gedachte dat er een laatste noodoplossing was als al het andere misging. Brossard had de verplaatsingsgewoonten van de betroffen personen al bestudeerd en zich voorbereid, en was klaar om in actie te komen als er weer werd gebeld.
De enige die niet in paniek was geraakt, was Jaumard. Hij had Duclos een keer om vijf uur in de ochtend gebeld vanuit Tacloban, aan de zuidkust van de Filippijnen. 'Dazzz ook wat, het is hier al bijna lunchtijd,' had hij gezegd toen Duclos klaagde over het tijdstip. 'Ik wilde je alleen even laten weten dat je overschrijving goed is aangekomen. Ik ben het al aan het uitgeven, met een paar vriendinnen van me.' Duclos kon horen dat Jaumard had gedronken en hoorde op de achtergrond een paar meisjes giechelen. 'Nou, het was leuk om je stem te horen, minister. Leuk om te weten dat je nog in leven bent, dat ze je hoofd nog niet onder de guillotine hebben gelegd.' Een kort gegrinnik en toen had Jaumard opgehangen.

Het telefoontje had Duclos een slecht humeur bezorgd dat urenlang voortduurde en hij had niet meer kunnen slapen. Jaumard op de Filippijnen, waar hij zijn geld uitgaf aan een stel hoeren terwijl hij gevangenzat in zijn eigen huis met Betina en Joël, en een gendarme en de halve Franse pers voor de deur.
Uiteindelijk was hij erin geslaagd zichzelf te kalmeren met de gedachte dat het binnenkort allemaal voorbij zou zijn. Hij dwong zichzelf te denken aan de kracht van de troefkaart die ze achter de hand hadden voor de volgende zitting met Aurillet. Deze keer hadden ze praktisch de garantie dat het zou lukken.
Hij stelde Marchand gerust. 'Maak je geen zorgen. De hoorzitting die nu komt is een compleet andere situatie. We hebben bijna de absolute controle over wat er gaat gebeuren. Maar als je je mensen pas na de zitting gerust wilt stellen, mij best. We zullen het over een paar uur weten.'
'Waarom denk je dat het zal werken?'
Duclos had het Marchand eerst eigenlijk niet willen vertellen. Hij had het onderwerp willen bagatelliseren en een antwoord willen vermijden. Maar hij voelde de behoefte om Marchands zorgen voor eens en voor altijd weg te nemen. En hij was ook trots en erg ingenomen met zichzelf door de genialiteit van zijn plan, zodat hij het aan Marchand uitlegde. Dan straalde er tenminste nog iets van zijn genie af op deze hele rotzooi.
Marchands reactie was bijna net zo ademloos als die van Thibault was geweest toen hij hem een paar dagen geleden zijn plan had voorgelegd. 'Wat? Je bedoelt dat je Aurillet praktisch in je zak hebt? Terwijl het openbaar ministerie denkt dat hij een van hun belangrijkste wapens is?'
'In één keer goed.'
Marchand leek tenminste gerustgesteld toen hij ophing. Thibault daarentegen was nogal geagiteerd geweest. Van de pure doortraptheid van het plan, of van wat het impliceerde? Maar omdat hij Duclos' raadsman was, kon hij weinig anders doen dan erin meegaan, als hij tenminste wilde dat de zaak nietig werd verklaard. 'Ik kan beter meteen een verzoek tot wederhoor indienen.'
'Doe wat je moet doen,' had Duclos op vlakke toon gezegd, maar ondertussen dacht hij: als je had waargemaakt wat je had beloofd, dan had ik mijn troefkaart niet hoeven uitspelen en me zorgen hoeven maken over de juridische gevoeligheden ervan.

Thibault zou hem dankbaar moeten zijn omdat hij het hem zo gemakkelijk maakte. Het enige wat hij hoefde te doen was achteroverleunen op zijn stoel en wachten tot de hele zaak explodeerde in Corbeix' gezicht.

Dominics hand trilde toen hij het nummer intoetste op zijn zaktelefoon. Alstublieft, God, zeg dat ik het mis heb... zeg dat ik het mis heb!
Eerdere gedachten flitsten door zijn hoofd terwijl hij naar rechts stuurde. Flarden van gesprekken. De telefoon ging over.
Een parkeerplek naast de snelweg. De eerste die Dominic tegenkwam. Langsrijdende trucks deden zijn auto licht trillen.
Bennacer nam na twee keer overgaan op. Verkeersgeluiden op de achtergrond. Bennacers zaktelefoon; hij was blijkbaar ook onderweg naar Aix.
'Het verbaast me eigenlijk dat Aurillet zijn pooier is'. Deel van een gesprek dat ze meer dan een week geleden hadden gehad en waarop Dominic niet was doorgegaan. Hij vroeg Bennacer er nu naar: 'Wat bracht je toen tot die opmerking?'
'Het was alleen dat toen ik de details van de zaak bekeek, ik zag dat de jongen die in Taragnon was vermoord een getinte huid had, een combinatie van Frans en Noord-Afrikaans. En Eynard in Parijs was ook gespecialiseerd in dat type jongens. Maar voorzover ik weet handelt Aurillet voornamelijk in blanke jongens.' Bennacer keek over zijn schouder naar Aurillet, die geboeid aan een brigadier op de achterbank zat. Aurillet was zichtbaar weinig op zijn gemak, misschien omdat het gesprek plaatsvond alsof hij er niet bij was. Hij draaide zijn hoofd om en staarde door het zijraampje naar buiten.
'Is er in Marseille een pooier die gespecialiseerd is in getinte jongens?' vroeg Dominic.
'Er zijn er een paar. Maar de eerste die me voor de geest komt is François Vacheret. Hij heeft een club in het Panier-district, die vroeger werd gerund door zijn vader Emile. Je zou je de vader moeten herinneren: we hebben samen de moord op hem onderzocht toen jij daar gestationeerd was. Het zag eruit als een afrekening.'
'Ja, ja. Ik herinner het me.' Een vage herinnering van twintig jaar geleden.
'Dat is een ander punt. De club van Vacheret was een van de

weinige die al in 1963 actief waren.' Bennacer draaide zich weer om naar Aurillet. 'Dat is te lang geleden voor jou, hè, Vince? Toen liep je zelf nog in de luiers.' Aurillet bleef met stijf op elkaar geperste lippen naar buiten staren. Waarschijnlijk beledigd door de spottende opmerking, hoewel Bennacer meende dat hij daar heel even iets achter zag: oprechte verbazing. 'Dus als Duclos in die tijd een leverancier van jongetjes had, dan was dat niet Aurillet.'
'Heb je een telefoonnummer van Vacheret?'
'Niet bij me. Maar als je mijn assistent Moudeux belt, dan diept hij het wel op uit een of ander dossier.'
'Bedankt.' Dominic beëindigde het gesprek, belde meteen daarna het hoofdbureau in Marseille en werd doorverbonden met Moudeux. Dertig seconden later had Moudeux zijn computerbestand opgeroepen en kreeg Dominic het nummer. Hij belde het meteen.
Een mannenstem antwoordde nadat de telefoon twee keer was overgegaan. Dominic vroeg naar François Vacheret.
'Hij is in gesprek op een andere lijn. Wie kan ik zeggen dat er is?'
'Victor. Ik ben een medewerker van Alain Duclos. Ik treed op als contactpersoon tussen hem en zijn advocaat, Jean-Paul Thibault.'
'Een ogenblik.'
Dominic voelde zijn zenuwen gieren terwijl hij zat te wachten. Als er iets was gedaan om Duclos' activiteiten te verbergen, dan was er een goede kans dat dat door zijn echte leverancier was gedaan. Maar Dominic wist dat hij overtuigend moest zijn, het initiatief moest nemen om tot de waarheid te komen.
'François Vacheret. Wat kan ik voor u doen?'
Dominic maakte zichzelf bekend. 'Ik bel u uit naam van Alain Duclos. Hij gebruikt liever zijn privé-lijn niet te veel terwijl hij onder huisarrest staat. We hebben zo meteen een hoorzitting met Aurillet, en we vroegen ons af of u misschien iets van hem wist wat we behoren te weten.'
'Nee, niet echt.' Vacheret klonk enigszins verbaasd. 'Mijn naam zou daarbij niet eens genoemd mogen worden.'
'Dat begrijpen we.' Dominics hart klopte in zijn keel. Vacheret had niet ontkend dat hij Aurillet kende. Hij wist iets. 'Het is alleen om onszelf ervan te verzekeren dat Aurillet alles op een rij-

tje heeft om er zeker van te zijn dat uw naam erbuiten blijft.'
'Dat kan hij maar beter wel doen. Aangezien het er vooral om gaat om de politie in een kwaad daglicht te stellen, ben ik op dat punt heel duidelijk geweest.' Hij sprak op vlakke toon, alsof hij het een stomme vraag vond. 'Bovendien heb ik begrepen dat hij een bandje heeft. Dat zou genoeg moeten zijn om de zaak te klaren.'
Een bandje? Dominic kreeg het ijskoud. 'Ja, ja. Natuurlijk.' Hij deed zijn uiterste best om zijn stem nonchalant te laten klinken. 'Dus volgens u is er niets speciaals dat we zouden moeten weten?'
'Nee, niet echt.'
'In elk geval bedankt voor uw tijd. Het leek ons gewoon beter om het even te checken.' Dominic zette zijn toestel uit. Een truck met oplegger reed voorbij en de luchtstroom deed zijn auto trillen. Hij schudde de lichte huivering van zich af en belde Bennacer terug.
'Het is een val,' zei Dominic. 'Ik weet nog niet hoe, maar wat je ook doet, laat Aurillet niet getuigen. Ga rechtstreeks naar Corbeix en laat hem een halfuur schorsing en een privé-kamer voor Aurillet regelen. Ik kom zo snel ik kan.'

'Dat hebben we je al verteld. Jij bent niet degene in wie we geïnteresseerd zijn, dat is Duclos.'
'Nou, daar heb ik alleen jouw woord voor. Ik wacht liever tot mijn advocaat hier is.'
'We kunnen dit op een aantal manieren doen. Ik kan je om te beginnen alle hoeken van deze kamer laten zien. Dan zeg ik gewoon dat je hysterisch werd, meubilair begon om te gooien en jezelf tegen de muur wierp... en dat ik je dus tot de orde moest roepen.'
Stilte. Geen reactie van Aurillet.
Dominic zat met Corbeix, Bennacer en Aurillet naar het bandje te luisteren. Het was een klein formaat cassette van het soort dat gemakkelijk in een portefeuille paste. Aurillet had het opgenomen toen hij met Moudeux alleen was gelaten in de verhoorkamer.
'Dan gaan we je cliënten benaderen en hun vertellen dat je onder politiesurveillance staat.'
'Dat kun je niet doen!'

'Ach, dat weet ik niet. Dat is onze plicht, lijkt me. Ze willen vast niet verstrikt raken in jouw problemen. We hebben voor vijf dagen cliënten op tape staan. Daarna kunnen we het gerucht onder je contacten in het milieu verspreiden.'
'Vuile schoft!'
'Tegen de tijd dat we klaar zijn, is het niet meer van belang of je nu wel of niet met ons praat, maar dan kun je je zaken wel op je buik schrijven.'
De resterende minuten op het bandje waren ongeveer net zo: dreigementen, intimidatie, protesten van Aurillet totdat hij met tegenzin akkoord ging met samenwerking. Het week niet veel af van wat ze nu de eerste tien minuten hadden moeten doen om hem tot samenwerking te bewegen, dacht Dominic verbitterd. Het feit dat ze van Vacheret al wisten dat er een bandje bestond, gaf hun een voordeel. Dreigen met rechtsvervolging vanwege misleiding en meineed aan de ene kant en de belofte van juridische onschendbaarheid aan de andere deed de weegschaal uiteindelijk doorslaan.
'Dus wat was het plan?' vroeg Dominic. 'De politie te pakken nemen vanwege intimidatie?'
'Dat niet alleen,' zei Aurillet toonloos. 'De stem die u op band hebt, waarvan u denkt dat het Duclos is... nou, hij is het niet. Hij komt in de buurt, maar het is niet zijn stem. Zijn advocaat was van plan dat bewijs ook aan te vallen, een stemanalist erbij te halen. Het zou de test niet hebben doorstaan.'
Dominic luisterde vol ongeloof toe terwijl de details van het plan op tafel werden gelegd. Duclos was doodsbang dat zijn verleden met jonge jongetjes bekend zou worden. Vacheret maakte zich zorgen om daarbij betrokken te raken, dus hij besloot mee te werken. Aurillet had een gokschuld van honderdtachtigduizend franc die hem dwarszat en dat werd uiteindelijk zijn honorarium voor zijn medewerking. Ze wisten dat de politie met behulp van informanten in het milieu bij kinderpooiers aan het graven was naar achtergrondinformatie over Duclos, dus het zou niet als een verrassing komen als er een anonieme tip over Aurillet binnenkwam.
Als ze eenmaal zover waren, was het niet onwaarschijnlijk dat Aurillets telefoonlijn afgetapt zou worden, hoewel ze dat voor de zekerheid door hun eigen geluidstechnicus hadden laten checken. Ze zouden netjes een paar dagen wachten en dan zou er

iemand bellen die zich voordeed als Duclos. Aurillet zou worden opgepakt voor ondervraging maar niets toegeven totdat hij zwaar en onrechtmatig onder druk werd gezet.
'Als de zaak uiteindelijk voor de rechter komt,' vervolgde Aurillet, 'ontken ik alles en overhandig ik het bandje. Duclos' advocaat heeft dan al geclaimd dat de zaak tegen zijn cliënt vervalst is, en dan sluit dit daar allemaal perfect bij aan.'
Dominic was verbijsterd over de doortraptheid van het plan. Het zou erop hebben geleken dat de politie zowel de tip als het afgeluisterde gesprek van Duclos zelf in elkaar had geknutseld, met als uitsmijter de intimidatie van Aurillet. Een valse tip, een vervalst bandje en intimidatie. Kat in het bakkie. Ze hadden zich met moeite langs de claims van bevooroordeeldheid in de vorige zitting kunnen werken, maar er was geen schijn van kans dat ze deze slachtpartij zouden overleven.
Een redding op het laatste nippertje. Dominic slaakte een diepe zucht en keek naar het plafond. 'Jezus!' Toen keek hij Aurillet weer aan. 'Was Thibault hierbij betrokken?'
'Dat weet ik niet...'
Domme vraag, dacht Dominic. Natuurlijk, Thibault moest ervan geweten hebben voordat de zitting zou beginnen. Dominic stormde de gang op. Hij keek naar links en naar rechts. Er stond een groepje van een man of vier en daarachter zag hij Thibault, bij een munttelefoon achter in de gang.
Dominic kookte van woede terwijl hij met grote passen op Thibault afliep. Ze hadden meer dan twintig minuten met Aurillet in het kleine kamertje gezeten en nu stond Thibault bij de telefoon, ongetwijfeld om Duclos te vertellen dat er iets mis was gegaan. Ziedende woede over Duclos' manipulaties door de jaren heen. Dertig jaar geleden had hij het bewijs gemanipuleerd door zijn timing in het restaurant, hij had Poullain en Perrimond voor de gek gehouden door zich voor te doen als de keurige, brandschone assistent-procureur, en in al die jaren daarna had hij zijn kiezers gemanipuleerd. En nu Aurillet en Thibault. De keurige, rechtschapen Duclos. De held van het volk! En nu waren het de politie en al die anderen om hem heen die als manipulerend en oneerlijk werden afgeschilderd...
Thibault zag hem pas op het allerlaatste moment aankomen. Het enige wat Dominic kon horen was: '... Goede vraag, maar ik weet het echt niet. Het kan zijn dat...' Thibault keek om, zag

Dominic en mompelde: 'Ik moet nu ophangen.'
Maar Dominic greep de hoorn voordat die de haak raakte. 'Wie had je aan de lijn? Was het Duclos?' Thibault schuifelde nerveus heen en weer, boog zijn hoofd en zei niets. Dominic zei in de hoorn: 'Duclos? Duclos... ben jij dat?'
Het zachte geluid van iemand die ademhaalde. Wat geluiden op de achtergrond. Toen werd er opgehangen.
Dominic smeet de hoorn op de haak en duwde Thibault met zijn rug tegen de muur. 'Jij werkte mee aan dit gluiperige plannetje, hè?' Hij greep de revers van Thibaults jasje vast en trok er zo hard aan dat zijn kraag omhoogschoof langs zijn nek. 'En nu had je Duclos aan de lijn, om hem te waarschuwen dat het allemaal mis was gegaan!'
'Hebt u nooit gehoord van het recht op privacy tussen raadsman en cliënt?' sputterde Thibault. Een combinatie van angst en verontwaardiging.
Zielig. Net als Duclos: zich tot het laatst beroepend op morele waarden. Dominic dacht aan Thibaults aanval op Calvan, zijn aanval op de geloofwaardigheid van zowel Corbeix als hemzelf. En plotseling had hij zin om zijn vuist midden in Thibaults gezicht te planten om die zelfingenomen glimlach voor eens en voor altijd van zijn gezicht te slaan. Maar ten slotte duwde hij Thibault nog een laatste keer tegen de muur en toen liet hij hem los. Hij was het niet waard.
Bennacer was een paar seconden later de gang op gekomen, stond nu achter hem en keek bezorgd toe. Corbeix was in het kamertje bij Aurillet gebleven.
Dominics voornaamste zorg was dat Thibault erin was geslaagd om Duclos te waarschuwen. Ze hadden Aurillet, maar ze wisten nu dat Vacheret de belangrijkste schakel tussen Duclos en zijn jonge jongetjes was. Een schakel die Duclos kost wat kost zou willen laten verdwijnen. En als hij wanhopig genoeg was geweest om Eynard te laten opruimen, dan...
Plotseling trof het Dominic dat zelfs al was Duclos nog niet door Thibault gewaarschuwd, hij wel begrepen moest hebben dat er iets mis was toen híj opeens de hoorn vastpakte en zijn naam riep.
Dominic draaide zich om naar Bennacer. 'Bel je bureau. Stuur een patrouillewagen naar Vacheret. En snel.'

'Duclos? Duclos... ben jij dat?'
Duclos had de stem onmiddellijk herkend. Een koude huivering trok door zijn lichaam. Er was iets misgegaan, iets vreselijk misgegaan.
Duclos liep naar het raam en keek naar buiten. Joël was in de tuin aan het voetballen. Het uitzicht aan de voorkant was nog vrijwel hetzelfde als twintig minuten geleden: een gendarme bij de voordeur en dertig meter verderop, bij de poort, twee reporters. Het leven *chez* Duclos. Minder reporters dan een paar weken terug, maar de meute zou ongetwijfeld terugkeren als het eigenlijke proces naderde.
Joëls bewegingen in de tuin zag hij nauwelijks. Maar hij had al die jaren überhaupt nauwelijks aandacht aan hem geschonken, dus waarom zou dat nu anders zijn? Zeker nu.
Het proces? Nu alles mislukt was en zijn laatste troefkaart uitgespeeld, zou het vrijwel zeker tot een proces komen. Met niets anders tussen hem en zijn veroordeling dan twee mensen. Twee sleutelfiguren aan wie alles kon worden opgehangen.
Duclos balde zijn vuisten. Zijn gezicht was vuurrood van opgekropte woede. Hij kon het bijna niet geloven dat Fornier en zijn bij elkaar geraapte zootje zo ver waren gekomen, hem zo in de hoek hadden gedrukt. Waren ze vergeten wie hij was?
Hij was twintig minuten voor Thibaults telefoontje al gaan vermoeden dat er iets mis was. Vacheret had gebeld en gezegd dat hij net was gebeld door iemand die zich Victor noemde. 'Hij zei dat hij optrad als contactpersoon tussen u en uw advocaat. Ik bedacht me pas daarna dat ik had moeten checken of hij koosjer was.'
De klootzak. 'Checken doe je vooraf. Daar is het nu een beetje laat voor.' Toen hij aandrong, beweerde Vacheret dat hij niet veel had gezegd, maar het was Duclos opgevallen dat hij defensief en nerveus klonk. Na Thibaults telefoontje wist Duclos dat wat hij ook had gezegd, in elk geval voldoende was geweest. De politie had de stukjes in elkaar gepast.
Het probleem was dat Vacheret dat waarschijnlijk ook wist. Hij zou in paniek kunnen raken en nu elk moment iets stoms kunnen doen.
Duclos pakte de telefoon en toetste Brossards nummer in.

Na zijn telefoontje met Duclos had François Vacheret bijna een

volle minuut naar zijn toestel zitten staren. Jezus, hij had zich diep in de stront gewerkt.
Hopelijk had hij aan Duclos niet laten blijken hoe diep. Hij zocht verwoed naar andere mogelijkheden: misschien was het de politie niet geweest maar een of andere medewerker van Thibaults kantoor, die Duclos niet kende. Victor? Maar Duclos had daartegen ingebracht dat Thibault wist dat zijn privé-lijn veilig was, want ze hadden elkaar al verscheidene malen over die lijn gesproken. En voor iets wat zo gevoelig lag als dit, zou Thibault hem zelf hebben gebeld.
Nee, het was de politie of iemand van het openbaar ministerie geweest. Daar bestond nog weinig twijfel over. En als ze eenmaal van zijn aandeel in de truc met Aurillet op de hoogte waren, dan zouden ze binnen de kortste keren voor de deur staan. En als Duclos het eenmaal wist...
Vacheret huiverde. Hij dacht terug aan een van zijn laatste gesprekken met Duclos, toen hij via het geruchtencircuit van het milieu had opgevangen wie verantwoordelijk was geweest voor de eliminatie van Eynard. Hij had geprotesteerd dat als hij daarvan had geweten, hij nooit zijn hulp met Aurillet aangeboden zou hebben.
'Wat is dit, de jaarlijkse solidariteitsweek voor kinderpooiers?' had Duclos hem geplaagd. Duclos had hem vervolgens verzekerd dat hij Vacheret in een heel ander licht zag: betrouwbaar en vertrouwd, terwijl hij Aurillet zag als de rat die onmiddellijk bereid was uit de school te klappen als iemand hem iets lekkers voorhield.
'Heel geruststellend. Maar geen moorden meer.'
Duclos had hem verzekerd dat er nog maar één zou worden gepland, en alleen als het echt niet anders kon. 'Maar nu we ons plannetje in werking hebben gezet, zal dat waarschijnlijk niet nodig zijn.'
Vacheret legde zijn hoofd in zijn handen. Hij wilde nu dat hij die laatste vraag niet had gesteld, toen hij uit een soort morbide nieuwsgierigheid had gevraagd wie het doelwit en de huurmoordenaar waren. Maar Duclos had bijna gretig geleken om het hem te vertellen en gezegd dat het niet meer dan eerlijk was als hij dat wist. 'Tenslotte heb je hem al die jaren geleden zelf bij me aanbevolen. Eugene Brossard.'
Er dansten vlinders door Vacherets maag. Nu hun plannetje was

mislukt, zou het doelwit ongetwijfeld weer op Brossards lijst staan. Met zijn eigen naam waarschijnlijk daaronder.
Vacheret sprong op en begon haastig zijn attachékoffertje in te pakken. Hij was niet van plan om hier te blijven rondhangen om te zien wie er het eerst kwam opdagen: de politie of Brossard!
Onderweg naar buiten mompelde hij tegen zijn barman: 'Als er wordt gebeld, ben ik vissen. Je weet niet waar. Ik bel je later wel.'
Een snelle tussenstop bij zijn huis om een koffer in te pakken en dan meteen door naar het vliegveld. Toen hij bij de kruising met de Rue de la Republique kwam, reed een politieauto met Moudeux en een brigadier hem in tegenovergestelde richting voorbij, naar het Panier-district.

Brossard belde binnen veertig minuten terug. Zoals eerder had Duclos in een café een boodschap voor Brossard achtergelaten. De telefoon was één keer overgegaan toen Duclos opnam.
'Die twee namen die we hebben besproken. Ik wil dat je nu in actie komt,' zei Duclos. 'Er is geen tijd te verliezen.'
'Op wie van de twee zal ik me het eerst richten?' vroeg Brossard.
'Dat weet ik niet precies. Laat me even nadenken.' Vacheret was waarschijnlijk het meest urgent, maar hij vroeg zich af of hij niet iets over het hoofd had gezien. Brossard had hem een dag na zijn eerste telefoontje teruggebeld om te zeggen dat hij de bewegingen van beide doelwitten al had bestudeerd en wist waar hij hen de komende paar dagen kon vinden. Efficiënt als altijd.
Brossard grinnikte om zijn aarzeling. 'Beslissingen. Beslissingen. Het is net winkelen, hè? Beslissen over welk overhemd je zult kiezen. Iets heel anders dan wanneer je moet beslissen over iemands leven.'
Herinneringen aan Chapeau en Jaumard. De vele pesterijen die hij zich door de jaren heen had moeten laten welgevallen. De wraak van de huurmoordenaar, want hoe vaak kreeg hij de kans om een hooggeplaatste persoon de les te lezen? Duclos negeerde het. 'Vacheret is het meest urgent. Maar je zou moeten proberen hen allebei binnen een paar uur na elkaar te doen, als dat kan. Want als de een eenmaal dood is, zal de politie zich helemaal op de ander richten.'
'Best. Ik zal hen allebei vanavond doen.'
Ze maakten een afspraak voor de betaling en Brossard hing op.

Maar Duclos meende dat hij een flauwe echo op de lijn had gehoord, en nu hoorde hij een tweede klik. Alsof iemand had meegeluisterd. Duclos' hart kromp ineen. Hij dacht dat Thibault had beloofd dat de lijn niet afgetapt zou worden!

'Vacheret is het meest urgent. Maar je zou moeten proberen ze allebei binnen een paar uur te doen, als dat kan. Want als de een eenmaal dood is, zal de politie zich helemaal op de ander richten.'
'Best. Ik zal hen allebei vanavond doen.'
Kort nadat de telefoon was overgegaan, had Betina hem opgenomen. Ze vond het vreemd dat hij maar één keer overging en toen ophield. Ze vroeg zich af of de aansluiting misschien niet in orde was. Maar toen ze had opgenomen, hoorde ze Alains stem. Ze zat beneden in de woonkamer en hij had blijkbaar boven opgenomen. Ze wilde meteen weer neerleggen, maar toen was haar aandacht getrokken door wat er werd gezegd: 'Iets heel anders dan wanneer je moet beslissen over iemands leven...'
Een ijskoude hand klemde zich om haar hart toen ze de rest van het gesprek hoorde. Toen het gesprek afgelopen was, bleef ze doodstil en als verdoofd staan. Te geschokt om de werkelijkheid te beseffen van wat ze had gehoord, en hoewel het stompzinnige van het bedenken van andere verklaringen nu ook tot haar doordrong, bleef zij gevangenzitten tussen die twee. Ze schudde haar hoofd. Ze had zichzelf lang genoeg voor de gek gehouden.
Ze had zichzelf wijs gemaakt dat al zijn zakenreisjes ook werkelijk voor zaken waren geweest en verder niets. Dat hij haar nauwelijks aanraakte een gebaar was geweest uit respect voor haar vroegere probleem, haar frigiditeit. Maar in een uithoek van haar geest had ze het altijd vermoed. Eerst had ze gedacht dat hij een affaire had. Hij zou niet de eerste politicus zijn die er een maîtresse op na hield. En misschien was zij, met haar vroegere probleem, daar wel voor een deel de oorzaak van geweest. Onaanvaardbaar, maar in elk geval begrijpelijk.
Betina liep de kamer uit en de trap op. Maar zelfs dat idee had ze uiteindelijk verworpen uit liefde en zorg voor Joël. Daar zou ze zich pas zorgen over gaan maken op de dag dat Alain haar kwam vertellen dat hij haar verliet en een scheiding wilde.
Toen de eerste artikelen in de krant verschenen, had ze het nog verworpen. Jonge jongetjes? Alain? Bespottelijk!

Betina was boven aan de trap. Maar nu wist ze dat Alain het had gedaan! Hij hád dat jongetje vermoord... en nu stuurde hij een huurmoordenaar op pad om de twee belangrijkste getuigen te elimineren. Al haar vroegere ontkenningen braken plotseling door de laag waaronder ze ze had begraven: al zijn weekendjes weg, hij die ineenkromp als ze hem aanraakte...
Ze huiverde bij de gedachte aan het monster waarmee ze al achttien jaar samenleefde, onder hetzelfde dak met haar en Joël! Joël. Ze had de kranten gelezen. Mijn god, dat arme jongetje was nauwelijks ouder geweest dan Joël nu was.
Haar hart bonsde toen ze haar hand op de kruk van de slaapkamerdeur legde. Haar mond was kurkdroog. Ze slikte nog een laatste keer, deed de kruk naar beneden en duwde de deur open.
Het duurde even voordat Duclos in de gaten had dat ze daar stond. Hij zat zich nog steeds af te vragen wat die klik op de lijn was geweest.
Hij hoorde haar zeggen: 'Het is waar, hè? Allemaal waar. Je hebt dat jongetje vermoord.'
Haar gezicht was asgrauw en Duclos zag dat ze trilde. Die tweede klik was Betina geweest! Ze had zijn gesprek met Brossard gehoord.
Zijn hoofd tolde. Te oordelen naar haar gezichtsuitdrukking zouden zijn standaardzinnen om zich te verdedigen en het te ontkennen, die uit zijn mond waren gerold toen de eerste artikelen in de krant verschenen, deze keer niet genoeg zijn. Ze had zijn gesprek met Brossard gehoord. Ze wist het. Ze wist alles.
Hij keek naar de grond, knipperde een keer met zijn ogen en zei ten slotte niets. Zijn paniek nam af. Hij was haar geen verklaring schuldig.
'Het was allemaal een leugen, hè? Ons huwelijk, onze jongen. Al die weekends weg, al die keren dat je ineenkromp als ik je aanraakte.' Ze kwam dichterbij maar bleef op een meter afstand van hem staan, alsof het overbruggen van die laatste afstand haar op de een of andere manier zou besmetten. Ze verhief haar stem. 'Een leugen, een pathetische schande! En ik heb ooit gedacht dat je van me hield... al was dat alleen maar die eerste paar jaar!' Haar gezicht was vertrokken en ze schudde haar hoofd.
Duclos keek naar haar op. Zielig gewoon, hoe ze zich vastklampte aan de hoop dat hij ooit misschien van haar had gehouden. Die paar armzalige jaren van hun leven samen. Alsof die de

rest minder erg hadden gemaakt. Acceptabel. Zelfs dat genoegen wenste hij haar niet te geven. Hij sneerde: 'Natuurlijk heb ik nooit van je gehouden. Je zag er alleen maar goed uit op diners en bij officiële gelegenheden. En je belachelijke probleem met je frigiditeit omdat je een keer was aangerand was ideaal voor me, want het laatste wat ik wilde was dat je me aanraakte!'
Ze kwam toen toch dichterbij. Haar ogen boorden zich in de zijne.
'Jíj bent pathetisch,' daagde hij haar uit, en een seconde later voelde hij zijn wang gloeien omdat ze hem in zijn gezicht had geslagen. Als hij niets had gezegd, was ze hem waarschijnlijk alleen maar blijven aanstaren, met ogen die zochten naar een verklaring die er niet was, en had dan pas haar blik afgewend. Maar een pervers deel van hem wilde deze confrontatie, deze ontlading van woede en frustratie. Alles afreageren op die arme, zielige Betina. Ze was zo'n gemakkelijk doelwit. 'Al die jaren heb ik kippenvel gekregen als je alleen maar je hand naar me uitstak. Ik had nog liever Mitterrand geneukt!' Maar deze keer ving hij haar arm midden in de lucht op, hij gaf er een harde ruk aan en schoot overeind van het bed. Hij sloeg haar hard in het gezicht met de rug van zijn andere hand.
Betina vloog achteruit en viel op de grond. Met verwilderde ogen keek ze naar hem op. Ze stonden vol haat. Een rode vlek en bloedspatten werden zichtbaar op haar linkerwang.
'En Joël dan?' Haar stem beefde. 'Er was wel een vrouw voor nodig om hem aan jou te geven. Geen geflikflooi met jonge jongetjes!'
'Precies.' Duclos grijnsde vals. Tien jaar te laat had ze het eindelijk begrepen. 'Hij was het laatste wat ik wilde!'
De beelden dienden zich weer aan zonder dat hij het wilde: haar geschreeuw toen de auto werd geraakt, Joël in de couveuse...
De intense blik waarmee ze hem aanstaarde bracht hem van zijn stuk. Hij wendde zijn blik af.
Hij kreeg het opeens benauwd, kreeg last van claustrofobie. Hij moest hier weg, van haar, van die ogen die zich aan hem vast leken te zuigen alsof ze diep binnen in hem zochten naar iets wat er nooit was geweest. Het kleine beetje genegenheid dat hij voor haar en Joël had gevoeld, om haar het idee te geven dat niet haar hele leven verspild was geweest. Pathetisch! Hij liep naar de deur.

Er bewoog iets achter hem, er werd in een la gerommeld. Hij bevond zich in een roes, besteedde er geen aandacht aan totdat hij haar harder hoorde roepen: 'Alain!', een schor, schril gekrijs dat ervoor zorgde dat hij zich omdraaide.
Hij zag de halfopen la van het nachtkastje en op hetzelfde moment zag hij het pistool: een Beretta .25 automatic, die ze hadden voor als er inbrekers waren. Betina richtte het wapen met trillende handen op hem.
Betina's ogen brandden en ze zag bijna niets toen ze over het wapen naar haar echtgenoot keek. Ze deed haar uiterste best om haar handen stil te houden. Haar echtgenoot? Het was een monster! Een moordenaar van jonge jongetjes. Ze zou iedereen een gunst bewijzen als ze hem vol lood pompte. Haar vinger spande zich om de trekker.
Wat zou het een goed gevoel geven, een geweldig gevoel. Terugbetaling voor het jarenlange verraad van haar en Joël. Wraak voor dat jongetje in Taragnon. Maar ze wilde hem eerst in het stof zien bijten. 'Dus je blijft beweren dat je niet van me houdt? Zou smeken voor leven niet gepaster zijn? Misschien komt het wel op hetzelfde neer.' Maar in plaats van terug te deinzen, deed hij juist een stap dichterbij. Ze schudde haar hoofd en het getril in haar armen werd erger. Dit ging helemaal niet goed. Ze had het in films gezien: dit was het moment waarop ze achteruitdeinsden, een hand opstaken en smeekten.
Duclos glimlachte terwijl hij een stap dichterbij deed. Misschien deed ze hem er wel een plezier mee. Maakte ze een eind aan al zijn problemen. 'Waarom schiet je niet? Ik heb schoon genoeg van alles. Dan kun jij alles meemaken: de publieke vernedering, de politie die voor je deur staat, de rechtszaak, de veroordeling voor moord die je dan boven het hoofd hangt! Ja, toe maar,' daagde hij haar uit. 'Haal de trekker maar over. Dan kun je mijn plaats innemen!'
Betina's vinger lag trillend om de trekker. Een monster! Hij verdiende het te sterven. Maar hij stond naar haar te glimlachen, bijna alsof hij dat graag wilde. En wat zou er met Joël gebeuren als zij in de gevangenis zat?
Duclos zag haar aarzeling en schoot snel die twee laatste passen naar voren en sloeg de arm met het pistool opzij. Het pistool vloog door de lucht en kwam een paar meter verderop op de grond terecht. Hij haalde uit en sloeg haar hard in het gezicht.

Betina viel met een zware klap achterover op de grond. Haar ogen stonden geschrokken en er sijpelde bloed uit haar neus.
Duclos dook boven op haar en ging op haar dijbenen zitten. Woede golfde als lava door zijn aderen. Ze had een wapen op hem gericht. Die stomme trut had daar werkelijk het lef voor gehad, de brutaliteit! Ze wilde hem doodschieten! Hij zwaaide zijn arm achteruit om haar nog eens in het gezicht te slaan, bedacht zich op het laatste moment en stompte haar toen hard in haar maag.
Ze schreeuwde en kreunde. Hij sloeg haar nog een keer; haar gekrijs leek zijn woede alleen maar aan te wakkeren. Al die jaren van opgekropte woede en frustratie kwamen eruit terwijl hij haar sloeg: voor al die keren dat hij had gehuiverd als ze hem aanraakte, voor de stomvervelende voorspelbaarheid en monotonie van haar conversaties, voor de zoon die hij nooit had gewild... voor het kliekje dat zij en Joël hadden gevormd en dat hem had buitengesloten. Hij sloeg en sloeg en sloeg totdat...
Voetstappen op de trap.
Ze drongen nauwelijks door tot zijn bewustzijn, de roes waarin hij verkeerde. Toen pas drong het tot hem door hoe hard Betina's gekrijs en gekreun was geweest. De gendarme. Hij had het geschreeuw gehoord en was om het huis naar de open achterdeur gerend.
Duclos zocht verwilderd om zich heen. Het pistool lag niet ver van zijn rechtervoet. Hij schopte het nog iets verder weg, net uit het zicht onder het bed. Hij kwam net overeind toen de gendarme de kamer binnen kwam stormen.
De blik van de gendarme schoot heen en weer tussen hem en Betina. Zijn hand zweefde vlak bij zijn holster, maar hij trok zijn wapen niet.
'Ze werd hysterisch,' sputterde Duclos. 'Ik probeerde haar te kalmeren. Ze viel en bezeerde zich aan het nachtkastje. Help me even haar op het bed te tillen.'
De arm van de gendarme ontspande zich. Hij kwam dichterbij en boog zich over Betina om haar op te tillen. Betina's ogen gingen langzaam open en keken de gendarme aan. Ze wilde iets zeggen.
Duclos zag dat hij maar één klein kansje had en dook naar het pistool onder het bed. Hij draaide zich om en richtte het op de gendarme. 'Oké, geef me je wapen. Linkerhand... heel langzaam. Neem de kolf tussen twee vingers.'

De gendarme deed het, tilde onhandig het wapen uit de holster en hield het Duclos voor. Duclos griste het uit zijn hand. 'Draai je om!'
Gegeneerd draaide de gendarme zich om terwijl hij één oog op Duclos probeerde te houden. Duclos zwaaide het wapen omhoog en sloeg met de kolf op het hoofd van de gendarme, maar hij raakte hem eerst niet goed, moest een tweede keer slaan om hem te vloeren.
Duclos zocht in de la van de kaptafel, haalde de autosleutels en zijn portefeuille eruit en stormde naar de deur.
Joël stond in de deuropening en staarde naar het tafereel met zijn moeder en de gendarme. Diezelfde onderzoekende, wetende ogen die hem al die jaren hadden achtervolgd. De jongen bewoog zich alsof hij Duclos de doorgang wilde versperren.
Smalend bedacht Duclos zich hoe bespottelijk en meelijwekkend hij eruitzag, net als zijn moeder, en hij wrong zich ruw langs hem heen, waarbij hij de jongen bijna tegen de grond sloeg.
De trap af, de voordeur uit, het grind van de oprijlaan knerpte onder zijn voeten. Een van de verslaggevers bij de poort zag hem en keek hem nieuwsgierig aan.
Duclos rende de garage in, langs Betina's Renault, die aan de zijkant stond geparkeerd. Hij had de Mercedes willen nemen, maar die was te opvallend. Hij had een Peugeot 505 gekocht op leasebasis, kort voordat hij uit Straatsburg vertrok. De registratie van het kenteken was waarschijnlijk nog steeds niet afgehandeld. Perfect.
Duclos stapte in, startte de auto en reed achteruit de garage uit.
Hij trilde over zijn hele lichaam, voelde de adrenaline door zijn aderen stromen en had een dof bonzend gevoel in zijn hoofd. De naschok van zijn confrontatie met Betina en de gendarme. Hij merkte dat die hem voortdreef: hij trapte het gaspedaal hard in, schoot de oprijlaan over en was na een laatste scherpe bocht de poort uit.
Camera's klikten en flitsten toen hij door de poort de weg op reed en legden zijn vertrokken, wanhopige glimlach vast. Maar het kon Duclos allemaal niets meer schelen. Vrijheid.

43

Dominic had de kaart van Frankrijk voor zich uitgespreid. Waar? Waar? Nu moesten ze er twee zien te vinden. Vacheret én Duclos.
Geen geregistreerd kenteken. De twee gendarmes die Duclos de afgelopen weken om beurten hadden bewaakt, hadden geen van beiden de kentekens van Duclos' auto's genoteerd. 'De garagedeur was altijd dicht. Onze korpscommandant heeft ons nooit gevraagd dat te doen. Het enige nummer dat we kennen is dat van de auto die regelmatig werd gebruikt, de Renault.'
Dominic schudde zijn hoofd. Meer dan een uur geleden had hij Lepoille gebeld om via Interpol *National* het kentekennummer na te gaan. Nog geen antwoord.
Duclos kon inmiddels halverwege Parijs zijn, of bij de Zwitserse grens, of in zuidelijke richting zijn gereden. Naar een van die ingedutte dorpjes in de Pyreneeën, waar de douane van de grensposten met Spanje de mensen gewoon doorwuifde. Zonder registratienummer konden ze geen landelijke zoekactie starten of de grensposten inlichten.
En Vacheret was al bijna twee uur langer voortvluchtig. Ook van hem hadden ze geen idee welke kant hij op was.
Twee geplande moorden, had Betina Duclos horen zeggen. Vacheret was genoemd als de ene – wat zijn plotselinge verdwijning verklaarde –, maar de andere was niet bij naam genoemd.
Ze hadden extra druk uitgeoefend op de enige persoon die ze wel in handen hadden: Aurillet. Twee huurmoorden. Wat wist hij? Aurillet zei dat Vacheret zijn bezorgdheid had uitgesproken na de moord op Eynard en over een andere die was gepland, maar er was geen naam genoemd; ze hadden het eigenlijk meer gehad over het voordeel dat hun plannetje zou opleveren. 'Nu hoeft die ene moord niet eens gepleegd te worden, dus hebben we in feite een leven gered.'
Maar Vacheret wist het blijkbaar. Het kon een andere kinderpooier zijn zoals Vacheret of Eynard, maar wat als Duclos een huurmoordenaar op Roudele af had gestuurd, om hem samen met zijn getuigenis over het muntstuk te laten verdwijnen, of naar Engeland, naar Eyran Capel?
Dominic balde zijn hand tot een vuist. Twintig minuten waren

verstreken zonder dat hij terug was gebeld, en zijn ongeduld nam toe. Hij had naar zijn bureau in Lyon kunnen bellen, maar hij had geen behoefte aan een verslag van de dagelijkse paniek en spoedgevallen. Er was op dit moment maar één ding dat hij wilde weten.

Hij belde Monique om zijn spanning wat kwijt te raken. Ze was in Vidauban, bracht daar nu meer tijd door in de zomermaanden. Ze was er de avond daarvoor met de trein naartoe gereden en Gerome had haar van het station gehaald.

'Ik denk dat het vanavond vrij laat wordt,' zei hij. 'Het kan een lange avond worden.'

'Ga je terug naar Lyon of kom je hierheen?'

'Ik denk Vidauban.' Hij kon beter in de buurt van Aix of Marseille blijven voor nieuws over Vacheret. Vidauban was dichterbij. 'Maar het zal waarschijnlijk niet voor tien of elf uur worden.'

Ze begon een alledaags gesprek over Gerome, maar Dominic luisterde maar half en maakte algauw weer een eind aan het gesprek. Hij wilde beschikbaar zijn als er werd teruggebeld.

Onbehaaglijke stilte weer. De telefoon bleef stil. Dominics gedachten stonden te trappelen om in actie te komen, maar uiteindelijk bleven ze net zo apathisch. De klok aan de muur herinnerde hem er met elke tik aan dat de zaken ergens anders in beweging waren terwijl hij hier niets zat te doen: Duclos die dwars door het land racete, een huurmoordenaar die op weg was naar zijn doelwitten. Geesten die over de kaart van Frankrijk zweefden, zonder herkenbare vorm of richting.

Maar hoe ver kon Duclos komen? Geen paspoort, zijn bankrekeningen geblokkeerd, misschien met alleen genoeg geld voor eten, benzine en een paar nachten onderdak?

Zeven minuten later, hoewel het veel langer leek, rinkelde de telefoon. Het was Lepoille.

'We hebben iets over Vacheret. Een vlucht met Air France naar Corsica.'

'Kan de luchthavenpolitie in Ajaccio hem opvangen?'

'Te laat. Hij is meer dan twintig minuten geleden geland, in een taxi gestapt en verdwenen. Hij kan overal op het eiland zitten.'

Een sprankje hoop dat weer doofde. Misschien kon Bennacer er iets mee. 'Al iets over Duclos en de kentekenregistratie?'

'Nog niks. Kan nog een moeizame zoektocht worden. Er staat

niets op zijn naam en blijkbaar heeft hij de auto pas, via een leasemaatschappij. Die moeten we eerst zien te vinden en dan hopen dat ze de registratie al hebben doorgegeven. Anders vinden we niks.'

Na een snel 'veel succes' en 'blijf jagen' belde Dominic Bennacer. 'Vacheret zit op Corsica. Schiet je iets te binnen?'

'Niet onmiddellijk. Laat me nagaan of iemand anders hier iets weet...' Dominic hoorde Bennacer roepen: 'Vacheret, iemand iets over vrienden of contacten op Corsica?' Gemompel op de achtergrond. Even later: 'Het ziet er niet naar uit, ben ik bang.'

'Misschien kan Moudeux naar Vacherets club gaan. Zeggen dat we weten dat hij op Corsica zit, uitleggen dat er een huurmoordenaar achter hem aan zit. En als wij weten waar hij zit, bestaat er een goede kans dat de huurmoordenaar dat ook weet. Misschien wat druk uitoefenen op de barman of bedrijfsleider, en dan...'

Bennacer onderbrak hem. 'Wacht even, Dominic. Een van mijn mannen die in het Panier-district werken herinnert zich een clubeigenaar waar Vacheret bevriend mee scheen te zijn...' Bennacers stem werd dof, weer gemompel op de achtergrond. 'Een knaap die Courchon heet. Heeft een villa in Bussaglia, aan de kust in het noordwesten. Het is een slag in de lucht, maar misschien het proberen waard.'

Dominic dacht de zaken snel door. Er was een tijdelijk kantoor voor hem ingericht in het Palais de Justice in Aix – dat had Corbeix voor hem geregeld – maar de vluchtverbindingen waren beter vanuit Marseille. 'Ik kom naar je toe. Ik kan over een halfuur bij je zijn. Stuur jij ondertussen de politie van Bussaglia naar Courchons villa en check wanneer de eerstvolgende vlucht naar Ajaccio is.' Dominic keek op zijn horloge: acht voor zeven in de avond. Hij gaf Bennacer het nummer van zijn mobiele telefoon, voor als er nieuws over Duclos was terwijl hij onderweg was, en liet eenzelfde boodschap voor Lepoille achter.

Dominic kon hier toch niets doen om bij te dragen aan de zoektocht naar Duclos' kentekennummer. Dat was nu een spel dat werd uitgevochten door de netwerkcomputers in het land.

Duclos reed naar het oosten, richting St. Etienne en Givors. Hij had eerst niet geweten waar hij naartoe moest gaan, maar had uiteindelijk besloten de N7 bij Givors te nemen. Het was de

drukste en meest kleurloze snelweg van heel Frankrijk, en vanaf daar kon hij naar Parijs in het noorden, de Côte d'Azur en Spanje in het zuiden, of Valance en de Zwitserse en Italiaanse grens in het oosten.
Ze hadden maar een van zijn bankrekeningen intact gelaten, voor zijn gewone, maandelijkse onkosten. Hij stopte bij de eerste geldautomaat die hij buiten Limoges tegenkwam en nam het maximumbedrag op. Met wat er nog in zijn portefeuille zat had hij 3.260 franc. Na eten en benzine genoeg om hem vijf dagen tot een week op weg te houden, als hij in goedkope hotels overnachtte. Hij kon niet riskeren nog eens bij een geldautomaat te stoppen, want zelfs al hadden ze zijn rekening nog niet geblokkeerd, dan konden ze op die manier wel nagaan welke kant hij op reed.
Zijn auto was onopvallend en trok geen aandacht. Gewoon een van de vele duizenden blauwe Peugeots 505 die in Frankrijk rondreden, en de politie was waarschijnlijk nog niet in staat geweest zijn kentekennummer te achterhalen. Maar waar hij wel vreselijk bang voor was, was dat de mensen hem zouden herkennen. Hij was maar één keer gestopt om te tanken, even na St. Etienne, en was naar de grond blijven kijken toen hij aan de balie moest betalen. Op het laatste moment had hij naast de balie een display met honkbalpetten gezien en er snel een gekocht, tezamen met wat snoepgoed. De klep van de pet zou tenminste een deel van zijn gezicht afschermen bij zijn volgende stops.
Hij reed de snelweg weer op en sloeg op de rotonde bij Givors af naar het zuiden. Hij hield de snelheid tussen de 120 en 130 kilometer, niet zo hoog dat hij de aandacht trok, maar ook niet te laag. Toch werd hij af en toe door een truck naar de rechterbaan gedwongen en met veel geraas voorbijgereden.
Toen trof het hem ineens: zes uur! Hij keek op zijn horloge: acht over halfzes. Om zes uur zouden alle belangrijke nieuwsprogramma's beginnen. De zaak had uitvoerig in de kranten gestaan, maar de enige recente foto van hem was vaag geweest en vervormd door het raampje van de auto. Weinig mensen zouden hem daarvan herkennen.
Maar in de grote nieuwsuitzendingen van die avond zouden ze waarschijnlijk een goed gelijkend portret van hem laten zien. Daarna zou hij nog nauwelijks ergens kunnen stoppen zonder herkend te worden. Aanvankelijk was hij van plan geweest later

te stoppen om te eten, maar hij wijzigde plotseling zijn plannen. Hij stopte bij het eerste servicestation langs de snelweg.
Hij koos voor een hamburger met friet in een zelfbedieningsrestaurant. Het meisje keek naar hem op en glimlachte. *Merci*. Ze droeg ook een pet, die niet veel afweek van de zijne. Een tandpasta-glimlach, of zag hij daar een fonkeling van herkenning? Duclos' zenuwen gierden door zijn lijf tegen de tijd dat hij had betaald en met zijn blad naar een tafel achterin liep. Hij ging met zijn gezicht naar de muur zitten, met zijn rug naar het restaurant. Het was een groot complex met een supermarkt, winkels en een bar, die tezamen als een brug de snelweg overspanden. In het bargedeelte achter het restaurant stond een televisie aan, maar er zat nauwelijks iemand aan de bar om ernaar te kijken.
Hij slaakte een diepe, trage zucht, probeerde zich te ontspannen en begon aan zijn hamburger. Die was droog en hij had moeite met slikken. Zijn zenuwen hadden zijn eetlust verpest. Maar hij dwong zichzelf tot eten, want dit zou wel eens zijn laatste maaltijd van de eerstkomende uren kunnen zijn. Hij had moeite met elke hap; het leek wel alsof hij karton probeerde fijn te kauwen en door te slikken.
Kort nadat hij Clermont Ferrand was gepasseerd, had hij besloten naar het zuiden te rijden. Hij moest in de Provence zien te komen voordat Brossard zijn aanslagen pleegde! Want als Brossard dat deed, was híj er geweest. Betina had immers gehoord dat hij er de opdracht voor had gegeven.
Een paar minuten nadat deze gedachte hem was ingevallen, was hij gestopt en had hij Brossards nummer gebeld. Een kwartier daarna, toen hij was gestopt om te tanken, had hij dat nog een keer gedaan. Nog steeds geen Brossard of boodschap. Hij was waarschijnlijk al onderweg naar zijn doelwitten.
'Ik zal hen allebei vanavond doen.' Brossard wilde blijkbaar niet het risico nemen het bij daglicht te doen. Duclos keek op zijn horloge. Nog tweeënhalf uur voordat het donker was. Als Brossard niet bereikbaar was, zou het hem dan lukken om op tijd daar te zijn?
Als het hem lukte en de moorden werden niet gepleegd, kon hij zeggen dat het Betina's neurotische gebazel was geweest. Geconfronteerd met het overige – die weinig overtuigende munt, het paranormale bewijs en de twijfelachtige getuigenissen van twee kinderpooiers – zou Thibault misschien nog eens in staat

zijn een paar verrassingen tevoorschijn te toveren. Misschien kon Brossard een deal met Vacheret sluiten: zijn leven voor zijn zwijgen. Als ze alleen nog Aurillet tegenover zich hadden, lagen hun kansen voor het hof redelijk goed.

Opties, benaderingen, spel en tegenspel. Duclos' gedachten schommelden heen en weer tussen hoop en wanhoop, wankelend als een koorddanser langs de mogelijkheden toen een hard *bliep-bliep* zijn gedachten abrupt verstoorde. Twee jongetjes stonden niet ver bij hem vandaan te spelen op een Space War-apparaat. Duclos vond het niet prettig dat ze zo dichtbij stonden, maar ze toonden weinig interesse voor hem. *Bliep-bliep... zapp... bang... bliep-bliep...* Het was meer het geluid dat hem irriteerde, dat zijn toch al getergde zenuwen tot het kookpunt bracht.

Zijn handen begonnen oncontroleerbaar te trillen. Hij had twee derde van zijn hamburger en een derde van zijn friet op. Hij legde de hamburger neer, kon opeens geen hap meer door zijn keel krijgen. Hij moest denken aan een ander restaurant, van dertig jaar geleden, toen hij door het raam naar de kofferbak van zijn auto zat te staren... zich zat af te vragen wat hij zou doen met de jongen die erin zat...

En plotseling nam al het andere om hem heen in volume toe: het gebliep van het Space War-apparaat, het gekletter van bestek en borden, het rumoer en gegons van stemmen... het nieuws dat op tv kwam. Mensen die opstonden en naar hem wezen en riepen: het is Duclos... Duclos! Hij is hier... daar zit hij! De kindermoordenaar!

Duclos stond snel op en draaide zich om. Hij was duizelig, wist even niet waar hij was en wat hij moest doen. Hij had de neiging om om hulp te schreeuwen... Help!... Zo hard mogelijk om boven het *bliep-bliep* van het space-apparaat en gekletter en andere rumoer uit te komen.

Hij beefde en het angstzweet en kippenvel stonden op heel zijn lichaam. Hij zocht zich haastig een weg naar de uitgang, weg van het lawaai, de mensen... bleef toen abrupt staan bij de zelfbedieningscounter. Hij wist dat hij het niet nog eens zou kunnen opbrengen om in een restaurant of café te gaan zitten, met mensen om zich heen. Hij greep vijf pakjes voorverpakte sandwiches, drie zakken chips en een grote fles bronwater en dumpte alles bij de kassa.

Een droge glimlach van het meisje toen ze de berg voedsel op de kassa aansloeg.
'Ik heb een auto vol mensen,' glimlachte hij terug, maar hij wist zeker dat het verkeerd zijn mond uit kwam.
Hij kon haar ogen in zijn rug voelen branden toen hij wegliep. Hij keek op zijn horloge: drie minuten voor zes. Over een paar minuten begon het nieuws... en dan zou iedereen hem aanstaren. Een paar seconden voordat het tot haar doordrong dat ze hem had herkend, en dan zou ze naar de telefoon rennen en de politie bellen... Hulp. Hulp? Op dat moment moest hij terugdenken aan de woorden van Marchand: '... als je behoefte hebt aan extra hulp, bel dan. Je moet weten dat als de zaken er het slechtst voor staan, je hier vrienden hebt. Mensen die je zullen helpen.'
Maar hij wist dat hij niet het risico kon nemen om van hieruit naar Zwitserland te bellen, niet nu het nieuws elk moment kon beginnen en iemand hem bij zijn schouder kon pakken terwijl hij stond te telefoneren. En hij moest blijven hopen dat hij op tijd in de Provence kon zijn om Brossard te stoppen.

Het uitzicht op de kust bij Bussaglia was adembenemend. De grillige, golvende contouren van de bergen, de mediterrane pijnbomen die zich in de rotsbodem vastklampten en waarvan het rijke groen prachtig afstak tegen de azuurblauwe zee.
Maar François Vacheret keurde het nauwelijks een blik waardig toen hij op het voorterras van de villa zat; zijn ogen bleven voortdurend gericht op de smalle, kronkelende weg ver onder hem. De enige manier om een auto te zien naderen.
De weg leidde naar slechts negen villa's. Courchon had hem al verteld welke auto's hij kon verwachten en hij had dat opgeschreven op een blaadje papier. Als hij auto's zag die niet op zijn lijstje stonden, dan zou hij naar binnen rennen, Courchon waarschuwen en zich aan de overkant van de weg verstoppen. Twintig meter omlaag over de treden langs de rotswand en dan was hij op een klein strandje met een botenhuis dat was uitgehouwen in de rotsen. Courchon zou de bezoekers ontvangen en daarna naar beneden komen om Vacheret te vertellen dat ze weg waren.
Vacheret had Courchon verteld dat hij zich zorgen maakte over de andere geplande moord. Duclos was doorgedraaid, had zichzelf niet meer in de hand.
Courchon had hoorbaar ingeademd toen hij hoorde wie het doel-

wit was. 'Jezus. Dat kan problemen geven. Duclos hoeft niet in Marseille te wonen, jij wel.' Courchon legde hem uit dat hij dan niet alleen problemen met de politie had, maar ook met het plaatselijke milieu.
Vacherets hart zonk in zijn schoenen bij het vooruitzicht om jaren op de vlucht te blijven, al zijn clubs en bezittingen in Marseille te verkopen en niet te kunnen terugkeren naar zijn stad. Als hij tenminste zo lang leefde. Voorlopig was zijn voornaamste zorg dat hij de komende dagen overleefde. Achtervolgd door de huurmoordenaar die hij aanvankelijk had aanbevolen? Als hij niet zo doodsbang was, had hij de ironie misschien amusant gevonden. Brossard was een niet te stoppen moordmachine. Voorzover hij wist had hij nog nooit een contract gemist.
Hij sprong op bij praktisch elk geluid en elke auto die hij op de weg onder zich zag. Tot nu toe had hij er maar drie gezien: allemaal van villabewoners. Maar wat moest hij doen als het donker werd, hier de hele nacht blijven zitten? Maar zelfs al deed hij dat, dan was de weg onverlicht en had hij alleen het motorgeronk om hem te waarschuwen, niet te onderscheiden van dat van de auto's van de villabewoners.
Maar toen Courchon zijn grote bezorgdheid had opgemerkt, had die hem tenminste nog een lichtpuntje hoop kunnen aanbieden. 'Ik heb een paar goede contacten binnen het milieu. Ik zal zeker op dat front je naam kunnen zuiveren voordat er represailles komen. Ze zullen trouwens blij zijn met de waarschuwing.'
Geweldig. Dus Brossard kon hem nog steeds vermoorden, maar hij zou tenminste sterven met een schone lei voorzover het het milieu aanging. Heel geruststellend.
Vacherets zenuwen gierden weer door zijn keel. Een witte auto kwam aanrijden over de bochtige weg onder hem. Hij pakte de verrekijker: een Citroën BS. Er stond er maar één op zijn lijstje, en die was metallic grijs. Vacheret rende naar binnen om Courchon te waarschuwen.

'Waar is hij nu?'
'Onderweg naar de Provence,' zei Marchand. 'Hij moest daar blijkbaar dringend iemand ontmoeten.' Marchand had niet gevraagd waarom, noch had Duclos hem enige uitleg daarover aangeboden. Duclos' telefoontje was gekomen een paar minuten nadat Marchand hem in Genève in het nieuws had gezien, als

vijfde onderwerp, hoewel hij ervan overtuigd was dat het in Frankrijk het topitem was. Minister op de vlucht.
Marchand was nu al enige minuten bezig om uit te leggen hoe groot de puinhoop was waarmee ze te maken hadden. Miguel Perello, aan de andere kant van de lijn, bleef bedachtzaam. Ze hadden elkaar maar één keer eerder ontmoet, in Panama. Perello runde de Panamese vestiging van een advocatenkantoor dat zijn hoofdkantoor in Californië had. Dat was wat bij Marchand het vermoeden had doen ontstaan dat het ging om een consortium van Californische biotechnische bedrijven dat invloed probeerde uit te oefenen op het debat van het Europese Parlement. Hoewel het net zo goed de Japanners konden zijn die een in Californië gevestigd bedrijf als rookgordijn gebruikten. Het enige wat Marchand wist, was dat ze blij waren dat de beschuldigende vinger in de richting van de Groenen wees. Industrieel protectionisme op z'n best: sla een gat van acht miljard dollar in een concurrerende markt door een cruciaal debat 'bij te sturen'.
'Klinkt inderdaad als een puinhoop,' zei Perello. 'Duclos is helemaal losgeslagen. Hij wordt te gevaarlijk.'
'Ik dacht dat we hem om die reden onze hulp hadden aangeboden, voor als de dingen misliepen. Om hem uit die puinhoop te halen.'
'Ja, natuurlijk.' Het bleef even stil. Gekraak op de lijn tussen Panama en Genève. 'Maar hoe lang kunnen we een veilige haven garanderen voor een prominent figuur als Duclos? Het kan de moeite waard zijn om nog eens na te denken over de andere optie die we hebben besproken.'
Marchand kreeg het koud. Het onderwerp was ter sprake gekomen toen ze hadden besloten Duclos te helpen ontsnappen. Marchand had er krachtig tegen geprotesteerd: Duclos die plotseling omkwam midden in een groot gerechtelijk onderzoek, ook al zag het er nog zo goed uit als een ongeluk, kon nare gevolgen hebben. Veel te riskant. Hij herhaalde dat protest nu.
'Ik weet het. Maar kijk nu eens naar anderen, zoals Medecin,' merkte Perello op. 'Om de zoveel tijd uit hij dreigementen dat hij terugkomt naar Frankrijk om alles te vertellen en dat hij iedereen met zich mee de afgrond in zal slepen als hij daartoe wordt gedwongen. Ik betwijfel of mijn mensen het leuk zullen vinden als dat soort dreigementen voortdurend boven hun hoofd blijft hangen.'

'Het bevalt me nog steeds niet.' Maar zijn protest klonk al zwakker.
Perello bespeurde Marchands onbehaaglijkheid bij de gedachte dat Duclos opgeruimd zou worden. Zwitserse juristen: horloges, chocolade en geld. Geen bloed. Hij liet het onderwerp even rusten. 'Het zal zeker geen beslissing zijn die luchthartig genomen zal worden, of op dit moment. En wat er uiteindelijk wordt besloten, zal in eerste instantie gericht zijn op het helpen ontsnappen van Duclos. Laten we ons voorlopig eerst daarop blijven concentreren.'
Marchand veranderde weer in de bereidwillige dienaar. Ze bespraken enkele opties en besloten toen tot een privé-vliegtuig naar Portugal en een gewone vlucht met een nieuwe identiteit vanaf daar. Perello zei welke routes het geld zou volgen en ze verdeelden de taken voor de uiteindelijke regeling.
Toen Duclos belde, veertig minuten later dan was afgesproken, ergens uit de buurt van Avignon, gaf Marchand hem de naam van een vliegveld en een tijdstip: Luc et du Cannet, tien uur 's avonds. 'Het oppikken moet snel gebeuren. Drie minuten op z'n hoogst. Je zult weten dat hij het is want hij zal de laatste paar honderd meter van zijn landing geen lichten voeren.'

Moudeux probeerde zijn zaktelefoon af te schermen van het galmende rumoer op het vliegveld en de vluchten die werden omgeroepen. 'O. Ja. Ja... Dus geen teken van Vacheret? Ja. Wacht even.' Hij draaide zich om naar Dominic, wist hoe graag hij op de hoogte gebracht wilde worden. 'De plaatselijke politie is er geweest. Courchon heeft ze ontvangen. Heeft gezegd dat hij Vacheret niet heeft gezien. Ze hebben desondanks de hele villa doorzocht, en hem een paar vragen gesteld, zoals of hij wist of Vacheret andere vrienden op het eiland heeft, maar ze kregen op alles "nee" te horen en zijn weer weggegaan. Bennacer vraagt wat je wilt dat de plaatselijke politie nu doet, als je überhaupt iets wilt.'
Dominic knikte en hield zijn hand op. Moudeux gaf hem de telefoon. 'Geloofde de politie hem, of denken ze dat hij iets verborgen houdt?'
'Ze vonden hem wat voorzichtig klinken, maar niet echt verdacht.'
Dominic keek op het bord waarop de vluchten werden aange-

kondigd. Nog veertien minuten voordat hij aan boord moest. Geen Duclos. Geen Vacheret. Alleen galmende stemmen uit luidsprekers die zijn laatste heldere gedachten verstoorden. Wat een rotherrie en drukte. Iedereen ging overal naartoe, behalve zij. Toch weer op een dood spoor. Dominics blik schoot in het rond, zoekend naar inspiratie, maar het enige wat hij zag waren mensen, herrie, koffers, schoudertassen en fotocamera's. Ten slotte zei hij: 'Laat de lokale politie teruggaan naar Courchon, maar laat ze vijftig meter voor zijn villa langs de weg gaan staan. Laat ze een paar uur wachten en dan nog eens bij hem aankloppen. Misschien is Vacheret dan inmiddels komen opdagen, of wordt Courchon wat nerveus en herinnert hij zich opeens iets.' Maar het ging er vooral om dat hij het gevoel had dat hij Vacheret nog niet op moest geven, en omdat Dominic niets beters kon bedenken.
'Oké. Ik zal ze terugbellen. Neem je die vlucht nog?'
'Ik weet het niet. Ik heb nog een paar minuten om te beslissen.'
Hoewel Dominic dacht dat hij het antwoord wel wist. Ze waren naar het vliegveld gegaan omdat ze, als er positief nieuws over Vacheret zou komen, geen tijd te verliezen zouden hebben. Maar Corsica zonder Vacheret had weinig zin. Te ver weg...
Camera's! Plotseling dook de gedachte op in zijn hoofd. Dominics ogen waren gericht op een langslopende toerist die een Pentax aan een riem over zijn schouder droeg. Hij luisterde nog maar half naar Bennacer toen deze het gesprek beëindigde. 'Ja, best...' mompelde hij. Zijn hoofd begon op te klaren en zijn adem bleef even stokken in zijn keel toen zijn gedachten weer vorm kregen. Een nieuwe golf adrenaline na de teleurstelling vanwege Vacheret. Nieuwe hoop. Hij toetste onmiddellijk Lepoilles nummer in.
Lepoille had gebeld toen hij onderweg was van Aix naar Marseille: hij had de maatschappij gevonden waar Duclos de auto nog geen twee jaar geleden had geleast, maar er was toen geen kentekennummer doorgegeven. Hij zou blijven zoeken.
'Nog steeds niks,' zei Lepoille. Hij klonk wat mat, verslagen. 'Ik denk dat hij gewoon nooit geregistreerd is.'
'Geeft niet. Ik denk dat ik misschien de oplossing weet. Fotocamera's!' Stilte van de kant van Lepoille. Dominic legde het uit: 'Het schijnt dat Duclos' huis de afgelopen weken is belegerd door de pers. Toen hij ontsnapte, zullen sommigen van hen on-

getwijfeld geprobeerd hebben daar een foto van te maken. Het kan zijn dat een van hen de nummerplaat van zijn auto heeft gefotografeerd. Als we die laten uitvergroten, hebben we hem!'
Lepoille was het ermee eens; die kans was redelijk groot. 'Ik ga er meteen achteraan.'
Vijf grote Franse kranten. Het moest niet zo moeilijk zijn om uit te vinden wie die middag bij Duclos' poort had gestaan.

Onderwereldbaas André Girouves luisterde aandachtig naar zijn assistent, die het bericht doorgaf dat hij van Courchon op Corsica had ontvangen.
'En deze clubeigenaar, zijn vriend Vacheret, is degene die betrokken is bij Duclos en Brossard?' vroeg Girouves.
'Ja. Vacheret heeft Brossard blijkbaar jaren geleden bij Duclos aanbevolen voor een andere klus.'
Girouves dacht een ogenblik na. Tot nu toe was alles duidelijk: Duclos had Vacheret betrokken bij een plannetje dat negatief had uitgepakt, en nu gebruikte hij Brossard om de sporen uit te wissen. De standaardprocedure. Zelfs hoogdravende politici als Duclos verschilden niet zozeer van hemzelf, dacht hij geamuseerd. Hij had de berichten over Duclos in het nieuws gezien. Een politicus die uit de gratie was gevallen. Had ervan genoten.
Ze zaten in een van Girouves' favoriete cafés op de Quai de la Tourette. Aan zijn ene zijde zat zijn belangrijkste zakelijke adviseur, aan zijn andere zijn boomlange assistent, die tevens als lijfwacht fungeerde. Een zakelijk gesprekje in de namiddag, met koffie en pastis.
'Maar het is de andere geplande moord die de reden is dat Courchon ons heeft gebeld,' zei zijn assistent. Hij schoof nerveus heen en weer op zijn stoel en sloeg zijn ogen neer toen hij Girouves vertelde wie het doelwit was.
Girouves deed even zijn ogen dicht en wreef met zijn hand over zijn voorhoofd. Courchon had gelijk gehad dat hij hem had gewaarschuwd. De vrouw van de hoofdinspecteur! De gevolgen zouden rampzalig zijn.
Een belangrijk deel van de kracht van het misdaadsyndicaat dat Girouves langs de kust had opgebouwd, berustte op de stabiliteit die er al twintig jaar heerste. Een hele verbetering sinds de vage scheidslijnen en machtsstrijd van de jaren zeventig. En een deel van die stabiliteit was verkregen door bepaalde grenzen met de

politie niet te overschrijden. Geen bloedbaden meer zoals in de Bar du Telephon.
Het was zelfs tegen hun eigen strikte regels om familieleden bij moordaanslagen te betrekken. De vrouw van een hoofdinspecteur die werd vermoord door een freelancer uit het milieu? Gunsten zouden worden ingetrokken, clubs en cafés binnengevallen, vergunningen ingetrokken, en alle maar enigszins verdachte milieuzaken zouden met de botte bijl worden behandeld. De klok zou jaren teruggezet worden.
Brossard? Als het iemand anders was geweest, dan had hij gewoon de telefoon kunnen pakken en zeggen 'doe het niet'. Maar Brossard ging prat op zijn absolute onafhankelijkheid, het feit dat hij aan geen enkele partij solidariteit verschuldigd was. Hij deed nooit mee aan bendeoorlogen, alleen interne klussen of in opdracht van mensen buiten het milieu; Brossard werkte voor alle partijen met hetzelfde gemak. De ware onafhankelijke prof.
Girouves stelde nog een paar vragen over de geplande moord, maar zijn assistent wist weinig meer dan hij hem al had verteld.
'Oké. Bel Courchon meteen terug. Probeer meer informatie uit hem te krijgen.'
Girouves nam een slokje pastis terwijl zijn assistent het nummer intoetste op zijn mobiele telefoon. Als ze van Courchon niet meer te weten konden komen, zou hij zelf een paar man aan het werk zetten. Monique Fornier? Het moest niet zo moeilijk zijn om uit te vinden waar ze was. Dan zou hij waarschijnlijk Tomi moeten bellen. De enige persoon van wie hij wist dat hij een kans maakte tegen Brossard.

'... In a world full of people,
there's only some want to fly,
because they're not crazy...
they're not crazy... crazy... ohooho,
no we're never gonna survive unless...'
Brossard sloeg met zijn hand het ritme van de zware beat mee op het stuur. Vooral de baslijn van de synthesizer beviel hem erg, zoals die steeds leek weg te glijden... zijn vinger om de trekker, schimmige figuren die achterovervielen als hij had gevuurd... weggleden. Hij kon zich nooit een beeld vormen van hun gezichten. Dat was misschien maar beter ook. Geen spookbeelden.
Een roestige, gedeukte Citroën Dianne die betere tijden had ge-

kend. Niemand zou enige aandacht aan hem schenken. Hij had gekozen voor een blauwe, versleten overall met een paar vlekken van het werk op het land. Hij had hem zes jaar geleden aangehad tijdens een klus, maar deze keer had hij in plaats van een baret gekozen voor een witte honkbalpet die hij achterstevoren had opgezet, zodat de klep zijn nek beschermde tegen de zon. De favoriete outfit van talloze landarbeiders. Hij was van plan om in het veld zoveel mogelijk uit het zicht te blijven, maar als iemand hem toevallig zag, zou hij niet opvallen.

Brossard parkeerde de Dianne bij de rand van het bos dat grensde aan de achterkant van het veld. Voor iemand die langsreed was hij gewoon een boer of iemand die in het bos ging picknicken. Hij zette de cassetterecorder uit, pakte zijn rugzak, stapte uit en liep het bos in. In plaats van stokbrood en een fles wijn had hij een Llama .357 Magnum met geluiddemper, een verrekijker en een infrarood-nachtkijker in zijn rugzak. Na een meter of tachtig hield het bos op en lag het veld voor hem.

Aan de ene kant stonden een paar olijfbomen, maar verder bestond het veld voornamelijk uit lang gras dat door de zomerhitte al geel begon te worden. Achter het veld, tweehonderd meter verderop, was een laag stenen muurtje, en daarachter stond de boerderij.

Brossard liep tien passen het veld in, legde zijn rugzak neer en ging op de grond zitten. Zodra het donker was zou hij in actie komen. De zon stond laag en verdween al bijna achter het dak van de boerderij. Het zou gauw donker zijn.

Vacheret keek naar de golfjes die op het strandje spoelden. Het was niet meer dan vijftien meter breed, half schelpen, half zand, en lag verborgen onder een steil rotsklif.

Vacheret zat in de deuropening van het botenhuis. Het was gebouwd onder het overhellende klif en hij was onzichtbaar vanaf de weg daarboven.

Het zachte geruis van de branding. Eerst een kalmerend geluid, maar nu, ruim een halfuur later, werd hij er gek van. Wat kon er met Courchon gebeurd zijn? Een kwartier nadat Courchon naar beneden was gekomen om te zeggen dat de kust veilig was, was dezelfde politieauto weer over de bochtige weg naar boven komen rijden.

Wat was Courchon aan het doen? Liet hij ze daar soms de hele

nacht kamperen? Of misschien hadden ze hem meegenomen naar het bureau voor ondervraging. Vacheret slaakte een diepe zucht. De eerste grijze en rode vegen van de zonsondergang werden zichtbaar aan de horizon. Straks zat hij de halve nacht op het strand zonder te weten wat er was gebeurd.
Hij stelde zich Courchon voor, met de politie die om hem heen draaide en de ene vraag na de andere op hem afvuurde... in de villa of op het bureau? In feite maakte het weinig uit. De politie was blijkbaar volhardend en uiteindelijk zou ze hem te pakken krijgen. Courchon had zijn naam misschien kunnen zuiveren bij het milieu, maar bij de politie was dat een heel andere zaak. Hij zou maanden weg moeten blijven, nog langer als...
Het besef trof hem als een mokerslag. Tot nu toe had hij zich vastgeklampt aan de hoop dat Brossard eerst achter Monique Fornier aan zou gaan. Dat zou hem tenminste nog wat speelruimte geven. Maar het drong nu opeens tot hem door wat dat betekende. Híj had Brossard aanbevolen bij Duclos! Dat hij betrokken was geweest bij het plannetje met Aurillet was één ding... maar betrokken zijn bij de moord op de vrouw van de hoofdinspecteur? Jezus, ze zouden de sleutel van zijn cel weggooien.
Misschien als hij hen hielp, hen op de een of andere manier waarschuwde? Maar wat als Brossard de moord al had gepleegd en zijn telefoontje alleen maar bevestigde dat hij ervan wist, erbij betrokken was geweest?
Vacheret kwam langzaam uit zijn schuilplaats onder het rotsklif tevoorschijn en keek bedachtzaam naar de treden die naar de weg erboven leidden.

'Hoe laat was hij daar?' vroeg Lepoille.
'Hij kwam daar om een uur of tien in de ochtend. Soms laten ze zich omstreeks die tijd zien om boodschappen te gaan doen, als ze überhaupt nog naar buiten komen. Wat nog zelden gebeurt.'
De derde op Lepoilles lijstje: Gaston Contarge, fotoredacteur van *Le Figaro*. Hij had *Le Monde* en *Le Matin* al doorgestreept.
'Dus hij was daar toen Duclos ervandoor ging?'
'Klopt. Hij heeft het hele gedoe gefotografeerd. Het staat morgen op de voorpagina.'
Een rilling van opwinding liep over Lepoilles rug. Hij vertelde Contarge wat hij wilde, en waarom.
Contarge ging al snel mee met Lepoilles opwinding. Zijn stem

klonk gejaagder, en een beetje schor: 'Verbazingwekkend. Hoor eens, ik neem het op met de hoofdredacteur, maar ik weet zeker dat we zullen helpen. Het enige wat hij misschien kan vragen, is het exclusieve recht op ons aandeel hierin. Is daar bezwaar tegen?'
'Nee, voorzover ik kan zien niet. Maar ik heb nog drie kranten op mijn lijstje. Degene die het eerst met de foto komt, krijgt het verhaal. Lijkt me redelijk.'
Lepoille glimlachte toen hij ophing. Hij wist zeker dat Contarge op dit moment naar de doka sprintte.
Hij belde meteen Dominic om hem het nieuws te melden. 'Ik moet er nog drie bellen, maar we hebben er al een die iets kan zijn.'
Dominic zat op de snelweg vlak voor Gardanne, een kwartier nadat hij uit Marseille was vertrokken. Hij had nog even met Moudeux in de bar van het vliegveld gezeten om een koffie met cognac te drinken terwijl ze wachtten op nieuws, maar had toen besloten om terug te gaan naar Vidauban. Nu Duclos en Vacheret overal in Frankrijk konden zitten, was Vidauban als commandocentrum net zo geschikt als al die andere plekken. 'Dat is geweldig nieuws. Laat het me meteen weten als er iets uit komt. Ik ben op weg naar Vidauban, maar je kunt altijd bellen. Ik blijf op om op nieuws te wachten.'
Acht minuten later, toen zijn zaktelefoon weer ging piepen, dacht hij dat het Lepoille zou zijn met nieuws. Maar het was Bennacer. Hij klonk gejaagd, bezorgd.
'Dominic! We zijn net gebeld vanaf Corsica. We weten nu wie het tweede doelwit is. Zet je schrap, Dominic. Het is Monique. Je vrouw, Monique. Zij is het andere doelwit!'
Een gevoel van verdoofdheid, gevolgd door blinde angst en woede. 'Wanneer?' vroeg hij met bevende stem.
'Vacheret wist het niet. Elk moment; het kan zelfs al gebeurd zijn. Luister, ik waarschuw meteen het dichtstbijzijnde bureau en laat er iemand naartoe sturen...'
Maar Dominic luisterde nog nauwelijks, mompelde: 'Goed', en terwijl een dof bonzen in zijn hoofd al het andere overstemde, drukte zijn voet het gaspedaal verder in... 150... 160... 170... 180 kilometer per uur.
Terwijl hij met halsbrekende snelheid langs auto's en trucks vloog, toetste hij zijn privé-nummer in Vidauban in. Maar het was in gesprek.

Bennacer keek even naar de kaart tegen de muur en belde het bureau in Draguignan. Hij kreeg een antwoordapparaat. Hij verbrak gefrustreerd de verbinding, zette hem toen weer aan en draaide Toulon.
Een meisjesstem: *'Un moment. Ne quittez pas.'* Toen de meldkamer die de posities naging terwijl Bennacer uitlegde wat hij nodig had en hoe dringend het was.
'Onze dichtstbijzijnde auto zit net buiten Cuers. Ze zijn nu bezig, maar over vijf à tien minuten zijn ze beschikbaar. Verder hebben we alleen een auto van de verkeerspolitie aan deze kant van Solliès Pont.'
'Hoeveel man in die auto bij Solliès Pont?'
'Twee.'
Twee groentjes tegen een ervaren huurmoordenaar? 'Stuur allebei de auto's. Roep ze nu meteen op! En waarschuw ze dat ze tegenover zware vuurkracht komen te staan.' Bennacer keek weer op de kaart. Over vijftien à twintig minuten konden ze er zijn.
Dominics snelheid bleef net onder de 190 kilometer per uur. Met een beetje geluk zou hij er binnen vijftien minuten zijn. Sinds tien minuten had hij zijn lichten aan en hij knipperde er wild mee naar iedereen die niet uit de weg wilde gaan.
De laatste grijsrode flarden van de schemer hingen boven de heuvels in zijn achteruitkijkspiegel. Voor hem, achter de lichtbundels van zijn koplampen, was het aardedonker.

44

Toen de grijze horizon zwart was geworden, kwam Brossard dichterbij. Vijftig meter voor het lage stenen muurtje kon hij de boerderij duidelijk zien.
Eén raam beneden was verlicht. Hij richtte zijn verrekijker en even later verscheen er een vrouw in beeld, en profile: achter in de vijftig, de eerste zilveren lijntjes in zwart haar, aantrekkelijk. Ze verdween weer even uit beeld toen ze verder de woonkamer in liep.
Brossard voelde zijn spanning groeien, hoewel het slechts een fractie was van wat hij voelde wanneer hij het tegen ervaren

schutters moest opnemen. Een vrouw alleen in een afgelegen boerderij. Een fluitje van een cent. Hij zou zijn infraroodbril opzetten, de elektriciteit uitschakelen of doorsnijden bij de garage en door het raam naar binnen gaan. De vrouw zou nog op zoek zijn naar kaarsen of olielampjes als de kogel haar trof. Eén hoofdschot, misschien twee, en dan wegwezen. Binnen een paar seconden zou het allemaal voorbij zijn.
Brossard legde gebukt de laatste vijftig meter door het lange gras naar het stenen muurtje af. Daar bleef hij weer staan, bekeek de boerderij nog eens goed en probeerde de ligging van de kamers te bepalen. Hij controleerde snel zijn wapen en geluiddemper, haalde zijn nachtbril tevoorschijn en zette hem op.
Hij wachtte even totdat zijn ogen gewend waren aan het grijsgroene licht, gleed over het muurtje en begon aan het laatste stuk naar de boerderij.

'Hoe laat denk je hier te zijn?' Monique was in gesprek met Yves, haar oudste zoon. Hij had haar gebeld om te zeggen dat hij het weekend uit Marseille zou overkomen. Ze had al bijna twee maanden niets van hem gehoord, dus hadden ze even wat bijgepraat voordat ze hem vroeg wanneer hij dacht te arriveren.
'Ik heb morgenavond een late dienst op het bureau, tot tien uur. Dan vertrek ik meteen. Dus het zal waarschijnlijk een uur of elf worden. Maar ik heb zaterdag en zondag vrij.'
'Dat is fijn. Gerome is er ook; voorzover ik weet had hij geen plannen voor het weekend. Het zal leuk zijn om weer eens een huis vol te hebben.' Ze stond al te denken aan wat ze zou klaarmaken: gestoomde *C'ap Roig* met couscous, paté en *croûte* vooraf. Een paar flessen wijn voor op het terras. Het zou een fijn weekend worden. 'Gerome kan elk moment thuiskomen. Misschien kun je hem nog even spreken.'
'Dat hoeft niet. Ik moet nu gaan. Maar ik zie hem morgen in elk geval.'
'Ik zal proberen je vader zover te krijgen dat hij zich ook wat ontspant. Al was het maar één hele dag zonder telefoontjes. Tot morgen.' Monique bleef even in gedachten naar de telefoon kijken nadat ze had opgehangen. Haar gezin. Haar nieuwe gezin... haar oude gezin.
Sinds ze die bandjes herhaaldelijk had afgespeeld, had ze gemerkt dat ze de laatste tijd vaker aan Christian en Jean-Luc

dacht. Herinneringen die haar de eerste paar jaar hadden gekweld, haar haar kracht hadden ontnomen voordat ze ze ruw had weggeduwd, uit zelfbehoud voor zowel haar eigen geestelijke gezondheid als haar nieuwe huwelijk. Want ze kon haar nieuwe gezin niet alles geven als ze nog steeds gebukt ging onder de herinneringen uit het verleden.
Het enige waar Dominic ooit over had geklaagd, waar hij haar een aantal keren op had gewezen, was haar obsessieve beschermingsdrang met betrekking tot Yves en Gerome geweest. De geesten uit het verleden waren misschien begraven, maar hun schaduwen waarden nog steeds rond. Ze zou het niet kunnen verdragen nóg een kind te verliezen, alles wat ze met Christian had doorgemaakt nog eens over te doen.
Maar de bandjes en typoscripten hadden het weer allemaal boven gebracht. En elke keer dat ze de bandjes afspeelde, waren de beelden van Christian en Jean-Luc sterker geworden. Ze had die dag geweigerd met Dominic naar het korenveld te gaan om kennis te maken met Eyran en Stuart Capel. Ze had altijd gezworen dat ze er nooit meer naartoe zou gaan. De herinneringen waren te gruwelijk. Maar de gedachte dat ze met hun drieën in dat verlaten veld hadden gestaan, zoekend naar antwoorden op vragen van zo lang geleden, had haar weer nieuwsgierig naar Taragnon gemaakt. Misschien zou het met de boerderij anders zijn; daar had ze behalve nare toch ook goede herinneringen aan? Toen ze die middag alleen in Vidauban was en aan de achterkant over het boerenland stond te staren, had ze ten slotte haar besluit genomen. Ze was in de oude Simca gestapt, die daar permanent aanwezig was voor het vervoer van grote potten en planten, en was naar Taragnon gereden.
Hoewel het maar op vijfendertig kilometer afstand lag, was ze niet meer in die omgeving geweest sinds ze meer dan vijfentwintig jaar geleden de oude boerderij had verkocht.
Ze parkeerde langs de weg bij de boerderij en keek ernaar. Afgezien van de nieuwe ramen en deuren was er weinig veranderd. De stenen buitenmuren waren nog vrijwel hetzelfde.
Terwijl ze daar zat te kijken, kwam er door de achterdeur een jongetje van een jaar of vijf naar buiten dat met een speelgoedautootje over het erf begon te rennen. En het was op dat moment, toen ze haar ogen dichtkneep, dat ze Christian voor zich zag, ongeveer op diezelfde leeftijd, lachend spelend op het erf, met zijn

lieve, hoge stemmetje dat weerkaatste tussen de muren. En Jean-Luc kwam terug van het land, tilde Christian op zijn schouders en rende speels met hem in het rond. De trotse vader.
Tranen stroomden vrijelijk over haar wangen toen ze terugreed naar Vidauban. Ze had al die jaren geleden voor allebei heel wat bittere tranen gehuild, maar de laatste tijd niet.
En toen, niet lang nadat ze weer thuis was gekomen, was om zes uur het nieuws over Duclos op tv geweest. Ze merkte dat ze als een magneet werd aangetrokken door dat gezicht op het scherm. Een gezicht dat hoorde bij de nieuwe verdachte over wie Dominic de afgelopen weken bijna voortdurend had gepraat: Christians echte moordenaar! Een rond, wat pafferig gezicht met dunnend zwart haar en donkergroene, bijna zwarte ogen. Dertig jaar? Ze probeerde zich voor te stellen hoe hij er toen had uitgezien, toen hij Christian vermoordde. Maar dat was een sprong in de tijd waartoe haar geest niet in staat was.
Toen het donker werd, had ze het olielampje aangestoken en neergezet in de kleine alkoof achter in de woonkamer, bij de telefoon. In de eerste lichtgloed van het lampje had ze Christians gezicht duidelijk voor zich gezien en stonden de herinneringen aan haar laatste avonden in het ziekenhuis haar plotseling weer glashelder voor ogen. Ze kon zijn aanwezigheid bijna voelen, alsof hij in haar zat en zei wat ze moest doen, haar had aangespoord om dat lampje aan te steken.
Ze had al jaren niet voor Christian en Jean-Luc gebeden, maar vanavond zou ze dat doen. Ze had het gevoel dat ze hen, door hen doelbewust uit haar geest te bannen, op die manier ook in de steek had gelaten. Het was tijd om dat goed te maken.
Nadat ze haar gesprek met Yves had beëindigd, bleef ze in gedachten naar het lampje staren. Ze dacht terug aan de avond dat Yves was geboren, de vreugde die ze had gevoeld. De artsen hadden haar later verteld dat ze blij mocht zijn dat ze het had overleefd. Maar ze had tenminste een tweede kans gekregen. De meeste mensen kregen die zelfs niet.
Met een laatste diepe zucht knielde ze neer voor het lampje, sloot haar ogen en begon te bidden, voor de ziel van Christian en Jean-Luc, voor de vele herinneringen, voor het geluk dat ze ooit hadden gekend... voor het recht dat nu misschien zou geschieden, nu het zo dichtbij was...
Toen ging opeens het licht uit.

Haar zacht gemompelde woorden bleven achter in haar keel steken. Haar ogen vlogen open. Een geluid, buiten, een zacht geritsel, of verbeeldde ze zich dat? Ze luisterde aandachtiger, maar hoorde niets meer. Alleen stilte. Inktzwarte duisternis achter de zwakke gloed van het olielampje.
Ze vroeg zich af wat er met de elektriciteit aan de hand was. Soms viel die uit als er een storm was geweest, maar het weer was goed geweest. Ze kwam overeind, pakte het olielampje en besloot op onderzoek uit te gaan.
Maar ze had pas twee stappen gedaan toen de telefoon rinkelde. Geschrokken draaide ze zich om en nam op.

Mat, grijsgroen licht. Het duurde even voordat de vormen duidelijk werden.
Brossard sloop geruisloos weg bij de garage nadat hij de hoofdschakelaar had omgezet. Hij had de plattegrond van het huis al in zijn gedachten geprent. De woonkamer met een kantoortje erachter, de gang, de keuken en de eetkamer aan het eind ervan. De slaapkamers waren boven.
De vrouw was in de woonkamer, maar hij wilde niet vanaf die kant naar binnen, want hij zou waarschijnlijk haar aandacht trekken als hij probeerde in te breken. Hij sloop naar de andere kant van het huis. Het keukenraam was te klein, dus koos hij voor het raam van de woonkamer.
Hij keek naar binnen en zag dat de deur naar de gang dicht was; mooi, het geluid zou niet ver doordringen. Hij haalde de glassnijder en zuiger uit zijn rugzak, sneed een keurig cirkeltje uit het glas, stak zijn hand naar binnen en deed de hendel omhoog. Binnen twintig seconden was hij binnen.
Hij gaf zijn ogen even tijd om zich aan te passen en oriënteerde zich. De vormen werden algauw duidelijk, maar het kostte meer tijd om de afstanden in te schatten. Een lange tafel. Zes stoelen Een servieskast. Een tafeltje tegen de zijmuur. Een boogvormige doorgang naar de keuken. Hij richtte zijn aandacht op de deur voor hem. De deur naar de gang, met de woonkamer daarachter. Hij hoorde alleen zijn eigen ademhaling toen hij in beweging kwam.
Opeens een geluid, oorverdovend hard in de stilte en duisternis: een rinkelende telefoon! Achter in de gang, in de woonkamer waar de vrouw was, wist Brossard.
Het hield op. Ze had opgenomen. Mooi. Ze zou aan het praten

zijn, dus kon hij zich zonder zorgen door de gang bewegen. Hij liep snel de eetkamer door, pakte de deurknop vast en liep de gang op. En hij wachtte weer, een tikkeltje door zijn knieën gezakt, luisterend.
Maar toen hij haar stem en bewegingen achter de deur van de woonkamer probeerde te onderscheiden, hoorde hij plotseling een ander geluid. Een auto die het erf opdraaide, met koplampen die het kleine raampje bij de voordeur even deden oplichten.
Brossards zenuwen spanden zich. Een rilling kroop langs zijn ruggengraat omhoog en spande de spieren in zijn nek aan. Ook zijn kaakspieren spanden zich en al zijn zenuwuiteinden waren plotseling springlevend, tintelden van verwachting. Dit leek er meer op: twee doelwitten en maar een paar seconden om te besluiten welke hij het eerst zou neerleggen!
De stem van de vrouw achter de deur klonk hortend, geschrokken: 'Je bedoelt nu? Nu meteen...?'
Het autoportier ging dicht, naderende voetstappen, een sleutel in het slot...
'Dat zal Gerome zijn... Ik zou nu meteen met hem...'
Toen de voordeur openzwaaide en de gestalte naar binnen kwam, loste Brossard zijn eerste schot op het midden van zijn borst, en hij zag de gestalte vallen.
Brossard schoot overeind uit zijn gehurkte houding – geen tijd meer te verliezen; de vrouw zou gewaarschuwd zijn door het lawaai – en stormde de woonkamer binnen. Een enkel beeld: de vrouw die de telefoonhoorn als een soort wapen in haar hand hield, haar geschrokken gezichtsuitdrukking, het olielampje daarachter, dat een beetje stak in zijn ogen...
Nog vijf seconden en hij zou klaar en weg zijn.

'Monique. Je bent in groot gevaar. Ga onmiddellijk het huis uit! Nu!' Dominic knipperde wild met zijn lichten en bleef constant op de linkerbaan rijden. Hij had om de twee minuten gebeld en bij de derde keer was er eindelijk opgenomen. De opgekropte frustratie en angst waren duidelijk hoorbaar in zijn stem.
'Wat is er aan de hand, Dominic? Wat is er...?'
'Geen vragen. Monique. Ga nu weg!'
'Je bedoelt nu? Nu meteen?'
'Ja, nu!' schreeuwde Dominic. 'Ga onmiddellijk naar buiten en ren naar het huis van de buren.'

Een geluid op de achtergrond. De motor van een auto, banden op het grind. 'Dat zal Gerome zijn. Ik zou nu meteen met hem...'
'Wat dan ook, Monique. Maar ga weg, ga daar weg zo gauw je...'
Toen een ander geluid: een doffe klap en iets wat viel, alsof Gerome een zware reistas in de gang op de grond had laten vallen. Monique die naar adem hapte, gevolgd door een kreet en lawaai op de achtergrond, een deur die openvloog.
'Monique, ga daar weg... ga naar buiten!' Dominics stem klonk schril en hij schreeuwde zo hard in zijn zaktelefoon, dat zijn stembanden er pijn van deden.
Schuifelende voetstappen en een scherpe tik alsof de hoorn uit haar hand was gevallen. Toen een mannenstem, lager. Niet die van Gerome. 'Je bent te laat.'
En op dat moment – met de brandende pijn en de lichten die door zijn hoofd flitsten in het ritme van zijn voortdurend knipperende koplampen op de weg voor hem – drong het holle, duizelingwekkende besef tot Dominic door dat de stem gelijk had. Hij wás te laat om Moniques leven te redden. Hij wist het al voordat hij het schot hoorde, gevolgd door de misselijkmakende, doffe klap van een lichaam dat op de grond viel. Toen werd het stil.

Duclos was in paniek. Een halfuur voordat het duister zou vallen, was hij in Vidauban aangekomen en had hij – zonder succes – naar Brossard gezocht.
Eerst had hij de weg naar de boerderij afgezocht, in beide richtingen bijna een kilometer, maar hij had niets verdachts gezien, niets wat er niet hoorde. Toen had hij zijn auto langs de kant van de weg gezet, een paar honderd meter van de kruising, de meest waarschijnlijke richting van waaruit Brossard zou naderen. Maar al na een paar minuten had hij gemerkt dat hij door een bocht in de weg de voordeur van de boerderij niet kon zien en was hij zich zorgen gaan maken dat Brossard misschien vanuit een andere richting zou naderen. Hij reed door tot hij ongeveer honderd meter van de boerderij was en parkeerde daar; dichterbij durfde hij niet te komen. En hij wachtte.
De moord had aanvankelijk een goed idee geleken, want zonder Monique Fornier was er geen rechtszaak. Zij was de enige die ervoor kon instaan dat de jongen die dag van huis was gegaan met het muntstuk in zijn zak, of dat de bandjes en typoscripten verwezen naar het leven van haar zoon. Zonder het muntstuk of de band-

jes en typoscripten stortte de zaak als een kaartenhuis in elkaar.
Maar hij voelde zich nu nogal stompzinnig, zoals hij daar zat langs de kant van een weg in de Provence, in de hoop een huurmoordenaar tegen te houden die hij in eerste instantie had ingehuurd. Hij wist niet eens in wat voor auto Brossard reed. Hoewel hij bij de drie auto's die tot nu toe waren gepasseerd, een snelle blik naar binnen had kunnen werpen. Nog geen Brossard.
Nu ook het laatste licht begon te verdwijnen, besefte hij dat zelfs dat straks niet meer mogelijk zou zijn. Er was nog een auto langsgereden, maar het licht van de koplampen had hem verblind en hij had niet kunnen zien wie erin zat.
Onrustig schuifelde hij heen en weer. Moest hij zo zijn laatste uur in Frankrijk doorbrengen? Hij wist dat hij hier alleen zat omdat hij ooit op een dag misschien terug wilde komen. Hij had er geen moeite mee om voorlopig een tijdje in Zuid-Amerika te gaan zitten, maar voor altijd? De tijden veranderden: de rechtszaak zou in de vergetelheid verdwijnen, Corbeix zou met pensioen gaan en een nieuwe procureur zou misschien minder happig zijn op de zaak, zou het bewijs misschien zien als de bespottelijke onzin die het in feite was.
Als hem niet meer dan een zwakke, experimentele rechtszaak te wachten stond, zou hij het misschien wel aandurven om terug te komen. Maar als Monique Fornier werd vermoord, zou hij nóóit kunnen terugkomen.
Weer een stel koplampen. Een glimp van de zijkant van het gezicht van een jongeman toen de auto langsreed. De auto minderde vaart... hij sloeg af naar de boerderij! Waarschijnlijk Forniers zoon of een vriend van de familie, dacht Duclos. Als hij daar was, zou Brossard de aanslag dan doorzetten? Misschien zou hij het wel een dagje uitstellen en dan kon hij Brossard vanuit Portugal bellen om hem te zeggen dat de klus werd afgelast.
Terwijl hij naar zijn eigen gezeur zat te luisteren, dat hoopvolle, pathetische stemmetje in zijn hoofd, trof het hem plotseling: wat maakte het – afgezien van zijn eigen nek – eigenlijk uit? Wat hem betrof mocht Brossard die hele boerderij in de lucht laten vliegen, met iedereen die binnen was. Die verdomde Fornier! Ze konden allemaal de pest krijgen! Zíj hadden hem ertoe gebracht dat hij hier 's avonds laat op een of andere achterafweg naast zijn auto stond, doodmoe en doodsbang, met zijn zenuwen tot het uiterste gespannen, zijn carrière en leven naar de maan, rennend

voor zijn leven terwijl het halve politieapparaat van Frankrijk hem op de hielen zat totdat hij over iets meer dan een uur per vliegtuig kon ontsnappen.
En nu stond hij zich hier zorgen te maken over hun nekken in plaats van zijn eigen nek! Zijn woede bracht zijn eerdere spanning terug. Zijn handen trilden en hij legde ze op de motorkap van de Peugeot om ze tot kalmte te dwingen. Maar toen er na een paar minuten geen enkele auto was langsgereden en hij daar in het donker stond met niets anders dan het getjirp van krekels dat de stilte doorbrak, kon hij het niet langer opbrengen. Hij sloeg met zijn hand op de motorkap. Nee! Niet meer! Hij had lang genoeg gewacht. Als het aan hem lag mocht Brossard...
Plotseling verscheen er een paar koplampen. Hij schrok van de snelheid waarmee ze naderden en werd even gevangen in de lichtbundels. Een vluchtige blik in de langsrazende auto, maar dat was genoeg. Het was Fornier!
Duclos sprong in de Peugeot en startte de motor. Zijn hart klopte in zijn keel. Fornier had hem waarschijnlijk gezien! Het zou één seconde duren voordat het tot Fornier doordrong en dan zou hij op de rem trappen, een U-bocht maken en hem achterna komen. Duclos beet hard op zijn lip. Wat was hij een idioot geweest om hiernaartoe te komen. Hij draaide de Peugeot snel de weg op en zette zijn voet op het gaspedaal. Zijn blik bleef gericht op zijn achteruitkijkspiegel, bang als hij was dat Forniers koplampen er elk moment in konden opdoemen.

Zes minuten. Meer tijd had het Dominic niet gekost om naar de boerderij te rijden vanaf het moment dat de telefoon was opgehangen.
Met piepende banden kwam hij tot stilstand, hij was al bijna uitgestapt voordat hij goed en wel stilstond, had zijn wapen getrokken en was in een paar snelle passen naar de voordeur gerend. Die stond op een kier.
Hij gaf er een duwtje tegenaan, maar een gewicht aan de andere kant verhinderde dat hij openging. Zijn hart sprong in zijn keel en heel even dacht hij dat de huurmoordenaar aan de andere kant stond, totdat zijn ogen zich hadden aangepast aan het duister en hij het spookachtig bleke gezicht op de grond herkende. Gerome! Geschokt deinsde hij achteruit.
Hij kon niet riskeren de voordeur te forceren, het lichaam weg te

duwen, voor het geval Gerome nog in leven was. Hij rende om het huis heen, zag dat het raam van de eetkamer openstond en klauterde naar binnen.

Dominic besefte dat hij waarschijnlijk dezelfde weg volgde die de huurmoordenaar had gevolgd. Leefde ze nog? In de laatste paar minuten van zijn panische autorit had hij al min of meer aanvaard, terwijl sprankjes hoop en wanhoop zich bleven verzetten tegen dat holle gevoel van bevreemding, dat Monique waarschijnlijk dood zou zijn. Maar Gerome ook? Hij voelde zich alsof zijn maag door een ijskoude klauw uit zijn lichaam werd gerukt. Zoute tranen brandden in zijn ogen en vertroebelden zijn zicht.

Maar angst voerde de boventoon, deed zijn handen om de kolf van zijn wapen trillen en zijn hart twee keer zo snel slaan in die ijskoude, donkere oceaan van verbijstering.

Zes minuten? Voor een huurmoordenaar een zee van tijd. Misschien hield hij zich nog ergens verborgen in de duisternis en wachtte hij op hem. Nam hij Dominic meteen mee als onderdeel van zijn contract. Dominic bewoog zich langzaam, zo onopvallend mogelijk, met al zijn zintuigen gespitst op de geringste beweging. De eetkamer door, behoedzaam door de halfopen deur de gang op...

Zijn ogen pasten zich aan aan het duister en onderscheidden de liggende gedaante van Gerome aan het eind van de gang. Dominic beet hard op zijn lip... alstublieft, God, laat hem niet dood zijn... Maar hij wist dat het weinig meer was dan een laatste wanhopige smeekbede tegen beter weten in. De meeste profs maakten hun werk af met schoten in het hoofd.

De deur naar de woonkamer stond open. Dominic hield zich heel stil, hield zijn adem in en luisterde of hij geluiden uit de kamer hoorde komen. Niets. Hij sloop naar de deur en draaide zich met een snelle, soepele beweging en zijn wapen in zijn gestrekte armen de kamer in.

Zijn blik viel onmiddellijk op Moniques ineengedoken gedaante op de grond, rechts, bij de telefoon.

Toen, naarmate de vormen in het duister duidelijker werden, besefte hij met een plotselinge paniek dat het twee gedaanten waren, van wie er een overeind kwam!

De huurmoordenaar was nog in leven en hij gebruikte Moniques lichaam als schild...

Dominic richtte zijn wapen op de gestalte en begon druk op de trekker uit te oefenen.
'Dominic...'
De stem en de gestalte drongen gelijktijdig tot hem door. Monique! Hij liet zijn wapen zakken en snelde naar haar toe.
Hij sloeg zijn armen om haar heen en kuste haar een paar keer op beide wangen. 'Je leeft nog... je bent ongedeerd.' Naar adem happend en vol ongeloof voelde hij de spanning uit zich wegvloeien. Maar hij had iets kleverigs gevoeld toen hij haar kuste en legde zijn hand op haar wang. 'Je bloedt! Je bent geraakt!'
'Nee, nee... dat geloof ik niet.' Ze voelde aan haar gezicht, nog steeds half verdoofd. 'Ik denk dat het zijn bloed is. Het gebeurde allemaal zo... zo snel. Toen jij aan de telefoon was... Hij greep me vast... zei iets in de telefoon.'
Monique hapte naar adem en haar woorden kwamen in korte, schorre stoten uit haar mond toen het tot haar doordrong. 'Toen viel het schot... en vielen we allebei achterover. Daarna herinner ik me niets meer, totdat ik jou hoorde binnenkomen.' Ze schudde haar hoofd en keek naar het lichaam achter haar.
Dominic zou normaal gesproken de pols van de man hebben gevoeld, maar hij zag botfragmenten liggen in de donkere plek rondom zijn hoofd. Zijn halve schedel was weggeblazen. 'Heb je iemand anders de kamer in zien komen?'
'Nee... nee, dat heb ik niet... ik...' Monique betastte afwezig haar hoofd. Ze kon de bult al voelen, en de doffe pijn aan één kant. 'Ik moet... moet mijn hoofd gestoten hebben of flauwgevallen zijn. Ik dacht dat ik Geromes auto hoorde. Maar het was allemaal zo verwarrend... alles gebeurde zo... ik...' Toen stortte de muur rondom haar emoties eindelijk in en barstte ze uit in tranen. Diepe, langgerekte snikken terwijl ze zich stijf tegen Dominic aan drukte. 'Ik ben zo blij je te zien... zo blij.'
Dominic voelde haar lichaam trillen tegen het zijne. Wie had die kogel afgevuurd die haar het leven had gered, en waar was hij vandaan gekomen? Maar daar had hij nu geen tijd voor. Geen tijd! Gerome! Maar hij kon haar nu niet bruusk opzij duwen, of durfde hij haar het nieuws niet te brengen, haar opnieuw raken terwijl ze nog in een shocktoestand verkeerde van haar vorige beproeving? Haar vertellen waar ze al die jaren het bangst voor was geweest?
Het leek uren te duren, maar uiteindelijk waren er maar een paar

seconden verstreken toen hij mompelde: 'Het is Gerome.' Hij voelde haar terugdeinzen. Haar blik schoot in het rond, zoekend, en zelfs in het duister kon hij zien dat ze de paniek en de angst in zijn eigen ogen had gezien. Hij greep Moniques schouders even vast alsof hij wilde zeggen 'alsjeblieft, wees sterk', en rende de gang in, met Monique achter zich aan.

Tomi kwam overeind uit zijn gehurkte houding in het lange gras, demonteerde de telescoop en legde het geweer terug in de langwerpige koffer.
Alles was te laat doorgekomen, op het allerlaatste moment: de locatie, zijn instructies. Het was een dwaze rit geweest vanuit Marseille, met vrijwel geen daglicht meer om de omgeving te verkennen. Hij had de Dianne, die op het bospad stond geparkeerd en waarvan hij aannam dat hij van Brossard was, bijna gemist, met een schok beseft dat Brossard hier misschien al enige tijd was en alles misschien al gebeurd zou zijn.
Het was pikdonker toen Tomi het veld door rende en zijn positie bij het lage stenen muurtje innam. Beneden brandde licht. Tomi schoof het telescoopvizier op zijn geweer: goed zicht op de woonkamer, een vrouw zat geknield in de kleine alkoof achterin. Een paar seconden later ging het licht uit. Tomi richtte zijn vizier op de andere kamers om te zien of er ergens anders licht aan was gedaan, maar dat was niet zo. De elektriciteit was uitgeschakeld. Hij had geen nachtvizier, dus hij zou dichterbij moeten komen! En Brossard was daar ongetwijfeld al en zou zich hebben voorbereid met...
Het was op dat moment dat hij de vage lichtgloed achter in de woonkamer opmerkte: een klein olielampje.
Hij kon nog net het silhouet van de vrouw onderscheiden. Ze stond nu en sprak in de telefoon. Toen, een paar seconden later, kwam er snel een andere gedaante in beeld schuiven, die een arm om de hals van de vrouw sloeg en de hoorn uit haar hand pakte.
Tomi stelde zijn vizier scherp, zag dat de man iets in de hoorn zei en de loop van zijn revolver tegen de slaap van de vrouw zette. Tomi richtte de kruisharen van zijn vizier op het midden van het voorhoofd van de man en haalde de trekker over, zag de kogel netjes inslaan en beide figuren achterovertuimelen.
Hij pakte zijn koffertje en rende terug door het veld naar zijn

auto. Girouves zou tevreden zijn. Hun goede verstandhouding met de politie zou blijven bestaan, en ze waren Girouves een flinke gunst schuldig als hij die ooit zou moeten incasseren.

Contarge keek naar de foto die in de ontwikkelaar lag. Een afdruk van dertig bij vierentwintig, met de nummerplaat van de auto er redelijk duidelijk op. Nog even... nog even...
De doka-assistent rukte hem uit de ontwikkelaar, haalde hem even door de snelfixeer en hing hem met een knijper aan de lijn, naast twee kleinere afdrukken. Contarge bracht zijn loep zo dicht mogelijk bij het nog druipende papier. Zelfs in het flauwe oranje licht van de doka kon hij de eerste vijf cijfers onderscheiden. 'Veel beter zullen we hem niet krijgen.' Hij had deze uitgekozen uit de drie negatieven waarop Duclos' auto op de poort af kwam rijden, en ze hadden de foto in een aantal stadia uitvergroot.
De assistent knikte. 'Ik denk het ook niet. Als we nog groter gaan, wordt hij alleen maar onscherper.'
Contarge zette de föhn er even op, liep de doka uit en ging terug naar zijn eigen bureau.
In het daglicht was de foto zelfs nog beter dan hij had gedacht. Afgezien van de laatste twee cijfers was het kentekennummer prima te lezen. Hij trok zijn telefoon naar zich toe en draaide het nummer van Lepoille.

45

De sirene van de politieauto sneed door de nacht.
Hij leefde nog. Leefde nog! Dominic had de woorden geschreeuwd toen Monique snikkend over zijn schouder naar Geromes roerloze lichaam op de grond keek. Zijn borst en het onderste deel van zijn hals waren één grote massa bloed, en het had Dominic moeite gekost om een hartslag te ontdekken.
Dominic wist dat hij licht nodig had voor wat hij moest doen, dus hij rende naar de garage om de elektriciteit weer aan te zetten. Toen haalde hij een groot beddenlaken uit de linnenkast. Hij zocht naar de ingangswond: die zat rechts van Geromes borst-

been, er vlak naast. Een stukje naar links en de kogel zou dwars door zijn hart zijn gegaan.
Maar hij wist dat de botsplinters in zijn hart terechtgekomen konden zijn, of de hoofdslagader konden hebben beschadigd. En het bloedverlies was zo ernstig dat Gerome daar alleen al aan kon overlijden. Hij scheurde het laken in tweeën, maakte van het ene deel een prop om het bloed weg te deppen en wikkelde het andere zo strak mogelijk om Geromes borstkas als een geïmproviseerd tourniquet, waarna hij het onder zijn rechteroksel vastknoopte.
Op dat moment was de politieauto met de twee gendarmes gearriveerd. Het zou te lang duren om op een ambulance te wachten, dus droeg Dominic de ene gendarme op om in de politieauto met sirene voorop te rijden terwijl de tweede gendarme in Dominics auto erachteraan reed. Gerome zouden ze op de achterbank leggen en Dominic bleef bij hem.
De tweede politieauto arriveerde toen ze Gerome in de auto hadden getild. Dominic stelde voor dat ze daar bleven en een ambulance en de forensische dienst belden voor Brossard.
Dominic had nog een laken gepakt om het bloeden zoveel mogelijk te stelpen. Monique zou in de voorste auto meerijden, maar ze stond erop dicht bij Gerome te blijven. Ze zat voortdurend omgedraaid op haar stoel voorin en volgde met angstige ogen zijn bewegingen terwijl hij Gerome verzorgde. Het donkere bloed stak fel af tegen het wit van het laken dat oplichtte in het blauwe, flitsende licht van de politieauto voor hen.
Het flitsende licht en de huilende sirene droegen nog extra bij aan de urgentie van alles. Ga niet dood... alsjeblieft, ga niet dood! Dominic had Gerome half op zijn zij gedraaid om zijn luchtwegen vrij te houden en bleef voortdurend naar hem kijken, niet alleen om elke verandering in ademhaling en hartslag in de gaten te houden, maar ook omdat hij de doodsbange, smekende blik in Moniques ogen niet wilde zien. Dit kon toch niet waar zijn? Al die jaren was ze bang geweest dat iets als dit zou gebeuren, hoewel haar angst vooral Yves had gegolden, vanwege zijn werk, en nu bleek het uiteindelijk Gerome te zijn.
Zonder op te kijken kon Dominic haar gedachten bijna over zich heen voelen golven. En dit was allemaal te danken aan zijn obsessie om rechtvaardigheid te vinden voor Christian. Nee... nee! Dat was ondenkbaar. Dit mocht hij niet laten gebeuren. Gerome

mocht niet sterven! Maar door het ernstige bloedverlies en de zwakheid van Geromes ademhaling en pols wist hij dat ze een hoop geluk nodig zouden hebben als ze hem het leven wilden redden. Het zou een wanhopige race tegen de tijd worden.
'Hoe ver is het nog naar het ziekenhuis in Draguignan?' vroeg hij aan de gendarme achter het stuur.
'Veertien, vijftien kilometer. Vijf, zes minuten, op z'n hoogst.'
Gerome was al die tijd niet bij kennis geweest, en Dominic begon nu te denken aan de vele, net zo onaanvaardbare andere mogelijkheden: coma, hersenbeschadiging, verlamming... een gevoel van absolute radeloosheid dat toenam naarmate de gruwelijke realiteit van zijn zoons bebloede, gekwetste lichaam dieper tot hem doordrong. Hij kneep zijn ogen stijf dicht, en plotseling zag hij Gerome voor zich als klein kind, spelend in zee, en hij die hem optilde als een golf hem dreigde te overspoelen... hem uit de gevarenzone tilde en hem dan op beide wangen kuste terwijl Gerome lachte en gilde van opwinding en zijn kleine, natte lichaampje trilde tegen het zijne. En hij wenste dat hij dat nu ook kon doen, dat hij hem met een enkele beweging uit de gevarenzone kon tillen. Maar toen hij zijn ogen opendeed, was hij weer terug in het gruwelijke heden en het blauwe, flitsende licht van de politieauto voor hen, en de tranen schoten in zijn ogen.
Monique zag zijn schokkende schouders en zei: 'We zijn er zo.'
Toen haar eerste, allesoverheersende paniek wat was afgenomen, had ze gevraagd: 'Blijft hij leven?' Dominic had haastig 'ja' geantwoord, zonder ook maar één seconde te beseffen dat hij misschien loog, want wat hij op dat moment wenste, was belangrijker dan wat hij geloofde.
Een paar minuten later, toen de deuren van het ziekenhuis in Draguignan openzwaaiden en twee ziekenbroeders de brancard met Gerome naar binnen reden, ging Dominics zaktelefoon piepen. Hij antwoordde niet. Zijn andere leven, als politieman, kon wel even wachten. Het ging nu alleen om Gerome.

Pierre Lepoille bekeek de foto die Contarge van *Le Figaro* hem had gestuurd op zijn computermonitor. Hij had Contarge gevraagd de foto te scannen en hem via zijn modem naar Interpols 400-computer te sturen, zodat hij hem kon oproepen.
Een paar aanslagen op zijn toetsenbord en de foto was vier keer

zo groot en er was ingezoomd op het nummerbord. Zoals Contarge al had gezegd, was alles goed zichtbaar, behalve de laatste twee cijfers. Hij dacht maar heel even na voordat hij besloot tot een landelijk opsporingsbevel. Hij belde het nummer door naar de NCB, Division II, die het doorgaf aan Interpol National, waarna het binnen een paar minuten naar alle regionale bureaus en surveillanceauto's in heel Frankrijk was doorgezonden.
Toen draaide hij Dominics nummer. Hij wilde hem het goede nieuws vertellen, dat alles al in beweging was gezet en de jacht op Duclos serieus was geopend. Maar Fornier nam niet op.
Lepoille hing op en bleef even in gedachten naar zijn monitor staren. Die laatste twee cijfers zaten hem dwars. Een paar jaar geleden had Division IV een indrukwekkend beeldherkenningsprogramma op zijn computer geïnstalleerd, dat vooral werd gebruikt om vals geld te herkennen of bij kunstdiefstal en handschriftvervalsing. Hij vroeg zich af of hij die laatste twee cijfers kon ontcijferen als hij de foto door het programma haalde.
Een 1 of een 4, een 3 of een 8? Het enige wat Lepoille kon onderscheiden, waren vage schaduwen. Hij vergrootte de foto tot zestien keer en begon het patroon van puntjes te bestuderen. Daarna toetste hij zijn suggesties in de computer en vroeg voor elke suggestie een herkenningspercentage. Na zeven minuten had hij een percentage van 83 procent voor een 4 van het ene cijfer en 74 procent voor een 8 van het andere, terwijl de overige keuzen minder dan 10 procent scoorden. Bingo! Grijp de schoft!
Lepoille slaakte een kreet van opwinding en klapte in zijn handen, wat ervoor zorgde dat een paar mensen in de computerkamer omkeken.
Lepoille gaf het laatste nieuws door aan de NCB en draaide Dominics nummer nog een keer.

Duclos zat in zijn auto op het parkeerterrein van een servicestation bij Brignoles-Cambarette.
Toen hij op nauwelijks twee kilometer afstand van Forniers boerderij de oprit naar de N7 op was gescheurd, had hij snel moeten besluiten wat hij nu moest doen. Hij wilde niet rechtstreeks naar het vliegveld rijden, want hij had nog bijna een uur tijd over en bovendien, als Fornier hem volgde, was hem rechtstreeks naar het vliegveld leiden wel het laatste wat hij wilde!
Maar waar moest hij dan naartoe? Hij had in zijn achteruitkijk-

spiegel geen lichten gezien, maar wat als het even had geduurd voordat het besef tot Fornier was doorgedrongen en hij alsnog had besloten de achtervolging in te zetten?
Hij had besloten naar het westen te rijden, verder Frankrijk in. Naar het oosten, richting Nice en de Italiaanse grens, lag te veel voor de hand als iemand hem volgde. Na vijf kilometer waren er een paar koplampen in zijn achteruitkijkspiegel opgedoemd die hem bezorgd hadden gemaakt, en hij had de afslag naar de E80 genomen. Ze waren hem niet achternagekomen. Hij bleef nog een paar kilometer in westelijke richting rijden terwijl hij nadacht over wat hij moest doen. Hij wilde niet te ver van het vliegveld af raken, maar hij wilde ook niet op de vluchtstrook stoppen: te open, te duidelijk zichtbaar voor passerende politieauto's. Hij had ook een rotonde nodig, om straks terug te kunnen rijden zoals hij gekomen was.
Het was op dat moment dat hij had besloten om op het parkeerterrein van het grote servicestation bij Brignoles-Cambarette te gaan staan. Het zou hem nog geen tien minuten kosten en hij zou dan op vijftien, zestien minuten van het vliegveld zitten.
Duclos keek op zijn horloge: zeven voor halftien. Van het halfuur dat hij hier zou wachten, waren zestien minuten verstreken. Het leek wel een eeuwigheid. Hij was helemaal achter in het parkeerterrein gaan staan, waar maar weinig mensen passeerden die hem zouden kunnen herkennen. Er waren tot nu toe maar twee auto's het parkeerterrein opgereden en hij was snel uit het zicht gedoken.
Veertig meter verderop, bij het feitelijke servicecomplex van winkels en restaurants, was het een stuk drukker. Hij had de Peugeot er met de neus naartoe geparkeerd, zodat hij onmiddellijk gewaarschuwd zou zijn als er iets verdachts gebeurde of auto's naderden. Zijn zenuwen waren even gaan tintelen toen er een politieauto aan kwam rijden, maar die was vrijwel zonder vaart te minderen doorgereden.
Terwijl hij naar al die mensen en activiteiten zat te kijken, werd hij zich meer bewust van het feit dat hij een vluchteling, een uitgestotene was geworden. Vaders en moeders met kinderen, jonge stellen, oudere echtparen, tieners, mensen uit het noorden die hier met vakantie waren, in het restaurant aten, souvenirs en cadeautjes kochten, een broodje aten of nog wat boodschappen deden. Een weerspiegeling, een microkosmos van het leven in

Frankrijk... en hij stond daarbuiten, zat daar helemaal alleen in het donker in een stil hoekje van het parkeerterrein.
Hij stond buiten dat gelukkige kringetje dat ze vormden... net zoals hij al die jaren buiten het gelukkige kringetje van Betina en Joël had gestaan. Ze konden de pest krijgen! Betina. Joël. Corbeix. Fornier... vooral Fornier! 'Val dood, jullie allemaal!' riep Duclos, ervan overtuigd dat zijn stem niet verder dan een meter of tien reikte en niemand hem zou horen.
Misschien was dat wel de reden dat Fornier hem niet achterna was gekomen. Brossard had daar in hinderlaag gelegen, had de vrouw en de zoon al om zeep geholpen en Fornier een keurig rond gaatje in zijn hoofd geschoten zodra hij zich had laten zien.
De gedachte bracht een dun glimlachje op Duclos' lippen. Het eerste van die dag.
Rrrrr-vroemmm... bang... bang! Duclos schrok op, zijn hart sprong in zijn keel en zijn blik schoot in de richting van het geluid. Vijf auto's naar rechts, een oude, gedeukte Opel, met een kapotte uitlaat, zo te horen. Duclos' zenuwen ontspanden zich weer toen hij de auto zag wegrijden, maar hij schrok ervan dat hij hem niet aan had zien komen. Misschien waren ze vanaf de benzinepompen aan de zijkant van het complex gekomen en achterom gereden. Maar hij zou beter op moeten letten. Voor hetzelfde geld had hij opgekeken en had er een gendarme naast zijn auto gestaan.
Maar hoewel hij de resterende tijd goed om zich heen bleef kijken, had het incident hem van streek gemaakt. De gebeurtenissen van die dag hadden zijn zenuwen al langzaam tot het uiterste gespannen en het leek wel of het incident met de Opel het nog had verergerd.
Elk geluid – het geritsel van bladeren, het dichtslaan van een autoportier meters verderop, voetstappen in het grind in de verte, stemmen bij de hoofdingang van het servicecomplex – sneed dwars door hem heen en deed zijn zenuwen trillen als pianosnaren. Zijn handen trilden en zweetten. Hij legde ze op het stuur om ze rustig te krijgen, maar merkte toen dat de rest van zijn lichaam even erg trilde.
Duclos sloot langzaam zijn ogen. De geluiden voor hem, de mensen die er rondliepen, het komen en gaan van auto's... alles leek hem nu in te sluiten. Er zat een hoge piep in zijn oren, en een doffe pijn in zijn achterhoofd. Zelfs toen hij zijn ogen weer

opendeed, bleef hij zijn eigen bonkende hartslag horen.
Plotseling kreeg hij weer het gevoel dat hij had gehad toen hij eerder in dit servicecomplex was geweest; dat iemand hem zou zien, in het duister van het parkeerterrein zou opmerken en naar hem toe zou komen lopen, wijzend, en dan ineens gevolgd door een hele massa mensen, allemaal wijzend en roepend: Duclos! Duclos! Duclos!
Zijn gezicht zou al minstens twee keer in de nieuwsuitzendingen te zien zijn geweest. Hij schudde zijn hoofd, probeerde deze wurgende angst van zich af te zetten. Het enige wat hem hielp was op hen neerkijken, zich vastklampen aan de hogere moraal die hem al vele jaren geleden van de massa had onderscheiden. Kijk toch! Het onbetekenende gespuis. Hij had zoveel voor ze gedaan, voor Frankrijk gedaan. En nu keerden ze hem allemaal de rug toe. Wat hem betrof mochten ze allemaal wegrotten. Misschien was hij wel beter af in Zuid-Amerika.
Maar binnen een paar minuten was het trillen weer terug, het doffe bonzen in zijn hoofd dat zei: ga, ga... ga weg! Zo ver mogelijk weg van het gespuis. Want misschien zijn ze niet wat ze lijken, pakken ze je in je kraag en verijdelen ze je laatste ontsnappingspoging.
Haastig startte hij de Peugeot en reed weg, vier minuten eerder dan gepland. Hij zag de mensen kleiner worden in zijn achteruitkijkspiegel, slaakte een lange, diepe zucht, dwong zichzelf tot kalmte en slikte een paar keer om de vlinders en misselijkheid uit zijn maag te verdrijven. Op de invoegstrook van de snelweg voerde hij zijn snelheid op en hij sloeg geen acht op de politiewagen die hij eerder had gezien en die nu op de vluchtstrook stond, want hij had al zijn aandacht gericht op het voorbijrijdende verkeer.
Een van de gendarmes zag de blauwe Peugeot op het laatste moment en tegen de tijd dat de meldkamer het kentekennummer had bevestigd, was de Peugeot uit het zicht verdwenen. De meldkamer zou de andere wagens inlichten.

'Wat? Hier... vlak bij Vidauban?'
Dominic klonk verbijsterd, alsof hij het niet kon geloven. De tweede keer dat zijn mobiele telefoon overging, had hij geantwoord en had Lepoille hem verteld dat ze Duclos' kentekennummer hadden: de truc met de krantenfoto had gewerkt en een lan-

delijke zoekactie was al in volle gang. Geweldig. Goed nieuws. Goed gedaan.
Maar toen twintig minuten later dit tweede telefoontje van Lepoille kwam met de mededeling dat de auto bijna voor de deur van zijn huis was gesignaleerd, riep hij: 'Waarom? Wat heeft hij hier in godsnaam te zoeken?'
'Geen idee. De melding die we hebben, de enige tot nu toe, kwam uit de buurt van Brignoles.'
'Welke kant reed hij op?'
'Naar het westen... Jouw kant op. Hij zit op de E80 en moet over een minuut of acht, negen de kruising bij Le Lec passeren, vlak bij jou.'
Misschien een afspraak met Brossard, om hem te betalen, dat was de enige verklaring die Dominic kon bedenken. En toen schoot opeens dat beeld tevoorschijn uit zijn onderbewustzijn: een blauwe Peugeot die langs de kant van de weg stond, dat gezicht in de verte dat even oplichtte in het licht van zijn koplampen: Duclos! Duclos had staan wachten langs de weg naar zijn huis, terwijl Brossard binnen was! Het vluchtige beeld was op dat moment zo misplaatst geweest, dat hij er geen aandacht aan had geschonken. Het was wel de laatste plek waar hij Duclos had verwacht. Maar waarom reed Duclos naar hem toe en niet van hem weg?
'Dat is de reden dat ik nu bel,' zei Lepoille. 'Jij bent de dichtstbijzijnde auto ten noorden van de kruising.'
Met een schok drong het tot Dominic door wat ze van hem wilden: meedoen aan de jacht, helpen Duclos in zijn kladden te grijpen! Op elk ander moment was hij nu al op weg naar zijn auto geweest, maar niet nu. Niet terwijl in de kamer naast hem het leven van zijn zoon aan een zijden draadje hing. 'Maar ik heb de patrouillewagen bij de boerderij in Vidauban laten staan. En nu?'
'Ik weet het niet. Van de dichtstbijzijnde auto's, afgezien van de jouwe, rijdt er een in zuidelijke richting net voorbij Puget-Valle – die is inmiddels omgedraaid – en een tweede op zeven kilometer ten oosten van de kruising bij Le Luc. Er is hun verteld dat ze moeten blijven waar ze zijn. De volgende afslag is bijna achttien kilometer verderop; die zijn nooit op tijd terug op de kruising.'
Een van hen kon de auto zijn die eerder naar Vidauban was gestuurd, bedacht Dominic zich. Maar Lepoille wist nog niets over

het drama dat zich in de boerderij had voltrokken. In hun eerste gesprek had Dominic gezegd waar hij was, maar niet waarom: te persoonlijk, het zou de conversatie sentimenteel hebben gemaakt. Dominic had naast Monique op een bank op de gang bij de eerstehulp gezeten, maar na de eerste paar woorden was hij opgestaan en verder de gang in gelopen. Ze had al genoeg aan haar hoofd om haar te vermoeien met de logistieke problemen van de politie. 'Maar die auto bij Puget-Valle, kan die niet op tijd bij de kruising zijn?'
'Nee, ze zullen een kilometer of vijf, zes tekortkomen. Jij zult er ook niet op tijd zijn, maar jij kunt vanaf daar gemakkelijk op de N7 komen. Dat snijdt Duclos de N7 in oostelijke richting en in noordelijke via Grasse af. Met de snelweg en het zuiden al gedekt, hebben we hem in de tang!'
Een onmogelijke keuze. Monique en Gerome nu alleen laten, of de man die verantwoordelijk was voor deze gruwelijkheden laten ontsnappen? De gedachte aan Duclos zo dichtbij bracht een adrenalinestroom op gang die een combinatie van woede en opwinding veroorzaakte. De gedachte om Duclos persoonlijk op te jagen, leek op de een of andere manier gepast. Rechtvaardig. Maar hij kon toch niet... nee, het kon gewoon niet. 'Is er geen andere auto die je kunt sturen?' Dominics stem klonk bijna smekend, radeloos.
'Nee, ik vrees van niet. We hebben alle andere opties al gecheckt.'
Dominic had zich half omgedraaid en keek achterom toen hij voelde dat Monique naar hem zat te kijken. Het verdriet en de pijn die diepe lijnen in haar gezicht trokken namen de beslissing voor hem. Een diepe zucht. 'Het spijt me. Het gaat gewoon niet.'
Dominic gaf hem een korte samenvatting van de gebeurtenissen op de boerderij. 'Gerome ligt nog steeds op de intensive care en we kunnen elk moment nieuws over hem krijgen. Ik kan nu gewoon niet weg.'
'Het spijt me, Dominic. Als ik dat had geweten, zou ik het je niet gevraagd hebben.'
'Het geeft niet, hoe kon je dat nu weten? Hoor eens, laat me weten als...'
'Als je niet gaat, ontsnapt hij dan?' Het was Monique die hem onderbrak.
'Sorry, ik...' Dominic was even in verwarring, wist niet tegen

wie hij het eerst moest praten. Toen: 'Pierre, ik bel je zo terug.'
Moniques gezicht stond gespannen. Het had weinig zin om haar met een leugen af te schepen; de N7 was een van Duclos' belangrijkste ontsnappingsopties. Dominic haalde zijn schouders op. 'Ja, ik denk het. Misschien.'
'En dit is dezelfde man die verantwoordelijk was voor de dood van Christian en nu misschien die van Gerome?'
'Ja.' Zijn stem klonk vlak. Eén woord dat het verdriet van een heel leven samenvatte.
Ze klemde haar kaken op elkaar, boog even haar hoofd en keek toen op naar Dominic. 'Dan vind ik dat je moet gaan. Ik blijf hier voor Gerome en de artsen doen hun uiterste best. Je kunt hier niets voor hem doen.'
Dominic schudde zijn hoofd. 'Nee... nee. Ik kan jou en Gerome op een moment als dit onmogelijk alleen laten. Ik zou je nooit meer recht in de ogen kunnen kijken, of mezelf. Ik kan niet gaan.'
Monique keek hem strak en doordringend aan. 'Als Gerome sterft, denk je dat ik daar dan gemakkelijker mee kan leven als ik weet dat je de man die daar verantwoordelijk voor is hebt laten ontsnappen?'
De woorden troffen Dominic als messteken. Als ze hem wilde straffen voor wat er gebeurd was, dan gebeurde dat nu, met deze woorden. Maar toen hij haar in de ogen keek, zag hij hoe vastbesloten ze was. Achter die kritische blik zag hij dat ze wilde dat hij ging. Tegenstribbelen leek zinloos. Haar ogen vertelden hem wat hij er al eerder in had gelezen: pak hem, grijp hem. Laat hem niet ontkomen!
Dominic stribbelde nog wat tegen, maar Monique was onwrikbaar, schreeuwde zelfs tegen hem dat hij moest gaan en geen tijd verloren moest laten gaan. Hij haalde nog een laatste keer verslagen zijn schouders op en nadat hij Monique had laten beloven dat ze hem onmiddellijk zou bellen als er nieuws was over Gerome, liep hij haastig weg en toetste al lopend het nummer van Lepoille in.
Monique kneep haar ogen dicht en er rolde een traan over haar wang. Gerome op het randje van de dood, en het had geklonken of ze Dominic daar voor een deel de schuld van gaf. Maar ze wist dat als ze die houding niet had ingenomen, hij niet zou zijn gegaan. Zij kon wel leven zonder dat er recht werd gedaan, had

dat al zo lang gedaan, maar Dominic? Ondanks zijn protesten had ze gezien dat hij ook heel graag achter Duclos aan wilde om het recht te voltrekken. Ze had het gezien aan zijn besluiteloosheid toen hij stond te bellen, aan de opgejaagde, getergde blik in zijn ogen toen hij hoorde dat Duclos zo dichtbij was, de smeekbede in zijn stem: 'Is er geen andere auto die je kunt sturen?' Ze wist gewoon dat totdat hij Duclos had gepakt, het verleden nooit helemaal te rusten kon worden gelegd.
Monique keek in gedachten naar de dichte deuren van de eerstehulp. Een ijskoude, desperate kilte kroop langs haar rug omhoog. Opnieuw zou ze hier alleen voor het leven van haar zoon zitten bidden. Maar deze keer was dat tenminste háár keus geweest.

De eerste opwinding, het vooruitzicht op een klopjacht op Duclos, ervoer Dominic al toen hij zijn auto had gestart en wegreed bij het ziekenhuis. Daarna nam het gevoel toe toen hij zijn gesprek met Lepoille voortzette via zijn mobiele telefoon en de politieradio aanzette om zich te melden en contact te houden met de twee andere wagens: de BRN-946 ten oosten van de kruising bij Le Luc en de TLN-493 die uit het noorden vanaf Puget-Valle naderde. Lepoille had al bevestigd dat de eerste auto in positie was, dus vroeg Dominic wat de huidige positie van de TLN-493 was.
Een schorre stem kwam door het statische geruis: 'We rijden ongeveer ter hoogte van Pignan en moeten over een minuut of zeven bij de kruising zijn.'
Dominic keek op de kaart die hij had uitgespreid op de passagiersstoel. Hij pakte zijn mobiele telefoon weer. 'Wanneer verwacht je Duclos op de kruising?'
'Over vier à vijf minuten.'
Toen weer in de radio: 'Ik verwacht dat hij jullie over vier of vijf kilometer voorbijkomt aan jullie kant van de kruising, als hij tenminste jullie kant op komt. Hou je ogen dan goed open.'
Dominic zette de radio in de stand-by, maar hield Lepoille aan de lijn op zijn zaktelefoon. Hij keek op de snelheidsmeter: 152 kilometer per uur. De weg zat vol bochten, waardoor het moeilijk was harder te rijden. 'Ik moet over een minuut of vijf bij de N7 zijn.' En Duclos was nog acht of negen minuten van dat punt verwijderd, schatte hij in, elf kilometer voor de kruising. Hij zou

tijd genoeg moeten hebben om Duclos te onderscheppen. 'Ik bel je terug als ik daar aankom.'
Dominic keek weer op de kaart, stelde zich hun driehoeksformatie voor als oplichtende puntjes die elkaar naderden. Ze hadden hem! Er was geen ontsnappen mogelijk. Het was na al die jaren bijna onwerkelijk dat hij nu eindelijk zo dichtbij was. En er was nu niets twijfelachtigs of onzekers meer aan de zaak, want ze hadden Betina als getuige! Ze konden de sleutel van Duclos' cel weggooien.
Zo dichtbij. Hij voelde zijn eerdere roes van opwinding toenemen toen de bomen en heggen voorbijflitsten in de lichtbundels van zijn koplampen... schaduwen die zijn voortgang markeerden. Grafstenen voor Duclos. Hij kwam weer bij een recht stuk en voerde zijn snelheid op tot 160.
De hectische drukte van de afgelopen weken had hem afgemat en een voortdurend opgejaagd gevoel gegeven. Maar nu maakte de adrenaline in zijn bloed hem weer scherp en hij voelde hoe die al zijn zenuwuiteinden beroerde terwijl hij zich voorthaastte en de kilometers voorbijvlogen... zeven... zes...
Dominic zette de radio weer aan. Hij riep de BRN-946 op, vermoedend dat zij Duclos waarschijnlijk het eerst zouden zien. 'Hij zou jullie over een minuut of twee, drie voorbij moeten komen als hij rechtdoor rijdt. Als dat gebeurt, zet dan onmiddellijk de achtervolging in en dan waarschuwen we de andere auto's. Hou de lijnen open.' Hij gaf de andere auto dezelfde boodschap, maar dan met een timing van vier minuten.
Nog geen minuut later, toen de kruising met de N7 voor hem opdoemde, belde hij Lepoille terug en bracht hem op de hoogte. 'Ongeveer twee minuten vanaf nu op de snelweg, drie als hij afslaat naar het zuiden.' Dominic draaide de N7 op en reed richting snelweg. De driehoek werd steeds kleiner. 'En misschien vier minuten voordat hij mij passeert, als hij deze kant op komt.'
Dominic trommelde met zijn vingers op het stuur, vol verlangen uitziend naar het moment dat Duclos de auto op de snelweg zou passeren, en hij keek naar de radio terwijl hij in gedachten aftelde: vijftig seconden, veertig, dertig... Bij tien vroeg hij: 'Zie je al iets?'
'Nee.'
Stilte. Veertig, vijftig... een minuut te laat! Duclos moest naar het noorden zijn afgeslagen, of hij kwam hem juist vanuit het

noorden tegemoet! 'TLN-493, hij kan jullie kant op komen. Als dat zo is, kan hij jullie elk moment passeren.'
'Oké.'
Maar zijn radio bleef obstinaat zwijgen terwijl de seconden verstreken: één minuut te laat als hij naar het zuiden was afgeslagen, twee als hij naar het noorden reed. De kans dat Duclos zijn kant op kwam nam toe, en Dominic minderde vaart, keek aandachtig naar elke auto die hem tegemoetkwam: merk, kleur en ten slotte kentekennummer onder de lichtbundels van de tegemoetkomende koplampen.
De radio zweeg nog steeds.
Duclos móest zijn kant op komen, want hij had beide andere punten allang gepasseerd moeten hebben. Dominic stopte bij de eerste de beste landweg op een recht gedeelte van de weg, reed daar achteruit in zodat hij haaks op het aankomende verkeer stond en onmiddellijk tevoorschijn kon schieten.
Dominics zenuwen spanden zich. Het kon nu elk moment gebeuren. Hij staarde aandachtig naar elke passerende auto, keek twee of drie auto's verder en probeerde in de verte al een model of kleur te herkennen, maar die vormen vervaagden en de lichtbundels van de koplampen deden zijn ogen tranen. Kom op... kom op!
Hij wist dat als hij Duclos nu zag, er geen sprake meer zou zijn van een subtiele aanpak, hij zou zijn auto recht in de zijkant van de zijne boren en hem met getrokken wapen naar buiten sleuren. Maar toen elke auto die er in de verte hoopvol uitzag niet van Duclos bleek te zijn toen hij dichterbij was gekomen, namen zijn paniek en gevoel van verslagenheid weer toe. Duclos' arrogante gezicht leek steeds vaker op te doemen tussen elk paar koplampen dat hem tegemoetkwam... hij was hem te slim af geweest... hij was hem weer te slim af geweest!
Dominic checkte de twee andere auto's nog een keer: niets. Toen keek hij op zijn horloge: drie minuten voor tien. Duclos zou zich niet laten zien! Dominic werd woedend. Hij sloeg met zijn vuist op het stuur. Waar was hij? Verdomme, waar was hij? Hij staarde wezenloos naar de kaart. Ze hadden Duclos in de tang, en hij was in het niets opgegaan!
Er bevond zich in de driehoek nauwelijks iets wat voor Duclos de moeite waard was om ernaartoe te rijden: Le Luc en een paar kleine plaatsjes zoals Le Cannet, en een paar landwegen die naar

boerderijen leidden. Tenzij Duclos rechtsomkeert had gemaakt op de N7, zodat hij...
Dominic verstijfde. Het gele rechthoekje naast de driehoek sprong hem plotseling tegemoet. Een vliegveld!

De TB20 Trinidad bleef op negenduizend voet toen hij over de laatste uitlopers van de Franse Alpen vloog.
Er hing een dunne laag bewolking, een spookachtige mist die hun tegemoet vloog en tegen de voorruit bleef zitten. Na een minuut waren ze erdoorheen en lagen de lichtjes van de Côte d'Azur in de verte. De piloot daalde naar zesduizend voet en bleef op die hoogte.
Zijn passagier had al die tijd nauwelijks iets gezegd en zijn aanwezigheid begon hem steeds meer op zijn zenuwen te werken. Een brede, gedrongen man die Hector heette, wiens Zwitsers-Frans een Italiaans of Spaans accent had, en die een dik leren jack droeg dat hem nog breder maakte. Het enige goede nieuws was dat Hector in Portugal zou blijven als hij zijn vrachtje had afgezet. Dan kon hij tenminste alleen naar huis vliegen.
Zesduizend voet, vijfduizend zeshonderd, vijfduizend tweehonderd... Hij daalde in fasen terwijl hij de lichtjes van de kustlijn volgde, en toen hij de lichtjes van Toulon voor zich zag, stuurde hij scherp naar rechts voor de laatste landing.

Duisternis. Het enige wat ze konden zien, waren de contouren van drie grijze hangars aan de rand van het vliegveld en nog twee rechts van hen, bij een klein kantoorgebouwtje. Negen vliegtuigen in totaal: drie rechts van hen, vier verspreid tussen hen en de hangars in de verte en drie op het vlakke stuk achter de grote start- en landingsbaan. Maar er was nergens licht en nergens bewoog iets.
Dominic was om twee minuten over tien het vliegveld op gereden, een minuut na de auto uit Le Luc met de twee gendarmes. De chauffeur, een brigadier die Pierre Giverny heette, vertelde hem dat alles nog hetzelfde was als toen zij waren aangekomen. 'Totale duisternis. Geen enkel teken van activiteit.' Wat Giverny niet had gezien toen hij zijn auto stilzette, was dat een van de drie vliegtuigen achter de startbaan daar langzaam naartoe taxiede en zich in positie bewoog om op te stijgen. Het was gestopt en doodstil blijven staan toen ze de lichten van zijn auto za-

gen. Duclos' auto stond uit het zicht, verstopt achter een van de achterste hangars.
Dominic had zijn auto naast die van de gendarmes geparkeerd: twee paar koplampen met groot licht dat zich vol verwachting in het duister boorde, hoewel het effect al halverwege de startbaan verloren ging. Daarachter zagen ze alleen maar vage, grijze schaduwen.
'Misschien had ik het mis,' zei Dominic. Hij keek in gedachten naar de vliegtuigen en hangars in de verte.
In de donkere cockpit van de Trinidad zei Hector: 'Geef ze nog een minuutje en dan gaan ze wel weg.'
De piloot knikte met een gepijnigd glimlachje. Hector had plotseling zijn stem teruggevonden: politie en nachtelijke ontsnappingen. Hij was blijkbaar op vertrouwd terrein.
Duclos hield bewust zijn adem in toen hij naar de gestalten in de verte keek, de donkere silhouetten in het licht van de koplampen. Zijn zenuwen waren tot het uiterste gespannen. Hij wist zeker dat een van die auto's van Fornier was!
Hij zag de drie figuren bij elkaar staan en hun kant op kijken. Een rilling kroop langs zijn ruggengraat omhoog en opeens begon hij over zijn hele lichaam te trillen. Toen, even later, draaiden ze zich om en leken ze terug te lopen naar hun auto's.
'Kijk!' fluisterde Hector bijna ademloos.
Duclos had gedacht dat Hector misschien de navigator was, totdat hij achterin ging zitten toen Duclos was ingestapt. Hectors aanwezigheid gaf hem een onbehaaglijk gevoel. Een extra brok spanning die hij na de enerverende gebeurtenissen van die dag kon missen als kiespijn. Duclos' maag draaide en zijn zenuwen konden niet veel meer hebben.
Dominic stapte weer in zijn auto en startte de motor. Hij reed vooruit, begon te keren... en stopte toen. Bedachtzaam keek hij naar de startbaan vijftig meter verderop, naar de duisternis met de hangars en de vliegtuigen die zich daarachter uitstrekte.
'Wat doet hij?' vroeg Duclos met opeengeklemde kaken. Een ijzige stilte zonder antwoorden daalde neer in de donkere cockpit. Er werd alleen maar zacht ademgehaald en gewacht. En toen: 'O, god... Jezus!' De koplampen draaiden weer naar voren en kwamen hun kant op.
'Gaan... gaan!' riep Hector. 'Schiet op!' Hij haalde een pistool tevoorschijn en zwaaide ermee, hoewel de piloot niet precies

wist of dat was om hem te bedreigen of om op de naderende auto te schieten.
De piloot startte de motoren, het vliegtuig kwam met een schok in beweging en maakte een korte draai zodat ze evenwijdig aan de startbaan reden. Toen gaf hij gas en reden ze steeds sneller vooruit.
De auto had de vijftig meter bijna afgelegd en naderde het begin van de startbaan.
Het vliegtuig schudde en trilde naarmate hun snelheid toenam. De piloot wist dat als de auto eenmaal halverwege de startbaan was, het te laat zou zijn en hun weg om op te stijgen geblokkeerd zou worden. Hij beet op zijn lip. Het zou erom hangen.
80, 90... Hij zag de snelheidsmeter snel opklimmen tot meer dan 100 kilometer per uur. Maar hij zag ook dat de auto zich al bijna op een kwart van de startbaan bevond.
'Halen we het?' vroeg Duclos. Hij beefde, hoewel hij niet wist of dat was uit angst voor een botsing, of dat hij niet zou kunnen ontsnappen.
'Ik weet het niet.'
Toen het licht van de koplampen van de auto hen bereikte, zette de piloot zijn eigen lichten aan. Om hun eigen aanwezigheid te onderstrepen en om hopelijk de auto te intimideren en weg te jagen. De auto leek heel even te aarzelen en ging toen weer harder rijden. De tweede auto was hem achternagereden en had nu het begin van de startbaan bereikt.
'Maak je geen zorgen,' zei Hector. 'Zo gauw hij ziet dat we het menen en niet zullen stoppen, gaat hij wel weg.' Maar er was een lichte aarzeling in zijn stem te horen, dus zelfs Hector was niet meer zo zeker van zijn zaak.
Toen Dominic de lichten van het vliegtuig aan had zien springen, had hij impulsief even geremd omdat het er nu ineens indrukwekkender en dreigender uitzag, maar toen had hij zich weer schrap gezet.
Hij was eigenlijk alleen maar van plan geweest om de hangars en vliegtuigen aan het eind van het vliegveld te bekijken, dus toen zich uit het groepje vliegtuigen plotseling een toestel losmaakte, verbaasde hem dat. Een verbazing die snel overging in paniek toen hij zag dat het draaide en de startbaan op reed. Een ontsnappingspoging ging doen!
Op dat moment wist hij zeker dat Duclos erin zat.

Als hij dichtbij genoeg kon komen om hun doorgang te blokkeren, zouden ze gedwongen zijn het opstijgen af te gelasten. Maar hij kon zien dat ze niet van plan leken vaart te minderen. Zijn eigen snelheid lag al boven de 90 kilometer per uur en die van het vliegtuig waarschijnlijk op 170, 180... en die nam nog steeds toe. De eerste tekenen van angst kondigden zich aan. Als ze met deze snelheden tegen elkaar botsten, zou er weinig kans zijn dat hij het overleefde. Hij hoorde Moniques woorden weer: '... denk je dat ik gemakkelijker met Geromes dood kan leven als ik weet dat je de man die daar verantwoordelijk voor is hebt laten ontsnappen?' Maar het was niet alleen Monique, ook die andere gezichten die al zo lang in zijn geheugen stonden gegrift en nu in de lichten van het vliegtuig zichtbaar werden: Christian, Machanaud, alsof ook zij op de een of andere manier op hem rekenden. Nee...! Nee! Hij had te lang achter Duclos aan gezeten, te veel levens waren door die schoft beïnvloed om hem nu te laten ontkomen. Hij bewoog zijn voet op het gaspedaal naar beneden en schoot vooruit...
'Hij is gek!' riep Hector toen de autolichten op hen af kwamen schieten.
Duclos zei niets, was daar te bang voor, en het paniekgevoel waar hij de hele dag al aan ten prooi was geweest, bereikte een hoogtepunt. Hij was totaal verkrampt, er droop wat speeksel uit zijn mondhoek en zijn hele lichaam leek te trillen en te schokken in het ritme van het voortrazende vliegtuig. Het gebrul van de motor, de snel naderende lichten, het schudden en ronken: een kakofonie van geluid en licht die hem plotseling deed beseffen dat het hier allemaal zou eindigen. Hier op deze startbaan, in één grote vuurzee! Zijn hele lichaam baadde in het zweet. Tegelijkertijd ervoer hij het perverse gevoel dat hij een dergelijk einde verwelkomde, dat er een definitief einde werd gemaakt aan al deze paniek en waanzin, dat vluchten en verstoppen en opgejaagd worden. Hij kon niet meer! Zijn zenuwen gilden: Maak er een eind aan... Ja, maak er een eind aan! We kunnen dit geen seconde langer verdragen... Een wrange glimlach gleed over zijn gezicht toen hij besefte dat Fornier ook door die vuurzee verzwolgen zou worden.
'We halen het niet!' schreeuwde de piloot.
'Doorgaan... doorgaan!' krijste Hector, en hij richtte zijn pistool. Deze keer was het wel degelijk een dreigement.

Negentig meter, tachtig, zeventig... De afstand tussen hen werd snel kleiner.
Gerome, Monique. Duclos die vlak bij zijn huis stond om de huurmoordenaar zijn bloedgeld te geven. Dominics handen klemden zich om het stuur.
De piloot zag opeens een heel klein kansje. Als hij op het allerlaatste moment zijn koers iets wijzigde, zou de auto hopelijk onder de vleugel door schieten. Hij keek opzij, probeerde snel de hoogte in te schatten. Het zou erom hangen, maar waarschijnlijk was het hun enige kans.
Een monster! Al die levens die hij had geruïneerd. Het was ondenkbaar dat Duclos zou ontsnappen. Dominic stuurde recht op de lichten van het vliegtuig af.
De piloot draaide het stuur iets naar rechts en voelde meteen hoe de rechtervleugel een stukje van de grond kwam.
Veertig meter, dertig...
Dominic zag de koersverandering bijna te laat om te reageren, was opeens doodsbang dat het vliegtuig langs hem zou schieten en zou ontsnappen, en hij gaf een ruk aan het stuur. Een te harde ruk. Hij voelde de achterkant van de auto wegglijden, de auto in een slip terechtkomen en zwaar overhellen. Met krijsende banden gleed hij bijna tien meter door en toen ging het overhellen over in een misselijkmakende buiteling. Dominic zag alles draaien: de lichten van het vliegtuig, het dak van de auto en het zijraampje, de stoelen en de vloer, en een regen van glassplinters kletterde op hem neer terwijl hij dacht: Gerome... Monique!
De eerste keer dat de auto over de kop sloeg ging hij scherp opzij, bijna niet te zien vanuit de cockpit, maar bij de tweede keer zag de piloot dat de auto recht op hen afkwam en het gevaarte in de voorruit steeds groter werd... maar ze kwamen van de grond... stegen op... en de neus kroop omhoog boven de donkere, dreigende vorm.
De piloot voelde de klap toen de auto onder hem iets raakte, gevolgd door het heftige getril en geschud dat door de stuurknuppel kwam terwijl hij zijn uiterste best deed om het schokkende, slingerende vliegtuig onder controle te houden. Even dacht hij dat de neus weer naar beneden zou duiken en ze te pletter zouden slaan, maar het slingeren hield al snel op en ze begonnen te klimmen.
O, god... Monique! Dominics laatste gedachte voordat de wild

tollende beelden om hem heen ten slotte eindigden in duisternis. Als Gerome en hij het niet overleefden, zou ze dat nooit aankunnen. Dan zou ze praktisch alleen zijn.
Vijfhonderd voet... Duizend voet. Ze klommen gestaag en de lichtjes van de kust onder hen werden al kleiner. De piloot controleerde snel of het vliegtuig schade had opgelopen. Hij zag brandstof uit een van zijn vleugels druppelen en keek op zijn meter. Het was waarschijnlijk een klein lek, maar misschien groot genoeg om te voorkomen dat ze Portugal haalden. Misschien moesten ze onderweg een tussenlanding maken. Maar de klap was een van de vleugelsteunen geweest of misschien het landingswiel. Als de schade ernstig was, zouden ze misschien niet eens kúnnen landen.
Een vonk bereikte de benzinedampen uit de carburateur en er begon een klein vuurtje... maar het enige wat Dominic in zijn innerlijke duisternis zag, was de vlam van een enkele brandende kaars die flakkerend Moniques mooie profiel verlichtte. En toen de vlammen hoger oplaaiden en de lekkende benzine om hem heen vlam begon te vatten, was hij weer terug in het korenveld, op zoek naar Duclos. De gendarmes sloegen met hun stokken het koren uiteen, maar Poullain had hun opdracht gegeven om het hele korenveld plat te branden. Hij was er zeker van dat Christians moordenaar zich tussen het koren had verstopt, en de vlammen en de rook zouden hem er wel uit jagen. Maar Dominic zat ook tussen het koren, op zijn knieën zoekend naar een muntstuk terwijl de vlammen steeds dichterbij kwamen en likten aan het koren om hem heen... zijn toenemende paniek toen hij de verzengende hitte voelde, zag dat het vuur hem had ingesloten en besefte dat hij geen kant meer op kon...
Het vliegtuig had een hoogte van tweeduizend voet bereikt toen ze ver onder hem de auto zagen exploderen, alsof iemand een vreugdevuur had aangestoken om hun vertrekpunt te markeren. Langzaam kroop er een glimlach over Duclos' gezicht.

Toen de auto explodeerde, trok er een schok door Moniques lichaam, onmiddellijk gevolgd door het panische gevoel dat er met Gerome op de eerstehulp iets vreselijks was gebeurd.
Ze keek angstig naar de deuren van de eerstehulp, verwachtte elk moment dat ze open zouden gaan en een arts met een bedroefd gezicht naar buiten zou komen.

Maar toen er na een paar seconden nog niemand de gang op was gekomen, ging ze weer door met het stille gebed dat ze het afgelopen uur had gebeden, toen ze dacht: alstublieft... alstublieft. Niet nog een keer. God kon toch niet zo wreed zijn dat hij nog een van haar zonen zou laten sterven? Het kwam op dat moment geen seconde in haar op dat haar gebeden voor Dominic hadden moeten zijn.

Epiloog

Praia do Forte, Brazilië, januari 1996

Duclos nipte van zijn *caipirissima* terwijl hij in zijn hangmat op het overdekte terras lag. Vanaf het strand voor de villa hoorde hij het zachte geruis van de branding. Het was al bijna drie uur donker en de branding was alleen zichtbaar als een licht, bewegend lijntje in het maanlicht.
Ze waren door het brandstofverlies ten slotte meer dan driehonderd kilometer noordelijker geland dan gepland, vlak bij Oporto. De landing, met één beschadigd wiel, was een ware nachtmerrie geweest, maar ze hadden het gehaald. Twee dagen in Portugal met Hector om een nieuwe identiteit en een paspoort te regelen en dan met een gewone vlucht naar Salvador, in Bahia. Hij was daar opgewacht door een Braziliaan, Jorge Cergara, die hem naar de tachtig kilometer noordelijker gelegen strandvilla bij Praia do Forte had gebracht. Zijn nieuwe identiteit was die van Gerard Belmeau, een Frans-Zwitserse zakenman die met vervroegd pensioen was. Zijn haar was rossig blond geverfd en hij kweekte een snorretje dat hij om de paar dagen bijkleurde in dezelfde tint.
De papieren voor het huis, op naam van Belmeau, lagen al voor hem klaar, en Praia do Forte genoot een groeiende populariteit bij buitenlanders. Niemand zou hem vreemd aankijken, had Cergara hem verzekerd. En als dat wel ooit gebeurde, dan hadden ze zowel de burgemeester als de hoofdcommissaris van politie in hun zak door de hotels en de investeringen die ze in deze streek deden.
Gerard Belmeau? Zijn nieuwe leven. Duclos had de naam dagenlang herhaald om hem in zijn geheugen te prenten, zodat, als iemand zijn nieuwe naam riep, hij ook meteen zou reageren. Niet dat iemand dat deed. Niemand kende hem. Hij was gewoon een schimmige, stille figuur die zo af en toe eens naar de stad kwam wandelen om er te eten en boodschappen te doen en die op doordeweekse dagen wel eens naar het strand ging. In de weekends was het daar veel te vol en bleef hij liever op zijn terras, met een caipirissima, terwijl hij het laatste nieuws uit Frankrijk las.

Er was maar één winkel in het stadje, had hij ontdekt, waar hij *Le Figaro* en *Le Monde* kon kopen – de enige twee Franse kranten die ze daar hadden – en hij kocht ze altijd allebei. De twee maanden na zijn ontsnapping had hij de Franse pers flink beziggehouden. Eerst op de voorpagina, daarna meer achterin, als achtergrondartikel of vanuit andere hoeken belicht: zijn politieke carrière en de val daarvan, of op één hoop gegooid met andere politieke schandalen: Tapie, Medecin, en nu Duclos.

Duclos had moeten glimlachen bij de artikelen over alle blunders die zijn ontsnapping mogelijk hadden gemaakt: Barielle die werd aangevallen omdat hij hem huisarrest had toegestaan, Corbeix omdat hij daar niet feller tegen had geprotesteerd, de hele vooronderzoekprocedure omdat die blijkbaar niet had kunnen aantonen dat hij nog ergens anders geld had weggestopt, en ten slotte de politie van de Provence omdat ze hem door de vingers had laten glippen.

Iedereen wees met een beschuldigend vingertje naar iedereen en er werd flink met modder gesmeten. Hier, in zijn hangmat bij het strand op meer dan twaalfduizend kilometer afstand, vond Duclos het alleen maar lachwekkend, meelijwekkend. Een hoop holle frasen en politieke retoriek waarin zijn naam werd gebruikt door ministers die elkaar punten probeerden af te snoepen terwijl ze in feite een slag in de lucht deden en alleen maar schreeuwden dat er recht moest geschieden. Recht? sneerde Duclos. Wat wisten zij daarvan?

Ze hadden geen idee wat hij allemaal had moeten doorstaan sinds die paar duistere momenten van dertig jaar geleden. Jarenlang geleden onder de chantage van Chapeau, en daarna die van zijn broer, zijn geheime leven met Betina en Joël. Soms was het geweest als een hel op aarde, om te boeten voor wat hij had gedaan, waarin de ene ramp de andere had opgevolgd. Daarom was hij zo woedend geweest toen de zaak weer werd opgerakeld; hij had het gevoel gehad dat hij zijn schuld allang had betaald, zijn straf al had uitgezeten!

Behalve dat één onderdeel van die opeenvolging van rampen uiteindelijk had geleid tot zijn verlossing. Want als hij niet was gechanteerd, zou hij waarschijnlijk nooit smeergeld hebben aangenomen en was hij nooit in contact gekomen met de mensen die uiteindelijk zijn ontsnapping mogelijk hadden gemaakt. Hij hief zijn glas op een denkbeeldig Frankrijk en grijnsde. Ten

slotte was hij het die hier het laatst lachte. 'Salut!'
De eerste paar maanden waren ronduit idyllisch geweest, als een soort lange vakantie. Het gevoel van isolement zette pas later in, wat misschien te maken had met het feit dat hij niet langer de belangstelling van de Franse pers genoot. Hij was inmiddels doodziek van de Braziliaanse tv met zijn eindeloze lambada en spelshows met schaars geklede presentatrices, en had zijn geld geïnvesteerd in een grote satellietschotel waarmee hij de Franse tv kon ontvangen. Het had geholpen, hoewel het ook iets had van een nostalgisch voyeurisme als hij keek naar alles wat hem vertrouwd was geweest en waar hij van had gehouden – eten, mode, lifestyle – op zo'n grote afstand, zonder het te kunnen aanraken en voelen. Niet lang daarna had hij de caipirissima ontdekt: witte rum met citroensap, suiker en geschaafd ijs. Als de Braziliaanse tv hem de keel uit kwam of de Franse hem te nostalgisch werd, dan trok hij zich terug op zijn terras met zijn cocktailshaker.
Zijn naam was weer in het nieuws gekomen toen Corbeix de rechtszaak tegen hem *in absentia* had doorgezet. En terwijl hij de vorderingen op een afstand volgde, trof het hem ineens waarom het hem zo'n gevoel van bevrediging gaf als zijn naam weer in het nieuws was: niet alleen als geheugensteuntje aan wat hij ongestraft had kunnen doen, maar ook het idee dat, als hij dan niet lichamelijk in Frankrijk was, zijn geest dat wel degelijk was.
Hij was al een paar keer naar Salvador geweest en had onlangs contact gelegd met iemand die hem jonge jongetjes kon leveren, en Cergara had hem gebeld om hem uit te nodigen voor het carnaval in Rio van de komende maand. Zijn volgende jaarlijkse betaling van het biotechnologiebesluit was in aantocht en er moesten een paar andere bankzaken geregeld worden. Hun advocaat wilde die graag persoonlijk met hem bespreken, en als hij er dan toch was, kon hij meteen van het carnaval genieten. Alle kosten waren voor hen. Nou, waarom niet?
Het effect van de vier caipirissimas van die avond begon merkbaar te worden en hij voelde de warmte van de alcohol door zijn lichaam trekken. Een lichtgloed op het strand drong langzaam door tot zijn troebele blik. Hij keek nog eens goed en zag de vier kaarsen, met de silhouetten van een vrouw en een kind, die ervoor geknield zaten. Waarschijnlijk een Candomblé-ceremonie.

Hij had die al eerder gezien: kaarsen en een verzameling schelpen op een wit laken, bloemen en rijst die in zee werden gegooid om hun goden Exú en Iemanjá te eren. Maar in de verre lichtgloed van de kaarsen zag hij plotseling het gezicht van Monique Rosselot, haar spiegelbeeld in de glazen ruit terwijl ze bad voor het leven van haar zoon... de kleiner wordende vuurzee van Forniers brandende auto toen het vliegtuig naar grotere hoogte klom boven de lichtjes van de Côte d'Azur.
Hij schudde zijn hoofd. Hij kon zich nu gemakkelijker van de geesten ontdoen: het was allemaal zo ver weg, zowel in tijd als in afstand. Als in een ander leven.
Duclos sloot zijn ogen, liet het zachte geruis van de branding en het nachtelijke getjirp van de krekels over zich heen komen terwijl hij zich verheugde op het carnaval in Rio.

'Tudo Bem? Você gosta de Carnival?'
In die heksenketel van herrie en beweging zou Duclos het jongetje nooit hebben opgemerkt als hij niet meteen op hem af was gekomen toen hij na zijn bespreking met Perello het hotel uit kwam. Het was niet ongebruikelijk. De *abandanados*, de straatjongens, werkten meestal in de buurt van hotels met toeristen.
Toen de jongen Duclos' verbaasde gezichtsuitdrukking zag, schakelde hij over op gebroken Engels. 'U wilt gids voor carnaval? Ik heel goed. Maar vijf dollar Amerikaans. Ik laat u alles zien.'
Toen viel het Duclos op hoe beeldschoon de jongen was. Een van de allermooiste mulatten die hij ooit had gezien: een huid met de tint van koffie met room, bruine krullen waar een gouden glans overheen lag, zachte, bruine ogen. De gedachte aan een uur of twee met deze jongen zorgde ervoor dat zijn mond plotseling kurkdroog was.
De jongen had gelijk. Hij wás een uitstekende gids. Ze keken naar de grote Ipanema-optocht op de Praca General Osório, liepen toen door over de Avenida Visc de Pirajá en kwamen uiteindelijk terecht in Il Veronese, waar hij de jongen op een pizza trakteerde. De jongen, die Paulo bleek te heten, schrokte de pizza naar binnen alsof hij in weken niets had gegeten. Duclos voelde de warme gloed die het gezelschap van de jongen in hem verspreidde en vond het fijn dat hij op deze manier zijn geld kon besteden. Zoveel genoegen voor zo weinig geld. Uiteindelijk gaf hij de jongen bijna dertig dollar om zich ervan te verzekeren dat

hij bij hem in de buurt bleef. De jongen keek nog steeds hongerig na zijn pizza, dus bestelde Duclos nog een ijsje voor hem. Toen de jongen ook dat in een paar happen had verslonden, keek hij Duclos recht en met een bedachtzame blik aan. 'U wilt langer met mij blijven? Alleen?'
Duclos staarde terug in zijn onschuldige ogen. Maar die waren helemaal niet zo onschuldig; ze waren alwetend. Zintuigen, gescherpt door het jarenlange leven op straat. Misschien had de jongen het aangevoeld omdat hij zo aardig en attent voor hem was, of omdat hij geen enkele belangstelling had getoond voor de wiegende, in piepkleine tanga's gehulde billen en met glinsterende sterren beplakte borsten van de meisjes van het carnaval. Hij had al die tijd zijn blik nauwelijks van de jongen af kunnen houden. De jongen wist het. Maar ze wisten nu tenminste waar ze het over hadden. 'Hoeveel?'
De jongen dacht een ogenblik na en noemde zomaar een bedrag. 'Zestig dollar.'
Duclos glimlachte. Dat was waarschijnlijk het dubbele van wat de jongen normaliter rekende, maar Duclos had hem met plezier nog veel meer betaald. Dit was fantastisch. Perello had hem net bevestigd dat de volgende honderdtwintigduizend dollar onderweg was en hij stond hier op straat met de mooiste straatjongen ter wereld te onderhandelen over een paar dollar? Misschien moest hij vaker naar Rio komen. Zijn isolement begon er met de dag beter uit te zien. 'Waar?' vroeg hij. Een abandanado langs de receptie van zijn hotel smokkelen was te riskant.
'Ik weet plek in de buurt.'
Duclos dacht een ogenblik na voordat hij knikte, hoewel hij al had geweten wat zijn antwoord zijn zou op het moment dat de jongen hem zijn voorstel deed. Hij betaalde de rekening en ze vertrokken.
De hectische drukte van het carnaval overviel hen toen ze weer buiten kwamen. Vijftig meter verderop sloegen ze een hoek om en nam de drukte af. Nog een hoek om, weg van de optochten, en uiteindelijk kwamen ze bijna drie blokken verderop in een smal steegje terecht. De drukte van het carnaval was hier niet meer dan een dof getrommel en gefluit op de achtergrond. Met elke hoek die ze waren omgeslagen, was de mensenmassa uitgedund en het steegje was totaal verlaten.
Halverwege de steeg wees Paulo naar een deur en hij ging hem

voor naar binnen. Een verlaten pakhuis met houten kisten die als tafels en stoelen dienden en geïmproviseerde bedden van stukken karton op de stoffige betonnen vloer. Het was duidelijk waar sommige abandanados de nacht doorbrachten.
Paulo deed de deur dicht en klemde een houten paal tussen de deurknop en de vloer. Het enige licht kwam door een vuil, stoffig dakraam. Duclos gaf Paulo zijn geld, die het in zijn schoen stak en zich begon uit te kleden.
Duclos treuzelde met het uittrekken van zijn kleren en genoot van wat hij zag: de slanke, strakke lijnen van het lichaam van de jongen, zijn smalle heupen, die ondefinieerbare huidskleur, ergens tussen teak en koper. Duclos' hart bonsde van verlangen.
En toen ging de jongen op zijn knieën zitten, boog zich voorover en wees. Duclos voelde het bloed kloppen in zijn oren.
Hij ging achter de jongen zitten, keek naar de zweetdruppeltjes die zijn lichaam bedekten, liet zijn vinger langzaam over de knobbeltjes van zijn ruggengraat gaan en begon hem toen met zijn vlakke hand van boven naar beneden te strelen. Heel bijzonder. Duclos deed zijn ogen dicht, liet zich drijven op de golven van wellust.
Jahlep... Jean-Paul... Pascal... de vele andere jongens die zijn verlangens in de loop der jaren hadden bevredigd.
Maar toen hij zijn ogen weer opendeed, had de jongen zijn hoofd omgedraaid en viel het licht uit het dakraam op zijn ogen. Lichtbruin met groene vlekjes, gevoelig, vragend... en plotseling herinnerden ze hem aan die van de jongen in het korenveld. Het zachtzure zweet dat werd vermengd met de geur van perziken en rijpe tarwe. De wind die zachtjes door de bomen ruiste achter...
Alleen zag hij, toen hij beter keek, dat de jongen niet recht in zijn ogen keek, maar naar iets daarachter. Vlak achter hem. En het lichaam van de jongen verstrakte ineens. Er was iets mis, vreselijk mis.
Een zacht geschuifel was de enige andere waarschuwing toen de man achter hem uit de schaduw tevoorschijn kwam, zijn mes met een ruk over Duclos' keel haalde en zijn strottenhoofd doorsneed.
De jongen krabbelde snel overeind, greep zijn kleren en zorgde ervoor dat hij Duclos' bloed niet op zich kreeg. De man veegde zijn mes af aan Duclos' overhemd, dat op een kist lag, en haalde zijn portefeuille uit zijn broekzak terwijl de jongen zich snel aankleedde. De man bleef kijken tot Duclos voorover naar de grond

zakte, alsof hij zich ervan wilde overtuigen dat de wond dodelijk was, en toen ging hij samen met de jongen weg.
Duclos had zijn handen om zijn keel geklemd en voelde het leven uit zich wegstromen terwijl hij nog steeds de gevoelige ogen van de jongen voor zich zag. Alleen keken ze voor zijn gevoel recht in de zijne, en niet achter hem.

Miguel Perello belde vanuit een telefooncel in Ipanema. Na twee keer overgaan werd er opgenomen. De persoon in Californië die dat deed, had zijn telefoontje verwacht.
'Het is gebeurd,' zei Perello.
'Nog problemen?'
'Nee. Niets. Hij beet in het aas en alles verliep soepel.'
'Mooi. Zorg voor de rest, ruim die bankrekeningen op en dan is de zaak geklaard.'
'Best.' Toen Perello had opgehangen, besloot hij mee te doen aan de carnavalsoptocht die hij een blok verderop hoorde. Hij had zin om iets te vieren.
Ze hadden Duclos een tijdje verborgen kunnen houden, maar uiteindelijk zou iemand hem gevonden hebben en dan zou Duclos onmiddellijk zijn sappigste geheimen proberen in te ruilen voor strafvermindering. Het was het risico niet waard als de biotechnologiecoup van de eeuw op het spel stond. Maar het was Marchand geweest die hem zonder zich daarvan bewust te zijn het idee had verschaft hoe ze het spel het best konden spelen.
Marchand had gelijk gehad: Duclos was in Frankrijk een veel te bekende figuur. Als hij werd vermoord, midden in een moordproces dat veel publieke aandacht trok, of het er nu uitzag als een ongeluk of niet, dan zouden ze veel te veel aandacht hebben getrokken. Dus hadden ze gewacht tot alles rustig was en Duclos uit de schijnwerpers was, een veel beter plan. Hij was nu nog slechts Gerard Belmeau, een Zwitserse toerist die tijdens het carnaval in Rio in een steegje was beroofd en vermoord. Dat gebeurde hier elk jaar.

De Provence, augustus 1996

Dominic voelde de namiddagzon branden op zijn rug toen hij de mandarijnenboom inspecteerde. Hij had hem geplant niet lang

nadat hij uit het ziekenhuis was gekomen. Voor een deel vanwege nostalgische redenen en voor een deel als symbool voor Geromes en zijn eigen overleven. De vorige kerst hadden er maar vier mandarijnen aan gehangen, maar hij telde nu al elf bloesems.
Het was een drukke dag geweest. De Capels waren ruim een uur geleden vertrokken. Hij was in de tuin geweest toen ze arriveerden en wilde nu nog wat werk doen voordat het donker werd.
De laatste huidtransplantatie voor de brandwonden op zijn arm was de afgelopen februari gedaan en zijn been was nu al meer dan drie maanden uit het gips. Zelfs het trekken van zijn been was over. Giverny en zijn partner waren niet zo ver achter hem de startbaan op gescheurd en waren erin geslaagd om hem acht seconden voor de explosie uit de auto te trekken. Een gebroken been en een verbrande arm waren zijn enige verwondingen geweest.
Geromes toestand was veel ernstiger geweest. De eerste operatie was geslaagd, maar hij had daarna nog twee weken aan de monitors in het ziekenhuis gelegen. Toen, twee maanden daarna, was hij teruggegaan naar het ziekenhuis voor een tweede operatie: de reconstructie van zijn borstbeen en het aanbrengen van een kunststof plaatje. Yves had hem ermee geplaagd. 'Je zult tenminste een van de weinige mannen aan de kust zijn met een borstimplantatie. Geen slechte openingszin voor een leuk gesprekje op het strand van Cannes.'
Er was een periode aangebroken dat ze allebei thuis waren, en hoewel Monique soms had gemopperd en geklaagd dat het wel leek of ze weer twee kleine kinderen in huis had, had Dominic gezien dat ze er stiekem van genoot. Haar gebeden waren deze keer verhoord.
Na twee weken was Gerome weer aan het werk gegaan, maar Dominic was thuisgebleven. Het incident was een duidelijke aansporing geweest om met vervroegd pensioen te gaan. Het was een goed pensioen, plus een invaliditeitstoelage, en bovendien had hij in de loop der jaren genoeg geld opzij gezet. Hij was te oud om over snelwegen achter slechteriken aan te jagen.
Een maand daarvoor had hij in Juan-les-Pins een café te koop zien staan en hij had contact opgenomen met Valerié, Louis' vrouw, en haar om advies gevraagd, want zij kende de horecawereld aan de kust. Cafés en bars met een thema waren populair,

en hij dacht aan een 'eind jaren vijftig, begin jaren zestig'-café, met memorabilia zoals een oude jukebox en pop- en filmposters. Al de soulplaten uit de periode voor zijn jukebox had hij al. Ten slotte was Valerié zo enthousiast geworden dat ze had aangeboden met hem mee te doen. Vooral de gedachte dat er op een dag iemand uit het milieu zou binnenkomen om hun 'bescherming' tegen betaling aan te bieden, sprak haar bijzonder aan. 'Laat dat maar aan mij over,' had Dominic met een knipoog gezegd.

De papieren zouden de volgende maand worden getekend en na de verbouwing zou het café kort voor Kerstmis geopend kunnen worden. De zomers zouden natuurlijk de meeste klanten opleveren, maar met de weekends en een lichte opleving rondom Kerstmis en Pasen waren ze voorlopig al tevreden. De enige waarschuwing die Monique hem had gegeven, was dat hij maar beter aan de Perrier kon blijven als hij achter de bar stond. Dominic wist niet precies wat zijn belangrijkste motief was: zijn jeugd herbeleven, zichzelf iets te doen geven of geld verdienen. Maar als twee van de drie lukten, zouden ze hem niet horen klagen. Met een glaasje Perrier naar Sam Cooke luisteren met de ruisende branding van Juan-les-Pins op minder dan vijftig meter afstand. De hemel op aarde.

Begin maart had Lepoille hem gebeld met het nieuws over Duclos in Brazilië. De pogingen van de Zwitserse ambassade om de nabestaanden van Gerard Belmeau te traceren, hadden een valse identiteit boven tafel gebracht, en de foto plus tandartsgegevens die via Interpol waren gecheckt, hadden algauw aangetoond dat het om Duclos ging.

Corbeix had tegen die tijd zijn vooronderzoek in absentia van Duclos voltooid en het uiteindelijke proces zou in juli beginnen. Corbeix had gezegd dat de complexiteit van de zaak en de vraag of hij nog voldoende kwaliteiten en uithoudingsvermogen had om deze af te ronden, zijn voornaamste redenen waren om het proces door te zetten. 'Een mooie manier om mijn carrière af te sluiten, én die schoft van een Thibault te bewijzen dat hij ernaast zat.'

Maar Dominic vermoedde dat iets wat Corbeix tegen hem had gezegd vlak voordat hij zijn verzoek tot voortzetting van de procedure in absentia had ingediend, even zwaar meetelde. Corbeix had bij de Garde des Sceaux het verzoek ingediend om Machanauds oude veroordeling te herroepen, maar toen de zaak voor

herbeoordeling aan het Hof van Cassatie was overgedragen, had hij te horen gekregen dat een dergelijke herroeping alleen mogelijk was als het openbaar ministerie zijn zaak tegen de andere verdachte kon bewijzen. Corbeix wilde dat de zaak recht werd gezet. Dat het onrecht uit het verleden ongedaan werd gemaakt.
'C'est prêt!'
Dominic schrok op. Monique stond in de deuropening en riep dat het eten klaar was.
Pot au feu met eend, spinazie, asperges en witte bonen. Yves en Gerome zaten al aan tafel toen Dominic binnenkwam. Hij trok de wijn open en schonk in: Côte Rôtie, Les Jumelles 1991. Onder het getik van bestek toen Monique opschepte, stak hij zijn glas omhoog en zei: 'Salut!' Twee weken daarvoor had Corbeix hem gebeld om hem de uitslag van het proces tegen Duclos te vertellen: schuldig. 'Leuk om iedereen hier te zien.'
Glazen werden in de lucht gestoken, een wat gegeneerde glimlach van Yves, omdat hij meestal de grote afwezige was. Maar ze hadden allemaal hun best gedaan om te komen, want ze wisten dat de Capels die middag op bezoek zouden komen.
De conversatie was eerst heel luchtig: Yves en Gerome over hun werk en een bar in St. Maxim waar ze die avond naartoe zouden gaan. Monique was nooit gelukkiger dan met haar gezin om zich heen, en Dominic genoot van de gloed die ze uitstraalde.
Toen, na een korte stilte, keek ze hem bedachtzaam aan. 'Eyran lijkt me een leuke jongen. Heel openhartig.'
'Ja, dat is hij zeker.' Monique had hem een paar vragen gesteld nadat de Capels waren vertrokken, maar de conversatie was nogal traag verlopen toen ze er waren, omdat deze in drie etappes verliep. Geromes Engels was beperkt en dat van Monique en Yves praktisch nihil, zodat Dominic als tolk had moeten optreden. Hij had opeens weer moeten denken aan de kleine spreekkamer met Calvan en Eyran en Philippe die vertaalde. Maar Dominic wist waarom Monique deze opmerking nu maakte.
Toen Stuart hem de afgelopen zomer had verteld dat Eyran nieuwsgierig was naar Monique en haar graag wilde ontmoeten, had Dominic door het ongeluk en zijn periode van herstel vergeten dat aan haar door te geven, en toen hij het onderwerp uiteindelijk ter sprake had gebracht, had ze bijna een maand nodig gehad om tot een antwoord te komen. Trage acceptatie. Hij had haar al verteld dat de jongen weinig of geen gelijkenis met

Christian vertoonde, maar toch had ze hem weer dezelfde vragen gesteld, hoewel ze deze keer gedetailleerder leken: is hij openhartig, vriendelijk? Spreekt hij Frans? Dominic had geantwoord dat het een leuke jongen was, een beetje verlegen misschien, wat teruggetrokken. Dat, hoewel hij niet meer in therapie was, het verlies van zijn ouders toch duidelijk een litteken had achtergelaten.

Toen ze uiteindelijk akkoord was gegaan met een ontmoeting, had hij Stuart Capel gebeld. Stuart stelde voor dat ze in de zomer een dagje op bezoek zouden komen, als ze het konden combineren met hun vakantie. Maar de Eyran Capel die hij die dag zag, leek bijna een andere jongen: vrolijk, spraakzaam, belangstellend, met fonkelende ogen en talloze vragen. 'Waar is het dichtstbijzijnde strand? Gaat u er vaak naartoe? Hebt u een boot?'

'Hij is flink opgeknapt sinds ik hem voor het laatst zag,' merkte Dominic op. 'Of misschien is het omdat hij een jaartje ouder is. Meer zelfvertrouwen.'

Stuart was alleen met Eyran gekomen, had zijn vrouw en dochter op het strand van St. Tropez gelaten. Tijdens hun gesprek in drie etappes was het Dominic opgevallen dat Monique een paar keer heel intens naar de jongen zat te staren. Het was hem nooit gelukt om iets van Christian in de jongen te zien, maar misschien was zij daar op dat moment wel toe in staat.

Op een zeker moment, toen Stuart hem op de hoogte bracht van het laatste nieuws over Marinella Calvan, probeerde Monique zich rechtstreeks tot Eyran te richten. Kreupele, halve zinnen met de paar woorden Engels die ze kende, handgebaren en oogcontact. Ten slotte nodigde ze Eyran uit om de tuin te bekijken: de veiligheid van de universele taal van bomen en planten, af en toe wijzen en naar elkaar glimlachen.

Calvan had Stuart Capel gebeld om hem te bedanken omdat hij haar nek had gered voor het gerechtshof. Ze had ook een voorstel: ze was een boek aan het schrijven, maar dat zou nog veel meer aan kracht winnen als er een paar persoonlijke interviews met Eyran in zouden staan. Ze zou hem een kwart van de royalty's betalen. Zij kreeg ook een kwart en de rest ging naar de universiteit om het onderzoek naar PLT voort te zetten. Stuart was akkoord gegaan. Ze konden er Eyrans studie mee betalen. Het boek zou over zeven maanden uitkomen. 'Ik zal je een exemplaar sturen.'

Dominic, op zijn beurt, had Stuart op de hoogte gebracht van het nieuws over Duclos, het proces en Corbeix. Toen ze Monique en Eyran naar buiten waren gevolgd, stonden de twee achter in de tuin, bij het stenen muurtje, en wees Monique naar de velden en bossen in de verte.
Nadat ze waren vertrokken, had Monique hem nog meer vragen gesteld en had Dominic ingevuld wat ze misschien had gemist. Sinds zijn ongeluk had ze het nauwelijks over Eyran en Christian gehad, en hij had het gevoel dat ze het bewust had weggedrukt als een vorm van zelfbescherming. Nu was het echter alsof het bezoek alles weer terug had gebracht en dat ze erg haar best moest doen om zich daaraan aan te passen. Weer had ze gevraagd: 'Weet je zeker dat hij zich niets herinnert als hij wakker is? Alleen onder hypnose?' Opeens begon Dominic zich zorgen te maken dat ze had geprobeerd daar rechtstreeks met Eyran over te praten, terwijl die het zelf maar half wist.
Daarna hadden ze tijdens het eten het alleen nog over koetjes en kalfjes gehad. Maar toen de tafel was afgeruimd, Yves en Gerome naar St. Maxim waren vertrokken en Dominic een glaasje cognac had ingeschonken, vroeg Monique: 'Wanneer is Eyran met therapie opgehouden?'
'Toen ik hem vorig jaar met Stuart op het Palais de Justice zag, had hij nog drie sessies te gaan. Dus hooguit een maand daarna, denk ik.'
Monique dacht even na. 'Uit wat je zei maak ik op dat hij nu duidelijk veel gelukkiger is. Rustiger. Het afgelopen jaar heeft veel verschil gemaakt.'
'Daar lijkt het wel op.' En opeens, toen hij Monique aankeek, begreep hij waarom dat zo belangrijk voor haar was. Eerst had ze het bestaan van een PLT-band tussen de twee jongens nooit helemaal kunnen accepteren. Een of ander vaag, onverklaarbaar paranormaal verband, verder had ze nooit willen gaan. Maar als ze het nu eindelijk wilde accepteren, was het belangrijk voor haar dat ze wist dat Eyran nu gelukkig was. Haar pijn en verdriet – die van iedere moeder die een kind had verloren – waren er niet alleen geweest vanwege het persoonlijke verlies, maar ook door de gedachte dat zo'n jong leven was geëindigd terwijl het nog zoveel in het vooruitzicht had. Een tragische verspilling die indruiste tegen alles wat met het evenwicht van en de orde in het leven te maken had. Als ze nu kon geloven dat dat leven op de

een of andere manier werd voortgezet, kon dat haar misschien helpen een deel van de pijn en het verdriet te verzachten.
Op tafel, tussen hen in, stond een enkele kaars. Op de achtergrond het zachte getjirp van krekels. Een stille, zwoele avond. Het was bijna surreëel dat dit het decor was waar een jaar geleden alles bijna was geëindigd. Hij pakte Moniques hand vast en glimlachte naar haar. Hij zag hoe wanhopig graag ze zich nu wilde vastklampen aan die hoop en wist dat áls ze het uiteindelijk kon geloven, die laatste dreigende schaduwen misschien voor altijd uit haar ogen zouden verdwijnen. 'Ja,' zei hij. 'Ik denk dat je gelijk hebt. Hij is nu heel gelukkig.'
Die nacht, toen Dominic op het puntje stond in slaap te vallen, paradeerden alle gebeurtenissen van die dag nog een keer voorbij: de Capels, Yves en Gerome, het nieuws over Duclos, Corbeix en Calvan, en Moniques laatste verzet tegen de aanvaarding.
Maar het beeld dat hem het duidelijkst voor de geest stond, was dat van Monique en Eyran die bij het stenen muurtje stonden en uitkeken over de velden daarachter. Even was hij bezorgd geweest – net zoals toen hij zelf met Stuart en Eyran in het korenveld had gestaan – dat het beeld nieuwe nachtmerries in Eyrans geest teweeg zou brengen, dat het korenveld op de een of andere manier oude, vergeten herinneringen aan Taragnon zou oproepen. Maar de beelden die door zijn hoofd flitsten, waren die van zijn eigen dromen: de gendarmes die met hun stokken het koren opzij sloegen, het veld dat in lichterlaaie stond, de vlammen die hem insloten, de moordenaar die erdoorheen sloop... Fel, flakkerend licht dat pijn deed achter zijn ogen.
Maar toen dat licht doofde en hij hen weer samen bij dat muurtje zag staan, wenkend naar hem, wist hij dat er niets te vrezen was. En op dat moment, toen hij nog eens goed keek, zag hij dat Monique Eyrans hand vast had. Of droomde hij al?

Lees ook van A.W. Bruna Uitgevers B.V.

Elizabeth George

In handen van de vijand

Charlotte, het tienjarige dochtertje van parlementslid Evelyn Bowen, verdwijnt op raadselachtige wijze. Al snel ontvangen beide ouders van het meisje een dreigbrief van de kidnapper: als zij zijn eisen niet zullen inwilligen, zal Lottie sterven...
Eve is niet bereid om zelfs maar voor één moment te geloven dat Charlotte werkelijk in handen van een vreemde is gevallen: zij is ervan overtuigd dat Charlottes vader, Dennis Luxford, hierachter zit. Dennis, hoofdredacteur van het op sensatie gerichte dagblad *The Source*, is er immers voortdurend op uit Eve onderuit te halen. Dennis, meent Eve, is op een politieke rel uit die haar zal dwingen af te treden als staatssecretaris van Binnenlandse Zaken. Zij weigert dan ook pertinent de politie in te schakelen.
Totdat het lijkje van Charlotte aanspoelt...
Inspecteur Thomas Lynley staat nu voor een bijna onmogelijke taak: hij is veel te laat ingeschakeld, dus de meeste sporen van de misdaad zijn allang uitgewist. En tot overmaat van ramp ziet hij zich ook nog eens aan banden gelegd door vertegenwoordigers van de regering, die zelfs de kleinste beweging van hem registreren...

ISBN 90 449 2704 3